JOURNALISTES PRÉCAIRES,
JOURNALISTES AU QUOTIDIEN

Dans la même collection

Alain Accardo, *Introduction à une sociologie critique.
Lire Pierre Bourdieu*

Serge Halimi & Dominique Vidal, avec Henri Maler
*« L'opinion, ça se travaille… » Les médias et les « guerres justes » :
Kosovo, Afghanistan, Irak*

Noam Chomsky, *De la guerre comme politique étrangère
des États-Unis*

Jean Pierre Levaray, *Putain d'usine*, suivi de *Après la catastrophe*

Obervatoire de l'Europe industrielle, *Europe Inc. Comment les
multinationales construisent l'Europe & l'économie mondiale*

À paraître

Serge Halimi, *Quand la gauche essayait. Les leçons de l'exercice
du pouvoir : 1924, 1396, 1944, 1981*

© Le Mascaret, 1995 & 1998

© Agone, 2007 pour la présente édition

BP 70072, F-13192 Marseille cedex 20
http://agone.org

ISBN 978-2-7489-0064-4

ALAIN ACCARDO

avec Georges Abou, Gilles Balbastre
Christophe Dabitch & Annick Puerto

Journalistes précaires, journalistes au quotidien

Nouvelle édition revue & actualisée

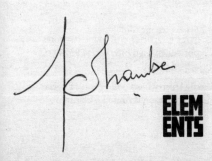

ELEM
ENTS

On trouvera les références des livres et articles cités dans les notes numérotées en chiffres arabes, reportées en fin d'ouvrage, p. 887-890. L'origine des chapitres est indiquée en p. 891.

Édition préparée par Michel Caïetti, Thierry Discepolo, Benoît Eugène et Gilles Le Beuze. En couverture, illustration d'Anne Le Dantec.

Remerciements

Nous tenons à remercier bien sincèrement tou(te)s les journalistes qui ont accepté de nous livrer leurs témoignages : *Agnès, Bernard, Clément, Edmond, Évelyne, Florence, Grégoire, Hélène, Jean-Louis, Julien, Marianne, Nedjma, Norbert, Pascal, Roland, Solange, Viviane* – et quelques autres. Qu'ils/elles soient assuré(e)s de toute notre reconnaissance et de toute notre estime.

Merci aussi à l'ERASE – l'équipe de recherche d'anthropologie et de sociologie de l'expertise dirigée par le professeur Jean-Yves Trépos de l'université de Metz – pour le soutien institutionnel apporté à notre travail.

Pour préserver l'anonymat de nos interlocuteurs(-trices), parfois contre leur propre volonté de témoigner sous leur véritable identité, nous ne les avons désigné(e)s que par des prénoms fictifs. De même avons-nous modifié tous les noms de personnes mentionnés dans leurs propos. En ce qui concerne les noms des entreprises et organes de presse, nous les avons remplacés le plus souvent par des appellations fantaisistes ; sauf là où, de l'avis même de nos interlocuteurs, cela ne s'imposait pas.

Tous les entretiens ont eu lieu dans le courant de l'année 1996. Ils ont été réalisés par le groupe de Sociologie des pratiques journalistiques constitué à l'initiative et sous la direction d'Alain Accardo, maître de conférences de sociologie à l'université de Bordeaux III.

Les membres du groupe étaient les suivants :

— Georges Abou, journaliste, chef d'édition à RFI
— Gilles Balbastre, journaliste indépendant
— Patrick Balbastre, journaliste titulaire à Radio France
— Stéphane Binhas, journaliste contractuel à France 3
— Christophe Dabitch, journaliste indépendant
— Annick Puerto, journaliste indépendante
— Hélène Roudié, journaliste indépendante
— Joëlle Stechel, journaliste indépendante

Outre la réalisation des entretiens, plusieurs membres du groupe de travail ont rédigé des commentaires qui s'intéressent à différents aspects de la réalité mise en évidence par nos interlocuteurs. Ces textes d'accompagnement, répartis tout au long de l'ouvrage sous la rubrique « Analyses & commentaires », forment une sorte de contrepoint réflexif aux voix de nos témoins.

Préface

Le présent volume constitue la réédition d'un ouvrage qui comportait originellement deux tomes distincts, intitulés *Journalistes au quotidien* et *Journalistes précaires*, respectivement publiés au Mascaret (Bordeaux) en 1995 et en 1998. On y trouvait exposés les résultats d'une enquête approfondie, dont le premier volet était consacré à certains aspects significatifs du travail journalistique ordinaire dans les rédactions tandis que le second s'intéressait essentiellement aux effets de la précarisation croissante du personnel journalistique. Nous avons pris le parti, pour cette réédition, de ne conserver du premier volet de notre enquête que le document intitulé « Journal d'un JRI ». Celui-ci en effet nous a paru pouvoir être associé sans disparate sensible au contenu du second volet, c'est-à-dire à l'ensemble des témoignages émanant des journalistes en situation de précarité – même si l'auteur de ce document n'avait pas lui-même, à l'époque où il tenait son journal de travail, un statut précaire.

Nos lecteurs trouveront dans les introductions toutes les informations nécessaires sur la nature de notre enquête, ses motivations, les conditions dans lesquelles elle s'est déroulée, son cadre théorique, sa méthode et sa bibliographie.

Ce que nous tenons à souligner ici – et c'est là la justification principale de sa réédition –, c'est que notre ouvrage a conservé toute son actualité. Le constat de carence et de crise du monde journalistique que notre enquête, entreprise il y a plus de dix ans, nous avait conduits à dresser, demeure pour l'essentiel valable aujourd'hui.

Il convient même, en toute rigueur, de dire que la situation s'est encore détériorée, vu que l'aggravation des causes ne peut qu'entraîner celle de leurs effets. Aujourd'hui plus encore que précédemment, les médias sont une industrie soumise à toutes les contraintes et tous les impératifs de l'économie libérale. L'hégémonie de l'audiovisuel, et singulièrement de la télévision, a renforcé, par l'intermédiaire de la publicité, la soumission au mercantilisme des industriels, des banquiers et des autres grands investisseurs qui détiennent désormais la propriété de la presque totalité des médias d'information et de communication. En marge de ces « empires de presse » dominateurs, de modestes artisans se battent avec courage et abnégation pour faire subsister une presse (le plus souvent écrite) indépendante et critique, qui a beaucoup de peine à se maintenir malgré les incontestables talents qui s'y déploient. Certaines d'entre elles et certains d'entre eux, qui ont fait précédemment, à l'intérieur de quelque grande rédaction, l'expérience de la condition précaire décrite dans ce livre par nos témoins, ont finalement préféré les difficultés matérielles et les aléas liés à la liberté de penser plutôt que l'asservissement de l'esprit qu'on voulait leur imposer. Ce sont tous ces journalistes-là qui mériteraient d'être encensé(e)s et qualifié(e)s de « grand(e)s professionnel(le)s », et non celles et ceux qui, par irresponsabilité, conviction ou cynisme, ont fait fructueusement carrière au service des puissants et qui plastronnent vaniteusement aujourd'hui dans la vitrine des médias en proclamant que, désormais, ce sont eux qui « créent l'événement », autre façon d'afficher leurs prétentions au pouvoir.

Au cours de ces dernières décennies, les raisons et les enjeux des luttes sociales se sont d'une certaine façon clarifiés. Pour les nouvelles générations en particulier, dont l'entendement n'est plus obnubilé par les affrontements de la guerre froide qui ont si longtemps pesé sur tout combat politique et social, il devient toujours plus évident que la seule alternative sérieuse qui s'offre à l'humanité actuelle, c'est l'acceptation ou le refus de la mondialisation capitaliste en marche. On peut désormais, sans craindre de passer pour un bolchevik sanguinaire et borné, dénoncer dans la soif insatiable de profits du capitalisme la source sinon exclusive, du moins principale, des iniquités et des souffrances de notre temps, et se battre pour y mettre fin. Nous sommes désormais à la croisée des chemins et un nombre croissant d'individus et de groupes choisissent de rejoindre le combat anticapitaliste. Ce n'est pas le cas des journalistes, dont la corporation, en dépit d'opposants internes courageux mais non organisés et très minoritaires, s'est depuis longtemps rangée massivement dans le camp des défenseurs de l'ordre établi. Se proclamant, de façon purement rhétorique et rituelle, « amis de la Vérité et de la Justice », ils sont en fait l'un des plus solides piliers d'un ordre qui se soutient par le mensonge et l'injustice. Dans les strictes limites assignées à leur activité par la logique objective de la défense et de la reproduction des rapports de domination capitalistes, ils entretiennent avec les autres fractions (politique, intellectuelle, artistique, sportive, etc.) de l'*establishment* un ensemble de rapports complexes et contradictoires, à la fois d'alliance obséquieuse et de concurrence envieuse, à travers d'incessants échanges de services, de révérences, de perfidies, d'idées et d'idylles.

Le grand public ne connaît généralement du journalisme que sa vitrine la plus clinquante. Il ignore, ou en tout cas sous-estime gravement à quel degré de médiocrité intellectuelle et d'imposture morale est parvenue, sous la conduite de ses « élites » autoproclamées, cette corporation où une minorité privilégiée, parfois brillante et talentueuse, mais pas toujours, loin s'en faut, régente avec arrogance et sans compassion excessive une masse de jeunes hommes et de jeunes femmes auxquel(le)s quelques années d'études post-baccalauréat sans véritable substance et le passage par les écoles de journalisme et/ou les instituts d'études politiques (IEP) ont permis d'atteindre ce niveau officiellement certifié d'inculture branchée et culottée, bavarde et narcissique, que les métiers de la communication, de la relation et de la présentation semblent apprécier et favoriser. Les cadres supérieurs des rédactions et des directions trouvent d'ailleurs dans les insuffisances de formation (tant professionnelle que générale), hypocritement déplorées, de leurs jeunes collègues un argument supplémentaire pour justifier le peu de prix accordé à leur travail et le peu de considération accordé à leur personne. Jamais sans doute cette caste dirigeante n'a mérité autant qu'aujourd'hui l'appellation de « journaille » que lui donnait Karl Kraus [1]. Adhérant sans le moindre recul à l'idéologie des managers capitalistes et partageant sans réserve la philosophie patronale, ces journalistes ont réussi à faire des entreprises de presse des entreprises « comme les autres », c'est-à-dire des affaires de gros sous, gouvernées par une logique gestionnaire néolibérale, où le travail est exploité toujours davantage et où les travailleurs ne sont plus qu'une « variable d'ajustement ». Le secteur de la presse, en particulier dans les radios et les chaînes de télé, est certainement l'un de ceux où la précarisation des petits salariés est la plus galopante. La corporation, pourtant truffée de grandes consciences toujours prêtes à délivrer des leçons d'humanisme sans frontières, ne s'émeut guère de la condition galérienne qui est faite, jusque dans son sein, à des milliers de jeunes gens et de jeunes filles, complaisamment livré(e)s à l'arbitraire des employeurs par les écoles de journalisme et leur enseignement de la soumission. ²

Ceux-là mêmes qui sont les victimes de cette forme de paupérisation du tertiaire entraînée par la précarisation du travail de production symbolique et des tâches intellectuelles n'ont pas d'autre choix que de se soumettre ou de s'en aller. Mais le plus souvent, ils ne s'en vont que s'ils y sont contraints, pour cette raison – entre autres – que l'illusion d'appartenir à un corps prestigieux et puissant (le fameux « quatrième pouvoir ») compense en partie les avanies qu'ils y subissent du fait de leur position inférieure. Le recrutement bourgeois et petit-bourgeois largement majoritaire de la population journalistique entraîne que les journalistes non seulement répugnent à s'engager dans des luttes sociales et sont hostiles à l'action syndicale, mais encore qu'ils sont incapables de percevoir le bien-fondé de ces luttes quand elles sont le fait d'autres salariés, ce qui se ressent clairement dans la couverture médiatique des mouvements sociaux ³.

D'une façon plus générale, on peut dire que la représentation médiatique du monde, telle qu'elle est fabriquée quotidiennement par les journalistes, ne montre pas ce qu'est effectivement la réalité mais ce que les classes dirigeantes et possédantes croient qu'elle est, souhaitent qu'elle soit ou redoutent qu'elle devienne. Autrement dit, les médias et leurs personnels ne sont plus que les instruments de propagande, plus ou moins consentants et zélés, dont la classe dominante a besoin pour assurer son hégémonie. Comme tels, ces instruments doivent être démontés et combattus avec vigueur et sans relâche – ce que ne font malheureusement pas les organisations de la gauche institutionnelle, qui ont renoncé à la critique de classe et sont toujours prêtes à pactiser avec l'ennemi au nom de la bienséance républicaine, du réalisme politique et de la nécessité d'exister médiatiquement.

Peut-être objectera-t-on qu'il serait injuste de traiter en ennemis de classe tous les journalistes sans exception, puisque beaucoup d'entre eux sont des victimes de la perversion du système médiatique et ne font qu'obéir aux ordres. Il serait facile de répondre, d'un point de vue sociologique, que l'établissement, le maintien et la reproduction des dominations sociales exigent un énorme travail collectif impliquant des myriades d'individus ; que le propre de toutes les institutions sociales, c'est d'embrigader tout le monde dans leur fonctionnement, dominants et dominés confondus, et qu'il serait peut-être temps, dans une société chargée d'histoire comme la nôtre, où l'on a appris depuis longtemps à rationaliser l'injustice et à planifier l'ignominie, que des citoyens se prétendant instruits, lucides et responsables réfléchissent sur leur participation au maintien du désordre régnant, à la façon dont leur tâche parcellaire s'inscrit dans un processus global, et donc qu'ils s'interrogent sur les ordres qu'ils reçoivent, sur ceux qui les donnent, et sur toutes les conséquences que leur exécution peut entraîner. Quand la monstruosité du système que l'on sert est devenue évidente, l'excuse consistant à dire qu'on ne savait pas ou qu'on ne pouvait pas faire autrement n'est plus acceptable. Certaines et certains journalistes ont l'intelligence de le comprendre et le courage de se battre [4]. Honneur à elles et à eux. Il appartient aux autres de suivre leur exemple.

ALAIN ACCARDO
Septembre 2006

Pour une socioanalyse
des pratiques journalistiques

Le désordre dans lequel est plongé durablement le journalisme est d'une gravité que tous les observateurs s'accordent à reconnaître, à commencer par une grande partie des membres de la profession eux-mêmes, chez qui l'on trouve sans doute – il convient de le souligner – les censeurs les plus sévères de tous les errements engendrés par cette crise. Je n'ai pas l'intention de revenir sur l'examen détaillé des évolutions qui, en quelques décennies, ont conduit à l'état de choses actuel. Chercheurs et journalistes ont déjà publié sur ce sujet des études et des réflexions éclairantes auxquelles on ne peut que renvoyer [1].

Je me propose de formuler ici quelques hypothèses d'ordre sociologique qui, au-delà du journalisme, me semblent également concerner le fonctionnement de bien d'autres champs sociaux. Dans tous les champs sociaux en effet, on a l'habitude, surtout quand il s'y produit des choses regrettables ou répréhensibles, de s'interroger sur les « responsabilités ». Cette recherche des « responsables » implique, en bonne logique, que tout le monde ne l'est pas et qu'il y a donc des non-responsables. Ainsi, à tout propos, la population du champ considéré est-elle invariablement partagée en deux par un discours qui met « en cause » les uns en mettant les autres « hors de cause ». Cette façon systématique d'accuser les uns en excusant les autres est d'autant mieux acceptée qu'elle a généralement pour elle la force du droit. La forme juridique irréprochable contribue à faire oublier le fondement

philosophique éminemment contestable de cette conception traditionnelle (et toujours dominante) de l'action.
Ce que je me propose de montrer, sur le cas exemplaire
des pratiques journalistiques, c'est la nécessité de fonder
plus objectivement l'idée qu'on se fait de la « responsabilité » ou de la « non-responsabilité » des agents/acteurs
dans le surgissement des situations et l'évolution des processus, en ne se contentant pas d'appréhender leurs actions à travers les catégories intellectualistes, volontaristes
et manichéennes du langage usuel mais en examinant les
tenants et aboutissants de leurs initiatives dans l'optique
d'une théorie de l'action sociologiquement fondée.

Idéologie et sociologie

Parmi les questions qui sont au cœur de la problématique
actuelle de la science sociale, on trouve celles soulevées par
l'opposition entre l'analyse macro(sociologique) et l'analyse micro(sociologique), qui visent toutes deux à rendre
raison du monde social tel qu'il va, avec cette différence
que la première cherche à mettre en évidence comment
des *macrostructures objectives* (économiques par exemple,
telles que les « lois du marché » ou les « rapports de production ») déterminent en dernier ressort tout ce que font
les agents sociaux ; tandis que la seconde s'efforce de montrer comment les *actions et interactions individuelles*
construisent, ou mieux encore inventent, continûment,
le monde social. On a là deux perspectives diamétralement
opposées qui, depuis les débuts mêmes des sciences sociales, n'ont cessé d'alimenter deux tendances antagonistes
trouvant historiquement leur expression la plus caractéristique d'une part dans le structuralisme des années 1960 ;
d'autre part dans l'individualisme méthodologique ou

dans les formes les plus strictes de l'interactionnisme et de l'ethnométhodologie. Selon qu'on adopte l'une ou l'autre de ces perspectives sur un champ social quel qu'il soit, on est conduit à voir les agents de ce champ comme des « marionnettes » soumises à l'action des structures extérieures qui leur imposent leur logique objective de fonctionnement, ou au contraire à les voir comme des « acteurs » libres de leurs choix, faisant en toutes circonstances, sciemment et délibérément, ce qu'ils estiment de leur intérêt de faire. Au regard de l'analyse micro, il faut partir, pour comprendre le monde social, de ce que chaque acteur « a dans la tête » au moment où il agit, de la représentation qu'il a de la situation concrète où il se trouve, de ce qu'il a l'intention d'y (ou d'en) faire, de ses plans et de ses stratégies. De ce point de vue *subjectiviste*, le monde social réel n'est, en tout point et à tout moment, rien d'autre que l'ensemble des interactions multiples de sujets individuels qui ne cessent de faire, défaire et recomposer la réalité au gré de leurs initiatives entrecroisées (dont les effets peuvent d'ailleurs, par agrégation, prendre une dimension macrosociologique et échapper à la volonté des acteurs). Au regard de l'analyse macro au contraire, peu importe à la limite ce que les agents « ont dans la tête » puisque aussi bien ils ne feront jamais que ce que les structures préexistantes leur commanderont ou permettront de faire. C'est un point de vue *objectiviste* en ce sens qu'il exclut la possibilité pour les agents de se comporter en « sujets », c'est-à-dire en acteurs conscients capables d'échapper au déterminisme objectif des structures extérieures.

En fait, cette opposition théorique n'aurait sans doute jamais pris ce tour tranché et irréductible si elle n'était depuis le début largement surdéterminée par des conflits anciens, qui se sont longtemps exprimés dans le registre théologico-philosophique, entre d'une part l'affirmation chrétienne ou spiritualiste de la liberté ontologique de la personne humaine, signe même de sa transcendance par rapport à l'ordre des choses temporelles et matérielles ; et d'autre part l'affirmation matérialiste de son appartenance ontologique à cette réalité matérielle, c'est-à-dire, *a contrario*, la négation de ce libre arbitre souverain et inconditionné. L'alliance durable du trône et de l'autel dans le monde occidental a associé de façon circulaire l'ontologie chrétienne et sa métaphysique du libre arbitre à l'acceptation de l'ordre établi et de ses rapports de forces, non sans paradoxe puisqu'en définitive toute la liberté du sujet humain se résumait à souscrire aux décrets de la Providence. Il n'en restait pas moins que l'ordre présumé divin était aussi l'ordre ratifié par la volonté des hommes et que, chacun étant présumé libre, chacun était du même coup responsable de son sort, bon ou mauvais. La cité terrestre étant ce qu'elle devait être, les souffrances des hommes trouvaient leur source dans le mauvais usage de la liberté, donc dans l'âme humaine dévoyée et aliénée par les concupiscences. En conséquence, pour instaurer plus de justice dans les rapports humains, la seule action réformatrice possible et concevable était de se changer soi-même et non pas de chercher à changer le monde environnant. Il était logique qu'en se développant la critique sociale des inégalités et de l'injustice s'attaquât à cette thèse ultra-subjectiviste dont le résultat le plus sûr était de culpabiliser les victimes, ce qui a toujours été et demeure un moyen efficace de légitimer l'arbitraire. C'est ainsi qu'au XIXᵉ siècle, lorsque le mouvement de contestation engendré par l'exploitation capitaliste du prolétariat industriel a entrepris d'opposer au libéralisme dominant une conception socialiste de l'organisation de la société, ses théoriciens ont embrassé dans la même critique l'économie capitaliste et les présupposés philosophico-religieux qui font corps avec elle et qui donnent leur légitimité aux mécanismes du marché, institution de liberté et de bonheur par excellence puisque celui-ci est censé être à la fois le résultat et le moyen de la rencontre entre des individus également libres qui passent librement un contrat assurant l'harmonisation de leurs intérêts respectifs – comme par exemple l'accord passé entre patrons qui embauchent et ouvriers en quête d'un salaire. En vertu de cette conception idyllique des rapports sociaux, si l'un des contractants, le prolétaire le plus souvent, avait à souffrir des dispositions prises, il ne devait s'en prendre qu'à lui-même, puisqu'en principe et en toute rigueur il était libre d'accepter ou de refuser l'offre qui lui était faite. On se souvient de la métaphore du « renard libre dans le poulailler libre » par laquelle les théoriciens socialisants tournaient en dérision cette transfiguration éthérée du marché réel et de ses contraintes implacables. À leurs yeux, cette idéologie iréniste et consensuelle de l'harmonie sociale par le jeu du marché n'était que le masque mensonger plaqué sur un système caractérisé précisément par la profonde inégalité des ressources matérielles et symboliques des groupes sociaux, et par la transformation objective du travail humain en une marchandise sacrifiée à vil prix aux appétits du Moloch capitaliste. Par opposition au « mensonge » libéral, la théorie socialiste, qui avait partie liée avec la science sociale naissante (et sa mise en évidence du conditionnement social des individus) – et qui, pour les besoins de sa démonstration, était quelque peu amenée à « tordre le bâton dans l'autre sens » –, a souvent eu tendance à développer, de façon unilatérale et dogmatique, une vision « holistique » des structures et des mécanismes objectifs du système, en considérant celui-ci globalement *comme un tout* déterminant étroitement chacune de ses parties et dont la logique propre de fonctionnement ne laissait guère de place pour un libre jeu des acteurs individuels. Dans le cadre d'un tel *holisme*, les individus ne sont plus que des agents soumis à une *logique structurale* qui les agit le plus souvent à leur insu, et se trouvent par là même exonérés de toute responsabilité personnelle effective dans ce qui leur arrive. Si le patron exploite l'ouvrier et si celui-ci se laisse exploiter, ce n'est pas en vertu d'on ne sait quelles intentions malignes ou perverses de leur part mais parce que ni l'un ni l'autre ne peuvent faire autrement, le voudraient-ils, contraints qu'ils sont par la rationalité propre au système et à la position qu'ils y occupent. Si donc on veut améliorer les rapports sociaux, réduire les inégalités, combattre l'injustice, il n'y a pas grand-chose à attendre des initiatives individuelles, seraient-elles dictées par les intentions les plus pieuses et les plus sincères. Les transactions et négociations à l'échelle interindividuelle ne sauraient pallier les carences structurales d'un système global. L'action caritative personnelle, suspendue aux fluctuations émotionnelles de la bonne volonté individuelle, limitée à des cas singuliers, intermittente et ponctuelle, toujours consentie, jamais exigible, et dont le principe s'inscrit dans les cœurs et jamais dans les lois, est incapable de remédier au déni de justice massif et permanent dont sont inexorablement victimes les dominés du système du seul fait qu'on le laisse fonctionner sans entraves. Le « laisser-faire » cher au libéralisme n'est jamais en réalité qu'un laisser-jouir pour les « élites » et un laisser-croupir pour les « masses ». D'où le cri farouche des tribuns révolutionnaires : « Nous voulons la justice et nous n'avons que faire de votre charité. » En conséquence, c'est au système qu'il faut s'attaquer, par l'action politique collective. Seule la mobilisation des classes laborieuses peut substituer des structures nouvelles aux structures existantes et changer *la logique de fonctionnement du monde social dans son ensemble.*

Ce rappel des *racines idéologiques historiques* de l'opposition entre les niveaux micro et macro de la théorie sociologique était nécessaire, me semble-t-il, pour bien comprendre que cette opposition tire en grande partie sa force de ce qu'elle n'est pas de nature purement scientifique. Opter pour l'analyse à grande échelle des déterminismes structurels, massifs et impersonnels (ceux de l'économie, des « grands équilibres », de l'État, du système politique, du système scolaire, de la culture, etc.) ou pour l'analyse minutieuse des stratégies individuelles, des interactions en face-à-face, des transactions entre partenaires dans une situation concrète donnée, voire des seuls échanges conversationnels entre deux interlocuteurs, ce n'est pas seulement choisir entre deux méthodes, deux voies d'accès à la connaissance de *ce qu'est* la réalité sociale, mais c'est aussi, encore aujourd'hui, implicitement ou explicitement, délibérément ou par inadvertance, prendre position, au nom de la science, sur *ce que doit être* le monde social et donc sur ce que chacun doit y faire. Compte tenu de l'histoire des luttes sociales en France, une vision holistique des rapports sociaux est plutôt « de gauche », en ce sens qu'elle apporte de l'eau au moulin de ceux qui pensent qu'il faut changer l'ordre établi en transformant peu ou prou ses structures objectives fondamentales ; tandis qu'une vision individualiste est plutôt « de droite », en ce sens qu'elle conforte ceux qui considèrent que cet ordre est ce qu'il doit être puisqu'il résulte de l'agrégation des innombrables choix plus ou moins rationnels que font librement les individus en fonction de leurs intérêts et qu'en tout état de cause, pour que les choses changent, il n'y a qu'à laisser jouer librement la concurrence entre les compétiteurs en présence, dans chaque situation (ou micro-marché), de telle sorte « que le meilleur gagne » en attendant de remettre en jeu sa supériorité momentanée dans une prochaine interaction.

Comme on voit, le débat est loin de se réduire à une querelle purement théorique [1]. Il comporte aussi des implications morales lourdes de conséquences. En effet,

---

[1]. En montrant que le débat entre macro et micro (les deux notions étant prises comme une sténographie de tous les autres couples d'opposition épistémologiques ou méthodologiques) ne peut se réduire à une querelle purement théorique et en explicitant les implications politiques et sociales de cette opposition, je n'entends pas, à l'inverse, réduire le débat scientifique en le rabattant sur le plan politique, et en méconnaissant ainsi la relative autonomie du champ scientifique et du travail des savants – même si, s'agissant de la science sociale, son autonomie par rapport aux pressions sociales extérieures est moins grande qu'on pourrait le souhaiter. Je tiens à préciser explicitement, pour éviter tout malentendu, qu'à mes yeux les sociologues qui optent pour l'analyse macro ou au contraire pour l'analyse micro, de façon exclusive et systématique, ne doivent pas faire l'objet d'une critique de nature politique (en tant que par exemple, « suppôts du capitalisme », « valets de l'impérialisme », ou bien « agents du totalitarisme », « enragés du collectivisme », pour reprendre des termes polémiques en usage à une époque pas si lointaine). Leurs analyses peuvent et doivent en revanche être critiquées d'un point de vue scientifique pour leur insuffisance théorique et leur incapacité à rendre compte sociologiquement de certains aspects de la réalité. Les seuls critères acceptables sont ceux de la cohérence logique et de la compatibilité avec les faits. Que les convictions philosophiques et les intérêts proprement politiques des chercheurs (qui ne sont pas de purs esprits rationnels, loin s'en faut) aient quelque chose à voir avec les erreurs commises sur le plan scientifique, c'est bien possible (et même hautement probable). Mais du point de vue de la critique scientifique,

selon la perspective adoptée, on tiendra les individus pour plus ou moins responsables d'être ce qu'ils sont et de faire ce qu'ils font. Ce qui se traduit par de grandes différences dans le traitement que les institutions réservent aux problèmes posés par la pauvreté, l'exclusion, la délinquance, la criminalité, etc. – comme l'a montré le démantèlement programmé de la protection sociale par le reaganisme aux États-Unis et par le thatchérisme en Grande-Bretagne, dans les deux cas au nom d'un retour aux sources du libéralisme pur et dur, en vertu duquel il appartient à chacun de se tirer d'affaire, avec l'aide de la Providence si celle-ci y consent, mais en aucun cas avec l'aide de l'État-providence et de la collectivité. En France aussi nous connaissons ce regain de faveur d'un libéralisme radical qui sous-tend la revendication de « moins d'État », la systématisation de la politique de privatisation et de déréglementation, la critique de l'attachement aux « acquis sociaux », l'exhortation à la flexibilité et à la mobilité du travail, l'appel à une répression accrue des délits et des crimes, voire au rétablissement de la peine capitale, etc. Pour autant, il serait faux de dire que nous vivons en régime libéral dans toute l'acception du terme. En France, comme d'ailleurs dans les autres démocraties occidentales, l'histoire a installé une sorte de régime mixte reflétant le rapport variable des forces entre conservateurs et

---

cela ne doit pas être pris en considération. On ne saurait disqualifier un travail scientifique en le qualifiant politiquement (de « réac » ou de « gauchiste »). En revanche, il est tout à fait légitime et nécessaire, quand on examine la genèse historique et sociale d'une problématique scientifique, de tenir compte de toutes les déterminations extrinsèques et intrinsèques qui ont pu jouer, dans son émergence ou son développement, si on veut éviter de tomber dans une sorte d'histoire interne des idées engendrées par immaculée conception.

réformateurs. Ce qui entraîne, sur le plan idéologique, une forme de coexistence des deux visions antagonistes et une oscillation perpétuelle du discours public ou privé d'un point de vue à l'autre, selon l'objet du débat et les besoins de la démonstration. Ainsi les plus fervents partisans du libéralisme ne se privent pas d'invoquer les effets de la « concurrence internationale », le nécessaire respect des « grands équilibres », la pression du marché monétaire et autres contraintes structurelles et « fatalités » sans visage pour expliquer qu'il n'y a « pas d'autre politique possible », ce qui conduit à tempérer pour le moins l'affirmation d'un libre arbitre inconditionné. À l'inverse, les militants les plus convaincus de la pression des structures objectives sur les individus cherchent néanmoins à les mobiliser en les appelant, de façon très volontariste et même idéaliste, à une prise de conscience offensive, ce qui implique pour le moins une certaine autonomie du jugement personnel par rapport aux conditionnements structurels.

Les deux états d'une même histoire

En vérité, malgré une forte prégnance – qu'elle doit à la logique binaire de la pensée commune (ou bien A ou bien B, jamais A et B à la fois) –, cette dichotomie théorique n'a pas de fondement solide. Comme c'est souvent le cas, en épistémologie comme ailleurs, les deux termes qui forment le couple d'opposition et que la pensée constitue comme radicalement distincts, exclusifs et irréductibles, du seul fait de les opposer nommément l'un à l'autre, ne désignent en fait que les deux extrémités d'un même *continuum* le long duquel on peut passer par variation continue d'une (ou plusieurs) variable(s), par toutes les formes intermédiaires d'une seule et même réalité. En séparant pour les besoins de l'action (économique, politique, morale) et en désignant par des substantifs différents (qui font croire à l'existence de substances distinctes) deux aspects du réel qui combinent les mêmes composantes, mais dans des proportions différentes, on aboutit à instaurer, par un passage à la limite (supérieure ou inférieure) du *continuum*, une différence de nature là où il n'y a qu'une différence de degré et à créer une opposition absolue, et par là même factice et arbitraire, mais qui n'en a pas moins des effets pratiques redoutables par les intérêts qu'elle mobilise et les conflits qu'elle alimente. L'opposition structuralisme/individualisme, qui comporte de nombreux *harmoniques* dans des registres divers (objectivisme/subjectivisme, dirigisme/libéralisme, déterminisme/liberté, collectif/individuel, public/privé, etc.), illustre parfaitement le piège épistémologique tendu à la pensée théorique par la pensée pratique et son langage façonné dans l'expérience immédiate et pour l'action. Accepter sans examen ces oppositions telles qu'elles sont véhiculées par le langage naturel, c'est se condamner à imposer à l'investigation scientifique des objets préconstruits et de fausses problématiques qui font obstacle au progrès de la connaissance – à la façon dont, par exemple, l'évidence trompeuse de l'opposition pré-galiléenne entre repos absolu et mouvement a longtemps empêché de rompre avec la vision aristotélico-ptoléméenne de l'univers ; ou encore l'opposition pré-quantique entre le modèle corpusculaire et le modèle ondulatoire de la lumière, qui a fait un temps obstacle au développement d'une physique des particules. Si on veut mieux comprendre le social, il faut se défaire de l'emprise de ce dualisme doctrinal hérité du sens commun et qui oblige à réduire, *a priori*, le social tantôt à un édifice massif, construit une fois pour toutes et s'imposant, de tout le poids de ses structures figées, à des individus passifs et irresponsables, réduits au rôle de supports d'une logique structurale, tantôt à une mosaïque d'innombrables micro-chantiers juxtaposés, où des individus déployant une activité créatrice personnelle ne cessent de construire et déconstruire, au gré de leurs décisions imprévisibles, un monde labile et changeant à leur image, où tout peut arriver à n'importe qui, où n'importe qui peut arriver n'importe où et où « vouloir, c'est pouvoir ». Il ne s'agit évidemment pas de décréter nuls et non avenus les points de vue respectifs du structuralisme holiste et de l'individualisme. Quoiqu'ils soient borgnes l'un et l'autre, ils aperçoivent et montrent tous deux quelque chose de la réalité. Ce qui est irrecevable dans le structuralisme, ce n'est pas le constat de l'existence des structures et des macrodéterminismes qu'elles engendrent, c'est l'incapacité dogmatique de la théorie à prendre en compte toute autre détermination et c'est, par voie de conséquence, la réduction du social aux seules structures objectives. De même, ce qui est irrecevable dans l'individualisme, ce n'est pas l'affirmation de la capacité d'initiative de l'individu, c'est la cécité dogmatique de la théorie à toute autre détermination et donc aux conditionnements sociaux de cette capacité d'initiative.

C'est la raison pour laquelle la science sociale, au moins dans ses courants actuels les plus novateurs, s'efforce de conjurer l'apriorisme structuraliste-objectiviste, comme l'apriorisme individualiste-subjectiviste, en refusant d'accorder au départ et avant tout examen des événements considérés une prédominance de principe aux macro-structures objectives ou au contraire aux intentions des sujets individuels. Dès qu'on se donne la peine d'observer concrètement, d'une façon quasi clinique (qui n'exclut pas de tirer aussi parti de données statistiques existantes), c'est-à-dire dans son fonctionnement empirique détaillé et sur une période suffisamment longue, un espace social spécifique avec les pratiques qui s'y déroulent quotidiennement – comme on peut le faire pour le journalisme grâce aux documents présentés ici, qu'on pourrait qualifier d'ethnographiques –, le constat s'impose très vite à tout esprit non prévenu qu'*il n'existe pas, dans la réalité, de ligne de démarcation bien nette* entre un niveau sociétal qui ressortirait strictement à l'analyse macrosociologique et un niveau sociétal qui serait de la juridiction de la seule analyse microsociologique. *Les deux dimensions sont toujours présentes, dans toute situation observable*, mais les présupposés théoriques de l'analyste (holistes pour l'un, individualistes pour l'autre), agissant comme un filtre sur l'objectif d'une caméra, ne lui permettent d'enregistrer que les aspects de la situation qu'il veut mettre en évidence. Comme le reconnaissent certains ethnométhodologues eux-mêmes, le choix d'une dimension plutôt que de l'autre est une facilité regrettable [1]. Non seulement les deux dimensions micro et macro sont à l'œuvre dans la situation considérée, mais encore elles ne se présentent pas simplement juxtaposées l'une à l'autre de telle sorte qu'il suffirait, pour rendre compte de tous les aspects de la réalité, de compléter une analyse micro par une analyse macro (et inversement). Les deux

---

[1]. Ainsi Aaron Cicourel écrit-il : « On recherche la sécurité de l'analyse micro ou macro parce qu'on peut alors supposer que chaque niveau est plus ou moins autonome. La conséquence en est que, par commodité théorique et méthodologique, on ne s'intéresse plus qu'à des concepts et des données très larges ou très étroits. [2] »

dimensions sont au contraire intriquées l'une dans l'autre, et de façon tellement étroite et constante qu'en vérité *elles n'en font qu'une*, et qu'on ne peut les discerner l'une de l'autre que par le coup de force analytique inhérent à toute théorisation abstraite. Au risque de heurter des croyances bien établies, disons nettement les choses : on peut indifféremment affirmer que le social n'est constitué ni de structures ni d'individus, ou au contraire qu'il est constitué à la fois et indissociablement des unes et des autres. La réalité sociale est une mais se « manifeste » toujours sous deux formes différentes : sous forme de *structures externes*, dans les institutions et dans les choses, et sous forme de *structures internes* de la personnalité chez les individus. Tous les événements empiriques qui se produisent dans un champ donné à un moment donné peuvent être appréhendés comme le produit de *la rencontre entre deux états d'une même histoire* : d'une part, de l'*histoire objectivée* dans de multiples champs sociaux, matérialisée dans des systèmes, des organisations, des appareils, des postes, des dispositifs, des codes, des distributions, des hiérarchies, des machines, etc. ; et d'autre part de l'*histoire incorporée* dans des *habitus*, c'est-à-dire dans des dispositions personnelles à sentir, percevoir, penser, agir, selon les modèles intériorisés au cours des différents processus de socialisation [3].

Socialiser un être humain, c'est le faire passer, par des moyens éducatifs appropriés, de l'état d'individu biologique (n'appartenant que potentiellement au genre humain) à l'état d'individu au sens social du terme, c'est-à-dire de membre intégré d'un groupe réel dans un champ donné. Autrement dit, la socialisation consiste à structurer un individu biologique conformément à des modèles socialement institués, en lui faisant intérioriser, avec ces modèles, la logique structurale des rapports sociaux existants. Les structures sont donc partout, aussi bien au dedans qu'au dehors, et c'est justement l'adéquation (jamais totale, toujours relative) entre structures internes et structure externes, entre dispositions individuelles acquises et champ environnant, qui est la clé du maintien de l'ordre social. Mais en s'intériorisant, les structures internes tendent à s'*autonomiser* par rapport aux structures externes et à fonctionner de façon plus ou moins indépendante. Un exemple est nécessaire pour bien comprendre cet énoncé abstrait : supposons ce type de structure que l'on trouve dans de nombreuses sociétés (mais qui n'existe plus chez nous) et que l'on appelle la famille patriarcale. Pour que ce type d'organisation des rapports humains se maintienne et se reproduise de génération en génération, il faut que les enfants qu'elle engendre soient dûment préparés à accepter, même devenus adultes, la soumission inconditionnelle au chef de famille masculin (père ou frère aîné) tant que celui-ci reste en vie. L'éducation dispensée, de façon diffuse ou institutionnalisée, vise donc à faire réaliser cet apprentissage de la soumission et plus précisément à transformer le rapport de force que l'enfant a trouvé tout constitué à l'extérieur de lui-même en venant au monde en une disposition intérieure personnelle qui l'incline à obéir de son plein gré à une autorité perçue spontanément comme évidente, « naturelle », sur le mode du « cela va de soi ». La pédagogie du groupe patriarcal, en combinant récompenses et punitions, encouragements et menaces, a fait passer la logique du rapport social de domination de l'extérieur à l'intérieur de l'individu. Une force extérieure imposée et par là même contraignante est devenue une règle de conduite personnellement assumée. D'où le sentiment de « liberté » qu'éprouve subjectivement l'intéressé dont toute la liberté en l'occurrence consiste à épouser son temps, son ordre, ses structures, et à faire très exactement de nécessité (sociale) vertu (morale), à défaut de quoi il risquerait d'avoir de graves difficultés d'intégration dans son environnement. Il fait bien ce qu'il veut et il veut précisément ce que l'on attend qu'il fasse ; parfois même, comme on dit, « il en rajoute ».

La connivence : concordance du dedans et du dehors

Ce seul exemple suffirait à faire comprendre que les pratiques réelles des agents/acteurs sociaux relèvent tout autant de l'analyse macrosociologique que de l'analyse microsociologique, sauf à tomber dans un apriorisme en vertu duquel l'une des deux extrémités du *continuum* se verrait dotée d'une supériorité ontologique injustifiée. Que les macrostructures objectives présentent une certaine antériorité dans le temps, cela est vrai mais uniquement pour un individu donné. Le monde social n'a pas attendu ma naissance pour commencer à exister. Mais cette antériorité disparaît si on considère l'ensemble d'une population. En effet, les structures existantes ne sont pas apparues par génération spontanée. Elles sont le produit historique des actions entreprises par une foule d'individus tout aussi structurants que structurés. L'existence des structures objectives et celle des individus sont en relation de *causalité circulaire* ; et se demander laquelle est « cause » de l'autre présente à peu près autant d'intérêt scientifique que de savoir qui de la poule ou de l'œuf précède l'autre. Encore une fois, il s'agit là de deux moments d'un même processus, de deux états d'une même histoire. Chercher à séparer rigoureusement les deux états l'un de l'autre tient véritablement de la gageure. Un peu comme si, après avoir mélangé du vin et de l'eau dans un verre, on cherchait ensuite à les boire séparément. Mais s'il n'y a pas de structures sans sujets ni de sujets sans structures, alors il faut admettre que le langage dans lequel, très souvent jusqu'ici, la science sociale rendait compte des faits sociaux (tantôt en termes objectivistes, tantôt en termes subjectivistes) était inadéquat et ne pouvait donner qu'une vision mutilée du réel. Il ne suffit pas, toutefois, de comprendre la nécessité de dépasser les oppositions classiques pour disposer du même coup de l'outillage conceptuel et du langage pertinents. Là comme ailleurs, il faut commencer par mettre du vin nouveau dans de vieilles outres, c'est-à-dire par penser la réalité en dialectisant des catégories qui appartiennent à l'ancien langage et qui, ne serait-ce que par le seul effet inducteur du vocabulaire, continuent à entretenir le danger permanent de réintroduire une semi-cécité théorique et méthodologique. Les travaux les plus féconds de ces dernières décennies ont entrepris de développer des analyses qui s'efforcent de tenir compte des deux dimensions du social et de leur articulation ou, mieux, de la transformation continue de l'une en l'autre [1]. Il est frappant en effet de constater que, dans quelque situation que ce soit, non seulement il est impossible en

---

1. C'est pourquoi différents courants de la sociologie actuelle – soucieux d'échapper aussi bien à un structuralisme qui fétichise les structures en oubliant leur histoire qu'à un individualisme qui enregistre l'apparent mouvement brownien des actions individuelles sans s'interroger sur leurs régularités et leurs convergences – ont placé au centre de leur problématique la question de l'articulation du micro et du macro, à laquelle elles répondent diversement [4].

pratique d'appréhender du structurel/objectif à l'état pur, ni de l'individuel/subjectif sans mélange, mais encore les macrodéterminismes ne cessent de produire, à travers d'innombrables médiations, des effets micro (des décisions, des démarches, des entreprises individuelles qui actualisent en l'assumant diversement la pression des structures objectives) ; et, réciproquement, les initiatives individuelles ne cessent, elles aussi à travers toutes sortes de médiations, de s'agréger et de se solidifier dans des formes objectives qui tendent à déborder largement les intentions subjectives de leurs constructeurs. Dans ces conditions, il est bien difficile de prétendre distinguer où finit exactement un niveau et où commence exactement l'autre. Si on admet que *le social et l'individuel ne sont pas différents par essence*, alors la question même de la ligne de démarcation entre les deux perd toute pertinence. Mais, dira-t-on, il y a bien tout de même des situations dans lesquelles les individus sont contraints de faire ce qu'ils font tandis qu'en d'autres circonstances ils choisissent eux-mêmes de le faire. Certes, mais cela ne signifie pas que dans un cas ils sont absolument contraints, comme des objets matériels inertes mus par une force mécanique extérieure, ni que dans l'autre ils sont absolument libres de faire n'importe quoi. À l'exception sans doute des situations extrêmes caractérisées par le recours à la coercition physique et morale la plus insupportable, il n'y a point de contrainte objective qui puisse s'exercer sur des individus sans rencontrer, dans la représentation qu'ils se font de la situation et dans le sens subjectif qu'ils lui donnent, une des conditions permissives de son efficacité. Prenons, par exemple, le cas du travailleur licencié brutalement « pour raisons économiques ». À première vue, il y a tout lieu de considérer qu'il est la victime impuissante d'une force extérieure accablante : celle des structures économiques existantes et de leur implacable logique de fonctionnement. Il n'a pas souhaité être réduit au chômage et il n'est donc pas responsable de ce qui lui arrive. Il n'en demeure pas moins vrai qu'un acte de licenciement est une manifestation d'une forme socialement instituée de pouvoir, le pouvoir entrepreneurial, qui ne peut s'accomplir que parce qu'il est légitime, c'est-à-dire parce qu'il est reconnu, considéré comme « juste », « nécessaire », « utile », « évident », « naturel », etc. par tout le monde en général et par ceux-là mêmes sur qui il s'exerce en particulier. Comme l'établit l'enquête anthropologique, aucun ordre social ne pourrait se maintenir s'il ne reposait sur le double pilier de la violence et du consentement [5]. L'analyse sociologique le confirme en mettant en évidence, dans le fonctionnement de tout rapport de domination, une dimension symbolique sans laquelle la domination considérée, privée de toute adhésion de la part des dominés et donc de toute légitimité, ne pourrait plus s'accomplir que par le recours constant à une force arbitraire et intolérable, condamnée à terme à s'incliner devant plus fort qu'elle.

Si par conséquent on est en droit d'invoquer le poids contraignant des structures externes pour expliquer certaines des pratiques des agents, c'est à condition de bien voir que la logique des structures en question se réalise d'autant mieux dans une situation donnée qu'elle trouve dans les structures internes – que les individus concernés doivent à la fois à la position occupée dans le champ considéré et à toute la trajectoire sociale qui les y a conduits – davantage de prédispositions à accepter et à assumer personnellement cette logique structurale ; par exemple la logique du profit maximum dans le plus court terme, de la concurrence généralisée, etc. Tous les mécanismes sociaux s'enrayeraient s'ils venaient à perdre la force qu'ils tirent de cette *relative concordance entre le dedans et le dehors*. Il y a là une forme de connivence fondamentale d'autant plus profonde et agissante qu'elle s'établit au niveau des structures de subjectivité les plus incorporées et les plus automatisées. Bien qu'elle puisse, à l'occasion, se doubler d'une complicité consciente entre les individus, cette connivence de fond n'a pas besoin de passer par la visée rationnelle et intentionnelle d'un acteur conscient. Les choses qu'on fait le mieux sont celles qui n'obligent pas leur auteur à se demander ce qu'il fait ni pourquoi il le fait, celles qui procèdent non d'un plan délibéré, d'un calcul explicite des moyens et des fins, mais d'un *sens pratique* permettant de maîtriser spontanément toute une gamme de situations concrètes et de les doter d'une signification immédiatement « évidente » ; bref, un sens du jeu social capable de donner aux pratiques *une rationalité sans raisonnement explicite et une finalité sans intention expresse*.

Entre le comportement aveugle et totalement télécommandé de l'automate inconscient et l'action totalement rationnelle voulue par l'acteur extra-lucide, aussi improbables l'un que l'autre, il y a place dans la réalité pour les innombrables pratiques qui s'accomplissent, à des degrés divers, dans un clair-obscur cognitif et affectif, à tâtons, à l'estime, en se laissant plus ou moins porter par des « réflexes » acquis, en se fiant à des inclinations profondes et à des impressions immédiates, et en pariant implicitement sur la bonne direction et sur les conséquences possibles. Même les stratégies les plus délibérées doivent laisser une large part aux improvisations tactiques et aux corrections pratiques imposées par les situations concrètes. C'est généralement après coup, pour les besoins du récit et du compte rendu, que les agents, *connaissant les résultats actuels* de leurs actions et interactions, entreprennent de reconstruire téléologiquement celles-ci en y introduisant rétrospectivement plus de cohérence rationnelle et d'intentionnalité explicite qu'elles n'en ont vraiment comporté ; ce qui, corollairement, confère aux auteurs une plus grande responsabilité dans le déroulement des événements – de préférence lorsque ces événements sont gratifiants, car lorsqu'ils ne le sont pas, les agents en revendiquent beaucoup moins volontiers la paternité et sont généralement prompts à plaider « Je n'ai pas voulu cela, je n'y suis pour rien, je n'en suis pas responsable », optant en l'occurrence pour un statut d'objet-jouet des événements, moins glorieux certes, mais aussi moins coûteux à assumer psychologiquement et socialement que celui de sujet. Cette forme d'illusion rétrospective ne doit pas faire douter de la bonne foi des agents : plus précisément, elle est une des expressions de ce « mentir-vrai », de ce « cinéma », bref, de cette « représentation » (c'est-à-dire mise en scène) de soi-même sans laquelle les individus, toujours soucieux de s'assurer l'identité la plus distinctive, cesseraient de s'apparaître à eux-mêmes, en apparaissant aux autres, des acteurs sociaux dignes de foi et d'estime de soi. Et là encore, il n'y a aucun moyen, pas plus pour les intéressés que pour leurs interlocuteurs, de savoir exactement où finit la « vérité pure » et où commence la mise en scène.

La réalité des pratiques

Ce qui précède ne constitue pas une simple digression théorique. Il s'agit là au contraire d'un ensemble (très succinctement formulé) de considérations indispensables à une bonne compréhension de ce que sont les pratiques d'un champ social déterminé, et en l'occurrence du *champ journalistique*. Le plus souvent, en effet, l'observation des pratiques en question donne lieu à l'une des deux versions opposées qui alternent dans le discours traditionnel. L'une, à forte coloration objectiviste, met l'accent sur les évolutions macrostructurelles des médias au cours des dernières décennies, et en particulier sur l'emprise croissante de la logique commerciale dans les entreprises de presse, celles-ci étant devenues pour la plupart la propriété de grands groupes industriels et financiers plus soucieux de « parts de marché » que de la qualité de l'information ou des programmes. L'autre, à forte teneur subjectiviste, exalte la responsabilité et l'indépendance des journalistes, quitte à stigmatiser les « dérapages » et les « dérives » de quelques « brebis galeuses comme-il-y-en-a-partout ». À s'en tenir à la vision « structuraliste », les rédactions de la presse écrite et plus encore de l'audiovisuel seraient massivement peuplées de salariés interchangeables obéissant *perinde ac cadaver*[1] aux injonctions et exigences d'un pouvoir politico-économique ubiquitaire et omnipotent – dans ce registre, on se souvient des imprécations gauchistes de Mai 68 contre les journalistes « laquais du capital ». La vision « individualiste » au contraire tendrait à faire croire à un journalisme en état d'apesanteur tant les conduites et les trajectoires individuelles semblent ignorer le poids des structures externes pour ne dépendre que du jugement et de la volonté personnels – dans ce registre, on pourrait évoquer le discours récurrent d'autocélébration que tiennent en toute occasion officielle la plupart des représentants de la profession, surtout les plus en vue. Tout cela n'est ni vrai ni faux. Ce sont des abstractions

---

1. Obéir « *perinde ac cadaver* » : passivement, sans opposer plus de résistance qu'un cadavre. [nde]

généralisantes et unilatérales dictées par des préjugés dogmatiques autant que par les faits. Dans la réalité, les choses sont un peu plus compliquées et équivoques, comme nous allons le voir en examinant quelques aspects du travail journalistique, tels qu'ils nous sont décrits par nos témoins journalistes et quelques autres.

Je prendrai comme point de départ un phénomène bien connu : la perpétuelle urgence dans laquelle travaillent les journalistes. À première vue, il s'agit là de la contrainte objective par excellence, inhérente à la nature même du travail effectué, qui consiste à rendre compte sans retard de l'actualité *quotidienne*. De fait, le journalisme d'information a toujours été marqué par l'impérieuse nécessité d'aller vite. Mais justement, la presse écrite s'était forgé des méthodes et des règles de travail (comme par exemple la préparation des enquêtes par l'étude de dossiers, la vérification des sources, ou la séparation du fait et du commentaire) qui visaient à garantir autant que possible la rigueur et la précision de l'information. Les journalistes, comme les pompiers ou les médecins des urgences, apprenaient à travailler vite et bien. L'hégémonie de l'audiovisuel a changé grandement les habitudes (y compris, de plus en plus, dans la presse écrite quotidienne). Le spectacle que donnent couramment aujourd'hui beaucoup de journalistes, de télévision en particulier (mais pas exclusivement), dans leur travail quotidien, pourrait faire douter de leur sérieux professionnel. Des témoignages comme ceux de Gilles Balbastre, publié ici, sont d'autant plus édifiants qu'ils ne sont pas les seuls à décrire, de l'intérieur, les manquements systématiques aux règles les plus élémentaires d'un travail journalistique véritablement soucieux de la qualité de l'information. On est alors tenté de donner raison aux tenants du point de vue macrosociologique selon lequel cette détérioration serait le résultat inévitable, voulu ni prévu par personne, d'un processus objectif d'exacerbation de la concurrence entre les entreprises de presse soumises aux lois despotiques du marché publicitaire. Les rentrées de la publicité (la « réclame ») n'étaient à l'origine qu'un moyen astucieux de financer le coût de la production d'une bonne information sans compromettre son indépendance. Ce ne sont pas les journalistes qui ont transformé ce moyen en une fin qui a perverti leur travail, à leur corps (professionnel) défendant. La preuve en est que, comme on peut le voir dans le « Journal d'un JRI » [*infra*, p. 81-253], quand des journalistes, en quelques rares occasions, prennent sur eux de prendre leur temps, ils font de meilleures enquêtes, amorcent de véritables investigations, et ils s'en retournent avec le sentiment gratifiant du devoir bien accompli. S'ils ne le font pas plus souvent, c'est qu'ils ne le peuvent pas. Soit. Cela est vrai. Peut-on dire pour autant qu'ils ne sont pour rien personnellement dans l'état de choses actuel ? Faut-il décidément les regarder comme de véritables « marionnettes » des structures, des rouages sans états d'âme parce que sans conscience et sans volonté, mus par une logique objective qui les dépasse ? Le simple fait que l'on observe chez nombre d'entre eux des signes de mécontentement, voire de révolte, contre les conditions et les résultats de leur travail suffirait à indiquer qu'ils ne sont pas tous également soumis à l'ordre médiatique régnant. Bien que ces manifestations de résistance restent dans l'ensemble limitées, ponctuelles et inorganisées et ne soient pas de nature, jusqu'à présent, à enrayer le fonctionnement du système, elles obligent à se poser la question de savoir *pourquoi dans leur grande masse les journalistes ne s'insurgent pas davantage contre l'adultération de leur travail.*

Contraintes économiques
et concurrence spécifique

Pour répondre à cette question il faut sortir des limites de l'analyse macrosociologique classique. *Non pas en niant l'existence de déterminismes structurels mais en examinant comment ils jouent concrètement dans les situations vécues par les individus.*

S'agissant de la gestion du temps, que constatons-nous lorsqu'avec nos témoins nous suivons pas à pas et au jour le jour des journalistes dans leur travail ? Nous constatons par exemple que, si la logique de la concurrence économique à outrance peut jouer comme elle fait dans le champ journalistique, c'est à condition de ne pas s'imposer ouvertement en tant que telle et de laisser jouer la logique d'une concurrence *spécifique* pour des enjeux symboliques et non pas économiques : ce qui « fait courir » les journalistes, dans la pratique quotidienne de leur métier, ce n'est pas la *libido* économique, la volonté d'accaparer les « parts de marché » et d'engranger des profits financiers. Aucun journaliste « digne de ce nom » n'accepterait de se voir ni d'être vu comme obéissant sciemment et exclusivement dans son travail à des intérêts proprement économiques. En témoigne, entre autres indices, le souci vigoureusement exprimé par la plupart de ne pas laisser confondre le journalisme avec les « métiers de la communication » (nébuleuse qui va des attachés de presse aux publicitaires en passant par les « dircom » et les journalistes d'entreprise). Dans leur grande majorité, les journalistes se refusent à être assimilés à ces catégories diverses de communicateurs auxquels ils reprochent essentiellement de s'être mis « au service du diable », c'est-à-dire d'entreprises recherchant explicitement le profit économique (et/ou le pouvoir politique). On sait néanmoins que, dans la pratique observable, en dépit de la persistance de ce *discours d'orthodoxie*, les différences entre le journalisme et les activités de la communication ne sont plus aussi tranchées ni aussi réelles que beaucoup de journalistes se plaisent à le croire. D'ailleurs, nombre d'entre eux pratiquent, ou envisagent de pratiquer à l'occasion, l'aller et retour méthodique entre le journalisme « pur » et le journalisme d'entreprise, l'animation, les relations publiques et autres activités de « ménage » moins « pures » mais plus rémunératrices à tous égards.

Il y a aussi ceux que leur ascension dans la hiérarchie et leur installation à des postes de haute responsabilité, dans des fonctions dirigeantes, à l'intersection du champ journalistique et du champ du pouvoir, ont transformés en managers plus épris de bonne gestion que de bonne information, convaincus que le système est digne d'être préservé qui a su reconnaître leurs capacités, fiers de s'être agrégés au microcosme des « décideurs » et de frayer avec les autres « élites » de l'*establishment*, conscients que le temps c'est de l'argent, qu'une entreprise doit faire des bénéfices ou périr, et regardant avec condescendance et commisération ceux de leurs confrères qui n'ont pas encore compris la nécessité de faire du journalisme une activité « moderne » et rentable. On ne saurait sous-estimer l'influence de cette minorité dirigeante sur la profession et son évolution. Véritable incarnation de la logique entrepreneuriale dans le monde des médias, adhérant pleinement aux différentes nuances de l'évangile néolibéral (dont le journalisme économique se fait tout spécialement l'apôtre), leur groupe constitue l'un des vecteurs les plus puissants de la vulgate économiste aujourd'hui triomphante, dans la presse comme ailleurs, et le chaînon vivant qui assure l'imbrication et la connivence indispensables entre les sphères de la finance et de la politique et la sphère du journalisme. Eux-mêmes recrutés et renouvelés essentiellement par cooptation, sur la base d'affinités partisanes, de fidélités claniques et de solidarités clientélistes toujours décisives sans jamais être officiellement invoquées, ils usent et parfois abusent de leur pouvoir de faire et défaire les carrières des autres journalistes, dont ils agrègent à leur groupe les « meilleurs » – c'est-à-dire les plus conformes à leur propre modèle, à leurs attentes ou à leurs injonctions – tandis qu'ils en condamnent d'autres, moins sûrs ou plus réticents, au « placard » voire à la démission. L'inexistence dans le corps professionnel d'instances et de mécanismes *institutionnalisés* de contrôle, de sélection, d'évaluation et de promotion (comme il y en a par exemple dans le corps médical, la magistrature ou le corps enseignant), qui pourraient servir de garde-fous contre un excès d'arbitraire, entraîne que la trajectoire d'un journaliste dans la hiérarchie, extrêmement diversifiée, des statuts et des fonctions reste essentiellement soumise aux aléas des occasions et des rencontres, à l'intégration dans un réseau, à l'instauration de liens personnels, aux témoignages (ou au refus) d'allégeance, aux services échangés, et par là même dans une large mesure au bon plaisir des « chefs », des supérieurs de tous grades, qui, aux différents étages des entreprises de presse, assurent la transmission du commandement et le respect de l'esprit maison. Dans les ordres journalistiques, comme dans bien d'autres cléricatures, la *fonction épiscopale* est d'autant plus convoitée et d'autant mieux assurée que le nombre des convers va croissant. Il arrive bien évidemment que certains chefs ne soient pas à la hauteur de leurs responsabilités et que, par médiocrité intellectuelle et morale, ils rendent la tâche pénible à leurs subordonnés. Ceux-ci n'ont pas beaucoup de recours contre le caporalisme de l'un, la pusillanimité de l'autre ou la niaiserie rédhibitoire du troisième. Il reste au journaliste « de base » le choix entre la soumission et la démission. Celle-ci, souvent proférée comme une menace [6], est rarement suivie d'effet. Plus exactement, on démissionne éventuellement de son entreprise pour entrer dans une autre (le plus souvent sans changer de média). Peu de gens abandonnent le journalisme. Au contraire, les effectifs de la profession ne cessent de s'accroître et les candidats à l'entrée sont légion.

Il est vrai que les profanes en ont de l'extérieur une vision plutôt enchantée, tant le discours de célébration, verbal et non verbal, que les médias diffusent sur eux-mêmes est convaincant. Ce n'est qu'une fois à l'intérieur du système que les débutants font vraiment connaissance avec tous ses aspects, y compris les plus désagréables, et en particulier avec la précarisation croissante des emplois des plus jeunes. Là encore, la tendance à l'abaissement du coût du travail, imposée par la logique économique, incline les patrons et dirigeants de presse à recourir de plus en plus systématiquement à une masse de « pigistes », « stagiaires » et « remplaçants », le plus souvent des étudiant(e)s fraîchement diplômé(e)s, ou même encore en formation, constituant un gisement de main-d'œuvre (à forte proportion de femmes) facile à gérer, plus souple et moins exigeante (acceptant d'être peu rémunérée voire pas rémunérée du tout) que les titulaires.

Le charisme d'institution

Dans ce milieu très individualiste et narcissique, où la réussite personnelle se mesure pour l'essentiel à l'accumulation du capital symbolique (avec les avantages matériels que cela implique), à la reconnaissance par les pairs, à la dose de notoriété publique et à la visibilité sociale (voir les « vedettes », les « grandes signatures » et autres « stars » de l'information politique et générale), les invisibles, les obscurs et les sans-grade des postes subalternes et des bureaux de province se sentent souvent méprisés, incompris, exploités, et ils éprouvent le sentiment douloureux d'être des espèces de « sherpas du reportage », de « coolies de l'information » ou encore de « soutiers » pour reprendre un terme de Georges Abou. La modestie et l'inconfort, voire la précarité de la position personnelle ne les empêchent pas de tirer en même temps une intense gratification de leur appartenance à un corps professionnel globalement puissant et envié, qui contrôle aujourd'hui, pour l'essentiel et de façon discrétionnaire, les moyens de s'exprimer et d'exister publiquement. Le moindre des correspondants de province sait qu'il a en partage avec les ténors de la rédaction nationale ce droit de vie et de mort symboliques exercé quotidiennement et collégialement sur les événements et les acteurs de la vie sociale. Comme le souligne de façon naïve et crue l'un des confrères de Gilles Balbastre à propos d'un personnage interviewé au cours d'une enquête : « Il ne faut pas qu'il oublie que, sans nous, il n'existe pas. » En d'autres termes, aujourd'hui, *être socialement c'est être perçu par des journalistes* – quand bien même ils ne seraient que d'anonymes dépositaires du charisme d'institution. Ainsi donc, même lorsque, du fait de sa position personnelle dans la structure de pouvoir spécifique, un(e) journaliste n'accède pas à la suprême jouissance escomptée, celle de mener une existence individuelle éminemment distincte, distinctive et distinguée, sa *libido* propre peut trouver à se satisfaire dans la participation à un pouvoir collectif respecté et courtisé. Le fait de partager ne serait-ce que des miettes du capital social et symbolique constitué par le groupe professionnel prestigieux fournit une base objective solide et suffisante pour entretenir un sentiment de solidarité capable, sinon d'annuler déceptions, frustrations et aigreurs personnelles, du moins de les contrebalancer efficacement. Frères ennemis à la fois inséparables et irréconciliables, les journalistes vivent, à tous les niveaux de la profession, comme l'a montré admirablement Georges Abou, en état permanent de *concurrence féroce* et de conflit ouvert sur fond de connivence plus implicite qu'explicite [7] ; et on ne saurait dissocier, dans les interactions concrètes, les effets de la concurrence des effets de la connivence, car ils se conditionnent réciproquement (il faut avoir des propriétés communes pour vouloir se distinguer les uns des autres).

Transfiguration de l'économique

Investis à fond dans ces *luttes internes qui fragmentent le corps professionnel jusqu'à l'atomiser*, en opposant les catégories entre elles et les individus entre eux selon d'innombrables critères – presse écrite/audiovisuel, radio/télé, public/privé, titulaire/non-titulaire, diplômé/non-diplômé, homme/femme, vieux/jeune, gestionnaire/saltimbanque, presse quotidienne/presse magazine, Paris/province, etc. –, les journalistes à la recherche de la distinction personnelle ultime espèrent l'obtenir avec la découverte de l'information exclusive et sensationnelle qu'on sera le seul à détenir et à pouvoir révéler. Même informulé, cet espoir de réaliser un « scoop » sous-tend constamment le travail d'enquête et de reportage et contribue à lui donner son rythme fébrile et haletant. Il serait vain d'espérer être le seul à savoir, si on ne faisait pas d'abord en sorte d'être le premier. D'où cette hantise de « ne pas être à la ramasse » – selon une expression utilisée dans le « Journal d'un JRI » –, à la traîne, en retard sur les concurrents dans la course effrénée à l'information. D'où aussi la préférence accordée systématiquement et spontanément à l'événement ou au personnage de nature à déclencher un *vibrato* émotionnel et à fournir une information génératrice de « sensation » au sens propre, c'est-à-dire un message qui s'adresse aux sens (et d'abord à ceux des journalistes) plutôt qu'à la réflexion, et qui fait appel aux réactions affectives immédiates plutôt qu'aux capacités cognitives. Ainsi se précipite-t-on vers d'hypothétiques événements, d'improbables révélations, simplement pour être présent, « au cas où… », c'est-à-dire au cas où il se produirait quelque chose de sensationnel dont la relation serait profitable à la fois à la réputation du journaliste et à la prospérité de son entreprise. D'où un gaspillage de temps qui aggrave le stress provoqué par le manque de temps – comme on peut le voir dans la description que le journal de Gilles Balbastre donne de ces journées épuisantes perdues à glaner quelques informations inconsistantes.

Il est impossible dans ces conditions de dissocier, sinon de façon tout à fait artificielle, une dimension qui serait purement macrosociologique (la rationalité économique imposant à l'entreprise de réaliser une gestion bénéficiaire ou de disparaître) et une dimension qui serait purement microsociologique (l'intention personnelle de l'individu Untel de réussir un « scoop »). Comment la rationalité du marché se réaliserait-elle si la gestion bénéficiaire ne devenait l'obsession permanente, la raison d'être et le signe même de leur supériorité pour les cadres dirigeants ? et si la logique de l'implacable concurrence pour les parts de marché ne se *transfigurait* pas en recherche fiévreuse et parfois même frauduleuse [1] de l'information exclusive par tous les journalistes avides de consécration ? Réciproquement, que resterait-il de la force « objective » des structures si les individus qui y sont soumis cessaient de jouer le jeu qu'elles imposent et d'en assumer subjectivement la logique *en la transposant dans le registre de la saine émulation* professionnelle ? Incontestablement, la logique économique du marché est constamment présente dans le fonctionnement du champ journalistique, mais de façon *médiate* et euphémisée le plus souvent, par exemple à travers les consignes et le style de travail imposés par des directions elles-mêmes expertes dans l'art de traduire et transfigurer, sans effort et sans calcul explicite, les impératifs économiques en règles techniques et morales spécifiques de la pratique professionnelle. Gilles Balbastre nous en donne une illustration exemplaire en nous rapportant le véritable « discours de la méthode » esquissé par un nouveau présentateur national de journal télévisé pour l'édification de ses confrères de province : « Il vaut mieux un sujet mal ficelé le jour même qu'un sujet bien fait deux jours après » ; à quoi fait écho l'affirmation du rédacteur en chef : « Le bon sujet, c'est celui qui passe avant tous les autres... Il ne faut pas que ça sorte avant chez les concurrents... Quand on ne veut pas être le premier, on ne fait pas ce métier. » [*infra*, p. 222] Ceux qui martèlent ces énoncés doxiques sont eux-mêmes profondément convaincus de leur justesse. Sans cela, ils ne seraient probablement pas à la place qu'ils occupent. Il n'y a rien que

---

[1]. Voir, entre autres exemples de tricherie, les scènes de « violence dans les banlieues » jouées devant les caméras par des jeunes payés par des journalistes pour interpréter un rôle de « casseurs » [8].

de très légitime au demeurant à défendre et illustrer une philosophie ou une politique de l'information à l'élaboration de laquelle on participe. Ce que je veux seulement souligner ici, c'est qu'en privilégiant *inconditionnellement* la vitesse, en faisant aux journalistes une obligation *absolue* d'être les premiers à parler de quelque chose, quitte à en parler mal, ces journalistes promus à des postes de grande responsabilité contribuent efficacement, sans même toujours le savoir ni le vouloir expressément, à transformer un moyen en fin et à théoriser, sous une forme un peu moins rude pour les agents d'un champ intellectuel, la nécessité économique de sacrifier la qualité de l'information aux exigences de la rentabilité maximum dans le plus court terme. La réitération même de ces rappels à la nouvelle orthodoxie semblerait indiquer que ce type de discours ne va pas encore tout à fait de soi, y compris dans l'audiovisuel, où la pratique éventuelle du direct et de l'information en temps réel est éminemment favorable à la fétichisation de la vitesse et au bâclage du reportage. Sans doute beaucoup de journalistes conservent-ils encore, inscrites dans leur habitus personnel par d'autres phases de socialisation (par exemple inculcation familiale ou scolaire de principes moraux), des dispositions au plaisir et à la fierté du travail soigneux, accompli en conscience et en y mettant le temps nécessaire. Certains n'hésitent pas à proclamer leur écœurement, leur colère ou leur découragement de devoir faire, à la va-vite, des reportages racoleurs et sensationalistes, tandis que des sujets plus intéressants, auxquels ils ont apporté davantage de soin et de réflexion, sont sans le moindre égard passés « à la trappe » par leurs supérieurs – comme c'est plus d'une fois le cas du travail de Gilles Balbastre et de ses collègues. Il ne faut pas minimiser ces ferments de résistance interne qui témoignent eux aussi que le fonctionnement du champ n'est pas mécanique, que les individus ne sont pas tout d'une pièce et qu'on peut toujours opposer à la force des structures externes celle d'autres structures, externes et/ou internes. Mais inversement, il ne faut pas non plus surestimer la capacité des journalistes à se mobiliser contre l'emprise croissante de l'économie sur leur activité en particulier et sur le monde en général. D'abord au sein de chaque entreprise, parce qu'en dépit des disparités et rivalités internes la plupart de ses journalistes se sentent solidairement impliqués dans le destin de l'entreprise et dans sa lutte contre les concurrentes. On a beau avoir des griefs personnels contre tel ou tel chef abusif, désapprouver certaines méthodes de travail ou le choix de certains sujets, n'avoir qu'une estime limitée pour les compétences des responsables au sommet, remâcher l'amertume des promesses non tenues, etc., on n'est pas moins heureux de devancer sur le terrain l'équipe de l'entreprise rivale et on s'écrie, dans un grand élan d'enthousiasme et d'identification personnelle à France 2 : « Cette fois-ci, on a baisé la gueule à TF1 ! » [*infra*, p. 225]

L'adhésion à l'ordre établi

L'investissement dans le jeu nourrit l'intérêt pour le jeu et renforce l'adhésion des agents. Celle-ci déborde évidemment les limites de la seule entreprise. Elle s'adresse aussi à une vision globale du journalisme et du monde social. La connaissance des milieux journalistiques et l'observation de leurs pratiques permettent de dire qu'il y règne aujourd'hui dans l'ensemble (si on en excepte quelques secteurs atypiques qui font de la résistance) *un consensus très large sur l'ordre établi* en France et dans le monde. L'existence d'un consensus de fond n'exclut pas, bien au contraire, un certain pluralisme d'opinion (que les revues de presse mettent en scène en lui conférant par là même plus de réalité qu'il n'en a) exprimant les différentes thématisations et nuances d'une même conception fondamentale. Cette dialectique de la diversité dans l'uniformité idéologique tient fondamentalement au fait que les médias journalistiques s'adressent aux différentes fractions des classes moyennes et des classes supérieures, où se recrutent d'ailleurs très majoritairement les journalistes eux-mêmes. Il est donc compréhensible que les médias reflètent la diversité effective des intérêts et des valeurs de ces différents groupes sociaux. Mais cette diversité n'empêche pas que les bourgeoisies, petites et grandes, nouvelles et traditionnelles – au sein desquelles les journalistes occupent aujourd'hui collectivement, en tant que corps professionnel, une position de force – aient en commun une même *volonté de préservation de l'ordre existant*, avec une tendance plus ou moins étroitement *conservatrice* pour les groupes les plus dominants et une tendance plus ou moins vigoureusement réformatrice pour les autres, selon le degré d'accumulation des capitaux économiques et culturels auquel elles sont respectivement parvenues. Le même accord de fond, avec son relatif pluralisme qui va s'exténuant, se retrouve dans les rédactions des entreprises de presse. Il s'agit là d'une propriété qui n'a rien de conjoncturel. Déjà il y a quelques lustres, nombre de journalistes s'accordaient pour dire : « Il règne à l'intérieur des rédactions un consensus giscardo-socialiste. » Ce qui revient à énoncer en termes de commentaire politique le constat sociologique que je viens de rappeler. En fonction de la conjoncture politique considérée, il suffirait de modifier légèrement les termes (et de dire par exemple « chiraco-rocardien » ou « balladuro-deloriste » ou « jospino-barriste » ou « royalo-sarkoziste ») pour conserver à la formule toute son actualité. Si le phénomène est aussi durable, c'est qu'il trouve son soubassement objectif dans la structure des classes sociales qui présente une relative stabilité.

Un habitus de classe

La meilleure façon en effet de rendre compte du consensus journalistique, c'est de faire l'hypothèse d'un *habitus de classe* présent en chaque individu sous forme d'un habitus personnel qui en est une *variante structurale* [9]. Les dispositions génériques constitutives de l'habitus de classe, à l'intérieur d'une même classe de conditions objectives d'existence, présentent d'un individu à l'autre des différences dues au fait qu'aucune expérience (et *a fortiori* série d'expériences) individuelle n'est absolument identique à celle du voisin, aussi proche soit-il dans l'espace social, et que même les individus qui se ressemblent le plus parce que « tout » les rassemble peuvent dire, quand bien même la différence ne sauterait pas aux yeux : « Lui c'est lui, et moi c'est moi » – c'est-à-dire « son habitus personnel et le mien sont deux variantes distinctes du même habitus de classe ». Le concept d'habitus de classe permet d'appréhender l'existence d'un consensus sans tomber dans l'une des erreurs théoriques opposées : d'une part l'interprétation strictement structuraliste, qui reviendrait à faire des journalistes des pantins mécaniques dans la *main invisible* des macrostructures ; et d'autre part l'interprétation strictement individualiste, qui conduirait une fois de plus à mettre la communauté d'inspiration sur le compte d'une conspiration interindividuelle et à expliquer le consensus journalistique par une des variantes de la *théorie du complot*. On peut prévoir ici l'objection, non dépourvue d'un certain fondement, que, si les puissances publiques et privées se disputent si âprement, si chèrement, les postes de direction et de responsabilité des appareils d'information, c'est justement pour y placer des hommes et des femmes sûr(e)s et compétent(e)s, capables d'*orchestrer* dans le bon sens l'activité de ces appareils. Certes, on ne saurait sans angélisme ignorer les liens nombreux et solides que certain(e)s journalistes entretiennent personnellement avec le monde des affaires et de la politique dont ils sont en quelque sorte les délégués à l'intérieur de la profession ; et on ne saurait sous-estimer le rôle efficace que jouent ces derniers, aux postes d'influence qui sont les leurs, dans les campagnes et croisades par lesquelles les puissants s'efforcent – démocratie oblige – de faire légitimer leurs entreprises par l'approbation du plus grand nombre. Mais cela ne constitue pas une véritable objection à l'hypothèse de l'habitus de classe. Ce serait même plutôt une confirmation de l'existence de celui-ci : on pourrait dire, en parlant par parabole, qu'une barque qui descend au fil du courant ne descendra que plus sûrement si quelqu'un à bord donne de temps à autre un coup d'aviron pour maintenir le cap en évitant les remous et l'échouage. Autrement dit, on ne peut faire fonctionner en permanence tout un champ social uniquement par imposition autoritaire de directives formelles et de consignes explicites. Celles-ci ont leur utilité, mais de façon circonstanciée et localisée et pour autant qu'elles activent chez l'interlocuteur des dispositions à agir, sentir, penser, percevoir, dans le sens souhaité. « Les admonestations du pouvoir », les remontrances vigoureuses ou feutrées des cabinets ministériels auprès des directions des rédactions, les menaces de rétorsion, toutes ces pressions sont autant d'exemples de ces interventions ponctuelles qui, alternant avec les offensives de charme et de séduction, rappellent efficacement les journalistes à l'ordre et les confirment dans « l'exercice prudent du métier », comme dit Georges Abou [10]. Les chefs d'orchestre seraient impuissants et ne provoqueraient qu'une cacophonie s'ils ne s'adressaient à des exécutants préparés à aller à la rencontre de leurs intentions, à les entendre à demi-mot, voire à *anticiper* leurs attentes (comme on peut le voir dans les témoignages rassemblés dans ce livre), parce qu'ils sont porteurs de *dispositions fondamentalement concertantes*, acquises dans des conditions objectives d'existence et de formation globalement identiques ou similaires. Ces pré-dispositions constitutives d'un habitus commun trouvent à s'actualiser concrètement, avec une part variable d'adaptation et d'improvisation *empirique*, dans les situations singulières de la vie quotidienne. On ne peut pas transformer quelque 34 000 journalistes en conspirateurs passant leur temps à prendre les ordres des milieux dirigeants et à comploter sciemment la conversion de l'ensemble des champs sociaux (y compris du champ journalistique) à la logique économique et au culte du Veau d'or. En revanche, on peut faire confiance à l'habitus de classe de la majorité de ce clergé « bourgeoiso-cratique » pour coaliser à peu près immanquablement, de guerres du Golfe en référendum et en accords de l'Organisation mondiale du commerce – pour ne prendre que quelques repères saillants –, le gros de ses troupes dans la défense spontanée et ardente d'une politique, baptisée tantôt « de droite », tantôt « de gauche », mais toujours conforme aux besoins de l'ordre établi (nationalement ou mondialement), à ses *valeurs et croyances dominantes largement partagées par les journalistes* et qui constituent des variantes plus ou moins orthodoxes (donc avec une dose variable d'hérésie) du dogme néolibéral [11]. Si le champ journalistique, comme beaucoup d'autres, ne cesse de *dériver vers l'hétéronomie*, ce n'est pas seulement parce que son autonomie est attaquée de l'extérieur et entamée par les empiètements sournois ou brutaux d'un économisme arrogant et dominateur. C'est aussi, et sans doute plus gravement, parce qu'elle est minée de l'intérieur par l'exténuation de l'adhésion individuelle à des idéaux, des intérêts et des formes d'excellence spécifiques (perçus et vécus par comparaison comme « ringards », « naïfs », « obsolètes » et finalement peu « rentables »), et par le ralliement individuel – qui n'a même pas besoin d'être vraiment lucide et délibéré, tant il est encouragé de toutes parts et « naturalisé » – à une nouvelle *doxa* qui exalte les valeurs de « modernité », d'« innovation », d'« ouverture » et d'« efficacité », toutes valeurs auxquelles assurément il n'y aurait rien à redire si leur invocation ne servait généralement, ne serait-ce qu'indirectement et à l'insu de leurs partisans eux-mêmes, à discréditer (comme « dépassé », « archaïque », « idéologique », « dogmatique », etc.) tout ce qui peut s'opposer à l'extension planétaire du marché et à l'adoption du libéralisme par le genre humain.

Certes, les mobilisations journalistiques n'ont rien de militaire. Les « états-majors », plutôt que des commandements formels et indiscutables, émettent le plus souvent des demandes, des suggestions, des invites, bref exercent une forme d'autorité euphémisée (n'excluant nullement des accès d'autoritarisme brutal ni des menaces, surtout envers les plus précaires) qui ménage des possibilités de négociation au coup par coup et laisse place à d'éventuelles initiatives personnelles et improvisations sur le terrain – il peut même se faire que la possibilité de négociation s'institutionnalise sous forme d'une instance de discussion officieuse, quasi clandestine, la « deuxième conf » qui vient doubler la conférence de rédaction officielle [12]. Cette marge de manœuvre, qui contribue à donner aux agents l'impression gratifiante de ne pas être contraints, peut sans doute engendrer à l'occasion quelques dissonances dans l'orchestre. Mais l'homogénéité sociologique du milieu, bien que relative, est de toute façon suffisante pour que, moyennant les suggestions ponctuelles appropriées, les exécutants fassent globalement le travail attendu. Au demeurant, le risque que des opinions individuelles ou des initiatives personnelles perturbent sérieusement la « ligne » de l'information politique et générale suivie par l'entreprise reste minime. Le cloisonnement des services est tel, la critique croisée des uns par les autres si forte, le contrôle des échelons inférieurs par les supérieurs si vigilant, l'autorité des « spécialistes » si respectée et leur monopolisation des dossiers importants si jalouse, et surtout l'*autocensure si constante et si spontanée*, que la probabilité d'un dysfonctionnement grave est extrêmement réduite. Quand un(e) journaliste est en désaccord avec ce qui lui est demandé, ce désaccord porte en règle générale sur un point particulier, un aspect partiel ou secondaire de la tâche à effectuer – le choix d'un sujet, sa place dans le journal, le temps imparti, l'importance à attribuer à une déclaration ou à un protagoniste, etc. Il n'y a pas là motif à affrontement durable et encore moins à divorce. D'ailleurs, la pression irréductible de l'actualité et la nécessité de fournir à jet continu de la copie, du son et de l'image interdisent le plus souvent de s'attarder sur quoi que ce soit, de s'arrêter pour réfléchir et discuter, en se mettant à distance des choses et de soi-même. Dans ces conditions, il suffit à chacun(e) de suivre sa pente, de se laisser porter par son habitus, en en rationalisant plus ou moins explicitement les mouvements implicites, pour converger, sans le rechercher expressément, avec la plupart des autres, dont la pente est équiprobable, dans une espèce de « consensus mou », à la fois hérité et construit, lucide et confus, ondoyant et stabilisé, équivoque et sans ambiguïté. L'adhésion à l'ordre établi, chez la plupart des journalistes comme ailleurs, présente *tous les degrés de conviction*, mais elle ne prend qu'occasionnellement la forme d'un choix délibéré, explicitement motivé, rationnellement argumenté et soutenu de bout en bout. C'est le plus souvent une adhésion *par défaut*, non pas celle de quelqu'un qui approuve expressément mais de quelqu'un qui se borne à ne pas désapprouver et qui s'accommode de ce qui est, même s'il a beaucoup à y redire, parce qu'après tout la position qu'il y occupe n'est pas des pires. C'est le lot aujourd'hui d'une multitude d'agents des classes moyennes ou de rejetons mal apanagés des classes supérieures. Ils donnent, par habitude, dans les limites de leurs capacités de réflexion et d'imagination, et aussi par intérêt, si ténu soit-il, une adhésion tiède à un ordre qui ne les satisfait qu'à demi mais qui leur paraît préserver une probabilité de promotion rapide, surtout dans les métiers de l'information et de la communication.

Ceux-ci sont en effet, en France, plus des arts que des métiers en ce sens que les qualités de sociabilité, d'aisance, de charme et même de culot (que le milieu d'origine et l'éducation ont inscrites corporellement dans l'individu) tendent à l'emporter sur la compétence et la maîtrise proprement technique, surtout si de surcroît on est soutenu par un solide « piston ». Dans le journalisme toutefois, à cause de l'inflation accélérée des effectifs [1] et d'une relative saturation du marché, on voit se multiplier les espérances déçues et les illusions perdues chez un nombre croissant de jeunes (et moins jeunes) journalistes voués à la « galère » interminable des piges, qui n'est souvent que la forme euphémisée et à peine atténuée du chômage journalistique. Il n'en reste pas moins que, pour le moment, la carrière journalistique semble encore très ouverte et continue à séduire une multitude de candidat(e)s qui montent en rangs serrés à l'assaut des rédactions en commençant par faire leurs classes, en proportion croissante, dans les écoles de journalisme. Celles-ci, en recrutant au niveau du baccalauréat ou de bac + 2 (et même au-dessus), ont contribué à élever sensiblement le niveau moyen du diplôme à l'entrée dans la profession. Malheureusement, la place dévolue au renforcement de la culture générale, au cours d'une scolarité de deux ans au maximum, y reste très insuffisante, quand elle n'est pas inexistante, et ces écoles se montrent plus préoccupées du placement professionnel de leurs diplômé(e)s – préoccupation qui suffirait à assurer leur succès dans le contexte actuel – que de la qualité réelle de leur formation générale supposée satisfaisante. Il semble par conséquent qu'il ne faille pas attendre de ces formations initiales un remède au mal qui – à l'exception d'une élite intellectuelle véritable mais limitée, occupant brillamment l'avant-scène – affecte la grande masse des journalistes : l'*inculture*, que bien des journalistes eux-mêmes déplorent et dénoncent, comme le fait, entre autres, Bruno Frappat, en termes très explicites : « L'absence de

---

[1]. En 2006, on peut parler de trois décennies de croissance des effectifs, liée au développement de l'audiovisuel et de la presse magazine.

recul historique, de connaissances juridiques, le manque d'épaisseur culturelle des journalistes sont des vices de la profession qu'on ne cite pas assez souvent. On pourrait s'interroger longuement sur l'enseignement distillé dans les écoles de journalisme. [13] » [I]

Les effets du champ : la différenciation distinctive

Ce déficit criant en capital culturel est sans doute pour beaucoup dans l'incapacité de la plupart des journalistes à appréhender le monde et eux-mêmes autrement qu'à travers les catégories simplistes et stéréotypées d'un prêt-à-penser dont les rédactions sont devenues l'un des principaux ateliers de confection. L'assentiment foncier des journalistes au monde environnant vient de ce que leur habitus bourgeois ou petit-bourgeois, façonné par leur appartenance originelle à des milieux favorisés (pour la très grande majorité) et par leur formation générale superficielle et lacunaire (sauf exception), ne leur fournit guère de dispositions affectives ni de schèmes cognitifs qui pourraient favoriser spontanément un rapport non mystifié, tant soit peu scientifique ou même tout simplement critique, à la réalité qui les entoure. On aurait tort pourtant de faire de cet habitus une structure monolithique, rigide

---

I. Cette question de la formation, posée ici de façon un peu rhétorique, mériterait selon moi d'être placée au centre des préoccupations de la profession, et de ses organisations syndicales pour commencer. Il n'est pas bon qu'une fonction aussi importante (que l'information) pour la collectivité soit assurée par un corps professionnel comportant une fraction aussi importante de membres aussi peu, ou mal, préparés à le faire. Si l'on en croit l'expérience de François Ruffin au Centre de formation des journalistes, la situation de cet enseignement s'est encore grandement dégradée au cours de la dernière décennie [14].

et univoquement déterminante. L'intégration au système qu'il conditionne est une résultante globale, statistique en quelque sorte, qui ne se vérifie pas forcément dans toutes les situations empiriques sans exception, où une *variable locale* peut toujours acquérir une force prépondérante et conduire à des choix opposés. Comme les autres agents sociaux, les journalistes sont pleins de contradictions, qui trouvent leurs racines dans la multiplicité des instances de socialisation, la diversité des inculcations et des trajectoires, la pluralité des groupes d'appartenance et des intérêts, l'hétérogénéité plus ou moins forte, chez un même individu, de ses différentes « casquettes », c'est-à-dire des identités personnelles construites dans les différents champs de sa pratique (à travers l'assomption des rôles et des personnages socialement assignés par chacune des positions occupées). Ne prêtons pas par conséquent une passivité larvaire à des individus qui ont conscience d'être chacun pour son compte un « moi » (et même plusieurs « moi » à tour de rôle, plus ou moins en cohérence entre eux) capable en toute circonstance de dire « je ». Et ne nous étonnons pas de constater que l'adhésion à la logique dominante de l'institution est parfois fortement conflictuelle, intermittente, traversée de réticences, d'hésitations, de doutes, de remords, de refus. L'attention portée aux propriétés communes liées à l'existence d'un habitus de classe ne doit pas non plus faire perdre de vue un aspect essentiel du fonctionnement de tout champ social : les dispositions dont sont dotés les agents ne se manifestent pas *in abstracto*, inconditionnellement, mais toujours dans la rencontre avec une situation concrète. Et parmi toutes les déterminations inhérentes à la situation, il en est une qui joue un rôle décisif dans les prises de position opérées par un agent singulier : c'est la position qu'il occupe dans la structure de répartition de tels ou tels capitaux spécifiques – ou, si l'on préfère, en l'occurrence, dans la structure de pouvoir que constitue le champ journalistique. Être jeune pigiste dans une agence de province de la presse quotidienne régionale et être directeur(-trice) de l'information d'une télé nationale, à Paris – pour prendre deux positions extrêmes – ne donnent pas la même capacité d'initiative ni le même style d'intervention, à l'intérieur du champ comme à l'extérieur. De même l'appartenance à la rédaction du *Figaro* fait acquérir des propriétés positionnelles différentes de celles qu'on acquiert au *Monde* ou à *Libération*. Quand on examine ce qui se passe à l'intérieur de tel ou tel champ social, il faut toujours se souvenir qu'il a atteint un certain degré d'autonomie par rapport aux autres forces sociales, et qu'en vertu de cette autonomie relative son activité spécifique tend à s'y transformer en une *fin en soi*, en un jeu autarcique qui ne reconnaît en principe d'autres enjeux ni d'autres règles que ceux qu'il se donne. Le champ tend ainsi à fonctionner comme un espace de concurrence interne où chaque individu s'efforce d'occuper la position la plus distinctive possible en acquérant les propriétés spécifiques les plus gratifiantes – apparaître comme un(e) journaliste de qualité, appartenant à l'aristocratie professionnelle, que les autres journalistes admirent et envient pour son talent, son autorité, sa réussite, etc. L'investissement dans les stratégies de conquête ou de maintien de la position a un *effet d'écran* sur l'agent à qui il tend à faire perdre de vue que le champ dans lequel il s'investit n'est lui-même qu'une composante structurelle parmi d'autres de la société globale, et que le sort de l'humanité ne dépend pas tout entier et à tout moment de ce que les agents du champ considéré peuvent décider de faire ou de ne pas faire [1]. C'est parce qu'il y a cette autonomie relative du champ que, dans une large mesure, les journalistes travaillent, écrivent, parlent *les uns pour les autres*, dans la logique de la concurrence interne – comme on peut le voir à l'évidence dans les pratiques décrites par nos témoins. Comme l'écrit Georges Abou, « la norme [du travail] est fournie par ce qui a été ou sera publié par les confrères des autres titres, partenaires et néanmoins concurrents. Le ratage, c'est de ne pas publier la même chose que les autres au même moment, éventuellement dans les mêmes proportions [16] ». Ainsi le travail des uns sert-il de référence et de déclencheur au travail des autres ; les informations publiées par certains titres de la presse écrite, comme *Le Monde*, ayant souvent pour effet d'actionner leurs confrères de l'audiovisuel. Le comble de la distinction consiste alors à provoquer un « ratage » généralisé des concurrents en publiant un « scoop ». De ce point de vue, être le(s) premier(s) à « sortir une affaire » est tout particulièrement efficace, parce que cela procure un double profit de distinction : un profit interne d'abord, par rapport aux concurrents relégués au second plan ; et un profit externe dans la mesure où on démontre publiquement son indépendance par rapport aux pouvoirs extérieurs

---

I. Marx fut sans doute le premier à relever, en termes polémiques, à propos de ce qu'il appelait le « crétinisme » des parlementaires de la IIe République, cette propension inhérente à la logique de tout investissement, dans le jeu politique comme dans le jeu économique, ou artistique, ou religieux, ou journalistique, qui porte les agents d'un champ social à y placer le centre du monde et à se prendre pour « le sel de la terre » en ignorant le monde extérieur et en consacrant l'essentiel de leur énergie aux luttes internes pour la reproduction ou le changement des positions occupées dans le champ [15].

publics ou privés dont on dénonce les agissements. La logique de la concurrence interne a ainsi de *réels effets de différenciation* entre les agents du champ journalistique qui, du fait des positions différentes qu'ils occupent dans le système de positions donc d'oppositions qu'est le champ, sont conduits à des prises de position (sélection des faits, commentaires, analyses, etc.) différentes par leurs formes et leurs contenus [17]. Lorsque par conséquent on parle, comme je l'ai fait précédemment, de détermination des actions individuelles par un habitus de classe, il importe de préciser que ces prédispositions, inclinations, tendances inscrites chez les individus par toutes leurs appartenances sociales depuis les plus originelles ne s'actualisent jamais que sous les formes empiriques, au moyen des ressources et dans les règles spécifiques qu'autorise la situation du moment ou, plus précisément, la position concrètement occupée dans un champ déterminé. Et c'est justement en agissant de façon spécifique – en « bon(ne) », en « vrai(e) » journaliste –, c'est-à-dire en fonction de la position qu'il ou elle occupe dans le champ, en concurrence avec tous les autres journalistes, que chacun(e), même s'il ou elle n'est préoccupé(e) que de faire son travail, travaille aussi, sans même le vouloir expressément, à reproduire les conditions sociales qui rendent possibles les privilèges journalistiques en particulier et l'existence d'un monde de privilégiés en général.

Cela étant, on pourrait penser *a priori* que des origines populaires n'empêchent pas de faire carrière dans le journalisme. Celui-ci, conformément aux règles de l'égalité républicaine, est censé être ouvert à tous et toutes, sans discrimination d'aucune sorte, et surtout sans considération d'origine sociale. Et de fait, il y a des journalistes issus des milieux populaires, dont certains parcourent une trajectoire professionnelle brillante. Mais outre qu'ils ne sont encore qu'en très petit nombre, il semble bien que leur promotion ne puisse se réaliser qu'au prix d'un travail (jamais achevé) de refoulement de leur habitus populaire, de gommage ou d'inhibition des dispositions et propriétés les plus révélatrices de l'origine sociale : hexis corporelle et en particulier linguistique, goûts, pratiques culturelles ; et surtout convictions philosophiques et sympathies politico-idéologiques inculquées par le milieu familial, quand elles sont trop « marquées à gauche ». Ces journalistes, comme les étudiants d'origine populaire, sont des « sursélectionnés », en ce sens qu'ils doivent, pour compenser le handicap de l'origine sociale, exhiber à un plus haut degré d'appropriation que les autres les propriétés modales (corporelles, intellectuelles, morales, etc.) sélectionnées par le champ, ce qui les conduit bien souvent à « en rajouter » dans le conformisme. Une conversion aussi radicale de l'habitus personnel n'est pas toujours assurée de réussir pleinement. D'où la position souvent inconfortable (tiraillée « entre deux habitus », pourrait-on dire) génératrice de malaise, de mal-être, chez certains de ces « parvenus » culturels condamnés à une forme de dédoublement et donc de distance à soi, qui peut, dans certains cas, être propice au développement d'un rapport critique à la pratique journalistique. On ne saurait par conséquent tirer argument de l'existence de cette minorité d'origine populaire au sein de la population journalistique pour contester l'hypothèse des effets massifs d'un habitus de classe relativement homogène dont les principaux traits se retrouvent dans les différentes fractions de la petite bourgeoisie du tertiaire et des professions intellectuelles supérieures. Il n'est pas inconcevable d'ailleurs que de nouveaux changements macrostructurels accentuent le début de démocratisation du recrutement provoqué par l'appel d'air lié au développement récent et impétueux de l'audiovisuel et de la presse magazine et spécialisée. Si d'aventure de tels changements se produisaient, ils pourraient entraîner des modifications morphologiques plus importantes de la population journalistique qui elles-mêmes seraient propices à l'émergence de nouvelles propriétés modales. On pourrait ainsi imaginer l'apparition d'une population de journalistes (ou d'une fraction) capable de concevoir et de réaliser une véritable presse « populaire », à peu près inexistante actuellement (sinon au sens péjoratif du mot « populaire », c'est-à-dire au sens de presse *tabloïd* ou *people*). Mais dans l'état actuel de recrutement et de formation de la profession, et surtout dans la situation actuelle d'hétéronomie du champ, une telle évolution relève de la sociologie-fiction.

Un centrisme sociologique

On comprend pourquoi, dans ces conditions, on est amené à conférer plus d'importance aux actes d'adhésion qu'aux actes de refus. Pour cette raison fondamentale que, contrairement à ce que pourrait laisser supposer une certaine microsociologie subjectiviste, tous les actes effectués par les agents n'ont pas le même poids fonctionnel ni par conséquent le même statut par rapport à la réalité sociale *déjà objectivée* (l'institution journalistique en l'occurrence). On n'abolit pas et on ne refait pas le monde par décret à chaque nouvelle interaction. Les actes ou les intentions qui vont dans le sens de la consolidation des structures établies et de leur logique de fonctionnement dominante sont perçus et valorisés de façon très positive à l'intérieur du champ (félicitations des supérieurs, promotions, admiration envieuse des pairs, etc.), tandis que les manifestations d'opposition sont ignorées ou blâmées ou réprimées ou neutralisées. Ce n'est pas par préjugé doctrinal qu'on est amené à accorder plus d'importance au consensus qu'au dissensus ; même s'il convient de souligner que celui-ci fait évoluer celui-là par amodiations successives dans un sens ou un autre – pour ne pas parler des conjonctures, tout de même pas si fréquentes, où la frustration née des attentes déçues finit par l'emporter sur la satisfaction née des attentes comblées et par provoquer une rupture totale avec la logique de l'institution. Il faut bien se rendre à l'évidence : il y a des foules de mécontents dans tous les espaces d'interaction sociale – quelque appellation sociologique qu'on leur donne : champs, cités, régimes d'action, etc. ; ce qui n'empêche pas ceux-ci de fonctionner pour autant qu'ils continuent à répondre, ne serait-ce que partiellement, aux attentes des mécontents et à nourrir, ne serait-ce qu'illusoirement, leurs espérances. C'est là la matrice de toutes les expressions de la modération *réformiste* (c'est-à-dire du néoconservatisme), qui se partagent les suffrages des classes moyennes de France et d'ailleurs, comme elles se partagent l'adhésion de la plupart des journalistes.

En effet, aux yeux de la plupart des journalistes, le monde « moderne » est intrinsèquement bon. Tout se passe comme si, adoptant à leur façon la distinction scolastique entre la « substance » et l'« accident », ils partageaient, en deçà même de toute réflexion explicite, la conviction que rien de ce qui est négatif (exploitation, oppression, chômage massif, guerres, gaspillage des ressources humaines et naturelles, etc.) n'est vraiment imputable à l'*essence* même du libéralisme – à l'inverse de ce que pensait un Jaurès, par exemple. Ces traits négatifs existent certes et sont à déplorer (ils alimentent la majeure partie des journaux d'information), mais si graves et constants soient-ils, ils ne seraient que des traits accidentels dont il faudrait malheureusement s'accommoder – en quelque sorte un prix à payer pour que le char de Jaggernaut du libéralisme universel continue son chemin : « On ne fait pas d'omelette, etc. » Cette philosophie spontanée [1] des rédactions, inscrite dans les schèmes de pensée, de perception et de sensibilité de beaucoup de journalistes, est capable, à elle seule, et *a fortiori* avec l'aide des conférences de rédaction et des consignes directoriales, d'orienter les analyses et les commentaires dans le sens du « lissage » et du « lustrage » des aspérités du réel et en particulier de tout ce qui pourrait accréditer l'existence d'une lutte des classes. On conçoit que sur une telle pente le travail journalistique puisse converger sans effort particulier ni dessein préconçu avec les attentes et les intérêts des groupes dominants qui accaparent la puissance temporelle.

Encore une fois, gardons-nous d'en conclure que le travail des journalistes se résume à celui de « porteurs d'eau » chargés d'assurer le confort des champions qui font la course en tête. Ce serait ignorer une autre dimension essentielle de la réalité, à savoir que les journalistes font partie eux aussi de ceux qui font la course pour leur propre compte. En effet, parce que, dans leur grande majorité, ils appartiennent aux classes moyennes instruites ou aux fractions des classes supérieures mieux pourvues en capital culturel qu'en capital économique, ils réagissent en

---

1. Il semblerait d'ailleurs que cette philosophie, quoique rarement verbalisée, soit largement répandue dans les populations des pays « les plus riches » de la planète.

face des détenteurs de la puissance politico-économique à la façon de toute intelligentsia : en *rivaux dominés*, à la fois pleins de considération envieuse et de ressentiment envers des dominants proches et pourtant inaccessibles, auxquels ils ne se privent pas d'ailleurs de tailler des croupières chaque fois que l'occasion s'en présente et pour autant que le leur permet l'autonomie relative d'un champ où l'on est censé tirer en principe sa légitimité d'un travail d'investigation sans complaisance et d'une recherche intrépide de la vérité. Se caractérisant par une grande « élasticité » structurelle [18], les classes moyennes ont ceci d'original qu'elles imposent toujours à leurs membres de se définir par une double opposition aux classes supérieures et aux classes populaires, cet entre-deux social étant lui-même vécu de façon ambivalente en ce sens que les classes supérieures comme les classes populaires sont l'objet à la fois et contradictoirement d'une forme de fascination et d'une forme de répulsion. On a dans cette ambivalence à l'égard des classes supérieures la clé du comportement double et indissociable qu'on peut observer dans l'ensemble des rédactions. D'un côté on s'emploie à célébrer diversement l'ordre établi et ses représentants les plus éminents ; de l'autre on s'évertue à arracher des masques, à dévoiler, à faire la clarté sur certaines situations et entreprises. Il faut toutefois souligner que le discours de dénonciation concerne généralement des pratiques individuelles [1], qui peuvent toujours, en

---

I. Bien que les « affaires » sorties par la presse mettent en cause essentiellement les pratiques répréhensibles de certains individus dont les autres dominants ont tôt fait de se désolidariser, les milieux possédants et dirigeants ne supportent évidemment pas d'être ainsi attaqués et s'efforcent, aujourd'hui comme hier, par l'intermédiaire de

dernière analyse, être tenues pour des « bavures », des manifestations isolées d'une « nature humaine » pervertie,
des « fatalités », bref comme des « accidents » qui ne
sauraient remettre en cause la logique objective de fonctionnement d'un système fondamentalement sain qu'il
convient de défendre envers et contre tout [1].

Que les journalistes, à l'instar des autres fractions de la
petite bourgeoisie, soient à la fois aimantés et repoussés
par les classes dominantes dont certains d'entre eux sont
des membres indigènes et dont nombre d'autres sont des
parvenus, c'est là un fait observé depuis longtemps. Les
témoignages que le lecteur trouvera dans ce livre permettent de mieux comprendre comment ces sentiments
ambivalents contribuent à la construction et à l'entretien
de la connivence entre les représentants du pouvoir et les
journalistes accrédités auprès d'eux. Dans *Journalistes au
quotidien*, Dominique Marine décrivait avec finesse le
jeu subtil des rapports personnels qui, s'instaurant sur le
mode de l'*interdépendance* fonctionnelle entre un(e)
journaliste et son informateur appartenant aux sphères
dirigeantes, tendent à évoluer, par le biais des fausses
confidences savamment distillées, vers une forme de
relation élective où chacun(e) se sentirait d'autant plus

leur personnel politique, de faire limiter la liberté de la presse par le
législateur. Ainsi est entretenu, depuis les débuts de la presse d'information, un climat d'antagonisme entre fractions des classes dominantes, qui éclipse, au regard des antagonistes eux-mêmes, la profonde
connivence qui les unit.

1. Voir en 2006 la façon dont les médias dénoncent à l'occasion les
« patrons-voyous » qui délocalisent, pratiquent l'évasion fiscale ou s'oc-
troient des salaires indécents et des primes faramineuses ; la stigmati-
sation explicite de quelques « brebis galeuses » ayant toujours pour
effet de souligner implicitement la bonne santé du reste du troupeau.

« l'obligé(e) » de l'autre que les échanges intéressés de services – « Je te donne l'information prioritaire ou exclusive qu'il est de mon intérêt de divulguer et tu lui donnes
tout le retentissement possible » –, au lieu de s'effectuer
dans la froide logique arithmétique du donnant-donnant,
auraient toute la chaleureuse apparence d'être des dons
gracieux commandés par une irrésistible sympathie
doublée d'une totale confiance [19].

À ce jeu compliqué où, afin d'imposer son faire-savoir,
le savoir-faire politicien (ou entrepreneurial) se pare des
séductions du savoir-vivre chic, il arrive plus souvent que
les journalistes se laissent instrumentaliser par leurs informateurs huppés que l'inverse, à cause de ce *besoin de
reconnaissance* et de considération de la part des membres
des groupes puissants et distingués auxquels ils s'efforcent
de ressembler et aspirent à s'agréger. C'est un des biais
principaux par lesquels les journalistes sont, selon Brunot
Frappat, particulièrement exposés « aux risques de manipulation sur fond d'amitié [20] ». On sait quelle ampleur a
pu prendre la pratique des « cadeaux » en nature aux journalistes de la part des milieux possédants et dirigeants. Ce
qui fait essentiellement la force corruptrice de cette pratique, c'est beaucoup moins la valeur économique des cadeaux dans leur matérialité (la plupart des bénéficiaires
de ces largesses seraient indignés de s'entendre dire qu'ils
se laissent « acheter ») que leur valeur symbolique en tant
que signes irréprochables de l'amitié (supposée) des
grands, ou tout au moins de leur considération distinguée. En même temps, malgré leur immense besoin de
croire qu'ils sont reconnus et aimés pour eux-mêmes, les
journalistes ne sont pas tout à fait dupes. Ils sentent bien,
ne serait-ce que confusément, par une intuition relevant
de ce sens pratique qui est sens du jeu que l'on joue et *sens*

de la place véritablement occupée dans le jeu, qu'il y a beaucoup de condescendance dans la convivialité apparente dont ils sont gratifiés ; que les sentiments de respect ou d'amitié qui leur sont manifestés s'adressent fondamentalement à leur fonction et au pouvoir symbolique qu'ils ont en partage, et qu'on tend à leur faire tenir, auprès des organisations de la noblesse étatique et entrepreneuriale moderne, un rôle de médiation et de légitimation comparable à celui des abbés, curés, chapelains et autres auxiliaires ecclésiastiques attachés autrefois aux grandes maisons de la noblesse seigneuriale où ils se faisaient souvent « remettre à leur place » par leurs employeurs. Les journalistes, sensibles comme le sont d'une façon générale les intelligentsias dominées aux formes plus ou moins explicites et euphémisées de ce *mépris de classe*, n'en sont que davantage portés à marquer et préserver la distance qui les sépare des classes populaires.

Populisme et misérabilisme

Sur cet aspect encore des pratiques journalistiques, le « Journal d'un JRI » abonde en aperçus édifiants, qui mettent bien en lumière le caractère spontanément *populiste*, voire *misérabiliste*, du rapport avec les classes populaires. Il y a là une confirmation supplémentaire de ce que de nombreux observateurs ont déjà mis en évidence et qu'on peut vérifier quotidiennement dans l'information écrite et plus encore audiovisuelle : il existe dans les rédactions de l'ensemble des médias une méconnaissance profonde du monde populaire, encore perçu pour l'essentiel à travers les clichés réducteurs hérités de la tradition romantique : alternativement le « bon peuple », pittoresque et rassurant ; et le mauvais peuple menaçant, celui de la « plèbe grondante », de la « canaille hurlante », de la « populace déchaînée » qui donnait des cauchemars à la bourgeoisie louis-philipparde. Le vocabulaire a changé (un peu) ; mais le concept persiste. Les classes populaires qui apparaissent dans les reportages sont réduites à une collection de cas singuliers, d'individus atomisés – ce qu'il est convenu d'appeler des « braves gens », des « petites gens » – placés dans une situation plus ou moins spectaculaire, dramatique, émouvante, à qui on essaie de faire dire des choses « fortes », touchantes, cocasses, génératrices d'émotion ; et les journalistes du « social » trouvent des accents presque hugoliens pour parler des « misérables », par excellence les SDF. En revanche, les événements et situations faisant intervenir des collectifs populaires engagés dans des actions organisées – telles que des grèves (surtout en milieu ouvrier ou dans la fonction publique), avec des revendications et des analyses politiques et/ou sociales explicites – ne sont abordés qu'avec réticence et circonspection, ou avec une agressivité à peine contenue (qui peut aller jusqu'à mettre explicitement en question le droit de grève), quand ils ne sont pas purement et simplement passés sous silence [1]. Ainsi par

---

1. Les seules grèves qui, semble-t-il, trouvent grâce aux yeux des commentateurs de l'actualité – c'est-à-dire qui ne soient pas systématiquement présentées sur le thème dominant de « la prise en otages des usagers », en particulier par le biais de ces caricatures de reportage que sont les « micros-trottoirs » – sont celles qui sont le fait de « coordinations » éphémères dont l'apparition soudaine est censée démontrer la perte d'audience des centrales syndicales. Ces grèves « spontanées » ont en commun avec les grèves étudiantes, elles aussi bien accueillies en général, qu'elles ne sont pas « politiques », ce qui, dans la typologie implicite des commentateurs, signifie qu'elles ne visent à rien d'autre qu'à l'augmentation des salaires et à la défense de l'emploi dans

exemple, ce qui arrive au seul Bernard Tapie, le jour de sa mise en examen à Béthune, présente aux yeux des responsables de l'information de France 2 autrement plus d'importance que le sort des milliers de sidérurgistes de la Sollac qui manifestent le même jour à Dunkerque pour défendre leur emploi [*infra*, JRI 22 janvier]. Et on ne peut qu'être frappé par le traitement réservé aux représentants politiques et syndicaux des organisations populaires (ton agressif, questions provocantes, vocabulaire parfois à la limite de l'insulte, interruptions grossières, etc.), qui contraste singulièrement avec la « révérence » manifestée aux grands détenteurs du pouvoir économique ou politique. Bref, tout se passe comme si le « peuple » n'était intéressant pour les médias qu'autant qu'il est inoffensif, désorganisé, souffrant, pitoyable, mûr pour les Restos du cœur, l'intervention caritative et le miracle du Loto.

Certes, les auteurs de ces reportages sont généralement en service commandé. Ils ont par exemple reçu de leur rédaction en chef la consigne de trouver, pour les reportages rituels de la Noël, un « réveillon de pauvres » dans le Nord-Pas-de-Calais pour faire pendant à un « réveillon de riches » à Monaco, ou mieux encore « une famille qui a tout perdu [dans l'inondation], les jouets et le sapin » [*infra*, JRI 23 janvier] ! On ne peut pour autant considérer que le populisme et le misérabilisme sont seulement le fait de quelques responsables soucieux de tirage et de taux d'écoute. La perception immédiate des distances sociales par chacun et la façon d'y réagir ne sont pas une chose

---

une entreprise donnée, comme c'est le cas pour les grèves des journalistes eux-mêmes, tous les autres salariés en grève étant censés être manipulés par les centrales syndicales à des fins politiques partisanes et donc par là même condamnables.

qui puisse être commandée par des directives venues d'en haut. Force est de constater, là encore, l'existence d'une aptitude, assez largement répandue chez les journalistes, à « faire du popu » dans leurs rapports avec les classes populaires, conformément à la vision démagogique et dominocentrique qu'ils en ont de l'extérieur et qu'ils partagent avec les classes supérieures. Malgré une relative démocratisation du recrutement des jeunes journalistes, celui-ci demeure très élitiste et inégalitaire. Il fait entrer continûment dans la profession des agents porteurs de dispositions qui conditionnent un rapport ambigu avec le monde populaire, fait de bienveillance paternaliste, de méfiance, de crainte et parfois d'une franche hostilité. Ce rapport trouble et condescendant aux classes populaires ne désigne pas le corps des journalistes, qui revendiquent si volontiers d'être l'écho de la *vox populi*, rebaptisée aujourd'hui « opinion publique », comme le plus apte à exprimer les vues et les vœux des différentes composantes d'une société dont les fractions les plus modestes (mais non les moins nombreuses) restent à peu près exclues (sauf comme figurants muets) de tous les grands débats mis en scène par les médias.

Pour une véritable liberté de conscience

Je ne sais dans quels champs sociaux les théories individualistes-subjectivistes peuvent trouver la vérification empirique de leurs optimistes postulats. Ce n'est certainement pas dans le champ journalistique, dont, au demeurant, le fonctionnement me paraît ressembler étrangement à celui du champ scolaire, ou du champ religieux, ou du champ politique ou de n'importe quel autre. Il est vrai qu'on peut toujours, en oubliant les structures objectives, mettre l'accent sur les décisions et les comportements individuels et regarder le monde social comme une immense collection de parties d'échecs toutes différentes et indépendantes les unes des autres. Je préfère l'interactionnisme éclairé d'Erving Goffman, quand il faisait remarquer que « les individus n'inventent pas le monde du jeu d'échecs chaque fois qu'ils s'assoient pour jouer ». Mais il ne suffit pas de poser la réalité objective du monde des échecs, avec ses règles séculaires, ses cercles échiquéens et ses fédérations, ses officiels, ses publications, ses tournois, ses classements, ses champions, ses contrats publicitaires, bref toute cette mécanique qui fonctionne selon sa propre logique et que trouve en face de lui quiconque veut jouer sérieusement aux échecs. Encore faut-il que le joueur assume pour sa part cette logique objective, qu'il y adhère, la fasse sienne en se l'incorporant, et contribue personnellement à son accomplissement, en y trouvant son compte d'une façon ou d'une autre. Mais dans la mesure où s'opère cette *appropriation réciproque du système par le joueur et du joueur par le système*, il n'est plus possible de parler de l'un et de l'autre en termes mutuellement exclusifs, comme s'ils constituaient deux réalités, l'une macro et l'autre micro, extérieures et étrangères l'une à l'autre. Il n'y a qu'un seul monde social, qui se présente toujours sous deux formes distinctes par apparence mais indissociables par essence : objective/subjective, externe/interne, collective/individuelle, etc. En s'asseyant devant un échiquier, tout joueur réaffirme du même coup la réalité objective du monde des échecs et sa réalité subjective. Le monde des échecs n'est rien d'autre que ce que le font être à tout instant les actes de tous les individus constituant la population échiquéenne. Mais si toutes ces décisions innombrables constamment renouvelées « réinventent » avec constance un monde d'une remarquable (même si elle n'est que relative) stabilité, c'est parce qu'elles ont à leur principe une même logique intériorisée sous forme d'un habitus échiquéen. Celui-ci ne doit d'ailleurs pas être conçu comme une structure rigide et immuable qui commanderait des comportements rigoureusement identiques chez tous les individus dans les mêmes conditions. Pour la raison simple et décisive que les conditions ne sont jamais rigoureusement « les mêmes », ni dans l'existence d'un même individu (dont l'identité sociale multiple et donc aussi les habitus ne se réduisent pas à ceux d'un joueur d'échecs), ni *a fortiori* dans l'existence d'individus différents. Les situations évoluent, les propriétés se transforment avec la position occupée dans le système, des actes cessent d'être possibles, d'autres le deviennent qui ne l'étaient pas : quand on a atteint le sommet de la hiérarchie échiquéenne, on peut se permettre d'entrer en conflit avec la fédération mondiale, comme l'a fait Kasparov. Mais cela s'est produit parce qu'en devenant un grand champion, conformément à la logique du monde échiquéen, il est devenu en même temps un homme d'affaires avisé conformément à la logique du monde commercial, qu'il a parfaitement intériorisée aussi. Ce faisant il n'est pas douteux qu'il a introduit dans la réalité du monde des échecs des ferments de nouveauté qui aboutiront peut-être à des modifications structurales et comportementales dans l'espace échiquéen. Une conception correcte des structures sociales doit, à la différence du structuralisme anhistorique des années 1960, rendre compte à la fois de la relative stabilité des apports sociaux et de leur relative transformation, à travers les actions incessantes d'agents qui consolident certains aspects de la réalité existante en en transformant d'autres simultanément, de façon volontaire ou involontaire.

Le lecteur aura compris que l'apparente digression dans le monde des échecs n'était qu'un détour métaphorique pour évoquer ce qui se passe dans n'importe quel espace social spécifique, n'importe quel champ. Les journalistes aussi ressemblent à des joueurs d'échecs, et comme tous les individus investis dans tous les jeux sociaux existants, ils apportent leur nécessaire adhésion au fonctionnement du système (médiatique en l'occurrence), mais une adhésion conflictuelle, contradictoire, qui conduit à analyser leurs pratiques à la fois en termes d'action intentionnelle et d'obéissance passive aux structures, sans qu'on sache jamais où finit l'une et où commence l'autre, parce que l'une et l'autre supposent la médiation plus ou moins déterminante d'un habitus qui, en tant que produit de l'incorporation personnelle des structures externes, est à la fois et inséparablement principe de soumission et principe d'initiative. De sorte qu'on peut toujours décrire simultanément les actions des agents dans le double registre de la conscience, de la lucidité, du projet, du calcul finalisé et de la responsabilité personnelle d'une part ; et de l'inconscience, de l'automatisme, de l'opacité et de l'irresponsabilité d'autre part. En fait, en matière de conscience de soi, on prête toujours trop ou trop peu aux individus qui, en toute rigueur, ne méritent « ni cet excès d'honneur ni cette indignité ». Aucun discours sur les pratiques des agents ne semble jamais leur rendre totalement justice. On peut toujours reprocher à l'analyse sociologique de trop accuser ou de trop excuser, selon qu'elle met en évidence la responsabilité des « acteurs » ou au contraire qu'elle les en exonère en mettant en cause des facteurs objectifs extérieurs.

Le travail que nous avons fait ici vise à montrer que, dans les deux cas, le propos reste un peu court et simplificateur. En effet, les rapports sociaux fonctionnent pour l'essentiel – exception faite de situations tellement extrêmes qu'elles tiennent plus de l'idéal-type que de la réalité – non pas selon des logiques intentionnelles et explicites mais selon des *logiques pratiques* que les agents mettent en œuvre spontanément, c'est-à-dire sans avoir besoin d'y réfléchir expressément parce qu'ils les ont intériorisées et assimilées à leur propre substance et qu'ils savent parfaitement faire sans savoir totalement ce qu'ils font. En d'autres termes, on peut dire qu'en règle générale ils font librement ce qu'ils sont socialement programmés à faire.

Psychosociologiquement parlant, la liberté est d'abord un bonheur d'agir qui naît de l'*adéquation entre structures internes* (le social incorporé) *et structures externes* (le social objectivé). Les structures sociales les plus contraignantes (rétrospectivement, à nos yeux) ont eu leurs fidèles indéfectibles qui les trouvaient faites pour eux parce qu'ils étaient façonnés par et pour elles. Toutefois, comme la réalité évolue, au-dedans comme au-dehors, l'adéquation ne peut être totale ni définitive. C'est ainsi que, dans l'hiatus entre l'intériorité et l'extériorité risquent de s'insinuer le doute, l'hésitation et le désenchantement qui transforment la « bonne » conscience en « mauvaise ». Alors on n'est plus totalement sûr de savoir ce qu'il faut faire ni d'être fait pour ce que l'on doit faire, on ne se sent plus justifié d'être ce que l'on est, là où l'on est. Ce qui était source du bonheur d'agir devient source de malaise et d'interrogation. La porte est ouverte à la crise.

De toute évidence, il y a encore, dans le journalisme comme ailleurs, beaucoup de gens qui se sentent parfaitement libres de faire ce qu'ils font comme ils le font. Ils occupent généralement (mais pas nécessairement) des positions plutôt dominantes dans le champ journalistique et s'insurgent, au nom de la sauvegarde de leur liberté de conscience, contre toute menace d'immixtion dans leur travail, s'agirait-il de l'intervention d'un organisme paritaire comme la Commission de la carte, à qui d'aucuns rêvent de donner un droit d'intervention en matière de déontologie [1]. Cet argument de la « liberté de conscience » du journaliste, pour légitime qu'il paraisse,

---

[1]. La commission parlementaire mise en place suite à l'affaire d'Outreau avait dans un premier temps envisagé la création d'un Conseil de l'éthique pouvant décerner blâmes et avertissements aux journalistes, voire leur retirer la carte de presse en cas de manquements graves à l'éthique [21]. D'autres suggestions antérieures allant également dans le sens de l'instauration d'une instance de contrôle déontologique ont été vigoureusement repoussées (sans qu'en fait il y ait jamais eu de véritable débat organisé dans l'ensemble de la profession sur les problèmes devenus brûlants de la déontologie), toujours au motif que cela reviendrait à créer un « Ordre » des journalistes, une structure d'encadrement de leur activité incompatible avec le respect de leur « liberté de conscience ».

Sans vouloir à son tour s'immiscer dans ce débat, on ne peut s'empêcher de remarquer que cet argument résiste mal à l'examen : outre qu'il laisse rêveur sur la liberté de conscience que leur ordre professionnel peut bien laisser aux avocats ou aux médecins, dont on ne soupçonnait pas qu'ils fussent à ce point muselés et ligotés – pour ne pas parler des enseignants-chercheurs et autres (hauts et petits) fonctionnaires dont la conscience devrait être complètement étouffée du fait que leur travail est encadré administrativement et chapeauté par un ministère –, il fait irrésistiblement penser aux protestations indignées et vertueuses par lesquelles, au siècle dernier (et encore aujourd'hui), les tenants de l'ultralibéralisme, eux aussi convaincus de défendre la liberté universelle, ont accueilli les moindres tentatives du législateur pour limiter tant soit peu les abus et les dévoiements du laisser-faire économique. Au-delà de cet aspect, la faiblesse principale de cet argument me paraît être de nature sociologique, comme je l'ai développé ci-dessus.

témoigne en fait d'un fâcheux mélange des registres. Que la « liberté de conscience » soit inlassablement réaffirmée en tant que principe moral et juridique (encore que la jurisprudence du Conseil d'État par exemple y mette certaines limites) et comme valeur fondamentale, imprescriptible et intangible, on ne peut évidemment qu'y souscrire. De là à considérer que tout journaliste est effectivement à tout moment une conscience libre de ses choix et de ses décisions – conformément au postulat philosophique du subjectivisme individualiste –, il y a toute la distance qui sépare l'optatif de l'indicatif, la *norme* du *fait*, l'idéal du réel et le discours éthique de l'analyse sociologique. Il ne suffit pas d'agir « en conscience » pour agir en toute indépendance. Depuis le temps que l'histoire et l'actualité le démontrent d'abondance, on devrait commencer à le savoir. C'est précisément lorsque les agents n'en ont pas clairement conscience que les mécanismes de la domination sociale fonctionnent le mieux. Leur logique a besoin du clair-obscur de l'entendement pour s'accomplir. Et si précisément l'hétéronomisation du champ journalistique a pris depuis quelques années l'allure d'un processus implacable et apparemment irréversible, c'est, entre autres raisons, parce que des milliers de journalistes y ont apporté leur concours « en conscience » et « en toute liberté » [1]. À l'inverse, une

---

I. Comme cette conception ultralibérale de la pratique journalistique n'a pas su, il faut bien se rendre à l'évidence, empêcher l'information de tomber assez largement sous l'emprise de l'argent et du pouvoir, il serait sans doute temps que « l'ensemble des professionnels se mettent d'accord sur un minimum de principes déontologiques, sur les moyens et les procédures aptes à les faire respecter et sur les sanctions susceptibles d'être infligées à ceux qui les enfreindront », comme le souhaitait, en 1992, le conseiller d'État Jacques Vistel [22].

bonne façon de faire que la conscience d'un individu soit « libre », c'est de lui donner les moyens de se libérer concrètement de ce qui conditionne son activité à son insu, non pas par de pieuses incantations magiques (comme celles qui accueillent régulièrement toute proposition d'encadrement de l'activité journalistique) mais en portant au jour la sociogenèse de ses structures de perception, de raisonnement, de sentiment et d'action, ou, pour le dire autrement, les conditions sociales de construction de son habitus. À cet égard, il serait hautement souhaitable de rendre tout(e) journaliste capable de mener en permanence sa propre socioanalyse.

Il me semble que la justesse de cette interprétation des pratiques journalistiques, qui s'appuie principalement sur le concept sociologique d'habitus de classe, permettant de faire le lien entre le point de vue macrosociologique et le point de vue microsociologique, apparaîtra avec évidence à la lecture du témoignage de Gilles Balbastre et de quelques autres. La présentation que je viens d'en faire n'épuise pas, loin s'en faut, son contenu ni sa signification. Mais s'il ne fallait retenir de ces témoignages qu'une seule chose particulièrement significative, ce serait à mes yeux son existence même. Elle démontre, me semble-t-il, de la façon la plus convaincante, que, du fait de sa nécessaire prise en charge par les individus, la logique objective de fonctionnement d'un système n'est jamais totalement assurée de s'accomplir. Il se trouve forcément des hommes et des femmes qui, du fait de leur origine, de leur trajectoire, de leur position, de leurs intérêts, de leurs valeurs, sont amenés à s'interroger sur les mécanismes du système, sur la fonction sociale qu'il remplit et sur le rôle qu'ils y jouent personnellement. Pour peu que ce travail de socioanalyse soit fait avec rigueur et persévérance, il peut conduire à une façon différente de s'investir dans le jeu social, moins inconditionnelle et moins fétichiste ; et même, à condition de devenir *collectif*, il peut changer les règles du jeu. Nul individu n'est condamné à être à perpétuité une « marionnette » qui s'ignore, un mannequin posé dans un monde d'objets. Nul non plus ne peut *a priori* se flatter d'être un sujet souverain. Il ne sert à rien de nier l'existence de contraintes et de logiques objectives qui pèsent plus ou moins lourdement sur les situations dans lesquelles sont engagés les agents. Une telle dénégation n'a d'autre effet que de rendre ces logiques encore plus effectives en les rendant plus occultes et inaccessibles à l'entendement d'agents enfermés dans une illusion de liberté. Inversement, il ne servirait à rien de dénoncer la contrainte par les structures externes si dans le même temps on restait aveugle à ce qui en conditionne le jeu et en assure la reproduction : la connivence profonde qu'elles entretiennent avec les structures internes de la subjectivité personnelle. En d'autres termes, on ne peut vouloir sérieusement changer le monde sans accepter de se changer peu ou prou soi-même. Ce qui est le propre d'une démarche socioanalytique comme celle entamée ci-après. Démarche qui mérite d'être saluée… et imitée.

ALAIN ACCARDO

Journal d'un JRI
ou Les sherpas de l'info

À la suite de conversations, en 1993, avec Gilles Balbastre, Alain Accardo lui suggérait l'idée de tenir un journal de bord de son activité de JRI (journaliste reporter d'image) et de décrire par le menu son travail quotidien. Gilles Balbastre livrait en avril 1994 le document publié ici.

Journaliste reporter d'image à France 2-Lille jusqu'en février 1995, Gilles Balbastre a choisi depuis de travailler comme journaliste indépendant. Au cours de ces dernières années, il a réalisé les films documentaires Le chômage a une histoire *(2001),* Moulinex, la mécanique du pire *(2003) et* EDF, les apprentis sorciers *(2006).*

LUNDI 20 DÉCEMBRE 1993
18 heures 00 – Bureau de France 2 à Lille

Éva, chef de service des correspondants régionaux de France 2, nous téléphone à propos d'inondations dans le Nord. Elle lit une dépêche AFP (plutôt alarmiste) qui fait état de la crue importante de plusieurs rivières : « Attention à un deuxième Vaison-la-Romaine. On met en place le plan Orsec. Surveillez ça de près ! » (Grande excitation dans sa voix.) Je lui dis que nous allons vérifier cette information et lui fais remarquer la différence de configuration du terrain, à Vaison-la-Romaine et dans le Nord : « C'est plus plat. » La remarque l'énerve. Elle me dit que Télématin voudra certainement quelque chose et que le 13 heures du lendemain est déjà preneur d'un sujet.

Elle relit la fin de la dépêche qui précise qu'une réunion d'urgence est fixée à la sous-préfecture d'Avesnes-sur-Helpe : « Passez la nuit avec eux, s'il le faut ! En plus, la dépêche parle d'un barrage saturé, ça a l'air sérieux. »

Je suis crevé après une journée de reportage sous la pluie et ce genre de sujet ne me passionne plus beaucoup. Je vérifie donc succinctement la nouvelle auprès de mes confrères de France 3 et je transmets la demande d'Éva à Charles, le correspondant régional de France 2 à Lille. Celui-ci se trouve en montage d'un sujet pour le 20 heures. Charles me dit qu'il n'y a pas de quoi s'affoler : « Je verrai plus tard. »

> Une dépêche AFP équivaut pour nos chefs à une quasi-certitude quant à la teneur de l'information. On nous demande rarement de vérifier l'information en question, si ce n'est pour la confirmer. Il nous est très difficile d'atténuer l'importance d'une dépêche. Or il arrive aux journalistes d'agence de presse d'en rajouter parfois un peu. Le fait de remettre en cause une dépêche AFP peut être interprété par un chef de Paris comme une façon de chercher à « tirer au flanc ».

MARDI 21 DÉCEMBRE

7 heures 15 – Appartement personnel

Charles me réveille : « J'ai entendu un sujet sur les inondations à la radio. Ils vont sûrement nous demander quelque chose pour le 13 heures, je préfère qu'on parte le plus rapidement possible. Je ne sais pas où, mais je vais au bureau passer des coups de fil. »

8 heures 00 – Bureau de France 2

Après lecture de la presse écrite locale, Charles a décidé d'aller vers Maubeuge. Il appelle les pompiers de la ville. Sans vraiment confirmer l'importance de la crue, ils font part de leurs multiples interventions. Un journaliste du service « info-géné » de Paris nous téléphone : « Un TGV vient de dérailler dans la Somme, mais il n'y a pas de victimes. » Charles lui répond après consultation de la carte : « Vous êtes plus près, vous pouvez y aller. C'est nous qui faisons les inondations du côté de Maubeuge. »

8 heures 05

Charles appelle le service de presse de la SNCF : « Les wagons ne se sont pas couchés ; il n'y a même pas de blessés ! » Apparemment, cela raffermit son choix de ne pas y aller.

8 heures 30

Départ pour Maubeuge. Dans la voiture nous passons de radio en radio (Europe L, France-Info, Radio France fréquence Nord) pour collecter de l'information sur les inondations dans notre région. Nous arrivons sur place vers 9 heures 40. Charles utilise le téléphone de voiture pour contacter les pompiers. Ces derniers nous renseignent vaguement sur leur zone d'intervention. Ils nous précisent qu'ils font une conférence de presse à 11 heures. Impossible pour nous d'y aller. Nous sommes trop pressés. Direction la banlieue de Maubeuge, dans une zone industrielle où plusieurs entreprises sont sous les eaux. 160 salariés sont concernés par les dégâts. Je fais quelques images en essayant de privilégier des plans « spectaculaires ». Ce n'est pas trop difficile dans la mesure où les eaux ont envahi une grande partie de cet endroit. Nous interviewons des patrons dont les usines sont touchées par le sinistre. Le directeur d'un entrepôt inondé relativise les dégâts. L'interview ne sera pas retenue : pas assez spectaculaire. En fait, nous attendons des phrases stéréotypées de gens qui doivent normalement être accablés par le malheur. Nous trouvons rapidement de bons « clients » qui répondent à nos questions. À peine une heure plus tard, nous levons le camp, direction Maubeuge, pour faire deux ou trois images de plus.

11 heures 15 – Voiture de reportage

Nous retournons sur Lille sans avoir collecté beaucoup d'informations. Nous n'avons pas le temps. Dans la voiture, Charles appelle le présentateur du 13 heures. Ce dernier relativise le côté catastrophique des dépêches et préfère nous demander notre avis (rare, très rare, à tel point que Charles en fait la remarque). Charles téléphone à la préfecture du Nord. Le service de presse nous renvoie à chaque sous-préfecture de la région. Le préfet du Nord et son chef de cabinet ont été remplacés récemment. Depuis, les contacts avec la préfecture sont difficiles. Charles y renonce. Nous n'avons toujours pas le temps. Nous nous débrouillerons autrement.

Notre chef nous appelle. Elle nous dégage des inondations pour l'après-midi. Charles doit faire un avant-sujet sur l'affaire Testut. En effet, Bernard Tapie, l'ancien patron de Testut, doit passer le lendemain au tribunal de Béthune. Charles suit l'affaire depuis le début et il est furieux contre lui-même : il aurait dû préparer ce sujet la semaine dernière, quand nous avions peu de travail. Une équipe de Paris vient nous remplacer sur le front des inondations. Elle doit assurer un sujet pour le 20 heures.

Nous contactons l'équipe : « Passez à Douai. Il y a une cité qui chaque année est envahie par les eaux. Il y a de l'image à faire. »

12 heures 15 – Bureau de France 2

Charles n'a qu'une petite demi-heure pour monter le sujet. J'appelle en vain un numéro que m'a transmis le documentaliste de France 3. Je cherche à avoir un peu plus d'informations sur l'étendue des inondations. Ça ne répond pas. Charles se contentera des dépêches AFP. Le 13 heures de France 2 ouvre avec le déraillement du TGV. Les sujets sur les inondations passent en second. *Idem* sur TF1.

14 heures 30

L'équipe de Paris arrive de Douai. Ils ont fait quelques vagues images. L'eau a baissé depuis la veille. Il faut aller ailleurs. *La Voix du Nord* parle d'inondations dans la région de Béthune. La journaliste contacte les pompiers de la ville, qui confirment l'information. Départ de l'équipe vers 15 heures. Charles, quant à lui, monte un sujet sur Tapie à partir de reportages d'archives.

18 heures 15

Charles apprend par « Paris » que le sujet sur Tapie qu'il vient d'envoyer est « trappé » : le 20 heures est plein. Par contre, il a des remarques de la part de notre chef sur le sujet de la veille. Une manifestation contre les expulsions dans le bassin minier : 500 personnes, dont des communistes et des catholiques, ont démuré symboliquement une des nombreuses maisons abandonnées des Houillères. Elles y ont installé un jeune couple à la recherche d'une maison. Parmi ces gens, se trouvait un curé, le père Léon, qui connaît depuis quelques années son petit succès médiatique local. Le sujet de Charles tourne autour de lui. Il ne dit pas un mot sur la présence du député communiste du coin.

La critique du rédac-chef du 20 heures, David, reprise et approuvée par notre chef Éva, porte sur la première image du sujet. En effet, Charles a commencé par le père Léon parlant dans un micro, face à des manifestants réunis dans une salle : « Fini les paroles ! il est temps d'agir ! » Suit un commentaire sur le père Léon, le prêtre des mineurs, etc. Pour David, il fallait commencer par l'image qui se trouve plus loin dans le reportage : le père Léon avec une pioche, cassant les briques qui bouchent la porte d'entrée (plus « choc »). Dans les rushes, il y avait aussi les images du député communiste cassant la porte, mais lui, nous n'en parlons pas. Charles leur répond que sans présenter d'abord le père Léon l'image du coup de pioche ne veut plus rien dire. Le débat est intéressant… *pour eux*. Sur le bassin minier, de nombreuses familles ont des problèmes de logement et des centaines de logements des Houillères sont murés.

18 heures 30

L'équipe de Paris revient de Béthune avec peu d'images spectaculaires. En effet, les inondations ne sont pas si importantes que cela. La journaliste va faire avec, d'autant plus qu'elle a de bons témoignages (c'est-à-dire « forts », « émouvants » : par exemple, un petit vieux qui dit que c'était « pire que la dernière guerre »). La journaliste fait remarquer : « On va faire du *popu*. » Ouverture commune du 19-20 sur France 3, des 20 heures de France 2 et de TF1 : le déraillement du TGV puis les inondations dans le Nord et l'Est.

La critique faite par le rédacteur en chef du 20 heures sur le choix de la première image du sujet de Charles est révélatrice d'un tournant éditorial dans les différents journaux de France 2 depuis quelques mois. Nous sommes passés d'une ligne éditoriale ayant tendance à privilégier l'international et les dossiers sociaux et économiques à une ligne éditoriale mettant en exergue les faits divers ou les affaires crapuleuses, bref à une information qui s'adresse plus à l'affectif qu'à la réflexion. Pour comparer avec la presse écrite, c'est comme si nous étions passés d'une ligne proche de *Libé* à une ligne voisine de *France Soir*, voire de *Détective* ou de *Point de vue/Images du monde*. Cependant, ce virage éditorial ne dit pas son nom. Des chefs vont polémiquer sur la façon quasi naturelle de faire un reportage. Par exemple, pour David, il faut toujours commencer un sujet par une image « choc ». Lors d'une réunion à Paris des correspondants de France 2 en région, il avait tenu aux journalistes présents un certain nombre de propos comme : « La première info qui parvient aux téléspectateurs, c'est l'image, c'est pas votre commentaire. Le truc qui compte le plus, c'est l'image forte. Vous faites de l'audiovisuel. » Toujours dans cette réunion, le présentateur du 13 heures, Gérard, renchérissait : « On ne peut pas faire du progressif. Quand on regarde un sujet, si c'est chiant au début, on décroche. Sur deux ou trois minutes, on n'a pas le choix. » Et David de conclure : « La chronologie, c'est l'ennemi du journalisme. » Lors de cette réunion, pas une voix ne s'est élevée pour dire que c'était là un choix, et qu'il pouvait se discuter. Ce traitement spectaculaire de l'information est tellement présenté comme normal que les journalistes présents avaient, je pense, tout simplement peur de ne pas être jugés « bons », « doués » ou ayant suffisamment le « don » pour faire ce métier ; d'où une absence de contestation, sur le fond, du traitement de l'information.

MERCREDI 22 DÉCEMBRE

7 heures 15 – Bureau de France 2

Départ pour Béthune. Bernard Tapie est convoqué devant le tribunal par un juge d'instruction. Quelques jours auparavant, l'Assemblée nationale a levé son immunité parlementaire. Un dispositif est prévu avec France 3 pour ne pas louper l'arrivée de Tapie au palais de justice. En effet, l'endroit possède plusieurs entrées. Il existe notamment un tunnel qui relie la gendarmerie au tribunal. Un cameraman, correspondant de France 3, est en place depuis 6 heures 30 du matin. Une seconde équipe de France 3 complète le dispositif (trois caméras en tout pour le service public).

8 heures 00 – TGI de Béthune

Arrivée à Béthune. Le palais de justice est contrôlé par une dizaine de policiers en uniforme simple. Ils filtrent l'entrée du tribunal et empêchent les journalistes de passer. De nombreux photographes parisiens et locaux (AFP, Reuter, *Voix du Nord*, *Nord Éclair*, *Parisien libéré*, *France soir*, agences nationales, etc.) sont sur place, pour certains depuis la veille. Les grosses agences ont même dépêché plusieurs photographes (quatre pour Reuter, quatre pour l'AFP). Les télés sont également sur les lieux : deux équipes TF1 (dont un rédacteur, Claude, spécialiste des faits divers, présent la veille sur le déraillement du TGV) et un car TF1 de montage-diffusion, deux équipes M6, une équipe Canal + qui travaille pour un magazine sur les médias, un car de diffusion France 3, un car de montage France 2, un camion de direct TDF. Une multitude de rédacteurs de presse écrite et de radios nationales (RTL, Europe 1, RMC, France-Inter, France-Info) et locales sont également sur place.

Tout le monde fait le pied de grue sous la pluie et le froid en spéculant à qui mieux mieux sur l'arrivée de Tapie. À chaque fois qu'un confrère s'adresse à quelqu'un se dirigeant vers le tribunal (avocat ou autre), une meute de journalistes se précipite sur le quidam en question sans même savoir qui il est. Histoire de tromper l'ennui et le froid… Un des avocats valenciennois de Bernard Tapie fait une arrivée remarquée devant une nuée de flashes et de caméras. Beaucoup de photographes et de cameramen gueulent « Qui c'est ? », tout en continuant à filmer ou à photographier. On ne sait jamais. L'avocat n'a rien à dire… mais il est visiblement ravi d'être autant entouré.

9 heures 00

Un membre du bureau national du MRG vient parader devant les journalistes. Il n'a pas grand-chose à dire, mais précise que, s'il sort libre, Bernard Tapie parlera aux journalistes. Dans le cas contraire, ce brave homme lui-même s'adressera à nous. La suite nous montrera que tout cela relevait sans doute plus de la parade.

9 heures 45

Nous apprenons, par différentes sources (avocats, RG), que Tapie est à l'intérieur du palais de justice. Il est apparemment entré par le couloir venant de la gendarmerie. Les journalistes, déçus, maudissent les magistrats. Ils sont à nouveau obligés d'attendre, sans réelle information sur ce qui se passe. Les spéculations vont bon train sur l'éventuelle incarcération de Tapie. Ce qui préoccupe le plus les confrères (photo et télé), c'est l'absence d'images de Tapie arrivant au tribunal. On observe alors un repositionnement des photographes et des cameramen aux différentes sorties et entrées possibles.

Charles contacte notre chef à Paris. Il lui fait part du peu d'infos en sa possession et de l'absence d'images de l'arrivée de Tapie. Mais cela n'est pas grave puisqu'aucune télé (notamment TF1) ne l'a : « Il faut faire l'ambiance, le tribunal bouclé par les forces de l'ordre, les journalistes qui font le pied de grue », nous dit Éva. Je fais remarquer que le « dispositif impressionnant » des forces de l'ordre se résume à une dizaine de policiers en tenue « légère ». Éva répond : « J'ai entendu ce matin sur les radios que tout le quartier est bouclé par les forces de l'ordre venues en nombre. » (Rappelons que c'est tout de même nous qui sommes sur place.) Je ferai pourtant les images « choc » que désire notre chef : en resserrant le cadre, on peut créer l'illusion.

Au bistrot du coin, notre homme du MRG est attablé avec un groupe de journalistes.

12 heures 30

Charles se prépare à faire un direct avec comme unique information la présence de Bernard Tapie à l'intérieur du tribunal, présence qui n'est pas encore officiellement confirmée. Pour remplir le temps d'antenne, il faudra donc que Charles s'étende sur l'ambiance autour du palais de justice. Le journaliste de TF1, Claude, se prépare également à faire un direct. Il en a déjà fait un la veille pour le déraillement du TGV.

13 heures 00

Charles fait son direct vers 13 heures 15. Le journal débute par les inondations puis se poursuit par les conséquences du déraillement du TGV. Le direct sur Tapie contient peu d'info mais beaucoup d'hypothèses sur la suite des événements : incarcération, perquisition au domicile de Bernard Tapie, caution, contrôle judiciaire. Une nouvelle est toutefois tombée peu avant le début du journal : Bernard Tapie est mis en examen. Ce qui n'est pas vraiment une surprise.

Le direct de Claude passe très tôt dans le journal de TF1. Même contenu que celui de Charles. Après le direct, Charles râle sur le fait qu'il est passé bien tard dans le journal. « C'est quand même l'actu », me dit-il. La technique de France 2 Paris râle parce que la liaison entre Béthune et la capitale n'était pas bonne. Claude de TF1 râle parce qu'il avait un retour trop fort dans son oreillette.

Sur toutes les radios nationales, il y a régulièrement un direct, avec à chaque fois différentes suppositions. De nouveau l'attente reprend, sans beaucoup plus d'infos.

15 heures 00

Les rumeurs se font plus insistantes sur une sortie imminente de Tapie. Tous les photographes et cameramen sont sur les marches du palais de justice à attendre, jouant des coudes pour être les mieux placés. La tension monte. Au bout d'un quart d'heure, un des deux avocats de Tapie (celui de Béthune) sort sur les marches. Tous les journalistes présents se précipitent sur lui, dans une mêlée indescriptible. L'avocat fait savoir que Bernard Tapie est mis en examen pour abus de biens sociaux et pour complicité. Il ajoute que la rencontre a été « courtoise ».

Pendant ce temps, Tapie a repris le chemin souterrain de la gendarmerie. S'ensuit un ballet de photographes et de cameramen qui courent dans tous les sens pour essayer de « l'avoir ». Certains réussissent à le filmer ou à le photographier à travers les grilles de la gendarmerie et jubilent… Les autres tirent une sacrée gueule parce qu'ils l'ont loupé. Un photographe de *La Voix du Nord* s'écrie devant les autres, en levant le poing rageusement : « Je l'ai plein cadre ! »

De notre côté, le pool avec France 3 a bien fonctionné : nous avons une « superbe image » de Tapie, sortant à pied de la gendarmerie. Charles est heureux. Il a crié à Tapie à travers les grilles : « Êtes-vous heureux de ne pas être en prison ce soir ? » Charles exulte : « Il m'a regardé avec un de ces regards… J'ai été un peu "provoc", mais c'était pour qu'il se retourne. » Peu à peu, tous les journalistes s'en vont. Charles rentre dans le tribunal pour avoir la version des magistrats (juge d'instruction ou procureur). En fait, ils ont tous quitté le palais de justice. Seul un journaliste de l'AFP a obtenu le motif de la mise en examen par le procureur de la République. Dehors, le parvis du palais de justice s'est vidé d'un coup.

16 heures 00 – Bureau de France 2

Retour à Lille pour monter le sujet du 20 heures. La collecte de la journée est mince : une image brève de Tapie, quelques images des forces de l'ordre et de journalistes, une image d'un supporteur de Tapie avec une pancarte. Charles téléphone à Éva. Elle nous félicite : « Bravo les cocos pour l'image de Tapie. Bien sûr, Charles, tu commences par cette image. »

20 heures 00

Les journaux de France 2 et de TF1 ouvrent sur Tapie, puis suivent des reportages sur les inondations. Charles commence bien sûr son sujet avec l'image de Tapie le fusillant du regard. Il enlève toutefois sa question et couvre l'image du commentaire suivant : « Tapie jette un regard sombre aux journalistes présents, qui lui demandent s'il est content d'être libre » (et non pas s'il est « heureux de ne pas être en prison » comme était formulée sa question, ce qui a provoqué peut-être le regard noir). Charles reçoit un appel d'Éva. Elle nous transmet les félicitations de David pour le travail fourni, mais aussi parce que TF1 n'a pas une image aussi nette de Tapie.

20 heures 30

Il faut partir demain sur les inondations. Charles me dit qu'il est trop fatigué pour appeler ce soir et que nous verrons demain matin où nous allons. Nous nous demandons ce que nous allons bien dire de nouveau sur le sujet. Il faut éviter de refaire les mêmes choses que les deux jours précédents.

> Je signale que, le même jour, à Dunkerque, 3 000 sidérurgistes de la Sollac ont manifesté pour protester contre un plan social qui prévoit près de 300 suppressions de postes. Seul le journal de France 3 Nord-Pas-de-Calais (en média télé) a fait état de cette manifestation, mais bien après les reportages sur Tapie et sur les inondations.

JEUDI 23 DÉCEMBRE

7 heures 30 – Bureau de France 2 à Lille

Après la lecture de *La Voix du Nord* et après avoir téléphoné aux pompiers de Maubeuge, nous décidons de partir à nouveau dans cette région. D'après le journal, mais aussi d'après nos informations (autres collègues, précédents reportages de nos équipes), des problèmes subsistent dans la vallée de la Sambre autour des villes de Maubeuge, de Haumont et de Jeumont. Une clinique de Maubeuge, par exemple, a été évacuée dans la nuit.

Dans la voiture, nous décidons de traiter des « conséquences économiques » des inondations. En effet de nombreuses entreprises bordent la vallée de la Sambre et sont apparemment touchées par la montée du fleuve. *La Voix du Nord* parle d'une verrerie menacée par les eaux. À aucun moment nous ne téléphonons à ces entreprises. Nous décidons aussi d'aller filmer le centre-ville de Haumont et de « faire » des réactions de commerçants. Nous sommes à quelques jours de Noël. La discussion porte un moment sur le fait que les correspondants nordiques de TF1, nos concurrents, ont déjà réalisé un reportage sur Haumont, la veille au 20 heures. Mais nous n'avons plus guère le temps d'hésiter. Alors va pour Haumont. Comme chaque jour, la radio est réglée sur France-Info, qui évoque d'importantes évacuations de population dans l'Aisne.

8 heures 45

Le jour se lève à peine quand nous arrivons à la verrerie. Cette usine, qui emploie 1 000 personnes, est directement menacée par la Sambre qui la borde. Nous avons un premier contact avec un sous-directeur. Il nous fait part de son inquiétude à propos des deux fourneaux qui servent à fondre le verre. L'eau ne doit pas les toucher. Un important dispositif de surveillance est mis en place. Les pompiers sont venus de tout le département avec du matériel en quantité.

Toutefois, en nous promenant dans l'usine, nous constatons que l'inondation n'est pas très spectaculaire. L'eau est présente un peu partout à l'intérieur de l'usine, mais en petite quantité. Il aurait fallu arriver plus tôt pour filmer le combat que ces hommes ont mené toute la nuit. Il faudrait rester plus longtemps encore pour pouvoir traduire le combat qu'ils continuent à mener. Mais voilà, le temps est compté… Il est déjà 9 heures 30 et il faut aussi aller à Haumont. Je fais quelques images des endroits les plus spectaculaires. Le directeur, qui nous a rejoints, a tendance à minimiser le danger. L'eau s'est stabilisée et il ne pleut plus. Mais l'heure avançant, nous n'avons plus vraiment le temps de chercher à comprendre. Nous faisons vite l'interview du directeur.

9 heures 30 – Voiture de reportage

Nous partons sur Haumont, en passant par Maubeuge pour jeter un coup d'œil sur la montée de la Sambre. Rien de sensationnel… Alors direction Haumont. Notre chef Éva nous téléphone. Elle nous croit dans l'Aisne, à une centaine de kilomètres de la région où nous nous trouvons actuellement. Elle nous dit qu'elle a déjà « vendu » le sujet sur les inondations de l'Aisne pour le 13 heures. Elle est obligée d'accepter notre sujet. Il ne nous reste d'ailleurs plus beaucoup de temps pour le terminer.

10 heures 00 – Centre-ville de Haumont

Le centre-ville est effectivement sous plus de 1 mètre 20 d'eau. L'arrivée d'une équipe de télévision provoque des rumeurs dans la foule : « C'est FR3. Ah non, non, c'est France 2 ! » Pour les nombreux spectateurs présents, notre venue donne d'autant plus de poids à l'événement. Pensez donc, une télé nationale ! Nous faisons vite des images de magasins inondés, puis quelques interviews de commerçants. Un ouvrier boulanger, avant même d'entendre la question, répond de façon mécanique comme une leçon apprise (à la télé ?) : « C'est terrible, c'est une catastrophe pour le patron et pour nous ». Des pompiers nous font monter dans leur barque pour faire un petit tour. Nous n'avons guère le temps de nous adresser la parole, alors qu'ils auraient tant de choses à raconter. Ils sont sur le front des inondations depuis plusieurs jours. Nous ne pouvons pas les écouter ou nous ne le voulons pas. Je suis là pour faire un maximum d'images dans un minimum de temps.

10 heures 45 – Voiture de France 2

C'est le retour sur Lille. Dans la voiture, Charles téléphone à notre chef. Elle nous prévient que nous n'aurons pas à faire un deuxième reportage pour le 20 heures. En effet, le front des inondations se déplace vers le département de l'Oise. Par contre, Éva a eu une idée : « Je l'ai proposée à Danielle [la correspondante de Strasbourg qui s'occupe des inondations dans l'Est]. Ce serait bien de trouver une famille qui a presque tout perdu à deux jours de Noël : les jouets, le sapin. On pourrait faire le portrait de la famille, la réaction des parents, des enfants. » Charles tergiverse, puis raccroche. Il s'est défilé gentiment : « Cela ne sert à rien de la contredire, il suffit de ne pas le faire. [….] On raconterait ça qu'on ne nous croirait pas ! »

Arrivée 11 heures 45 à Lille. Charles a une heure à peine pour monter le sujet. Il l'envoie peu après 13 heures. Le reportage passe en retard dans le journal. Le 13 heures débute encore une fois par un sujet sur les inondations dans l'Est (France 2 Strasbourg). Il évoque ensuite les plages polluées de la côte atlantique, puis diffuse notre sujet qui leur arrive tout juste. Pour justifier notre retard, Charles raconte à Éva que nous avons eu des problèmes techniques à cause de France 3.

12 heures 45 – Salle de rédaction de France 3

Le rédacteur en chef de France 3 Nord-Pas-de-Calais me fait part d'une note de la préfecture du Pas-de-Calais qui signale des centaines de sachets de pesticide sur les côtes du département. Ces paquets proviennent certainement d'un cargo, qui a perdu des conteneurs lors d'une tempête quinze jours auparavant. Des milliers de sacs avaient déjà été retrouvés sur les plages normandes. Les journaux télévisés en avaient alors abondamment parlé.

13 heures 30 – Bureau de France 2

Charles téléphone à Éva pour lui signaler la nouvelle : « Pour le moment, vous ne faites rien ! On a déjà donné… À moins qu'un enfant mange un des sachets. Autrement on laisse. » Parfois, il vaudrait mieux être sourd…

17 heures 00

Olivia, journaliste pigiste, remplace Charles pour la durée des vacances de Noël. Nous partons avec un preneur de son faire un reportage sur une messe de Noël en « chti ». La manifestation a été annoncée par une dépêche AFP car c'est une grande première. Bien sûr, « Paris » nous a prévenus que cela intéressait la rédaction. Ça tombe bien, car nous avons eu la même idée. C'est le genre de sujet qui plaît bien aux Parisiens. Et nous le savons. La messe a lieu dans une église du quartier populaire de Lille. Nous n'avons pas pu préparer le reportage. En effet il est préférable de faire un repérage des lieux à l'avance pour prévenir les problèmes de son, de placement de caméra, mais aussi pour prendre contact avec les organisateurs. Nous allons débarquer dans l'église sans même les avoir prévenus. Heureusement, nous apprenons que la « production » de France 3 a prévu un enregistrement à quatre caméras.

La messe en chti est un événement médiatique. TF1 est sur place. M6 arrivera un peu plus tard, avec les radios : Europe 1, RTL, Radio France fréquence Nord. La présence de tous ces médias nous rend le travail difficile. Nous obtenons (uniquement France 2) la possibilité de repiquer des images de l'enregistrement effectué par France 3. Nous nous contentons donc de faire quelques prises de vue et des interviews à la fin de la messe. Retour au bureau à 21 heures 30. Le sujet est monté le lendemain par Olivia et passe au 20 heures du 25 décembre. Nous recevrons les félicitations de nos chefs enthousiastes : 1'55" pour une messe en chti !

La manière de traiter les inondations dans la région depuis deux jours est révélatrice de notre façon de travailler. Il est clair que, des trois moyens d'informer – l'écrit, la radio et la télévision –, le média télé est le plus contraignant techniquement. Il est nécessaire pour nous de revenir sans cesse dans nos studios, parfois distants de plusieurs dizaines ou centaines de kilomètres du lieu du reportage, pour pouvoir monter les images et diffuser le sujet à Paris. Un journaliste de presse écrite ou de radio peut envoyer son papier ou son « bob » par téléphone depuis le lieu où il se trouve. Il nous arrive bien souvent de ne disposer que d'une heure pour faire le reportage (c'est-à-dire : collecter l'information, trouver des séquences représentatives à filmer, faire des interviews) et d'une petite demi-heure pour monter un sujet, alors que nous avons souvent passé plus de deux heures en voiture. C'est alors que se pose la question de la course effrénée aux éditions. Nous avons dû par exemple ces deux derniers jours, fournir le 13 heures à chaque fois. Lors d'un gros fait divers, il nous arrive bien souvent de travailler aussi pour le 20 heures. C'est ainsi que l'on peut faire deux allers-retours dans la journée, soit plus de quatre à cinq heures de voiture. Le reportage se fait donc bien souvent dans la précipitation, au détriment de la collecte de l'information et de la réflexion, même si *a priori* ce genre de reportage ne demande pas vraiment de se creuser la tête. Et cela pose d'autant plus de questions que c'est fréquemment ce genre de sujet traité à la va-vite qui sert d'ouverture aux journaux télévisés. Ce qui veut dire que pour traiter correctement l'information en télévision, il faut des moyens et des équipes afin de disposer, au bout de la chaîne, de davantage de temps.

Du vendredi 24 décembre au dimanche 2 janvier, Charles et moi sommes de repos. Olivia, la remplaçante, m'a donc raconté le déroulement des journées.

VENDREDI 24 DÉCEMBRE
10 heures 30 – Bureau de France 2
Éva appelle en urgence le bureau : « On est à poil sur les sachets de pesticide. Tout le monde tartine dessus. Tricote-moi quelque chose avec les images de France 3. »

(France 3 a diffusé la veille au journal de 19 heures 10, un reportage sur cette pollution.) Du coup, Olivia reprend les rushes de France 3. En effet, il existe un accord tacite d'échange de rushes de reportage entre notre bureau et la rédaction régionale. Il est arrivé plus d'une fois que l'on « sauve des coups » à France 3 et réciproquement. Olivia « tricote » effectivement un sujet de 1'30" pour le 13 heures. L'après-midi, elle monte le sujet de la messe en chti.

SAMEDI 25 DÉCEMBRE
11 heures 30 – Appartement personnel d'Olivia

Hélène, rédactrice en chef pendant le week-end de Noël, appelle Olivia sur son « opérator ». Elle veut « une belle histoire de Noël autour des inondations, et plus particulièrement vers Charleville-Mézières. » Olivia fait remarquer que Lille est à plus de trois heures de route et qu'il fait nuit à 5 heures, ce qui n'est pas pratique pour filmer des extérieurs. Pour ne pas jouer les « bras cassés », elle se renseigne tout de même un peu partout pour voir s'il n'y a rien à filmer « qui fasse Noël » dans la région. En désespoir de cause, elle contacte nos confrères de France 3. Une équipe a passé la nuit de Noël avec les pompiers de Jeumont. Hélène n'est pas d'accord pour passer tel quel au 20 heures le reportage de France 3 Nord-Pas-de-Calais. Elle demande donc à Olivia de remonter ce sujet qui fera 2'.

DU DIMANCHE 26 AU MERCREDI 29 DÉCEMBRE

Il ne se passe rien, pour nos chefs, de bien important dans la région. Il y a ailleurs en France des inondations et des rejets sur les plages bien plus intéressants.

JEUDI 30 DÉCEMBRE

18 heures 30 – Bureau de France 2

Éva demande à Olivia de lui trouver pour le lendemain un « réveillon de pauvres », pour faire le pendant à un « réveillon de riches » prévu à Monaco. Peu importe où cela se passe, pourvu qu'il y ait des pauvres. Elle propose à Olivia de contacter le père Léon, pour qui elle a un petit penchant : « Il ressemble à Moïse, il est génial, je l'adore. » Olivia lui fait remarquer que pour le dernier réveillon de Noël il y a déjà eu un reportage au sujet d'une catastrophe dans le Nord. Elle trouve que remettre ça pour le réveillon du jour de l'an, cela fait peut-être beaucoup. À chaque fois que l'on veut filmer des pauvres, on choisit le Nord. Apparemment la remarque ne fait pas très plaisir à Éva qui croit qu'Olivia veut se défiler. À la fin de la conversation, Olivia se dit de son côté qu'elle ne trouvera aucun contact à cette heure tardive. Elle verra bien le lendemain.

VENDREDI 31 DÉCEMBRE

9 heures 00 – Bureau de France 2

Olivia cherche un « réveillon de pauvres » une bonne partie de la journée. Elle téléphone à des structures comme l'Armée du Salut ou le Secours catholique. En fait, très peu de ces structures organisent des réveillons en cette veille du jour de l'an. Et quand ils font une fête, les responsables ne souhaitent pas la présence d'une caméra. L'Armée du Salut, par exemple, refuse la venue de l'équipe. Ils ne veulent pas que les gens soient filmés en train de faire les clowns.

Olivia finit par trouver une association, « Les Ponts du soleil », qui organise un réveillon à Hellemmes, dans la banlieue lilloise. Le responsable de cette association d'hébergement d'urgence accepte la présence de l'équipe. Il est vrai que l'association est récente et qu'elle cherche à être légitimée. Un reportage au journal de France 2 est toujours bon à prendre. Olivia et Didier vont au réveillon vers 18 heures 30, font des images de la fête et quelques interviews « fortes », comme on dit dans la profession. Ils repartent vers 21 heures.

SAMEDI 1er ET DIMANCHE 2 JANVIER 1994

Samedi matin, Olivia monte le sujet. Il sera diffusé au 13 heures de samedi et de dimanche. Le reste du week-end sera calme.

LUNDI 3 JANVIER

9 heures 00 – Bureau de France 2 à Lille

Olivia a relevé une dépêche AFP sur le problème des transitaires en douane. Depuis le 1er janvier 1993 (ouverture du marché européen et suppression de certaines barrières douanières dans la CEE), il y a eu près de 3 500 suppressions de poste dans la région. Le Nord-Pas-de-Calais a été une des régions frontalières les plus touchées en France. Plus de 2 000 salariés ont été recasés au sein de la profession. Restent 1 500 salariés sur la touche. Selon les cellules de reconversion spécialement mises en place à cet effet, un plan social a permis de placer environ 500 personnes. Pour les 1 000 restants, l'avenir est moins rose : les cellules de reconversion ont fermé le 31 décembre 1993. Mais il reste un petit espoir de prolonger l'existence de ces cellules. Une nouvelle convention pourrait être signée avec les pouvoirs publics. Nous discutons de l'intérêt de faire un sujet à ce propos. Nous avons déjà eu l'occasion de faire un reportage lors des manifestations des transitaires, avant la signature du plan social, en février 1992. Depuis nous n'avons rien fait. Olivia propose donc le sujet à Richard, un de nos chefs, à Paris. Il nous donne son accord.

14 heures 30

Olivia prend contact dans l'après-midi avec un conseiller de la Maison des professions. Cet organisme patronal a mis en place les cellules de reconversion. Le conseiller lui explique le rôle de ces cellules et les différentes étapes du plan social. Elle fixe un rendez-vous avec lui, pour mardi à 9 heures 30. Olivia contacte également un transitaire, ex-syndiqué à la CFDT, qui participait aux négociations du plan social. Depuis, ce transitaire a retrouvé du travail. Elle lui fixe un rendez-vous pour mardi matin à la cellule de reconversion de Tourcoing (il en existe deux autres dans la région). Elle lui demande d'être accompagné d'un transitaire au chômage.

MARDI 4 JANVIER

9 heures 00 – Bureau de France 2

Le transitaire CFDT nous téléphone pour nous faire savoir qu'il ne sera pas au rendez-vous. Son ex-syndicat ne souhaite pas que ce soit lui qui réponde à nos questions : il a fondé depuis sa propre entreprise et ce n'est pas lui qui a signé à l'époque la convention. Le transitaire nous donne les coordonnées du permanent signataire de la convention. Olivia l'appelle. Elle lui signifie qu'elle n'apprécie pas la façon de procéder du syndicat. Un rendez-vous est finalement fixé en fin de matinée.

Nous partons à la Maison des professions rencontrer le conseiller de cet organisme pour faire uniquement une interview. Nous discutons tout même de cette Maison des professions, de son action, etc. Nous restons environ une heure (l'interview dure quatre à cinq minutes), puis nous partons en direction de la cellule de reconversion.

10 heures 45 – Cellule de reconversion à Tourcoing

Un transitaire, au chômage depuis un an, nous attend dans des locaux, normalement fermés depuis le 31 décembre. Une permanence est quand même assurée. Pendant qu'Olivia discute avec lui et la directrice, je fais quelques images de l'activité dans les locaux : deux ou trois transitaires passent et prennent des nouvelles auprès du personnel. Nous faisons ensuite l'interview du transitaire. Il nous dit toute l'importance de cette cellule, qui représente selon lui un rempart contre l'isolement. Nous faisons également celle de la directrice de la cellule. Olivia décide de ne pas faire le permanent CFDT. Il y a déjà trois « sonores » pour un sujet de 1'45". Je fais quelques images de la directrice dans son travail, ainsi que du transitaire dans les bureaux.

12 heures 15 – Poste-frontière de Rekkem

Nous passons à la frontière pour faire une série de plans des locaux des entreprises de dédouanement, abandonnés depuis le 1er janvier 1992. Depuis, les poids-lourds ne s'arrêtent quasiment plus à la frontière.

13 heures 15 – Bureau de France 2

Retour au bureau : nous avons terminé le reportage. Olivia monte le sujet dans l'après-midi. Il fera environ 1'50". Il sera envoyé par faisceaux en fin de journée. Le 11 janvier

1993, il n'est toujours pas passé et nous ne savons pas quand il passera. Il est, comme on dit, « au marbre ».

> Ce genre de reportage est représentatif d'un travail journalistique honnête. Olivia a pris le temps, la veille et durant le reportage, de comprendre le problème posé aux transitaires en douane par l'ouverture du grand marché européen. Elle a eu des contacts avec plusieurs interlocuteurs (Maison des professions, transitaires, syndicats, organismes de reclassement) qui ont pu lui donner une idée plus précise de la situation. Bien sûr, ce travail a pour but de réaliser un reportage qui ne fait que 1'50". Je tiens à souligner que Olivia et Charles, les deux journalistes du bureau de France 2 à Lille, ont professionnellement tendance à travailler correctement, c'est-à-dire à vérifier leur information, à prendre contact avec différents interlocuteurs, à lire des dossiers. Cependant, la rapidité de travail que nous imposent nos chefs, à Paris, entraîne une détérioration de plus en plus importante de la qualité de la collecte de l'information. Juste un petit détail : ce reportage n'est jamais passé à l'antenne.

JEUDI 6 JANVIER

9 heures 00 – Bureau de France 2 à Lille

Charles Pasqua, accompagné de deux ministres, est au conseil régional pour une réunion de travail sur le thème de l'aménagement du territoire. Il a entrepris depuis plusieurs semaines, une tournée des régions pour « ouvrir un grand débat national sur ce que sera la France de 2015 ».

La région Nord-Pas-de-Calais est présidée par une « verte », Marie-Christine Blandin. Depuis son élection surprise, la majorité relative « verte-rose » (Verts-PS) est plus que fragile. Et depuis quelques semaines, cela ne fait que s'aggraver. Le budget vient d'être repoussé par une coalition UPF-groupe Boorlo-FN et le prochain contrat État-région est suspendu. La rencontre entre Charles Pasqua et Marie-Christine Blandin est donc annoncée par la presse régionale comme sulfureuse.

Olivia a prévenu nos chefs en début de semaine de la venue de Charles Pasqua. Il faut en effet demander des accréditations pour avoir accès au conseil régional. Richard lui a répondu de faire la demande, au cas où... Il lui signale que le service politique n'était pas encore au courant, mais qu'il risquait de s'exciter au dernier moment. Nous avons donc prévu d'y aller. Mais y aller pourquoi ? Telle est la question. Nous y allons pour voir... Au cas où... Pas vraiment pour faire un sujet sur l'aménagement du territoire. Cela n'intéresse pas Paris. Pas non plus sur cette rencontre explosive. Mais au cas où Charles Pasqua prononcerait une « petite phrase ». Sur quoi ? Mystère. Comme c'est Charles Pasqua, il faut y aller.

10 heures 15 – Conseil régional à Lille

Nous partons au conseil régional, accompagnés d'un preneur de son. Un nombre important de conseillers régionaux de tous bords, mais aussi des « figures politiques régionales » (Pierre Mauroy, Jean-Louis Boorlo, etc.), sont présents. De nombreux confrères de la presse régionale (*La Voix du Nord*, *Nord Éclair*, France 3 région, Radio France fréquence Nord) et nationale (*Le Figaro*, AFP, RTL, Europe 1, TF1) ont fait le déplacement. TF1 est sur place, comme dit son cameraman, « pour la petite phrase ».

En fait, à la place d'un débat, on a droit à de longs monologues : Marie-Christine Blandin, Charles Pasqua, le représentant du conseil économique et social régional, les ministres présents, les présidents des conseils généraux du Nord et du Pas-de-Calais, les représentants de chaque groupe politique du conseil régional, puis à nouveau Marie-Christine Blandin et enfin Charles Pasqua. La salle est plus ou moins attentive selon la fougue des intervenants.

Je fais quelques images de la séance (notamment des figures politiques), au cas où, tout en sachant qu'il y a de fortes chances qu'on ne fasse rien. Je filme en priorité les interventions de Charles Pasqua et de Marie-Christine Blandin. En fin de matinée, une bonne partie de la presse (notamment radio et télé) n'écoute plus vraiment. Charles discute avec un journaliste de Fréquence Nord. Du côté de la presse écrite, on est un peu plus à l'écoute.

La séance s'achève vers 14 heures, sans l'affrontement annoncé. Mis à part le ministre de l'Intérieur, qui se félicite de « cette matinée riche en débats », tout le monde du côté de la presse éprouve un sentiment d'ennui profond. Pierre Mauroy dira même que le débat a été creux, et que pas grand-chose d'intéressant n'a été dit sur l'aménagement du territoire. Il se plaindra, lors du repas, de n'avoir pas pu prendre la parole.

14 heures 00 – Petit salon du conseil régional

La presse se retrouve pour un repas rapide. On peut remarquer la présence des attachés de presse du conseil régional et du conseil général du Nord, ainsi que du directeur de cabinet du président du conseil général.

À 15 heures 30, Charles Pasqua fait une conférence de presse. Nous sommes présents, toujours au cas où… Il reprend les mêmes propos que le matin, se félicitant de la qualité des débats. Il ajoute que dans les prochains

mois, d'autres grands débats tout aussi intéressants auront lieu dans tout le pays et qu'au bout se dessinera le
grand projet pour la France de 2015.

16 heures 00 – Salle des débats du conseil régional

Charles Pasqua rencontre un « parterre » de jeunes de
la région, censé représenter la France de 2015. Les jeunes
en question sont des étudiants de Sciences-Po et de l'École
supérieure de journalisme de Lille [ESJ]. Le débat, mené
par le directeur de l'ESJ, sera tellement insipide qu'un
journaliste de *Nord Éclair* (qui n'est pas ce que l'on peut
appeler un journal contestataire) fera un article caustique
sur cette jeunesse-là.

Nous savons depuis longtemps que nous ne ferons rien,
mais nous restons quand même dans les parages : plusieurs manifs sont prévues vers 17 heures. Il faut rester,
selon Charles « au cas où »… Au cas où quoi ? Nous ne
savons pas. Mais si ça dégénérait entre les manifestants
et les nombreuses forces de l'ordre présentes, nous serions
là. Et nous pourrions certainement faire des images
« fortes ». La manif de la CGT rassemble près de 4 000
personnes et se passe sans incident. Donc, ça ne vaut apparemment pas grand-chose pour nous, « chaîne nationale ». Charles fait remarquer qu'« il n'y a pas pire que ce
genre de journée. On n'a rien fait, mais on se retrouve
crevés au bout du compte. »

17 heures 45 – Place de la République à Lille

Charles reçoit un message de Paris sur son opérateur. Il
n'est pas question de faire un reportage sur la venue de
Charles Pasqua. Par contre, notre chef, Richard, est intéressé par une troupe de théâtre qui fait une tournée nationale au profit des Restos du cœur. Elle se trouve à Lille

pour une seule représentation. La troupe devrait jouer ce soir devant au moins une centaine de SDF. C'est ce qui attire notre chef. Il nous demande d'axer le sujet sur la présence de ces SDF.

Charles a eu connaissance de cette tournée par un membre de la troupe. Ce dernier est un ami journaliste en rupture de ban. Il est passé la veille au bureau. La venue de cette troupe à Lille n'a guère été annoncée. Je fais savoir à Charles mon ras-le-bol de « couvrir » cette pièce de théâtre alors que nous avons travaillé toute la journée. En plus, nous n'avons pas préparé le sujet. Je trouve que nous ne travaillons pas sérieusement.

Comme nous sommes juste à côté du théâtre, nous décidons d'aller faire un repérage. Nous arrivons à la fin de la répétition. En quelques mots, nous expliquons au metteur en scène ce que nous venons faire. Il nous propose deux ou trois passages de la pièce à filmer. Les acteurs s'exécutent immédiatement. Cela me permet de déterminer les placements de la caméra, les différents plans envisageables. Le preneur de son peut lui aussi repérer les lieux où il positionnera ses micros. Seulement, nous avons juste une heure pour réaliser cette opération, alors qu'il faut bien une après-midi pour faire un travail correct.

Le metteur en scène nous explique brièvement le scénario. La pièce met en scène la vie de sans-abri et promeut vaguement l'action des Restos du cœur. Le metteur en scène ne confirme pas la présence d'une centaine de SDF, mais a cru entendre parler de la venue d'au moins une cinquantaine d'entre eux. La promotion de la tournée a été faite par une école, en l'occurrence Pigier. Charles est un peu inquiet, compte tenu du peu d'affiches vues en ville.

La pièce commence à 21 heures. Nous décidons donc de faire une pause. Il est déjà 19 heures. Rendez-vous est donné au bureau à 20 heures car il faut être vers 20 heures 15 au théâtre pour installer le matériel. Nous avons décidé de filmer l'arrivée des SDF dans le décor solennel de ce vieux théâtre puis d'enregistrer deux ou trois extraits de scènes et enfin de réaliser les interviews du metteur en scène et de quelques SDF.

20 heures 15 – Théâtre Sébastopol à Lille

Une fois installé le matériel, nous nous postons à l'entrée du théâtre. Une trentaine de personnes attendent et, parmi elles, trois ou quatre SDF seulement. Et pas de trace des étudiants de Pigier… 21 heures : faute de SDF, le reportage tombe à l'eau. Sur le papier le sujet était bâti autour de ces derniers. Charles décide de rester par correction. Nous filmons donc les scènes prévues (au cas où ?). À la fin de la pièce nous allons voir le metteur en scène pour lui dire qu'il n'y aura pas de sujet. Il est évidemment très déçu et nous fait part de tous les problèmes que cette aventure a rencontrés.

En fait, la troupe n'a pas eu l'aval de l'état-major des Restos du cœur et les représentations, dans certaines villes, ont attiré bien peu de monde. Nous nous demandons alors de quel droit cette troupe a fait la tournée au nom des Restos du cœur. Il est bien tard pour se poser des questions ! Avec un peu plus de préparation, nous n'en serions certainement pas là. Oui mais voilà, il y avait des SDF… et nous sommes en hiver. C'est le genre de sujet porteur pour « Paris ». Il est près de 23 heures et nous revenons au bureau. Résultat de la journée : aucun sujet à diffuser. Le lendemain Charles fait part à Richard de l'absence de public et notamment de SDF. Richard approuve notre décision d'avoir renoncé à ce reportage.

SAMEDI 8 JANVIER

9 heures 00 – France 3 Nord-Pas-de-Calais à Lille

Le Procureur de Valenciennes est l'invité du « Face à la presse » de France 3 Nord-Pas-de-Calais. Depuis qu'il s'est illustré dans le cadre de l'affaire dite « OM-Valenciennes », Éric de Montgolfier est devenu un « homme public ». Des joueurs de l'Union sportive de Valenciennes ont affirmé au printemps dernier que des responsables du club de Marseille leur ont proposé de l'argent pour « lever le pied » lors de la rencontre de championnat de France de football du 23 mai 1993.

Lors de cette émission, il répond à l'accusation du ministre de l'Intérieur portée sur France 3, quelques jours auparavant, à « La marche du siècle ». Ce jour-là, Charles Pasqua avait dénoncé le laxisme des magistrats, notamment ceux du Nord, face au problème de la drogue. Selon le ministre de l'Intérieur, les petites affaires de drogue (au-dessous de quelques grammes) seraient systématiquement classées sans suite. Éric de Montgolfier répond au ministre que les magistrats du Nord, eux, ne classent pas sans suite les affaires de terrorisme. Il fait référence à deux présumés « terroristes » iraniens, expulsés récemment par la France vers l'Iran. Ces deux Iraniens étaient réclamés par la Suisse, qui les accusait de l'assassinat d'un opposant iranien réfugié sur le sol helvétique.

Charles est tout excité par le « culot » de ce procureur, qu'il connaît d'ailleurs relativement bien. Depuis plusieurs mois, Charles suit de très près l'affaire OM-Valenciennes. Du coup, il prévient « Paris » pour leur signaler la teneur des propos. Une dépêche AFP « tombe » quelques minutes plus tard. La « petite phrase » passe telle quelle au 13 heures. Charles propose de faire un sujet pour le 20 heures sur les conséquences concrètes qu'entraînerait le point de vue de Pasqua s'il était appliqué. Charles a même demandé à Éric de Montgolfier son emploi du temps de l'après-midi, pour savoir s'il pouvait faire une interview. N'importe quel juge, même le plus répressif, sait très bien que, s'il fallait arrêter et poursuivre toutes les personnes en possession de quelques grammes de drogue, la machine judiciaire et carcérale serait totalement bloquée en quelques jours. Mais le rédacteur en chef à Paris, Georges, ne veut pas d'un sujet plus global sur cette question. La « petite phrase » d'Éric de Montgolfier passe au 20 heures accompagnée de l'attaque de Pasqua et sans développement journalistique.

DIMANCHE 9 JANVIER

Charles et moi-même sommes de permanence, mais il n'y a rien « d'intéressant » dans « l'actualité » de notre secteur.

LUNDI 10 JANVIER

9 heures 00 – Bureau de France 2

La journée commence par la lecture des quotidiens régionaux (*La Voix du Nord* et *Nord Éclair*), puis par les nationaux (*Libération*, *Le Figaro* et *Le Parisien*). Ce dernier est la référence de nos chefs. En fait, la matinée commence plus tôt, dans nos appartements respectifs, par l'écoute quotidienne des radios nationales : Europe 1 pour Charles et France-Inter pour moi-même. En fin de semaine, le documentaliste de France 3 Nord-Pas-de-Calais nous fournit une éphéméride (destinée normalement à la rédaction de France 3) sur l'actualité de la semaine à venir. Nous nous en servons rarement car nous la trouvons trop institutionnelle et trop régionale.

Ce lundi s'annonce calme : « rien dans l'actualité », comme nous disons. Je propose à Charles de préparer un sujet sur la mobilisation des « laïques » dans le Nord pour la manifestation prévue dimanche prochain à Paris. J'ai lu la veille dans *La Voix du Nord* que cette mobilisation s'annonçait importante. Le documentaliste de France 3 me fournit les coordonnées des différents représentants du camp laïque de la région : syndicats de professeurs, associations de parents d'élèves, partis politiques, comités d'action laïque, etc.

Après quelques coups de téléphone (SNES, Fédération des amicales laïques de Roubaix, mairie de Villeneuve d'Ascq, Comité laïque de Villeneuve d'Ascq), j'apprends effectivement que la mobilisation s'annonce forte. Je cherche à trouver aussi des lieux où je puisse faire encore de l'image pour illustrer cette mobilisation : fabrication de banderoles, distribution de tracts. Nous ne « calons » toutefois aucun reportage avant l'accord de Paris. Nous évoquons même la possibilité de monter dimanche à Paris avec un train de manifestants.

La recherche de lieux filmables pour évoquer la mobilisation du camp laïque pour la grande manif parisienne du samedi 15 janvier est caractéristique des lourdeurs de la télévision en matière d'information. Un support image est nécessaire pour faire un sujet. Dans ce cas précis, un journaliste radio peut très bien faire un « sonore » sur cette mobilisation, sans pour autant être physiquement dans un lieu où elle se matérialise. Un journaliste de presse écrite peut très bien se faire raconter cette mobilisation au téléphone, puis la décrire dans son papier. Par contre, imaginez le reportage télé parlant de la mobilisation des laïques sur des images de salles désertes, de bureaux vides. Le problème est que « faire de l'image » devient de plus en plus la seule logique. Et que cette priorité tend à l'emporter sur le but même du reportage qui est de donner une information, et pas uniquement celle que fournit l'image.

16 heures 00 – Bureau de France 2

Charles me dit qu'il faut se tenir prêt pour partir à Valenciennes. En effet, le bureau de l'Assemblée nationale doit décider de la suite à donner à la requête adressée par Éric de Montgolfier. Cette requête demande, dans le cadre de l'affaire OM-Valenciennes, la possibilité pour le juge d'instruction Bernard Beffy d'élargir ses possibilités procédurales contre Bernard Tapie. Le président de l'Olympique de Marseille ne peut pas, en tant que député, être sous contrôle judiciaire ou incarcéré. Contrairement à tous les autres inculpés de l'affaire qui sont sous contrôle judiciaire, il peut seulement être mis en examen.

En novembre 1993, Éric de Montgolfier a fait cette demande auprès du garde des Sceaux. La levée de l'immunité parlementaire a été rejetée fin décembre par Pierre Méhaignerie, sous prétexte que le moment était mal choisi. Il restait comme possibilité à Éric de Montgolfier de s'adresser directement au bureau de l'Assemblée nationale. Cette demande est accompagnée d'une menace : si elle est rejetée, le procureur se donne la possibilité de réclamer son dessaisissement de cette affaire, faute de pouvoir traiter Bernard Tapie comme un citoyen ordinaire.

Charles est tout excité par « l'enjeu » de la décision. Il suit cette affaire depuis le mois de juin 1993. C'est *son* affaire, elle lui tient à cœur. Il a même écourté ses vacances d'été. Il développe une énergie énorme pour dénoncer « les magouilles » de Tapie. Depuis l'affaire, il est en contact rapproché avec le juge d'instruction Bernard Beffy, le tutoyant même. Charles a décidé d'écrire un livre sur cette affaire avec une consœur de France 3 Nord-Pas-de-Calais avec qui il suit l'affaire de très près. « Paris » est bien sûr au courant de ce nouvel épisode de l'affaire, mais n'a pas l'air d'attacher autant d'importance à cet « événement ».

18 heures 30

Charles est au téléphone avec Éva quand tombe la nouvelle. Le bureau de l'Assemblée vient de rejeter la demande d'Éric de Montgolfier. Charles téléphone aussitôt au procureur de Valenciennes pour l'informer. Il lui demande une interview. Montgolfier refuse et réserve sa réponse sur la suite à donner à cette affaire. Il fait état des possibilités offertes à l'instruction après le rejet de la demande.

Charles téléphone à Éva pour lui annoncer le refus du procureur d'être interviewé, refus qui n'embête pas particulièrement « Paris ». Le rédacteur en chef du 20 heures, David, n'avait pas prévu de passer un sujet et comptait annoncer cette information « en brève plateau ». Cette nouvelle met Charles dans tout ses états et il le dit à Éva. Il pense que la décision est importante. Pour lui, il est nécessaire de faire un édito sur ce qu'induit une telle décision. Éva lui rétorque que David a déjà fait son choix et qu'il sera difficile de le faire changer d'avis. Elle lui passe le journaliste responsable de la rubrique justice, Étienne.

Charles lui énonce les différentes suites possibles de l'instruction. Il conclut que cette décision implique que Bernard Tapie ne peut pas être traité pour l'instant comme un citoyen ordinaire. Étienne finit par convaincre David. Il fait un « édito plateau » au journal de 20 heures.

Il reprend les termes de Charles, que du reste il cite. Il ne reprend pas par contre la dernière remarque de Charles concernant le traitement de faveur du député Bernard Tapie. Pendant ce temps, Charles essaye de joindre Bernard Beffy pour lui proposer une interview le lendemain. Il me fait remarquer, avec une certaine jubilation, que ce serait la première fois que le juge accepterait de parler sur cette affaire. Il finit par l'avoir chez lui dans la soirée. Bernard Beffy refuse la proposition.

MARDI 11 JANVIER

Je suis de repos. Charles et mon remplaçant partent vers 10 heures au tribunal de Valenciennes pour faire un sujet sur la comparution d'un ancien dirigeant de l'Olympique de Marseille, Jean-Pierre Bernès, dans le cadre de l'affaire OM-VA. Sur l'autoroute, ils croisent un important accident de voitures dû au brouillard. Charles téléphone aussitôt à France 3 Nord-Pas-de-Calais pour les informer, et aussi à notre chef à Paris. Celui-ci lui dit de continuer sur Valenciennes. Il récupérera les images de France 3.

Charles « fait » la réaction de l'avocat de Tapie à propos de la décision, la veille, de l'Assemblée nationale. Le sujet sera diffusé au 13 heures.

« Paris » récupérera les images de l'accident filmées par France 3. En effet, une « belle histoire » aura lieu sur cette autoroute. Une mère de famille accouchera de son quatrième enfant au milieu des voitures accidentées. Comme une ambulance et un médecin se trouvaient dans l'embouteillage, tout finira bien pour la maman et son petit bébé. La belle histoire passera bien sûr au 13 heures et au 20 heures. Cette information sera reprise durant toute la journée et le lendemain par une grande partie des médias régionaux et nationaux (journaux, radios et télés).

Après être revenu sur Lille pour monter et diffuser le sujet, l'équipe de France 2 filmera l'après-midi la venue de Bernès au tribunal. Un sujet sera envoyé pour le 20 heures. Il sera trappé et diffusé au 23 heures.

9 heures 00 – Bureau de France 2

Charles m'annonce que « Paris » nous a demandé de faire un sujet sur la mobilisation dans le Nord pour la manifestation de l'école laïque. Le reportage est prévu pour le journal de 20 heures de samedi soir. Il a été question un moment de monter à Paris dimanche matin, avec des manifestants. Mais le reportage a été confié à une autre équipe. Nous téléphonons à différentes structures (Comité départemental d'action laïque, SNES, FEN, mairies de « gauche ») pour faire le point sur la mobilisation, mais aussi pour voir ce qu'il est possible encore de filmer. Nous recherchons un endroit où des gens fabriquent encore des affiches ou des banderoles, un lieu où des militants distribuent des tracts, un local où des personnes se réunissent. La plupart de nos demandes obtiennent des réponses négatives. Nous sommes à quatre jours de la manif et tous les préparatifs sont quasiment bouclés. Nous commençons à être un peu inquiets, faute d'avoir trouvé une « accroche visuelle » au reportage. En fin de matinée, nous n'avons encore rien de précis. Un responsable de la FEN du Nord a pris nos coordonnées pour voir ce qu'il peut faire pour nous.

15 heures 00

Le responsable de la FEN nous téléphone dans l'après-midi, pour nous dire qu'il a appris qu'une dernière réunion de préparation aura lieu jeudi soir, à 19 heures, à la mairie de Loos, une banlieue populaire de Lille. Charles charge ce responsable de lui trouver des personnages représentatifs de la mobilisation. La réunion servirait de base d'accroche au reportage. Cela permettrait de repérer deux ou trois personnages qui iraient manifester à Paris. Charles est ennuyé car il est question qu'Éric de Montgolfier passe au 20 heures jeudi soir. En effet, si le procureur du tribunal de Valenciennes décide de dessaisir le juge Beffy (avec son accord) du dossier « OM-VA », il en donnerait la primeur à France 2. Charles dit qu'il doit être présent dans les locaux de France 3 Nord-Pas-de-Calais (il y aurait un direct entre la station régionale et la rédaction nationale de France 2) pour accueillir Éric de Montgolfier. J'irais donc filmer jeudi soir la réunion avec un preneur de son et sans Charles. Nous ferions ensuite le portrait de nos personnages le lendemain vendredi.

Nous ferions d'autant mieux que le Conseil constitutionnel rend son jugement à propos de la nouvelle loi supprimant la loi Falloux au plus tard vendredi midi. Notre reportage ne sera donc pas caduc.

20 heures 00

Le responsable local de la FEN communique à Charles les coordonnées d'une directrice d'école primaire de Loos, d'un responsable des parents d'élèves de cette école et de deux figures du camp laïque de cette commune. Il paraît que l'un d'entre eux est un personnage. En appelant la directrice, Charles apprend que la réunion à lieu en fait vendredi soir. Il « cale » un rendez-vous avec la directrice, vendredi à 14 heures, à l'école primaire.

9 heures 00 – Bureau de France 2

Charles prend contact avec Éric de Montgolfier pour connaître la décision qu'il a prise à propos de l'affaire OM-VA. Le procureur lui annonce que le juge Beffy conserve l'instruction du dossier et qu'il va mettre Bernard Tapie en examen, sans doute sans contrôle judiciaire. Du coup, il n'y a plus de raison que le procureur de Valenciennes vienne au journal de 20 heures, d'autant qu'il est dans la « ligne de mire » du garde des Sceaux. Celui-ci lui a rappelé pour la dernière fois son devoir de réserve.

Par contre, Éric de Montgolfier annonce à Charles qu'il va ouvrir une procédure sur une histoire de double billetterie, lors d'un concert donné par Johnny Hallyday à Valenciennes. Le procureur lui avait déjà parlé de cela quelques semaines auparavant. Le fisc a relevé des irrégularités de billetterie et, pour se défendre, l'organisateur du concert a accusé Johnny Hallyday de lui avoir demandé 200 000 francs de dessous-de-table. Sous les questions pressantes de Charles, Éric de Montgolfier lui propose de le rappeler dans l'après-midi.

Du coup, Charles prévient notre chef à Paris (qui est déjà au courant de l'affaire) que nous fonçons sur Valenciennes. Charles ne veut pas être « à la ramasse » dans cette histoire. Il veut être le premier à la sortir.

10 heures 45 – Tribunal de Valenciennes

Nous allons directement au bureau du procureur. Charles connaît très bien le tribunal et salue bon nombre de magistrats. Il me le fait remarquer et en éprouve une certaine fierté. Éric de Montgolfier est en train de consulter le dossier avant de prendre une décision. Il est intéressant d'observer le petit jeu qui se met en place entre le procureur et Charles. Le premier diffuse chaque information en se faisant prier, avec des pirouettes de langage, mais finit par lâcher une partie du dossier. Le second questionne, ose un peu plus à chaque fois. Le tout est habillé d'humour, de plaisanteries, de bons mots.

Nous nous apercevons que nous avons été vite en besogne. Il y a beaucoup de soupçons, mais pas beaucoup de preuves à ce stade de l'enquête. La fraude, pour le moment, porte sur une dizaine de billets, même si le fisc pense qu'il y en a d'autres. Du coup, il est beaucoup trop tôt pour sortir l'affaire. Nous quittons donc le procureur. Mais avant de partir du tribunal, Charles va voir le juge Beffy avec qui il s'entretient un long moment. Pendant ce temps-là, je retourne à la voiture.

16 heures 00 – Bureau de France 2

Charles contacte le parent d'élève dont les coordonnées lui ont été données par le responsable de la FEN. Il accepte d'être dans le reportage et il nous donne rendez-vous le lendemain après-midi à l'école primaire. Charles prévient le maire socialiste de Loos de notre venue vendredi soir. Le maire lui donne les coordonnées de cette « fameuse figure laïque » de Loos. Il s'agit en fait de l'adjoint à la jeunesse et au sport, Gaston Caby, un ancien instituteur, âgé de soixante-quatorze ans. Charles prend rendez-vous avec lui le lendemain matin, vers 10 heures 30, à son domicile.

18 heures 00

Une dépêche AFP tombe sur la décision du Conseil constitutionnel. Plusieurs articles de la nouvelle loi sur le financement de l'école privée sont invalidés.

VENDREDI 14 JANVIER

9 heures 00 – Bureau de France 2 à Lille

Nous avons donné rendez-vous à un preneur de son qui travaille au coup par coup avec nous. Nous partons vers 10 heures chez Gaston Caby, qui nous reçoit très courtoisement. Il a été pendant près de quarante ans instituteur puis directeur de la même école, à Loos. Sa femme a été également institutrice dans cette école spécialisée pour des enfants ayant des problèmes sociaux ou de santé. Gaston Caby est né dans un petit village du Nord. Il est issu d'un milieu modeste. Il a fait partie des FTP pendant la guerre et est le créateur d'une association à caractère laïque, Les Deniers de l'école laïque. Ce n'est pas un « bouffeur de curé », mais quand même un inconditionnel de la laïque.

Nous discutons une petite heure, puis nous tournons une séquence avec lui en train d'écrire à son bureau. Nous allons ensuite avec lui à son ancienne école (aujourd'hui transformée en centre aéré), dans laquelle nous tournons une autre séquence. Puis Charles fait son interview, principalement axée sur sa propre histoire au sein de l'école laïque et sur ses motivations à la défendre. Elle fait environ 12', Gaston Caby faisant des phrases assez longues, ce qui constitue ensuite un problème au montage. Charles reprend à la fin une ou deux questions pour essayer d'obtenir des réponses un peu plus courtes. Il demande à son interlocuteur de condenser plusieurs réponses en une seule.

De retour dans la voiture, nous nous disons que ça serait un bon client pour un magazine. Pour du *news* il « s'étale » un peu trop. Éva nous téléphone pour nous dire que le rédacteur en chef du 20 heures, David, veut le sujet pour ce soir. Charles lui réplique qu'il en est hors de question. Il lui dit que la réunion de ce soir à Loos est importante pour l'unité du reportage. Il rappelle que le sujet était prévu pour samedi soir. Éva lui répond de le dire lui-même à David. Charles lui rétorque que c'est son boulot. Quelques minutes plus tard, elle nous prévient que tout est réglé et que pouvons tourner tranquillement.

13 heures 45 – École primaire de Loos

Après avoir mangé à la cantine de France 3, nous partons à l'école primaire de Loos, retrouver la directrice. Celle-ci est en train de faire la classe à des élèves de CE2 et CM1. Elle a trente-deux ans et enseigne depuis 1985. Je tourne une petite séquence d'elle au milieu de ses élèves, puis nous attendons l'heure de la récréation. Charles a déjà eu l'occasion de s'entretenir avec elle, lors du premier contact téléphonique. L'interview se fait dans la salle vide et est assez rapide. Charles l'interroge principalement sur son refus de la réforme de la loi Falloux. Je tourne ensuite une petite séquence dans la cour. Une des institutrices refuse d'être filmée, bien qu'elle soit solidaire du mouvement.

Nous attendons ensuite le parent d'élève. Il arrive à 16 heures. Nous lui posons quelques questions sur le rôle des parents d'élèves dans l'école et sur ses motivations à défendre l'école laïque. Je tourne quelques images de lui à la sortie de l'école, puis Charles réalise une interview sur le but de cette manifestation après l'invalidation presque totale de la loi par le Conseil constitutionnel. Il est 17 heures et nous prenons congé. Nous nous donnons rendez-vous à la réunion du soir, prévue vers 19 heures 30.

19 heures 30 – Salle municipale de Loos

Une quarantaine de militants laïques se retrouvent pour les derniers préparatifs avant la manif de dimanche. Nous échangeons quelques paroles avant le début de la réunion.

Quatre autobus partent de Loos pour Paris et parmi eux une cinquantaine de volontaires est prévue pour le service d'ordre. Deux ou trois intervenants donnent des conseils sur l'organisation. Des cartes du parcours sont projetées sur un écran. Tout le monde est un peu intimidé par la présence de la télé, et en plus de France 2… Je fais quelques images de la séance et je filme principalement nos trois personnages. Le maire, qui est présent, y va de son petit discours mobilisateur. À la fin de la réunion, nous sommes invités à la mairie pour prendre un pot, mais nous refusons poliment en prétextant du travail. Nous revenons au bureau vers 21 heures.

Quand Charles souhaite avoir plusieurs informations dans une seule réponse, il refait souvent l'interview, en expliquant à la personne ce qu'elle doit dire. Cela bien entendu selon lui sans trahir. Sans que ce soit systématique, nombre de journalistes télé avec qui j'ai travaillé ont recours à cette pratique. Elle peut s'expliquer par deux raisons. D'une part, il est difficile de faire des coupes dans une interview télé, car cela se voit. D'autre part, la tendance au sujet de plus en plus court (en moyenne 1'30") a pour conséquence que les sonores doivent être réduits (entre 10 et 15"). Certains chefs poussent cette logique à la caricature. Lors de cette réunion des correspondants dont j'ai parlé un peu plus haut, David, le rédac-chef du 13 heures, alla même jusqu'à dire : « La durée des sonores dans les sujets pose problème. Quand il y a deux phrases dans une interview, la deuxième tue souvent la première. Les sonores doivent être courts, parce qu'ils sont souvent chiants. » Ces propos peuvent paraître caricaturaux. Hélas, beaucoup de chefs adhèrent à cette logique. Il s'ensuit que de plus en plus de citoyens font des formations pour s'y adapter. Ainsi, les hommes politiques, les décideurs de tout poil, bref ceux qui comptent dans une société, vont apprendre, lors de stages, à se comporter devant une caméra et à répondre aux questions des journalistes. Par exemple, une inspectrice de la brigade financière, lors d'un reportage sur une saisie importante de faux billets, n'a pas osé répondre aux questions de Charles parce qu'elle n'avait pas encore fait le stage « vidéo et journalisme » qu'organisait son chef !

SAMEDI 15 JANVIER

9 heures 00 – Salle de montage de France 3

Charles a toute la matinée pour monter le sujet. Après un dérushage d'une heure, et après le choix des différents passages des interviews, le montage peut commencer. Le sujet est mixé dans l'après-midi et envoyé vers 16 heures. Charles est obligé de refaire le mixage après le visionnage du sujet par le rédacteur en chef du 20 heures, Georges. Celui-ci n'est pas d'accord avec une phrase du commentaire qui parle de « reculade gouvernementale ». Le rédac-chef considère que c'est un terme inapproprié et souligne le fait qu'il s'agit d'une décision du Conseil constitutionnel. Il fait remarquer également que le sujet est trop long. Il est vrai qu'il fait 2'05"…

DIMANCHE 16 JANVIER

Nous sommes de permanence toute la journée, mais il ne se passe rien d'intéressant dans l'actualité… pour un journal télévisé.

LUNDI 17 JANVIER

9 heures 00 – Bureau de France 2

La journée s'annonce calme. Après l'écoute de la radio, après la lecture des journaux, après le dépouillement du courrier, nous ne voyons rien à proposer à Paris. D'autant plus que les sujets que l'on propose ont tendance à passer à la trappe. Un reportage réalisé le 9 décembre 1993 n'est toujours pas passé et ne passera sûrement pas. Il abordait les problèmes engendrés par la baisse des crédits accordés par le ministère des Affaires sociales aux Centres d'héber-gement et de réinsertion sociale [CHRS]. Ces structures, qui existent un peu partout en France, sont des lieux d'ac-cueil et de réinsertion pour les « sans-domicile fixe ». Alors que dans tous les médias le gouvernement répète la né-cessaire solidarité avec les SDF, sur le terrain il fragilise les CHRS en faisant des coupes claires dans leur ligne bud-gétaire. Pour illustrer les conséquences néfastes d'une telle décision, nous avions pris l'exemple d'un CHRS situé à Lens. Le sujet n'est jamais passé.

Le sujet du 4 janvier, sur le problème de la réinsertion des transitaires en douane, est passé également à la trappe. Ces deux reportages avaient été réalisés, bien sûr, avec l'aval, comme toujours, de nos chefs. Nous avons ten-dance donc, depuis quelque temps, à être plus frileux pour faire des propositions.

Pourtant, la semaine précédente, un responsable d'une importante association à caractère social du Pas-de-Calais, avec qui j'ai tissé des relations cordiales de travail, m'a entretenu de la création, dans ce département, d'une agence immobilière « sociale ». En utilisant une panoplie d'aides anciennes et nouvelles (Fonds social du logement, Aide personnalisée au logement [APL], subventions départementales et de la DDASS, etc.), l'agence offre la possibilité à des « sans-abri » d'avoir un logement. Des employés prospectent des propriétaires pour les inciter à louer des appartements à ce type de population. En échange, l'agence se porte garante d'une partie des impayés éventuels. L'expérience est mise en place depuis quelques semaines et commence à porter ses fruits.

J'en parle à Charles, qui trouve cette histoire intéressante, mais il a très peur que nos chefs ne soient pas du même avis. Ce projet de reportage est donc enterré. Il me dit qu'il serait plus opportun de proposer des sujets plus légers.

MARDI 18 JANVIER

9 heures 00 – Bureau de France 2

La matinée se déroule dans le train-train habituel. Bien sûr il y a des licenciements dans plusieurs entreprises de la région. Bien sûr il y a des occupations d'écoles par des instituteurs et des parents d'élèves. Bien sûr il se passe des tas de choses. Oui mais cela n'a pas assez d'ampleur pour que nos chefs soient intéressés, pour que nous, télé nationale, nous en parlions.

14 heures 00

Un confrère de France 3 Nord-Pas-de-Calais vient de recevoir un appel téléphonique anonyme. Selon cet appel, un conseiller régional socialiste et conseiller municipal de Calais est en garde à vue depuis le matin. Cet ancien député, récemment battu aux élections législatives, est une figure du Pas-de-Calais.

Le confrère prévient aussitôt Charles, qui possède de sérieuses relations au sein du monde judiciaire régional. Il téléphone au juge de Boulogne qui instruit l'affaire.

Celui-ci confirme qu'André C est en garde à vue et qu'une information est ouverte par le parquet pour trafic d'influence sur le marché public. Des perquisitions ont eu lieu tôt le matin à son domicile personnel et à son bureau à la mairie. En fait il est soupçonné d'avoir usé de son poste d'adjoint pour donner des marchés à des entreprises en échange de sommes d'argent importantes. Cet argent aurait servi à financer sa campagne électorale pour les législatives de mars dernier, où il a été battu. Le juge, que connaît Charles, lui donne toutes ces informations petit à petit, avec beaucoup de retenue. L'affaire est délicate et l'instruction est loin d'être bouclée. Pour nous toutefois, cette affaire n'a pas une importance nationale et Charles ne prévient même pas « Paris ».

MERCREDI 19 JANVIER

Je suis de repos. Rien à signaler de la journée.

JEUDI 20 JANVIER

9 heures 00 – Bureau de France 2

La matinée est encore et toujours calme. Vers 11 heures, une responsable du Planning familial téléphone à Charles. Depuis le changement de majorité du conseil général du Nord (la droite a emporté les dernières élections cantonales en mars 1992), les subventions allouées au Planning familial sont sérieusement menacées. Le nouveau responsable du secteur social veut s'attaquer aux associations au profil de « gauche ». Cette fois-ci, il veut diminuer de 70 à 80 % le budget de cette année, alors que le Planning reçoit près de 25 000 personnes par an, qu'il possède quatre centres dans le département et qu'il emploie une quarantaine de personnes.

Charles discute avec elle un bon quart d'heure et lui précise qu'il est un peu tôt pour faire un reportage et que de toute façon il y a peu de chance que « Paris » accepte ce sujet : cela fait trop local. Charles ne dit rien pour le moment à nos chefs.

14 heures 00

Nous avons reçu un fax de l'opposition au conseil régional Nord-Pas-de-Calais. Nous sommes conviés à une conférence de presse dans un grand hôtel de Lille. Ce fax est signé par l'UPF, le groupe dit « Boorlo », du CPNT et d'un indépendant, transfuge de Génération écologie. Cette coalition, représentant 43 élus, a réussi, après bien des mois de négociation, à mettre au point une plate-forme commune pour tenter d'enlever la présidence du conseil régional à Marie-Christine Blandin. La présidente bénéficie d'une majorité très relative de 34 élus.

Nous décidons d'aller à cette conférence de presse, sans caméra, à titre d'information. En effet, deux gros dossiers sont en suspens : la signature du prochain contrat de plan État-Région et le vote du budget du CR, une première fois repoussé en décembre dernier.

Seule la presse locale est présente. Nous n'y apprenons pas grand-chose, si ce n'est que les prochaines semaines risquent d'être difficiles pour Marie-Christine Blandin face à cette nouvelle coalition. Avant la fin de la conférence, la journaliste de France 3 Nord-Pas-de-Calais nous demande si nous ne pouvons pas faire des interviews à sa place, car elle a encore deux sujets à monter. Charles lui oppose un refus poli, en me confiant qu'elle ne « manque pas d'air ».

VENDREDI 21 JANVIER

9 heures 00 – Bureau de France 2

Charles est parti en repos. Il me dit sous forme de boutade : « Maintenant que je m'en vais, vous allez enfin travailler. » Il est remplacé par Olivia. La lecture des journaux régionaux nous apprend que Bernard Tapie a été entendu jeudi après-midi par les juges Persyn et Vandigenen dans la plus grande discrétion, sans la présence des médias. Puis, comme tous les matins, nous allons dans les locaux de France 3, où est installé le fil AFP, pour y lire les nouvelles dépêches. Nous regardons l'AFP toutes les deux heures environ.

Une collègue syndicaliste de France 3 en profite pour nous informer qu'elle a appris que les bureaux de France 2 région étaient menacés. Elle était présente à Paris la veille, et c'est par la bouche du PDG de France 3, Xavier Gouyou-Beauchamps, qu'elle a su la nouvelle. Nous ne sommes étonnés qu'à moitié, car depuis la nomination de Jean-Pierre Elkabbach, le nouveau PDG du service public de télévision, des bruits courent sur notre prochaine disparition.

14 heures 00

Une dépêche tombe avec comme titre : « Ouverture d'une information pour subornation de témoin contre le juge Beffy ». La dépêche précise que c'est la juge marseillaise Nicole Besset qui a ouvert cette information, suite à une plainte déposée par les défenseurs de Jean-Pierre Bernès en septembre 1993. L'ancien directeur de l'OM dit avoir reçu deux appels téléphoniques du juge Beffy, lors de sa garde à vue au commissariat de Marseille. Le juge Beffy en aurait profité pour faire pression sur lui.

Olivia, qui a vu la dépêche, fait la « morte » vis-à-vis de Paris. Elle ne veut pas bondir à la moindre information qui tombe sur cette affaire. Pourtant, deux heures plus tard, Éva nous téléphone de la conférence de rédaction : « Il faut absolument essayer de faire quelque chose du côté de Valenciennes. On est leader dans cette affaire, on doit suivre l'histoire. Ce doit être le second sujet du 20 heures. » Elle nous demande au passage de nous renseigner sur une histoire de supermarché de la drogue dans le Nord, car elle vient de voir tomber une dépêche. Olivia l'avait déjà relevée.

16 heures 00

Olivia téléphone au juge Beffy qui dit que c'est « une nouvelle tentative de [le] dessaisir de l'affaire [et qu'il fait] confiance à la justice ». Pendant ce temps, le correspondant de France 2 à Marseille, René, fait sa propre enquête. Il nous téléphone peu après pour nous faire part de ses informations. Nous échangeons quelques propos aigres-doux sur notre chef, Éva, au sujet de son excitation perpétuelle sur la moindre affaire. C'est un sujet de prédilection pour les journalistes de France 2. Puis René infirme complètement la dépêche. Il a téléphoné au procureur du tribunal de Marseille, qui lui a donné des informations. Le procureur lui a précisé que le parquet a rendu des réquisitions de refus d'informer, estimant qu'il n'y avait pas lieu de donner suite à la plainte. Le doyen des juges d'instruction a donc transmis l'ensemble du dossier à la juge Nicole Besset, qui a comme possibilité maintenant, soit de suivre les réquisitions du Parquet, soit de décider de les infirmer et d'ouvrir une information. Mais comme la juge est absente pour le moment (elle siège comme assesseur dans un procès), la décision ne devrait pas intervenir avant la fin du mois.

Nous sommes très loin du titre de la dépêche. René nous précise que ce n'est pas tout à fait une erreur de l'AFP. Il nous dit que c'est le directeur de l'AFP Marseille en personne qui a écrit la dépêche et qu'il s'est déjà signalé dans le passé par ce genre de pratique. Il a en effet repris texto et uniquement la version de Bernès, après que Bernard Tapie eut jeté, cet été, une caméra d'une équipe de France 3 Provence à la mer. Les journalistes de France 3 ont téléphoné par la suite à l'AFP et le directeur a refusé de prendre en compte leur témoignage.

17 heures 30

Éva téléphone quelques instants plus tard pour nous dire que le parquet a fait un démenti et que nous pouvons laisser tomber. Merci chef, nous n'avions pas deviné ! Elle ne désarme pas pour autant et repart à la charge sur l'histoire du supermarché de la drogue. L'histoire n'est pas nouvelle pour nous car depuis deux jours la presse locale en parle. La brigade des stupéfiants de Roubaix, agissant sur commission rogatoire, a interpellé, lundi dernier, treize personnes dans un quartier sensible de la commune de Hem. Parmi les interpellés, il y a quatre membres d'une association locale, le DJ's club. Depuis, des bruits courent et la presse locale s'en fait l'écho. L'association servirait de plaque tournante à un important trafic de haschich, près de deux tonnes en deux ans. Le problème, c'est que cette association reçoit des subventions dans le cadre du développement social des quartiers (DSQ).

Nous avons décidé de ne rien faire, Charles et moi, pour plusieurs raisons. D'abord l'affaire n'en est qu'à son début et un grand nombre d'interpellés étaient encore en garde à vue jeudi soir. D'autre part, aucune information n'a filtré des auditions et il est beaucoup trop tôt pour dire si les membres de l'association en question sont responsables de quelque chose et quelles sont ces responsabilités. La presse locale, qui s'est empressée le premier jour de charger l'association, a mis des bémols le lendemain dans les articles. Enfin, nous ne voulons pas jeter l'opprobre sur le monde associatif en parlant trop vite des actes isolés d'une association peut-être pas nette.

En plus, le quartier en question de Hem est une véritable poudrière. J'ai eu l'occasion d'y passer trois jours pour un magazine et j'ai pu mesurer une partie des difficultés. Le chômage est très important (plus de 30 % de la population), la drogue y est énormément présente (une des rues principales se nomme le « boulevard du shit »), et l'argent de la vente alimente une véritable économie parallèle. Les moindres caméra et appareil photo sont accueillis par des jets de pierres, à tel point que, lors de ce tournage, nous avons dû filmer le matin de bonne heure.

Nous n'allons pas y mettre les pieds comme ça. D'autant plus qu'il est 18 heures, un vendredi soir, et que cela ne va pas être facile pour trouver quelqu'un à qui parler. Il est inutile de dire tout cela à Éva. Toute tentative d'explication passe à ses yeux pour une dérobade. Olivia cependant ne s'affole pas. Si on fait traîner les recherches, Éva finira bien par s'épuiser. Pendant qu'Olivia passe quelques coups de téléphone, j'appelle le chef de projet du DSQ, que je connais depuis le tournage du magazine. On me fait savoir qu'il n'est plus présent dans son bureau.

Olivia est en contact avec le commissaire de permanence de Roubaix. Il refuse d'abord de répondre, sous prétexte qu'il ne connaît ni l'affaire ni la journaliste. Il restera pourtant une demi-heure en ligne. Il dira, entre autres, qu'il est un peu facile de faire un amalgame entre l'argent qui a servi à acheter la drogue et l'argent des subventions de l'association. Bref à ce stade de l'enquête, il y a beaucoup de points d'interrogation. Olivia essaie d'expliquer tout cela à Éva, qui vient de téléphoner. Il n'y a pas grand-chose à faire, si ce n'est louvoyer. Olivia lui dit qu'elle continue l'enquête.

18 heures 00 – Salle de rédaction de France 3

Je monte voir si les collègues de France 3 ont fait un reportage sur cette affaire. Le rédacteur en chef adjoint qui court dans tous les sens (on est pas loin de l'heure du journal régional) peste justement sur le fait de n'avoir rien su : « Ça fait deux jours que c'est dans la presse, mais on ne m'a rien dit. Enfin on va essayer de faire quelque chose. »

À 19 heures, j'écoute France-Info pour savoir comment cette radio traite les dernières retombées de l'affaire OM-Valenciennes. Et bien sûr, le présentateur reprend tel quel le début de la dépêche de l'AFP. Il lance le correspondant de France-Inter à Marseille, qui cite le reste de la dépêche ! Allons-y gaiement dans la désinformation. Le présentateur reprend de nouveau la dépêche au journal de 20 heures, mais cette fois sans le papier de son correspondant.

20 heures 00 – Bureau de France 2

Éva téléphone une dernière fois avant de partir. C'est encore pour l'affaire du supermarché de la drogue. Elle finit par nous dire que maintenant elle s'en fout, qu'elle passe le relais à ses petits copains du week-end. C'est la méthode « faire traîner pour ne pas traiter le sujet ».

20 heures 30 – Appartement personnel

Charles me téléphone de chez lui (dans le Morvan) car il a entendu à la radio la nouvelle de l'ouverture de l'information contre le juge Beffy. Il me demande si nous avons fait quelque chose. Je lui réponds que non, ce qui le satisfait. Il me dit qu'il était en fait déjà au courant de l'histoire.

SAMEDI 22 JANVIER

9 heures 00 – Bureau de France 2

Nous sommes très remontés contre le directeur de l'AFP Marseille et sa tentative de manipulation de l'information. Une partie de la presse nationale (*Libé*) a repris telle quelle la dépêche de la veille, en signant AFP. Par contre l'édition régionale du *Parisien* donne l'information exacte sur le refus d'informer du parquet de Marseille, après avoir examiné la plainte déposée par Jean-Pierre Bernès.

Olivia prend contact avec une collègue journaliste de France 3 Nord-Pas-de-Calais, déléguée nationale du SNJ, pour savoir si le syndicat compte faire quelque chose. Pendant ce temps-là, je téléphone à une collègue de l'AFP à Lille pour lui raconter l'histoire. Elle n'était pas au courant, mais elle me dit que cela ne l'étonne pas, que le directeur de l'AFP Marseille est coutumier de ce genre de dérive. Elle rappelle quelques instants plus tard pour nous dire qu'une dépêche « rectification » est tombée après la première dépêche de 14 heures 11. Mais elle ajoute qu'en termes professionnels la dépêche aurait dû être intitulée « annulation ».

Nous allons voir aussitôt les dépêches de la veille et en effet nous retrouvons cette fameuse dépêche rectificatrice tombée à 19 heures 13. Je rappelle entre autres que la veille, le journal de 20 heures sur France-Info reprenait telle quelle la première dépêche, de même que *Libé* aujourd'hui. Et je n'ai pas écouté les autres radios et télévisions. Comme quoi la deuxième dépêche est passée complètement inaperçue – pour nous également. Le mal était fait.

10 heures 00

Le rédacteur en chef adjoint du week-end, Jacques, demande à Olivia où elle en est par rapport à son enquête sur le trafic de drogue à Hem. Éva a dû laisser des traces de son « travail » avant de partir en week-end. Olivia lui fait un topo de l'histoire et parle de nos réticences à foncer trop vite dans cette affaire. Elle lui dit également qu'il va être très difficile de trouver en plein week-end un interlocuteur, que ce soit au niveau judiciaire, policier ou du côté du DSQ. Nous ne savons lequel des arguments le convainc, mais il conclut de laisser tomber.

Jacques lui parle ensuite d'une histoire qu'il a vue dans *Le Parisien*. En fait il n'a pas lu l'article, mais a simplement parcouru le titre : « Des faux visas pour la France par milliers ». Du coup, il lit l'article à voix haute. L'histoire se passe en Belgique. Olivia rétorque au chef qu'aller à Bruxelles un week-end et trouver un interlocuteur, cela ne va pas être « de la tarte ». Elle va faire néanmoins une tentative, mais elle dit qu'il ne faut pas trop compter sur ce reportage.

Dans la foulée, Jacques lui parle d'un article, encore du *Parisien*, sur la démission de trois ministres socialistes en Belgique. Olivia lui précise qu'elle en a déjà parlé hier en début d'après-midi à Éva, alors que la nouvelle tombait sur l'AFP. Charles suit l'affaire depuis plusieurs jours. Celle-ci est abondamment commentée dans la presse belge, notamment dans *Le Soir* et *la Libre Belgique*. Trois figures socialistes belges se retrouvent au centre d'une affaire de pots-de-vin, suite à l'achat en 1989 de 46 hélicoptères à la firme italienne Agusta. Ils sont accusés d'avoir manipulé ce marché, en gommant d'un rapport parlementaire des éléments défavorables à l'achat de ces hélicoptères. Cette histoire est certainement liée à l'assassinat de l'ancien président du parti socialiste belge en juillet 1991. Hier, Éva n'était pas intéressée par le sujet. Il paraît difficile un jour après la démission, en plein week-end, de partir en Belgique. Olivia suggère d'attendre lundi pour réaliser un reportage plus fouillé sur ce scandale.

11 heures 00 – Salle de rédaction de France 3

Je rencontre un jeune journaliste, Pascal, à qui le rédacteur en chef de France 3 a confié l'affaire du trafic de Hem. Après une brève enquête, il a réussi à convaincre son chef de l'inopportunité de faire un reportage dans l'état actuel des informations divulguées à la presse. Nous nous retrouvons d'accord sur la difficulté et même le risque de traiter ce genre d'affaire trop rapidement. Par contre, quelques instants plus tard, je raconte à une autre jeune collègue, Dominique, l'histoire de la fausse dépêche AFP de Marseille. Elle a l'air de s'en foutre royalement. Autre journaliste, autre comportement.

> Un de nos chefs, Jacques, nous lit la presse en direct. Cette façon de procéder est assez courante. Nombre de chefs nous téléphonent suite à la vision de titres ou de mots-clés dans des articles de presse ou des dépêches d'agence. Et c'est au téléphone qu'ils détaillent l'article ou la dépêche en entier. Mais ce n'est pas propre à nos chefs. Cela nous arrive souvent, à mes

collègues et moi, de lire « en diagonale » un article ou une dépêche, c'est-à-dire concrètement à chercher des mots-clés – « chocs » ? Il serait intéressant de relever les mots-clés recherchés, selon le média utilisé.

DIMANCHE 23 JANVIER

Rien de spécial à signaler.

LUNDI 24 JANVIER

10 heures 00 – Bureau de France 2

Richard téléphone pour dire qu'une dépêche AFP vient de tomber au sujet d'un accident survenu à l'usine Métaleurop, à Noyelles-Godault, dans le Pas-de-Calais. L'accident aurait fait un blessé grave et un autre plus légèrement atteint. Un accident avait déjà eu lieu en juillet 1993 dans cette usine spécialisée dans la fabrication de certains métaux. Une colonne de raffinage de zinc avait explosé et causé la mort de dix personnes. À l'époque, c'était déjà Olivia qui avait couvert la catastrophe. Nous apprenons qu'une équipe de France 3 Nord-Pas-de-Calais est déjà sur place, avec un autre cameraman, correspondant dans le secteur.

Nous partons vers 10 heures 15, branchés « bien sûr » sur France-Info, qui tous les quarts d'heure répète en ouverture de son journal le même couplet sur l'accident. Olivia en profite pour me raconter les rapports tendus qu'elle avait eus avec une de nos chefs, Hélène, en juillet dernier. Olivia avait fait un premier sujet factuel sur l'accident. Le lendemain elle avait tenté d'expliquer techniquement comment avait pu se passer l'explosion. Elle avait reçu une volée de bois vert de la part de Hélène.

Celle-ci lui avait dit qu'elle « s'en foutait complètement de la technique », qu'il aurait fallu « aller chez les familles des victimes pour faire des réactions ». Olivia m'avoue qu'elle n'y avait pas pensé et que ce n'était même pas un choix. Elle me confie avoir été « humiliée par cette engueulade » et avoir mesuré à l'époque « le décalage qui existait entre [elle] et les chefs ».

Richard nous recontacte sur la route et nous dit que le sujet ne vaut que parce qu'il y a déjà eu un accident l'année passée. Nous acquiesçons bien évidemment. Mais évidemment quoi ? Qu'on ne déplace pas une équipe de France 2 pour un blessé grave dans une usine, événement qui arrive des milliers de fois par an en France. Cela va de soi…

10 heures 45 – Usine Métaleurop à Noyelles-Godault

Nous arrivons en pleine conférence de presse. En voyant les confrères de M6 et de Canal 9 (une chaîne câblée), je pique un fard intérieur : merde, nous sommes à la ramasse ! Mais quand je m'aperçois que nos confrères de TF1 ne sont pas là, mon moral remonte un peu. Il est trop tard pour faire des images. Mais comme nos collègues de France 3 sont présents depuis une bonne heure, nous avons la possibilité d'emprunter leurs images. Olivia recueille de maigres informations auprès de la journaliste de France 3. À la table de la conférence de presse, face aux journalistes (*La Voix du Nord*, *Nord Éclair*, Radio France fréquence Nord, RTL, *Libé*, France 3), sont assis côte à côte le directeur du personnel de l'usine, le sous-préfet, deux commissaires de police, le député maire de Noyelles-Godault (divers droite) et le commandant des sapeurs-pompiers. Le front des pouvoirs face aux questions des journalistes. La direction de l'usine n'est pas très à l'aise. La colonne qui a explosé venait d'être mise en marche il y à peine une semaine. Et c'est cette colonne qui avait déjà explosé en juillet dernier. Elle a été reconstruite avant que le rapport d'expertise ne soit publié. Que viennent faire alors le député et le sous-préfet à côté d'une direction montrée du doigt ? Il est important de signaler que l'usine emploie 1 000 personnes dans une région où il y a près de 25 % de chômage.

À la fin de la conférence de presse, le directeur du personnel répond aux questions de Olivia. Il assure par exemple qu'il y a environ 120 colonnes de raffinage du zinc du type de celle d'Eurométal qui fonctionnent dans le monde et qu'il n'y a pas eu à ce jour d'autres accidents (nous ne vérifierons pas cette affirmation). Il répondra « à côté » à la question « Pourquoi avoir reconstruit et redémarré la colonne avant que les experts ne rendent leur rapport ? » Il est déjà 11 heures 15 et notre préoccupation est de récupérer les images de l'accident que les équipes de France 3 ont tournées.

Nous apprenons par notre consœur de France 3 que ni les ouvriers ni les syndicats ne veulent parler. Olivia avait déjà constaté en juillet dernier qu'il était difficile de faire parler les salariés de l'usine. Nous apprenons également par un autre confrère que le Comité d'hygiène et sécurité du contrôle du travail [CHSCT] aurait donné son aval à la reconstruction de la colonne. Le délégué du CHSCT est un élu CGT. Ce qui entraîne des critiques ironiques sur les syndicats de la part des journalistes présents. Mais nous ne vérifions pas d'où notre confrère tient cette information, que la CGT ne confirmera d'ailleurs pas par la suite. Vers 11 heures 30, nous avons récupéré les images de France 3 (en fait France 3 a amené sur place un car de direct et les images tournées le matin sont envoyées en faisceaux à Lille).

Nous repartons en ayant fait en tout et pour tout une interview. Nous avons plus récolté d'informations auprès de nos confrères journalistes qu'auprès des gens sur place. Il faut quand même ajouter que, ayant couvert cet été le premier accident, Olivia connaît un peu le dossier. Nous devons nous dépêcher pour monter et envoyer le sujet à Paris. Le retour sur Lille se fait à toute vitesse, rythmé par les flashes incessants de France-Info, reprenant en ouverture l'accident et répétant inlassablement les mêmes informations factuelles, sans les développer.

12 heures 00 – Salle de montage de France 3

Le sujet est monté en quarante minutes. Il est envoyé à Paris à 12 heures 45. Olivia se sert d'images d'archives pour rappeler l'accident de juillet. Après le 13 heures, Éva nous téléphone pour nous dire qu'elle a trouvé le sujet bien et qu'elle veut une « mouture » pour le 20 heures. En fait, elle sait ce qu'elle veut. Il faut que l'on trouve des ouvriers dénonçant, devant la caméra, les dures conditions de travail et le fait qu'ils ont peur de remettre les pieds dans l'usine. Olivia lui explique que c'est de parler face à une caméra qui leur fait peur. Mais elle accepte de retourner à l'usine. Il y a une réunion du CHSCT vers 14 heures 30. Olivia me dit que si nous n'arrivons pas à « faire des ouvriers », Paris ne prendra rien ce soir : « Tu connais David, si on n'a pas quelque chose de spectaculaire, il ne voudra rien. »

14 heures 00 – Bureau de France 2

Je suis allé chez moi manger un morceau. Je me dépêche, mais je reviens un peu en retard au bureau. Ce n'est certainement pas la meilleure façon de travailler. Nous aurions dû repartir à Métaleurop après le journal de 13 heures. Mais il y a des jours où j'ai du mal à me motiver, où je suis las de courir tout le temps. Je n'ai pas l'impression de faire un véritable travail de journaliste. Nos chefs attendent de nous un sujet stéréotypé, qu'ils ont imaginé à l'avance dans leur bureau de l'avenue Montaigne à Paris. Il faut des images, si possible « chocs », et des sonores, si possible angoissés. On ne nous demande pas vraiment de faire une enquête. Mais a-t-on le temps d'en faire une, à courir après des images, après les différentes éditions de la journée. Je n'en veux pas qu'à nos chefs. Je nous en veux aussi, car nous perdons les réflexes d'un minimum de travail journalistique. Et en plus de cela, nous ne sommes même pas sûrs que le sujet va passer.

Bref, nous repartons sous un ciel pluvieux et gris, retrouver au bout du monde une usine triste dans un paysage lugubre. Nous ne parlons pas de ça non plus : de la vie de ces ouvriers qui travaillent dans des conditions dures, dans la chaleur dégagée par les fours, dans une fumée oppressante. Olivia me racontait que cet été, elle avait été frappée par la résignation de tous ces ouvriers et aussi par celle des familles, qui venaient par dizaines attendre, comme à l'époque de la mine, la liste des morts. Et de cela, elle n'avait pas fait de sujet. Nous étions partis pour ne pas en parler une fois de plus. Pensez-vous, en 1'30", il faut aller à l'essentiel.

Arrivés sur place vers 14 heures 45, nous apprenons par une autre équipe de France 3 (l'équipe du matin est partie à l'hôpital de Lens tenter de « faire » des réactions de blessés) que le CHSCT a déjà commencé. L'équipe a filmé la sortie de 14 heures et ils ont tenté d'avoir des réactions d'ouvriers. Ceux-ci ne répondent pas grand-chose face à la caméra. Encore une fois, nous sommes à la ramasse. Décidément ce n'est pas une bonne journée. Du coup, nous attendons dans la voiture la sortie de la réunion en spéculant sur nos chances d'avoir une réaction de syndicalistes. Si nous n'y arrivons pas, il n'y a pas de sujet pour ce soir.

Nos confrères de France 3 attendent également. Ils ont demandé à la direction de filmer de près la fameuse colonne accidentée. Ils sont chargés de faire un reportage sur les raisons de l'accident et sur les problèmes de sécurité. L'autre équipe, qui est à Lens, est chargée du « factuel ». Une personne de la sécurité vient nous prévenir que la réunion risque de durer assez longtemps.

Nous décidons avec nos collègues de France 3 d'aller boire un café au bar du coin. Bien sûr nous parlons fort de l'accident, plaisantant même, un peu comme en terrain conquis, avec cette distance caractéristique des journalistes face à un événement dramatique. Je me rends compte qu'il y a des ouvriers au comptoir, silencieux, qui nous regardent sans se dire grand-chose. Je me sens tout d'un coup gêné, en pensant que parmi eux se trouvent peut-être des ouvriers d'Eurométal.

16 heures 00 – Parking de l'usine Eurométal

Nous retournons à l'entrée de l'usine où la réunion touche à sa fin. J'apprends de la bouche d'un journaliste de *Nord Éclair* que la CGT a accordé une interview à RTL et à Fréquence Nord peu après notre départ en fin de matinée. Ce confrère me fait part des informations qu'il a recueillies auprès de l'avocat de la CGT. Il me précise plusieurs points de détail de la première enquête. Je mesure le fossé qui sépare sa façon de travailler de la nôtre. Depuis le dernier accident, nous ne nous sommes plus du tout intéressés à cette affaire. Alors que ce journaliste, correspondant local de *Nord Éclair*, ce genre de journaliste souvent méprisé par les « grands journalistes » travaillant pour le national, s'est intéressé aux suites de cet accident, il a fait tout simplement son travail honnêtement.

Un membre de la sécurité nous fait savoir que le directeur de l'usine nous attend pour un point presse. Il nous accompagne dans une salle. En attendant le directeur, je décide d'aller au local des syndicats pour voir si nous pouvons rencontrer un membre de la CGT, majoritaire dans l'usine. Je rencontre le délégué qui me donne un communiqué de presse et qui est d'accord pour une interview. Seulement il doit partir dans cinq minutes. Je préviens Olivia qui quitte la salle du point presse, suivie par l'équipe de France 3 et par les journalistes de la presse écrite locale. Sans prendre le temps de nous entretenir au préalable avec le syndicaliste, nous commençons aussitôt son interview, qui dure moins de cinq minutes.

Merci, au revoir et nous voilà repartis pour faire l'interview du directeur de l'usine. Celui-ci est déstabilisé par les questions mordantes du journaliste de France 3, et au fur et à mesure il perd de sa superbe. Nous allons filmer ensuite la colonne qui a explosé. Nous approchons le lieu de l'accident d'assez près. Il n'y a rien de vraiment spectaculaire, si ce n'est un trou dans un énorme four. Je fais une dizaine de plans sous différents angles, mais nous sommes encore trop loin et l'endroit est trop sombre pour voir quelque chose de précis. À une centaine de mètres de là, des ouvriers travaillent au milieu des flammes et de la fumée. Une ou deux images de plus, et nous voilà repartis à 17 heures 30.

Sur le chemin du retour, France-Info continue à parler de l'accident, toujours sans aucun développement. Mais cette info n'est plus en ouverture des journaux. Olivia prévient Éva qu'un syndicaliste a accepté de parler. La voilà rassurée, et du coup notre sujet est programmé pour le 20 heures. Arrivée à Lille vers 18 heures 15, Olivia a une petite heure pour monter. Le sujet est envoyé par faisceaux à 19 heures 30.

19 heures 10 – Bureau de France 2

Je regarde le journal télévisé de France 3 Nord-Pas-de-Calais. Deux reportages sont diffusés sur l'explosion. Le premier est factuel. On y trouve des images de l'accident, l'interview du directeur du personnel et des images à l'hôpital de Lens, avec celle d'un médecin sur l'état des blessés. Par contre il n'y a pas d'avis syndical. L'autre reportage parle de la nécessité ou non de maintenir ce genre de colonne de raffinage sur le site de Noyelles-Godault. Là on trouve l'interview du directeur et du syndicaliste.

20 heures 00

Notre sujet fait 1'45" et comprend des images des accidents d'aujourd'hui et de juillet 1993, l'interview du directeur et celui du syndicaliste. Nos chefs le trouveront très bien. (À son retour, Charles me dira également qu'il a trouvé très bien les deux sujets de 13 heures et de 20 heures). Comme quoi, il n'y a pas besoin de se prendre la tête.

MARDI 25 JANVIER

9 heures 00 – Bureau de France 2

La lecture de l'accident d'Eurométal dans la presse régionale (*Voix du Nord* et *Nord Éclair*) me fait mesurer la distance qui existe entre la presse écrite et la presse audiovisuelle. *La Voix du Nord* consacre une pleine page à l'accident avec des réactions et des questions. Du reste, la presse écrite régionale continuera de parler de l'accident pendant plusieurs jours. France 3 passera encore un reportage sur la sécurité mardi soir. Pour nous, c'est déjà du passé.

14 *heures* 00

Une dépêche AFP tombe à 12 heures 33 sur « l'ouverture d'une information contre X pour voie de fait et subornation de témoin » dans l'affaire VA-OM. Olivia devance Paris et téléphone à Éva. Celle-ci lui dit de se renseigner. Il ne faut pas oublier que c'est l'affaire VA-OM et que nous devons bondir à la moindre dépêche.

L'histoire remonte à cet été. En marge de l'affaire OM-VA, Boro Primorak, entraîneur de Valenciennes, affirmait que Bernard Tapie l'avait contacté pour qu'il modifie son témoignage dans l'affaire de corruption présumée de trois joueurs valenciennois. Bernard Tapie a récusé les accusations portées contre lui et a indiqué qu'il se trouvait ce jour-là dans son bureau parisien, avec le député de Béthune, Jacques Mellick. Il s'est ensuivi une enquête à rebondissement et un feuilleton médiatique qui a duré une bonne partie de l'été. Trois proches de Jacques Mellick ont été interrogés à ce sujet et ce sont eux qui ont porté plainte le 13 septembre par l'intermédiaire de leur avocat, Mᵉ Liebman. Ils s'étaient plaints, à l'époque, des méthodes de la police. L'ouverture de l'information contre X fait suite à cette plainte.

Olivia cherche à contacter les trois collaborateurs de Jacques Mellick. Éva se charge de téléphoner à l'avocat qui est, d'après elle, un de ses amis (il est assez courant qu'Éva nous dise qu'elle connaît très bien X ou Y). Au bout d'une heure, la recherche est peu fructueuse : aucun des collaborateurs n'est joignable. Olivia se renseigne auprès d'Éva sur son contact avec Me Liebman. Elle n'a strictement rien fait et charge Olivia de cette mission. Celle-ci téléphone donc à l'avocat à Paris, qui se montre très étonné par la sortie aujourd'hui de la dépêche AFP. D'après lui, l'information est ouverte depuis début décembre 1993.

La dépêche étant signée par le rédacteur en chef du bureau AFP de Lille, Olivia lui téléphone pour avoir quelques renseignements. Il est parfaitement au courant. Il a décidé de faire une dépêche aujourd'hui car personne n'en avait parlé avant. Olivia me fait remarquer après le coup de téléphone qu'il aurait pu au moins signaler sur la dépêche la date précise de l'ouverture de l'information. Elle prévient aussitôt Richard, qui du coup est moins remonté. Il demande quand même si « Liebman est chaud pour faire des déclarations incendiaires ». Comme la réponse est non, il répond que « Liebman vaut pas le coup, c'est ce qu'on pouvait tricoter autour qui pouvait nous intéresser. Je vais voir le 20 heures, mais *a priori* on oublie ».

19 heures 35

Éva téléphone car une dépêche vient de tomber (en fait à 19 heures 18), sur la découverte à la prison de Valenciennes d'un détenu mort dans sa cellule. Celui-ci venait d'être condamné. Elle demande à Olivia de se renseigner. Il va de soi que, à 19 heures 45, on trouve un procureur dans un tribunal ou un directeur régional de l'administration pénitentiaire dans son bureau. Bref, la recherche tourne court. Olivia a fini son remplacement. Elle passe le relais à Charles.

MERCREDI 26 JANVIER

7 heures 30 – Appartement personnel

France-Inter annonce dans son journal de 7 heures 30 qu'une tempête a causé des dégâts importants (coupure de courant, arbres couchés, etc.) dans l'agglomération lilloise durant la nuit. Il est vrai que j'ai entendu de fortes rafales de vent, mais de là à provoquer les dégâts annoncés par la radio… Je téléphone aussitôt à Charles, qui lui aussi a entendu la nouvelle sur Europe 1 et qui lui aussi est surpris. Nous nous donnons rendez-vous au bureau pour vérifier tout cela, avant que Paris nous téléphone.

8 heures 45 – Bureau de France 2

Charles passe deux ou trois coups de téléphone aux pompiers et à la sécurité civile, qui relativisent fortement les nouvelles annoncées. Nous décidons de ne rien faire, d'autant plus que Paris n'a pas l'air de s'affoler. Je fais part à Charles d'un article de *Libé*, daté de la veille, sur la fédération du PCF du Pas-de-Calais. Le journaliste fait le portrait de cette fédération atypique, alors que se déroule le XXVIIIe congrès du parti communiste à Saint-Ouen. C'est la seule encore accrochée au centralisme démocratique, quand toutes les autres fédérations réclament sa disparition.

Je trouve qu'il est dommage de n'avoir pas fait ce sujet. Charles me dit qu'effectivement il a remarqué cet article et qu'il l'a trouvé intéressant. Mais il pense que Paris n'aurait jamais accepté si nous avions proposé ce sujet.

Encore une fois, nous avons préféré ne rien dire. Depuis de long mois, nous proposons de moins en moins de sujets, attendant que l'actualité nous tombe du ciel. Est-ce le refus répété des propositions de sujets ? Ou encore la mise à la trappe régulière de quelques-uns de nos reportages par les éditions nationales ? Bref, est-ce le changement lié aux demandes de la nouvelle direction mise en place il y a deux ans ? Ou bien est-ce la lassitude de la correspondance au quotidien ? Ou l'anesthésie intellectuelle qu'entraîne la méthode de travail en télévision ? Ou l'éloignement d'une rédaction nationale, donc d'une émulation ? Toujours est-il que je n'ai pas vraiment l'impression de rendre compte de ce qui se passe dans cette région. En fait je pense que, pour faire un sujet, il faut si possible qu'il n'y ait pas trop de recherche. Il faut donc que ce ne soit pas trop compliqué à comprendre. L'idéal est donc un bon vieux fait divers.

10 heures 00

Un des favoris pour le remplacement de Georges Marchais vient du département du Nord. Alain Bocquet est député d'une circonscription au nord de Valenciennes et président du groupe communiste à l'Assemblée nationale. Nous décidons de préparer un sujet sur le personnage au cas où il serait désigné secrétaire national. Je vais donc chercher quelques renseignements supplémentaires auprès du documentaliste de France 3.

11 heures 15

Une collègue de France 3, Murielle, a reçu la veille un appel téléphonique d'une mère de trois enfants à qui le maire de Hautmont (Nord) refuse l'accès de l'école publique de la ville. La mère de ces trois enfants est française, d'origine algérienne. Le maire, Joël Wilmotte, lui a clairement annoncé qu'il ne veut plus d'étrangers dans sa commune.

Il faut dire que le maire de Hautmont n'en est pas à son coup d'essai. Cela fait maintenant des années que cet ancien adhérent du PS s'est fait remarquer par ses prises de positions et par ses actes anti-immigrés. L'équipe de France 3 est donc en partance pour Hautmont. Charles et moi, nous nous posons la question de savoir s'il faut ou non en parler. Nous trouvons que c'est faire de la publicité à bon compte à Joël Wilmotte.

Hautmont, situé au cœur d'une région sinistrée, la vallée de la Sambre, a plus de 20 % de sa population au chômage. Et bien sûr le Front national prospère élection après élection. Les immigrés sont évidemment la cible principale, installés dans la région depuis des dizaines d'années et travaillant dans les industries métallurgiques quand celles-ci étaient prospères. Alors, c'est le genre de sujet qu'affectionne Wilmotte pour pousser son refrain raciste.

Charles téléphone à la mère des trois enfants pour mieux connaître l'histoire. En fait Assia B est née à Hautmont, d'un père algérien arrivé à l'âge de onze ans avec son propre père. Assia B nous précise que son père, étant traditionaliste, l'a mariée à son cousin germain. Elle a donc vécu deux ou trois ans en Algérie où elle a eu deux enfants. Elle est ensuite revenue à Hautmont avec son mari et a eu un autre enfant. Les deux premiers ont alors été scolarisés à l'école publique. Assia a peu après divorcé et est partie travailler un an et demi en Alsace. C'est quand elle est revenue en juillet dernier chez ses parents, à Hautmont, que les ennuis ont commencé. Pour inscrire ses enfants à l'école publique, la directrice lui a demandé un certificat de résidence, obligatoire. Seulement la mairie lui a refusé ce certificat sous prétexte que les enfants étaient nés en Algérie et qu'elle était étrangère à la ville. Entre-temps, Assia a trouvé un logement, après avoir essuyé un premier refus de la part des HLM. Le maire, pour toute explication, lui a répondu dans le bulletin municipal que ses enfants étaient algériens et qu'ils n'avaient rien à faire dans cette ville. Du coup Assia est obligée de mettre ses enfants à l'école privée, mais n'abandonne pas la lutte pour autant.

Charles me dit, après la conversation, qu'il faut y aller aujourd'hui. France 3 va sortir le sujet ce soir et tout le monde sera à Hautmont demain. Il faut être les premiers. Charles téléphone à Richard qui est avec tous les chefs de la rédaction, en conférence prévisionnelle. Richard ne peut pas vraiment parler, mais à peine Charles lui a-t-il expliqué l'histoire, qu'il lui donne son aval pour aller à Hautmont. Charles appelle Assia pour lui confirmer notre venue. Puis il téléphone au maire de Hautmont qui exige des tas de conditions pour nous accorder une interview (égalité de temps de parole, choix limité de questions etc.). Il finit par accepter un rendez-vous à 16 heures 30. Charles essaie de contacter le sous-préfet d'Avesnes-sur-Helpe et l'inspecteur d'académie. Comme personne n'est là, nous décidons de partir sur Hautmont, qui se trouve tout au bout du département.

14 heures 30 – Hautmont

Nous arrivons dans une ancienne cité d'urgence, habitée principalement par des immigrés. Durant un court instant, nous avons un sentiment de crainte dans cet environnement peu habituel pour nous. Nous sommes un peu inquiets pour le matériel qui se trouve dans la voiture. Assia nous accueille dans une petite maison, pauvrement aménagée (elle est actuellement au chômage), mais impeccablement tenue. Elle est habillée d'une façon décontractée, à la mode française. Elle nous rassure tout de suite sur la cité, nous précisant que quinze ans auparavant l'endroit était un véritable coupe-gorge, mais que cela a beaucoup changé. Nous discutons un petit moment pendant que les enfants regardent la télé. Assia est un peu intimidée par notre présence, bien que j'essaie de la mettre à l'aise. Elle nous précise certains points de l'histoire.

Je place les enfants autour de la table pour faire quelques images. Ils font semblant de faire leurs devoirs avec leur mère pour les besoins du tournage. Assia me fait remarquer que France 3, qui vient juste de passer, a fait la même demande.

Pendant que j'installe un peu de lumière, elle nous regarde avec envie. Elle me fait remarquer que nous avons un beau métier. Je lui réponds qu'il ne faut pas exagérer, mais je me sens tout d'un coup triste face à cette femme courageuse, seule avec ses trois enfants, collée à cette cité de transit. Elle a effectivement peu de chances de faire un jour ce « beau métier ». Une fois la séquence filmée, Charles fait une petite interview. Comme elle est passablement angoissée devant la caméra, Charles lui dit que la meilleure façon pour être bon, c'est de rester naturelle. Nous disons souvent cette phrase aux interviewés, mais y croit-on vraiment ? Il lui demande alors de raconter ce qui s'est passé quand elle a voulu mettre ses enfants à l'école publique. Je fais ensuite deux plans du journal municipal dans lequel le maire explique qu'il ne veut pas de ces enfants venus d'Algérie dans l'école publique de la ville.

Pour enrichir le tournage, nous lui proposons de la filmer avec ses enfants devant l'école publique qui se trouve juste à côté de chez elle. Pendant le tournage de cette séquence, Assia rencontre dans la rue un homme à qui elle fait la bise. Elle me demandera peu après de ne pas diffuser cette scène qui choquerait ses parents. S'ensuit une petite discussion sur le statut de la femme d'origine maghrébine, mais Charles interrompt cette conversation. Dans notre métier, on n'a pas souvent le temps. Et pourtant, je sentais chez cette femme une envie de parler. Nous sommes restés près d'une heure et demie avec elle, ce qui est déjà beaucoup pour un reportage.

16 heures 30 – Mairie de Hautmont

Sur le chemin de la mairie, nos collègues de France 3 nous téléphonent pour nous dire qu'ils attendent notre arrivée avec impatience. Le maire les fait patienter depuis une heure, sous prétexte de regrouper les interviews. Pourtant, il avait donné la veille rendez-vous à France 3 à 15 heures 30. Nos collègues nous précisent qu'ils ont fini entre temps par avoir le sous-préfet et qu'ils ont fixé un rendez-vous à 17 heures 30.

La rencontre avec Joël Wilmotte est tumultueuse. D'abord un employé municipal filme tout l'entretien avec une petite caméra vidéo. Je me pose la question de savoir si je vais protester, mais je choisis de ne pas envenimer la rencontre. Après tout il peut en faire ce qu'il veut, de sa caméra ! La réponse de Joël Wilmotte à la première question posée par Charles fait 1'40". Il préfère parler du problème général de la commune (chômage, nombre important d'allocataires du RMI, lourd budget social), pour justifier l'interdiction faite aux enfants d'Assia d'aller à l'école publique. Il ne parlera pas directement du problème que pose, selon lui, leurs origines. Et au bout de cette minute et quarante secondes d'interview, Monsieur le maire décide d'interrompre la rencontre. Il n'a pas à répondre aux autres questions. Il fait référence à un marché qu'il aurait conclu au téléphone avec Charles. Pendant près d'un quart d'heure, nous allons tenter de convaincre Joël Wilmotte qu'il ne peut pas se limiter à une réponse générale, mais qu'il doit répondre sur ce cas précis. La discussion, qui prend par moment une tournure de foire, sera entièrement filmée par le cameraman municipal. Au bout d'un moment, nous décidons de plier bagage, car certains d'entre nous sont à la limite de l'injure. Nous partons sur Avesnes-sur-Helpe, distant d'une vingtaine de kilomètres.

17 heures 15 – Sous-préfecture d'Avesnes-sur-Helpe

Le sous-préfet, ayant des rendez-vous, nous fait attendre. Cela n'arrange pas nos affaires. Nous sommes à plus d'une heure de Lille, et le retour, surtout pour nos collègues de France 3, risque d'être *speed*. Leur journal régional débute à 19 heures 10. L'interview du sous-préfet sera très rapide. L'homme est visiblement embêté des frasques du maire de Hautmont. Il précise que la loi s'applique sur tout le territoire français et il rappelle à Joël Wilmotte son obligation d'accepter à l'école publique les enfants résidant sur sa commune.

Pendant que l'on range le matériel, il ne peut s'empêcher de faire des remarques sur l'instabilité de cette famille. Cela me fout en rogne d'entendre ça. C'est vrai que monsieur le sous-préfet ne risque pas d'avoir la vie de cette femme. Il n'est pas du même monde.

17 heures 45 – Voiture de France 2

Le retour se fait en dehors des limites tolérées par le code de la route, ce qui est très fréquent dans notre métier. Sur la route, Charles me fait part de sa satisfaction d'avoir réalisé aujourd'hui ce sujet : « C'est bien, je suis content, demain tout le monde en parle. On ne sera pas à la ramasse. » Au téléphone, Richard est très excité. Un accident est arrivé dans un supermarché à Nice, et le bilan risque d'être lourd. Les correspondants de France 2 sont sur place et Richard a détourné Étienne, le chroniqueur judiciaire, qui couvre un procès dans la région (le procès d'Omar, accusé d'avoir assassiné une riche dame). Charles téléphone également au présentateur du 20 heures, José, pour lui donner des détails sur l'histoire. Certains présentateurs utilisent plus souvent les dépêches pour écrire le lancement-antenne des sujets. D'autres exigent que le journaliste sur le terrain prenne contact avec eux. Dans ce cas précis, comme il n'y a pas de dépêche sur cette histoire, José n'a pas d'autre choix que d'obtenir des précisions de Charles. José se remémore peu à peu des frasques passées de Joël Wilmotte.

19 heures 00 – Bureau de France 2

Arrivé à France 2, Charles a une petite demi-heure pour monter le sujet, car le faisceau est prévu à 19 heures 30. Il utilise des images d'archives concernant les dérapages passés du maire de Hautmont. Il avait déjà, deux ans auparavant, mis en place un référendum sur le taux admissible d'immigrés dans la commune.

Pendant ce temps-là, je relève les fax et les appels téléphoniques qui sont arrivés au bureau de France 2 dans la journée. Nous avons reçu par exemple plusieurs fax du Planning familial, qui est toujours en guerre contre le conseil général. Deux jours auparavant, celui-ci a porté de graves accusations médicales contre le Planning (notamment sur la distribution de pilule sans suivi médical et sur la gestion.) Le Planning nous invite le lendemain à une conférence de presse à 18 heures 30. Nous n'irons pas à cette conférence de presse. Je précise qu'un article est paru cette semaine dans *Libé* sur cette affaire.

Parmi les appels téléphoniques, je relève l'appel de l'attachée de presse parisienne de la Sealink, qui nous invite pour un reportage concernant l'inauguration d'une nouvelle agence commerciale dans le centre de Lille. Je me demande si elle pense vraiment que nous allons venir à son inauguration et si elle croit que c'est une information.

19 heures 45

Éva nous téléphone pour nous dire qu'elle a trouvé le sujet intéressant. Elle en profite pour critiquer le maire, puis nous demande si nous étions les seuls sur ce coup. Charles lui fait part de la présence de France 3. Ce qui l'intéresse surtout, c'est de savoir si TF1 était présent. Comme Charles lui répond par la négative, elle s'exclame : « Ah ! super, bien fait pour ces connards. »

Puis la conversation porte sur l'accident de Nice. Visiblement elle est satisfaite des moyens mis en place par France 2 : « Tu me diras ce que tu en penses. » Avant de conclure, Charles lui signale qu'il a entendu des bruits sur une éventuelle disparition des bureaux régionaux de France 2. Il lui fait part des informations collectées par notre collègue syndicaliste de France 3 [*supra*, p. 129]. Éva lui répond qu'elle n'est pas au courant, mais qu'il ne faut pas s'affoler. Nous en sommes à l'heure de la nomination du futur directeur de l'information de France 2 et c'est ce qui intéresse nos chefs à Paris. Elle dit qu'elle va toutefois en parler à Richard.

JEUDI 27 JANVIER

9 heures 00 – Bureau de France 2

Nous sommes à deux jours de la clôture du congrès du PCF et de la désignation de son nouveau secrétaire national. Nous nous remettons donc à préparer un sujet sur l'éventuelle élection d'Alain Bocquet à la tête du parti.

D'autant plus que *La Voix du Nord* brosse un portrait de son village natal, Marquillies. C'est le genre d'article qui nous arrange bien. Nous pouvons y puiser les renseignements que nous n'avons pas eu le temps (ou pas pris le temps ?) de chercher. Nous y apprenons, par exemple, que très tôt Alain Bocquet s'est engagé au PC, alors que ses parents, bien qu'ouvriers, n'étaient pas particulièrement de gauche…

Le problème est que nous ne pouvons pas attendre samedi l'élection du secrétaire national pour aller à Marquillies. Cette élection risque de se passer tard dans l'après-midi. Dans ce cas, nous irions à Marquillies vendredi pour rencontrer des personnes qui ont connu Alain Bocquet dans sa jeunesse. Charles ajoute que nous pourrions faire aussi l'interview d'un de ses adversaires politiques.

Avant de passer des coups de téléphone, Charles contacte Brigitte, chef du service politique de France 2. Il lui demande ce qu'elle compte faire pour l'élection du secrétaire national et lui propose un éventuel sujet sur Alain Bocquet. Apparemment elle n'a rien prévu et en plus se fiche pas mal de l'appel de Charles. En moins de cinq minutes de conversation, elle l'interrompt trois ou quatre fois et se met à parler (ou plutôt à crier) à quelqu'un d'autre. Elle ne sait pas à quelle heure aura lieu la désignation du remplaçant de Georges Marchais et marmonne des « ouais » aux remarques de Charles. Elle raccroche en finissant par marmonner « faites toujours »… Mais faites toujours quoi ? Sous quelle forme ? Qui s'inscrive comment par rapport aux autres sujets du service politique ? Nous ne savons pas. Charles n'est pas plus en colère que cela. Il faut dire que Brigitte a une réputation de caractérielle de première dans le métier.

Charles décide de téléphoner à Richard pour lui dire qu'on a l'aval de Brigitte pour faire un sujet. Il faut toujours prévenir nos chefs directs quand nous ne passons pas directement par eux pour faire un sujet. Richard félicite Charles pour le sujet de la veille : « Il était bien, ton sujet, dommage qu'il soit passé un peu à côté à cause de Nice. » S'ensuit une conversation sur le dispositif de couverture mis en place par France 2. Richard a l'air très fier des moyens techniques déployés pour couvrir l'événement.

Charles enfin lui fait part de notre contact avec Brigitte et de la décision de faire un sujet sur Alain Bocquet pour samedi. Richard apparemment ne le connaît pas ou a vaguement entendu parler de lui. Au passage, Charles charrie un peu Richard sur un éventuel vote PC de sa part dans une élection, ce qui entraîne aussitôt une protestation vigoureuse de Richard : « Même quand j'avais vingt ans, je n'ai jamais voté PC. » Connaissant le personnage (il a été longtemps journaliste au service « éco », correspondant à la Bourse de Paris…), je m'en serais douté.

Charles demande à Richard ce qu'il pense de ce qui se passe à France 2. Charles veut parler de l'avenir des bureaux. Mais Richard n'a pas du tout compris cela. Il embraye sur la nomination du futur directeur de l'information. Il dit que la nomination aurait dû être faite depuis une semaine. Il y a un blocage quelque part, mais il ne sait pas où. Charles lui précise que c'est des bureaux régionaux qu'il voulait parler. Aussitôt Richard a l'air plus détendu et annonce qu'il n'y a pas de souci à se faire. L'idée même des correspondants régionaux est, selon lui, ancrée dans la rédaction, et sitôt le futur grand chef nommé il ira, dossier sous le bras, défendre le morceau. Puis il reprend la conversation sur les noms des prétendants au fauteuil de directeur de l'information.

10 heures 45 – Vidéothèque de France 3

Nous décidons de collecter des images d'archives d'Alain Bocquet. Nous trouvons dans le fichier de la vidéothèque de France 3 des traces de tournage de manifestations, de congrès remontant à 1975. Comme les séquences ont plus de trois ans, il faut faire la demande au bureau de l'INA à Lille, qui conserve toutes les archives de France 3 Nord-Pas-de-Calais. C'est pour cela qu'il vaut mieux s'y prendre à l'avance.

11 heures 30 – Bureau de France 2

Charles a décidé de téléphoner à un personnage que l'on a repéré dans l'article de *La Voix du Nord*. Il s'agit d'un ancien gérant d'un magasin Coop, qui a fait partie, comme Alain Bocquet, de la cellule « Maurice Thorez » de Marquillies. Je n'assiste pas à l'entretien car je dois m'absenter entre midi et deux.

14 heures 00

Charles n'a pas téléphoné à notre personnage, car il a rencontré entre-temps une équipe de France 3 qui revenait de Marquillies et qui était déçue du reportage qu'elle venait de faire. Ils avaient rencontré la mère d'Alain Bocquet qui s'avérait être timide. Elle avait difficilement accepté d'être interviewée. Ils n'avaient pas pu rencontrer d'autres personnes proches du député communiste. Du coup cela a refroidi les ardeurs de Charles. Je fais remarquer à mon collègue que nos confrères de France 3 ne manquent pas d'air. Ils sont partis ce matin, aussitôt après avoir lu *La Voix du Nord*, sans prendre le temps (et peut-être sans avoir la correction) de chercher des contacts, par exemple des amis d'Alain Bocquet de la cellule Maurice

Thorez. Ils ont débarqué à Marquillies où effectivement il n'y a pas de banderole « gloire à notre camarade Alain Bocquet » dans la rue principale (d'autant plus que le village est devenu une commune résidentielle et que le maire est à droite). Bref quand on veut « planter » un sujet, on ne s'y prend pas autrement.

Charles finit par téléphoner à Horace Q. Mais on ne peut pas dire que la conversation soit très chaleureuse. Charles lui pose quelques questions sur Alain Bocquet, sur son passé. Il apprend que son frère habite toujours à Marquillies, qu'il y est même conseiller municipal communiste. Horace lui précise que la cellule Maurice Thorez existe toujours. Mais Charles ne pousse pas trop loin la conversation. Il reste distant et dit rapidement que nous comptons venir demain matin à Marquillies et que nous passerons certainement le voir. Horace lui répond qu'il ne sait pas s'il sera disponible car il a d'autres obligations. Il ajoute que nous pouvons toujours essayer de passer en milieu de matinée.

Charles raccroche avec une moue dubitative. Je lui fais remarquer qu'il n'a pas demandé les coordonnées du frère d'Alain Bocquet, ni même celles de ses camarades de la cellule. Je trouve que Charles n'est pas très chaud pour ce sujet. Il me dit que nous verrons bien demain sur place.

16 heures 00

Charles part pour Valenciennes afin de glaner des informations sur l'affaire OM-VA. Je reste seul au bureau pour assurer la permanence. Vers 17 heures, Éva téléphone au sujet d'une dépêche AFP qui vient de tomber. On y apprend qu'une information contre X a été ouverte à la suite d'une affaire de double billetterie lors d'un concert de Johnny Hallyday qui s'est déroulé le 4 septembre 1993.

Je répond à Éva que Charles suit cette affaire. Mais je précise qu'il n'a pas voulu faire un reportage tout de suite car l'enquête n'en était qu'à un stade préliminaire. Éva me dit qu'il faut se renseigner quand même.

J'appelle aussitôt Charles sur opérator. Quelques minutes plus tard, Charles téléphone d'une voix basse. Il me dit qu'il ne peut pas parler beaucoup. Je lui signale qu'une dépêche est tombée à propos de l'affaire de la double billetterie du concert de Johnny et qu'Éva a téléphoné. Il me répond qu'il va se renseigner sur place.

20 heures 00 – *Appartement personnel*

Charles me téléphone pour me dire qu'il a pris rendez-vous demain à 10 heures avec l'organisateur du spectacle de Johnny Hallyday : « On engrange même si on ne fait rien. Pour Bocquet on verra après. »

Ce n'est pas la première fois que Charles ne peut pas sortir une affaire. Alors qu'il a d'excellents contacts dans le monde judiciaire, il se retrouve bien souvent « à la remorque » de la presse écrite ou de l'AFP. En règle générale, la télévision sort peu d'affaires, comparée à la presse écrite (Rainbow Warrior, sang contaminé, financement des partis, etc.). Cela serait trop long à analyser ici. Mais en dehors du fait que la télé est excessivement attentiste, il existe certaines raisons d'ordre technique qui pourrait expliquer ce retard de réaction. Par exemple, la difficulté à illustrer un sujet est un handicap qui peut retarder la divulgation d'une affaire. D'autre part, un journaliste en télé n'évoquera l'existence de certains documents que s'il peut les montrer à l'image. Il n'est pas toujours évident d'expliquer en 1'30" une affaire compliquée. Il est souvent difficile de trouver des interlocuteurs qui veulent bien parler devant une caméra, même en contre-jour ou avec le visage mosaïqué (alors qu'il est courant pour un journaliste de presse écrite de citer un interlocuteur tout en préservant son anonymat). Par contre, il est à noter qu'une affaire ne devient vraiment une affaire que si elle est reprise par la télévision, et de préférence par le 20 heures.

VENDREDI 28 JANVIER

9 heures 30 – Bureau de France 2

Charles me fait part d'un coup de téléphone de Richard ce matin. France-Info n'arrête pas de « tartiner » sur les dégâts de la tempête qui, selon la radio, a soufflé en force toute la nuit dans le Nord-Pas-de-Calais. Un ferry aurait notamment eu des problèmes dans le port de Dunkerque. Des poids lourds se seraient également renversés sur les autoroutes. Charles me dit qu'il a contacté le Centre de renseignements et d'informations et de communications routières, et que selon eux il ne fallait rien exagérer. Effectivement un poids lourd s'est renversé sur l'autoroute, mais l'accident serait dû à un assoupissement du chauffeur. Quant au ferry, il a heurté le quai mais n'a pas eu de gros dégâts, si ce n'est un choc sur la porte arrière.

Du coup Charles a rassuré Richard et nous pouvons partir tranquilles sur Valenciennes. Sur la route, France-Info ouvre tous les quarts d'heure son journal avec la tempête dans le Nord-Pas-de-Calais. Le présentateur évoque chaque fois « des vents violents de près de 140 km/h, de nombreux arbres couchés en travers des routes de la région, des camions renversés par le vent sur les autoroutes et un ferry violemment projeté sur un quai à Dunkerque ».

Charles pense que l'info doit venir de Radio France fréquence Nord qui a dû prévenir France-Info. Aucune dépêche AFP relatant cette « tempête » n'était tombée à 9 heures 30. En attendant, France-Info fait un « tabac » du prétendu coup de tabac. Nous finissons par fermer la radio tellement ils insistent. Charles me raconte le coup de téléphone de la veille à l'organisateur du concert, Kevin. Au début il ne voulait pas nous recevoir. Charles lui a fait remarquer que le producteur de Johnny Hallyday avait envoyé partout un communiqué signalant qu'il n'était pour rien dans cette affaire. Face à la demande de Kevin d'avoir ce communiqué, Charles a réussi à obtenir en échange notre venue. Il a l'air assez fier de son « coup ».

11 heures 00 – Bureau de l'organisateur du concert, près de Valenciennes

Une collaboratrice nous reçoit à la place de Kevin, qui est souffrant et alité. Quel hasard ! Elle nous raconte sa version des faits et nous assure de l'innocence de son patron. L'organisation du concert a été sous-traitée plusieurs fois. Le producteur de Johnny Hallyday a chargé F., organisateur de concerts basé à Saint-Quentin dans l'Aisne, de s'occuper d'une grande partie de la tournée de Johnny en France. Cet organisateur a sous-traité le concert de Valenciennes à Kevin. C'était la première fois que celui-ci organisait un tel concert. Il était plus habitué auparavant à mettre en place des petits spectacles.

La collaboratrice ne parle pas de double billetterie, mais plutôt de certains billets reproduits en double par elle ne sait quel procédé. Il est vrai que l'enquête ne porte pour le moment que sur une dizaine de billets en double, voire en triple, mis sur le marché.

Par contre, elle confirme bien que F a demandé 500 000 francs en chèque pour le cachet de Johnny Hallyday, plus 200 000 francs en liquide. Effectivement le contrat qu'elle nous montre porte bien sur une somme d'un demi-million de francs. Elle affirme qu'elle a demandé un reçu en échange de cette somme de 200 000 francs pour se couvrir vis-à-vis de sa comptabilité. Elle sous-entend que la demande d'une somme en liquide n'a pas dû se faire qu'à Valenciennes et nous laisse conclure que l'enquête pourrait bien se déplacer dans d'autres villes de la tournée.

Elle nous précise qu'une partie des billets a été imprimée à Saint-Quentin par F. Mais devant la demande importante, ils ont été obligés d'en réimprimer. L'imprimerie de Saint-Quentin étant fermée pour les vacances, ils se sont adressés à une imprimerie près de Valenciennes. Charles demande bien entendu les coordonnées de tous ces gens-là. La collaboratrice laisse entendre que la fraude vient du producteur et de l'autre organisateur.

Elle nous montre le reçu justifiant la somme de 200 000 francs. La facture porte sur des prestations surfacturées : matériel son en plus, visite supplémentaire de Johnny au stade, membres de sécurité en renfort. Cette facture est datée du jour du concert. Cela sent le rectificatif de dernière minute. D'autant plus que les organisateurs constataient que des agents du fisc venaient opérer un contrôle cet après midi-là. Et effectivement F., le producteur de Saint-Quentin, qui a bien reçu les 200 000 francs en liquide, a versé au producteur de Johnny la somme en un chèque daté du jour du concert.

La collaboratrice refuse toutefois que l'on filme ces différentes pièces. Pour elle, toute l'histoire est montée pour leur porter tort. Elle pense que derrière tout cela se trouve un homme qui cherche à se faire « mousser ». Elle nomme le procureur de Valenciennes, Éric De Montgolfier. Là elle tombe mal avec Charles.

Nous faisons un petit bout d'interview sur une partie de l'affaire, car elle refuse de parler devant une caméra de cette somme donnée en liquide. Elle a visiblement peur pour la réputation de son agence et est très embêtée par ce qui lui arrive. Elle nous promet d'en dire plus prochainement. Nous repartons vers 12 heures 30.

Dans la voiture, au son de France-Info qui continue avec ses camions renversés sur les autoroutes, Charles me dit qu'à son avis l'agence de Kevin est aussi mouillée dans l'histoire. Il pense que l'organisateur de Saint-Quentin et le producteur de Johnny leur ont mis le marché en main (la demande des 200 000 francs en liquide). S'ils n'acceptaient pas, ils pouvaient dire adieu au concert. Charles pense qu'il ne va pas pouvoir sortir quelque chose. Il s'en veut de ne pas avoir insisté suffisamment pour filmer le contrat et la facture du dessous-de-table. Je lui réponds qu'à partir du moment où il a vu ces documents il peut en parler. Il y a bien eu une somme de 200 000 francs en liquide versée. Dire cela et s'en tenir aux faits, ce n'est pas de la diffamation. Les journalistes de presse écrite ne se gêneraient pas pour le publier. Je lui dis qu'en tout cas ce ne sont pas ces arguments-là qui doivent l'empêcher de faire un sujet mais que, par contre, il n'y a peut-être pas encore assez de preuves autour de la double billetterie.

14 heures 00 – Bureau de France 2

Une dépêche AFP est enfin tombée sur la fameuse tempête de la nuit précédente. La seule information un peu sérieuse, que France-Info n'a pas citée du reste, est l'envol du toit d'une tribune du stade de Valenciennes (décidément !).

Charles passe plusieurs coups de téléphone aux autres protagonistes de l'affaire. L'organisateur de Saint-Quentin et l'imprimeur proche de Valenciennes sont absents pour l'après-midi. L'imprimeur de Saint-Quentin accepte de parler. Il dit qu'il a effectivement imprimé les billets pour le concert. Il se montre très surpris par le fait que d'autres billets ont dû être imprimés. Il précise que c'est vraiment exceptionnel. En principe, c'est correctement calibré à l'avance.

Charles contacte le juge d'instruction à Valenciennes, qui refuse poliment de le renseigner. Cela énerve passablement Charles, qui le connaît de vue. Fort de tous ces renseignements, Charles téléphone à Richard. Celui-ci, avec l'accord de Charles, décide ne rien faire. Je me dis que nous ferons un sujet le jour où la presse écrite sortira l'affaire.

Avant de partir du bureau, je téléphone à un copain journaliste du *Parisien* qui suit le congrès du parti communiste à Saint-Ouen. Je lui demande si Alain Bocquet a une chance d'être élu secrétaire national. Il me dit que non. Le favori est selon lui Robert Hue.

L'histoire de la tempête dans le Nord-Pas-de-Calais, reprise à n'en plus finir par France-Info, est révélatrice d'une façon de travailler des correspondants de province ou à l'étranger, que ce soit en télé, en radio ou en presse écrite. Certains ont tendance à grossir les faits pour pouvoir « vendre du sujet » à leurs éditions parisiennes. Il y va même parfois de leur survie, d'autant plus que quelques-uns ont le statut de pigistes. Même les postes de titulaires à l'étranger peuvent être menacés, quand on connaît le coût d'une correspondance pour le journal. Alors il faut vendre du papier pour prouver son utilité. Comme le fait divers ou de société (dans le genre « la Hollande est bouleversée par… » ou « tous les Anglais pensent que… ») est vendeur, certains peuvent exploiter le filon sans trop de scrupules. Il nous est arrivé, par exemple, de constater sur le terrain qu'un correspondant d'un grand quotidien national aux Pays-Bas avait tendance à « bidonner » certaines affaires ou en tous cas à les grossir excessivement. Mais tel correspondant de radio dans le Nord-Pas-de-Calais, ou de presse écrite, peut avoir les mêmes réflexes.

SAMEDI 29 JANVIER

9 heures 00 – Appartement personnel

Charles me téléphone pour le fameux reportage sur Alain Bocquet. La nouvelle risque de tomber tard dans la soirée et il a peur d'être pris de court pour le 20 heures. Je lui réponds qu'il peut monter un petit portrait à partir des images d'archives que nous avons récupérées à l'INA. Je propose que nous allions demain dimanche à Marquillies rencontrer ses proches. Je trouve que c'est ridicule d'y aller maintenant, à quelques heures de l'élection. Charles n'est pas d'accord et me répond : « L'actu c'est aujourd'hui, et demain, basta, c'est fini, on passe à autre chose. » Il essaie de contacter des camarades d'Alain Bocquet pour aller les rencontrer cet après-midi.

14 heures 00 – Bureau de France 2 à Lille

Personne à Marquillies ne veut nous recevoir. Charles décide de ne pas y aller. Il se débrouillera comme il peut ce soir si Alain Bocquet est désigné secrétaire national.

Charles me raconte qu'il a reçu ce matin un coup de téléphone d'un journaliste du service éco à Paris à propos d'une dépêche AFP qui est tombée vendredi soir. La direction de Métaleurop a annoncé l'arrêt immédiat de ses colonnes de raffinage du zinc encore en service dans l'usine de Noyelles-Godault. Cette mesure pourrait entraîner à terme la fermeture temporaire, voire définitive, du site. La décision sera prise dans un délai de quinze jours à un mois. Charles a répondu qu'il était trop tôt pour faire un sujet et qu'il valait mieux attendre la décision définitive. J'ai l'impression que nous ne ferons jamais ce sujet.

DIMANCHE 30 JANVIER

Rien à signaler pour la journée.

19 heures 30 – Appartement personnel.

Je téléphone à Charles pour faire le point sur la journée écoulée et sur celle de demain. Il me dit que tout a été calme. Il me parle également d'une affaire qui a lieu lundi matin au tribunal de Lille. En effet, j'avais relevé le 21 janvier dernier une dépêche AFP faisant état de la comparution, devant la chambre civile du tribunal de grande instance de Lille, de plusieurs personnalités du PS du Nord. Cette comparution faisait suite à la mise en faillite de l'ORCEP. Cette association, qui a déposé son bilan en décembre 1991, dépendait de l'ancien conseil régional, présidé à l'époque par le socialiste Noël Joseph. Le déficit de l'ORCEP s'élèverait à 20 millions de francs, auxquels s'ajoute une dette fiscale de 10 millions.

Les 21 anciens membres du bureau sont appelés à comparaître lundi matin. Le liquidateur judiciaire de l'ORCEP, Mc Bernard Soinne, a engagé une « action en extension de la responsabilité » afin de faire combler le passif exigible sur les biens personnels des anciens membres du bureau.

Une procédure pénale est également en cours pour « abus de confiance ». L'association aurait versé des salaires à des élus pour des emplois fictifs. Noël Joseph a été mis en examen avec cinq autres personnalités socialistes.

Charles se demande si nous devons aller au tribunal. Il a peur d'abord que seuls les avocats soient présents. Ensuite, ce n'est après tout qu'une action en civil. Enfin, il pense que l'affaire est déjà vieille et n'intéresse plus Paris. Il me dit que de toute façon il ira de bonne heure au bureau demain matin et téléphonera à Richard.

LUNDI 31 JANVIER

8 heures 45 – Appartement personnel

Je reçois un appel téléphonique de Charles qui m'annonce que nous allons finalement au tribunal. Il a eu Richard, qui a décidé de se couvrir en nous envoyant traiter l'affaire.

9 heures 15 – Voiture de France 2

Sur le chemin du tribunal, Charles me dit qu'il a préféré prévenir Richard et que, bien entendu, à partir du moment où Richard est prévenu, il nous dit d'y aller : « C'est toujours pareil, ce genre d'affaire. Il nous envoie toujours au cas où. Mais je préfère le devancer. S'il l'apprend autrement, il ne peut pas me reprocher après de ne lui avoir rien dit. » Quand nous arrivons au tribunal, nous constatons que la séance, qui a déjà commencé, est en fait repoussée début mars pour une histoire de procédure.

Les journalistes présents s'entretiennent un moment avec les avocats. Les photographes et les cameramen forment un petit groupe à part. Un avocat perdu nous demande pour quel média nous sommes présents. Je lui réponds que nous ne sommes que les « techniciens » et je lui montre le groupe des journalistes et des avocats. Il s'y précipite aussitôt en nous disant à peine merci. Nous allons boire ensuite un café entre confrères présents au tribunal. (France 3 et AFP). Sur le chemin du retour, Charles décide d'aller voir un de ses amis magistrats du tribunal de Lille. Il me dit qu'il se débrouillera pour rentrer.

11 heures 45 – Salle de rédaction de France 3

Une dépêche vient de tomber concernant la nomination des nouveaux directeurs de l'information de France 2 et de France 3. Aussitôt c'est l'effervescence parmi mes confrères, mais aussi parmi les secrétaires de France 3 Nord-Pas-de-Calais. Chacun y va de son commentaire. Ils ont l'air assez contents, dans l'ensemble, de la nomination d'Henri Sannier à la direction de l'information de France 3.

Je descends avec la dépêche dans notre bureau. Charles a déjà entendu la nouvelle au journal de France 3. On n'est pas vraiment surpris car des bruits couraient sur les noms depuis plusieurs jours. Charles me dit que, selon une déléguée SNJ de France 3, le blocage pour annoncer les noms des responsables venait de Matignon. Jean-Marie, le nouveau directeur de l'information de France 2, ne serait apparemment pas apprécié par le Premier ministre. Cet ancien chef du service politique de TF1, qui est récemment parti avec fracas de la chaîne privée, est un ancien journaliste de *L'Humanité*. Il est entré à la télé après 1981. Ceci explique cela. Charles me dit qu'il faut peut-être davantage se méfier des « anciens défroqués ». Il me raconte que notre chef, Éva, lui avait déjà dit ces noms-là jeudi soir. Et il paraît qu'elle était abattue par ce choix. En effet, Jean-Marie est secondé par Brigitte, précédemment chef du service politique de France 2. Il me dit qu'« entre vieilles filles, elles ne doivent pas s'aimer ».

14 heures 00 – Bureau de France 2

Charles me précise des points particuliers du dossier de ce matin. Il a appris par une consœur de l'AFP que c'est la première ou une des premières fois en France que des hommes politiques se retrouvent menacés de rembourser sur leurs biens propres la mauvaise gestion d'une association. Ce sont tous les membres du bureau de l'ORCEP qui sont assignés devant la chambre civile du tribunal de Lille. Et parmi eux, il n'y a pas que des élus socialistes, mais aussi des hommes politiques de « droite ». La procédure est donc originale en ce sens. Du coup le dossier devient plus intéressant.

MARDI Ier FÉVRIER

10 heures 00 – Bureau de France 2

Charles téléphone à Richard pour connaître les dernières nouvelles après les nominations des directeurs de l'information. Il lui demande si ceux-ci sont déjà venus se présenter à la rédaction. Richard répond qu'effectivement le staff des nouveaux a déboulé hier à la conférence de rédaction et qu'ils ont fait leur speech habituel. Ils ont bien sûr parlé de la nécessité de faire une télévision populaire de qualité. Il nous raconte tout cela avec dans la voix le ton de celui à qui on ne la fait plus. (Je vais essayer de retranscrire la conversation, qui a été assez longue. Comme je ne pouvais pas prendre de notes, j'ai dû réécrire de mémoire.)

Richard : Maintenant, on attend la valse des chefs de service.

Charles : Tu le connais, Jean-Marie ?

Richard : J'ai dû le croiser deux ou trois fois dans ma vie. Je sais même pas si je lui ai serré la main.

Charles : Et Brigitte, c'est bon ?

Richard : Tu sais, Brigitte, elle n'est pas là pour la gestion des hommes. C'est pas son créneau. Dans son service, il y en avait la moitié qui refusaient d'obéir à ses ordres. Mais elle ne s'en cache pas. Elle compte toujours faire des papiers politiques à l'antenne. Elle est là pour mener Balladur aux présidentielles. C'est dans le cahier des charges.

Charles : Alors, ça va valser pour les chefs de service ?

Richard : Ah oui, certainement. Tu sais, ça va aller vite.

Charles : J'ai entendu pour Christine [elle est actuellement secrétaire générale de la rédaction, elle gère les carrières], elle va être remplacée par H.

Richard : C'est scandaleux. C'est le remplacement de la compétence par la courtisanerie.

Charles : On parle de Bob pour le 13 heures ?

Richard : Ça va aller très vite maintenant.

Charles : Et pour nous ?

Richard : Ah ! mon pauvre. On ne sait rien. Tu sais, on est la quinzième roue du chariot. Enfin voilà. Dis donc, ça fait longtemps que tu nous as pas proposé un sujet sympa. Tu sais, il n'y a pas que les affaires. On va pas faire la énième confrontation entre Fellous et Flocco [dossier Tapie-Testut].

Charles : Mais non. Tu vois, depuis quelque temps, on n'a rien fait. Je me tiens au courant, tout simplement. Je suis les affaires, mais sans plus.

Richard : C'est ça, lève le pied. T'as pas une belle histoire sous le coude ? Je sais pas moi, une belle histoire de drogue par exemple.

Charles : Tu sais, on en a marre de faire des sujets sur les sans-abri. Les pauvres, c'est toujours pour nous.

Richard *(en riant)* : C'est sûr. Quand on veut une histoire d'alcoolique chômeur qui viole sa fille, on pense à vous.

Charles : Oui, justement, on en a un peu marre.

Richard : Et quand on veut une histoire de catholique, on pense à Hervé [correspondant en Bretagne].

Charles : On va essayer de voir pour la pêche à Boulogne.

Richard : Ce soir, on a un gros dossier là-dessus. Mais on est preneur. On fera peut-être un tour de France avec Bayonne et vous.

Charles : Bon, on va voir.

Puis il raccroche. S'ensuit une conversation entre Charles et moi sur ce coup de téléphone. Charles remarque que cela fait longtemps que Richard ne nous avait pas demandé quelque chose : « Tiens, il s'excite ! » Je fais remarquer à Charles que Richard ne manque pas d'air. Nos chefs nous téléphonent à la moindre dépêche sur Béthune ou Valenciennes et après ils nous reprochent d'en faire trop. Charles me répond que Richard peut rétorquer que c'est Éva qui nous téléphone tout le temps. Je lui signale que lui aussi il le fait.

Après les recommandations de Richard, nous nous mettons à chercher des idées de reportage. Charles me dit qu'il faut aller demain matin à Boulogne. En effet c'est le jour de la criée. Beaucoup de pêcheurs reviennent de la mer et débarquent de grosses quantités de poisson. Il y a deux ans, nous avions réalisé un reportage sur le problème du maillage des filets et nous avions déjà été au port de Boulogne. L'endroit se prête à faire des images. Je dis à Charles qu'il faudrait peut-être se renseigner d'abord sur les problèmes des pêcheurs boulonnais.

11 *heures 00*

Je parle à Charles d'une possibilité de sujet que j'ai repérée dans *La Voix du Nord* quelques jours auparavant. Des concerts de musiciens renommés sont organisés dans des salons de particuliers dans le cadre du festival de jazz de Maubeuge.

Quand j'ai lu cet article, mon premier réflexe a été de proposer le sujet à Charles. Mais je ne l'ai pas fait pour deux raisons. Tout d'abord, nous avons déjà eu l'occasion de faire des reportages sur différents festivals à Maubeuge. Cette ville, située dans une région dévastée par le chômage, a mis en place un centre culturel dynamique qui organise toute une série de spectacles (théâtre, concert, animation) de qualité. Leur travail a du reste été récompensé par un premier prix du ministère de la Culture en 1991. Les dirigeants disent également vouloir s'adresser à un public de jeunes de quartiers défavorisés en organisant de multiples ateliers (nous n'avons pas vraiment vérifié cette information). Enfin, les spectacles sont à des prix qui se veulent raisonnables. Les reportages, au nombre de trois, avaient été commandés par Paris. Ils ont été tous les trois trappés. D'où une lassitude à couvrir les activités de ce festival.

Le deuxième point qui m'a fait hésiter à proposer le sujet des « concerts jazz en appartement » est plus « politique ».

La vallée de la Sambre, où se situe Maubeuge, subit un taux de chômage de plus de 20 %, avec des pointes à 30 ou 40 % selon les endroits. Le taux de RMIstes est largement supérieur à la moyenne nationale. Et j'avoue que j'ai trouvé, en deuxième réflexion, le sujet un peu décalé par rapport à la réalité sociale de cet endroit.

Mais devant l'assaut de Richard, je propose l'idée à Charles, qui la trouve aussitôt intéressante. Il pense que cette fois-ci « Paris » prendra le reportage, car le thème est vraiment original. Je réponds à Charles qu'en plus ce n'est pas un sujet « social ». Charles téléphone aussitôt à l'attaché de presse qui fait retomber très vite son enthousiasme. Les concerts avaient lieu uniquement le week-end précédent.

11 heures 30 – Salle de rédaction de France 3

Le documentaliste de France 3 m'apprend que le Sénat belge statue aujourd'hui sur le sort de l'ancien vice-Premier ministre belge. Ce personnage devrait normalement passer devant la cour d'assises. L'ancien vice-Premier ministre est accusé de corruption dans l'affaire des hélicoptères [voir affaire Agusta, 22 janvier]. Je descends informer Charles. Je pense que c'est une occasion de parler de ce scandale. Charles me répond que Richard va dire que c'est encore une affaire. Il ajoute ensuite qu'il ne voit pas très bien comment nous allons pouvoir faire quelque chose de personnel sur ce sujet. Au mieux, nous pouvons tenter de faire une interview du vice-Premier ministre. Et comme d'habitude nous irons récupérer des images chez nos confrères de la RTBF. Enfin, il conclut qu'en plus de tout cela « Paris » se fout des problèmes belges. À voir les choses sous cet angle, mon enthousiasme pour le sujet en prend un coup. Par contre Charles me dit qu'il faut aller demain à Boulogne. Je lui demande s'il a des informations nouvelles, s'il a passé des coups de téléphone pour avoir des précisions sur les éventuels problèmes des pêcheurs boulonnais. Il est en train de lire un article de *La Voix du Nord* sur le centre Capécure, une importante zone d'entreprises du port de Boulogne où des tonnes de poisson sont conditionnées : « Tu vois, c'est là que les Bretons veulent débarquer. Il y a plein d'importations. Il faut y aller demain absolument. » Je lui dis de téléphoner d'abord pour avoir quand même des renseignements. Apparemment il en sait déjà assez et me répond qu'il faut aller absolument dans une entreprise d'importation. Je lui fais remarquer qu'il n'est pas du tout sûr qu'on nous accueille à bras ouverts.

14 heures 30 – Bureau de France 2

Un journaliste du service « société », Bernard, nous téléphone pour caler des reportages en prévision de l'ouverture du tunnel sous la Manche. Il nous dit qu'il vient de discuter avec des journalistes du service « éco » et qu'il prend contact longtemps à l'avance pour que nous réfléchissions à des sujets. La démarche est suffisamment rare pour qu'elle nous surprenne. Il nous précise que cela ne presse pas pour le moment, mais que nous pouvons « gratter ».

Bernard change ensuite de conversation. Il nous demande si nous sommes tranquilles en ce moment dans notre lointaine province, loin de l'hystérie et de la folie de la rédaction. Il nous donne des échos de ce qui se passe à France 2, suite au changement de direction. Il raconte que des collègues, même des chefs, sont venus le voir pour lui demander s'il avait des tuyaux sur les futures nominations : « Même moi, alors que je suis au service société, le dernier des services ». Il pense que les chefs des services « politique », « étranger » et peut-être « éco » vont « sauter ».

15 heures 00

Charles téléphone au responsable de la Coopérative des pêcheurs d'Étaples. À Boulogne, la pêche est divisée en trois secteurs. D'une part la pêche industrielle, qui regroupe une quinzaine de bateaux. Ceux-ci partent pour des campagnes de quinze jours environ. D'autre part les artisans pêcheurs, qui représentent environ 80 bateaux. Eux partent pour des campagnes de deux à quatre jours. Et enfin les côtiers, qui sont plus d'une centaine de bateaux. Ceux-là ne sortent que pour la journée.

Quand nous voulons faire des reportages, nous nous adressons toujours aux artisans pêcheurs d'Étaples car ils sont plus facilement joignables. Ils sont regroupés dans la Coopérative maritime étaploise (CME), une véritable entreprise, avec des responsables, des locaux, des entrepôts, des poissonneries et même des restaurants. Le responsable n'est pas là pour le moment. Les bateaux de la CME ne sont pas rentrés encore dans le conflit. Selon l'article relevé dans *La Voix du Nord*, le port de Boulogne est mieux organisé que les différents ports bretons. Du coup, le cours du poisson y est légèrement supérieur.

Charles téléphone au correspondant de France 3 Nord-Pas-de-Calais à Boulogne, Constant. Celui-ci a tendance à minimiser la mobilisation des pêcheurs boulonnais. Il nous donne de vagues explications. Il est vrai que Constant a la réputation de passer plus de temps avec les institutionnels (représentants de la chambre de commerce, hommes politiques, élus locaux), qu'avec les acteurs sociaux de la région.

17 heures 00

Charles finit par avoir le responsable de la CME, qui répond aux questions rapidement. Visiblement l'homme est énervé, préoccupé, et n'a pas envie de répondre à un journaliste. Charles me fait un signe de contrariété. Il essaie de faire dire au responsable que les problèmes sont moins importants à Boulogne. Charles a déjà son idée en tête, après avoir lu l'article de *La Voix du Nord*. L'homme n'est visiblement pas d'accord. Il dit que peut-être les cours sont légèrement supérieurs à ceux de la Bretagne, mais que la situation à Boulogne est aussi dans le rouge. Si les pêcheurs boulonnais sont en mer, c'est parce qu'ils ne sont pas sortis depuis plus d'un mois à cause du mauvais temps. Mais il affirme qu'ils sont prêts à tout moment à rentrer dans le conflit. Puis il raccroche, car il est en attente de plusieurs coups de téléphone. Charles me dit qu'il nous « tire la gueule » depuis le reportage que nous avons fait il y a deux ans sur le problème du maillage. Je lui fais remarquer qu'il est peut-être tout simplement préoccupé par ce qui se passe actuellement.

18 heures 30

Charles téléphone au président des mareyeurs de Boulogne. Celui-ci lui explique la nécessité pour les mareyeurs d'importer de plus en plus de poissons. Pour lui, la faute incombe, entre autres, aux grandes surfaces. Celles-ci prévoient 15 ou 20 jours à l'avance des campagnes de promotion sur tel ou tel poisson. Le problème, c'est que l'on ne peut savoir à l'avance quelles espèces les pêcheurs français vont pêcher. Du coup, les mareyeurs sont obligés d'acheter l'espèce en question à l'étranger pour fournir les supermarchés et ne pas perdre un client. Rendez-vous est pris avec lui demain matin.

19 heures 00

Nous décidons de partir à Boulogne demain matin de très bonne heure. Les pêcheurs arrivent au port à partir de quatre heures et la criée a lieu vers sept heures.

20 heures 00 – Appartement personnel

Charles me téléphone car le président des mareyeurs vient de le contacter pour lui signaler l'arrivée, demain matin à Boulogne, de pêcheurs bretons. Le correspondant de TF1 aussi a téléphoné pour lui dire la même chose. Charles pense qu'il a appris l'information également par le président des mareyeurs. Mais Charles est sceptique sur cette information. Il a eu Hervé, le correspondant de France 2 en Bretagne. Celui-ci croit savoir que les pêcheurs bretons viendraient à Boulogne dans deux jours. Rendez-vous est pris, demain, à cinq heures du matin.

En trois ans de correspondance, nous avons dû faire une dizaine de sujets culturels dans la région. Sur ces dix sujets, six ou sept ont été mis à la trappe, alors que tous les sujets avaient été commandés par Paris. En fait, les attachés de presse font directement la promotion de leur spectacle au service « culture » de France 2, lequel, pour se débarrasser de ces attachés de presse, nous « refile le bébé ». Ensuite, lors des conférences de rédaction des différentes éditions, il n'y a plus personne pour défendre le reportage qui part ainsi à la trappe. Par ailleurs, les journalistes du service culturel, plus proches géographiquement et physiquement des célébrités culturelles du moment, favorisent les spectacles parisiens. Du coup, nous ne proposons plus ce genre de sujets et nous n'acceptons plus de les tourner.

MERCREDI 2 FÉVRIER

5 heures 00 – Bureau de France 2 à Lille

Nous partons, direction Boulogne. Officiellement, nous allons faire un reportage sur la mobilisation dans le plus grand port de pêche français. Officieusement, nous allons sur place au cas où les marins bretons débarqueraient. Mais nous n'y croyons pas beaucoup. Nous arrivons vers 6 heures 15 au bassin Loubet, le quai d'accostage des bateaux de pêche. Deux marins nous interpellent et nous précisent qu'il y a en ce moment une réunion à la CME. Nous allons y faire quelques images. Les responsables de la Coopérative ne semblent pas enthousiasmés de nous rencontrer et ne nous autorisent à filmer que durant quelques minutes. Comme les artisans sont en réunion et que nous n'avons pas le temps d'attendre, nous repartons sans prendre de renseignements. Il nous faut faire de l'image.

Nous allons de nouveau au bassin Loubet, où le déchargement du poisson est terminé. Les cours vont être discutés à la criée toute proche, en attendant que le poisson soit embarqué à destination des entreprises de transformation de Capécure.

Nous partons donc à la criée. À l'intérieur du bâtiment, un confrère de France 3 filme les cotations. L'équipe de France 3 est sur le port depuis 4 heures du matin. Pendant que Charles discute avec le journaliste local, je fais quelques plans de l'ambiance. Je demande ensuite à mon confrère le nombre de personnes qui travaillent sur la zone portuaire. Il ne le sait pas. Nous apprendrons plus tard par des mareyeurs qu'il y a entre 5 000 et 7 000 salariés sur tout Capécure.

Charles rencontre le président du syndicat des mareyeurs, qui lui donne quelques renseignements supplémentaires.

Il lui parle notamment de l'importance de Capécure dans la préservation relative des prix du poisson. En fait, Charles cherche à bâtir le sujet autour d'une idée qu'il a eue la veille, après la lecture d'un article de *La Voix du Nord* : les pêcheurs du port de Boulogne s'en sortent un peu mieux que ceux des ports bretons. En effet la zone de retraitement de Capécure et son énorme infrastructure permettent d'assurer des prix légèrement supérieurs à ceux de Bretagne. Et toutes les questions sont posées pour tenter de vérifier cette hypothèse qui repose sur un article de presse.

Nous repartons sur les quais du bassin Loubet faire quelques images de l'embarquement des caisses de poisson. Charles en profite pour discuter et faire l'interview d'un patron pêcheur. Il n'a pas l'air d'adhérer entièrement à l'hypothèse de Charles sur le relatif maintien des prix du poisson. Il parle par exemple, pour le merlan, d'un prix de 6 francs le kilo, alors qu'il lui faudrait le vendre à 9 francs pour s'en sortir. La discussion est courte, l'interview également. Charles lui reposera une question après lui avoir expliqué qu'il doit synthétiser ses réponses. Ainsi Charles lui fera répondre en une seule phrase ce qu'il a dit auparavant en deux.

Je filme des marins de base, qui attendent à côté de leurs bateaux. Ici, ce sont les patrons artisans qui décident de faire grève ou non. À aucun moment de la journée nous n'adresserons la parole à ces marins. Nous apprenons qu'une seconde réunion va avoir lieu à Étaples à 11 heures.

Nous rencontrons nos collègues de TF1 Lille qui sont là depuis 2 heures ce matin. S'ils sont venus si tôt, c'est pour voir les pêcheurs bretons arriver sur Boulogne. En attendant, ils font quelques images de l'activité sur le quai.

Il est environ 9 heures. Charles et moi allons boire un café avant le prochain rendez-vous.

10 heures 00 – Zone portuaire Capécure

Nous avons rendez-vous avec le président du syndicat des mareyeurs. Il doit nous faire rencontrer une responsable d'une entreprise de retraitement du poisson. Pendant que Charles discute assez longuement avec la responsable, je filme les employés qui tirent à la main des filets. Cette entreprise traite à 85 % du poisson venant de Boulogne. Elle utilise très peu d'importations. Pourtant la responsable avoue que les importations sont indispensables pour faire vivre Capécure : en effet, plus de 200 000 tonnes de poissons (entre 220 000 et 280 000 tonnes selon les sources issues des mareyeurs) sont traitées par les entreprises de la zone. Seules 60 000 tonnes proviennent de la pêche boulonnaise.

Charles n'est pas satisfait. Il voudrait trouver une entreprise qui importe de grosses quantités de poisson. Mais voilà, ce n'est pas vraiment le jour pour qu'une telle entreprise accepte la venue d'une équipe de télévision. Le président du syndicat des mareyeurs n'est pas vraiment chaud pour cette idée. Il téléphone pourtant à plusieurs entreprises, qui refusent toutes. En attendant, Charles fait l'interview de la PDG. Il reposera de nouveau sa question en lui demandant de synthétiser sa réponse.

Nous partons vers 10 heures 45, en compagnie du président du syndicat des mareyeurs, à la recherche du patron d'une entreprise importatrice qui veuille bien nous recevoir. Après plusieurs refus, nous finissons par trouver un chef d'entreprise qui accepte notre venue. Le président des mareyeurs, qui n'est pas très rassuré, nous le présente comme un provocateur (surnommé Kojak, du nom du héros d'une série américaine, à cause de sa stature et de son crâne chauve). L'année précédente, son entrepôt avait été dévasté par des pêcheurs en colère. Après plusieurs minutes d'attente – l'homme est au téléphone –, Charles finit par l'interviewer. Selon lui, Capécure perdrait les trois quarts de ses emplois, s'il n'y avait pas d'importations. Charles refait une partie de son interview. Il ne trouvait pas la première partie assez percutante.

Il est par contre trop tard pour faire des images dans son entreprise. Charles veut absolument partir sur Étaples, à la réunion des artisans pêcheurs. Je ne suis pas d'accord. Je considère qu'il faut faire d'autres images sur Capécure. Il faut que Charles puisse faire un commentaire sur l'importance et sur le rôle de ce lieu. Nous sommes pris par le temps, d'autant plus que toutes les activités cessent dans cette zone à partir de midi. Charles pense qu'il est très important d'arriver avant la fin de la réunion des pêcheurs, afin de connaître leur décision. En fait, je suis sûr que Charles veut arriver à temps pour savoir si les pêcheurs ont prévu de faire des actions spectaculaires dans les jours suivants.

Nous décidons finalement de faire rapidement deux ou trois plans, puis nous partons sur Étaples. Le chef d'entreprise ressemblant à Kojak nous rattrape en voiture pour nous dire qu'il tient absolument à ce que Charles mette une partie de l'interview où il dit qu'il a de bonnes relations de travail avec la CME. Nous sommes très pressés et Charles lui dit au vol qu'il verra, qu'il ne peut pas mettre dans un sujet de 1'30" plusieurs parties de l'interview, d'autant plus qu'il sait déjà quelle partie il va prendre.

11 heures 30 – Coopérative maritime à Étaples

La réunion est déjà terminée quand nous arrivons. Nous apprenons par des patrons pêcheurs qui discutent sur le port, que la grève a été votée et que les bateaux ne sortiront pas. Ils nous précisent qu'il reste des chefs dans la salle de réunion. Nous rencontrons le journaliste-localier de *La Voix du Nord* qui nous saute dessus et nous fait tout un speech sur le ras-le-bol des pêcheurs. Il sous-entend qu'il pourrait y avoir des actions spectaculaires dans les heures qui viennent. Visiblement, il tente de nous épater en essayant de nous déballer ses connaissances de la situation. Cela excite pourtant Charles, qui lui demande si l'équipe de TF1 était présente. Le collègue répond que non et dit qu'il n'a pas vu non plus France 3. Ces paroles nous rassurent et nous entrons dans le bâtiment pour rencontrer les chefs présents.

Un petit groupe d'artisans est encore dans la salle de réunion. Nous attendons que l'un d'entre eux sorte. Le responsable de la coopérative passe devant nous en nous adressant à peine la parole, ce qui a le don d'agacer Charles, qui me glisse : « Il commence à m'énerver, celui-là. Il faut pas qu'il oublie que sans nous il n'existe pas. » Charles arrive à coincer un artisan, responsable du syndicat CFTC. Charles le connaît depuis un ancien reportage. Il nous explique les raisons de la décision de faire grève, mais précise que les pêcheurs boulonnais ne veulent pas de casse, et ne souhaitent pas la venue des Bretons. Charles fait son interview rapidement.

Après l'interview, je questionne le pêcheur sur le fait qu'un patron soit le responsable d'un syndicat de salariés. Il me répond que c'est une particularité de la pêche à Boulogne. Ce sont les artisans eux-mêmes qui syndiquent leurs hommes d'équipage et qui paient leurs cotisations. Il précise qu'ils ont des problèmes actuellement avec le syndicat. Celui-ci commence à voir d'un mauvais œil cette situation. Il me dit que si la CFTC les exclut cela fera 500 ou 600 adhérents en moins, car 95 % des bateaux sont syndiqués à la CFTC. Il ajoute même que les hommes d'équipage sans doute ne se syndiqueront plus. Ils sont habitués à ce que le patron paie la cotisation syndicale à leur place.

Charles me raconte peu après, dans la voiture, qu'il a fini par coincer le responsable de la coopérative. Charles lui a donné nos coordonnées en lui précisant que si les pêcheurs boulonnais font une action spectaculaire il a tout intérêt à nous prévenir. Charles me raconte qu'il a ajouté fermement : « Sans une image, vos actions ne veulent rien dire. Vous avez besoin de nous. » Nous apercevons l'équipe de TF1 Nord-Pas-de-Calais qui passe au loin et nous nous demandons ce qu'ils peuvent bien faire.

14 heures 00 – Zone portuaire Capécure

Après avoir mangé un morceau à Étaples, nous retournons à Boulogne faire un plan général de Capécure et des images des bateaux immobilisés à quai. Comme nous avons un peu de temps, nous passons une bonne heure à chercher le lieu idéal d'où nous pourrions faire ce plan de Capécure. Cette image permettrait de mesurer l'étendue de la zone. Nous renonçons, car aucun endroit ne nous satisfait pour réaliser cette image. Nous finissons par faire un travelling sur des dizaines de poids lourds frigorifiques à la gare routière. Ce plan illustrera l'importance du trafic.

Nous apprenons par un appel téléphonique que les pêcheurs de la CME ont prévu d'aller manifester à Lille demain après-midi. Une délégation sera reçue par la présidente du conseil régional, Marie-Christine Blandin. Une quinzaine de cars est prévue à cet effet.

Sur le chemin du retour nous contactons Hervé, le correspondant de France 2 en Bretagne. Celui-ci se trouve dans sa voiture, près d'un port de pêche breton. Il nous fait savoir qu'il vient de s'engueuler avec Richard sur des problèmes de logistique. En effet, Richard feint d'ignorer les problèmes de distance entre le lieu de reportage et le lieu de montage. Le bureau de France 2 Bretagne est situé à Rennes, loin des ports bretons. Un car vidéo suit donc Hervé pour assurer le montage. Mais ce car a eu un problème de téléphone et ne pouvait plus être joint. Hervé a fini par perdre la trace du car en question. En plus de cela, il existe en Bretagne un véritable problème de transmission. Il y a peu de bornes de faisceaux hertziens pour envoyer les sujets. L'équipe, composée seulement de deux personnes, doit donc gérer un tas de problèmes, en plus du reportage. Il ne faut pas oublier que Hervé doit assurer deux sujets par jour, même s'il a reçu le renfort d'une équipe parisienne qui couvre d'autres aspects du conflit. Tout cela fait que notre collègue est très remonté contre notre chef.

Charles lui demande si les Bretons comptent toujours aller à Boulogne. D'après Hervé, les pêcheurs bretons ont, lors des assemblées générales, plusieurs fois pointé du doigt Capécure comme la plaque tournante nationale des importations. Du coup, ils sont prêts à monter dans le Pas-de-Calais. Il y a pour le moment plus de dix cars prévus dans la soirée en direction de Boulogne. Et apparemment, ils ne viennent pas, selon Hervé, « pour faire du tourisme ». Charles demande donc à Hervé de nous téléphoner dès que les cars partiront pour Boulogne.

Éva nous contacte peu après sur la route. Elle vient aux nouvelles. Elle nous raconte qu'elle a l'idée d'envoyer l'autre équipe de Bretagne dans un car de marins en direction du Pas-de-Calais. Charles en profite pour se renseigner sur le contenu des autres sujets du conflit de la pêche prévus dans le 20 heures de ce soir. Cela va lui permettre de mieux construire son sujet, histoire de ne pas faire de doublon avec les autres. Comme Hervé fait un sujet sur les difficultés rencontrées par les marins bretons pour vendre leur poisson à des prix raisonnables, Charles choisit d'axer son reportage sur la particularité du port de Boulogne. Éva l'approuve et lui précise surtout que le sujet ne doit faire que 1'30". Charles a beau négocier, il n'a droit qu'à 1'30". Le journal est comme d'habitude « complet ». Il s'ensuit une conversation sur les moyens logistiques mis en place pour couvrir les événements prévus le lendemain à Boulogne. Un car de montage de France 2 sera donc envoyé sur place pour nous faciliter le travail.

Quand Charles a raccroché, je fais remarquer que j'ai trouvé notre chef « limite ». L'idée d'envoyer une équipe avec un car de pêcheurs, comme s'il s'agissait d'un bus de supporters, me paraît saugrenue. D'autant plus que les Bretons n'ont pas l'air partis avec les meilleures intentions.

Vu la tournure des événements, nous décidons de repartir ce soir à Boulogne après l'envoi du sujet du jour. Nous dormirons à l'hôtel pour être prêts de très bonne heure demain matin. En calculant au plus juste, nous nous disons qu'il faudrait être debout à 3 heures.

17 heures 00 – Bureau de France 2

En arrivant au bureau, nous trouvons un fax adressé à la directrice de France 3 Nord-Pas-de-Calais. Ce fax nous est adressé également. Il émane du maire de Hautmont,

Joël Wilmotte. Celui-ci a relevé un article d'un journaliste de *La Voix du Nord* sur le danger de médiatiser l'histoire des enfants refusés à l'école publique de la ville [voir 26 janvier]. Cela reprend justement nos interrogations à propos de l'opportunité de faire ou non ce sujet. Charles n'apprécie pas du tout l'article du confrère journaliste qui met en cause notre venue, et il se promet de lui téléphoner. Quant à ce Joël Wilmotte, il n'en manque pas une !…

Comme aucun monteur n'est libre, Charles dérushe les interviews pour avancer le travail.

Une dépêche AFP est tombée à 13 heures 25 annonçant la venue à Boulogne des pêcheurs bretons. Le décor de l'événement du lendemain se met peu à peu en place. Il est 18 heures et Charles va enfin monter le sujet. Il ne reste plus beaucoup de temps, d'autant plus que le faisceau est ce soir à 19 heures 15. Là encore il n'y a pas eu moyen de négocier et de repousser l'heure d'envoi.

Pendant que Charles est au montage, je règle des problèmes d'intendance. D'abord je cherche un preneur de son, mais je n'en trouve aucun de disponible. Ensuite, je loue deux chambres d'hôtel à Boulogne. Enfin, je m'occupe du problème du faisceau de Boulogne qui est en panne. Je finis par trouver une solution avec le chef de centre.

Le correspondant de Bretagne a laissé entre-temps un message sur le répondeur. Il nous dit qu'il est à Lorient et qu'il est 18 heures 50. Les bus, remplis de pêcheurs bretons, sont en train de partir.

19 heures 20

Charles revient du faisceau. Il est très déçu du sujet. Il me dit qu'en 1'30" il est difficile de résumer la situation du port de Boulogne. Compte tenu des différents éléments filmés, le sujet est frustrant. Mais cela devient notre lot quotidien.

Charles arrive à joindre Hervé dans sa voiture. Celui-ci lui confirme qu'une quinzaine de bus sont en train de partir de Lorient. Il précise que les marins ne sont pas partis faire du tourisme, vu l'arsenal qu'ils emportent avec eux : battes de base-ball, nerfs de bœuf, frondes, etc. La tension monte d'un cran. Nous nous disons que nous allons vivre une chaude journée demain. Des visions de batailles rangées avec les CRS nous excitent passablement. Mais Hervé refroidit un petit peu notre excitation. À force d'annoncer tout fort qu'ils vont à Boulogne, les pêcheurs pourraient bien réserver une surprise et aller faire une opération commando ailleurs. Nous pensons à une éventuelle action sur le marché de Rungis (comme pour le dernier conflit). Cela veut peut-être dire que nous allons veiller pour rien toute la nuit.

Nous apprenons à la rédaction de France 3 Nord-Pas-de-Calais, que TF1 met en place de « gros moyens ». Le rédacteur en chef nous raconte qu'il a reçu une demande d'autorisation de TF1 d'utiliser la boîte noire de Boulogne : « Ils ont pris tous les faisceaux de 12 heures 45 jusqu'à 13 heures 30. Ils comptent faire un direct du centre de Boulogne. » Je pense que si les Bretons ne viennent pas, certains vont tirer la gueule. Charles me fait remarquer qu'il a bien fait de faire réserver par Paris un faisceau (prévu de 12 heures 15 à 12 heures 30) tôt dans l'après-midi. Nous décidons de nous reposer un petit peu avant de partir.

21 heures 30 – Voiture de France 2

Nous voilà repartis pour Boulogne, fatigués par une journée de travail et pas vraiment enthousiasmés par la suite des événements. Dans la voiture, nous écoutons Europe 1, qui à cette heure-là ne diffuse que des informations, notamment sur le conflit de la pêche. Nous nous posons la question de savoir si les pêcheurs vont venir ou pas. Faire tout cela pour rien... Arrivés à Boulogne à 23 heures, nous nous préparons à une nuit très courte. Nous fixons le réveil à 3 heures 00. Un car de diffusion de TF1 est déjà garé près de l'hôtel. Le réceptionniste nous annonce fièrement la présence d'un groupe de journalistes dans son établissement. Il ajoute que des CRS attendraient les Bretons à Abbeville, dans la Somme, et à Saint-Omer, dans le Pas-de-Calais. Il tient cette information d'un employé du port. Ah ! Rumeurs, rumeurs...

> Des chiffres ont été cités tout au long de la journée : 5 000 à 7 000 salariés sur Capécure, 200 000 à 220 000 tonnes de poisson traitées par an sur la zone portuaire, 60 000 tonnes de poisson pêchées par les Boulonnais. Ces chiffres sont peut-être vrais, mais nous ne les vérifierons à aucun moment auprès des autorités compétentes. Manque de temps ou négligence...

JEUDI 3 FÉVRIER

3 heures 00 – Port de Boulogne

À cette heure-là, les rues sont désertes. Seules quelques voitures de police patrouillent lentement dans la zone portuaire. Nous nous installons dans un endroit stratégique, à l'entrée de Capécure. De là, il est impossible que nous rations l'arrivée des manifestants. Pour le moment, nous sommes les seuls journalistes sur le terrain. En attendant, nous écoutons France-Info, qui ne diffuse que des informations de la veille.

À 3 heures 45, deux colonnes de véhicules de CRS manœuvrent aux deux entrées de Capécure. Le décor peu à peu se met en place.

Vers 4 heures, des confrères du bureau de l'AFP Lille (une journaliste et un photographe) viennent se garer à côté de notre voiture. Ils n'ont pas plus de nouvelles que nous sur la destination des Bretons. Un quart d'heure plus tard, ils nous informent qu'ils viennent d'apprendre par l'AFP nationale que les pêcheurs bretons sont près du marché de Rungis et que des heurts importants ont lieu avec les forces de l'ordre. Aussitôt Charles téléphone à Télé-Matin pour les prévenir. Le chef d'édition nous dit qu'ils sont effectivement au courant et qu'ils ont déjà envoyé une équipe. Nous sommes inquiets. Si les Bretons sont à Paris, nous sommes peut-être venus pour rien.

Peu à peu, d'autres voitures de journalistes arrivent sur ce parking : le correspondant dans la région d'Europe 1, RMC-Paris, Radio France fréquence Nord, *Nord littoral* (un quotidien diffusé sur la Côte d'Opale), un photographe indépendant de Paris, M6-Lille. Toute la petite troupe fait la causette sur le parking désert, à deux pas des CRS. Certains sont carrément pessimistes, comme le photographe indépendant parisien, qui voit sa journée fichue. D'autres espèrent encore que les pêcheurs vont venir nous visiter. En fait, tout le monde est là pour couvrir des événements chauds. Charles et moi remarquons avec surprise l'absence de TF1.

Nous suivons sur France-Info, puis sur Europe 1, la teneur des incidents sur Paris. Le carré de la marée de Rungis serait dévasté. Des heurts violents se seraient déroulés avec les forces de l'ordre. Vers 5 heures, nous apprenons que des Bretons sont partis en direction de l'autoroute A1 et bloquent le péage de Senlis dans le sens Paris-Lille. Aussitôt, la petite troupe de journalistes reprend espoir : ils vont venir. Mais combien ? Selon les radios ou selon les confrères qui téléphonent à leurs sources, ce sont deux, trois, cinq, dix ou quinze bus qui se dirigent vers le nord. La tension monte d'un cran. Charles et moi décidons d'aller faire un tour dans Boulogne, pendant que les confrères vont boire un café.

6 heures 00 – Un café de Boulogne

Deux marins venus du Finistère en éclaireurs sont accoudés au comptoir. Derrière eux, une bonne dizaine de journalistes est attablée. D'autres confrères sont arrivés depuis le début de la matinée, notamment les correspondants régionaux de RTL, du *Parisien*, de France 3, ainsi que des photographes de Reuter. L'ambiance est meilleure, car de plus en plus de bruits font état de l'arrivée de bus chargés de Bretons. L'heure est à la restauration. Deux ou trois confrères seulement adressent la parole aux pêcheurs présents.

Ils viennent d'un petit port au nord de Brest et sont simples marins sur des bateaux côtiers de moins de 12 m. Ils ont à peine la trentaine et parlent de la disparition d'un métier, d'une culture, d'une tradition. Jusqu'à présent, ils ne s'en sortaient pas trop mal à pêcher les « poissons nobles » (baudroie, sole, turbot, bar). Mais depuis plus d'un an, ils ont du mal à nourrir leurs familles. Pourtant, il n'y pas trace d'une plainte dans leurs propos. Ils sont tantôt graves, tantôt plaisants, accompagnant leurs paroles de verres de bière. Derrière, la troupe des journalistes parle fort, de souvenirs de reportages.

7 heures 30 – Zone portuaire de Capécure

Le pont d'accès à Capécure est maintenant gardé par une unité de gardes mobiles. Une vingtaine de fourgons de la police urbaine se positionnent, les gyrophares en marche, aux différents accès de la ville. En plus de cela, la pluie commence à tomber avec violence. L'excitation monte d'un cran. Tout est en place pour un événement médiatique.

Charles téléphone à Paris pour signaler que les forces de police sont en grand nombre. Il précise que nous sommes sur le pied de guerre.

8 heures 30 – Voiture de reportage

En attendant l'arrivée des pêcheurs bretons, nous allons au Portel, une commune voisine de Boulogne. Un rendez-vous a été fixé par des pêcheurs boulonnais. Une centaine de marins de la pêche industrielle se sont réunis à l'appel de l'intersyndicale CFDT-CGT. Le délégué du syndicat CFDT nous explique que les hommes ont prévu d'aller occuper un péage à une cinquantaine de kilomètres de là. En fait, il se débrouille pour que les pêcheurs boulonnais ne rencontrent pas les pêcheurs bretons, genre « chacun chez soi, on ne veut pas cautionner la casse ».

Nous voyons arriver les correspondants de TF1 pour le Nord-Pas-de-Calais. Zut ! ils étaient donc là. Il faut dire que cela nous paraissait bizarre de ne pas les voir : l'événement est quand même d'importance. En fait, nos confrères étaient arrivés depuis longtemps, mais ils tournaient dans d'autres parties de la ville. Charles va les saluer.

J'en profite pour discuter un peu plus avec le délégué de la CFDT. Je m'aperçois que le leader syndicaliste est dans des enjeux de pouvoir importants. Il ne veut pas entendre parler du comité de survie monté par les pêcheurs bretons, dans lequel pourtant se trouve son syndicat. Il m'avoue qu'il n'était pas d'accord avec cette décision. Ce sont les instances nationales de son syndicat qui l'ont obligé à adhérer. J'explique tout cela à Charles, qui s'est déjà fait son opinion : les pêcheurs boulonnais ne veulent pas des Bretons à Boulogne. Je lui dis que ce n'est pas aussi simple que cela. Mais nous n'avons pas le temps de rentrer dans les détails.

Nous faisons une interview du leader syndicaliste CFDT. Celui-ci finit par dire que les Bretons ne viendront pas faire la loi ici, et que les Boulonnais ne les attendent pas. C'est cette partie que Charles gardera pour le 13 heures et le 20 heures. TF1 fait également l'interview du syndicaliste. Aucun journaliste présent sur les lieux n'ira adresser la parole à l'un des marins présents, qui sont tenus à l'écart. Je fais quelques images de ces marins qui montent dans le bus, et voilà pour la séquence « du côté des Boulonnais ». Occupons-nous maintenant des Bretons. Cela nous a pris une petite demi-heure.

Le confrère de TF1 nous raconte la fin de son périple à Boulogne, deux jours auparavant. Il était venu avant tout pour la baston annoncée. Comme les marins bretons n'étaient pas au rendez-vous, il n'avait pas fait de sujet. Le responsable du 13 heures, Jean-Pierre Pernaut, voulant absolument quelque chose à 11 heures du matin, le collègue de TF1 est parti faire le fameux micro-trottoir qui vous sauve un sujet en moins de deux. Une dose de Pépé qui est d'accord avec la colère des pêcheurs ; une dose de Mémé qui est contre ; et une dose de jeune qui se tâte. C'est tourné en un quart d'heure et ça vous fait un bon petit sujet pas compliqué, un rien popu. Pour finir, il est allé monter le sujet au service audiovisuel de la mairie du Touquet (tenue par le député UDF, Léonce Desprez).

Je demande au confrère pourquoi il n'a pas fait de sujet sur l'importance de la zone de Capécure. Il me répond qu'il n'était pas venu pour cela. Et il n'avait plus le temps après de faire un sujet un peu travaillé. Pernaut lui a alors plus ou moins imposé le micro-trottoir. Il a conscience de la légèreté de son travail et précise que ce n'est pas la première fois que cela lui arrive. La plupart des demandes de ses chefs se font en milieu de matinée pour l'édition de 13 heures du jour même. Résultat, il lui arrive bien souvent de tourner ses sujets en moins d'une heure. Cela donne alors au reportage un côté très *people*... Je remarque que notre confrère nous dit tout cela avec un ton blasé, un rien cynique. Pourtant ce confrère serait plutôt un journaliste sincère, prêt à travailler honnêtement. Mais il travaille pour une filiale de *La Voix du Nord*, NEP-TV, qui vend les sujets à TF1. Chaque reportage est donc bon à prendre, car c'est une rentrée d'argent pour l'entreprise.

Je raconte à ce journaliste la particularité du syndicalisme des pêcheurs d'Étaples. Il n'a pas l'air surpris. Il est syndiqué au SNJ, alors qu'il est le directeur de la boîte de production.

9 heures 15 – *Zone portuaire Capécure*

De retour à Boulogne, nous constatons que tous les ponts d'accès à Capécure sont maintenant bouclés par les forces de l'ordre. Nous avons même des difficultés pour passer. Les confrères journalistes (de nouveaux journalistes sont présents : parmi eux des photographes d'agences et un confrère de *Ouest-France*) se suivent et ne se lâchent pas. Tout ce petit monde s'affole à l'apparition d'un groupe au loin. Ça y est ! Voilà les Bretons ! Aussitôt, les journalistes courent dans leur direction.

Quatre-vingts pêcheurs environ sont regroupés sous un pont, hagards, fatigués par une nuit de car, mouillés par la pluie qui tombe dru. Ils sont aussitôt filmés, photographiés, interviewés, interrogés : non ils n'étaient pas à Rungis, oui ils viennent du Finistère, non ils ne savent pas si d'autres bus vont venir. Nos dangereux Bretons sont pour le moment bien perdus sous ce malheureux pont, essayant de lancer des plaisanteries à l'adresse des forces de l'ordre. Comme il pleut vraiment beaucoup, ils mettent le cap vers les cafés du centre-ville, en attendant la suite des événements. Ils sont suivis par bon nombre de journalistes. Nous décidons d'attendre dans la voiture, face aux forces de l'ordre. Cela fait déjà un bon moment que nous sommes trempés.

10 heures 00 – Port de Boulogne

Nous entendons sur France-Info toute une série de flashes concernant la montée des bus sur Boulogne : ils sont dix, vingt, trente, ils se dirigent vers Lille, Boulogne, etc. Nous sommes là, à attendre, sans autre information sur ce qui se passe à Boulogne que les nouvelles données par la radio. Nous sommes paralysés, à regarder désespérément à droite et à gauche pour voir si des bus vont venir. Nous n'osons pas bouger de peur de louper l'arrivée des cars bretons et surtout la baston tant attendue. Je ne sais même pas si nous imaginons qu'il est possible de recueillir d'autres informations sur ce qui se passe dans cette ville autrement qu'en restant à cet endroit.

En attendant, Charles téléphone à Richard pour lui dire que nous sommes parés à toute éventualité. Ils concluent tous deux que cela ne devrait plus tarder maintenant. Richard lui précise que le car de montage de France 2 doit arriver à Boulogne en fin de matinée. Enfin, deux bus bigoudens passent devant nous et s'arrêtent à quelques dizaines de mètres, au Foyer des gens de mer [sorte d'hôtel-restaurant que l'on trouve dans beaucoup de ports]. Je me précipite aussitôt pour faire quelques images.

Les pêcheurs s'installent autour des tables pour déjeuner. Ils ont tous des têtes fatiguées. Seule une petite poignée de journalistes est présente. Peu après, un délégué vient faire part aux pêcheurs d'une rencontre qui a eu lieu entre une délégation de marins bretons présents sur Boulogne depuis la veille et les mareyeurs de la ville. Nous n'avons jamais su qu'une telle réunion se déroulait, mais qu'importe.

Les autres pêcheurs arrivés quelques instants plus tôt, débarquent au Foyer des gens de mer, suivis par le reste des journalistes. La salle de restaurant devient vite petite. Les pêcheurs sont aussitôt filmés, photographiés, interviewés. Une mini-conférence de presse se déroule dans un coin avec des leaders qui s'adressent en même temps aux journalistes et aux pêcheurs. En tout, quatre cars sont arrivés. On est loin du compte. L'attente continue.

J'en profite pour faire quelques images d'ensemble de la pièce et aussi des gros plans de visages fatigués par les derniers événements. En fait, très peu de mes confrères s'adressent directement aux marins de base. On peut même observer que très rapidement, une fois les photos et les notes prises, les photographes et les journalistes s'assoient à des tables à part des pêcheurs et se mettent à discuter de boulot.

Dehors, des petits groupes de jeunes pêcheurs vont de temps en temps faire face à des barrages des forces de l'ordre, aussitôt suivis par les cameramen et les photographes. Certains ont à la main des battes de base-ball, des barres de fer, et ne s'en cachent pas. Mais à part quelques provocations verbales, rien ne se passe de vraiment sérieux. Nous voyons passer au loin encore un ou deux bus qui continuent leur chemin.

11 heures 00 – Foyer des gens de mer

Charles décide de faire l'interview d'un des leaders des pêcheurs bretons. Celui-ci précise qu'ils ont l'intention d'aller dans la journée regarder à l'intérieur des frigos de Capécure pour voir s'il y a de l'import. Quant à ce qui s'est passé le matin à Rungis, il précise que les pêcheurs ont détruit uniquement les importations de poisson.

Comme il est déjà 11 heures 15, Charles décide d'aller monter le sujet sur les événements de la matinée. Je reste sur place avec du matériel pour couvrir les éventuels dérapages (tant attendus ?).

Vers 11 heures 30, les pêcheurs décident de sortir bloquer un des ponts de Boulogne, face à un important cordon de policiers urbains. Derrière ce cordon est alignée une compagnie de gardes mobiles. Des pêcheurs bretons arrivent d'une autre partie de Boulogne et se joignent aux autres. Ce sont près de quatre cents marins qui commencent à bloquer la circulation. Tous les journalistes sont sur le pied de guerre. Le moment tant attendu arrive.

Très vite les pêcheurs viennent sur les barrières de protection d'accès à Capécure. Les forces de l'ordre font les sommations d'usage, et en quelques minutes les premières lacrymogènes et les premières pierres sont lancées. Les forces de l'ordre subissent des assauts des manifestants quelque peu énervés. Les gendarmes mobiles, campés sur leurs positions, répondent par des grenades « à souffle » aux fusées de détresse lancées par les manifestants. Je me retrouve au milieu de mes confrères cameramen et photographes, recevant des nuages de lacrymo dans les yeux, galopant entre les manifestants et les forces de l'ordre. Nous sommes tous excités, vivant enfin le moment fort, tant espéré. Nous avons droit, nous aussi, à nos scènes de violence. Nous n'avons pas attendu toute la matinée pour rien. Je dirais presque que nous sommes récompensés de nos efforts. Ah, ces braves pêcheurs ! L'affrontement ne durera pourtant qu'un quart d'heure, sans être d'une extrême violence.

Je regarde ma montre. Il faut que je pense à rapporter à Charles les premières images de l'affrontement. Il est encore temps qu'elles passent à l'édition de 13 heures. Je profite d'un moment de calme pour décrocher. En fait, c'est la fin de l'affrontement. Les marins bretons remontent dans les bus et se dirigent vers une autre partie de la ville. Je téléphone, passablement énervé, à Charles pour lui annoncer ma venue. Un photographe de Reuter m'amène au car de montage, distant de quelques centaines de mètres.

12 heures 15 – Parking de Nausica

Comme la borne d'envoi du faisceau de France 3 est en panne, TF1 a fait venir un car TDF de diffusion, sur lequel le car de montage de France 2 s'est branché. Nos collègues de France 3 sont également sur place. La présence de toutes ces télés donne l'impression d'un grand événement médiatique. J'arrive au car alors que Charles envoie le reportage de la matinée. Il n'a plus le temps de rajouter les images de la bagarre. Il faut assurer en priorité le sujet, au cas où nous serions coupés. Les faisceaux sont prévus dans des créneaux horaires très précis. Il n'est pas question de dépasser l'heure. Charles est en colère. Il trouve qu'il a demandé un faisceau trop tôt. Les images de l'affrontement arrivent quand même à partir avant la fin du faisceau.

Charles a Richard au bout du fil et lui dit de remplacer les images de la fin de son sujet par des images de baston. En effet, Charles annonce le début des affrontements à la fin du reportage. Je n'aime pas du tout envoyer les rushes tels quels à Paris. Je signale à Charles que les affrontements n'ont duré qu'un quart d'heure. J'insiste sur le fait qu'il ne faut pas exagérer l'importance des heurts. Mais sous la pression des demandes de Paris, Charles ne m'écoute pas. Je ne suis pas sûr que Richard prenne le temps lui aussi de l'écouter. Bref personne n'écoute personne. Charles me répond que Richard va se débrouiller.

En fait, les images de l'affrontement seront montées dans un sujet de 50", commenté par un journaliste parisien. Ce sujet fera l'ouverture du 13 heures, lancé par le présentateur d'une façon dramatique : « De graves incidents aujourd'hui à Boulogne. » Puis le sujet de Charles passera, amputé de la fin. Et enfin, suivra le reportage du matin à Rungis, avec des images spectaculaires d'affrontements.

Juste avant de partir, le technicien – un car de montage de France 2 est composé d'un monteur et d'un chauffeur technicien qui mixe le son et fait un peu de tout –, qui est en train de ranger le matériel, sort une petite caméra vidéo et me demande de le filmer : « Pour ma famille », me dit-il. Et cet homme, qui a facilement la cinquantaine, se met à enrouler des câbles sur ce parking mouillé, en prenant à chaque fois des poses, me précisant bien de ne pas rater le logo « France 2 » écrit sur le camion. Tout cela se déroule à quelques centaines de mètres des pêcheurs bretons.

12 heures 45 – Port de Boulogne

Un collègue de France 3 nous a prévenus qu'une partie des pêcheurs a décidé d'aller au terminal trans-Manche de Calais pour tenter d'intercepter des importations douteuses. Deux bus remplis de marins sont garés sur un parking, prêts à partir. Nous nous plaçons derrière eux, avec d'autres collègues qui attendent (TF1, M6, France 3, etc.). Cinq minutes plus tard, c'est le départ pour Calais, tous à la queue leu leu.

13 heures 30 – Terminal trans-Manche à Calais

Quand nous arrivons à Calais, il y a déjà sur place deux autres bus bretons et un petit paquet de photographes et de journalistes. Les pêcheurs entrent de force sur le terminal pour intercepter les camions frigorifiques. Et ce n'est pas la petite dizaine de policiers qui peut y faire grand-chose. Les contrôles ne donnent rien, mais se font sous haute surveillance... journalistique.

Les journalistes tirent de plus en plus la gueule, compte tenu du peu d'images spectaculaires à se mettre sous la dent. Charles fait du reste la remarque à notre collègue de TF1 qui approuve : la journée est merdique, pas assez mouvementée. Les pêcheurs sont exténués, énervés par les longues heures de bus. Et il continue de pleuvoir. Certains se disputent sur la suite à donner aux actions. Les leaders ont du mal à calmer les plus excités, d'autant plus que la bière coule à flots. Le lendemain, la journée va être très chargée. Le Premier ministre est attendu à Rennes où se retrouveront tous les marins bretons. Il est temps pour eux de s'en aller, mais avec la promesse de visiter sur la route du retour les rayons de poissonnerie de quelques supermarchés. Les importations sont pour eux une véritable obsession. Charles s'aperçoit qu'il n'a pas fait assez d'interviews. Nous interrogeons donc deux leaders sur le bilan de la journée. Les interviews durent à peine cinq minutes.

15 heures 00 – Voiture de France 2

Nous décidons de ne pas suivre les cars des Bretons après leur départ de Calais. La décision est dure à prendre. Nous avons mauvaise conscience de rentrer sur Lille. Mais nous nous disons qu'il est ridicule de suivre les bus jusqu'en Bretagne pour voir les pêcheurs « casser du supermarché ». Charles est très anxieux et est persuadé d'avoir fait une erreur.

Il téléphone à Éva pour que ce soit elle qui nous donne l'autorisation de rentrer, alors que nous sommes déjà sur la route de Lille. Mais ça, il ne le lui dit pas. Éva hésite bien sûr, mais Charles finit par la convaincre avec un argument béton : il y a, à Lille, les pêcheurs boulonnais devant le conseil régional et, sait-on jamais, s'il y avait du… C'est le genre d'argument qui convainc aussitôt Éva. Elle nous autorise à revenir à Lille.

Charles téléphone au rédacteur en chef de France 3 Nord-Pas-de-Calais pour s'assurer qu'il a bien une équipe qui couvre la manifestation des pêcheurs boulonnais. Le rédacteur en chef le rassure : il y a bien une caméra (et accessoirement un journaliste). Nous sommes couverts en cas de grabuge.

Éva nous rappelle pour se mettre bien d'accord sur le sujet de ce soir. Charles ouvre bien sûr avec la baston. Puis il parle de la désaffection des pêcheurs boulonnais qui lâchent les Bretons et basta, ça nous fait un 1'30" bien ficelé.

Charles, qui trouve que la journée des Bretons dans le Pas-de-Calais n'a pas été grandiose, propose un reportage unique sur la folle randonnée des Bretons à travers la France, en utilisant des séquences des échauffourées du matin à Rungis, puis de la baston de Boulogne, et enfin le contrôle à Calais. Pas du tout, lui répond Éva. Il faut faire un sujet pour chaque événement. D'autant plus que France 2 a retrouvé à l'hôpital un des pêcheurs du matin qui a pris un coup de crosse sur la tête de la part d'un CRS. Une équipe est bien sûr allée lui demander ses impressions. En tout, 14' sur la pêche sont prévues ce soir dans le 20 heures. Il est question d'ouvrir avec notre sujet. Nous devrions être contents, non ? Tous nos efforts récompensés par une ouverture dans le 20 heures.

Mais au moment où elle va raccrocher, Éva découvre une dépêche AFP qui vient de tomber. Elle nous la lit en direct : « Un supermarché de la banlieue boulonnaise a été saccagé par des pêcheurs bretons ». Charles est vert. Il ne manquait plus que cela. Il essaie de rassurer Éva en lui disant que le saccage a dû être fait par un autre groupe de pêcheurs bretons, pendant que nous étions à Calais. Il ne devrait pas y avoir d'image, puisque que TF1 était avec nous. Cela rassure Éva, qui raccroche. France-Info se met à développer la nouvelle tous les quarts d'heure, ce qui a pour effet de nous faire flipper. Mais ce n'est pas pour autant que nous éteignons la radio. Le retour est morose. Nous commençons à accuser le coup et la torpeur de la voiture nous ramollit peu à peu. Dehors, il continue de pleuvoir.

16 heures 00 – Conseil régional à Lille

L'endroit est bouclé par d'importantes forces de l'ordre en tenue de combat. Cela a le don de nous exciter de nouveau. Il pourrait peut-être y avoir de la baston… Deux à trois cents marins sont devant un cordon de CRS, protégeant le conseil régional. D'autres journalistes sont présents, face aux pêcheurs. En fait, tout est calme.

Pendant que Charles s'entretient avec des collègues, je fais quelques images de la manifestation. Je vais ensuite discuter avec des marins de base. Tous me disent la rancœur qu'ils ont à être là, à faire les guignols dans le centre chic de Lille, au lieu d'être à Boulogne avec leurs camarades bretons à casser du CRS. Un vieux pêcheur me confie qu'à son époque les leaders syndicalistes avaient plus de gueule que maintenant. Les Boulonnais étaient toujours les premiers à faire grève. Certains me disent que les Bigot et les Grandidier de la CME sont devenus de véritables patrons et ne les défendent plus. J'entends ce discours de la bouche de dix marins au moins.

Je me demande si les responsables de la CME et les artisans pécheurs n'ont pas inventé cette réunion avec la présidente du conseil régional pour éloigner la masse des pêcheurs de Boulogne. Car Marie-Christine Blandin ne peut pas grand-chose en matière de pêche. En agissant ainsi, les responsables de la CME ont évité une rencontre avec les Bretons.

Je vais raconter ce que j'ai entendu à Charles. Il ne pense pourtant pas qu'il faille faire de nouvelles interviews. Il me répond que si les pêcheurs ne voulaient pas être là ils n'avaient qu'à ne pas venir. Je lui rétorque que ce n'est peut-être pas aussi simple que ça. Mais nous ne sommes pas là pour faire compliqué : il faut résumer. Ce sera donc l'interview du syndicaliste CFDT, faite ce matin, que Charles reprendra dans le sujet du soir. Il choisira de nouveau, comme pour le 13 heures, le passage où le syndicaliste s'en prend aux Bretons. Mais est-ce bien l'avis général des pêcheurs boulonnais ?

Nous apprendrons, quelques jours plus tard, par des collègues de France 3, que le syndicaliste en question s'est fait houspiller par des femmes de marins et par une partie de ses propres troupes, lors d'une réunion en fin de journée du 3 février. Beaucoup lui reprocheront son attitude, et notamment de s'être débrouillé pour éloigner de Boulogne les marins de la pêche industrielle. En fait, certains marins auraient bien voulu en découdre avec les forces de l'ordre. Les femmes se sont plaintes des salaires de misère ramenés par leurs maris depuis quelques mois. Elles ont reproché au syndicaliste CFDT de n'avoir « pas de couilles ». La nuit même, des marins de la pêche industrielle interceptaient deux camions d'importations à Boulogne et vidaient leur contenu sur la route.

17 heures 00 – Bureau de France 2

Au moment où nous arrivons, Éva finit de nous laisser un message sur le répondeur. Elle a appris que France 3 a fait des images du supermarché « dévasté » et nous dit de commencer le sujet avec. On mettra les images de baston après. Je vais au faisceau à France 3 pour voir arriver les images de Boulogne. Je suis stupéfait de voir trois bacs à poissons congelés vides en tout et pour tout. Je prends au téléphone le cameraman de Boulogne et je lui demande si je n'ai pas rêvé. La dépêche parle bien d'un supermarché saccagé et aussi de dégâts dans l'établissement. Le collègue me répond qu'il a filmé la réalité et que la dépêche en rajoute.

Il me raconte que des bruits ont couru parmi les journalistes encore présents à Boulogne : la cafétéria d'un supermarché aurait été dévastée par des marins bretons. Du coup, il y est allé. En fait, c'était tout simplement quelques pêcheurs bretons qui buvaient une bière à la cafétéria.

J'informe Charles sur la teneur des images. Il téléphone aussitôt à Éva. Celle-ci est affolée par ce qu'elle apprend. Elle qui avait prévu que le sujet commencerait avec ces images… elle ne sait plus quoi faire maintenant et préfère passer le rédacteur en chef du 20 heures à Charles. David lui conseille de commencer dans ce cas-là avec la baston.

Je monte voir l'AFP à la rédaction de France 3. Les dépêches tombent une à une sur des incidents que provoqueraient les pêcheurs un peu partout dans la région. Tout le monde est excité et l'AFP fait de même. J'ai l'impression d'une surenchère de la part des journalistes. Trop de tension retenue dans la journée, trop d'espoir de baston et tout d'un coup le moindre incident devient, par un choix approprié de mots (saccagés, colère, violent affrontement, etc.), un événement dramatique. Imaginez nos chefs à Paris, avenue Montaigne, qui lisent les dépêches…

20 heures 30 – Appartement personnel

Charles me téléphone après cette journée infernale. Il me dit qu'il a zappé sur TF1 et que nos images de baston sont plus spectaculaires, mais qu'ils ont par contre les images des pêcheurs bretons dans le supermarché. Je lui fais raconter ces images. Les pêcheurs vident les armoires à poissons surgelés dans des caddies puis vont déverser le tout sur le parking. Je lui remonte le moral en relativisant ces images. Nous sommes loin du supermarché saccagé. Fin de l'épisode boulonnais. Dans la matinée, un millier de sidérurgistes de la Sollac ont manifesté à Dunkerque pour protester contre un plan de licenciement de trois cents salariés. Une seule dépêche AFP en a fait mention. Il est vrai qu'il n'y a pas eu d'incidents. Les manifestants n'ont brûlé que des pneus.

> Durant mes sept ans de pratique professionnelle, j'ai eu l'occasion de vivre un certain nombre d'événements que l'on peut appeler « médiatiques ». Il serait faux de

dire que je n'ai pas éprouvé, maintes fois, des montées d'adrénaline. Quand les pêcheurs chargent les CRS, il est évident qu'à ce moment-là je ressens une excitation : celle de vivre un moment intense, d'être en dehors des lois, de se situer au-dessus du commun des mortels. Et c'est souvent lors de faits divers ou de société que l'on éprouve ce genre de sensation. Oui, mais faut-il s'arrêter à ce simple plaisir individuel ? Le journaliste n'a-t-il pas une autre mission que de jouer à se faire peur ou à s'exciter ? Et quand vient le temps des questions et de l'analyse, il est de plus en plus difficile de « jouer au grand reporter ».

VENDREDI 4 FÉVRIER

9 heures 00 – Bureau de France 2

Charles est parti en repos pour quatre jours. Il est remplacé par Olivia. L'information s'est déplacée du côté de la Bretagne. Les pêcheurs bretons sont revenus chez eux et sont tous à Rennes, pour recevoir le Premier ministre. Les dépêches AFP vont tomber une à une, prenant un tour dramatique au fur et à mesure que la journée avance. Il n'est plus question pour nous de parler de quoi que ce soit. Alors, nous attendons.

15 heures 00

Olivia me fait part d'un reportage qu'elle a vu sur France 3 national au journal de la mi-journée. Une équipe de reportage est allée chez la femme du pêcheur qui a reçu un coup de crosse sur la tête de la part d'un CRS. La journaliste lui a montré les images enregistrées la veille et l'a fait réagir. Sans commentaire…

Je reçois un coup de téléphone de Bernard, journaliste au service « société » de France 2, à propos du reportage que nous devons faire sur la présentation de la nouvelle navette passagers du tunnel sous la Manche. Cette présentation se fera le mardi 8 février aux ateliers ANF, à Crespin. Bernard me précise que, même si nous décidons de faire le reportage, il viendra : « L'attachée de presse est une copine et je viendrai pour assurer les relations publiques. » Je lui réponds que pour le moment nous ne savons pas et que nous lui téléphonerons lundi. En fait, je sais déjà que nous ne ferons pas ce reportage. Il ne nous intéresse pas.

18 heures 00

Richard nous téléphone. Il nous annonce la venue demain de Michel Rocard à Lille. Il veut que nous allions lui poser une question sur le conflit de la pêche : « Voyez si le nain allume Balladur sur la pêche. Le reste on n'en a rien à foutre. » Puis il ajoute à propos du PS du Nord : « Il doit bien y avoir encore un placard où on peut trouver un socialiste qui peut vous donner un renseignement. » Olivia téléphone au secrétariat départemental du PS du Nord afin de connaître le planning de la visite de Rocard. À cette heure-là, tout le monde est parti. Elle apprend simplement par une secrétaire que Rocard viendra demain, dans l'après-midi.

20 heures 00 – Appartement personnel

Je regarde la façon dont TF1 a traité les événements de Rennes. En plein milieu d'un reportage, je vois successivement l'image d'un manifestant qui regarde ce qui lui reste de main (il a eu la main arrachée par une grenade à souffle) et l'image d'un CRS avec une barre de fer dans la jambe. Les deux images sont violentes, brutales dans le cadre d'un journal télévisé. Il y a quelques jours, le directeur de l'information de TF1 avait diffusé un communiqué sur une charte déontologique pour la profession. Les journalistes de TF1 s'engageaient sur plusieurs points. Ils ne devaient pas, notamment, diffuser d'images violentes au journal télévisé. Cette charte sera dénoncée quelques jours plus tard par la société des journalistes de TF1 comme une manœuvre de la direction. Il est vrai qu'on peut épiloguer longtemps sur ce qu'est une image violente.

SAMEDI 5 FÉVRIER

Je suis de repos toute la journée. Olivia me raconte donc le déroulement de la journée.

Elle reçoit dans la matinée un appel téléphonique de Jacques, rédacteur en chef adjoint du week-end. Il veut savoir ce qu'il en est du blocage des ports de Calais et de Dunkerque par les marins-pêcheurs. Olivia, qui s'était déjà renseignée, lui répond que le blocage doit se terminer dans la matinée.

Elle cherche à connaître l'emploi du temps de Rocard à Lille. En fait, elle apprend que le premier secrétaire du parti socialiste n'est à Lille que de 15 heures à 16 heures 00. Il est toute la matinée et le reste de l'après-midi aux assises de la transformation sociale à Paris. Cette manifestation, organisée par le parti socialiste, est couverte par un journaliste du service « politique ». Olivia informe « Paris » qu'il serait plus logique que ce soit ce journaliste qui pose des questions à Michel Rocard. Il est quand même curieux que Richard nous ait fait une telle demande hier soir. Ces Assises de la transformation sociale étaient annoncées depuis plusieurs semaines. Et il est normal que le premier secrétaire du parti qui les organise y soit présent. Alors pourquoi nous demander à nous d'interviewer Rocard, présent à Lille pendant une heure à peine ? De toute façon Michel Rocard refusera de parler du conflit des pêcheurs.

DIMANCHE 6 FÉVRIER

Rien à signaler.

LUNDI 7 FÉVRIER

9 heures 30 – Bureau de France 2

Richard téléphone à Olivia pour lui demander d'aller à Boulogne. En effet, les pêcheurs boulonnais reprendraient le travail aujourd'hui. Elle est au courant de cette nouvelle et précise que certains pêcheurs ont déjà repris la mer ce week-end. Elle précise toutefois qu'elle va se renseigner pour savoir s'il en reste encore au port. Olivia prend contact avec la CME. Un des responsables lui répond que tous les pêcheurs de la coopérative sont partis ce matin en mer très tôt. Elle prévient Richard que cela va être dur de faire un sujet. Richard lui répond d'aller quand même sur place.

> Olivia savait depuis samedi que les pêcheurs de la CME voulaient reprendre le travail en début de semaine. Seulement, elle n'a pas pu prendre de décision sur l'opportunité d'aller à Boulogne ce lundi matin. En effet, il existe un problème à France 2 le week-end : les chefs présents ne sont là que pour diriger les éditions du samedi et du dimanche ; ils ne sont pas là pour gérer les éditions de la semaine. Il nous faut donc décider seuls ce que nous devons faire, au risque de se faire passer un savon si notre décision ne plaît pas au

chef de la semaine. Il ne nous reste plus comme solution que d'attendre le retour des chefs le lundi matin. Le problème est plus fort quand Olivia est de permanence le week-end. En tant que pigiste, elle a moins de poids que Charles, qui est, lui, le titulaire du poste. Je pense que Charles aurait décidé d'aller à Boulogne ce lundi matin, sans l'avis d'un quelconque chef. Il est vrai que Charles a peut-être plus le réflexe *news* – comme on dit entre nous. En attendant, il va falloir faire un sujet sans les principaux protagonistes.

11 heures 00 – Port de Boulogne

Les quais du bassin Loubet sont déserts. Seuls quatre ou cinq bateaux de pêche industrielle sont encore présents. Olivia va à la CME pour glaner quelques renseignements. Elle n'apprend pas grand-chose de nouveau. Pendant ce temps-là, je téléphone à mon confrère de France 3 Boulogne. Je voudrais savoir s'il a fait des images du départ des bateaux. Il me répond que non. Il a été au bassin Loubet vers 9 heures 30 et tous les bateaux étaient déjà partis. Le cameraman a toutefois fait quelques images du port vide et des bateaux de pêche industrielle présents à quai. Il va quand même faire un reportage pour le journal régional de 12 heures 30.

Nous ne pouvons donc pas sauver le coup. Il n'est pas question pour nous de faire un sujet sur des images de port vide. Et en plus nous n'avons pas de témoignages de pêcheurs sur le pourquoi de la reprise. Nous pourrions, au pire, interviewer un responsable de la CME. Mais sans les images de départ au petit matin, le reportage n'aurait pas de sens.

11 heures 30 – Voiture de reportage

Olivia téléphone aux deux principaux armateurs de la pêche industrielle pour faire le point sur la grève des équipages de leurs bateaux. Ils sont peu bavards et ne nous apprennent pas grand-chose de nouveau. Certains de leurs bateaux sont encore en mer, mais les équipages ont l'intention de se mettre en grève dès leur retour. Olivia téléphone au responsable CFDT des marins, qui n'est pas là.

Nous décidons d'aller glaner quelques informations auprès de nos collègues de France 3 Boulogne. Le journaliste nous fait part de la particularité des revendications des marins de la pêche industrielle. Les équipages protestent notamment contre la diminution des effectifs de chaque équipage et réclament une augmentation de salaire. Le journaliste précise que les problèmes sont locaux et n'ont rien à voir avec les problèmes des marins bretons. Les revendications des pêcheurs sont multiples et variées. Les marins, contrairement à ce que prétend la presse, notamment télévisuelle, ne représentent pas un groupe monolithique, avec des problèmes identiques.

Le collègue nous raconte par exemple, que beaucoup de pêcheurs côtiers boulonnais sont sortis pendant les jours de grève. Les journalistes disaient pourtant que tous les pêcheurs étaient en grève. Mais aucun journaliste, surtout télé, n'est allé voir ces pêcheurs côtiers. Comment raconter en 1'30" cette diversité de situations. Impossible ! Alors il faut résumer, en braquant les caméras sur les pêcheurs de la CME.

Le cameraman nous fait part de la présence, cette nuit, d'une équipe de TF1 avec les douaniers du Nord. En effet, les douanes régionales ont organisé un contrôle renforcé aux postes-frontières. Cela va dans le sens des mesures prises par le ministre de la Pêche pour faire face à la colère des pêcheurs. Jean Puech leur avait promis que les importations seraient beaucoup plus surveillées aux frontières. Alors la douane organise des « contrôles bidon spécial télé ». Le cameraman nous raconte que lui et son collègue ont fait le même reportage avec les douanes vendredi dernier. Nous répondons que nous ne ferons jamais ce genre de publi-reportage. C'est le type d'action qui dure une semaine et qui s'arrête après. Comment faire confiance à une opération entièrement préparée pour la télé ?

Olivia téléphone à Richard pour lui dire tout ce que nous avons appris. Il est évident que nous ne pouvons rien faire sur la reprise des pêcheurs de la CME. Richard essaie d'en savoir un peu plus sur la grève des équipages de la pêche industrielle. Il demande à Olivia s'il n'y a rien à tirer de ces gens-là. En fait, il ne comprend plus très bien. Y a-t-il, oui ou non, arrêt de la grève à Boulogne ? Olivia essaye de lui expliquer la différence entre les pêcheurs et leurs revendications. Cela devient trop compliqué pour Richard (ou plutôt pour en parler à la télé). Il nous dit de laisser tomber. Il est 12 heures 30 et nous rentrons sur Lille.

18 heures 00 – Bureau de France 2

Richard téléphone pour nous dire qu'il est toujours preneur d'un sujet sur les raisons qui ont poussé les pêcheurs boulonnais à reprendre le travail. Olivia appelle la CME et apprend qu'une partie des pêcheurs revient demain matin décharger le poisson. Mais le gros des troupes doit rentrer mercredi. Nous décidons, Olivia et moi, qu'il serait plus intéressant de faire le reportage ce jour-là.

Olivia rappelle Paris et tombe sur Éva – Richard est parti. Cette dernière décide que le reportage se fera mercredi matin.

20 heures 00 – Appartement personnel

Je regarde le journal de TF1 et je vois un reportage sur le retour en mer des pêcheurs boulonnais. Le correspondant dans le Nord était sur place à Boulogne, tôt ce matin. Je me dis que nous avons vraiment fait un loupé. Il faut absolument aller demain à Boulogne pour essayer de rattraper le coup.

TF1 diffuse un peu plus tard un autre reportage sur les fameux contrôles des importations à la frontière belge. Le sujet est limite-limite : Voyez, pêcheurs, comme le gouvernement tient ses promesses !

22 heures 00

Je téléphone à Charles qui est de retour. Il est vaguement au courant pour Boulogne. Olivia lui a fait un petit point avant de terminer son service. Je lui dis que TF1 a fait un reportage sur la reprise des pêcheurs boulonnais. Bref, nous sommes passés à côté de l'info. Je le sens abattu après cette nouvelle. Je lui dis que nous pouvons encore rattraper le coup. Un sujet dans le 13 heures de demain se justifie encore. C'est le premier retour de mer des pêcheurs après plusieurs jours de grève et nous pouvons être là pour réaliser un reportage. Nous pouvons également faire un point sur le cours du poisson, une semaine après les premières mesures gouvernementales de soutien des prix. Bref, nous serons encore d'actu. Cela rassure Charles et nous concluons qu'il vaut mieux partir demain. Rendez-vous à 4 heures 45.

Je lui raconte également le reportage de TF1 sur les contrôles douaniers. Charles me répond qu'il ne mange pas de ce pain-là. Il n'est pas question de faire ce genre de sujet.

MARDI 8 FÉVRIER

6 heures oo – Bassin Loubet

Nous revoilà à Boulogne pour la quatrième fois en une semaine. Le bassin Loubet est rempli de bateaux. Le déchargement du poisson va bon train. L'arrivée d'une équipe de télévision produit toujours son effet. Les pêcheurs n'ont pas l'air de se plaindre du traitement du conflit à la télévision. Nous n'avons pas eu, jusqu'à présent, de remarque désagréable de leur part, ce qui n'est pas toujours le cas après plusieurs jours de lutte.

Je filme les opérations de déchargement du poisson. Pendant ce temps, Charles discute avec les artisans pêcheurs. Ces derniers n'ont pas repris la mer de gaieté de cœur. Ils sont dans l'ensemble solidaires des Bretons qui font grève, même si certains expriment de petites rancœurs envers eux. Ils ont conscience qu'ils ont obtenu plus qu'eux. Car ici les bateaux font tous plus de 20 m et les accords portent surtout sur ce type de bateau. Mais en Bretagne, beaucoup de petits côtiers font moins de 12 m et ceux-là n'ont pas obtenu grand-chose. Un des artisans soutient aussi les marins boulonnais de la pêche industrielle qui ont des problèmes d'effectifs, « alors qu'il y a de plus en plus d'accidents à bord des bateaux », remarque-t-il.

Nous faisons les interviews de trois patrons pêcheurs. Tous parlent de leur angoisse du lendemain, mais essaient de justifier le retour en mer. Nous ne faisons toujours pas d'interviews des hommes d'équipage, à qui nous n'adressons même pas la parole.

Nous allons ensuite à la criée. Le cours de certains poissons a légèrement augmenté. Mais ceci est apparemment plus dû à la rareté des arrivages qu'à une nouvelle organisation du marché. Je fais encore quelques images pendant que Charles prend des renseignements auprès des pêcheurs et des mareyeurs présents. Nous ne faisons pas d'autre interview.

8 heures 30 – Port de Boulogne

Je filme les bateaux d'Étaples qui repartent en mer. Je fais également des plans des bateaux de la pêche industrielle à quai. Eux continuent la grève. Charles n'en parlera même pas dans le sujet. Cela touche tout de même plus d'une centaine d'hommes. Mais comment aborder plusieurs réalités en 2' ! Il faut faire un choix. Nous ne prendrons même pas contact avec les délégués des pêcheurs industriels pour au moins discuter avec eux.

Vers 9 heures 30, nous retournons à Lille par une belle journée d'hiver. La côte boulonnaise est magnifique sous les rayons du soleil. Il y a quand même quelques bons moments dans ce métier, non mais… !

10 heures 45 – Salle de montage de France 3

Le sujet est monté en plus d'une heure et demie et fait 2'. Il passe au journal de 13 heures.

MERCREDI 9 FÉVRIER

10 heures 00 – Bureau de France 2

Charles reçoit un appel de François, le nouveau présentateur du 13 heures. Celui-ci vient de vivre une période de traversée du désert de plus de deux ans. Bref, il était, dans le jargon professionnel, « au placard ». François a apparemment des idées précises sur la nouvelle formule du journal de la mi-journée qui commence la semaine prochaine. Il veut faire un 13 heures basé sur les nouvelles françaises, où les régions trouveraient une place importante.

Après une critique à peine voilée de l'ancien journal (« on ne peut pas tomber plus bas »), il pose les nouvelles bases en employant une métaphore sportive : « Un journal, c'est comme le patinage artistique. Il y a un certain nombre de figures imposées au programme, puis il y a les figures libres. Les figures imposées c'est l'étranger, la politique, etc. Les figures libres, ça sera les reportages des régions. » Il précise que « rien ne sert de speeder. Les gens à 13 heures, et encore plus à 20 heures, sont installés devant leur téléviseur et ne prennent pas le train. Si le sujet vaut 2'30", il faut qu'il fasse 2'30". » Viennent ensuite des remarques sur le public censé regarder le journal de la mi-journée : « On sait grosso modo que notre public a entre quarante et soixante ans. Alors moi, je ne leur parlerai pas de l'avant-garde du théâtre japonais comme avaient tendance à le faire les autres [l'ancienne équipe sans doute]. Les gens, ce qui les intéresse, c'est : comment je peux acheter une voiture moins cher aujourd'hui. Il y a les 5 000 francs pour la reprise d'une voiture ancienne, mais il y a aussi les combines avec l'Espagne ou la Belgique. »

Charles l'interrompt en lui rappelant que nous sommes bien placés pour savoir cela : « La Belgique est juste à côté de chez nous et nous avons déjà fait des sujets sur ce phénomène. » François renchérit : « Eh bien, moi ça me plaît, ce genre de sujet, parce que ça leur plaît à nos téléspectateurs. »

Charles lui demande s'il a l'intention de s'inspirer du journal de 13 heures de TF1. En effet, depuis de nombreuses années TF1, par l'intermédiaire de son présentateur Jean-Pierre Pernaut, fait un journal de 13 heures basé sur des reportages dans la France profonde à travers des histoires tournées par les correspondant régionaux de la chaîne. François lui répond clairement que c'est son intention : « Il n'y a pas de secret. C'est ce qui intéresse le public. Je ne vais pas lui parler du problème du franc CFA. Regardez, l'autre jour, chez Pernaut, il y avait un sujet sur la réduction des lits à l'hôpital de Clermont-Ferrand. On apprend que l'hôpital est le plus gros employeur de la ville. Donc qu'il va y avoir des conséquences sur l'emploi. Ça, c'est bon. Il y avait aussi un sujet sur la réhabilitation d'HLM dans les Alpes. On voyait des jolis immeubles anciens face aux montagnes. C'est ça qui intéresse les gens. »

Charles précise que nous sommes prêts à fonctionner avec eux : « Nous disons depuis longtemps qu'il faut faire plus participer les régions. Mais il faudrait que l'on se contacte plus tôt le matin. Quand on nous appelle à 10 heures 30 pour faire un sujet pour le 13 heures, c'est trop tard. » François en profite alors pour casser, sans le nommer, notre chef. Il évoque le système « brejnévien » dans lequel nous fonctionnons. Il parle d'intermédiaire inutile. Il dit qu'ils essaieront, lui ou David, le nouveau rédac-chef du 13 heures, de contacter directement le journaliste en province. Cela a pour effet de provoquer immédiatement une montée au créneau de Charles. Il défend l'existence d'un chef de service des correspondants, que ce soit Richard ou un autre : « Il nous représente et nous défend dans les conférences de rédaction. » Il rappelle que c'est le seul garant pour que n'importe qui ne nous demande pas n'importe quoi. Du coup François évite d'attaquer de front Richard.

Il reprend son idée d'un sujet sur les combines pour avoir une voiture moins chère. Il y tient, à ce sujet, et se met d'accord avec Charles pour qu'il enquête dessus.

Charles dans la lancée rappelle qu'on ne peut que vanter la qualité du travail journalistique, mais aussi de l'image, de tous les correspondants depuis trois ans. François n'a pas l'air passionné par cette remarque et affirme : « Il vaut mieux un sujet mal ficelé le jour même, qu'un sujet bien fait deux jours après. J'ai moi-même été au service étranger, et j'ai balancé des sujets pas toujours bien ficelés mais avant tous les autres. Et ça, c'est important. »

François repart ensuite sur sa conception du 13 heures : « un journal de la France vue par les régions ». Il rappelle encore un sujet passé récemment sur TF1 lors de la Chandeleur, une Bretonne qui détient le record de vitesse de fabrication des crêpes : « Un sujet formidable, alors que pendant ce temps on avait comme invité un chef d'orchestre japonais. Je n'ai rien contre les chefs d'orchestre japonais. Sauf que tout le monde était sur la Une. » Charles tempère aussitôt son enthousiasme en lui citant une anecdote que nous a racontée le correspondant de TF1 dans le Nord. Le correspondant de TF1 en Bretagne a loupé le premier incident du conflit des pêcheurs pour pouvoir faire son sujet sur les crêpes. Les Bretons étaient intervenus en force dans un entrepôt pour le vider de ses importations de poisson. Ils s'étaient alors affrontés violemment aux CRS. TF1 avait été obligé de reprendre des images de France 3 pour pouvoir en parler. Cette petite histoire a le don de mettre fin assez rapidement à la conversation entre Charles et François.

Nous sommes circonspects après cet appel. J'évoque le danger de tomber dans un « popu ras le trottoir ». Je me méfie de François et de l'idée qu'il se fait du « peuple ». Je veux voir aussi dans la durée ce que vont donner des personnalités différentes comme François et David, le nouveau rédacteur en chef. François nous dit de prendre notre temps dans les sujets. Alors que David, qui sévissait auparavant au 20 heures, a introduit depuis deux ans des sujets ultra courts (entre 1'10" et 1'30" maximum).

Nous verrons bien, mais je me sens bizarre. Comme si commençait une période difficile, où je serai de plus en plus en désaccord avec le fond de l'information. En tout cas, nous pensons que Richard, notre chef, est sur un baril de poudre. Charles dit qu'il ne va pas tarder à sauter. Le nouveau chef du 13 heures ne peut pas encaisser Richard, et ce qu'il n'a pas pu faire au 20 heures, il va le faire maintenant avec la nouvelle donne au 13 heures. Ils vont installer une potiche comme chef des correspondants. Comme cela David et François pourront passer par-dessus quand ils le voudront pour nous atteindre directement. Nous nous disons que notre autre chef, Éva, doit bien intriguer. Elle ferait bien l'affaire comme potiche.

14 *heures* 00

Charles téléphone à Richard pour lui signaler le coup de téléphone de François. Richard sait déjà que celui-ci a téléphoné. Il fait cela avec tous les correspondants. Mais Richard est fuyant et bougon comme d'habitude depuis un certain temps. Charles est obligé de s'énerver pour qu'il l'écoute : « Accorde-moi cinq minutes, je pense que tu es concerné. » Charles lui raconte alors la conversation. Il lui précise qu'il a cru comprendre que François et David comptaient passer par-dessus le chef de service des correspondants. Et Charles d'ajouter : « Que ce soit toi ou un autre, il nous faut quelqu'un qui nous représente. » Richard répond qu'il est au courant de cela et ajoute une phrase mystérieuse : « Tout cela fait partie d'un vaste complot auquel je participe. »

15 heures 30

Bernard Tapie doit être mis en examen demain par le juge Beffy dans le cadre de l'affaire OM-VA. Seulement Tapie fait souffler le chaud et le froid sur cette venue. Une série de dépêches AFP alternant l'annulation de sa visite et la confirmation de la date du rendez-vous par le juge. Tapie prétend que le juge ne veut pas changer de date, alors qu'il a une réunion importante au conseil régional ce jour-là.

Charles me raconte une autre version qu'il a glanée au tribunal de Valenciennes. Selon lui, Tapie aurait refusé, puis accepté, plusieurs dates, histoire de mener le juge en bateau. Celui-ci aurait fini par imposer un jour, pour ne pas passer pour un idiot. De toute façon, nous irons à Valenciennes demain, quoi que disent les dépêches.

18 heures 00

Charles reçoit un coup de téléphone de l'attachée de presse de l'Opéra. Une création d'un opéra de Verdi est au programme dans les jours prochains. Il y a une générale ce soir, réservée à la presse. D'autres attachées de presse nous ont déjà téléphoné les jours précédents. Mais il n'est pas question pour nous d'y aller. Nous avons eu ces dernières années trois sujets, sur des créations à l'opéra de Lille, mis à la poubelle. Ces sujets étaient bien entendu acceptés par Paris. Nous avons décidé de ne plus faire de sujets culturels dorénavant, histoire de ne pas nous couvrir de ridicule. Ce qui nous étonne, c'est que les attachées de presse continuent à nous téléphoner. Cette fois-ci, elles ont eu directement le chef du service « culture », qui a bien sûr donné son accord pour qu'on y aille. Il fait le même coup à chaque fois, et après il ne défend absolument pas le sujet une fois celui-ci tourné.

Charles téléphone à Richard pour le prévenir de notre refus. Richard nous signale que le sujet est effectivement programmé. Charles lui répond que ce n'est pas à cette heure-là que l'on programme un tel sujet. En effet, il nous faut un preneur de son, du matériel et un minimum de repérage. Richard ne savait pas que le tournage était prévu ce soir. Dans ce cas-là, le sujet est annulé. Il ajoute que le chef du service « culture » ne sera plus là la semaine prochaine. Il doit être remplacé.

Charles signale à Richard que nous allons demain à Valenciennes. Ce dernier n'est pas très chaud. Au vu des dépêches AFP signalant l'annulation du rendez-vous, il dit qu'il ne faut pas insister. Justement Charles insiste et lui dit qu'il verra bien demain.

La réflexion de François sur la nécessité d'être les premiers sur l'info est caractéristique de la « guerre » entre les chaînes (notamment TF1 et France 2) sur le front de l'information. À la réunion des correspondants de province, le rédac-chef, David, développa toute une théorie sur la rapidité : « Ce qui compte, c'est qu'on soit les premiers. Le bon sujet, c'est le sujet qui passe avant tous les autres. Et quand on dit le premier, c'est le premier, pas le second. Il ne faut pas que ça sorte avant chez les concurrents. » Il y a eu peu de réactions de la part des journalistes après cette déclaration. Quelqu'un a tout de même fait remarquer que cette logique de rapidité avait amené Timisoara. David a répondu : « Le charnier de Timisoara, il a existé. Il y avait des corps. » Sa remarque – au second degré ? – a quand même soulevé un brouhaha général des journalistes présents. Ce qui n'a pas empêché le présentateur, François, d'ajouter : « Quand un sujet est passé partout, moi je ne le veux plus à l'antenne. » David a conclu par cette formule lourde de sens : « Quand on ne veut pas être le premier, on ne fait pas ce métier. »

JEUDI 10 FÉVRIER

8 heures 15 – Bureau de France 2

Nous allons à Valenciennes par conscience professionnelle. Charles pense qu'il y a une petite chance pour que Bernard Tapie vienne au rendez-vous. Il a fait poster très tôt un correspondant de France 3 Nord-Pas-de-Calais devant le palais de justice. Le rédacteur en chef de France 3 n'avait pas prévu, la veille au soir, d'envoyer quelqu'un. Charles lui a forcé la main en faisant déplacer un cameraman à Valenciennes.

Nous retrouvons sur place des collègues de la presse régionale. Par contre, peu de journalistes de la presse nationale ont fait le déplacement. Il y a devant le tribunal, des confrères de *La Voix du Nord* et de *Nord Éclair*, un journaliste d'un petit hebdomadaire sportif local, un rédacteur de Radio-France fréquence Nord, des photographes de l'AFP et de Reuter, un Journaliste de l'agence AP, un collègue cameraman de M6 Lille, un journaliste parisien de *L'Équipe*, bref une petite équipe de journalistes qui se connaissent et se reconnaissent. Tous suivent l'affaire depuis le début et ce genre de rendez-vous permet de se retrouver et de papoter de choses et d'autres. Il manque TF1 et c'est une bonne nouvelle pour nous, France 2 : pourvu que Tapie vienne.

Nous attendons une petite heure dans le froid glacial. Le cameraman de France 3 et moi-même sommes postés aux deux entrées du tribunal. Toute la troupe de journalistes spécule sur la venue ou non du président de l'OM.

À 9 heures 30, alors que tout le monde est à moitié saisi par le froid, une voix retentit : « Le voilà ! » aussitôt suivi par d'autres « Le voilà ! » de plus en plus fort. Cela a pour effet de provoquer aussitôt une débandade des photographes et des cameramen qui bien sûr ne peuvent s'empêcher de se bousculer. Bernard Tapie descend de sa voiture, entouré par la petite meute des journalistes présents. Il ne peut s'empêcher de nous vilipender, entrant fièrement dans le tribunal, bloqué pour l'occasion par trois policiers. Il a fini par venir.

Nous sommes contents car notre concurrent TF1 vient de faire un loupé. Il s'ensuit de nouveau une attente d'une heure. Nous espérons que TF1 ne va pas être là avant la sortie de Tapie. Mais l'AFP a sorti une dépêche juste après son arrivée et France-Info doit déjà tartiner dessus tous les quarts d'heure.

De nouveau une agitation s'empare du groupe des journalistes. Tapie ressort par une autre porte. Le cameraman de France 3, posté à l'autre sortie, l'a plein cadre. Je vois à ce moment-là arriver en courant l'équipe de TF1 qui saisit au vol une image. Zut ! ils sont arrivés un zeste trop tôt. En fait Tapie ne va pas très loin et rentre avec sa voiture chez son avocat.

Les journalistes courent au milieu de la rue jusqu'au bureau de l'avocat de Tapie, sous le regard ahuri des badauds. Tout le monde se poste devant la maison et attend à nouveau. Charles me glisse à l'oreille qu'il a appris par des fuites que Tapie devrait être mis en examen, mais surtout que cette mise en examen est assortie d'un contrôle judiciaire.

Charles est embêté. Il est coincé avec moi devant cette maison. Il voudrait aller se renseigner auprès du procureur sur la teneur de la confrontation entre Tapie et le juge Beffy. Mais si Bernard Tapie sort du bureau de son avocat, il se doit d'être là pour l'interviewer.

10 heures 45 – Bureau de l'avocat de Bernard Tapie

Le journaliste de l'AFP revient tout excité par la nouvelle qu'il vient d'apprendre. En plus de la mise en examen, Tapie est mis sous contrôle judiciaire. Et ce contrôle judiciaire stipule que Tapie doit quitter la fonction de patron de l'OM avant le 20 avril. Il doit verser en plus une caution de 250 000 francs. Cela met en émoi tout le groupe des journalistes. Chacun relève la note d'humour concernant le montant de la caution. Il s'agit de la somme retrouvée dans le jardin du footballeur valenciennois Pascal Robert. Cette somme est à l'origine de l'affaire et serait le montant du tarif de la corruption.

Ce serait la première fois en France qu'un député serait mis sous contrôle judiciaire alors que la levée de l'immunité parlementaire vient d'être refusée par l'Assemblée nationale. Cette décision devrait faire jurisprudence. C'est sans doute ce qui explique le visage fermé de Tapie à la sortie du tribunal. Voilà pourquoi il se trouve chez son avocat. Ils doivent mettre au point une nouvelle tactique.

De nouveau tout le monde s'excite. Tapie ressort. Nous nous mettons tous devant la porte, caméras et appareils photo au poing. Tapie passe dans sa voiture, vitre fermée. Mais il ne peut s'empêcher de la rouvrir pour parler à tous ces micros tendus. Il y va de sa petite complainte sur ceux qui sont dans le malheur ailleurs dans le monde. Il conclut qu'il faut remettre cette affaire à son niveau, c'est-à-dire pas très haut. Je constate que l'équipe de TF1 est à la ramasse. Le cameraman n'a pas pu passer au milieu de la meute des journalistes et n'a donc pas l'interview de Tapie. Il faut dire que, durant ces moments-là, c'est un peu la guerre pour être bien placé. Et il n'est pas question de faire des cadeaux aux collègues, surtout quand ce sont des concurrents.

Son avocat, qui est sorti sur le trottoir, reçoit à son tour tous les micros dans le visage. Il ne veut rien dire – pourquoi est-il sorti, alors ? – mais répond quand même peu à peu aux questions. La réponse de l'avocat mise en boîte, nous repartons après être passés, avec notre collègue de l'AFP, chez le procureur Éric de Montgolfier. Il ne peut désormais plus parler (ordre du ministère), mais il a le droit encore de sortir des communiqués.

Le journaliste de l'AFP – qui est le rédacteur en chef du bureau de Lille – et Charles se marquent à la ceinture. Il existe une certaine concurrence entre eux sur cette affaire. En effet, Maurice est un « spécialiste » de Bernard Tapie. Il a été pendant longtemps journaliste au bureau de l'AFP de Marseille. Il a tiré de cette période un livre sur les méthodes de Tapie pour gérer son empire industriel. Ce livre a eu son succès d'édition et Maurice en prépare un autre. Comme Charles écrit un livre sur l'affaire OM-VA, ils se retrouvent tous les deux à jouer des coudes pour se prouver mutuellement qu'ils ont de meilleurs renseignements que l'autre.

11 heures 15

Nous revenons sur Lille à toute allure pour le 13 heures tout en téléphonant à Paris. Richard reconnaît que Charles a eu le nez creux dans cette affaire. Il est très en verve. Décidément, c'est une bonne journée pour mon collègue, qui conclut : « Cette fois-ci, on a baisé la gueule à TF1. Sur ce coup-là, ils ont été au-dessous de tout. » Je partage sa bonne humeur. Arrivés à Lille, une dépêche AFP est tombée avec des déclarations de Bernard Tapie. Il accuse le juge Beffy de vouloir tuer l'OM. La dépêche vient de la rédaction de Paris et non pas du bureau de Lille.

14 heures 15 – Voiture de reportage

Nous repartons à Valenciennes pour faire l'interview de l'avocat de Tapie. En chemin, Charles contacte René, le correspondant de Marseille, pour lui préciser quelques détails. En effet, René est chargé de faire un sujet sur les réactions à Marseille après le contrôle judiciaire imposé à Tapie. Un sujet est du reste déjà passé au 13 heures. Charles et René s'entretiennent longtemps au sujet des changements à la tête des services de France 2 et du grand remue-ménage à la rédaction nationale. René a lui aussi reçu un coup de téléphone de François qui lui a fait le même topo qu'à Charles. Lui aussi est dans l'expectative.

René précise qu'une société des rédacteurs de France 2 va être reconstituée et qu'il se propose pour être dans le bureau comme le représentant des correspondants des régions. Charles, tout en étant d'accord sur la démarche, émet des doutes sur ce genre de structure. Il dit qu'il fait plus confiance au syndicat. Il est lui-même syndiqué au SNJ depuis de nombreuses années.

15 heures 00 – Centre-ville de Valenciennes

Nous arrivons au bureau de l'avocat de Tapie à Valenciennes. Celui-ci nous reçoit avec notre collègue de l'AFP. Tiens, tiens… Il nous explique la contre-attaque qu'il a mise au point avec Tapie. Il reprend la réflexion de Tapie à l'AFP sur la volonté de mise à mort de l'OM. Cette remarque a le don de mettre en boule Maurice, qui ironise sur les amitiés que possède Tapie à la rédaction nationale de l'AFP. En fait, sur le chemin du retour, le président de l'OM a préféré téléphoner à son ami, chef de service à l'AFP nationale, pour lui faire connaître ses impressions. Maurice caricature l'appel : « Bon, alors tu me marques ça et ça, et intégralement bien sûr. » Ce n'est pas à son ennemi, rédacteur en chef du bureau de l'AFP à Lille, que Bernard Tapie a accordé une interview.

Les autres confrères débarquent à leur tour dans le bureau. Nous nous retrouvons ainsi une bonne dizaine à faire l'interview de l'avocat. Il répète ce qu'il vient de nous dire quelques minutes auparavant.

Avant de revenir à Lille, Charles va aux nouvelles au tribunal. Il obtient les détails de la rencontre, mais ne me raconte pas tout sur le chemin du retour. Il faut dire que cette affaire ne me passionne pas autant qu'elle le passionne. Charles se demande comment il va pouvoir monter un sujet pour le 20 heures différent de celui du 13 heures. Il n'arrive pas à imaginer une nouvelle façon de construire ce sujet. Mais il faut parfois faire différent pour séduire Paris.

18 heures 00 – Bureau de France 2

Charles, après avoir monté le sujet, reçoit un coup de téléphone d'Éva qui vient d'apprendre que l'ancien PDG de Testut, Fellous, est reçu demain au tribunal de Béthunes. Celle-là, dès qu'elle voit une dépêche, il faut qu'elle téléphone aussitôt. Même si cela n'a aucun intérêt. Résultat, nous laissons tomber Fellous.

VENDREDI 11 FÉVRIER

10 heures 00 – Bureau de France 2

Charles me montre une lettre que Danielle, la correspondante à Strasbourg, a envoyée à notre chef à Paris ;

elle s'insurge contre ce qu'elle ressent comme un mépris des responsables parisiens pour les correspondants de province et exprime son écœurement de se voir imposer au dernier moment un reportage sur un fait divers « croustillant » plutôt que sur un cas social dont elle a précédemment signalé l'intérêt. Charles me dit qu'il est évidemment solidaire de notre consœur. Il précise que les chefs n'ont pas intérêt à la sanctionner, sans quoi il pourrait y avoir des réactions de solidarité. Je lui réponds qu'il ne faut pas compter sur de telles réactions au sein de la rédaction nationale : l'heure est plutôt à l'individualisme chez les jeunes journalistes.

Charles en profite pour me raconter une anecdote à propos d'Henri, le rédacteur en chef du week-end. Il y a eu en novembre une vague de froid qui a entraîné la mort de quelques SDF en France, notamment à Marseille. Un homme a été retrouvé mort sur l'escalier de la gare, un dimanche matin très tôt. La journaliste, remplaçante du titulaire du bureau de France 2 Marseille, reçoit en fin d'après-midi un premier coup de téléphone d'un sous-chef quelconque. Celui-ci veut un sujet sur la mort du SDF pour le 20 heures du soir. La consœur répond au sous-chef qu'il fallait peut-être y penser plus tôt et qu'il est tard pour assurer un sujet pour le 20 heures.

Un deuxième coup de téléphone est donné quelques instants plus tard par Henri. Cette fois-ci c'est Jean-Jacques, le cameraman du bureau, qui est au téléphone. De nouveau Henri lui demande ce sujet pour le 20 heures. De nouveau Jean-Jacques explique qu'il est plus de 18 heures et qu'il fait nuit, que l'homme a été retrouvé le matin tôt. Bref, il se demande bien ce qu'il y a encore à faire sur une telle histoire. Henri hausse le ton et donne l'ordre à Jean-Jacques d'aller faire le reportage.

Celui-ci refuse et les injures commencent à fuser. Henri traite Jean-Jacques de « petit journaliste de province ». Il lui ordonne d'aller faire le reportage. Jean-Jacques aurait répliqué à Henri qu'il n'était qu'« un gros con de chef parisien assis sur son gros cul » et qu'il n'irait pas faire ce reportage. Henri enverra par la suite une demande d'explication à Jean-Jacques et l'incident s'arrêtera là.

16 heures 00

Charles a gratté toute l'après-midi sur différents dossiers. Tout d'abord, il s'est renseigné sur le fameux sujet qui plaisait tant au présentateur du 13 heures : la possibilité d'acheter moins cher sa voiture, par exemple en Belgique. En fait, Charles apprend que le phénomène s'est déplacé du côté de l'Espagne. J'avais lu un papier sur cette information dans *Libé* quelques semaines auparavant.

Charles, par contre, est intéressé par l'appel téléphonique d'un transitaire de Boulogne. Depuis une semaine, les transitaires de Boulogne n'ont plus de travail. Alors qu'ils recevaient une quinzaine de camions d'importation de poisson par jour, hors CEE, notamment de Norvège et d'Islande, ils n'en contrôlent plus qu'un ou deux. Tout cela est dû aux nouvelles mesures gouvernementales prises pour calmer les pêcheurs. Les douanes et les services vétérinaires se montrent tatillons, refoulant les camions sous le moindre prétexte. À terme, les transitaires sont menacés de chômage. Mais que sont trente emplois face aux problèmes des marins-pêcheurs ?

Tous les camions refoulés sont retrouvés le lendemain à Boulogne, en train de décharger leur marchandise, cette fois-ci en toute légalité. En fait, les camionneurs sont allés faire dédouaner la marchandise à une cinquantaine de kilomètres de là, en Belgique – à Zeebrugge plus précisément. Avec l'ouverture du grand marché européen, c'est maintenant possible. Le transitaire nous précise même que, depuis, les camions norvégiens, suédois ou islandais se font dédouaner dans le port de la CEE où ils débarquent, c'est-à-dire en Allemagne, au Danemark ou aux Pays-Bas. Les importations n'ont pas cessé alors que le gouvernement tente de faire croire le contraire. Nous nous disons que nous allons attendre le début de la semaine prochaine pour voir si le phénomène dure et pour envisager un reportage.

17 heures 00

Charles a Richard au téléphone pour lui proposer un sujet sur le carnaval de Dunkerque. Il le tient au courant de l'enquête qu'il a menée au sujet des voitures moins chères en Belgique. Tous les deux concluent que ce n'est pas à nous de faire ce sujet.

Charles sent que Richard n'est pas bien du tout. Il va rencontrer Mano dans l'après-midi, mais il n'est pas vraiment optimiste sur la suite des événements. Il est un des perdants du grand jeu de la lutte pour le pouvoir qui se déroule actuellement au sein de la rédaction nationale.

SAMEDI 12 FÉVRIER

11 heures 00 – Bureau de France 2

Charles me fait part d'un coup de téléphone qu'il a reçu de Richard, hier soir vers 23 heures, à son domicile. D'abord il a été très surpris de recevoir cet appel chez lui, à cette heure-là. Il avait trouvé comme prétexte qu'il avait vendu le sujet sur le carnaval de Dunkerque pour le 13 heures de lundi. Il préférait le prévenir car il était absent la semaine suivante.

Mais apparemment, Richard téléphonait plutôt pour se confier. Visiblement, il était très pessimiste sur son sort. Charles me précise tout l'embarras de la situation. Il n'est pas dans nos habitudes d'avoir des conversations intimes avec un chef. Il me dit à demi-mot toute sa difficulté pour entrer dans cette intimité. Ce qui fait que Richard n'a pas raconté tout ce qu'il avait sur le cœur. Il a pourtant fait part de son désir de se barrer, sûrement du poste de chef de service des correspondants, mais aussi d'ailleurs (de France 2 ?). Charles lui a signalé qu'il était très difficile de parler avec lui depuis quelque temps, qu'il était souvent colérique. Richard reconnaît qu'il en a marre depuis un bon moment et qu'il espérait bien récupérer le 13 heures. Mais l'édition lui est passée sous le nez et a été confiée à David, qui n'est pas un ami intime.

Charles évoque le jeu des chaises musicales pour me parler de la situation de Richard. Toutes les chaises ont été occupées et il n'y en a plus pour Richard. Charles a du mal pourtant à me donner des détails de la conversation tellement il a été troublé par ce coup de téléphone. Il répète simplement plusieurs fois : « Je ne l'avais jamais entendu comme ça. Tu sais, Richard, il est souvent bougon, mais là c'était bizarre. »

Il me précise qu'ils ont reparlé de la nécessité d'avoir un chef de service des correspondants qui nous représente réellement dans les conférences de rédaction. Il a évoqué le danger de voir arriver une godiche au poste de responsabilité du service. Et chacun de considérer Éva comme la pire pour le remplacer.

Richard a signalé à Charles qu'il a obtenu l'ouverture d'un bureau à Montpellier et surtout la création d'un deuxième poste à Lyon. Cela fait plus d'un an que l'on fait miroiter à Charles un poste dans cette ville. En effet, le correspondant de Lyon est parti en 1992 sur la chaîne Euronews et son poste lui a été promis un moment à Charles, après qu'il en eut fait la demande. Cette nouvelle affectation l'aurait rapproché de sa famille et lui aurait certainement changé la vie. Il a même été question formellement que Charles parte sur Lyon. Oui mais voilà, la promesse du directeur de l'information de l'époque, Alain Denvers, n'a pas fait long feu. Une journaliste de Lyon a été choisie à sa place. Ça l'a blessé profondément. La déception avait été partagée bien évidemment par sa famille.

Il en garde depuis une rancune farouche contre ces chefs parisiens qui ne tiennent pas leur parole. Il se retrouve toujours aussi éloigné de chez lui, alors qu'il donne une grande partie de sa vie à son travail.

Cette mutation aurait également changé son statut. En effet, la mutation à Lyon lui aurait permis d'avoir un contrat France 2, à la place du contrat France 3 qu'il a actuellement. Outre le fait d'appartenir à part entière à une chaîne nationale, cela l'aurait mis à l'abri des risques de suppressions répétées des correspondances en région. Étant salarié de France 2, il aurait été recasé obligatoirement dans la chaîne. Une des angoisses de Charles est de retourner un jour à France 3. Il se verrait mal à nouveau journaliste dans un bureau régional de cette chaîne. Il aurait l'impression de redescendre bien bas.

Depuis, revient régulièrement la possibilité pour Charles d'être muté à Lyon. Mais il préfère ne plus y croire et reste très méfiant envers ces rumeurs. Et voilà que Richard remet ça sur le tapis. Il me dit qu'il n'en a même pas parlé à sa femme, histoire de ne pas créer encore de fausses espérances. Il ajoute que « la promesse de Jean-Marie à quelqu'un qui va gicler, ça ne vaut pas grand-chose ».

DIMANCHE 13 FÉVRIER

14 heures 00 – Bureau de France 2

Nous partons à Dunkerque, accompagnés d'un preneur de son. C'est la deuxième année consécutive que nous faisons un reportage sur le carnaval de Dunkerque. C'est un carnaval ancré dans la ville, profondément populaire dans le sens où c'est une partie de la population qui le met en scène. Le défilé à travers la cité, qui peut être vu de l'extérieur comme anarchique, est en fait profondément ritualisé. Ce carnaval remonte à l'époque de la pêche à la morue à Terre-Neuve. Les hommes buvaient et festoyaient durant deux ou trois jours dans les estaminets de la ville avant de partir pour de longs mois en mer. Les patrons passaient après et payaient l'addition.

Nous avions eu du plaisir à découvrir ce carnaval l'année précédente et nous sommes contents d'y retourner cette année.

15 heures 30 – Rues de Dunkerque

Nous arrivons peu après le départ du carnaval, ce qui me met de mauvaise humeur. Je préfère avoir du temps au début du reportage pour observer la mise en place du défilé. Car un de mes soucis est de montrer à l'image les logiques qui guident ce défilé.

Un « tambour-major » en grande tenue est à la tête des fanfares et des fifrelins (joueurs de flûtes). À son ordre, les premiers membres de la bande stoppent net, s'arc-boutent et résistent à la poussée de tout le carnaval (plusieurs centaines de personnes) qui est derrière. Les fanfares font monter la pression et il est possible d'observer alors ce combat énorme qui consiste à retenir une foule en transe qui pousse derrière. Cela s'appelle le rigodon et le tout est accompagné de chansons franchement paillardes. Ce sont les gros bras qui sont devant et n'importe qui ne peut pas faire partie de cette élite. Il faut être coopté par un membre et après, patienter des années, avant de faire partie du premier rang.

Quand le tambour-major rabaisse son bâton, le premier rang lâche d'un coup et le défilé reprend. Tout le monde est bien sûr maquillé, costumé avec le plus grand soin. Il faut noter que les hommes sont énormément travestis en femmes, avec une prédilection pour les bas résille, les soutiens-gorge voyants, les maquillages outranciers et les perruques fluorescentes.

Il y a aussi des petits groupes de deux ou trois personnes masquées qui se promènent parmi les gens qui regardent le défilé. Ces petits groupes entourent d'un coup une personne et se mettent à cancaner sur elle. Ce sont les « médisantes ».

Je mets en images ce rituel du carnaval en me plaçant soit en hauteur, pour mieux saisir la poussée extraordinaire de la foule, soit à niveau, pour mieux ressentir le formidable combat de ce premier rang suant et hurlant à chaque poussée. Cela demande beaucoup d'efforts, car il faut constamment aller et venir dans cette foule compacte, courir pour remonter le carnaval, grimper en haut d'immeubles pour les plans en hauteur, et tout ça avec la caméra, des batteries, des cassettes et aussi le pied de la caméra.

Nous faisons quelques interviews de personnages ou de simples quidams. Tous parlent de la nécessité de faire la fête dans ces périodes dures et de l'importance du carnaval pour vivre le reste de l'année. Je fais aussi quelques images de personnages qui posent pour nous et entonnent de nombreuses chansons paillardes.

Le carnaval de Dunkerque dure près de trois semaines et de nombreux défilés sont préparés par les différentes « bandes » des quartiers. Des bals sont organisés certains soirs aux quatre coins de la ville. Beaucoup de Dunkerquois prennent des vacances durant cette période et ne dessoûlent pas beaucoup pendant la journée.

19 heures 00 – Place Jean-Bart

Après avoir suivi le carnaval à travers les rues de Dunkerque, nous avons pris un peu d'avance pour trouver une bonne place afin de filmer le rigodon final. Après des heures de défilé, la bande arrive sur la place centrale, et se met à tourner autour de la statue de Jean Bart en poussant et en chantant de plus en plus fort. Le rigodon se termine par une chanson à la mémoire de Jean Bart, à genoux, les bras au ciel. Et quand le rigodon est réussi, une fumée monte de la foule en transe, vapeur qui s'élève dans la nuit et qui donne à la scène une impression d'étrangeté.

Nous nous sommes installés sur un balcon de particuliers qui en profitent pour bien manger et boire du champagne. Ce sont des gens d'un milieu plutôt aisé, qui ne participent pas vraiment au défilé, mais qui sont fiers de nous expliquer tous les rouages du carnaval. Nous repartons sur Lille vers 20 heures 30, exténués et frigorifiés – il a fait toute la journée autour de - 5 °C – mais contents de notre travail.

LUNDI 14 FÉVRIER
10 heures 30 – Bureau de France 2

Charles, en plein montage, apprend que le sujet sur le carnaval a été refusé par David sous prétexte que le journal est plein. En fait, Charles s'en doutait déjà un peu, car David l'avait bipé la veille, à la fin du carnaval. Il l'avait appelé après la conférence de rédaction prévisionnelle du 13 heures du lundi, qui se déroule maintenant le dimanche après-midi. Il voulait que nous fassions un sujet sur la Saint-Valentin, lundi matin. Charles qui n'en croyait pas ses oreilles, lui avait demandé s'il savait ce que nous faisions. L'autre avait alors répondu que non. Il n'était absolument pas (soi-disant) au courant que nous réalisions un reportage sur le carnaval de Dunkerque. Sur le moment, la conversation avait été écourtée ; David avait répondu qu'il verrait demain. Charles n'avait pas voulu m'en parler sur le moment, histoire de ne pas me foutre le moral en l'air.

Ce matin il a eu Éva avant la conférence de rédaction et il lui a conseillé de défendre notre sujet. Après le speech de François la semaine dernière, nous pensions que c'était le genre de sujet qui pouvait intéresser le 13 heures. Charles est écœuré. Nous avons la vague impression que David est en train de régler ses comptes avec Richard sur notre dos.

Il avait tenté de passer par-dessus Richard quand il avait pris ses fonctions, il y a deux ans, à la tête du 20 heures. Cela avait déjà entraîné une partie de bras de fer. David avait dû renoncer, à l'époque, à sa méthode de travail. Cette fois-ci, la partie est mal engagée pour Richard.

Quand à Éva, ce que nous craignions est en train de se réaliser : elle ne fait pas le poids face à David. Elle avoue elle-même qu'elle n'a rien pu faire et conseille à Charles de téléphoner à David. Charles refuse en disant que c'est à elle de se battre. Nous pensons qu'il faut veiller à ne pas laisser s'installer une pareille situation.

11 heures 30

Nous reparlons de l'histoire du transitaire qui nous a téléphoné la semaine dernière. Charles se dit que c'est peut-être un peu tard pour faire un reportage. Il a peur que, dans deux ou trois jours, le conflit des pêcheurs ne soit plus d'actu. Je lui fais remarquer que ce n'est pas bien grave et que ce n'est pas cela qui va empêcher de faire ce sujet.

13 heures 00

Le ministre des Finances, Nicolas Sarkozy, fait une conférence de presse sur les mesures prises par le gouvernement en matière de protection contre les importations de poisson. Le ministre ne peut s'empêcher de frimer, citant les chiffres de poissons refoulés à la frontière, et notamment dans l'arrondissement de Dunkerque. Il oublie bien sûr de préciser que le poisson est revenu en France en grande partie. Charles est furax et dit que nous aurions dû faire le sujet avant, pour contrebalancer les déclarations du ministre. Je lui dis que ce n'est pas grave et que nous allons le faire demain.

15 heures 00

Charles me raconte les dernières rumeurs de la rédaction. Le service « info-géné » serait dirigé par un transfuge de TF1, Claude, que nous connaissons bien. Nous avons eu l'occasion de travailler souvent sur des reportages communs (crash d'un Boeing à Amsterdam, affaire OM-VA, affaire Testut, etc.). Il chapeauterait un grand service dans lequel seraient intégrés les correspondants en région. Et Charles me dit qu'Éva voudrait quitter le poste de chef de service des correspondances régionales. Décidément !

18 heures 00

Charles a contacté plusieurs personnes (mareyeurs, service vétérinaire) sur Boulogne qui confirment l'information donnée par les transitaires. Mieux encore : une quinzaine de camions norvégiens et islandais sont arrivés hier matin vers 10 heures 30 à Boulogne. Ils étaient accompagnés par des CRS. La police a regroupé à la frontière les camions pour éviter des accrochages avec des pêcheurs en colère. Même les douanes confirment à demi-mot.

Charles a donc pris rendez-vous demain matin avec un transitaire et un responsable des douanes. Il ne faut pas trop compter sur l'aide des mareyeurs pour nous laisser filmer un déchargement d'importation de poisson norvégien. En effet ils n'ont pas trop intérêt actuellement à montrer leurs activités. Un reportage sans image n'est pas évident à concevoir. Nous verrons bien demain sur place.

Charles est satisfait d'avoir mené cette enquête. Éva lui a demandé en fin de journée un reportage sur le refoulement des importations de poisson en dehors de nos frontières. Le 13 heures est preneur après les déclarations de Nicolas Sarkozy. Mais notre chef précise que nous pouvons prendre notre temps. Le sujet est prévu *a priori* pour le 13 heures de mercredi. Rendez-vous est donc donné au bureau demain à 6 heures.

MARDI 15 FÉVRIER

7 heures 00 – Port de Boulogne

Nous faisons un tour dans la zone de Capécure pour essayer de repérer des camions immatriculés en Norvège ou en Suède. Pour le moment, il n'y a que des camions français qui déchargent. Nous allons donc au rendez-vous avec les transitaires.

Nous arrivons dans un grand bureau vide. Deux transitaires s'y trouvent, inoccupés depuis bientôt une semaine. Ils n'ont encore rien fait ce matin et ils sont pessimistes sur la suite de la journée. Ils nous parlent de leur angoisse de l'avenir. Ils se sentent les victimes d'une situation hypocrite. Ils font les frais d'un baroud d'honneur du gouvernement et constatent en plus que cela ne sert à rien, si ce n'est à sacrifier leur emploi.

Leur histoire nous intéresse à moitié. Nous écoutons par politesse, mais nous ne sommes pas vraiment là pour prendre en compte leurs problèmes. Nous sommes venus pour filmer le détournement des mesures gouvernementales, c'est-à-dire des arrivées de poisson hors CEE dans la zone de Capécure. Et si nous ne pouvons pas en filmer, notre reportage tombe à l'eau. Ils sont à mon avis conscients de cela et nous précisent que leur sort ne pèse pas bien lourd dans la balance. La seule chance pour eux de passer dans le reportage, c'est que nous trouvions des camions venant de pays hors CEE.

Ils nous signalent alors qu'un bateau chargé de poisson islandais débarque tous les mercredis dans le port d'Anvers. Le poisson est actuellement dédouané dans le port belge, puis est traité dans des entreprises de transformation boulonnaises. Nous nous disons qu'au pire nous pourrons aller demain à Anvers.

Nous décidons, en attendant, d'aller voir les douanes situées juste à côté des locaux des transitaires. Mais au moment de partir, le transitaire nous montre un camion immatriculé en Norvège qui passe devant nous. Nous nous mettons aussitôt à le poursuivre jusqu'à un entrepôt, devant lequel il se gare. À côté, un autre camion norvégien vide est en train d'être nettoyé. En fait, le premier camion est vide aussi et charge des palettes de transport. Mais s'ils sont tous les deux vides, c'est qu'ils ont été pleins. Ils ont certainement déchargé tôt dans la matinée. Nous faisons quelques plans des camions, puis nous allons parler à un des chauffeurs. Il a effectivement dédouané en Allemagne et a déjà déchargé sa marchandise. Des employés du garage nous confirment qu'ils ont nettoyé au moins une quinzaine de camions norvégiens et suédois hier après-midi. Nous repartons à la chasse aux camions.

9 heures 00 – Bureau des douanes de Boulogne

Nous avons rendez-vous avec un petit chef des douanes. Celui-ci essaie de nous mener en bateau. Il ne veut pas reconnaître qu'il y a autant d'importations qu'avant à Capécure. Mais il n'a aucune réponse sur la présence de camions hors CEE dans la zone portuaire. Il confirme quand même qu'aucun camion n'a été dédouané depuis hier. Derrière lui, les douaniers de base nous regardent en souriant et en hochant la tête. Nous faisons quelques images des bureaux, puis nous repartons bien vite pour trouver des camions.

10 heures 00 – Zone de Capécure

Nous tournons en rond dans les rues remplies de camions qui chargent et déchargent. Nous sommes mal tombés aujourd'hui. Pourtant nous finissons par repérer deux camions immatriculés en Norvège et en Suède. Ils sont garés devant une grosse entreprise. Je les filme sous tous les angles, puis nous essayons de rencontrer le PDG de l'entreprise. Un homme très poli accepte de nous recevoir. Il nous précise qu'il n'est que le directeur financier. Le

PDG est, selon cet homme, en formation pour la journée. Il ne peut répondre à aucune de nos questions. Comme c'est dommage ! Charles lui demande s'il connaît le lieu de dédouanement des camions qui déchargent actuellement devant son entreprise. Notre homme affirme tranquillement que les camions ont été dédouanés ce matin à Boulogne. Il a de l'humour ! Aucun camion n'a dédouané ce matin dans le port. Nous essayons de rencontrer les chauffeurs, mais nous ne les trouvons pas.

10 heures 30

Nous repérons de nouveau deux camions norvégien et suédois devant une entreprise. Je les filme de loin, puis nous nous rapprochons pour parler au chauffeur suédois. Celui-ci dit tout d'abord qu'il a dédouané à Boulogne, puis il avoue qu'il a en fait effectué l'opération au Danemark. Il refuse de répondre à une interview et se sauve, en nous disant qu'il va revenir. Quelques secondes plus tard, le patron de l'entreprise arrive, menaçant, nous interdisant de filmer. Au lieu de nous énerver, nous la jouons sympa. Le patron finit par se calmer et accepte de discuter.

En fait, c'est le plus gros des mareyeurs de Boulogne. Il emploie plus de 200 personnes et traite environ 4 000 tonnes de poisson par an. Pour lui le problème des importations est un faux problème. « Le problème, dit-il, c'est que les mareyeurs de Bretagne sont des nuls et que les pêcheurs bretons ne sont pas organisés. » Il confirme qu'il importe autant qu'avant. Depuis une semaine, tous ses camions dédouanent dans des pays de la CEE. Et il annonce que si quelqu'un lui cherche des noises il ira s'installer ailleurs. Il accepte d'être interviewé après une légère hésitation et confirme tous ses propos devant la caméra. Charles et moi n'y croyons pas. Nous pensions faire chou blanc du côté des importateurs. Voilà que le plus important d'entre eux accepte de nous répondre.

Il nous propose ensuite de visiter son entreprise et me donne l'autorisation de filmer. Après le sonore, nous voilà avec les images. Nous sommes chanceux sur ce coup-là. Je filme donc les 20 tonnes de moruettes venues de Suède, en train d'être mises en filets par des dizaines d'employés. Nous repartons en n'y croyant toujours pas. Nous venons de sauver notre reportage. Il s'ensuit une discussion sur le meilleur choix de l'édition. Nous pouvons sortir le sujet pour le 20 heures. Il aura plus de poids que dans un 13 heures. Seulement nous pouvons faire un sujet plus long dans un 13 heures, 2' en moyenne contre 1'30".

11 heures 30 – Bureau des transitaires

Je fais quelques images des transitaires au travail, puis Charles interviewe l'un d'entre eux. Pendant que nous rangeons le matériel, ils nous racontent leur version du conflit des pêcheurs boulonnais. Selon eux, les artisans pêcheurs de Boulogne n'ont pas été très chauds pour se mettre en grève, car contrairement aux Bretons, ils s'en sortent plutôt bien. La situation est beaucoup plus difficile pour les marins de la pêche industrielle, qui sont du reste encore en grève. Ils nous font part des déboires du leader CFTC de la pêche artisanale. Après le passages des Bretons à Boulogne, celui-ci s'est fait houspiller par les femmes des marins de base. Elles lui ont reproché d'être du côté des patrons. Normal, le dénommé Bigot, délégué CFTC, est le frère de l'ancien responsable de la coopérative d'Étaples.

Nous remercions les transitaires de nous avoir signalé cette histoire. Ils nous précisent qu'ils ont également prévenu le correspondant de TF1 à Lille. Celui-ci leur a répondu que leur direction n'était pas preneuse de ce sujet.

Ils ont aussi téléphoné au correspondant de France 3 à Boulogne. Ils venaient de faire un reportage avec les douaniers sur les contrôles aux frontières. Merci France 3, c'est Sarkozy qui va être content.

Nous repartons faire quelques images de l'activité dans la zone de Capécure. Il est temps ensuite d'aller manger du poisson dans un restaurant. Non mais… nous l'avons bien mérité !

14 heures 00 – Bureau régional des douanes de Dunkerque

Nous avons rendez-vous avec le directeur régional des douanes pour faire une interview. Celui-ci essaie de nous raconter des bobards et accuse les transitaires d'être un peu paranos. Pourtant, il reconnaît à demi-mot que beaucoup de poisson d'importation revient sur Boulogne. Nous faisons une interview sans surprise, très, très langue de bois. Hors caméra, il nous confie qu'il ne peut pas dire publiquement que la décision de contrôle renforcé n'a aucun effet sur les importations et n'a été mise en place que pour calmer les pêcheurs.

Nous partons ensuite à la frontière belge faire quelques images de contrôle. Sur le chemin, Charles téléphone à Éva pour faire le point sur le reportage. Il la met au courant des différentes péripéties de la matinée. Il lui signale que nous sommes avec les douaniers et que nous retournons dans une heure sur Lille. Charles ajoute que nous pouvons monter le sujet pour le 20 heures, mais qu'il est hors de question de ne faire que 1'30" avec tout ce que nous avons. Dans le cas contraire, nous préférons faire 2' dans le 13 heures de demain. Éva répond qu'elle va en conférence de rédaction. Nous reprendrons contact après.

15 heures 30 – Poste-frontière

Nous filmons les douaniers en train d'opérer des contrôles sur les camions, notamment frigorifiques. Les douaniers font bien sûr du zèle pour les besoins de la caméra. Nous sommes accompagnés par un chef qui ne nous lâche pas. Il nous précise que les camions de poisson ne passent en général que le matin. Selon lui, nous aurions dû venir plus tôt, avec nos confrères de TF1. Tiens, tiens. Les douaniers nous précisent qu'une équipe de TF1 est restée une partie de la matinée et est repartie à Lille pour passer un sujet dans le journal de 13 heures. Encore un reportage « maison », spécial douanier. Ils nous racontent que c'est du reste le deuxième reportage sur les contrôles renforcés que fait TF1. Merci TF1, Sarkozy va être content.

Un camion de poisson belge, transportant des crevettes et du colin islandais, se présente enfin à la frontière. Bien sûr, je filme les douaniers en train de contrôler la marchandise. Le chef, qui nous suit partout, nous dit que son compte est bon. Il n'a certainement pas encore dédouané. Les douaniers vérifient scrupuleusement sa marchandise. Manque de chance pour eux, les papiers du camion sont en règle, et la cargaison a été dédouanée à Anvers. Le chef des douaniers tire de plus en plus la gueule. Nous nous faisons un plaisir d'interviewer le chauffeur. Celui-ci confirme qu'il a bien dédouané à Anvers et qu'il avait, avant le conflit des pêcheurs, plutôt tendance à dédouaner à Boulogne.

Nous repartons en nous disant qu'une chance pareille n'est pas permise. Il y a des jours où tout va bien. Sur le chemin du retour, Charles téléphone à Éva, notre chef, pour faire un point sur le reportage. Éva nous prévient que le sujet est prévu pour demain 13 heures et qu'il peut faire 1'45". D'après elle, Quentin, le présentateur, était pour que le sujet passe ce soir au 20 heures à condition qu'il fasse 1'30". Le nouveau directeur de l'information, Jean-Marie, était plus favorable à ce que le sujet passe demain pour qu'il soit plus long. Apparemment, il n'était pas possible que le sujet passe au 20 heures de ce soir en faisant 2' ou plus. En tout cas, pas pour les personnes présentes en conférence de rédaction. Une mouture plus courte pourrait être envisagée dans le 20 heures de demain soir. Quand Éva apprend que TF1 a fait un sujet pour le 13 heures, nous sentons dans sa voix un court instant d'angoisse. Mais elle est rassurée quand elle apprend qu'ils n'ont fait leur reportage qu'avec les douaniers. Comme s'il était possible de faire une enquête complète en deux ou trois heures ! Charles me dit, après avoir raccroché, que le sujet monté fera plus de 2' et qu'il verra bien demain.

> Je voudrais souligner la qualité du travail effectué par notre équipe ce jour-là. Je pense que nous avons réalisé un reportage intéressant dans le contexte du problème de la pêche. Nous avons pris relativement notre temps, comparé par exemple à l'équipe de TF1, et cela a son importance. Il n'est pas possible en une matinée de réaliser cette enquête. Nous avons rencontré suffisamment d'interlocuteurs pour recouper les informations et cela prend du temps. Nous avons pu démontrer à l'image une partie de nos affirmations. Nous avons des sonores qui appuient ces affirmations. Bref, c'est le genre de sujet que nous aimerions faire plus souvent. Seulement au bout de la chaîne, nous nous retrouvons à marchander la durée du reportage, alors que nous avons largement la matière pour faire un long sujet. Oui, mais voilà,

il est hors de question de faire, dans le cadre du journal télévisé, un sujet de trois, quatre, cinq minutes, voire plus. Il faut de plus en plus faire court, au maximum 2' mais le plus souvent 1'30" à 1'45". Imaginez qu'en presse écrite vous lisiez un journal où les articles feraient 15 lignes en moyenne…

MERCREDI 16 FÉVRIER

13 heures 00 – Bureau de France 2

Nous regardons le journal de la mi-journée en compagnie du monteur avec qui a travaillé Charles ce matin. Nous sommes tous les trois contents du travail réalisé. Charles a eu plus de trois heures pour monter et mixer le sujet, ce qui est confortable dans notre métier. De plus il a négocié et obtenu du 13 heures un sujet de 2'15", en disant que nous avions largement de quoi faire. Le sujet a été envoyé à 12 heures 15 et il fait 2'21".

Depuis nous n'avons reçu aucune nouvelle de Paris. L'enquête est même annoncée dans les titres. Quelle n'est pas notre surprise de voir à l'antenne le reportage amputé de toute une séquence importante. C'est justement l'interview du transitaire qui passe à la trappe. La séquence en question fait 15". Charles, furieux, téléphone à notre chef pour lui demander une explication. Celle-ci est complètement affolée. Elle répond à Charles qu'elle n'a pas pu intervenir. Elle était occupée ailleurs et la décision est venue de David. Celui-ci a trouvé qu'il y avait des redondances dans le sujet.

Un journaliste à Paris a coupé dans le reportage sans demander son avis à Charles, alors que le sujet a été envoyé à 12 heures 15. Éva précise quand même – pour quelqu'un qui n'est pas au courant ! – que David voulait supprimer l'interview du directeur régional des douanes. Elle est intervenue en prétextant qu'il ne fallait pas nous griller avec les douanes. Charles réplique que tout avait une importance dans le montage du reportage et que la moindre des choses, c'était de le prévenir. Éva ajoute qu'elle en a marre, que Danielle, la correspondante de Strasbourg, râle aussi car David a taillé dans son sujet. Bref, Éva conclut qu'il vaut mieux que Charles téléphone directement à David à la fin du journal.

16 heures 00

Charles a au téléphone la correspondante de Strasbourg, qui craque aussi. Non seulement on lui a coupé une partie de son sujet aujourd'hui, mais en plus un sujet de son remplaçant a déjà été trappé lundi au 13 heures et un autre a dû être entièrement remonté mardi parce qu'il ne plaisait pas à David. Elle dit qu'elle s'est engueulée avec Éva quand celle-ci lui a répliqué qu'elle ne pouvait pas faire grand-chose face à trois rédacteurs en chef. Danielle lui a alors répondu qu'elle n'en avait rien à faire et que son boulot c'était justement de faire le poids.

Charles reçoit un appel téléphonique de René qui en a lui aussi ras-le-bol. On vient de lui trapper un sujet dans le 13 heures. Il a le moral en bas des chaussettes : « C'est un métier de fou, je vais faire autre chose. » Charles et René décident de faire une lettre pour Jean-Marie si cela continue dans les jours prochains. Il faut absolument que nous soyons représentés par un chef face à des personnages comme David qui a comme but de nous utiliser à sa guise.

17 heures 00

Charles n'arrive pas à avoir David. Il téléphone à François, pour lui signaler qu'il ne comprend plus rien :

« Vous nous dites la semaine dernière que nous pouvons prendre notre temps si le sujet le mérite. Et là, on nous coupe 15" comme ça. » François le remercie tout d'abord du travail accompli et lui répond qu'il n'est pas au courant. Il n'a pas vu le sujet non coupé. Il promet à Charles de le regarder aujourd'hui et de lui retéléphoner. Nous attendons toujours son appel.

Du jeudi 17 février au dimanche 20 février, je n'ai pas pris de note.

LUNDI 21 FÉVRIER

19 heures 15

Olivia reçoit un appel téléphonique d'Éva. Celle-ci est, comme à l'accoutumée, surexcitée. Une dépêche est tombée annonçant des conditions météorologiques difficiles pour la nuit prochaine. Pour notre chef, il nous faut déclencher le plan Orsec. Elle demande à Olivia d'être vigilante toute la nuit au cas où il y aurait des problèmes sur les routes : « Il risque d'y avoir des voitures bloquées sur les autoroutes avec des gens à l'intérieur. Peut-être même des familles entières mortes de froid. Il faut vous préparer à foncer à la moindre alerte. » Olivia ne dit rien devant un tel assaut. Elle met même le haut-parleur du téléphone pour qu'une amie à elle puisse écouter. Cette amie, qui n'est pas du tout dans le milieu journalistique, n'en croit pas ses oreilles. Il ne se passera bien sûr rien de ce qu'avait prédit notre « Éva nationale ».

Du 20 décembre 1993 au 21 février 1994, j'ai relevé dans le journal *La Voix du Nord* plus de 3 000 licenciements dans les entreprises du Nord-Pas-de-Calais. Il n'y a pas eu de « dégraissage » digne de ce nom pour

France 2. Au maximum 100 ou 200 suppressions de poste de-ci, de-là : fermeture des Fonderies de Jeumont avec 32 salariés ; 143 licenciements à GTS industrie (Dunkerque) ; 72 à Ascométal et à Valdures (Dunkerque) ; une centaine à Rabot Dutilleul (bâtiment) à Arras ; 70 à Intexal (textile) à Cambrai ; 311 chez Beaudeux (textile) à Armentières ; 346 à Selnor (réfrigérateurs) à Lesquin ; 260 suppressions de poste à Renault Douai ; 116 suppressions d'emploi à Elf Atochem à Vendin-le-Viel ; 60 à Rank Xerox à Neuville-en-Ferrain, etc. Nous n'avons fait aucun reportage sur le problème du chômage durant cette période.

CONCLUSION

J'ai cessé de prendre des notes après le 21 février 1994. Depuis cette date-là, bien des choses se sont passées au sein de la rédaction nationale de France 2 : Richard a été débarqué du poste de chef de service des correspondants. Depuis, il est, comme on dit, « au placard », c'est-à-dire qu'il n'a plus aucune fonction mais continue d'être payé. Éva, son adjointe, ne l'a pas remplacé comme nous pensions un moment. Par contre, elle a été nommée chef adjointe du service « info-géné ». Puis elle a été rapidement débarquée. Elle aussi est « au placard ». Le service « info-géné » est maintenant dirigé par Claude, le journaliste de TF1 dont le nom courait dans la rédaction. Son service a absorbé le service des correspondants en province, qui a été confié à Norbert, l'ancien chef du service « info-géné » et à Marcelle, une simple journaliste. Mais le véritable patron du service des correspondants est en fait Claude.

D'autres services ont vu leur chef changer. Le service « éco » est maintenant dirigé par une journaliste qui a dirigé le service « éco » de France 3 national et qui est arrivée récemment de TF1. Le service « politique » a également un nouveau chef qui a fait précédemment ses classes à TF1. Les rapports entre les correspondants de province et les différentes éditions, notamment celle du 13 heures, se sont détériorés dans un premier temps. La charge de travail est devenue plus lourde. En effet, le 13 heures s'est mis à faire des demandes de sujets de plus en plus effrénées, souvent le matin même pour le journal de la mi-journée. Cette édition, mais aussi celle du 20 heures, se sont mises à utiliser les correspondants soit comme des « bouche-trous » pour alimenter le journal quand il manque des sujets (micro-trottoir « bidon », reportage sur la pluie, la neige, le brouillard, etc.), soit pour parler du moindre fait divers ou fait de société tiré par les cheveux. Il faut souvent s'attendre à une demande de sujets après un article parlant de notre région dans *France-Soir* ou dans *Le Parisien libéré*. Et il n'est pas question de vérifier la moindre information quand la commande est faite le matin même pour le journal de la mi-journée.

Un exemple : le 5 décembre 1994, à 9 heures du matin, un de nos chefs nous a demandé de faire pour le 13 heures un sujet dans une petite ville du Pas-de-Calais nommée Wissant. Un article était en effet publié dans *Le Parisien libéré* de ce jour-là sur une petite association d'aide aux démunis qui risquait de mettre la clé sous le paillasson, suite à la réclamation d'une somme importante par l'Urssaf. Le ton du papier était « Cette administration tatillonne qui embête les associations qui essaient de venir en aide aux exclus ». Il s'avéra que le responsable de cette association employait une quinzaine de RMIstes à remettre en état des palettes en bois. En échange, ces RMIstes avaient le toit et le couvert pour tout salaire. Comme cette association n'avait fait aucune demande officielle pour être une association intermédiaire (ce qui l'aurait exonérée de charges sociales), l'Urssaf réclamait donc de l'argent, en considérant que le gîte et le couvert constituaient un salaire. Le correspondant du *Parisien libéré* dans la région, qui avait écrit l'article en question, nous a avoué (nous lui avons téléphoné) qu'il n'avait pas pris contact avec l'Urssaf parce qu'il avait écrit le papier pendant le week-end. Nous avons reçu l'ordre d'aller faire ce reportage malgré nos demandes de vérification de l'info. Les responsables de l'édition de la mi-journée s'étaient déjà fait une opinion. Pour eux, c'était l'exemple même « du pointillisme de l'administration qui ne cherche qu'à empêcher les gens de prendre des initiatives ». Le sujet était bien évidemment prévu pour le 13 heures du jour même alors que rien ne justifiait cette urgence, si ce n'est la parution de l'information dans *Le Parisien libéré* du jour et l'éventualité d'un reportage dans le 13 heures de TF1 (ce qui, du reste, s'est produit). Nous avons dû faire une heure et quart de voiture avant d'arriver à Wissant, ce qui nous a laissé à peine une demi-heure pour réaliser le reportage. Par manque de temps, il a été hors de question de faire l'interview du responsable local de l'Urssaf. Ce monsieur, que nous avons eu au téléphone, s'est montré étonné de la non-demande d'homologation de cette association auprès des autorités compétentes, demande ayant pour effet d'entraîner la vérification de certaines règles élémentaires du travail. Nous n'avons donc eu que la version du responsable de l'association qui, mine de rien, faisait de la concurrence à des entreprises intermédiaires travaillant dans le créneau des palettes. Par manque de temps, nous n'avons pas vérifié si le travail se faisait selon les règles de sécurité et si ces RMIstes n'étaient pas tout simplement exploités. Si tel avait été le cas, si par exemple un « employé » s'était blessé ou tué du fait des conditions de travail, nos chefs n'auraient pas hésité à nous envoyer faire un reportage sur « cette administration laxiste qui ne fait pas son travail et ne surveille pas de près ce genre d'entreprise ». À ce poujadisme-là, à tous les coups l'on gagne. Le sujet est passé tel quel. Nous n'avons jamais cherché à savoir ce qui est arrivé à cette association.

Par contre, en octobre 1994, une grève importante a éclaté dans une unité du groupe Péchiney-Aluminium-Dunkerque. Cette usine ultramoderne, installée dans le dunkerquois moins de trois ans plus tôt, fabrique la moitié de l'aluminium produit en France. Elle est la vitrine sociale de Péchiney : la grille hiérarchique est par exemple de un à trois au lieu de un à sept en moyenne en France. Pourtant, les ouvriers, que l'on appelle ici des « opérateurs », ont décidé de réclamer une hausse des salaires de 1 000 francs par mois. Ces jeunes salariés (trente-cinq ans en moyenne) découvraient la grève, eux qu'on disait volontiers des nantis.

Ils constataient seulement que le prix de l'aluminium dans le monde avait fortement augmenté ; et ils voulaient une part du « gâteau ». Cette grève a été largement couverte par la presse écrite (*Le Monde*, *Libé*, *Le Parisien*, etc.), qui y voyait un conflit symbole dans cette période de reprise. Après avoir informé notre rédaction plusieurs fois de l'importance du conflit (qui a duré trois semaines), nous avons fini par aller faire un reportage fin octobre. Celui-ci n'a jamais été diffusé. Pour France 2, télé de service public, il n'y a jamais eu grève à Aluminium-Dunkerque.

Nous avons ainsi reçu de nombreuses plaintes des correspondants. Beaucoup ont fait part de leur ras-le-bol au sujet des nouvelles conditions de travail. Seulement, aucune protestation officielle contre la détérioration des conditions d'exercice de notre métier n'a été adressée à la direction de l'information. Il faut dire que les syndicats ont peu de poids auprès des journalistes de France 2, qui sont, dans l'ensemble, très individualistes.

Une intelligentsia précaire

I – La nouvelle prolétarisation

En toile de fond de notre étude, il y a le constat de la précarisation croissante du travail salarié, qui s'impose désormais dans pratiquement tous les secteurs d'activité. Les diverses manifestations de ce phénomène ne cessent, depuis longtemps déjà, de faire l'objet, dans leurs causes et dans leurs effets, d'analyses et de commentaires abondants et contradictoires, mais les médias d'information, à de rares exceptions près, pour des raisons politiques mais aussi et peut-être surtout sociologiques, comme nous avons essayé de le montrer dans le premier volet de notre enquête [1], ont privilégié le point de vue de l'économisme dominant et se sont employés à diffuser auprès de leurs publics respectifs les articles fondamentaux de la nouvelle vulgate économique (en fait aussi ancienne dans sa substance que le libéralisme) en vertu de laquelle il conviendrait de se résigner à remettre en question tous les « acquis » sociaux et toutes les dispositions du droit du travail favorables aux salariés afin de redonner au travail la « flexibilité » et la « mobilité » dont les entreprises ont besoin pour « retrouver la croissance », « créer de l'emploi », etc. Derrière les euphémismes du discours politique et la langue de bois technocratique, on entend derechef s'exprimer le vieux rêve tenace du monde patronal et sa nostalgie des temps décrits par Dickens et Zola, où la bourgeoisie entrepreneuriale pouvait disposer d'une main-d'œuvre exploitable sans limite, en toute légalité. Au nom des difficultés provoquées par la « mondialisation des échanges », on a fait accepter progressivement aux salariés, sous couleur d'adaptation moderniste et novatrice, une *mutation du travail* qui, par bien des aspects, équivaut à une régression vers des formes primitives, et même sauvages, du salariat. Pour le moment, les salariés français bénéficient encore d'un ensemble de protections et de garanties qui ont été pour l'essentiel imposées historiquement au législateur par la force des mouvements sociaux. On n'en est certes pas encore tout à fait au stade du « travailleur-kleenex », qu'on peut utiliser sans ménagement et jeter-après-usage ; mais en vertu de la logique de la « compétitivité », de la « rentabilité », et sous la pression d'une concurrence sans règle et sans frein, on s'en rapproche de plus en plus. C'est cette tendance lourde qui se manifeste dans l'augmentation constante de la précarité des emplois (emplois à temps partiel, contrats à durée déterminée, « petits boulots », auxiliaires, etc.) qui caractérise aujourd'hui le marché du travail.

Le journalisme n'a pas échappé à cette évolution. Mais à défaut de pouvoir, comme dans d'autres secteurs d'activité, délocaliser les entreprises de presse à l'étranger pour faire produire et diffuser de l'information-marchandise par un sous-prolétariat déqualifié et sans exigences [1], le patronat de presse – constitué d'ailleurs de plus en plus par des patrons de l'industrie et de la finance multinationales, essentiellement soucieux de maximiser le taux de profit

---

1. *Le Midi libre* introduisit une innovation dans ce domaine lorsque, en juillet 1997, pour faire échec à la grève des ouvriers du livre, il parvint à sortir une édition quotidienne du journal fabriquée à l'étranger ; toutefois cette délocalisation ne concernait que l'impression du journal, dont le contenu continuait à être rédigé en France par ses journalistes.

– a entrepris d'abaisser sur place le coût de production : d'une part en transformant toujours davantage les organes de presse en supports publicitaires ; d'autre part et conjointement en *prolétarisant* une partie croissante des journalistes qu'il utilise, en commençant bien sûr par les plus vulnérables, c'est-à-dire les plus jeunes. Ces derniers sont désormais pratiquement condamnés au contrat à durée déterminée (CDD) renouvelable – au-delà même des limites légales du renouvellement – qui, paradoxalement, loin de préluder à une embauche définitive, débouche à terme d'autant plus souvent sur le chômage que les entreprises de presse n'ont que l'embarras du choix devant l'afflux de candidats-journalistes qui se bousculent à leurs portes [I]. Elles disposent ainsi d'un gisement de main-d'œuvre beaucoup plus souple à gérer et plus docile, constitué de débutants diplômés (dont une proportion croissante de femmes), moins exigeants parce que trop heureux d'être embauchés, mal rémunérés, voire pas rémunérés du tout (comme les étudiants et les étudiantes en stage), dont il est possible d'user et abuser à volonté, en encourant le minimum de sanctions [II].

I. Radio France a été condamnée par le conseil des prud'hommes de Paris, le 30 juin 2006, pour avoir « licencié sans cause réelle et sérieuse » une journaliste qui avait déjà effectué, à la satisfaction générale, plus de cinquante CDD dans l'entreprise… [2]

II. Au-delà des journalistes eux-mêmes, cette précarisation systématique des salariés est devenue une méthode de gestion de l'ensemble des personnels techniques employés dans l'audiovisuel, où, en toute légalité, les chaînes de télé et les radios ont multiplié les « contrats d'usage » et les « contrats de grille » indéfiniment renouvelables au gré de l'employeur et « à la tête du client ». Comme l'écrit Lucie Riffieux : « L'audiovisuel est en avance d'une pratique sur les dirigeants patronaux de tous horizons qui aimeraient bien aujourd'hui lier l'emploi à une mission, sur le modèle des contrats de chantier dans le bâtiment. [3] »

Le terme de « prolétarisation » ne doit évidemment pas être entendu ici exactement au sens qu'il pouvait avoir au XIXe siècle, où il renvoyait essentiellement à l'entrée dans la condition de travailleur industriel, décrite par Marx comme étant celle de l'ouvrier transformé en « appendice de chair dans une machinerie d'acier » et soumis, sans possibilité de défense d'aucune sorte, à une exploitation féroce et meurtrière de la part d'un patronat tout-puissant et quasiment de droit divin. Celle-ci n'est plus possible aujourd'hui dans les sociétés occidentales, du moins avec les travailleurs nationaux, car pour ce qui est des immigrés, surtout s'ils sont en situation illégale (les travailleurs clandestins par exemple), leur situation n'est pas très différente de celle des prolétaires de naguère ou des serfs de jadis : ils sont absolument « corvéables à merci », à quoi on peut ajouter aujourd'hui « expulsables à discrétion ».

Plumer vive la volaille salariée avec son accord

Le concept de prolétarisation demeure toutefois pertinent pour autant qu'il exprime la tendance persistante, inscrite dans la logique même du libéralisme économique, qui conduit propriétaires et détenteurs des instruments de la production, matérielle et symbolique, à *réduire* la personne du travailleur à sa *seule* force de travail manuelle ou intellectuelle et à en pousser toujours plus loin l'*exploitation* (souvent au mépris de la législation existante) afin d'en maximiser dans le court terme la rentabilité économique (la production de plus-value). Pour y parvenir, les employeurs disposent de moyens variés, mais finalement, en dépit du raffinement des méthodes de management et de DRH (gestion du personnel) modernes qui visent fondamentalement à euphémiser les exactions patronales – c'est-à-dire plus trivialement à plumer vive la volaille salariée *avec son accord* –, toutes les variantes peuvent se ramener à la vieille formule éprouvée qui consiste à faire travailler les gens le plus possible (en accroissant la durée du travail et/ou en augmentant les cadences et/ou en diminuant le nombre de postes) tout en les rémunérant le moins possible (tant en matière de salaires directs que de prestations sociales), ce qui est grandement facilité par le taux élevé de chômage. Aux yeux des patrons du public et du privé, de « gauche » comme de « droite », on ne le sait que trop, l'existence de l'abondante armée de réserve des chômeurs a, entre autres conséquences positives, celle d'affaiblir les revendications des salariés et d'aiguiser leurs *divisions internes* pour les dresser les uns contre les autres – de surcroît, en les culpabilisant.

Classiquement, si l'on peut dire, la prolétarisation se manifeste simultanément : — sur le plan *matériel*, par un appauvrissement des agents concernés, une diminution sensible de leur pouvoir d'achat, un endettement croissant, une détérioration de leurs conditions de vie (toutes les consommations sont affectées) ; — sur le plan *social*, par une subordination étroite et passive au pouvoir de l'employeur ; — et sur le plan *psychologique et moral*, par le développement de toutes les formes de stress et d'aliénation qu'engendrent l'asphyxie financière, la perte de la liberté d'initiative et les atteintes répétées à l'identité et à la dignité de la personne. Mais la tendance à la prolétarisation du travail salarié a de nos jours ceci d'original qu'elle ne concerne plus seulement les travailleurs du secteur industriel traditionnellement recrutés dans les classes populaires mais aussi très largement des pans entiers du secteur tertiaire, dont les agents se recrutent surtout dans les différentes fractions des classes moyennes. La situation de ces salariés n'a cessé de se dégrader au fil des années, au point qu'on a vu se développer des catégories « prolétaroïdes » (y compris une intelligentsia d'exécution vouée aux tâches subalternes, non créatives, dans les métiers de la production symbolique comme ceux de l'information et de la communication) occupant des emplois particulièrement précaires, à durée déterminée (et plutôt courte), sans perspective d'avenir, peu considérés, mal rémunérés et avec le minimum de couverture sociale. On en trouve désormais de plus en plus dans le journalisme, sous l'appellation, entre autres, de « pigistes » (ce qui ne signifie pas que tous les pigistes sans exception soient logés à la même enseigne, nous y reviendrons un peu plus loin), auxquels il convient d'ajouter la masse croissante de journalistes en CDD qui partagent la même précarité.

En entreprenant cette enquête, notre propos était précisément d'observer comment les journalistes sont atteints par cette précarité, tant sur le plan du vécu personnel que sur celui des pratiques professionnelles. Comme le lecteur pourra en juger, les témoignages que nous avons recueillis apportent sur tous ces aspects une information d'une exceptionnelle richesse. L'ensemble de ces entretiens présente en effet une structure gigogne : le témoignage porté sur la condition de journaliste précaire enveloppe un témoignage sur les transformations actuelles du journalisme, qui enveloppe lui-même un témoignage sur l'évolution du travail intellectuel et du statut de l'intelligentsia dans un monde dominé par la logique marchande. Par la fenêtre du journalisme précaire on embrasse ainsi une large part du paysage journalistique qui ouvre à son tour sur le panorama économique et social. De sorte que, en parlant ici de journalisme et de journalistes, on parle en même temps d'une grande partie de ces catégories sociales que recouvre l'étiquette, trop limitative, d'« intellectuels », et qu'il conviendrait peut-être de désigner par l'appellation, moins chargée d'histoire, de « producteurs de biens symboliques », en ce sens que leurs activités ont pour fin d'élaborer et mettre en circulation des représentations de la réalité, en réponse à des demandes sociales d'information et de formation, à des besoins de sens et de valeur. Il ne fait aucun doute que, *mutatis mutandis*, plus d'un enseignant, ou d'un travailleur social, par exemple, pourrait reprendre à son compte bien des propos de nos interlocuteurs.

L'imposition d'un sens en conformité avec l'ordre régnant

Les mécanismes archaïques, arbitraires et brutaux qui perdurent derrière la façade démocratique de notre système social ont besoin, pour faire illusion et adhésion, d'un immense travail de mise en forme, en scène, en images, en phrases, afin de répondre et résister à la contagion démocratique qui depuis deux siècles n'a cessé de se répandre sur la planète au détriment des despotismes anciens. À défaut de pouvoir annuler la montée et la propagation d'aspirations démocratiques incompatibles avec la reproduction des rapports de domination séculairement établis, il importe pour les dominants d'endiguer ces aspirations, de dévoyer ces projets, de détourner ces revendications par des leurres, de les déplacer par des faux-semblants acceptables, en jouant savamment sur les apparences pour entretenir la croyance au respect de la volonté majoritaire censée s'exprimer par le suffrage universel. L'accès aux positions dominantes et l'exercice du pouvoir ont besoin, aujourd'hui plus que jamais, d'être légitimés par la délégation, l'adhésion et le consentement du grand nombre. Les seigneuries d'aujourd'hui relèvent du droit civil et non du droit divin ; et la raison du plus fort doit s'appuyer sur la force de la raison. D'où le colossal investissement des puissances publiques et privées dans le développement d'une production symbolique qui fait appel à une foule de compétences (de l'enseignement au journalisme, de la publicité à la psychologie appliquée, du travail social au sondage d'opinion, de la gestion du personnel au conseil conjugal, etc.) pour assurer la part toujours croissante de travail intellectuel (de tous les niveaux) indispensable au fonctionnement des rapports sociaux, et plus précisément à la transfiguration des rapports de force en rapports de sens. En principe, cette activité symbolique multiforme a pour fin ultime l'imposition d'une définition légitime du Bien, du Beau, du Juste, du Vrai, du Sain, du Normal ; bref, du « bon » sens des choses, c'est-à-dire finalement d'un sens en conformité avec l'ordre régnant. Il s'agit fondamentalement de *mettre à la raison* les exigences démocratiques ; en d'autres termes, de mettre à l'enseigne de la Raison universelle ce qui n'est qu'une rationalité (celle de la rentabilité économique en l'occurrence) parmi d'autres, et d'y subordonner toute autre rationalité (celle de la satisfaction des besoins collectifs par exemple). C'est à cet arraisonnement que devrait servir, au moins objectivement, l'activité des travailleurs intellectuels de toutes catégories [1]. Et c'est bien ce à quoi elle sert. Mais *en partie* seulement. Car en vertu de sa relative

---

[1]. Il importe de rappeler ici que la finalité des pratiques sociales n'est pas nécessairement posée dans tous les cas de façon intentionnelle et délibérée par des agents qui réfléchiraient expressément aux objectifs à atteindre et aux moyens les plus adéquats pour y parvenir. Il n'en reste pas moins que, même en l'absence d'intentions expresses et de calculs explicites, les pratiques des agents continuent à être gouvernées

autonomie, l'activité intellectuelle multiforme qui se développe socialement – que ce soit à l'initiative de puissances privées concurrentes ou sous l'égide d'un État lui-même contraint d'assurer les conditions d'un minimum de pluralisme démocratique –, en même temps qu'elle crée ou renforce le consensus le plus large et l'adhésion la plus massive, engendre du dissensus, alimente la contestation, attise l'hérésie, en opposant du sens au sens et des valeurs aux valeurs. On ne peut former, informer, conseiller, orienter les populations en réduisant à néant la liberté de conscience, les convictions et les intérêts propres des formateurs, informateurs, conseillers et autres encadreurs sociaux ; ni en supprimant radicalement toute possibilité pour les formés, informés, conseillés et autres dominés sociaux de s'approprier et d'utiliser les outils et ressources symboliques mis à leur disposition à des fins qui ne coïncident pas forcément avec celles des dominants commanditaires et dans une logique qui n'est pas exactement celle de la reproduction du système. Celle-ci ne peut se passer de la contribution des producteurs symboliques au maintien de l'ordre dans les têtes et les corps ; mais leur indispensable intervention ne peut manquer d'avoir *aussi* des effets « pervers », c'est-à-dire imprévus, non voulus et étrangers, voire opposés, à la sauvegarde des intérêts dominants. Cela est d'autant plus inévitable que l'affirmation officielle et répétée qu'« on est en démocratie » ne peut manquer d'avoir des effets *performatifs* sur la mobilisation des forces sociales, et que « tant crie-t-on Noël » qu'on finit au moins par entrer dans l'Avent. Il y a donc

---

par des logiques objectives qui les font tendre stratégiquement vers des fins que les agents eux-mêmes n'ont ni conçues lucidement ni voulues sciemment [4].

dans le travail intellectuel nécessaire à la reproduction sociale un danger permanent et irréductible de le voir « dévier » et alimenter, ne serait-ce qu'indirectement, la critique de ce qui est. La potentialité du retournement et de la « trahison » semble inscrite dans l'essence même de l'activité symbolique, qui consiste toujours, peu ou prou, à dire le non-dit, à expliciter l'implicite, à théoriser le pratique ; par là même à éclairer ce qui est dans l'ombre et à faire penser ce qui, pour bien fonctionner, a besoin de rester impensé. C'est la raison pour laquelle les puissances détentrices du pouvoir temporel se méfient toujours de ceux qui font métier de penser la réalité et d'en élaborer la représentation, même lorsque ces manipulateurs de symboles ont déjà fait la démonstration de leur conformisme et de leur allégeance au système. *A fortiori* s'il leur est arrivé de critiquer des aspects du système.

Cette suspicion, voire cette hostilité, des détenteurs du capital économique envers les détenteurs des différentes variétés du capital intellectuel n'est sans doute pas étrangère à la tendance traditionnelle à la dévalorisation du travail intellectuel dans les sociétés de classes, qui peut aujourd'hui se donner d'autant plus libre cours que la division du travail social dans notre société ne cesse de multiplier les catégories de producteurs de biens symboliques nécessaires à l'évolution et au fonctionnement des rapports sociaux. Le dernier demi-siècle a été marqué de ce point de vue par l'hypertrophie du secteur tertiaire et plus précisément par l'explosion des métiers de la formation, de la communication, de l'information, de la représentation, de l'orientation et du conseil, du travail socio-culturel, etc. La multiplication de ces catégories de « travailleurs du savoir » et l'inflation consécutive de leurs effectifs ont évidemment – avec, corollairement, la généralisation et l'allongement de la scolarité secondaire et la relative démocratisation de l'accès aux études supérieures – banalisé les compétences intellectuelles dans leur ensemble en les disséminant et donc contribué à leur dévalorisation relative sur le marché. Plusieurs années d'études après le bac sont aujourd'hui nécessaires pour prétendre à un emploi basique dans l'enseignement primaire ou dans le journalisme ; et on peut voir des individus bardés de grades et de titres prestigieux poser en vain leur candidature à de modestes postes universitaires ou se contenter de quelques vacations ponctuelles médiocrement rémunérées. Dans la logique du développement capitaliste, il était inévitable que l'offre de plus en plus abondante de force de travail intellectuelle donnât lieu à une exploitation comparable à celle de la force de travail manuelle. C'est ce qui s'est produit, avec des modalités spécifiques, et qui continue actuellement à se produire, avec même une accélération du processus. Notre enquête chez les journalistes précaires en constitue une éloquente illustration [1].

---

[1]. Il convient toutefois de souligner que c'est la profession tout entière qui est affectée, à des degrés variables selon le secteur d'activité, par la dégradation des conditions du travail journalistique. D'où la multiplication des conflits de toute sorte qui entretiennent dans la plupart des entreprises de presse un climat éprouvant de colère et de désenchantement, comme cela ressortait avec évidence des réponses au questionnaire que la Société des journalistes de France 2 avait diffusé en mars 1997 dans la rédaction de cette entreprise du secteur public (la synthèse de cette consultation fut présentée à l'assemblée générale de la rédaction le 24 mars par le bureau de la SDJ). On aura une idée du malaise régnant en lisant les réponses à la question n° 18 : « Y a-t-il un décalage entre les raisons pour lesquelles vous avez choisi ce métier et la réalité que vous vivez ? » – oui : 87 – non : 25 ; et à la question n° 19 : « Vous sentez-vous bien dans la rédaction ? » – oui : 49

II – La précarité journalistique

En 2005, 27 553 cartes de presse ont été attribuées à des journalistes mensualisés (titulaires et stagiaires) et 6 889 à des journalistes rémunérés à la pige (titulaires et stagiaires), soit 25 % des journalistes en activité [5]. À l'époque de la première publication de ce livre, la population globale des journalistes professionnels s'élevait à 29 153 personnes, parmi lesquelles on comptait 5 165 pigistes (17,7 %) contre 14,3 % en 1991 [6]. Ces chiffres semblent indiquer que *la tendance à la précarisation de l'emploi journalistique non seulement se confirme mais encore s'accélère d'année en année*, en particulier dans l'audiovisuel et dans la presse magazine. Certes, tous les journalistes indépendants (pigistes) ne se trouvent pas dans une situation précaire avec ce que cela peut comporter d'instabilité, d'insécurité, d'angoisse, de privations et de souffrance. Certains vivent confortablement et en toute quiétude de piges régulières, abondantes, bien rémunérées ; et quelques-uns ont même accédé au bien-être et à la notoriété de l'aristocratie journalistique. Tout donne à penser toutefois que, dans l'état actuel des choses, telle n'est pas la situation de la majeure partie des pigistes, où – il convient de le souligner – la proportion *des jeunes et des femmes* est beaucoup plus importante et s'accroît plus vite que dans les autres catégories de journalistes. Remarquons que les statistiques officielles sous-estiment inévitablement la proportion des pigistes puisque seuls les journalistes « encartés » sont comptabilisés et que, justement, de nombreux pigistes, surtout

---

– non : 78. Il est significatif que ces conflits internes s'enlisent plus souvent dans des querelles de satrapes et la défense de prés carrés qu'ils ne débouchent sur l'analyse objective du système qui les engendre.

parmi les débutants, ne remplissent pas encore, ou ne remplissent plus, les conditions d'obtention de la carte professionnelle. Si on y ajoute que, depuis plusieurs années, les entreprises de presse font un usage systématique des CDD (de courte durée le plus souvent) pour l'embauche des jeunes et qu'on ne peut pratiquement plus accéder à la profession que par cette voie, sans aucune garantie d'intégration ni de titularisation à terme, on ne peut que conclure à l'existence d'une précarité bien plus importante que les chiffres officiels ne l'indiquent. En tout cas l'évolution en cours est jugée suffisamment grave pour que les syndicats de journalistes s'en soient émus ; comme la CFDT, par exemple, qui a dénoncé depuis plusieurs années déjà cette « précarisation quasi galopante de la profession » dans un *Livre blanc du pigiste*, ou le Syndicat national des journalistes (SNJ), qui faisait état dans une édifiante enquête de 1993 de la « paupérisation hallucinante » des pigistes. Ces prises de position n'ont évidemment pas empêché le phénomène de s'accentuer, conformément à la tendance massive qui affecte aujourd'hui l'ensemble du marché de l'emploi. S'agissant du journalisme, sa précarisation accélérée est aussi à mettre en relation avec la mainmise sur l'ensemble des médias de presse de grands groupes industriels et financiers [voir encadré p. 268] et avec l'extension au secteur de l'information des méthodes de fabrication adoptées par les industries culturelles de masse. Pour assurer au coût le plus bas la production en grande série de leurs produits standardisés (y compris l'information) s'adressant au plus grand nombre, ces industries font appel à une élite managériale restreinte pour encadrer techniquement et idéologiquement une masse d'exécutants qui sont en quelque sorte les manœuvres et les OS du tertiaire, en ce sens qu'on leur demande d'être juste suffisamment qualifiés, instruits et cultivés pour faire un travail dépourvu de créativité, conformiste et totalement routinisé, qui consiste par exemple à bâcler en quelques heures un reportage pour un sujet qui ne doit pas dépasser 1'30" à l'antenne.

Concentration capitalistique de médias

Les groupes capitalistes internationaux se livrent à de telles batailles pour s'emparer des médias qu'il est pratiquement impossible de dresser un tableau durable de ce secteur en constante restructuration [7]. Tout au plus peut-on faire, à une date déterminée, une sorte d'instantané de l'état de la répartition des capitaux, en sachant que chaque jour voit s'opérer de nouvelles prises de participation ou de contrôle et se créer de nouvelles alliances [I].

Ainsi en 2006, les principaux médias français étaient la propriété de quelques grands groupes comme Bouygues (TF1, LCI, TPS), Lagardère (Europe 1, RFM, Skyrock, Fayard, Grasset, ainsi qu'Hachette, majoritaire dans *Télé 7 jours*, *Elle*, *Le Journal du dimanche*, *Paris-Match*, *Photo*, *Ici Paris*, etc.), Suez-Lyonnaise des Eaux (M6, Câble, TPS), Rothschild (*Libération*), LVMH (*La Tribune*, *Investir*, Radio classique), Dassault (*Le Figaro*, *L'Express*, *Le Figaro magazine*, *Valeurs actuelles*), Amaury (*Le Parisien*, *Aujourd'hui en France*, *L'Équipe*) [II].

On a assisté, en 1997, aux multiples épisodes et rebondissements de la bataille pour la prise de contrôle de Havas par la Générale des eaux. On comprend mieux les enjeux de cette prise de contrôle lorsqu'on sait que, parmi les filiales du

---

I. L'importance de ces grandes manœuvres est telle que des quotidiens comme *Le Monde* ou *Libération* y consacrent une page « Communication » permettant de suivre dans le détail les opérations.

II. Le lecteur qui souhaiterait disposer d'un tableau entièrement réactualisé de la prise de contrôle des médias par les grandes entreprises privées peut se reporter à la « Carte du PPA (parti de la presse et de l'argent) », publiée dans le premier numéro du *Plan B*, en mars 2006.

groupe Havas, on trouvait entre autres Canal +, CEP communications, groupe détenteur d'une multitude de titres de presse grand public, professionnelle et d'édition, dont *L'Express*, *Le Point*, *Courrier international*, groupe L'Expansion, groupe Moniteur, groupe Tests, groupe Usine Nouvelle, groupe France agricole, éditions Larousse, Bordas, Nathan, Dalloz, Le Robert, Laffont, 10/18, France loisirs, etc. On mesure aux propos du PDG de la Générale des eaux, Jean-Marie Messier, dans *Le Monde* du 8 février 1997, l'importance économique du secteur des médias et des loisirs audiovisuels : « J'avais sous-estimé la rapidité de la convergence entre les industries des télécoms et celles de la communication. Il y aura bientôt un seul point d'entrée dans la maison pour l'image, les multimédias, l'accès Internet et la voix. Cette évolution est déjà en route. Dans douze à dix-huit mois, elle sera une réalité commerciale. Cette accélération m'a amené à conclure qu'il faut être capable, pour conserver les marges, de maîtriser toute la chaîne : contenu, production, diffusion et liens avec l'abonné. » Même si Jean-Marie Messier a échoué dans cette ambition (le pôle édition de la Générale des eaux ayant été partagé entre Lagardère et Wendel Investissement), l'information était bien devenue un vulgaire produit commercial parmi d'autres. Depuis, le groupe Le Monde (*Le Monde*, *Télérama*, *Courrier international*, *La Vie*, *Le Midi libre*, *Centre presse*) a fait entrer Lagardère dans son capital et s'apprêtait à lancer un quotidien gratuit avec le groupe Bolloré à la fin 2006.

Comme on peut s'y attendre, la précarisation de l'activité journalistique entraîne de nombreuses conséquences, souvent négatives, tant sur le plan du travail professionnel que sur le plan de la vie personnelle. L'exploration que nous avons entreprise a abouti à un tableau assez sombre de la situation, et à bien des égards pire encore que ce qu'on pouvait en imaginer *a priori* à partir des informations précédemment connues. Pour exprimer son indignation et sa révolte contre les avanies liées à sa condition de journaliste précaire, Nedjma, l'un de nos témoins, s'écrie au cours de l'entretien : « Il faudrait mettre le statut de pigiste hors la loi », sans réaliser que l'une des causes profondes des maux dont elle se plaint, c'est précisément que les pigistes et autres précaires du journalisme se trouvent déjà, en fait sinon en droit, placés hors la loi par l'évolution de l'emploi dans les entreprises de presse.

Une zone de non-droit

En effet, le premier constat qui s'impose à l'observateur, c'est que la précarisation de l'emploi a engendré dans le champ journalistique une zone de *non-droit* caractérisée non pas tant par l'absence d'une législation appropriée que par l'indifférence, voire le mépris, des employeurs pour la législation existante et par *l'arbitraire patronal* dans l'application des textes [1]. Si les dispositions contenues dans le code du travail (la loi Cressard en particulier) et dans la convention collective des journalistes (pour ne pas parler des autres sources juridiques définissant le statut

---

I. Certains groupes de presse, gros employeurs de pigistes, adhérents du SPMI (Syndicat de la presse magazine et d'information), considérant sans doute que les pigistes sont encore trop protégés par la loi, avaient entrepris de mettre à l'étude un projet de statut des pigistes qui prévoyait d'imposer à ces derniers – à défaut de pouvoir « anéantir la présomption prévue par la loi » – une période « probatoire » initiale de 24 ou 30 mois au cours de laquelle ils n'auraient pas le statut de journalistes et « ne disposeraient d'aucun avantage », sans que pour autant ce purgatoire débouche sur une intégration assurée. Autant dire que ces patrons de presse veulent s'aménager un vivier de précaires dans lequel ils pourraient puiser, en toute légalité et à un coût minimal, des collaborateurs occasionnels envers lesquels l'entreprise n'aurait pratiquement aucun devoir [8].

des pigistes) étaient effectivement respectées, dans l'esprit comme dans la lettre, les pigistes constitueraient une catégorie de salariés comme les autres, bénéficiant de protections et de garanties formelles en échange de devoirs précis, au lieu qu'à l'heure actuelle leur condition s'apparente de plus en plus, dans les faits, à celle de ces petits artisans et ouvriers à domicile que la loi du marché, au siècle dernier, livrait sans défense au bon vouloir du patronat industriel. Les entreprises de presse ont les coudées d'autant plus franches dans l'exploitation de cette main-d'œuvre que celle-ci s'accroît d'année en année par l'arrivée de cohortes de jeunes gens et de jeunes filles, sortant pour la plupart des écoles de journalisme (avec un diplôme de niveau bac + 2 ou + 3 en moyenne), et qui non seulement sont sans expérience, sans exigence et sans protection statutaire, mais encore sont prêts le plus souvent à accepter pratiquement n'importe quelles conditions pour entrer dans la terre promise d'une profession dont ils cultivent une vision enchantée, quitte à en pâtir cruellement – comme nombre des journalistes avec lesquels nous nous sommes entretenus – quand ils découvrent, toujours trop tard, la réalité du métier et les conditions souvent lamentables dans lesquelles ils sont contraints de l'exercer, quand on veut bien les employer. En effet, tout les prédispose à constituer une armée de supplétifs et d'auxiliaires (un de nos témoins, Solange, les appelle avec colère « des mercenaires ») qu'on peut faire travailler au rabais et dont on peut rapidement se débarrasser :

— d'abord l'*ignorance* de leurs droits, où ils se trouvent pour la plupart, au moins au début, et qui les empêche de concevoir la possibilité de contester et revendiquer ;

— ensuite l'atomisation de leurs effectifs et leur extrême *isolement* individuel (du fait de leur non-intégration à des rédactions) qui les empêchent de concevoir la possibilité de s'organiser collectivement ;

— enfin la *crainte*, exacerbée par la raréfaction de l'embauche, de se faire repérer comme des trublions et de se voir préférer des concurrents plus dociles.

Bien que dans leur quasi-totalité nos interlocuteurs aient reconnu avoir, ou avoir eu, un litige sérieux avec l'un de leurs employeurs, très rares sont ceux qui sont allés, comme a fait Jean-Louis (quadragénaire qui conserve encore un peu de la combativité « gauchiste » de ses jeunes années), jusqu'à porter le contentieux devant le tribunal des prud'hommes. Les autres, tour à tour révoltés et résignés, adoptent le plus souvent, comme Florence, une démarche prudente, qui consiste à « se manifester sans importuner [l'employeur] », parce que, « même si tu es dans ton bon droit, c'est pas bon pour l'image ». Comme dit Julien : « Un pigiste, c'est forcément gentil… [Il ne peut] se fâcher avec personne. » Faire respecter des droits fondamentaux, inscrits dans les textes, comme celui d'être payé pour le travail fourni, ou de recevoir des indemnités en cas de licenciement, exige souvent une lutte interminable et épuisante – comme le rapporte Nedjma, qui a récupéré 1 500 francs [230 euros] « au bout de huit mois [et] après une énième lettre recommandée »…. Il arrive même que certains, n'ayant pas la combativité de Solange ni l'aptitude d'Hélène à « gueuler », d'avance convaincus de leur impuissance et accablés par la bataille à mener pour obtenir satisfaction, renoncent à faire valoir leurs droits ou à demander réparation.

L'auto-exploitation

Assurés de ne pas rencontrer de véritable résistance, sinon sporadique et sans suite, les patrons de presse et leurs hommes (ou femmes) liges de l'encadrement imposent des conditions d'embauche, de travail et de rémunération qui autorisent à parler d'une véritable prolétarisation de cette fraction de l'intelligentsia journalistique dont les membres, interchangeables et remplaçables à volonté, sont réduits à leur seule force de travail intellectuelle (et physique), qu'ils sont contraints de vendre à des tarifs toujours moins élevés, sans même disposer d'un droit de regard sur l'utilisation qui est faite des produits qu'elle crée (articles, reportages, émissions, etc.).

Le journalisme précaire offre en l'occurrence une illustration remarquable d'un phénomène qui caractérise, non pas exclusivement mais beaucoup plus massivement, semble-t-il, la prolétarisation des travailleurs intellectuels que celle des manuels : l'existence d'une forme d'*auto-exploitation*, par laquelle le salarié consent spontanément, voire joyeusement, dans l'accomplissement de sa tâche, des investissements (en temps, énergie, argent) qui vont bien au-delà de ce qui est explicitement requis de lui en vertu de la définition officielle de la tâche assignée. À la différence du travail manuel salarié, qui fait peu appel aux capacités de conception de ceux qui l'exercent (ouvriers d'industrie, ouvriers agricoles, femmes de ménage, etc.) et qui est plus souvent ressenti comme épuisant, rebutant, impersonnel et aliénant, le travail de production symbolique, qui par nature sollicite davantage la réflexion et l'imagination des agents, est assez généralement vécu comme un accomplissement personnel promouvant, épanouissant, dans une pratique souvent passionnante et quasi ludique, pour l'exercice de laquelle il paraît légitime d'accepter des « sacrifices ». Sacrifices qui, à la limite, ne sont même pas ressentis comme tels mais plutôt comme l'expression d'une ardente obligation de contribuer de son mieux à une grande entreprise ou une noble mission, et comme le prix normal à payer pour la fierté du « travail bien fait », la satisfaction du devoir accompli et la nécessaire estime de soi. Cette disposition au « désintéressement » se construit tout au long de la trajectoire qui conduit à une position dans le champ de production des biens symboliques. Elle caractérise, à des degrés variables selon les secteurs d'activité et les modalités de la formation (initiale puis professionnelle), les différentes variantes de l'habitus intellectuel. Au regard de celui-ci, la tâche à accomplir (l'activité de production symbolique) cesse d'être une tâche imposée, extérieure et contraignante, pour devenir un engagement personnellement assumé, un choix libre et gratifiant et une manifestation de « créativité ». Cette aptitude, socialement acquise et entretenue, à transfigurer la nécessité objective en vertu distinctive, est la clé de la compréhension de tous ces phénomènes de dévotion passionnée à leur travail qu'on peut observer communément chez un très grand nombre de travailleurs intellectuels, comme par exemple la tendance bien connue des cadres à « en rajouter » dans le service de leur entreprise, en lui consacrant toujours plus d'énergie et de temps et en fournissant un surinvestissement sans contre-partie immédiate le plus souvent. Même s'il est constant que la réussite d'une carrière professionnelle dépend largement en définitive de cette capacité à s'auto-exploiter, c'est-à-dire à produire de son plein gré un surcroît de plus-value au bénéfice de l'employeur, ce serait un contresens de prêter par principe aux employés des calculs explicites de profit personnel et une mentalité « arriviste ». Très souvent ils sont mus, indépendamment de toute préoccupation carriériste immédiate, par leur propre « conscience professionnelle », c'est-à-dire en fait par les dispositions profondes de leur habitus beaucoup plus que par des intentions réfléchies comme pourrait le faire croire le terme « conscience » [9]. Entre autres dispositions de l'habitus construit par et pour le champ de production symbolique, il y a cette propension à la dénégation de l'intérêt matériel égoïste, qui caractérise la plupart de ceux qui voient leur travail comme une mission, un apostolat, ou un art, engageant toutes les ressources de leur être et où il est légitime de faire son possible pour exceller. Bien évidemment, le patronat a tout intérêt à cultiver – même s'il ne l'a pas inventée et s'il la partage avec les salariés – cette tendance à se laisser prendre au jeu et cette idéologie de l'immersion totale du travailleur dans le métier, de l'identification de la personne au personnage professionnel, par laquelle l'entreprise publique ou privée, nouveau Moloch dévorant ses propres fidèles, a fini par s'ériger en fin suprême, voire exclusive, de l'existence de ses employés, et par obtenir qu'ils lui donnent d'eux-mêmes plus qu'elle ne leur demande expressément. Il faut incontestablement ranger au nombre des conditions permissives fondamentales de l'exploitation capitaliste du travail salarié ce phénomène d'auto-exploitation et d'auto-manipulation qui, sans être un effet spécifique du mode de production capitaliste, lui apporte néanmoins une contribution décisive [1].

---

1. Les analystes de l'évolution des entreprises ont observé une tendance de plus en plus marquée chez les cadres actuels à refuser les horaires sans limites – selon l'INSEE, la moyenne était de 45 heures par semaine en 1997. Ce refus croissant étant probablement une façon de s'insurger contre la banalisation, la dévalorisation et le désenchantement du statut et de la fonction de cadre engendrés par l'évolution des rapports économiques « mondialisés ».

ALAIN ACCARDO

S'agissant de l'acquisition de l'habitus journalistique, l'intériorisation du *principe d'oblation* personnelle au profit de l'entreprise est d'autant mieux assurée que les membres de la profession, outre qu'ils se recrutent majoritairement dans des milieux sociaux déjà largement imprégnés de cette idéologie du métier comme épanouissement de la créativité personnelle (nouvelle petite bourgeoisie en ascension), sont soumis dans les écoles de journalisme à un apprentissage dominé par la croyance élitiste, définitive et indiscutée, que « le journalisme n'est pas un métier comme les autres » et que ceux qui l'exercent n'ont rien en commun avec de vulgaires salariés et autres « fonctionnaires » réputés pointilleux sur le respect des horaires, enclins à l'absentéisme et toujours prompts à réclamer leur dû. Comme tous les agents du champ de production symbolique, les journalistes sont portés par une forme de *philotimia*, une soif de gloire et d'honneurs et un désir de reconnaissance, à rechercher plutôt le capital symbolique que le capital économique et même à sacrifier s'il le faut celui-ci à celui-là – comme le fait Viviane, qui accepte de vendre au rabais les photos exclusives d'un « scoop » de crainte de paraître « attachée à l'argent ». Si, de son côté, Edmond n'a pris qu'une semaine de congé en quatre ans, c'était bien sûr pour s'assurer un niveau de rémunération qui lui « permette de vivre honnêtement » et parce que, quand « on est pigiste, on ne refuse pas le travail » ; mais c'est au moins autant parce qu'il est « toujours aussi passionné par son travail » : « Quand je fais quelque chose, je le fais à fond. » Cette disponibilité incessante ne lui a pourtant pas valu de la part de son entreprise beaucoup plus de reconnaissance que Jean-Louis n'en a reçu de la sienne, où « on travaillait plus aux alentours de 50 heures que de 39 heures ». Les réticences de Jean-Louis devant ces normes de travail non écrites, pourtant acceptées sans broncher par ses collègues, ne sont sans doute pas étrangères à l'élimination finale de celui qui faisait figure de « déviant » incapable de s'intégrer à l'entreprise.

Le gagne-pain

Plus que tout autre en effet, le journaliste précaire doit faire sienne cette idéologie professionnelle en vertu de laquelle il « ne doit pas compter son temps », alors même que son temps au sein de l'entreprise est déjà compté. Il doit témoigner de son « désintéressement » en acceptant dans bien des cas de faire l'avance de ses frais de déplacement et de séjour en reportage sans être sûr d'en obtenir le remboursement ultérieur, et en attendant avec patience, pendant plusieurs mois, le paiement de son travail, qui peut ne pas lui être réglé intégralement, sous prétexte par exemple que l'article fourni n'a pas été publié. (Qu'on imagine, pour mesurer l'énormité de cet abus, que le client d'une boucherie refuse de régler le gigot qu'on lui a livré, sous prétexte que, l'ayant mis dans son congélateur, il ne l'a pas encore consommé !) Aussi bien l'entreprise de presse ne connaît-elle que le produit fini et se refuse-t-elle à prendre en compte le temps de travail de préparation (recherche d'informateurs, repérages, documentation, etc.) et tous les frais afférents, parfois très importants, que le pigiste doit assumer seul. Ces sacrifices consentis – ces « générosités nécessaires », comme aurait dit Duby ; cette « gentillesse obligatoire », comme dit Julien –, qui font partie des stratégies d'intégration de tous les agents en situation précaire, contraints de compenser en « payant de leur personne » (et de leurs deniers) la modestie de leur capital spécifique initial, ne leur attirent pourtant guère en retour de reconnaissance dans l'entreprise. Sauf dans le cas très particulier des pigistes « permanents », intégrés à une rédaction, les journalistes précaires ont le sentiment de ne pas appartenir véritablement à une communauté de travail : soit que, étant pigistes par choix et jaloux de leur indépendance, ils perçoivent l'entreprise avec les règles et les contraintes bureaucratiques de son fonctionnement collectif comme un lieu d'aliénation, où ils se bornent à passer de temps à autre pour négocier leurs « piges » ; soit que, étant embauchés en CDD, pour une durée générale-ment courte, ils ne se sentent guère enclins à s'investir dans les tâches parcellaires, routinières et peu gratifiantes qui leur sont trop souvent réservées. On conçoit que ces atteintes constantes aux intérêts matériels et moraux des précaires ne soient pas la meilleure incitation à l'accom-plissement de leur travail, d'autant que celui-ci s'inter-rompt souvent au moment où « ça commençait à devenir intéressant », comme le déplore Bernard. Le défaut de continuité dans la mission ou de stabilité dans le poste est difficilement compatible avec un investissement profond et durable. La tâche assignée tend à se réduire à un gagne-pain – ainsi, selon Bernard : « Arriver pour travailler une semaine à France 3, c'est évident qu'on ne fait pas du jour-nalisme. Qu'est-ce qu'on fait ? On vient seulement pour croûter. » Il n'est pas surprenant dans ces conditions que la tentation de réduire l'investissement l'emporte parfois sur la volonté de bien faire. Le pigiste en particulier – pris entre, d'une part, la nécessité d'être éclectique pour pouvoir accepter toute commande et d'aller vite pour s'as-surer un volume suffisant de piges, et, d'autre part, l'im-possibilité d'acquérir une compétence encyclopédique – est poussé à se livrer à une sorte de « pillage » du travail déjà effectué par ses confrères spécialisés. Rien ne faisant obligation à un journaliste de signaler les emprunts qu'il peut faire aux autres (en dehors d'une appréciation personnelle et fluctuante de la « déontologie »), le journaliste soucieux de réaliser son enquête dans les meilleurs délais se retrouve dans la situation décrite par Florence – « T'es bien obligée de picorer à droite et à gauche pour trouver des sujets, faire tes dossiers » –, qui donne à certains comme un sentiment de « parasitisme » professionnel – ainsi, selon Pascal : « Le journalisme aujourd'hui, c'est dans 90 % des cas du recopiage. » Même si cette dernière appréciation comporte une évidente exagération, elle n'en trouve pas moins un certain fondement dans la généralisation, au sein des rédactions, de pratiques comme celles qui consistent à aller puiser la substance d'un article dans le flot incessant des dépêches de l'AFP ou bien dans les dossiers fournis aux journalistes par les attachés de presse et chargés de communication des entreprises et institutions diverses, toujours disposés – et pour cause – à éviter au journaliste pressé de perdre un temps précieux en de « fastidieuses » recherches d'informations, c'est-à-dire en définitive à lui éviter de faire son métier. Comment s'étonner d'ailleurs du laxisme que la situation de précarité peut provoquer dans le travail de certains, quand on observe couramment aujourd'hui des rédacteurs en chef de stations de FR3 ou de grands quotidiens régionaux qui – sans être quant à eux sous l'empire de la nécessité – se contentent de puiser dans le calendrier institutionnel local, ou dans les dossiers de presse préformatés, pour dresser le planning des reportages du jour au cours d'un simulacre de conférence de rédaction (lorsque celle-ci a lieu et que les pigistes y sont invités, ce qui est bien loin d'être toujours le cas) ?

Un milieu peu solidaire

Au demeurant, même en apportant tout son soin à la réalisation de son travail, le pigiste n'est jamais assuré que le produit en sera bien apprécié par son commanditaire. Il est extrêmement courant qu'un rédacteur en chef ou qu'un confrère titulaire en charge du secteur concerné demande au pigiste de modifier son sujet d'une façon ou d'une autre, voire de le refaire entièrement, sans prendre la peine de justifier cette exigence. Il arrive même que l'article, une fois accepté, soit soumis à des coupes, restructuré ou carrément réécrit sans que son auteur soit consulté. « Quand tu es pigiste, tu es confronté à la réécriture et aux coupes », raconte Viviane. Encore heureux quand l'article remis n'a pas été égaré, comme cela arrive à Marianne, qui rapporte : « Oh, excuse-moi, je ne t'ai pas rappelée… j'ai perdu ton papier. » On ne saurait signifier plus clairement à un pigiste à quel point son travail est de peu de prix et sa personne de peu d'importance.

À quelques exceptions près, le sentiment prédomine chez nos interlocuteurs qu'il ne faut pas s'attendre à beaucoup de sympathie ni de soutien de la part des collègues intégrés. Marianne va même jusqu'à dire : « Les rédactions, ça m'effraie… j'imagine que c'est un monde de tueurs. » Il est vrai que les combats singuliers, les règlements de comptes et les luttes claniques qui s'y succèdent continuellement ont de quoi déconcerter, pour le moins, les nouveaux venus. Quant aux chefs, petits ou grands, nos interlocuteurs sont pratiquement unanimes à en dénoncer le caporalisme, la désinvolture et l'arbitraire – « Il y a beaucoup de petits chefs qui ne savent pas grand-chose mais qui ont beaucoup d'autorité et qui savent en jouer. Ils terrifient les gens qui arrivent de l'extérieur », témoigne Pascal. Plus largement, ces précaires déplorent de ne

trouver auprès des responsables aucun soutien pédagogique véritable, aucun souci de formation, et d'être traités comme des utilités à qui on impose de « faire des trucs
connement », comme dit Roland, qui exprime avec indignation – « Je ne suis pas un deuxième classe, je ne suis
pas à l'armée ! » – l'impression de beaucoup d'entre eux
de ne pas être considérés comme des journalistes à part
entière et même d'être traités comme une espèce de non-
personnes, à qui on dénie leur identité et leur dignité.

Il y aurait assurément quelque injustice à prêter uni-
formément aux cadres des rédactions, ou à tous les journalistes intégrés, une attitude de mépris envers leurs
collègues précaires. Certains de nos interlocuteurs en portent témoignage : il leur est arrivé, au cours de leur passage dans telle ou telle rédaction, d'être l'objet d'égards,
d'attentions, d'un soutien amical – comme Clément, par
exemple, se plaît à le souligner. Mais on ne peut vraiment
pas dire que ce soit là le cas le plus fréquent. Le plus généralement, on constate dans les rédactions, chez le plus
grand nombre, une forme d'indifférence au sort des précaires, dont la situation se banalise en se multipliant et
qui font désormais partie du paysage, à l'intérieur de l'entreprise comme à l'extérieur. L'existence des OS du travail intellectuel, après ceux du travail industriel, ne choque
ni n'indigne plus. Elle est entrée dans l'ordre des choses [1].

---

1. Il nous paraît significatif à cet égard qu'au cours de la grève ex-
ceptionnellement importante, tant par sa durée que par le nombre et
la diversité des personnels mobilisés, qui a affecté, sur un plan national, l'ensemble des stations de France 3 en décembre 1997, les représentants des salariés n'aient pas placé parmi leurs principaux objectifs
la lutte contre la précarité ni la défense des précaires, tout en affir-
mant se préoccuper plus du « devenir de l'entreprise » et de son « identité » que des salaires.

Pour bien des raisons liées à ses origines sociales, son héritage culturel, sa socialisation intellectuelle et morale, la population journalistique est l'une de celles qui sont le mieux disposées à appréhender les évolutions sociales comme des processus déterminés par des lois naturelles, à la façon des phénomènes climatiques, ou obéissant à des desseins aussi providentiels qu'insondables. D'où une sorte d'acceptation fataliste de ce qu'en tout état de cause on a le sentiment de ne pouvoir empêcher. Dans ce climat de résignation et de non-résistance où chacun pense d'abord à sauvegarder sa mise et à tirer sa petite épingle d'un jeu largement biaisé, le pire finit par s'admettre, on s'habitue à l'intolérable et, au grand dam des faibles, des obscurs, des sans-grade, donc des précaires, tous ceux qui occupent une position de pouvoir donnent libre cours à leur *libido dominandi*. Alors le moindre rédacteur en chef, parfois hissé à ce poste en reconnaissance de ses services plus que de ses talents, se croit en droit de décider, souverainement et en toute subjectivité, du sort de certains de ses subordonnés, comme celui qui congédie brutalement l'amie de Marianne en lui disant : « Maintenant, c'est fini, tu ne nous conviens pas, t'es peut-être bonne ailleurs, mais t'es pas bonne ici. » Ce qui fait conclure à Marianne : « Un mec arrive, il décide qui est bon, qui est mauvais journaliste… Quand tu es pigiste, tu es la première victime de ce règne de l'arbitraire. » La devise des monarques absolus, « Car tel est notre bon plaisir », est apparemment restée celle des roitelets de l'encadrement journalistique.

Il ne semble pas que les journalistes précaires puissent attendre davantage de soutien de la part de leurs confrères en infortune. À cause même de leur précarité, ils ont tendance à se regarder les uns les autres comme des concurrents, voire comme des ennemis, toujours prêts à « piquer la place de l'autre » (Julien) plutôt qu'à se sentir solidaires et à unir leurs forces. Il est vrai que tout regroupement se heurte à l'obstacle – objectif et difficilement surmontable dans la pratique – de l'extrême dispersion et de la grande mobilité de cette catégorie de journalistes.

La démoralisation

Une des conséquences les plus graves de la précarité, sur le plan de la pratique professionnelle, est assurément le processus de *déresponsabilisation* des individus, qui conduit de jeunes journalistes à relativiser toujours davantage les valeurs de la morale (ou de la déontologie) professionnelle. Quand l'exercice du métier tend à se réduire à des tâches subalternes et déconsidérées (de « sherpa », de « manœuvre », de « pousseur de wagonnets », de « soutier » de l'information), accomplies dans l'urgence, à des fins alimentaires, il n'est pas surprenant que les exigences fondamentales de rigueur, sans lesquelles il n'y a plus de journalisme crédible, s'atténuent considérablement. D'autant plus que l'exemple et l'incitation, on l'a dit, viennent très souvent de haut (y compris sous forme d'instructions et de consignes de travail), du fait de la surdétermination généralisée des pratiques journalistiques par la logique de la concurrence commerciale et de l'adhésion de la plupart des cadres (surtout dans l'audiovisuel) à cette logique qui commande de fabriquer, en série et au moindre coût, de modernes contes de fées, parfaitement calibrés et stéréotypés, où, pour faire rêver Margot à coup sûr, l'héroïne doit impérativement s'appeler par exemple Schéhérazade et se dorer au soleil de Saint-Tropez – comme nous le rapporte Marianne, qui s'est vu refuser un reportage par sa rédactrice en chef parce qu'elle y parlait d'une Schéazade et d'une ville de la mer Noire qu'elle comparait à Nice, ce qui, on en conviendra, n'est déjà pas si prosaïque, mais qui n'est manifestement pas assez « *people* » ni assez « *glamour* » aux yeux des marchands d'évasion.

Dans la dérive commerciale de l'information vers le spectacle, du compte rendu des faits vers la mise en scène des événements, de la réflexion vers l'émotion, les journalistes précaires ne sont pas les mieux armés pour aller à contre-courant. La nécessité vitale de faire accepter leurs articles leur impose de suivre le mouvement, quand ils ne le précèdent pas. Ainsi Florence est-elle amenée à nous raconter comment elle a « bidonné » une information pour mieux « vendre » son sujet : « Il leur fallait un truc le plus sensationnel possible, et ils étaient absolument ravis de mon histoire… C'est pas tellement bidonner, mais un peu embellir les choses… ton sujet, il faut qu'il soit vendeur, sinon ils vont te dire "Non, ça ne nous intéresse pas", et tu vas dépenser de l'énergie pour rien. » Comme pour apaiser un scrupule persistant et prévenir l'éventuelle sévérité d'un jugement extérieur, elle ajoute, transformant le plaidoyer *pro domo* en une sorte de commentaire épistémologique du discours journalistique : « Dans l'ensemble de notre métier, on prend un point de vue, donc on schématise et donc on ne rend jamais toute la profondeur, toute la complexité des choses. Donc, quelque part, on bidonne aussi, ou alors on embellit, on monte en épingle un truc insignifiant. […] Ça dépasse le contexte du pigiste qui est obligé de proposer le sujet qui va accrocher. » En formulant de telles explications, qui se veulent rassurantes pour elle-même et pour ses interlocuteurs, Florence ne mesure pas à quel point son propos est au contraire inquiétant. En effet, ce qui justifie qu'on parle de *démoralisation* des pratiques, c'est non pas la transgression, à un moment donné, de la règle (l'éthique n'aurait jamais rien à dire sans les défaillances de l'ethos), c'est plutôt le fait de chercher à ériger en principe universel la maxime même de la « mauvaise » action, en rationalisant et théorisant celle-ci comme fait Florence, sans doute pour se redonner bonne conscience. La même démarche, qui consiste à établir un distinguo subtil entre « travestir » et « orner » la réalité des faits, se retrouve chez plusieurs de nos témoins, comme chez Pascal, dont la théorie du « bidonnage » généralisé prend une coloration un peu plus cynique : « [L'information est toujours et partout] bidonnée de façon presque inconsciente et par paresse. Puisqu'on ne va pas là où ça résiste, c'est déjà du bidonnage. Alors, que se rajoute à ça un petit bidonnage d'un pauvre petit pigiste qui inventerait tel ou tel propos de telle ou telle personne, c'est une goutte d'eau… » Bien que cela ne puisse en rien constituer une excuse absolutoire, le point de vue de Pascal, comme celui de Florence, souligne à juste raison que les injures à la déontologie de l'information ne sont pas le fait des seuls journalistes précaires mais qu'au contraire ce processus de délitement de la conscience morale professionnelle tend à affecter désormais l'ensemble des secteurs de la pratique journalistique, et plus spécialement l'information télévisée et cette presse magazine qui impose à ses rédacteurs de n'écrire, au besoin en les inventant, que de « belles histoires » qui « finissent bien » – comme Solange en a fait l'expérience.

La prolétarisation entraînée par la précarisation de l'emploi ne se traduit évidemment pas seulement par la dégradation des conditions de travail mais aussi par celle des conditions d'existence personnelle. La précarité transforme sa victime en « nouveau pauvre », en « quémandeur de travail » – en « mendiant », dit Pascal –, littéralement obsédé par la nécessité de trouver rapidement une nouvelle pige ou un nouveau contrat, car le délai qui s'écoule entre deux commandes ou deux embauches, et qui n'est qu'une forme de chômage parmi d'autres, peut rapidement prendre un tour catastrophique, surtout pour ceux qui ont charge de famille. Nécessité faisant loi, le journaliste précaire se voit contraint d'accepter ce qu'on veut bien lui offrir, et, comme toujours quand le problème essentiel devient celui de la survie, la question morale tend à passer au second plan ; comme dit Julien : « Tu sais que tu fais ça parce que c'est alimentaire. Tu en as besoin pour vivre. Quand tu n'as plus d'Assedic, tu ne te poses plus de question. » La contrainte économique est d'autant plus accablante qu'elle ne reste pas sans effet sur les relations personnelles avec l'entourage et en particulier à l'intérieur de la cellule familiale, dont elle peut arriver à compromettre, avec les conditions matérielles d'existence, l'équilibre affectif et la cohésion des membres. La précarité peut ainsi engendrer dans les ménages des situations qui, même passagères et même si elles n'évoluent pas nécessairement vers le pire, sont extrêmement difficiles à vivre et profondément traumatisantes, comme celle décrite par Clément : « On était mal, on était super mal, c'était terrible, terrible, c'était dramatique, tu vois. »

Pour éviter de telles extrémités et tenir le plus longtemps possible en attendant l'embellie, il faudrait pouvoir épargner et constituer des réserves suffisantes. Malheureusement, le niveau des rémunérations est rarement tel qu'il puisse le permettre. Les rémunérations étant de surcroît de plus en plus souvent versées en droits d'auteurs et en honoraires – qui ont le substantiel avantage pour l'employeur de réduire à 1 %, voire à zéro (dans le cas des honoraires), la part des cotisations patronales, mais le grave inconvénient pour le pigiste de lui faire perdre le statut de salarié avec les garanties et prestations qui en découlent (droit aux Assedic, aux indemnités de licenciement, congés payés, treizième mois, points pour le calcul des retraites, etc.) –, dès que l'ouvrage fait défaut et que les maigres économies éventuelles sont épuisées, les journalistes précaires se retrouvent sans ressources, obligés de négocier une coûteuse autorisation de découvert avec des organismes bancaires que la méfiance et la crainte de l'insolvabilité rendent extrêmement réticents. En effet, le plus souvent, les bureaucraties publiques et privées ont beaucoup de mal à situer le pigiste dans l'univers socioprofessionnel : employé multiple et intermittent de plusieurs entreprises à la fois, traité ici comme un salarié, là comme un travailleur indépendant ou un « libéral », voire comme un « fournisseur », son statut à géométrie variable est difficile à appréhender au moyen des catégories usuelles. D'où des démêlés fréquents, dont on ne sait s'il faut les qualifier d'ubuesques ou de kafkaïens, avec les différents services administratifs, chicanes absurdes qui ne peuvent que renforcer le sentiment de ne pas être reconnu, de se voir dénier son identité et d'appartenir à un « no man's land » social – selon le mot de Julien. Ce flou statutaire, qui n'est pas de nature à crédibiliser le pigiste aux yeux de ses interlocuteurs, nourrit craintes et suspicion non seulement chez le banquier mais aussi bien chez le propriétaire immobilier ou le vendeur d'automobiles. Pour louer un appartement par exemple, Julien, père de famille de trente et un ans, a dû se faire cautionner par sa mère, ce qui ne laisse pas de l'humilier profondément : « C'est vrai que, quand tu as trente et un ans, tu te dis ça y est, j'ai coupé le cordon, je vais pouvoir me débrouiller tout seul dans la vie… Et là, pas vraiment, parce que tu es précaire. »

III – Une intense souffrance sociale

L'humiliation de Julien n'en est qu'une parmi beaucoup d'autres, qu'il faut endurer quotidiennement quand on est en situation précaire. Toutes ces blessures, ces atteintes grandes ou petites à la dignité de l'individu et à l'image de soi, font aussi partie du processus de prolétarisation qui ne se réduit évidemment pas au seul phénomène de la paupérisation matérielle avec son cortège de privations et d'angoisses mais qui s'accompagne aussi de cette forme de souffrance inhérente à ce qu'il est convenu d'appeler la *misère de position*, qui est – comme l'a montré Bourdieu en introduisant ce concept dans l'analyse des effets de la domination sociale [10] – celle des agents occupant des positions dominées à l'intérieur d'un espace social considéré globalement comme prestigieux parce que relativement proche du pôle de la domination dans la structure des classes sociales (ce qui est le cas du champ journalistique).

Certes, la paupérisation qui affecte les conditions matérielles d'existence des journalistes précaires entraîne que beaucoup d'entre eux sont en train de faire connaissance avec la *misère de condition* qui est traditionnellement celle des agents plus ou moins gravement dépourvus de capital économique appartenant aux fractions les plus démunies des classes populaires (les « pauvres » de toute appellation). Sans doute est-il difficile pour beaucoup de gens d'imaginer qu'à l'heure actuelle un journaliste de trente-cinq ans, père de trois jeunes enfants, dont le dernier contrat à France 3 remonte à plusieurs mois, soit obligé d'allonger son « ardoise chez l'épicier » pour mettre quelque chose « dans le frigo vide ». Pourtant, il ne s'agit pas là d'un cas exceptionnel et nous pourrions facilement

– en nous gardant de tout misérabilisme – allonger la liste des situations qui risquent à tout moment de tourner au drame. Il est évident que l'expérience douloureuse de la nécessité économique ne saurait contribuer à rendre ceux qui la subissent heureux et fiers de leur sort. Néanmoins, la misère de position n'est pas, on le sait, directement liée dans son essence à la dépossession économique. Elle prend fondamentalement racine dans un déficit relatif de capital symbolique lié à l'occupation d'une position modeste, subalterne et obscure, dans un espace socialement dominant dont les positions supérieures rapportent à leurs occupants de substantiels profits de légitimité et de distinction. D'une façon générale, la position de journaliste précaire dans le champ journalistique expose son occupant à vivre plus ou moins douloureusement une expérience perturbante de dévalorisation sociale, une atteinte stigmatisante à l'estime de soi, d'autant plus vivement ressentie que la position de journaliste est socialement perçue, à travers ses occupants les plus en vue, les « vedettes », comme une position éminente et gratifiante. En l'occurrence, le journaliste précaire peut devenir plus sensible à la distance qui sépare sa position des positions supérieures du champ qu'à son appartenance même au champ ; et il tend à éprouver subjectivement comme une privation absolue de capital symbolique ce qui n'est objectivement qu'un moindre degré de prestige. Au lieu de se féliciter d'être ce qu'il est (reconnu comme un journaliste), il est malheureux de *n'*être *que* ce qu'il est (un journaliste peu reconnu). Et si, de surcroît, il est plongé dans la gêne matérielle et pécuniaire, il est doublement malheureux. Ce que semble traduire à sa façon la plainte discrète de Marianne : « J'ai pas de titre fixe, j'ai pas de paie fixe, je suis une SDF de la profession. »

Pourtant – et c'est là un point qui mérite réflexion –, si presque tous nos interlocuteurs ont fait état de difficultés matérielles et morales sérieuses, parfois proches de la détresse, qui conduisent certains à s'interroger sur leur avenir, aucun n'a exprimé le désir pressant ni l'intention déterminée d'en finir avec son mal en abandonnant le journalisme. Ainsi Roland, à peine s'est-il posé avec lucidité la question de savoir ce qu'il doit faire – « Qu'est-ce que je dois faire ? Est-ce que je veux continuer le journalisme ? Qu'est-ce que je suis prêt à sacrifier pour avoir ma carte de journaliste ? Est-ce que je suis prêt à faire n'importe quoi ? » – qu'il y répond sans hésiter : « Ceci dit, j'ai envie de continuer à bosser là-dedans, de continuer ce métier. » On pourrait penser que la hantise d'un chômage total aide tous ces intermittents du journalisme à s'accommoder de leur travail en pointillés, qui, lui du moins, n'est qu'un chômage partiel. Sans doute ce raisonnable calcul n'est-il pas étranger à la longanimité dont certains font preuve, comme il semble que ce soit le cas pour Florence : « Disons que c'est un moindre mal, que c'est ce que je peux faire de mieux… et c'est pas déplaisant. » Mais le point de vue le plus fréquent est celui qu'expriment aussi bien Edmond : « Je ne me sens bien que là » ; que Marianne : « J'aurais vraiment du mal à faire autre chose, même si je suis malheureuse dans ce métier. » L'attachement profond au métier que traduisent ces propos s'adresse expressément, chez certains, à l'exercice du journalisme free-lance (pigiste indépendant). Il est évidemment très difficile de savoir dans quelle mesure un(e) journaliste précaire qui affirme, dans le contexte actuel, sa préférence pour l'état de pigiste, ne fait pas de nécessité vertu. Il n'est pas douteux toutefois qu'il existe, encore aujourd'hui, des pigistes par choix, qui mettent un haut prix à leur indépendance et qui, tel le loup de la fable, préfèrent l'inconfort de la liberté à la relative sécurité d'une intégration qu'ils tiennent pour une servitude. C'est précisément le cas pour Pascal, à qui il « est arrivé de travailler dans des journaux », c'est-à-dire d'être intégré temporairement à une rédaction, et à qui cette expérience a été « insupportable » ; c'est également le cas de Marianne, qui conclut, à partir du même genre d'expérience : « Si je vivais à l'intérieur de ce milieu, je me scléroserais. Je pense que je pourrais mourir… Je tomberais malade. Enfin, je pourrais pas. » Nombreux toutefois sont ceux qui se déclarent, comme Clément, désireux d'être intégrés à une rédaction pour mettre fin à leur « galère » : « Maintenant je ne cracherais pas sur un poste. » Mais ils ne semblent pas se faire beaucoup d'illusions sur la probabilité de voir leur souhait exaucé avant longtemps.

IV – Un destin aimé

Que la situation de pigiste – qui implique aujourd'hui des collaborations ponctuelles plus espacées et moins rémunérées que naguère, ne serait-ce qu'à cause du nombre toujours croissant de demandeurs d'emploi dont la concurrence exacerbée a fait chuter pratiquement de moitié le prix du feuillet entre 1990 et 1997 – soit un choix délibéré ou une nécessité subie, comme l'est l'embauche en CDD, il reste qu'on retrouve chez la quasi-totalité de nos témoins la même satisfaction foncière de pratiquer le métier de journaliste alors même qu'ils l'exercent, de leur propre aveu, dans des conditions tellement dégradées et si peu gratifiantes qu'ils en arrivent parfois à douter que ce soit encore du journalisme. Le témoignage d'Hélène nous a paru particulièrement significatif à cet égard. Pigiste chevronnée qui a multiplié pendant des années les collaborations avec divers titres de la presse magazine, dont certains des plus connus au plan national, elle a vu se détériorer les conditions de travail au fil du temps et vient de passer deux années extrêmement difficiles où, déclare-t-elle au moment de l'enquête, elle a « dû vivre avec une moyenne de 1 500 francs [230 euros] par mois ». Malgré une légère amélioration récente, sa situation demeure critique, et quand elle en vient à se demander elle-même comment elle arrive à subsister, elle est obligée de répondre : « À vrai dire, je ne sais pas comment j'y arrive ; pour dire la vérité, je ne sais pas » – ce qui signifie, en d'autres termes, qu'elle ne survit que grâce à des expédients. Capable d'un constat lucide sur l'état actuel du système médiatique (le poids écrasant de l'économique, les impératifs de la rentabilité à court terme, la concurrence féroce, etc.), elle sait bien qu'elle est loin d'être la seule victime de la précarisation de l'emploi journalistique : « Je vois plein de gens malheureux d'être à la pige, parce que c'est vrai qu'on est vraiment un sous-prolétariat. » À ses yeux, les effectifs croissants des pigistes en situation précaire constituent « une cohorte assez loqueteuse » et « une sous-classe très méprisée » des autres journalistes. Elle porte des jugements sévères sur l'évolution de la presse en général, qui « ne se donne pas les moyens de faire de l'information correcte ». Pourtant, malgré l'accumulation des difficultés, des avanies et des déceptions et en dépit du divorce manifeste entre l'exercice actuel du métier et l'idée qu'elle s'en fait – « L'idée que j'ai de ce métier, c'est plus ce qui se faisait autrefois que ce qui se fait maintenant » –, elle continue à s'investir dans son travail avec une ardeur intacte et n'envisage ni d'échanger son statut d'indépendant contre celui de journaliste intégré (elle sait bien que, dans le contexte actuel, une stratégie d'intégration a peu de chances de réussir), ni *a fortiori* de changer de métier.

Qu'Hélène et ses collègues soient blessés, frustrés, ulcérés à bien des égards, cela ne fait aucun doute. Mais c'est à peine s'ils évoquent la possibilité, par exemple, de recourir à l'action syndicale pour défendre leurs intérêts, ce qui ne risque pas de surprendre quand on sait que le milieu journalistique est faiblement syndicalisé et que, par un effet circulaire, les syndicats y souffrent à la fois d'une insuffisance de représentativité, d'autorité et de combativité. S'agissant des journalistes précaires, ils sont d'autant moins enclins à se tourner vers les organisations syndicales que l'encadrement des rédactions ne cache pas, le plus souvent, son hostilité envers ces dernières. Roland se souvient de la réaction agressive provoquée par une intervention en sa faveur des délégués syndicaux, et du sentiment d'incongruité que cette intervention déclencha parmi ses collègues : « [On se serait cru] presque au XIXe siècle : "Ah ! mon Dieu, il fait défendre son cas par un syndicat, c'est atroce !" » Les journalistes précaires sentent bien que, dans le contexte actuel de crise, il ne faut pas trop compter sur la solidarité des journalistes intégrés et titulaires, eux-mêmes affrontés à tous les problèmes posés par la dérive du journalisme d'information générale sous l'influence hégémonique de la télévision commerciale, dérive qu'ils sont d'autant plus impuissants à enrayer qu'ils sont moins enclins à se mobiliser pour la combattre. Comme le souligne amèrement Bernard : « On se mobilise contre la suppression de l'abattement de 30 %, mais on n'a jamais vu de grève parce qu'il y a *n* pigistes et *n* CDD, qui représentent je ne sais combien de postes de titulaires. » On ne saurait donc attendre de journalistes affaiblis par la précarité, des manifestations de résistance dont les titulaires eux-mêmes s'avèrent rarement capables.

Toutefois, plus encore qu'à des obstacles extérieurs, inhérents à l'environnement professionnel, c'est à des facteurs subjectifs internes qu'il faudrait sans doute imputer la défiance ou l'indifférence envers l'action syndicale. Le milieu journalistique, toutes catégories confondues, est imprégné de l'individualisme extrême cher à l'idéologie dominante, au regard duquel le monde social est une arène où doivent s'affronter, dans une compétition incessante et généralisée, une foule de concurrents combattant chacun pour soi. Dans cette optique, toute forme d'organisation collective est perçue comme une atteinte à la liberté individuelle. Une liberté qui, pour autant qu'on puisse en juger, est en l'occurrence surtout celle des employeurs de bafouer les droits juridiques et moraux de leurs employés. Il n'importe : comme tant d'autres dominés sociaux accablés de contraintes de toute nature, ligotés par la nécessité (pas seulement économique), piégés dans des situations calamiteuses, sans issue et sans avenir, la plupart des journalistes précaires se croient libres. Et ce n'est pas l'un des moindres paradoxes de la vie sociale, aujourd'hui comme hier, de donner en permanence le spectacle d'une foule de gens qui s'emploient avec ardeur à maintenir en place un système qui les opprime et qu'ils auraient apparemment intérêt à combattre. Mais pour combattre la logique d'un système, encore faut-il avoir une notion suffisamment claire et explicite de sa réalité. Conformément au préjugé idéologique traditionnel, si largement partagé, selon lequel les structures internes de la subjectivité personnelle n'ont en fin de compte rien à voir avec les déterminismes liés aux structures objectives externes et qu'en définitive « les gens font ce qu'ils veulent », beaucoup trop de journalistes considèrent, comme Marianne, que « la précarité est due à des individus et non pas à un système… Bien sûr, c'est le système qui met en place le nouveau [chef], mais après, c'est un homme ou une femme qui décide ». Ainsi se perpétue, là comme ailleurs, une forme d'oppression sociale dont l'un des principaux effets est de provoquer chez ses victimes consentantes une sorte de cécité quant aux mécanismes fondamentaux par lesquels le système tend à se soumettre d'autant plus sûrement les individus que ceux-ci ignorent davantage leur soumission [11]. De ce point de vue on ne peut que déplorer l'inculture sociologique que la plupart des journalistes (et autres « professions intellectuelles ») doivent à leur formation même, et qui est particulièrement préjudiciable à des gens qui font métier de décrire et analyser les faits sociaux en leur appliquant des catégories mentales et un outillage intellectuel déjà largement en usage dans la scolastique médiévale [1].

À vrai dire, la pénibilité des conditions de vie et de travail d'une population donnée n'est qu'une variable parmi une infinité d'autres dans l'équation de la mobilisation ou de l'apathie du groupe considéré. Quel que soit son poids fonctionnel, cette variable ne saurait expliquer à elle seule que des travailleurs manifestement exploités s'insurgent ou s'inclinent. On sait depuis longtemps que la souffrance socialement programmée peut agir aussi bien

---

I. Ces structures de pensée, elles-mêmes impensées parce que déposées et enveloppées dans les replis du langage naturel et acquises avec lui, ne sont pas nécessairement remises en question ni amendées par les formations de haut niveau. Bien des diplômés d'IEP, journalistes ou non, continuent à appliquer à la réalité les mêmes schèmes cognitifs et affectifs que le citoyen *lambda*. Ce sont l'habileté rhétorique de la « démonstration » et l'aplomb du locuteur qui font la différence.

comme un aiguillon que comme un anesthésique. Et nulle étude sociologique n'a encore établi à partir de quel degré d'intensité de la souffrance endurée celle-ci pousse au combat ou au contraire y fait obstacle. Sans doute parce qu'il n'y a pas de mesure objective de l'intensité de la souffrance sociale, celle-ci étant toujours vécue en situation par un individu qui perçoit sa situation à travers une combinaison variable de médiations de toute nature. S'agissant des journalistes précaires, tout se passe comme si la capacité d'investissement et l'intérêt pour le jeu survivaient au désenchantement du jeu, ou plutôt comme si l'enchantement était capable de résister aux démentis cruels infligés par les faits, démontrant par là même qu'il relève de la magie sociale et non d'une physique sociale. Rien n'est plus répandu, on l'a constaté depuis longtemps, que ces phénomènes de résistance affective qui conduisent les croyants à une dénégation systématique de tous les faits objectifs qui viennent contredire leur croyance. On sait que les membres des sectes religieuses sont tout particulièrement enclins et aptes à réduire la dissonance entre les prédictions de leurs prophètes et les événements réels qui les démentent. Mais le même phénomène peut s'observer dans bien d'autres groupes sociaux (à vrai dire dans tous), y compris chez les journalistes précaires. On ne saurait en être surpris quand on sait que, dans leur quasi-totalité, ces journalistes ont vécu et continuent à vivre leur entrée dans la carrière journalistique comme l'accomplissement d'un rêve d'adolescent, voire comme une sorte d'adoubement dans une chevalerie moderne ouvrant à ses initiés la quête d'un nouveau Graal. On trouvera dans la plupart de nos entretiens des variations sur ce thème du journalisme comme *aventure individuelle* exaltante, réservée à des personnalités d'élite, dont les vertus hors du commun ne sauraient s'accommoder du destin médiocre des « assis » et des besogneux. Vision émerveillante dont le moins qu'on puisse dire est qu'elle contraste énormément, nous l'avons vu, avec les conditions de vie et de travail qu'expérimentent quotidiennement nos interlocuteurs. Tout invite par conséquent à faire l'hypothèse que leur sentiment d'élection et d'appartenance à une caste aristocratique est suffisamment gratifiant pour leur faire endurer les inconvénients liés a l'humilité de leur position personnelle. De ce point de vue, le sort des précaires dans la cléricature journalistique fait irrésistiblement penser à celui des frères convers des communautés monastiques, dont l'oblation totale était le prix à payer pour être admis au sein de l'ordre. Sans doute faut-il se garder de pousser le parallèle trop loin, mais il ne nous paraît pas douteux qu'il existe chez nos témoins et leurs pairs une sorte d'*amor fati* qui, au-delà de tout calcul rationnel explicite, leur fait aimer leur destin social plus fort qu'ils ne le détestent [12]. Il existe un bonheur d'intégration (ou de participation) au groupe, apparemment capable de faire supporter les pires frustrations. Un tel constat n'aurait rien pour heurter le sens commun si les agents considérés étaient dans tous les cas membres de groupes prestigieux leur assurant pour le moins le bénéfice d'un capital social et/ou symbolique avantageux. Mais l'attachement de chacun à son « sort » est un fait d'observation banale ; et il semblerait que dans tous les groupes sociaux on souscrive à la devise du « pauvre bûcheron tout couvert de ramée » dont parle le fabuliste : « Plutôt souffrir que mourir » ; quand bien même il s'agirait, en l'occurrence, de mort sociale et non physique. Il y a là, nous semble-t-il, une donnée qu'on pourrait qualifier d'anthropologique, que les analyses sociologiques du changement social – toujours très attentives, à juste raison, aux frustrations et mécontentements qui activent les dispositions subversives et les ferments d'hérésie en sommeil dans les groupes – ont peut-être tendance à sous-estimer. Il y a au contraire toute raison de considérer que l'*amor fati*, disposition fondamentale inscrite en chacun par le processus même de socialisation dans des sociétés hiérarchisées et inégalitaires, est l'une des forces essentielles de la conservation sociale, dans le journalisme comme ailleurs. Comme les bûcherons de jadis, les « pauvres » journalistes d'aujourd'hui sont foncièrement contents d'être ce qu'ils sont, là où ils sont. Le consentement est toujours à base de contentement.

Cette hypothèse est apparemment en contradiction avec ce que nous affirmions plus haut, quand nous soulignions, à propos de la souffrance inhérente à la misère de position, qu'elle vient de ce que la perception par l'agent de sa propre position dominée dans le champ fait écran à la perception de la position dominante du champ lui-même dans la structure des classes sociales et du pouvoir. En fait, cette apparente contradiction ne fait que refléter la complexité du rapport des agents à leur position réelle et la propension de l'analyse sociologique à en appréhender les différentes dimensions séparément plutôt que simultanément. Ainsi, quand on considère les journalistes précaires, peut-on mettre alternativement en relief la souffrance ou le bonheur qu'ils éprouvent, exactement comme le discours des journalistes eux-mêmes oscille constamment entre dénonciation d'un journalisme défiguré et célébration d'un journalisme transfiguré. En l'occurrence, conformément à l'adage journalistique bien connu selon lequel « Un chien qui mord un homme, ce n'est pas une information, mais un homme qui mord un chien, c'en est une », l'observateur est conduit à accorder plus de signification à la souffrance qu'au bonheur. En d'autres termes, la logique des rapports de domination étant ce qu'elle est, l'existence de journalistes malheureux est moins logique (et fait donc davantage problème) que celle de journalistes heureux. C'est d'ailleurs en soi un indice objectif éloquent, nous semble-t-il, de la dévalorisation du travail intellectuel salarié imposée par l'évolution de l'économie de marché et la marchandisation des biens symboliques, que la montée de cette souffrance sociale dans des fractions de l'intelligentsia, telles que la corporation des journalistes, traditionnellement considérées comme n'ayant pas de raison sérieuse, dans l'ensemble, de se plaindre de leur condition.

Il ne reste plus alors à l'observateur qu'à se demander avec perplexité comment on peut accepter de souffrir autant et aussi longtemps sans arriver à un point de rupture. Le problème, ainsi posé, trouve tout logiquement, dans le contexte économique actuel, une réponse qui consiste à invoquer le spectre terrifiant du chômage. Cette réponse est d'autant moins discutable qu'elle souligne à juste raison le fait que, parmi toutes les contraintes qui pèsent sur les dominés sociaux, la nécessité économique est assurément une de celles qui maintiennent le couvercle le plus pesant sur le chaudron du mécontentement social et des aspirations au changement. La force de cette évidence historique tend alors à masquer une autre donnée historique, à savoir que l'oppression ni la répression ne suffiraient à maintenir indéfiniment de l'extérieur la soumission des dominés à un ordre social inique si celui-ci ne trouvait à l'intérieur d'agents structurés par et pour lui la *connivence implicite* nécessaire à sa reproduction, encouragée par la redistribution de miettes de profit et soutenue par l'espoir de profits supérieurs [I]. À cet égard, les journalistes précaires, comme l'immense majorité des *classes moyennes* dont ils font partie, entretiennent avec l'ordre établi un *rapport ambivalent*, d'attachement et de répulsion à la fois, une espèce de relation œdipienne-sociale qui est au cœur du néoconservatisme réformiste (ou, si l'on préfère, du néoréformisme conservateur). Il y a là un invariant structural dont on peut vérifier les manifestations, sous des formes et à des degrés divers, dans toutes les fractions de la petite bourgeoisie occupant l'ensemble des positions de l'entre-deux social. Ce genre de constat n'autorise nullement à culpabiliser les victimes. S'il devait avoir une portée pratique, ce serait plutôt d'aider les agents à agir de façon responsable, en meilleure *connaissance de cause* – la cause étant plutôt en l'occurrence à rechercher du côté de la relative concordance entre structures externes objectives et structures internes de la subjectivité.

Toute la question est alors de savoir jusqu'à quand un dominé donné, d'une catégorie donnée, dans une conjoncture déterminée, va continuer à se comporter spontanément en bourreau de lui-même, c'est-à-dire en complice inconscient mais zélé du maintien et de la reproduction de l'ordre qui l'opprime. Est-il concevable qu'un jour prochain les « damnés » du journalisme se rangent sous l'étendard de la révolte que déjà quelques-uns ont brandi [II] ? Notre enquête ne nous suggère pas de

---

I. Pour une analyse plus approfondie des effets de connivence dans le champ journalistique, lire *supra*, p. 15-80, « Pour une socioanalyse des pratiques journalistiques ».

II. « Ce printemps recèle tous les ingrédients de la révolte. Se taire aujourd'hui serait suicidaire pour nous tous, non pour des motifs bassement corporatistes mais bien parce que c'est de l'information qu'il

réponse directe à cette question, mais son déroulement même nous a permis de faire une observation significative : à savoir, le haut degré d'adhésion à notre démarche de tous nos interlocuteurs qui avaient le sentiment, en nous accordant leur collaboration, de contribuer à combattre en quelque façon le mal qu'ils dénonçaient, à tel point que nous avons eu parfois du mal à convaincre ceux d'entre eux qui voulaient s'exprimer à visage découvert d'accepter la règle de l'anonymat. Même en faisant la part dans leur adhésion de la volonté de complaire aux attentes supposées des enquêteurs et de l'insistance particulière sur les aspects négatifs de la précarité, il n'en reste pas moins qu'une telle attitude témoigne, à sa façon, de l'intérêt que présenterait la diffusion en milieu journalistique d'une approche socioanalytique des pratiques professionnelles. Seule en effet une démarche de cette nature pourrait aider les journalistes en général, et les plus précaires en particulier, à sortir des contradictions où ils sont enfermés du fait de leur trajectoire et de leur position et en particulier de la contradiction entre leur dénonciation sincère d'une forme d'imposture journalistique et la persistance en chacun d'entre eux de tout un ensemble de propriétés cognitives et affectives (comme par exemple une forme de solipsisme intellectuel et un hyperindividualisme moral), qui empêchent cette dénonciation de déboucher sur une volonté réelle de résistance et une lutte collective lucide et organisée. Dans ce domaine comme dans les autres, les innombrables aspirants vizirs qu'engendre l'entre-deux

---

s'agit. Le SNJ-CGT appelle tous les journalistes à se révolter et à rejoindre les organisations syndicales, trop affaiblies aujourd'hui pour mener ce beau combat pour l'une des libertés fondamentales, la liberté d'informer. [13] »

social ont à choisir entre rêver indéfiniment à un très improbable poste de calife, ou rompre avec le principe même du califat.

Reste que, au regard de l'observateur, la situation qui prévaut actuellement dans le journalisme n'incite guère à l'optimisme. En dehors d'une minorité qui a le plus grand mal à se faire entendre, et parfois à simplement survivre, la profession – entraînée par sa fraction aristocratique « moderniste » à la connivence avec les classes possédantes et dirigeantes et à la révérence en face des puissances établies [14] –, minée et atomisée par un égotisme narcissique érigé en valeur centrale de l'ethos professionnel, médiocrement outillée (sauf exceptions brillantes) pour maîtriser la complexité du réel, la profession ne semble pas en mesure de trouver en elle-même les ressources nécessaires pour résister à la dérive qui l'a conduite à son actuel état de décomposition et d'hétéronomie – dont la précarisation croissante est à la fois un effet et un facteur aggravant. Situation dont – il importe de le rappeler – le journalisme n'a pas l'exclusivité, et qui n'est que le résultat, dans le domaine spécifique de l'information, d'une évolution générale de la société libérale soumise à la loi ubiquitaire du tout-marché. Ce qui implique que, si le salut du journalisme ne peut venir que des journalistes eux-mêmes, il ne saurait s'accomplir sans la convergence et l'union de leurs efforts avec ceux de tous les autres salariés qui, de plus en plus nombreux, refusent de capituler devant de prétendues fatalités et ne veulent abdiquer ni leur droit d'exister ni leur devoir de résister.

ALAIN ACCARDO

Edmond *ou* « La représentation »

38 ans, marié, deux enfants, travaille à Paris

Père haut fonctionnaire ; mère commerçante

Bac littéraire ; diplôme de l'École supérieure de journalisme ; diplôme de l'EHESS (relations internationales) ; études de droit inachevées

1985/1986 : pigiste pour La Documentation française

1986 : participe à la création d'une radio locale privée thématique ; travaille pour le secteur associatif dans le domaine de la francophonie

1986-1987 : crée un mensuel à vocation internationale tout en poursuivant sa collaboration avec le secteur associatif

1991 : prend ses distances par rapport aux associations ; du fait des difficultés financières, la publication du mensuel s'arrête. Il exerce des « petits boulots », pompiste entre autres

1992 : début des piges à RFI, qui devient son unique employeur

1995 : après la disparition du service pour lequel il travaillait (RFI +), recherche les nouvelles filières pouvant l'employer au sein de l'entreprise

Pour bien saisir la situation de l'enquête, il faut se rappeler qu'une radio est schématiquement constituée de deux grandes entités : la rédaction et les programmes. C'est la relative perméabilité entre les deux structures qui a permis à Edmond, au moment de la suppression de son service, de rétablir un volume de piges acceptable grâce à un va-et-vient entre ces deux pôles de diffusion.

— *À l'heure actuelle, quelle est exactement ta situation ?*
— Je continue d'être présent au quotidien dans une émission en direct. Et c'est la dernière chose à laquelle je m'accroche encore. En même temps il faut dire que mon employeur aussi s'y accroche parce que, autrement, je serais considéré comme faisant partie des gens licenciés de

la boîte. Or, on peut remercier un pigiste tout à fait normalement ; mais comment se fait-il que, dans certains cas, certains pigistes ne peuvent pas être remerciés aussi facilement ? Donc, pour que ça arrange tout le monde, j'ai gardé cette intervention dans l'après-midi aux programmes pour que… eh bien, pour que je n'aille pas aux prud'hommes, tout simplement, et pour que la radio n'ait pas à dépenser plus. Donc, on en reste là, avec un salaire coupé en deux, soit, mais avec des promesses d'autres choses dans un avenir immédiat. Donc, l'un dans l'autre, tout le monde s'y retrouve, c'est à dire mon employeur et moi-même.

— *Tu veux dire que tu es trop cher à licencier ?*
— Oui. Je suis trop cher à licencier parce qu'on a pris l'habitude d'engager des pigistes sur des programmes au quotidien, et là beaucoup de radios et beaucoup de médias se fourvoient, parce qu'ils travaillent avec eux en disant « c'est des pigistes », et ils ne proposent pas de contrats. Or, dans le code du travail, quelqu'un qui travaille sans contrat, au bout d'un an, est considéré comme intégré. Bon. Mais on a cette habitude, dans l'audiovisuel, de travailler avec des pigistes. Or, s'ils amènent des piges ponctuelles, une fois par semaine, ça, ça va. Mais si c'est un programme, une rubrique, une chronique régulière, tous les jours, qui devient un rendez-vous de la chaîne, eh bien, un an après, ils sont considérés comme intégrés. Bon, ça a conduit l'année dernière les syndicats à demander qu'on supprime le terme de « pigiste régulier », ou « pigiste permanent ». On a dit que dans la convention collective, chez les journalistes, ça ne veut rien dire : on est « pigiste » ou on est « intégré », arrêtons de nous amuser avec ça. La direction a dit « mais

non ! », et puis ils l'ont enlevé, mais dans les faits, les choses continuent ainsi. Heureusement, moi, cette année on m'a proposé des contrats.

« Un CDD qui n'en est pas un »

— *Tu es en CDD ?*
— Je suis en CDD, aux programmes.

— *C'est la première fois ?*
— C'est la toute première fois. Mais il faut encore faire une distinction à l'intérieur de ces CDD, parce que là, j'ai un contrat qui est un « contrat de grille ». C'est différent d'un CDD. C'est un CDD, mais qui n'en est pas entièrement un.

— *Quelle est la différence ?*
— Le CDD, on lui fait un contrat de CDD et il peut être utilisé dans le programme où l'on veut, et les prestations supplémentaires ne sont pas facturées. Pour le « contrat de grille », je fais une certaine émission et je suis payé pour cette émission ; ce qui n'empêche pas que je peux piger ailleurs. C'est ce qui s'est d'ailleurs passé, puisque, mes revenus étant trop justes, j'ai des amis qui m'ont dit : « Ah, tu peux faire une pige ici », et toujours à l'intérieur de la même société ! Je continue de faire des piges, par exemple, à [nom d'une émission]. Deux-trois fois par semaine je fais une intervention dans une autre tranche, et je suis payé pour ce que je fais là, parce que c'est ponctuel. Là, je suis effectivement utilisé comme pigiste. Ils m'appellent : « On a absolument besoin de quelqu'un pour faire la soudure entre deux rubriques, j'ai besoin de toi pour venir faire ci et ça », j'y vais et je suis

payé pour ça. Si j'étais en CDD aux programmes, j'irais le faire gratuitement parce que j'aurais un traitement global ; c'est ça la différence. Or, je ne suis pas vraiment un CDD, j'ai un « contrat de grille ».

— Et qu'est-ce que ça pèse un « contrat de grille » devant un inspecteur du travail, par rapport à un CDD ?
— Ça ne pèse pas autant. Parce qu'à la fin de la grille, l'émission est terminée ou reconduite, c'est le risque. Ça peut s'arrêter là, puisqu'on vous a dit : « Vous serez, monsieur, utilisé rien que pour ça. » Bon. Donc ça peut effectivement s'arrêter là. Mais, dans mon cas, je n'ai pas eu peur de ça parce qu'il y a un passé. Actuellement, c'est un peu le mal nécessaire, ce contrat : il faut absolument que je passe par là. Donc, on me fait ce contrat-là, et je suis sûr qu'il va être reconduit ! Donc, j'accepte et je signe. Et il a déjà été reconduit deux fois. La nouvelle grille où on a tout chamboulé, là, en septembre 1995. Et puis en avril 1996. Donc il a été reconduit ! J'ai signé deux fois déjà ! Là, ça va finir au 30 août ou au 1er septembre. Je l'ai signé d'autant plus facilement que… Bon, c'est toujours comme ça avec les pigistes : on se bat tout le temps avec la DRH [direction des ressources humaines] et avec la présidence, et puis, les équipes ayant changé, c'est l'éternel recommencement. Alors, les belles paroles de tous les employeurs de partout, c'est de dire : « Nous allons restructurer sans perdre du personnel. Nous allons reclasser tout le monde ». Ah, mais c'est très bien ! Les syndicats sautent sur cette occasion-là. Mais après, les employeurs retirent cette phrase-là qui leur est opposable dans toute négociation, dans toute discussion. « Ah, vous avez dit ci, vous avez dit ça, eh bien maintenant nous sommes devant des cas qui vont devenir des

cas sociaux. Donc, pour une fois, respectez votre parole. »
Alors ils travaillent avec la DRH, qui essaie de trouver
des aménagements qui arrangent tout le monde. Et dans
mon cas, puisque j'étais, « pigiste permanent », j'avais
deux ou trois prestations par jour et dans la nouvelle
grille on a dit : « Puisque vous êtes pigistes, vos traite-
ments peuvent monter et descendre. » Donc on m'a des-
cendu de moitié. J'ai fait valoir le fait que j'étais là
depuis… donc que je pouvais me prévaloir d'un CDI,
alors pour arranger tout ça on m'a payé, on m'a indemnisé pour ne m'avoir pas utilisé. Voilà. *(Rires.)* Ça c'était
la négociation avec la DRH. On m'a indemnisé donc
pour ne m'avoir pas utilisé. En fait ça s'appelle « transaction ». La transaction, c'est tout simplement : « On
s'arrange entre nous, il a perdu à peu près la moitié de
son salaire, on va lui reverser quelque chose qui va lui
servir d'indemnité. Et puis nous, société qui l'employons,
nous nous engageons à étudier personnellement son cas
à la fin du contrat qu'il a signé. » C'est-à-dire à la fin du
CDD que j'ai signé, qui est en fait un « contrat de
grille ». Donc on va s'engager à étudier son cas à la fin
du contrat. Ce qui veut dire aussi que, pour le pigiste,
c'est très dangereux : si le pigiste n'a pas mon passé, qui
est assez particulier dans la boîte, il va au terme du contrat
qu'il a signé, et en attendant qu'on étudie son cas, bon,
il faut qu'il vive ! Et il fait quoi ? Ben, il fait rien, il attend ! Donc le pigiste est sur le qui-vive en permanence.
Prenons mon exemple. Je me suis dit : bon, le 30 août,
je suis au terme du contrat. La grille ne redémarrera que
le 16. Entre le 1ᵉʳ et le 16 septembre les émissions vont
continuer, la radio ne s'éteint pas. Donc je vais continuer
de travailler. Mais attention : là, je serai payé pour quinze
jours seulement de travail. Alors qu'est-ce qu'il faut faire ?

Moi, je me suis appliqué à rencontrer tous ceux qu'il faut, et je suis présent sur la nouvelle grille. J'ai fait des propositions pour être présent sur la nouvelle grille. Et la grille qui démarre le 16 septembre, ça démarre avec une chronique de moi, voilà. Donc le pigiste doit être présent, il faut qu'il soit présent. Sinon, les gens ne sont pas philanthropes au point de se souvenir de tel et tel. Donc il faut être là pour leur dire : « J'existe, je suis là, je peux faire ci, je peux faire ça ! » Et puis les responsables de chaîne et d'antenne et tout ça, se complaisent aussi un peu dans ce rôle de vous accueillir. Ils aiment bien ça. Faut leur montrer qu'on est en permanence là, sinon… Mais il faut dire aussi que je les comprends un peu : on n'est pas les seuls, il y a trente-six mille autres personnes qui attendent aux portes, qui veulent entrer dans un grand média, qui veulent… C'est comme ça. Et pour ceux qui y sont, eh bien, il faut se montrer, sinon… Et puis le pigiste, s'il ne se montre pas, il est oublié. Moi, lorsque j'ai fait des nouvelles propositions pour la nouvelle grille : « C'est très bien, c'est ce qu'il nous faut ! » et tout. On a négocié jusqu'à la durée. C'était en deux minutes. J'ai dit : « Non. Tout ce que je propose, ce n'est pas possible en deux minutes ; c'est deux minutes et demie ! » Effectivement, dans la nouvelle grille, c'est marqué deux minutes et demie. J'ai vu ça, j'ai dit : « Bon, très bien, mes idées sont en train de faire leur chemin. » Je vais voir un responsable, avec qui j'ai discuté de ce timing et qui était incapable de me dire si la rubrique retenue dans la nouvelle grille m'était destinée. C'est toujours comme ça, avec les pigistes. […] Bon, j'ai mis trois semaines pour enfin savoir qu'effectivement ça m'était donné.

« J'en pouvais plus et j'ai signé »

Trois semaines ! Ça épuise son homme ! On est épuisé, mais il faut s'accrocher. Et quand, tout à l'heure, je parlais de la DRH avec laquelle on négocie les transactions, ils ont aussi une tactique, c'est de fatiguer les gens. Ils fatiguent les pigistes et j'avoue honnêtement que, au terme de six mois de discussions, je n'avais plus la force de continuer, je voulais mon argent parce que je vivais à crédit. Je n'ai plus calculé le nombre de jours. Parce qu'en fait, la transaction, il faut calculer le nombre de jours travaillés qui correspond… Alors au bout de cent jours, ça correspond à ci et ça. Ils ont, à la DRH, la spécialité de truander tous les chiffres, de mal les manipuler, ou de tellement bien les manipuler que personne ne s'y retrouve. Je me suis amusé à compter mes jours de travail. Il faut reprendre toutes les fiches de paie. Moi, ça fait cinq ans que je suis là. Donc, prendre toutes les fiches de paie et dire « cinq jours, six jours, sept jours, huit jours… » et calculer sur la base de la Sécurité sociale, la base de l'imposition, des calculs monstres ! Bon, et puis : « Oui, on va voir ça, mais monsieur, on ne pourra pas vous dire… » Alors on ne vous dit pas le chiffre qu'on va vous affecter. Parce qu'après il faut envoyer ça aux filles qui manipulent des termes juridiques pour bien écrire tout ça. Et au bout du compte j'en avais marre et j'ai accepté, j'ai signé, j'ai touché l'argent, et on verra… parce que j'en pouvais plus, et j'ai signé, voilà. Donc c'est cette tactique : on pousse les gens à bout et on signe complètement au dernier moment ; on arrive pratiquement à l'échéance et on signe, parce que le recours qu'on aurait… Vous avez un temps de recours de deux jours, de trois jours, qui est infime. Par exemple on a mis trois semaines pour me dire que la rubrique m'était destinée. Si elle ne m'était pas destinée, comme je partais en vacances deux jours plus tard, et que tout le monde s'en allait, y avait pas le temps de réagir ! Le temps de réaction est infime, on ne peut plus rien faire ! Et puis après on revient, à la rentrée, tout le monde est dans une euphorie pas possible ! Tu sais ce que c'est, démarrer une nouvelle grille, c'est comme boucler un journal, c'est la folie, tout le monde court dans tous les sens, on ne t'écoute plus, il n'y a plus personne pour t'écouter. À part quelques bonnes volontés au syndicat *(rires)* plus personne ne t'écoute. Et le pigiste, avant le terme de son contrat, un mois avant, il doit savoir à peu près déjà que c'est reconduit ou pas. Sinon, s'il attend la dernière semaine… C'est une tactique ! Moi je ne savais pas que c'était comme ça, mais c'est une tactique. On va au terme des choses et le temps de réaction n'existe plus. Ce qui me fait dire aujourd'hui que si on a mis trois semaines pour me dire que la rubrique quotidienne m'était destinée c'est, avec l'expérience que j'ai dans ce milieu-là, qu'il y avait une hésitation entre une autre personne et moi. « On verra, on verra, on verra. » Et puis l'un est plus accrocheur que l'autre, et puis « si on refuse à Untel, il y a tout un passé assez lourd qui risque de nous retomber dessus, attention, arrondissez les angles, il nous a déjà menacés de ci, de ça ».

— *Tu connais ton concurrent ?*
— Non. Et je n'ai pas cherché à savoir. J'aurais insisté, peut-être qu'on m'aurait dit, mais je n'ai pas insisté. Ça ne m'intéresse pas de savoir ça, pour une raison essentielle, c'est que je risque d'avoir, comment dirais-je ? des mots durs sur cette personne qui, en fait, ne demande qu'une chose : c'est de vivre aussi. Et donc je ne veux

même pas la connaître. On se verra certainement, mais on sera toujours bien. Alors que si je la connais, je dirai : « Pourquoi il a voulu me doubler ? » Et ça amènera des situations malsaines. Et c'est ça aussi le problème du pigiste. On est toujours en train de se dire : « Mais qui faut pas embêter ? Telle personne fait ci, fait ça. Mais moi j'ai de nouvelles idées pour aller plus loin. Mais si j'apporte les idées, il va les exploiter, or moi j'ai besoin de vivre. Donc qu'est-ce que je fais ? » On se pose la question tout le temps, on se torture l'esprit, on est toujours en train de voir. Bon, il faut se vendre, et puis en même temps ne pas faire mal aux copains ou à l'autre collègue qui va dire : « Ah, mais tu n'es qu'un idiot ! »

— *Mais en même temps c'est la menace que tu es capable d'exercer sur la DRH qui t'a permis de rester ici.*
— Absolument. Parce que je leur ai dit quelle grande erreur ils font, dans les médias, d'utiliser des gens soi-disant « pigistes permanents ». J'ai dit : « Écoutez-moi, je suis dans ma cinquième année, donc j'ai quatre années de RFI derrière moi. Au quotidien ! » Depuis un an et demi j'avais deux interventions, une le matin et une l'après-midi. Ils m'ont dit : « Oui, mais le propre du pigiste c'est de n'être sûr de rien. » J'ai dit : « Bon, très bien, OK, ça c'est votre argument. C'est très bien, c'est un argument de direction. Mon argument à moi, c'est : tout pigiste travaille à augmenter son revenu. Donc moi je suis arrivé à un niveau où je ne peux plus descendre en dessous ! — Oui, mais ce n'est pas un acquis — Très bien, ce n'est pas un acquis. Mais je n'ai mis le couteau sur la gorge de personne. Vous m'avez donné ça, donc vous avez senti que j'étais capable de le faire ! Vous changez d'équipe, parce que c'est vous qui changez les règles

du jeu, on change d'équipe et puis on considère que ce n'est plus bien, ou bien que telle personne ne convient plus. On peut tout reconsidérer. Non. Moi, j'ai maintenu le niveau… Depuis un an et demi je présente deux programmes : un à ce qui était RFI + Afrique, donc Infos. Et puis un aux programmes. Un an après je suis considéré engagé, CDI. Le contrat de travail c'est ça et ça… bon, on va pas se battre, on va négocier. » Ce qui fait qu'aujourd'hui, je peux être dans la nouvelle grille parce que j'ai un passé qui risque de remonter si on ne me proposait pas quelque chose.

— *Est-ce que ce n'est pas gênant pour tes relations avec ta hiérarchie d'avoir ce « passé », de travailler sous la menace d'un clash aux prud'hommes ?*
— Oui, oui. Bon, il faut compter sur l'intelligence de chacun. Et puis honnêtement, je dois dire que, actuellement, il y a un bon retour. Par exemple le nouveau directeur de l'information, il sait tout ça. Je l'ai vu hier et il m'a dit : « OK, moi ça me plaisait. Tu vois le nouveau rédacteur en chef de l'Afrique et vous conviendrez de ce que vous faites. Vous faites une maquette, et puis vous corrigez votre maquette, vous faites ci, ça, et puis c'est clair. » Le nouveau rédacteur en chef je l'ai vu, nous avons discuté. Je me suis dit : « Bon, je dois penser à tout, tout dire. » Je lui ai dit : « Bon, je vais en vacances. Je fais la maquette avant ? — Rien ne presse ! On verra ça tranquillement… » Quand on a une sécurité comme ça, c'est que le pigiste a marqué un point. S'il me dit : « Rien ne presse, on verra ça tranquillement », c'est qu'il connaît le produit. Il sait ce que c'est. On me connaît. Et on fera la maquette, on la corrigera, on va faire ci, on va faire ça. « Très bien. Donc à ton retour de vacances,

on en discute. » Bon, on me dira aussi que le pigiste ne doit pas être aussi confiant. Il faut que tout soit écrit. Il faut qu'on dise, par exemple, que « telle rubrique est attribuée à N ». Il faut que ce soit écrit, parce qu'on sait le milieu dans lequel on est. Mais, je te le disais au départ : j'en ai assez de me battre, de courir et tout ça. Je vais être vigilant, mais je ne veux plus me bagarrer. Je vais être vigilant. Parce qu'on est dans une situation instable et, quand tu parles de « travailler sous la pression, travailler sous la menace », oui, c'est un peu ça. Il faut savoir les ménager, savoir « jusqu'où on peut aller trop loin ». Je me dis : « Bon, faut pas que je les menace trop, non plus. » Faudrait pas que je lui dise : « Merci, mon rédac-chef, mais écris-moi ça ! » C'est vrai qu'en principe, c'est ce que je devrais faire. Parce que je suis dans cette maison sans y être réellement ! Je suis immatriculé et tout, d'accord, mais je ne suis pas statutaire ! Donc mon poste peut être accordé à un autre ! On travaille sur la bonne foi de l'autre. Il m'a dit ça, mais il me l'a dit « entre quat'z'yeux », comme on dit, c'est entre nous deux, il n'y a personne d'autre : « OK, c'est bon, fais ta maquette. » Rien n'est écrit. Je pars sur cette foi-là, en espérant qu'il est sérieux ! *(Rires.)*

« On devient parano »

— *On est en train de gérer des conflits tout le temps…*
— Oui. Tout le temps. Tout le temps en train de…

— *De les anticiper ?*
— Voilà : je ne veux pas les froisser. Si je lui dis ça, il va dire : « Oh là là, celui-là, méfiance. Au lieu de lui donner les cinq jours de la semaine, eh bien je vais lui en donner trois. » Voilà. Il peut, parce que mon statut lui permet de

faire ça. Donc, à partir du moment où il m'accepte, je rentre dans son jeu, je dis : « OK, je fais ci, je fais ça. » Mais si je prends les devants en disant « Bon, maintenant tu sais où on est. Écris-moi ça », l'autre se dit : « C'est qui celui-là ? Bon, attends, OK, je vais lui donner deux jours, trois jours. » Effectivement il a le droit de le faire. Donc il faut anticiper et puis gérer une situation qui n'est pas… Et puis – ça c'est surtout dans le travail – certains responsables souvent ont l'impression que les pigistes travaillent moins bien ! On est toujours prêt à critiquer le travail qu'ils font. Pas seulement sur la forme, mais sur le fond même. On critique ce qu'ils font.

— *On intervient…*
— Oui, on intervient dedans. Alors il faut avoir du cran. Et puis on entend souvent : « Ah ben oui, il faut vendre ta marchandise ! »

— *Il faut toujours être en mesure de justifier ?*
— Toujours. Moi j'ai fait ça pendant quatre ans. Disons réellement pendant trois ans. J'étais tellement habitué que pour moi c'était devenu normal ! Quand j'ai passé un temps à la rédaction, lorsque RFI + a été réunifiée avec la rédaction « Afrique », c'était à la rentrée 1995… Moi je faisais mes trucs et je les apportais. Je voyais tout de suite la différence : à [nom d'une émission], par exemple, quand j'apportais quelque chose, il fallait que ce soit tout de suite écouté. Pour les autres collègues, c'était tout de suite classé et programmé pour tel jour. Beaucoup de copains qui étaient dans la même situation que moi en ont pris ombrage, mais moi j'ai décidé de ne plus voir ces choses-là. Alors je ne les vois plus… « Bon, ça va. On va le diffuser. On verra le moment. » Moi je pars du fait que

ça va être diffusé ! Cette situation a quand même aussi un avantage, c'est qu'on devient perfectionniste ! On travaille, on travaille, en se disant : « Ils verront quand même la différence. »

— *On fait en sorte de ne jamais être pris en défaut.*
— Jamais. On devient presque parano, quoi. On devient parano. À la moindre réflexion, on se dit : « Tiens, c'est peut-être pour moi que… OK, il faut que je rectifie le tir, sinon… » On devient un peu parano. Mais je pense que ça doit être un peu partout pareil. Le pigiste fait tout pour qu'on ne le critique pas, ni sur la forme ni sur le fond. Le statutaire, par exemple, si on lui dit : « On veut une chronique de deux minutes et demie » et qu'il fait 2'40", ou 2'25"… Mais le pigiste, il est à la seconde près ! On dit 2'30", il fait 2'30". On se retrouve même à retirer des souffles qui font, quoi, cinq centimètres de bande, une demi-seconde…

— *Voire un tiers de seconde ! (Rires.)*
— Voilà, un tiers de seconde, pour que ça arrive pile à deux minutes et demie. Pour prendre encore un exemple : lorsque je faisais [nom de l'émission], j'étais pigiste à la rédaction, j'étais payé comme pigiste. Je n'avais pas de contrat, donc le terme de « pigiste » convenait. Et puis on me reprochait aussi d'avoir atteint un niveau de piges trop élevé. Bon, ça c'était des querelles de personnes : je gagnais trop, paraît-il. « Pour un pigiste, il gagne trop. » Bon. « Ah, il gagne plus que le chef de service. » J'ai dit : « Oui, et je le revendique. Parce qu'un pigiste, il est partout. » On me demande un « invité », je fais un « invité ». On me demande la « chronique », je fais la « chronique »,

on me demande : « Voulez-vous ?... » et moi ça fait quatre ans que... Un pigiste ne part pas en vacances !

— C'est-à-dire qu'à chaque produit le compteur tourne.
— Ah oui, tout le temps, tout le temps ! Moi je ne vais pas en vacances, par exemple. Je n'ai pas de vacances ! Au pire, quand je pars en vacances, je laisse le nombre de « chroniques » qui correspond à mes jours d'absence puisqu'à mon retour il faut que je « touche », il faut que je vive. Donc jamais de vacances. Et en plus, à RFI – ils disent même que c'est dans l'audiovisuel public en général – ils ont pris ce malin plaisir de ne plus cotiser aux congés-spectacles [la caisse particulière d'assurance chômage et de congés payés]. C'était quelque chose de bien, ça. Au moins on se disait : « Je suis fatigué, je prends un mois, je ne veux même plus réfléchir, je pars, et puis... » Maintenant, sur nos fiches de paie de pigistes, c'est versé tout de suite ! Ce sont des précautions que la direction prend, que l'employeur prend, pour licencier quand il veut le pigiste, pour le remercier quand il veut. Il ne lui doit plus rien. Alors qu'aux congés-spectacles, bon, ça continuait, il y avait une relation comme ça, avec la boîte...

— Une cotisation ?
— Une cotisation, alors que là, on vous verse ça comme ça, tout de suite, et puis après vous êtes « tous frais payés, merci, ciao ! » Alors, pour revenir aux pigistes de la rédaction, le rédacteur en chef à l'époque m'avait dit : « Je ne pourrai pas te donner les cinq jours. — Ah, pourquoi ? — Eh bien, parce qu'on va dire que ce n'est que toi. Non, non. Bon, on s'arrangera pour te donner au moins deux-trois vacations par semaine. — Bon, très bien ». J'ai commencé par deux-trois par semaine. Et puis pour la

première fois dans mon métier de journaliste, pour la première fois, je me suis trouvé dans une position de… je me gardais de travailler ! Oui, je réfrénais mes élans. Je me disais : « Ah non, il faut que je fasse trois vacations par semaine. Mais là, je peux en faire cinq ! » Donc je réservais pour la semaine prochaine. « Je fais pas. » Pour la première fois… C'est un sentiment très bizarre : « Faut pas que j'en fasse trop. » Donc je me disais : « Je réserve ces deux-là pour la semaine prochaine. Je ne donne pas. » Et, à un moment – c'est ça aussi le pigiste, c'est très contradictoire – on m'a appelé chez moi. Celui qui faisait le week-end m'a appelé chez moi pour me dire : « Ah ben, on n'a rien du tout ! Ce n'est pas possible ! On a demandé à telle personne de faire, elle n'a pas fait, elle est partie ! » Comme par hasard une personne « statutaire ». J'ai dit : « Maintenant vous êtes contents d'avoir des pigistes ? — Oui, oui, bon… » Alors on m'a dit : « Tu viens ou pas, parce que ton histoire, oui on sait, mais bon, tu viens ou pas ? » J'ai dit : « Bon, OK, j'arrive. » J'y suis allé et j'ai fait deux-trois trucs que j'ai déposés. Et je me suis retrouvé donc comme ça…

— *Des choses donc payées en plus de tes deux ou trois vacations hebdomadaires…*

— Voilà. Et au cours d'une conférence de rédaction, le rédacteur en chef a demandé à tout le monde : « Faites donc des [nom d'une émission] ! » Alors il y a une collègue qui a dit : « Écoutez, il y a quelqu'un ici qui fait [nom de l'émission]. Vous n'allez pas nous gonfler comme ça, tout le temps ! On est déjà sur des dossiers qu'on ne comprend pas très bien ! Et puis en plus, c'est son boulot ! » Le rédacteur en chef lui dit : « Mais oui, c'est justement pour défendre son boulot que je vous dis ça. Parce que, si c'est le seul à le faire pendant les cinq jours, s'il le fait tout seul, on va le lui sucrer. » « Ah bon, d'accord, OK. » Donc tout le monde a commencé à en faire, peu à peu. Et puis on s'est retrouvé dans une période de fêtes, il y a eu des vacances…

« 18 piges de retard »

— *Comment ça « on va le lui sucrer » ?*

— Parce qu'ils ont un volume de piges. Et il faut le distribuer. Alors si ce volume de piges est avalé par un seul pigiste, on va arrêter la rubrique. Un volume de piges doit être utilisé pour toute la rédaction, donc pas pour seulement une émission. Les statutaires qui font cette émission, on ne les paie pas. Donc, ça fait autant d'économies pour la chaîne et pour que le volume de piges ne soit pas englouti. Parce que si moi je fais l'émission, je suis pigiste. Alors je leur ai dit : « Faites-moi un contrat et vous ne me payez plus [en qualité de pigiste] ! » Mais on n'était pas dans la logique des contrats. J'étais encore considéré comme « pigiste ». On me reprochait de trop gagner. On est arrivé à la période des fêtes. Il y avait des vacances et puis l'actualité en Afrique était assez chargée. Et il y a eu des missions, des journalistes sont partis [en reportage]. Il y a eu beaucoup de missions et hop, l'émission, y en a plus ! Eh bien, on m'a rappelé : « Ah, écoute, fais-en au moins trois ou quatre ». J'ai même fait [nom d'une autre émission] ! Et j'ai donné tout ça : « Oh ! » Et puis, ben, ils ont oublié de payer. Alors j'ai dit : « Non mais, attendez ! Il y a dix-huit piges, là ! » Parce que le pigiste a un cahier d'écolier dans lequel il note exactement le jour où il a déposé, le jour où ça a été diffusé. Donc, en fait, il a une grosse punition : c'est d'écouter la chaîne ! *(Rires.)* Ou bien il doit avoir des amis sûrs, la réalisatrice par exemple qui va lui dire : « Oui, c'est diffusé, c'est dans le cahier. » Et dès le lendemain, il se précipite sur le cahier, et puis il lit le conducteur pour savoir si ça a été diffusé. Quand c'est diffusé, il coche une note. Moi j'ai instauré un truc, je dis : « On ne jette pas mes bandes ! » Donc j'ai dit à toutes les réalisatrices du soir, à toutes les assistantes du soir : « On ne jette pas mes bandes ! » J'ai dit aux réalisatrices du soir, de midi et du matin, à toutes : « On ne jette pas mes bandes ! Mettez-les de côté, je viendrai les chercher ; c'est une preuve pour moi que c'est diffusé. » Parce que, après, les photocopies, les conducteurs, ça se perd ! Alors, tous les matins, je viens, je regarde. S'il n'y a rien : c'est pas diffusé. Il y a trois niveaux de contrôle : le chef d'édition qui écrit sur son tableau, le conducteur qui est, ensuite, classé, et puis moi, avec mes bandes qu'on ne jette pas. Donc, dès le lendemain – si on attend deux-trois jours après, même avec la meilleure volonté, ça disparaît quelquefois – donc dès le lendemain il faut aller les consulter ! Donc moi j'ai pu rassembler comme ça mes trucs, et puis j'ai un cahier, donc, je pointe. Alors j'en ai pointé dix-huit qui n'avaient pas été payées ! Eh oui ! Et puis il faut avoir un œil sur le certificat de piges qui arrive, parce qu'il y a des erreurs. Faut avoir un œil là-dessus !

— *Le certificat de piges, c'est la feuille de paie ?*
— Oui. Bon, sur la feuille de paie classique c'est souvent globalisé. Mais pour les pigistes, on a au moins un certificat de piges. C'est-à-dire qu'on nous dit : « De telle date à telle date, vous avez été payé pour six éléments. » Donc il faut avoir ça. Et on est tout le temps en train de faire du travail administratif ! On coche des cases : « OK, c'est bien, OK, OK, OK… Ah, mais non… » Donc j'ai coché

et j'ai vu qu'il en manquait dix-huit à l'appel. J'ai dit :
« Ah mais non, ils ne peuvent pas me faire ça ! » Alors là
je ne suis même pas passé par le rédacteur en chef, j'ai été
voir le directeur de l'info et j'ai été voir la directrice ad-
ministrative et j'ai menacé d'aller voir le directeur général, que j'ai même vu dans la foulée, et j'ai dit : « Quand
je travaille, on me paie ! Parce que là c'est pas sérieux. »
Et puis effectivement ils ont vérifié, ils me devaient ça.
On m'a payé le 27 décembre 1999. On m'a réglé les dix-
huit piges de retard. On a arrêté l'émission le 31. Parce
qu'il n'y avait qu'un pigiste pour faire ça !

— *Parce que tu avais pris trop d'importance sur la rubrique ?*
— Voilà. On l'a supprimée le 31. Alors j'ai été voir le rédacteur en chef, les chefs d'édition, qui étaient dans le bureau, et je leur ai dit : « On a arrêté ça, d'accord. Qu'est-ce
que vous reprochez à la rubrique ? » Il y en a un qui savait
et qui a dit : « Rien du tout. » C'était R, d'ailleurs, et je ne
m'attendais pas du tout à ce que soit lui qui dise ça. Il m'a
dit : « Rien du tout, c'est neuf sur dix ! Rien du tout, bien
au contraire. Mais, bon, c'est comme ça. » J'ai dit : « OK,
c'est tout ce que… » Parce qu'on est dans un truc où on se
nourrit de satisfaction personnelle. Il m'a dit ça, j'étais
content de moi. Je ne gagnais plus de sous, mais j'étais
content de moi ! *(Rires.)* J'étais fier. Je me suis dit : « Voilà :
là j'ai bossé ! » Il ne pouvait pas me dire autre chose, bien
sûr. Et en plus il m'a dit : « Il y a eu des redifs, on a rediffusé
plusieurs fois. » Et puis il y a un truc…

— *Tu étais content de toi parce qu'il te confirmait que tu
étais victime d'une injustice ?*
— Voilà. J'ai dit : « OK, bon, d'accord, si vous recon-
naissez que professionnellement le travail est irréprochable

et qu'après c'est des histoires de maison, machin, OK ! »
Parce qu'on arrive à un moment où on doute de soi, hein.
On veut tout le temps écouter ses bandes, il faut qu'il les
dépose et qu'il dise : « Ça va ? — Oui, c'est bon, tu peux
y aller. » Il y a un système « écolier » qui est encore là, et
puis, à un moment, on doute. Forcément.

— *Mais qui est-ce qui décide que ça coûte trop cher ? C'est
les services financiers ? C'est quelqu'un de la rédaction ?*
— Le rédacteur en chef. On lui a confié un budget. Et on
lui a dit : « En pige, vous ne devez pas dépasser tant. Or,
vous avez un héritage de pigistes que vous devez gérer » —
« héritage » c'est d'ailleurs le mot qu'ils ont utilisé.

— *Un héritage qui était celui des pigistes de RFI + [service
dissous] affectés au service Afrique en septembre 1995…*
— Voilà, en septembre 1995 on a dit : « Bon, voilà, vous
héritez de ceux-là. Tâchez de… ben, de gérer ! Ils sont là.
Qu'ils soient payés sur ce qu'ils produisent comme travail,
étant entendu que vous avez seulement *n* francs à distribuer pour les piges. Donc, voilà le volume-piges et voilà
les gens que vous avez… Il faut qu'ils aient un salaire honnête, débrouillez-vous. » Le rédacteur en chef se retrouve
donc dans une situation de responsable des ressources humaines : « J'ai du personnel. » Et en même temps, il doit
faire des comptes. Et celui qu'on avait, de rédacteur en
chef, c'était pas du tout son problème. Lui m'a dit clairement : « Je veux maintenant que tu me donnes des trucs
bien, diffusables. Je diffuse. Ils vont se faire foutre. Ils vont
de toute façon trouver le moyen de te payer. Ils te payaient
bien, avant ça ! » Ah, il ne fallait pas me dire ça ! Moi j'ai
foncé dans le truc, je lui ai fourni tout, il a diffusé, il a géré
ça normalement. Il s'est fait rappeler à l'ordre par la

direction du personnel. Ils se sont vraiment engueulés. J'étais même un peu fier qu'ils se soient engueulés pour moi. Parce qu'il a dit : « Écoutez, c'est des gens qui travaillent. Vous n'êtes pas journaliste, vous n'avez rien à faire ici. Moi j'ai besoin d'alimenter ma chaîne. Ce sont des journalistes qui travaillent. Vous n'avez pas à interférer là-dessus. » Donc ils se sont un peu engueulés sur la question. Après ils ont quand même eu raison de lui puisqu'ils ont supprimé la rubrique. Ils ont dit : « On n'a plus de budget pour ça », et ils mettaient de la musique. Donc ils l'ont arrêtée… Là, maintenant, je suis dans une situation plutôt tranquille. Je vais en vacances, tranquille. Parce qu'il faut lire les conventions, machin. Ils ont deux mois pour dire qu'ils ne veulent plus de moi puisque j'ai signé un contrat. Et quand ce n'est pas explicitement notifié, dans nos conventions, c'est pratiquement de la « tacite reconduction ». Ils peuvent effectivement me dire : « Le 30 août c'est terminé. » Si effectivement les programmes s'arrêtent… Mais les choses ne s'arrêtent pas à la radio, comme tout le monde se le figure ! Un avocat défend très bien des dossiers comme ça, parce qu'il dit : « Oui, mais la radio continue », et vous lui faites préciser quelque chose qu'on a rajouté dans les conventions : c'est qu'il faut annoncer deux mois avant, que ça ne va pas être reconduit. Ils sont complètement les pieds dedans actuellement ! L'émission que je fais aujourd'hui peut être arrêtée, mais moi je ne vais pas arrêter de toucher de l'argent de RFI. Voilà un peu ce qu'il faut comprendre. Donc ils seront obligés de me mettre sur un programme. Ils avaient deux mois pour me dire : « Écoutez, Ed, 30 août, fini. » Le temps que je réagisse, moi. Ils ne l'ont pas fait. Et la grille commence ! Obligés ! Ou bien je pars avec des indemnités, ou bien je reste et on me dit : « Tu fais tel programme. » Parce qu'ils avaient deux mois pour le faire, ils ne l'ont pas fait, ils sont obligés de trouver une solution à l'amiable.

« Pigiste, pas journaliste »

— *Et tout ça pour combien ?*
— Tout ça pour, actuellement, je suis payé sur… Ah oui, ça aussi ça a été un grand débat ! Quand les pigistes évoluent et que… parce que la base conventionnelle, je crois que ça doit être 200 francs…

— *Pour une pige…*
— Pour une pige de deux minutes, ou trois minutes. Ils ont une base. Ils ne peuvent pas descendre en dessous. Moi je suis actuellement à 388 francs les trois minutes.

— *Oui, mais tu as un papier et un son, dans les trois minutes.*
— Voilà. Il y a un papier et un son dans les trois minutes. Bon, je suis à peu près à ça. Et ils ont voulu me proposer quelque chose en dessous. J'ai dit : « Non. On est arrivé à un niveau d'où on ne peut pas descendre. Soit c'est ça, soit c'est rien. » Donc moi, aux programmes actuellement, je suis payé pire que les autres, ou avec un statut assez particulier. Enfin, bon, tout ça m'amène autour de 8 000 francs. Ça va, ça vient. Quand je fais des trucs à [nom d'une émission], ça m'amène dans les 8 000 francs, sinon c'est 6-7 000 francs. Et ils rajoutent les fractions du treizième mois, ils rajoutent les fractions de congés payés et ça ramène autour de 7 000… 7-8 000 francs.

— *Tu es marié ?*
— Oui, avec deux enfants.

— *Ta femme travaille ?*

— Elle travaille. Heureusement ! Et c'est ça qui a fait que la traversée du désert a été… enfin, sans trop de secousses, quoi ! Bon, on avait réduit de moitié notre train de vie. Mais il faut payer le crédit de ci, il faut payer la voiture, il faut payer le loyer ! Heureusement qu'elle travaille ! Écoute, on a perdu, oui, moi j'ai perdu 7 000 francs. En tout j'ai perdu 7 000 francs. Oui, je gagnais autour de 14 000 francs. Et là, avec le gros machin, tac ! Depuis un an je suis donc à 7 000-7 500 francs. Et la compensation qu'ils m'ont proposée… : ils m'ont proposé 20 000 francs. J'ai signé. Si je ne signe pas, je m'endette. Et on dit que « qui paie ses dettes s'enrichit ». J'ai dit : « OK. » J'ai pris l'argent et j'ai été le reverser, j'ai payé mes dettes, et donc je n'ai même pas vu… Ça ne m'a servi à rien cet argent ! Enfin, j'ai payé mes dettes !

— *Ça, c'était au tout début de l'année ?*

— Non, c'est maintenant, là.

— *Maintenant, là, vous avez réglé le contentieux… ?*

— De l'année dernière !

— *De l'année dernière, et de quelle époque de l'année dernière : de l'époque de la fin de l'année ou de l'époque de la nouvelle grille de septembre ?*

— De la nouvelle grille de septembre. Pratiquement un an après.

— *Ça, c'est le manque à gagner sur la période de la nouvelle grille, de septembre à mars.*

— Voilà, c'est ça. Le manque à gagner. Mais en fait, on ne calcule pas seulement le manque à gagner. C'est une transaction qui se calcule sur des chiffres assez compliqués. Et j'avais commencé à le faire. Mais j'ai été découragé et j'ai abandonné. Je croyais en leur bonne foi. Et puis j'ai signé. J'ai touché cet argent avant le 14 juillet, voilà c'est ça, parce qu'à la DRH les personnes qui rédigent ça partaient en vacances. Donc ça nous ramenait à septembre ! J'en pouvais plus, j'ai signé. Je leur ai dit : « Donnez-moi cet argent, je vais aller régler mes dettes. » J'ai été régler mes dettes et puis c'est fini. On n'en parle plus.

— *Et avec les confrères, comment ça se passe ?*
— Avec les confrères ça se passe plutôt bien. Ils compatissent. Ils essaient de dire : « Qu'est-ce qu'on peut faire ? » Et puis ils voient tout de suite qu'ils sont impuissants devant le rouleau compresseur. Ça se passe bien. Dans les gros médias comme ça, il y a toujours de la médisance. Untel a dit ça sur untel. L'autre a fait… Bon, c'est normal dans les grandes boîtes. Mais je trouve qu'il y a ici une activité particulière pour opposer les différents services. Alors on nous a dit que RFI + était opposée à ci, à ça. On nous en a raconté ! Moi je ne les connais pas, ou alors c'est des amis ! Et puis je suis quand même venu à la rédaction, avec quelques réserves. J'étais là, je faisais mes petits trucs. Et puis, bon, ça se passait bien. Je ne m'y attendais pas. Ils sont pas comme on disait, merde, c'est des gens comme tout le monde. Qui ont des humeurs, qui peuvent avoir de l'antipathie ou de la sympathie pour les autres. Mais dire qu'on était fondamentalement mauvais, que telle personne était ci, que telle personne était ça… On a créé une ambiance qui faisait que même les pigistes que nous étions, nous n'étions pas très à l'aise, quoi. On n'était pas très à l'aise et puis finalement, c'est les collègues qui étaient là qui nous ont mis à l'aise : « Non, non, vous êtes là, vous

faites partie… » Et puis, moi, je faisais mes rubriques, mais plus d'un m'a demandé : « Qu'est-ce que tu penses de telle chose ? » Oh ! *(mimique de surprise)* Ce qu'on ne demande jamais au pigiste.

— *Sur un dossier ?*

— Oui. « Eh bien, moi je pense que ci », et puis on discute d'un papier : « Ah non, moi j'aurais dit ça. » Voilà, l'ambiance est normale. Mais pour revenir encore à la hiérarchie, aux chefs de service, jamais on ne demande l'avis d'un pigiste sur un domaine qui n'est pas le sien. On ne lui demandera jamais… On ouvre des tiroirs et puis on met les pigistes dedans, ça permet de mieux les gérer. Et ce sont les collègues qui les sortent de là en les intéressant à autre chose, en leur disant autre chose, en les faisant participer. Et pour peu que les collègues, les amis, les confrères soient eux-mêmes enfermés dans des trucs, ou bien ne s'occupent pas de vous, ou bien que « chacun mène sa vie », le pigiste ne sort plus de son environnement. Il est dans son truc, point. Or quand nous, nous sommes arrivés là, quand moi je suis arrivé à la rédaction, je faisais partie de la rédaction ! Bon, pour te donner un exemple, Z [un cadre] a eu une réaction un jour, je me suis dit que je n'ouvrirais plus jamais ma gueule. Il disait quelque chose de complètement aberrant, mais complètement. Je résistais, je résistais, je me disais : « Non, mais je vais le dire, quoi. » C'était sur les élections… les élections au Bénin. W [le correspondant] était en mission. Z dit : « Il faut dire à W que s'il descend du nord, eh bien qu'il s'arrête du côté de chez Kérékou pour faire une petite interview des gens de Kérékou avant de rentrer. » Il a dit ça deux ou trois fois. Et alors j'ai dit : « Non, il ne peut pas s'arrêter chez Kérékou, c'est encore plus haut que là où il est ! » *(Rires. Contrefaisant la voix de Z.)* « Eh ben non, il va faire un crochet, eh ben non, mais j'entends bien, je vois bien, il va faire un crochet », et puis bon, il m'a envoyé chier, quoi. Donc, on ne te demande pas ton avis. Et en conférence de rédaction… On n'est pratiquement plus des journalistes, on est des pigistes. On n'est pas journaliste, on est pigiste. Voilà, c'est ça : on n'est pas journaliste, on est pigiste. Mais si c'est pour demander un renseignement précis sur ce que je fais, oui, il va venir me le demander. Alors qu'avec les collègues : « Tiens, je suis en train de faire tel papier, je ne suis pas sûr du tout de tel mot. Est-ce que tu peux… » Et ça passe, on discute. Et là, tiens, on n'est plus pigiste, on est journaliste et on parle avec des collègues, et on leur dit : « Tiens, moi j'ai fait ci, j'ai fait ça, et je pensais que tu ferais peut-être ci et ça. » Et puis on discute des choses. Alors qu'avec la hiérarchie, non, on est pigiste, on n'est pas journaliste.

— *Tu as donc connu une fin de collaboration en septembre 1995. Et là s'est fait sentir la nécessité de retrouver rapidement du travail, et donc de se maintenir sans arrêt à l'affût de toutes les possibilités. Comment ça se passe, une période comme ça ? On est à la fin de quelque chose et on ne sait pas très bien si on va être à nouveau choisi pour autre chose. Je suppose qu'il y a un travail de représentation permanent…*
— Ah oui, permanent. Il faut se montrer sous son meilleur jour. Ah, oui, il faut être convaincant.

« Tu fais de la représentation »

— *Alors concrètement, comment ça se passe ? On arpente les couloirs du matin au soir ?*
— Tout le temps. Il faut être présent, il faut se montrer. Il y a un cocktail, j'y suis : « Il est là, il s'intéresse à tout !

Il s'intéresse à la vie de la maison, il s'intéresse à tout, il connaît tout le monde, il dit bonjour à tout le monde. Il est là. » VRP ! *(Rires.)* Je me montre. Et quand je suis entré dans cette maison, B, qui était aussi pigiste… c'était le premier mois, on m'avait donné deux jours [de travail]. Et puis après on avait trouvé qu'on pouvait améliorer le produit et on avait discuté pour améliorer la chose. Elle m'a dit : « Écoute, Ed, ils t'ont donné deux jours, mais je vais te dire un truc : ici, pour être pigiste… », et ça je l'ai retenu, « Le pigiste doit être tout le temps là ! C'est contradictoire avec le fait de faire des piges ailleurs, mais si tu veux être connu, reconnu ici, et faire autre chose ici, tu as deux jours mais tu dois être là tous les jours. Tu fais de la représentation. » Donc là je parais sous mon meilleur jour juste ce qu'il faut, pas un mot plus élevé qu'un autre, normal. Parce que, même quand on a du caractère, même quand on est… faut savoir niveler tout ça, parce qu'on est demandeur, hein ! Celui qui nous emploie n'est pas forcément demandeur. Il peut changer, parce qu'il a la latitude de changer du jour au lendemain. Donc, faut être… cool.

— *C'est-à-dire qu'un jour il peut te jeter et le lendemain il peut t'accueillir à bras ouverts ?*
— Voilà, oui.

— *Ça t'est arrivé ?*
— Plusieurs fois. Donc je suis arrivé à trouver un niveau de discussion.

— *Ils changeaient du jour au lendemain de figure, d'attitude ?*
— Oui. Parce que je venais, je discutais. « Qui c'est celui-là ? qui c'est celui-là ? » […] ce qui fait que je me

suis retrouvé du jour au lendemain à faire la chronique de [nom d'une émission], j'ai fait la chronique à la place de X. J'ai fait la rubrique [nom de la rubrique]. J'ai fait les invités que D faisait. J'ai tout fait. Parce que, tranquillement : « Oh ben, lui, tu lui demandes, il te le fera. » Tac : on me demande, je le fais. Et puis je suis pigiste ! Bon, ils jouent aussi sur ça, hein ! On est pigiste, on ne refuse pas le travail. Ce qui fait que, moi, le dimanche, on peut m'appeler, je viens, je le fais, parce que… bon : « Ed ne refusera pas. » *(Rires.)* Donc je viens. Effectivement, cette période-là, quand tu parlais de la transition, de la fin de la collaboration pour aller vers autre chose, […] même si après on est recruté, on a repris ses aises, on est redevenu normal, eh bien pendant cette période-là on n'est plus normal. Parce qu'il faut passer dans tel couloir… Moi je t'avoue franchement, je me suis montré. À tous les cocktails de copains, de collègues, etc. Quand je vois que, tiens, un directeur général qui passe là, le PDG qui passe par là… Parce que mon dossier est en suspens chez lui : « Je suis encore là, hein. Il ne faut pas m'oublier. Mon visage est là. » Donc je reviens et puis je trouve toujours l'occasion d'aller lui dire : « Bonjour, comment allez-vous ? » Moi j'ai pris l'habitude de leur dire « Comment allez-vous ? », pour qu'ils ne me le disent pas. Parce que s'ils vous disent « Comment allez-vous, etc. », on se plaint. On se plaint. Alors je vais voir le directeur général et je lui dis : « Ah, bonjour, comment allez-vous ? — Ça va, et vous-même ? — Oh, ça va, on fait aller, on fait aller. » Et puis on continue comme ça. C'est ce que j'ai reproché à H [ancien collègue pigiste mis à l'écart au cours de cette période] : « Tu ne te montres pas ! » je lui ai dit. Moi, ils ont mis trois semaines pour me dire que le programme m'était affecté, mais ils me l'ont dit quand même. Parce que je suis là ! Tous les jours ! « Mais qu'est-ce que tu es venu faire ? » J'ai dit : « Mais H, tu as toujours quelque chose à faire ! Tu viens te montrer. » Je suis aujourd'hui l'ami à G [ancien directeur de l'information], le copain. C'est mon bourreau, ce garçon, et pourtant je le vois aujourd'hui, il m'invite, on discute. Je lui ai raconté mes débuts, quand j'ai commencé à La Documentation française ! Je travaillais pour la revue *Afrique contemporaine*. Je lui ai dit que j'avais commencé par l'agriculture. Mon premier dossier, ça a été le PAC, le Programme agricole commun. « Ah mais c'est pas vrai ? Moi aussi j'ai commencé par l'agriculture ! » On est devenus copains. Il va maintenant me donner des piges chez lui. Et voilà, il faut…

— *Alors que c'est quelqu'un qui t'a jeté.*
— Oui. C'est même lui qui m'a appelé pour me le dire. Et maintenant il est prêt à me donner des piges, parce que… Bon, à leur décharge, on leur a remis un truc à faire, un programme à concevoir, une nouvelle radio à élaborer. Et ils ont pensé qu'ils devaient faire des règlements de comptes entre personnes. Et les rédacteurs en chef se sont insultés, se sont tapés dessus : « Ton programme est nul ! » Mais ce programme, c'est pas lui qui le fait ! […] C'est une autre personne. Donc on jette la personne, elle ne compte pas, c'est un pigiste. On veut atteindre le rédacteur en chef. On a eu en fait ce qu'on voulait, on a dit que tout ce qu'il faisait était nul… Qu'on leur reconnaisse au moins que tel programme était bien, ou que l'on s'interroge sur la façon de l'améliorer… Mais il ne faut pas dire en bloc que c'est terminé, parce que lorsqu'on rentre

dans cette logique-là, ça devient des querelles de personnes, on s'en prend à des gens ; parce que les rédacteurs en chef, eux, on les met au placard ; c'est gentil, mais moi je veux bien être au placard à 40 000 francs, hein ! Moi je veux être au placard à 40 000 francs ! On le met au placard, il n'a plus rien, il a un petit bureau, il n'est plus rien, mais il a 40 000 francs. Non, non, non, on n'a pas les mêmes problèmes, nous, on veut vivre, et puis on n'est plus jeune, quoi, et puis on a des choses à prouver, aussi. Donc il y a comme ça des querelles. Et puis ils se sont rendu compte qu'il fallait être présent. Enfin moi j'ai beaucoup joué sur la présence, parce que j'ai retenu ce que B m'avait dit : « Tu dois être là, tu te montres. » Et B, elle a été intégrée, hein, du jour au lendemain !

— *Ça marche.*
— Ah oui, ça marche ! Moi je te dis : ça marche ! Elle a été intégrée. Moi je me suis montré partout. On me demande, maintenant. C'est bien. L ne s'est pas montré, il n'y est plus. H ne s'est pas montré, on est incapable de lui donner un programme aujourd'hui.

« Faut être là… sans fatiguer les gens »

— *C'était des gens qui étaient dans la même situation que toi, qui pouvaient exiger eux-mêmes, à leur tour, d'être intégrés, de négocier leur présence dans l'entreprise.*
— Voilà. Mais c'est des gens qui ont trop vite baissé les armes. Bon, moi j'ai un avantage, c'est que j'ai pu négocier ce truc-là : je me suis accroché aux programmes. Faut être là. C'est vrai que, eux, ils n'étaient plus physiquement là.

— *C'est-à-dire que toi, tu as une présence dans les programmes qu'eux n'avaient pas. Il n'y avait qu'une présence dans la rédaction qui se justifiait.*

— Voilà. Ils n'avaient qu'une présence dans la rédaction qui se justifiait. Et quand tout ça s'est arrêté, on leur a donné de petites choses à gauche, à droite, MFI [agence de presse écrite de RFI], etc., qu'ils ont continué à faire. Mais on ne les voyait plus. Bon, dans le cas de H par exemple, il faisait des trucs à MFI. Il fallait qu'il lise, qu'il travaille avec la documentation. Il faisait des photocopies et il travaillait chez lui ! Moi, je ne ferais pas ça. Moi, je serais là : « Tu veux que je travaille, où je me mets ? Il faut que tu me trouves une place. » Voilà, moi j'aurais fait ça. Tu trouves une place. Ils viennent travailler dans mon bureau alors que… Va à la rédaction, va quelque part, tu trouveras ! MFI lui prend des piges. Il les écrit chez lui, il les amène. Je lui ai dit : « Non, tu les écris à MFI ! Tu es là, tu es là ! » Parce que le fait d'être là, qu'on te voie tout le temps, ça implique beaucoup de choses. Il suffit que les idées naissent, et c'est au contact des gens, c'est en discutant, c'est au détour de quelque chose que naît une idée, que quelque chose apparaît, que… Bon, quand j'avais les deux jours, les deux premiers mois à RFI +, j'étais là du lundi au vendredi. Et un jour, paf, quelque chose leur claque dans les mains : « Merde ! Comment faire ? » Il était 17 heures, on bouclait tout à 19 heures. C'était pour le lendemain. Il était 17 heures et ils n'avaient rien en « éducation ». Je finis de monter ma bande, je tourne le dos doucement. À 17 heures, je m'apprêtais à partir : « Ah, on a un problème, Ed ! » Voilà le travail de pigiste ! Il faut qu'il soit là : « On a un problème. — Ah oui ? Qu'est-ce que tu veux ? Dites-moi tout. — Bon, voilà, il nous faut une chronique "éducation" — Ah mais je n'écoute pas beaucoup la chaîne… C'est quoi, la chronique "éduca-tion" ? — Mais non, tu connais ! — Ah oui, je connais, OK. — Ben, il nous faut ça ! — Ah bon. Pour quand ? » Je sais bien pour quand, puisque j'ai entendu la discus-sion ! Je sais bien. Je dis : « Bon, eh bien, écoute, on verra ça demain. OK, je vous fais ça demain. *(Mimant l'affole-ment.)* — Ah non ! C'est pour diffuser demain matin ! Donc c'est maintenant. *(Bougonnant.)* — Oh, ben, dis donc, alors là tu fais bosser… Oh ben, dis donc, vous vous y prenez un peu tard, hein ? — Bon, alors, est-ce qu'on peut compter sur toi ? *(Impérial.)* — Je ferai de mon mieux. » *(Rires.)*

— *Métier de comédiens !*
— Absolument ! Alors, à ce moment-là, je pose mon sac. Mais là, c'est ça aussi le pigiste, là quand tu le fais, tu réus-sis, c'est du 100 %. Là, il faut être sûr de son coup. Tu ac-ceptes, tu le fais. Sinon tu te discrédites et on ne te dira plus jamais « Au secours ! » On ne te le dira plus jamais, jamais. Je me suis dit : « Bon, là, il faut être malin. » Là j'ai eu une intuition. Je me suis dit : « Je ne vais pas l'in-venter, cette chronique, et la faire intégralement, parce que ça, ça va être la signature Ed. Je peux, mais c'est un risque, parce que si je rate, si ça ne correspond pas [le bon produit, au bon calibre]… » Alors je me suis dit : « Qu'est-ce qu'il m'a laissé [celui qu'il remplace] ? » On m'a donné la bande qu'il avait laissée. Le son était nase, mais nase ! *(Rires.)* J'ai dit : « Mais à 17 heures, les gens en "Afrique" ont fermé. » On m'a répondu : « Oui, oui, on sait, on te bouscule, là. Bon, sors-nous quelque chose de ça ! » Donc celui que je remplace endosse à moitié la responsabilité de ce que je vais faire.

— *Et pour lequel tu seras payé…*

— Et pour lequel je serai payé. Et j'ai dit : « Bon, OK, je vais rattraper ça. Je prends. » Et puis là, heureusement – vraiment j'avais tous les dieux avec moi ce jour-là –, il y avait la CONFEMEN…

— *La quoi ?*

— La CONFEMEN, qui est la Conférence des ministres de l'éducation nationale de la zone francophone. Voilà… J'avais lu un truc là-dessus. Donc c'était les programmes, le CAMES [Conseil africain et malgache de l'enseignement supérieur], machin, et l'éducation francophone, etc. J'ai pris la bande. J'ai écouté. Et j'ai pris 40', à peine 40' de son. Et puis du texte ! Du texte, du texte, du texte ! Je suis obligé de faire du texte, parce que les sons ne sont pas bons. Et puis voilà *(mimant la réaction du chef de service)* : « Ah mais chapeau ! C'est bien ! » *(Rires.)* Et pour tout te dire, je regardais l'heure, et je savais à quelle heure exactement il partait. Tu vois, on est tout le temps en train de jouer, comme ça, je savais exactement à quelle heure il partait. J'ai rédigé, il est parti. *(Imitant CS, le chef de service adjoint.)* « Tu continues à travailler ? Tu bosses ? — Oui, oui ! » Je vois qu'il commence à s'agiter, il est 18 heures 55. Je dis : « Bon, CS, j'ai terminé. — Écoute, je n'ai plus le temps, je te fais confiance. Donne le texte. Ah, tu as pris sous cet angle, hein ? Ah ben oui, pourquoi pas ? C'est bien, c'est bien ! » *(Rires.)* Il est parti, j'ai rangé mes affaires, je suis rentré chez moi. Il a écouté et le lendemain il m'a dit : « C'était bien, hein, impeccable. » Et puis c'est terminé. La semaine d'après : « Untel ne sera pas là. Tu pourras le remplacer ? » Éducation : tac, tac, tac, tac ! Deux mois après, j'avais la chronique ! Donc je suis passé à trois jours : je faisais lundi, mardi et vendredi. Et puis après j'ai

eu le mercredi : quatre ! Ainsi de suite. Et ça a été pareil
pour le programme de l'« environnement ». On faisait
[nom d'une émission], SD avait été intégrée en bas [un
étage inférieur] : qui peut faire un truc pratique comme
ça ? Sans fatiguer les gens, il faut aussi savoir raconter son
curriculum vitae. Ils savent que j'ai fait l'« agriculture », que
j'ai commencé par ça, que j'aime beaucoup l'« agriculture »,
que je m'y intéresse. Et puis quand d'autres le font, que
d'autres collègues travaillent, tu t'intéresses à ce qu'ils font,
et puis l'idée finit par circuler que… Et on m'a proposé
[nom de l'émission], mais de la manière la plus naturelle,
parce que cette rubrique traitait beaucoup plus d'agriculture. On me l'a proposée, comme ça. « Est-ce que tu
acceptes ? — Si j'accepte ? » *(Rires.)* Et c'était un samedi.
Donc : lundi, mardi, mercredi, vendredi, samedi. Je rem-
plissais tous les jours. Et on a continué comme ça, on a
continué, et puis : « Tiens, Machin s'en va. Merde, comment on fait ? Tu peux ? — Donne toujours ! » *(Rires.)*
Tous les quinze jours, je lui faisais la chronique « santé ».
Et puis après ils ont eu le contrat avec l'UAP, avant de
mettre M dessus. Et puis il faut montrer du fair-play. J'ai
vu plusieurs pigistes qui sont passés à RFI + et qui ont été
jetés après. Il faut montrer du fair-play. M est venue, nous
étions tous pigistes. Elle est venue comme pigiste, elle démarre dans un truc comme ça ; bien sûr il y a un contrat
avec l'UAP, mais il y a des chroniques, elle ne savait pas
comment les aborder. Les premiers magazines qu'elle a
faits, je l'ai aidée, je lui ai dit… C'est vrai que c'était bien
de l'aider, de lui dire « Il y a ci, il y a ça… » Mais en toute
rigueur on peut peut-être me reprocher certains comportements que j'avais : je faisais en sorte que la hiérarchie
sache que je l'aidais, tu vois ? Quelque part je me disais :
« C'est pas complètement désintéressé. » Quand j'aide

quelqu'un, j'aide la personne, bon. Mais là, on était dans une situation telle que je donnais en faisant savoir que je donnais. Tu vois ? Bon, c'est un peu ce que l'on fait en relations internationales, c'est de « l'aide-liée » *(rires)* : tu aides la personne, tu tires les ficelles par ici. Donc j'ai fait les rubriques avec elle. Je lui disais : « Là, tu vois ci, tu vois ça. » À tel point qu'on finissait par lui dire : « Tu vois ça avec Ed. » Et à partir du moment où on lui a dit ça, je me suis dit : « C'est fini, j'ai plus besoin de faire du lobbying. » « Tu fais ça avec Ed », j'ai dit : « OK, donc c'est bien entré dans leur tête, c'est terminé, c'est fini, j'ai satisfaction. » Parce qu'ils savent que je peux, je suis là, je sais, etc. Et puis c'est une fille qui apprend vite les choses, on lui montre deux-trois fois les trucs et puis, hop ! elle a démarré toute seule, ça roule, et puis quand elle demande, on donne. Parce que, bon, on s'aide. J'ai fait ci, j'ai fait ça. Les contacts, etc.

— *Et puis, un jour, on a la rétribution de ce qu'on a donné.*
— Oui, absolument. Avec les chroniques qu'elle faisait, elle tournait dans toute l'Afrique. Elle revenait en me disant : « Tiens, il y a telle chose à tel endroit qui va t'intéresser, etc. » Après, moi, tout ce qui concernait la santé, qui me passait entre les mains, je me disais : « Je ne vais pas trouver un angle "service", je vais reverser ça à la "santé". » Et il y avait comme une bourse, comme ça, aux pigistes. « J'ai une idée pour ton truc : tu pourrais aller… » Sachant qu'il y aura un retour. Parce que moi je vais lui donner, et qu'elle aussi va me donner. Et tous les pigistes étaient là, comme ça : « Je t'apporte ci et ça. » Et la différence était frappante, parce qu'avec ceux qui étaient pigistes permanents, comme E et V, il y avait cette distance-là. On était à l'antenne, gentils, très bien, on

était devenu des amis et tout, mais cette complicité au travail, ça n'existait pas.

« Des enseignes plus lumineuses que d'autres »

— C'est-à-dire qu'à l'intérieur du groupe des pigistes, il y avait des différences entre ceux qui étaient collaborateurs installés et ceux qui étaient vraiment des pigistes précaires ?
— Voilà, oui.

— Ça se traduisait comment ?
— On disait : « Nous, on est encore plus pigistes que vous ! » *(Rires.)* Ça se traduisait par le fait que, eux… ils pouvaient faire des erreurs ! Nous, on n'avait pas le droit à l'erreur. Ça revient un peu à ce que je disais tout à l'heure : eux sont journalistes, et nous, nous sommes pigistes. Il y avait un peu de ça : eux avaient le droit à l'erreur. F ratait même l'antenne quelquefois ! Mais moi, je ne peux pas ! Ça s'est jamais vu ! Un pigiste qui rate son direct, ça ne s'est jamais vu ! Moi, mon « module » est prêt absolument ! H faisait par exemple [nom d'une émission], mais quand elle n'avait rien, elle mettait de la musique, hein ! Mais moi, ma rubrique « santé », « service », « machin », il fallait que… tu vois.

— Qu'est-ce qui se serait passé si toi tu t'étais comporté comme ça, c'est-à-dire si parfois tu avais loupé ta vacation, ou ton produit ?
— Bon, je suis un garçon gentil, donc ils ne m'auraient pas remercié du jour au lendemain. Mais sinon, on m'aurait remercié du jour au lendemain, ce qui s'est produit, d'ailleurs. Il y a une fille, qui est passée, qui a été mise en concurrence avec moi sur le service. Là encore je me dis

que je n'étais pas très… Bon, ce n'était pas désintéressé. Je l'ai aidée complètement à faire l'émission. Et j'ai fait comprendre que je l'avais aidée à faire l'émission, entièrement. En plus ça a été bien fait, nickel et tout. Et puis, bon, elle s'est montrée très dure avec nos responsables, en les insultant. Ils ont passé l'éponge une fois. Et puis elle a raté sa vacation. On m'a appelé pour la remplacer rapidement. Mais sans s'affoler : un peu comme si elle était installée. Alors qu'on n'est jamais installé. Il y a un proverbe qui dit, dans mon pays : « Si tu n'es pas assis, tu ne peux pas dresser les pieds. » Tu n'es pas encore assis et tu veux déjà t'étaler ! Non ! Tu vas te ramasser ! Tu vas faire une chute mémorable. Non, il faut s'asseoir et puis prendre ses aises. Tu peux pas rester debout et chercher à dresser les pieds. Elle n'était pas encore installée et elle était déjà dans ses trucs. Eh bien ils l'ont remerciée !

— *Et qu'est-ce qui les protégeait, les deux dont on vient de parler [F et H] ? Qu'est-ce qu'ils avaient de plus ? C'est une simple question d'ancienneté, tu crois ?*
— Non, non, pas seulement. Il y a les recommandations. J'aurais été pigiste recommandé par J [ancien directeur général], à l'époque j'aurais été intouchable. Ouais, c'est ça. *(Rires.)* Donc ils avaient des arrières assez solides.

— *Mais ces appuis, ils ne les ont pas perdus après la chute de leurs protecteurs ?*
— Ah non, ils ne les ont pas perdus ! Bien au contraire, on s'est arrangé à ce que des reconversions se fassent.

— *Brillamment parfois.*
— Oui. H est partie tout de suite à [nom d'une capitale]. Je sais aujourd'hui, puisqu'il est devenu un ami, que F a

touché… moi j'ai touché 20 000 francs, mais lui pas loin de 100 000 francs. Plus ! Mais bon…

— *Pour une ancienneté sensiblement…*
— Sensiblement égale. Et son salaire n'a pas été aussi amputé que ça. Enfin, il a beaucoup chuté, mais on lui a aménagé des horaires pour que ça se justifie. Ce qui fait que… c'est ça les gens protégés, quoi. Donc, pigiste, c'est bien. Le pigiste qui débarque comme ça, parce qu'il a proposé un produit, ou bien parce qu'il a entendu quelque chose et qu'il vient se présenter, et qu'il a été retenu, il a une grosse épée de Damoclès sur sa tête, hein, ça peut tomber à tout moment. Alors que le pigiste qui est recommandé… Enfin, ceux-là étaient les bien lotis. Ils étaient tranquilles. Moi je lui ai même dit à F : « Je ne te reproche pas ce que tu gagnes, au contraire, tout le monde aspire à ça. Moi, le directeur général m'aurait proposé un truc comme ça, à l'époque, je n'aurais pas dit : "Ah, vous avez tort." J'aurais accepté. » Bon, maintenant, tout est dans la manière dont ça a été fait, et la manière dont la personne se comporte vis-à-vis de tout le monde. Ça c'est autre chose. Il y a le relationnel-personnel, avec les collègues, avec les amis, avec… Bon, il y a tout ça qui entre en ligne de compte. À un certain moment, ils se sont vus tellement au-dessus de tout que… il y a eu beaucoup de dérives, quoi !

— *Tu veux dire une certaine arrogance ?*
— Oui, oui, carrément. Beaucoup de frictions d'ailleurs à l'intérieur du service, à un certain moment. Il y avait une suffisance comme ça, qui dérivait, quoi. Et puis il y avait de l'arrogance.

— *À l'égard des pigistes et à l'égard des statutaires ?*
— À l'égard de tout le monde.

— *Des sortes de mercenaires ?*
— Oui, c'est ça. Nous par exemple, les pigistes qui avions été recrutés, on n'avait pas les mêmes relations avec notre hiérarchie, tu vois. On faisait ce qu'ils disaient, et puis on faisait notre travail. Et puis après, bon, en dehors de ça on peut être copains. Mais les autres ne faisaient pas toujours leur travail. Et ça passait toujours. Parce que certains pigistes étaient recommandés, quoi. Parce que c'était un pigiste intouchable. Qui était sûr de son coup. Voilà. Et donc, il y avait pigiste et pigiste. Alors quand ils ont eu un accès d'humilité, ils ont dit : « Ah mais nous sommes tous des pigistes et nous sommes tous logés à la même enseigne. » Il y a des enseignes qui sont plus lumineuses que d'autres ! *(Rires.)* […]

« Mais c'est quoi, ce milieu ? »

— *Tu as donc toujours connu, dans ce métier, un statut un peu précaire ?*
— Tout à fait.

— *Quand tu travaillais pour La Documentation française, ça ne t'a pas apporté de quoi manger ; ensuite quand tu as travaillé pour les associations, tu étais obligé de faire le pompiste en soirée. C'est donc à partir du début des années 1990, à RFI, que tu as commencé à exercer à temps complet.*
— Absolument. Sinon c'était toujours comme ça, à gauche à droite, un peu par-ci, un peu par-là. Et puis tu as la régularité pour six mois. Et après, pom, plus rien, mais toujours un fond quelque part, qui me permettait

de faire une soudure. Et une autre grosse expérience que j'ai eue dans ce métier, c'est avec S, producteur de [titre de l'émission] sur France 3. Et ça, ça m'a appris à approcher les gens. Je suis donc rentré dans les associations francophones, et à l'époque, Mitterrand avait créé le Commissariat général de la langue française, dont le commissaire général était Yves de Saint Robert. J'aimais beaucoup ça ! Alors « francophonie, machin », je me suis dit : « Tiens, je sors de l'école, je vais faire une émission sur la francophonie. Et puis, pas radio, hein, télé ! » *(Rires.)* La grosse tête tout de suite ! Alors au début je me suis dit : « Qu'est-ce que c'est cette émission [titre de l'émission] ? » Je regarde : c'était nul. Je trouvais ça nul. Ils faisaient une interview de Bongo, et ils mettaient [titre de l'émission], ils faisaient une interview de Diouf et ils mettaient [titre de l'émission]… Alors moi, à l'Agence de la langue française, j'ai proposé tout de suite un truc. Ils ont regardé. Ils ont dit : « Ah, c'est bien ça ! » Des choses sur le vécu de la langue : Louisiane, Québec, Afrique. Le vécu de la langue. Et puis il y avait des rubriques : « Flashback », « L'actualité du livre », « La chanson »… Donc j'avais structuré les trucs. Et pour être sûr de mon coup, parce que je n'aime pas avoir tort, parce que vraiment il fallait que je tape pile, je vais voir mon professeur d'audiovisuel : il me bosse ça, il manquait seulement la maquette finie. Il me dit : « Là c'est bon, c'est moi qui l'ai fait. » Je prends le truc, je le montre. Les gars disent : « Ah mais c'est génial ! Il faudrait que tu voies le commissaire à la langue française ». Donc j'ai vu Yves de Saint Robert : « Ah mais c'est bien, c'est bien. On va te soutenir. Donc maintenant il faut prendre les cautions. » Donc j'ai été au secrétariat de Mitterrand. J'ai vu son secrétaire personnel chargé de la francophonie. Senghor aussi voulait une émission comme ça, sur la

francophonie. Alors je disais : « Maintenant, aidez-moi ! »
On m'a dit : « Va à l'ACCT [Agence de coopération culturelle et technique] ». Je vais à l'ACCT. On me dit : « Ah,
c'est bien ! Mais on n'a pas vraiment les moyens de financer un projet comme ça. » J'ai continué un moment
et puis j'ai fini par me décourager : « Faites chier, quoi. Je
vais faire autre chose, ça ne marche pas. » Au bout d'un
moment ils me disent : « Tu as vu l'émission, là [titre d'une
émission] ? tu n'as qu'à aller leur proposer ! Va proposer
au producteur de refaire son émission, parce que franchement, ce qu'il fait, on met de l'argent dedans mais ça
ne nous convient pas. » Je dis : « Ah, très bien. » Le producteur en question habite le 15ᵉ. Je prends mes documents, je vais le voir. Je lui dis : « Voilà, c'est pas pour
critiquer ce que vous faites mais je pense qu'aujourd'hui
l'esprit… l'esprit francophone, c'est comme ci, c'est
comme ça, c'est le vécu de la langue, c'est surtout ça. Les
faits politiques, ça va être "Le journal de la francophonie",
on fait ça, ça, ça. » Il ouvrait les pages. C'était du travail
de professionnel. C'est mon prof qui avait fait ça ! Donc
c'était clair : c'était pratiquement la négation de ce qu'il
faisait. Je lui ai dit : « C'est le vécu de la langue, c'est un
espace culturel », un argumentaire, pim ! bien costaud ! Et
il feuillette, il m'écoute, il m'écoute. Et puis il prend un
air désinvolte. Il fait *(fait le geste de froisser des papiers)* :
« C'est nul ! » Alors là ! Moi, j'étais soufflé ; depuis l'ACCT
jusqu'au secrétariat de Mitterrand on me disait que c'était
« top », et lui il me dit « C'est nul ! » Je dis : « Ah bon ? »
Il me dit : « Oui. En télé, j'ai déjà essayé un truc comme
ça. Ça ne marche pas. Mais si tu le fais en radio, je te sou-
tiens. » Il me dit : « Tu fais ça en radio, je te pousse. Tu
fais une maquette en radio, et ça devrait marcher. Mais en
télé… » Il m'a dit : « Propose-moi une maquette dans les

quinze jours, je vais te pousser. » Bon, je fais la maquette radio. J'étais à Tropic FM à l'époque. Je fais la maquette radio. Et puis j'ai hésité à lui donner. J'attendais. Et puis j'appelle RFI, pour la proposer à RFI.

— *C'était en quelle année, ça ?*
— C'était en 1984, par là, 1984-1985. Je la propose à RFI. On me dirige sur le directeur des programmes de l'époque, qui était là. Je lui parle. Il me dit : « OK, c'est très bien. Je veux une émission francophone. Envoyez-moi votre maquette. Il me faut effectivement un truc comme ça. On va voir comment on va le caser. » C'était la seule réponse vraiment bien que j'avais eue. Et finalement, je ne lui ai pas envoyé la maquette. J'ai appris ensuite qu'il l'avait attendue pendant un an. Parce que des gens lui ont proposé des émissions et il leur a dit : « Non, j'attends une maquette de quelqu'un. L'idée est très bien. » Il a attendu un an. Et je me suis reproché de ne pas la lui avoir envoyée.

— *C'est incroyable !*
— Oui. Parce que, entre-temps, les gens de l'Agence de la langue française et puis du CILF [Conseil international de la langue française] m'avaient appelé à la maison. Il était 22 heures 30 environ. J'étais avec ma femme. On vivait ensemble dans un studio à Paris. On m'appelle : 22 heures 30, un vendredi ! Pour me dire : « Alors, tu vois, tu pleurniches, tu dis que le dossier est bon mais que personne ne l'accepte, et tout ! Mais tu as vu : maintenant c'est arrivé ! T'es content ? » J'ai répondu : « Mais de quoi tu me parles ? » C'était le président de l'association qui m'appelait. Il me dit : « Mais tu ne suis donc pas ? » Je dis : « Mais non. » Il me dit : « Mais si, là, sur la 3 ! C'est

exactement ce qu'on a dit ! C'est parfait ! C'est bien ! On est tous contents ! J'ai appelé tes copains : on est tous contents. Ton idée a finalement abouti, tu vois ! » J'ai dit : « Mais, écoute, j'y suis pour rien. » Il me dit : « Mais tu as rencontré S ? » Je dis : « Oui. Mais il m'a dit que c'était nul ! » Il me dit : « Attends, qu'est-ce que tu racontes, là ? » Je lui dis : « Mais je n'y suis pour rien. Je ne sais même pas ce qui ce passe, là. » Il me dit : « Ben, écoute, je suis désolé, hein. On raccroche, tu suis le programme de la 3, et on se voit lundi. Rappelle-moi si tu veux. » À peine je raccroche, le CILF qui m'appelle : « Et alors ? » Je leur dis : « Mais arrêtez, quoi ! » Et puis là, effectivement, je me mets à suivre le truc sur la 3. Alors là, texto ! Texto ce qu'on avait bossé ! À un moment, tu vois, il y avait un flash comme ça, « Livres ». Tac : « Atelier du livre » !

— *Toutes les rubriques que tu...*
— Toutes les rubriques que j'avais proposées ! Toutes les rubriques ! Et puis à la fin, « Le journal de la francophonie » : en Louisiane ceci ; au Québec, cela ; au Zaïre ci, au Zaïre ça ; tac, tac. « Le journal de la francophonie », tout en images. Je lui avais dit [à S, le producteur] : « Pas de présentateur, tout en images ! Pas besoin de présentateur ; il suffit de demander à la télévision québécoise de nous envoyer ça, à telle télévision de nous envoyer ça, et puis un journal tout en images ! » Écoute, mon prof était déjà en avance quand on l'avait fait. Le journal « tout en images » : on avait prévu quatre minutes. Tout passait là ! Écoute, ce jour-là j'ai pleuré. J'ai chialé. Là j'ai craqué complètement. Je me suis avachi. Je me suis dit : « Non, mais attends, je suis foutu. » Je me suis dit : « Non, mais ça va pas se passer comme ça. » Dès le lundi matin j'ai été voir Yves de Saint Robert. Et puis il y avait le Salon du

livre. Il m'a donné rendez-vous au Salon du livre. On a été à la porte de Versailles et il m'a dit : « Oui, c'est le risque. » Il a fini de m'achever ! Il m'a dit : « Oui. C'est le risque : ton idée a été piquée, on ne peut rien faire. » Alors là j'ai vu le monde s'effondrer autour de moi. J'ai dit : « Mais c'est quoi, ce milieu ? C'est quoi, ce milieu ? » Je me disais : « Mais c'est quoi, ce truc-là ? Mais c'est pas sérieux ! » Moi, petit journaliste sorti de l'école, jeune, avec des idées et tout, je viens, je lui donne un truc, il me dit « C'est nul », et puis lui… Mais attends, quel est le producteur à la télé qui me pompe et qui me… ? J'étais sonné, mais sonné ! Et, tu vois, tout ça, ça m'a dégoûté. Je n'ai pas envoyé la cassette que j'avais préparée. J'aurais dû. J'ai appris après, donc, en venant ici, qu'il avait attendu une cassette pendant un an. Pendant une année il a attendu une cassette de quelqu'un qu'il avait eu au téléphone. Et il se reprochait même de ne pas avoir écrit le nom de la personne qui lui avait proposé une idée géniale, originale, pour une émission « francophonie ». Des gens lui proposaient et il répondait : « Non, j'attends. »

— *Et tu l'as su six ou sept ans après.*
— Je l'ai su après. Et là je me suis dit : « On peut dire ce qu'on veut de ce gars-là, moi je le respecte, il m'a attendu. » Mais je ne lui ai pas dit. Je ne lui ai jamais dit que c'était moi qui lui avais proposé un truc. C'est comme ça. Et ça, ça m'a foutu un grand coup quand même. Parce que j'ai tout rangé. Je ne voulais plus entendre parler de quoi que ce soit. Et puis après il y a quelqu'un qui m'a relancé quand même un peu là-dessus, parce qu'il était au courant, c'était D, qui était rédacteur en chef à TF1, et puis après à France 3. Il a même fait « Thalassa ». Il m'a

relancé sur ce truc de la francophonie parce qu'il voulait lancer une télévision libre, qui s'appelait TVL, « Télévision libre ». Il m'a dit : « Si ça marche, si j'ai les fonds, si j'ai tout ce qu'il faut, on va bosser ensemble. C'est pas grave, c'est pas grave, on va le faire, on va le faire. » Donc, il m'a redonné un peu confiance en moi, tu vois. Et puis finalement il n'a pas fait sa télé. Il m'a appelé et il m'a même dit d'essayer à Canal +, qui naissait à l'époque.

« Maintenant je veux un contrat »

— *Tu as été découragé au point parfois d'envisager d'abandonner le métier ?*
— Oui. Oui. À ce moment-là je me suis dit : « Non, moi je ne peux pas continuer comme ça parce que sinon je vais les tuer. » Tu vois, je me suis dit : « Non, je ne ferai pas ce métier. » Et puis après je me disais : « Mais qu'est-ce que tu vas faire d'autre ? » J'ai connu un moment d'hésitation, et puis après je me suis dit : « Non, non. Je ne me sens bien que là, qu'en faisant ça. Donc je vais le faire quand même. » Donc quand DB m'a redonné un peu confiance en moi, j'ai dit : « OK, OK. » Et puis il m'a même conseillé d'envoyer ça à Canal +. J'ai envoyé. J'ai commencé ça autrement et j'ai envoyé. Ils m'ont répondu aussi. Ça m'a fait plaisir. C'était négatif mais ça m'a fait plaisir. Je me suis dit : « Bon, maintenant, je vais faire autre chose. Je vais continuer dans la presse, mais plus avec mes idées de… Je vais travailler pour des gens, je vais faire des piges, je vais écrire. Tu vois… je vais travailler pour des gens, je ne vais plus me mettre devant ». Ils m'ont répondu, un directeur de l'information de Canal + m'a répondu que… – attends, comment il a formulé ça ? Il m'a dit : « Votre expérience professionnelle n'est pas

suffisante pour que vous puissiez assumer toutes les responsabilités qui découlent des postes que vous allez avoir à assumer. » Il est resté honnête quand même : « Parce que c'est vous qui devez la présenter, or vous n'avez pas l'expérience pour. » Dans la lettre que je lui avais envoyée, je marquais que je ne revendiquais pas du tout la présentation de l'émission, mais que je voulais tout simplement travailler. Et il m'a répondu que, de toute façon, l'idée, emmenée comme elle était, ne pouvait être présentée que par moi. Et que comme mon expérience professionnelle actuelle ne suffisait pas à cela, il ne ferait pas une émission sur la francophonie. Il pourrait faire une émission, mais il ne la ferait même pas. Et je me suis dit : « Il y a des gens honnêtes dans le milieu. » Donc quelque part, ça m'a peut-être redonné un peu confiance. Il m'a dit : « Continue quand même dans le métier. » Il y a quand même des gens honnêtes. Et puis il n'a pas feint. Après, Pierre Lescure m'a écrit, j'ai gardé ces lettres-là dans mes documents, pour me dire : « Ne vous découragez pas ! » Parce qu'ils ont vu, dans mon courrier, qu'ils avaient affaire à un jeune débutant. Donc il a écrit : « Ne vous découragez pas, persévérez dans le métier, vous pouvez faire des demandes de stages. » J'ai eu une lettre de M, une lettre de Lescure. Tu vois, tout ça, ça m'a… Il y a autre chose dans le milieu, il y a des gens bien. On peut continuer. Et là j'ai commencé à me dire : « Mais c'est peut-être ton approche des choses… Tu vas directement au but… Faut commencer par laisser venir. »

— *Ça fait grosso modo quinze ans maintenant que travaille-travaille pas…*
— Oui, quinze ans.

— *Alors, maintenant, qu'est-ce que tu attends ?*
— […] Maintenant, je veux un contrat. Maintenant j'ai assez fait du « plus ou moins ». Je ne peux pas continuer comme ça. Il faut que les choses évoluent. Il faut que les choses changent.

— *Tu es fatigué ?*
— Oui. En tant que pigiste, j'ai donné, quoi ! J'ai senti la fatigue quand j'ai dû signer pour les 20 000 francs, là.

— *Tu as senti que tu n'arrivais pas à te battre pour aller au-delà ?*
— Oui, parce que, en principe, je ne lâche pas les choses comme ça, tu vois. Et j'ai senti que là, je commençais à m'essouffler. D'habitude, j'aurais déjà pris un cahier, j'aurais déjà tout calculé… le droit, je l'aurais déjà relu trente-six mille fois, tous les codes, les conventions possibles, j'aurais moi-même déjà préparé ma défense ! Je l'ai déjà fait pour des gens, je l'ai fait pour moi. Ma femme s'est retrouvée une fois aux prud'hommes avec son ancien patron et je lui ai fait un dossier de défense. Et moi-même, là, j'étais incapable ! Avec S [le producteur indélicat évoqué plus haut] j'ai voulu me battre, et puis après j'ai dit : « Non, tu vas t'essouffler pour rien », parce que je n'avais rien déposé, enfin légalement. La seule chose que je peux faire, c'est aller le voir et lui casser la gueule. C'est tout. À part ça, il n'y a pas de recours. Donc : « Laisse tomber, quoi ! »

— *Et tu imagines les conséquences sur ta vie professionnelle…*
— Voilà. Là, je n'ai même pas calculé le nombre de jours qu'ils me devaient, j'ai même pas demandé : « Sur quelle base, finalement, vous êtes arrivés à 20 000 francs ? » J'ai signé. Et puis après je me suis dit : « Ah, là, garçon, tu

faiblis ! C'est pas ton genre. » Mais là faut se rendre à l'évidence : on n'a plus vingt ans, quoi ! Et puis je commence à m'essouffler. Et j'ai besoin de beaucoup plus de tranquillité. Je suis toujours aussi passionné dans mon travail, mais maintenant je ne peux plus travailler sous pression. C'était peut-être possible quand j'avais vingt ans, mais plus maintenant. Mais quand je fais quelque chose, je le fais à fond. Donc je veux travailler normalement, faire les choses normalement. Et puis je suis rentré dans un monde de calculs précis. Donc je sais que j'ai arrêté une stratégie que j'ai mise en place. Des choses sont passées, j'ai une réponse déjà, les autres vont se mettre en place. Et puis après on va se regarder tous, devant le fait accompli [le volume important et coûteux des piges régulières obtenues dans la maison]. Et ils vont se dire : « Bon, on va lui proposer un contrat. » Or moi, c'est le contrat que je veux. Et pas n'importe lequel. S'ils me disent que le chemin obligé c'est le CDD reconductible, moi ça ne me gêne pas. On fera ce qu'il faut. Mais c'est le contrat. Et puis revenir à un niveau de piges. Ce n'est même pas un niveau de piges, c'est un niveau de rétribution, de salaire… Parce que j'ai été frustré, vraiment blessé, blessé dans mon âme, parce que je me suis mis au travail, et parce que je suis pigiste, il faut que j'aille toujours plus, faut que j'arrive avec mon statut de pigiste à avoir un salaire qui me permette de vivre honnêtement. Et j'y suis arrivé, et puis on m'a coupé l'herbe sous le pied. Et pour des conneries. Rien n'est justifié. Enfin on justifie ça parce que, bon… Et c'est ça qui m'énerve, c'est ça qui m'a beaucoup plus choqué. En fait j'ai été choqué. Tu vois, ça m'a choqué, ça. J'ai dit : « Mais attends, j'ai réussi à faire ça ! » Ma première pige, ici à RFI, ils l'ont payée 325 francs. Et puis après j'ai eu deux jours, deux-trois jours, j'ai eu ceci, j'ai eu cela, et puis j'ai réussi, et j'ai réussi, et j'ai réussi, et j'ai réussi ! Et puis après on me dit : « RFI + [le service dissous] n'existe plus. » Mais moi je dis : « Je m'en fiche, qu'il n'existe plus. On travaille. Je fais ça. — Oui, mais ta proposition… », et après tu apprends que c'est pour emmerder l'autre qu'on sucre telle et telle chose. Tu vois j'ai été choqué parce que ce n'est même pas moi… Ils ne m'ont même pas vu ! Ils ne m'ont même pas vu ! Le produit ne les intéresse même pas. C'est la personne là-bas qu'ils veulent décapiter. Donc je me suis dit : « Attends, ils ne m'ont même pas vu : donc je suis insignifiant ! Je suis nul, zéro, rien. Ils ne m'ont même pas vu. » Ah, c'est grave. Tu te dis : « Ah, là c'est grave ! » Et ça, ça m'a choqué. Et je me suis dit : « Bon, maintenant on va reprendre la même recette, l'approche, s'installer, être là. Mais avec un but précis : le contrat. » Maintenant, le seul truc c'est le contrat. Quand j'ai vu L [chef d'un service], avant-hier, nous avons discuté. Je ne lui ai pas dit : « Bon, tu sais, maintenant on va faire un contrat », non. Je reviens le 23. Bon, je fais ma maquette. On va corriger la maquette. Jusque-là je ne dirai rien. Mais quand ça va être irréversible on va parler « sous », parce que c'est des petits malins. Quand ça va être irréversible, on ne pourra plus faire autrement. Donc il faut régler les problèmes. On va les régler d'une manière ou d'une autre. Voilà, c'est ça ma stratégie. Donc, mon but maintenant, c'est le contrat. Pigiste, c'est bien un temps, mais après… ! *(Rires.)* Là, j'y ai passé quatre ans, tous les jours. Je me réservais soit le samedi après-midi, soit le dimanche matin, ou le dimanche après-midi. Et puis, en plus, nos chroniques étaient en direct. Donc, avant le changement d'horaire, c'était à 5 heures 20. Et puis j'ai dit : « Non. » Personne n'écoutait ça, en Afrique. Et puis on a fini par enregistrer, et on diffusait à 5 heures 20. Et puis après c'est passé à 6 heures 20. Alors : « Il faut que tu viennes à 6 heures 20. » Bon, moi je rédige mes choses toujours à la dernière minute. Donc je partais à 5 heures, 5 heures 30. Le temps de relire et de corriger des petites choses, et puis j'étais là à l'appel, et puis bon : tu fais ça pendant quatre ans, après tu es nase ! J'ai pris, quoi, en quatre ans : une semaine de vacances ! Ce n'est que cette année que je prends trois semaines ! J'ai trois semaines, tu t'imagines : trois semaines à ne rien faire ! Ouh ! Je vais m'occuper à ne rien faire ! *(Rires.)* […]

Voilà : ça fait dix ans que je n'ai pas pris des vacances complètes, quoi ! Des vacances ! Et là, depuis que je suis à RFI, c'est devenu encore plus *speed*, tu vois, le rythme est plus soutenu. Avant il y avait des hauts et des bas. Il y avait des périodes où il n'y avait pas beaucoup de travail. Mais là, le rythme, le rythme, le rythme comme ça. Et puis : trois semaines ! Qu'est-ce que je vais faire ? Est-ce que je ne vais pas m'ennuyer ?

Marianne *ou* « Un monde de frustration »

35 ans, séparée, un enfant. Vit à Paris
Père cadre à la Sécurité sociale ; mère caissière à la Sécurité sociale
DEA en économie internationale
Marianne a débuté dans le journalisme en travaillant pour la presse pan-africaine et un groupe spécialisé dans les publications économiques. En 1991, elle est devenue pigiste par choix. Propositions de sujets en poche, elle ne cesse de démarcher les rédactions et multiplie les collaborations à des titres de la presse magazine, notamment dans la presse féminine et la presse de voyages. Elle réalise également des guides pour des éditeurs spécialisés et pige occasionnellement dans la presse étrangère sur des sujets de politique internationale.

— *Raconte-moi un peu comment tu es devenue journaliste.*
— Moi, je suis pas du tout dans un milieu… ma mère était caissière, mon père cadre et j'ai pas de référence, j'ai pas de maître. Je suis lente à décider, donc j'ai fait des études, j'ai fait un DEA d'économie internationale, et c'est vrai que j'avais envie de faire du journalisme. Parce que, déjà je suis de la génération post-soixante-huitarde, donc j'avais envie de m'engager dans quelque chose. Pour moi, journaliste, c'était une façon de dire des choses, d'être à l'écoute, de dénoncer. Il y avait plus un côté mi-litant. Je n'appartenais à aucun parti politique mais j'avais envie de dénoncer l'injustice, j'avais envie d'aller voir ce qu'il se passait dans le monde. Je lisais les journaux, je li-sais *Le Matin de Paris*, je lisais… mais c'est plutôt ma per-sonnalité qui a fait que j'ai eu envie d'aller là-dedans, parce qu'il y avait, d'une part, donc, le côté témoignage

des choses, de la vie. Comme moi je n'aime pas appartenir à quoi que ce soit, comme je n'ai jamais adhéré à un parti politique, il y avait ça, c'était un métier où on pouvait rencontrer des gens, un métier d'ouverture où tu pouvais passer d'un monde à un autre, et ça c'est vraiment passionnant, et avec l'expérience, j'aurais vraiment du mal à faire autre chose même si je suis très malheureuse dans ce métier. Je trouve qu'on a des clés qui nous permettent de rentrer dans des univers, aussi bien en France qu'à l'étranger, totalement différents les uns des autres, qu'un individu lambda ne peut pas pénétrer comme ça. Après, il y a l'écriture aussi, parce que t'as une envie d'écrire mais tu te sens pas non plus écrivain, tu te sens pas... C'est un métier un peu bâtard, je veux dire, c'est entre l'action qui pourrait être celle d'un écrivain ou celle des gens qui se battent dans l'humanitaire ou bien des politiques, et le côté spectateur, observateur. Et je trouve que c'est un métier qui répond aux deux. C'est pour ça que les journalistes sont les gens les plus lâches et les plus impuissants qui soient.

— *Pourquoi, parce qu'ils ne font rien à fond ?*
— Parce qu'ils ne sont pas eux-mêmes les maîtres de leur propre histoire ou d'une histoire. Ils suivent.

— *Est-ce que tu as suivi une formation de journaliste avant de te lancer ?*
— Du tout. J'avais passé le concours du CFJ [Centre de formation des journalistes], que j'ai raté. En même temps j'avais pas trop envie de rentrer dans une école, mais ça m'aurait aidée, ça m'aurait donné un petit cadre, etc. Bon, et puis j'avais des problèmes de fric. J'ai travaillé quand

j'étais à la fac, j'étais pionne, et un jour une copine rédactrice de mode m'a permis de faire une première pige. J'avais déjà fait un stage au *Matin de Paris*, que j'avais eu via une autre amie qui travaillait à *L'Événement du jeudi*. Quand j'ai remis mon mémoire de DEA, mon prof m'a dit « Vous n'allez pas faire une thèse, vous n'êtes pas faite pour ça, mais vous avez vraiment une écriture journalistique, lancez-vous dans ça. » Donc j'ai commencé quand j'étais pionne à faire des piges et j'arrivais pas à être payée, donc je me suis dit : « Comme il faut que je gagne ma vie, ça va pas, c'est pas possible. » Et un jour, j'ai pris les pages jaunes de l'annuaire et j'ai fait des candidatures spontanées, j'ai envoyé six lettres et, trois semaines après, j'ai été embauchée par une société qui édite des lettres confidentielles. J'ai donc débuté avec la correspondance économique en 1986. Je me suis vraiment formée sur le tas. Ensuite, j'ai donné ma démission onze mois après pour rentrer dans la presse panafricaine, là aussi en tant que salariée intégrée. Donc après avoir appris un peu le rythme d'un quotidien et d'une lettre confidentielle, je suis tombée dans le côté magazine et voyages. Après, je suis partie sur *L'Économie*, un magazine du même groupe, et j'ai donné ma démission en septembre 1991, parce qu'entretemps j'avais commencé à voyager. J'étais partie pour *Grands Voyages* pour le dossier « Niger ». J'ai rencontré le père de mon enfant, qui est photographe, je suis partie avec lui en Israël. On a fait un sujet sur les territoires occupés après la guerre du Golfe. Je me suis dit : « Ça y est, je vais partir, je vais voyager » et en septembre 1991, il y avait tous les mouvements en URSS, la tentative de coup d'État. Je me suis dit « Je vais vivre la révolution » et je suis partie là-bas avec une amie photographe.

— *Envoyée par qui, par quel journal ?*

— Mais par personne ! je me suis dit « Je vais aller voir ce qu'il se passe », j'adore la période de 1917. Toujours le côté engagé, politique, tu vois, révolution des masses et révolte, quoi… Je pense que je suis profondément quelqu'un de révolté, mais j'ai pas encore trouvé mon moyen d'expression, peut-être ! *(Rires.)* Donc on est parties avec quelques garanties, dont celle d'un magazine de la presse panafricaine, et on est parties dans les Républiques d'Asie centrale. Je suis rentrée et on a vendu tous nos articles. Je me suis dit que j'avais trouvé un système. Le père de mon enfant étant un photographe assez connu dans le métier, je me suis dit : « Je vais faire comme lui, je vais monter mes reportages, je vais partir et je vais les revendre. »

« Tu vends un produit, et toi-même t'es un produit »

— *Toujours sans commandes précises ?*

— Je cherchais quelques garanties avant de partir. La deuxième fois, on est parties pour *L'Hebdo du mardi*, qui nous a commandé un sujet sur le trafic d'armes à Moscou. C'était un sujet galère, difficile. On est revenues en janvier 1992. Quand je suis rentrée, j'ai fait mon petit. Donc il y a eu une coupure. Ma grossesse était difficile, donc je ne pouvais plus voyager. D'un seul coup, le modèle que j'avais construit s'écroulait. En plus, avec *L'Hebdo du mardi*, ça s'est très mal passé. Ils ont pris le reportage mais ne l'ont jamais publié, jamais payé.

— *Combien de frais vous aviez engagés ?*

— 10 000 francs, mais à deux, parce qu'on s'était débrouillées. Les films, on les avait eus par *L'Hebdo du mardi*, les billets d'avion étaient très peu chers. On était nourries et logées par le mec d'Air France. On a eu des histoires pas possibles mais enfin, on avait eu très peu de frais sur place, si ce n'est le chauffeur, un interprète, etc. Ça dépend des reportages mais, en général, je monte moi-même mes reportages, je fais ma vraie production, je me débrouille pour avoir des billets gratuits, un hébergement gratuit, etc. Mais Moscou, ça a été le premier reportage où je me suis vraiment plantée et il a fallu que je me retourne sur le marché français, il fallait que je me repositionne, et depuis je continue à me repositionner. Et je ne peux plus faire ma production parce que, financièrement, je ne m'y retrouve plus.

— *Tu parles de marché…*
— Oui, tu vends un produit, et toi-même t'es un produit. Tu te rends compte que quand tu as travaillé pendant trois ans pour la presse panafricaine, les gens ne la connaissent pas, la considèrent comme une presse sous-développée, donc « vendue »… Parce que les journalistes français, bien sûr, on le sait, eux ne sont pas vendus ! Alors, on se demande si tu vas savoir écrire français, mener une enquête… Moi, je n'avais pas travaillé pour le *Nouvel Obs* ou autre… Donc ça a été hyper dur. Il fallait tout le temps que je montre que j'étais une journaliste à part entière, alors que c'est cent fois plus difficile de travailler sur l'Afrique, d'aller chercher de l'information là-bas qu'en France. En plus dans la presse panafricaine, j'avais touché à tout, aussi bien à l'économie, à la politique qu'au culturel. J'étais polyvalente. Or en France, il y a toute une ambiguïté par rapport à la polyvalence. On te dit : « Oh là là ! vous n'êtes pas assez pointue ! » ou « Vous êtes trop généraliste ! » Donc tu sais pas trop comment te… et il faut que tu recommences.

— *Comment as-tu pénétré la presse féminine ?*

— Bon, parce que ça m'amuse. Moi, j'ai toujours été une lectrice de presse féminine. Par détente et parce que je trouve aussi qu'il y a des choses à raconter, etc. Et puis j'ai pas envie d'être sectorisée. Pour moi, la presse, ce n'est pas avoir le cul sur une chaise. Il y a des gens qui font ça très bien, avoir des domaines de prédilection, mais je pense qu'il faut aussi des gens qui ont un spectre large d'investigation.

— *C'est aussi pour ça que tu restes pigiste ?*

— J'ai pas vraiment cherché à m'intégrer dans une rédaction. Comme je sentais que mes candidatures n'attiraient pas beaucoup la curiosité, je me disais : « C'est vrai, peut-être que j'ai rien fait, je suis nulle. » T'as un peu une dévaluation de ton savoir-faire, tu mesures pas ce que tu sais faire, t'es toute seule. Tu te rends pas compte non plus qu'en face tu as de véritables réseaux, de véritables chaînes, des filières qu'il faut connaître, dans lesquelles il faut rentrer. Il faut savoir qui est qui, qui est avec qui, qui a fait quoi…

— *Finalement, tu ne l'as pas appris, petit à petit ?*

— Oui, mais j'ai du mal. Comme je suis toujours en dehors et pas dans la rédaction même, je me trouve confrontée à quoi, maintenant ? Eh bien, quand il y a un changement de rédaction en chef, je suis la première à valser. Ils arrivent avec leurs réseaux. On s'en fout de ce que tu as pu faire avant, de tes connaissances.

L'important, c'est le couloir : t'es là ou t'es pas là. Tu as le sourire qu'il faut, la coupe de cheveux qu'il faut, le look qu'il faut. Peu importe ton fond ou ta connaissance… Quand j'étais enceinte, je gagnais pas du tout ma vie. J'ai travaillé sur un guide pratique sur l'Inde, pour les éditions Atlas, en cinq jours. Mais tu vois, c'était même pas du travail de journaliste… Si ! j'ai travaillé aussi pour *Grands Voyages*. J'ai fait un texte sur les Républiques d'Asie centrale. Sinon, j'ai rien fait ! Je crois que je me suis même mise au chômage, d'ailleurs ! Et après, ça a été des gens que j'ai rencontrés. Une amie m'a branchée avec *Féminin. Stratégies*, ça a été un ancien de *Lettres confidentielles* que j'avais connu, que j'ai appelé et pour lequel j'ai pu travailler. Mais ça a été laborieux. J'ai picoré. Ensuite, j'ai essayé d'entretenir ce que j'avais pu picorer.

— *Actuellement, tu travailles avec un volant de piges régulières ?*
— Non. J'ai beaucoup de mensuels mais rien de régulier, excepté une rubrique que je fais pour un nouveau féminin. J'étais recommandée par une amie. Mais je me tiens très au courant de l'actualité des médias. Moi, je ne suis pas syndiquée, je considère qu'il vaut mieux se tenir informée sur ce qu'il se passe, être à l'écoute et voir comment évolue le milieu. Là, j'essaie d'avoir un hebdo pour être plus professionnelle par rapport à ma comptabilité. Finalement, je travaille tout le temps, je n'ai pas de blanc, mais j'ai un problème de trésorerie énorme. Sur une enquête, je passe trois semaines, et au bout je ne suis pas assez bien payée. Sinon, il y a *Féminin* de manière épisodique, mais je pense que ça va s'arrêter parce qu'il y a un nouveau rédacteur en chef.

— *Pourquoi ta collaboration s'arrêterait-elle ?*
— Moi, je suis donc rentrée via une amie qui m'a mise en contact avec Sophianne qui était responsable du magazine. Elle m'a dit : « Arrivez avec trois sujets. » Je suis

arrivée avec trois sujets. Elle m'a proposé un petit sujet qui n'est jamais sorti, qui était sur « les femmes de l'ombre en politique », et après, je lui ai proposé un autre sujet sur le non-désir d'enfant. Ça, ça a fait un gros sujet, ça a suscité d'ailleurs beaucoup de lettres au journal. Après, elle proposait ou je proposais, mais je savais jamais trop comment me positionner. J'allais pas dans la rédaction, donc…

— *Pourquoi tu n'allais pas dans la rédaction ?*
— Ça m'effraie. Là, j'y suis allée parce que j'en avais marre d'avoir des factures de téléphone énormes… Bon, même s'ils me remboursent le téléphone… Je me suis dit : « Sois raisonnable, vas-y, installe-toi et passe tes coups de fil », etc. Et je sais pas, j'y arrive pas. Je sors de là, je suis mal. Pour moi, c'est un monde très artificiel, un monde rude, dur.

« Je ne sais pas après quoi courent ces gens »

— *Selon toi, c'est propre à la presse féminine ?*
— Non, je crois que c'est partout pareil. C'est aussi pourquoi je n'ai pas recherché du boulot au sein des rédactions. Parce que j'imagine que c'est un monde de tueurs. Même si j'étais salariée à *Lettres confidentielles* ou dans la presse panafricaine, c'étaient pas du tout les mêmes ambiances. D'abord, les papiers n'étaient pas signés, et finalement c'était une école de journalisme, c'étaient des groupes de copains. Bien sûr, il y avait des tensions, il y avait des gens au placard. C'était un petit peu la loi « un jour tu es roi, un jour tu es esclave », mais il y avait un côté grand jeu et en même temps il y avait quelque chose d'humain entre les gens. Quand j'étais partie en URSS, j'avais rencontré des journalistes de *VSD*

qui m'avaient dit « Au retour, viens ! tu vas faire des piges pour nous »… Tu sais, c'est comme quand tu rencontres des gens en vacances. Tu échanges les adresses et t'entretiens jamais ta correspondance, tu vois jamais les gens. La presse, c'est pareil. Tu sens que tout est artificiel, superflu. Chacun est dans son petit truc et des choses sans importance ont une importance hallucinante. Pour moi, ce sont des mondains. Tu vois, même quand j'en parle, c'est quelque chose qui me fait mal. Ce sont des gens, surtout à *Féminin*, qui jouent le jeu d'être des journalistes. Pour moi, ça a peut-être un côté très idéaliste ou engagement militant ce que je vais dire, mais on est une profession où on devrait être les plus transparents qui soient. Ça ne veut pas dire qu'on n'a pas de tempérament, mais on doit être humain, on doit être des humanistes. La première fois où je suis allée à une conférence de rédaction de *Féminin*, ça a été une caricature. T'y vas, on te dit : « Attendez là. » Tu te retrouves dans une grande salle de rédaction, tu vois des gens qui écrivent, tu te dis : « Oh, là là ! Ils travaillent », tu te sers un café parce qu'il faut que tu fasses quelque chose, tu poses ton café, tu t'assois. T'as des nanas qui arrivent avec des sacs, etc. Tout le monde se dit à peine bonjour. Et moi, j'avais bien posé mon petit dossier, j'avais bien préparé mes sujets et une nana, d'une main, renverse son café sur mes feuilles. Le café coule dans mon sac. Non seulement la nana s'excuse même pas mais elle me dit : « C'est pas grave. » C'était une grande blonde très « chabada ». Je me suis dit : « Non, c'est pas grave, mais c'est mes sujets » ; et j'ai trouvé que cette scène était à l'image de ce qu'était cette presse. On s'en fout des autres, du sujet que tu peux proposer. Ce qui compte, c'est… Je sais pas ce qui compte, je sais pas. Je sais pas après quoi courent ces gens.

— *Tu t'y sens mal. Pourtant, tu continues à leur proposer des sujets.*

— Oui ! Parce que je suis aussi journaliste. Ce sont des sujets auxquels je crois. Si tu veux, là-dedans, il y a des gens qui se la racontent. Ça veut pas dire qu'il n'y a pas de bons journalistes dedans, mais ce sont des gens qui ne se sont pas frottés à la vie. L'autre jour, il y a une nana qui parlait d'Israël. On aurait dit qu'elle partait à la guerre, alors qu'elle partait une semaine en vacances. Mais putain ! arrêtons ! Tu vois, c'est des grandes comédies sur tout ça. On va aller interviewer Untel, alors ça y est, c'est l'émoi général ! Ou alors c'est : « Dis donc, tes chaussures, elles sont vachement bien. » On croit que c'est une caricature mais en fait, on vit dans ce monde-là.

— *Est-ce que ce ne sont pas là des petites histoires de couloir propres à n'importe quelle entreprise, de n'importe quel secteur ? Mais au-delà du côté « show off », est-ce que les sujets ne trouvent pas une réelle écoute ?*

— Non ! Par exemple, pour *Autre femme*, j'ai mené une grosse enquête sur la parité hommes-femmes en politique. À partir de cette enquête, je me suis fait un fonds de connaissances, de réseaux, etc. Donc j'ai proposé sans arrêt des papiers à *Féminin* autour de ce sujet-là. Un jour, il y a un débat organisé là-dessus à l'UNESCO. Je le couvre pour *Féminin*. Le papier ne passera jamais. Tout dernièrement, j'apprends qu'il y a un gros sujet « parité » qui est fait à *Féminin*. Eh bien, je ne fais pas partie de ce dossier alors que j'ai tout sous la main. Ils pourraient dire : « Quelqu'un de la rédaction a déjà bossé sur ça, pourquoi on le ferait pas travailler ? »

— *Comment tu l'expliques ?*

— Le nouveau rédacteur en chef ne sait pas ce que j'ai fait. Il ne me connaît pas, il n'en a pas pris le temps.

— *Une réunion avec les pigistes n'a pas été organisée au moment de son arrivée ?*

— Non, pas du tout. Je l'ai croisé, c'est tout. Pour te dire l'histoire… Un jour, je fais une enquête sur le partage d'appartement. Je l'envoie par fax à Sophianne qui est donc rédactrice en chef adjointe, et j'ai plus de nouvelles…

— *C'était un papier commandé ?*

— Pour *Féminin*, ça se passe comme ça : j'appelle, je dis « J'ai tel et tel sujet. » Ils me disent « OK ! Fais celui-là. » Ensuite, je suis autonome, pas drivée. Je le fais, je l'envoie. J'appelle au bout d'une semaine pour dire : « Alors, mon papier ? » On me dit : « Écoute, on n'a pas que ça à faire ! » Je pourrais te donner des phrases toutes faites, dans le style : « Tu sais, elle est débordée ! », « Ah non, aujourd'hui, c'est le mariage d'untel ! », « Non, non, il vaut mieux que tu appelles le mercredi parce qu'on a fait les bouclages »… Après, quand tu connais tout ça, finalement, tu as une petite tranche horaire où tu peux appeler et tu dis « *inch'Allah* »… Donc, à propos de ce papier sur le partage d'appartement, un jour, Sophianne me dit au téléphone : « Ton papier est très bien, Z [le nouveau rédac-chef] l'a lu, il a beaucoup aimé, est-ce que tu peux passer ? » Il fallait que j'y aille dans la minute même, alors que je venais de passer trois semaines sur le sujet et deux semaines à attendre des nouvelles. Donc, j'y vais, et elle me dit : « Des sujets comme ça, proposes-en, parce que vraiment !… » et je vois ma copie annotée par Z : « Ah oui ! », « Bon ! », comme à l'école. Mais on ne m'a pas proposé de le rencontrer. Et moi, j'ai pas demandé, d'abord parce que je suis quelqu'un de timide, ensuite parce que je ne dois pas avoir à le demander. Ce serait normal d'être présentée !

À la rentrée des vacances, je me suis dit : « T'es trop dans ton coin… T'es trop solitaire. » Tout le monde me le dit : « Il faut que tu te montres ». Alors bon, je suis allée m'asseoir dans un fauteuil, j'ai téléphoné, j'ai montré que j'étais là. C'est comme ça, en laissant traîner mes oreilles, que j'ai appris qu'il y avait un sujet « parité ». J'ai pas dit : « Moi ! Moi ! Moi ! Je connais le sujet ! », parce que quand même, ces gens, quand ils font leurs dossiers, ils vont à la documentation et ils font des photocopies sur tous les articles parus et je sais que dans leur doc il y avait mon article d'*Autre femme* sorti depuis un an. Donc Marianne, ils savent qui c'est, quand même ! Je bosse pour eux ! Ils cherchaient à avoir une interview d'une proche de Mitterrand qui ne voulait pas leur parler. Et moi, il se trouve que j'avais fait une interview exclusive d'elle. D'ailleurs, pour la petite histoire, ce jour-là j'avais vu… la fille de Mitterrand [1] passer dans le bureau, etc. Bon, c'est à la rédaction en chef, aussi, de mesurer ce que tu apportes, parce que des fois tu mesures pas ce que tu as, et puis des fois tu as l'impression d'être la masse laborieuse. Moi je pouvais la recontacter, leur nana… J'ai rien dit.

— *Par amour-propre ?*
— Oui, je suis très fière. Je me suis dit : « Qu'ils aillent se faire foutre ! » Et pour te dire comment se passent les

---

1. Mazarine Pingeot, enfant cachée du président François Mitterrand, dont l'existence fut tue par la presse jusqu'à l'issue de son second septennat.

papiers, il m'est arrivé un autre truc : j'avais lu un bouquin sur le travail, je le propose pour les premières pages de *Féminin* et je fais le portrait. Ils prennent le papier… chaque fois, il n'y a jamais eu de correction à faire sur mes papiers pour *Féminin*, ou très peu. Mon papier leur allait mais il n'y avait jamais de place pour le passer. Le travail ça les intéressait pas vraiment, tu vois. Quelqu'un qui disait : « Il faut revenir sur la notion de travail. À vouloir faire du travail quelque chose de central, on est en train de se tromper, etc. », enfin bref ! Et qu'est-ce que j'apprends ? Ah oui, toujours par hasard… parce que moi, je suis la fille des hasards… Un jour, je vais à *Féminin*. Je rentrais de reportage d'Alsace et j'avais promis une bouteille de vin blanc… aussi dans cette optique : « Ma fille, montre toi. » C'est aussi un prétexte pour y aller. Et paf, je tombe en pleine conférence de magazine ! Moi, ma première réaction, c'est fuir. J'ai regardé à travers la vitre. Il y avait un monde ! Et plein de gens que je ne connaissais pas ! Et je suis partie. Et en bas, je franchis le seuil et je rencontre Giselle de Ploarmeur qui est maintenant rédactrice, enfin, qui est pigiste à *Féminin* et qui me dit : « Viens avec moi, arrête de déconner. »

« Des gens qui se disent journalistes »

— *Finalement, tu ne le connais pas si mal que ça, ce petit monde… Ce genre de rapports, d'échanges…*
— Mais non, mais attends ! Je les ai eus parce qu'en septembre 1996, après deux ans passés à piger, à bosser dans mon coin sans pouvoir mettre un visage sur qui que ce soit, j'ai fini par aller passer mes petits coups de fil à la rédaction et j'ai pu mettre un nom, à peu près, sur les gens. Je vais donc à cette conférence de rédaction où il y avait Z,

le nouveau rédac-chef. Qu'est-ce que j'apprends ? Qu'il y a un gros dossier fait sur « le travail ». J'argumente en disant pourquoi le sujet est intéressant, etc. La responsable des magazines dit : « Oui, justement, Marianne avait fait un papier » ; mais, manque de bol, sa voix est recouverte. Et là, je trouve que c'est quand même un milieu de… On va le dire… de putes ! Parce que la même pétasse qui avait peur de recevoir une balle perdue pendant ses vacances en Israël… c'est elle qui va faire le dossier… Je vais la voir et je lui dis : « Tu sais que j'ai fait un papier ? » Et elle me répond : « Oui, d'ailleurs je vais le demander. » Je lui réponds : « Oui, ça c'est un papier de mille signes pour les pages pratiques mais j'ai beaucoup plus, j'ai l'interview de l'auteur. » Elle me dit : « Je te la demanderai peut-être. » Je lui ai dit : « Mais non, je l'ai faite ! » En gros, elle me proposait de repomper mon boulot ! C'est une pigiste, qui va devenir salariée d'ailleurs. Non mais… Je trouve que c'est des gens qui n'ont même pas de déontologie.

— *C'est quoi, la déontologie ?*
— Pour moi ? C'est d'être honnête par rapport à son sujet, par rapport à ses sources. C'est qu'il y ait une morale. C'est ne pas inventer une information. On peut faire un travail en groupe et que chacun apporte ses éléments, mais on n'a pas à repomper. Dans les docs de *Féminin*, les dossiers du magazine, ça n'est que du repompage de ce qui est fait dans des journaux, et on réécrit la chose sans passer un coup de fil au journaliste et sans être allé chercher l'info.

— *C'est monnaie courante ?*
— Vraiment je peux te dire que oui. C'est du bric-à-brac. Et après, c'est des gens qui se disent « journalistes ».

Donc, tu vois l'itinéraire d'un sujet ! Autre exemple : en avril 1996, je vends un sujet sur les gens qui se convertissent aux différentes religions. Je fais le sujet, ça ne lui convient pas. Je le refais, ça lui convient. Passe le printemps, puis l'été, le sujet ne paraît pas. En septembre... Retour des vacances... En forme, j'appelle : « Allo, c'est moi ! Alors, qu'est devenu mon sujet ? » Alors, attends, il a fallu que j'appelle cinq ou six fois parce que soit il y avait un baptême, un mariage, une conférence de rédaction, un bouclage... Bref, finalement je l'ai eue et elle me dit : « Oh, excuse-moi, je t'ai pas rappelée... j'ai perdu ton papier. » OK, je renvoie mon papier et toujours pas de nouvelles. Un jour, je passe. La rédactrice en chef adjointe qui s'occupait du magazine était en congé maladie. Celle qui la remplace me dit : « J'ai lu ton enquête, génial ! Je la programme. » Moi, j'étais contente et je me dis : « Je vais être payée ! », parce que quand même, dans l'histoire, il faut être payée ! Ça faisait trois mois qu'ils avaient le papier... J'ai demandé une avance. Elle me dit : « Pas de problème ! » Pour la petite histoire : entre-temps, j'avais un autre sujet qui n'était pas encore passé. On était en septembre. Je me suis dit : « Ça y est, je repars, je vais avoir au moins 10 000 francs qui vont tomber. » Une semaine après, je faisais une autre enquête pour eux, qui venait d'être acceptée...

— *Tu es un bon petit soldat, hein ? Tu continues à proposer, à faire des enquêtes malgré toutes ces aventures, et malgré le fait qu'on ne te paie pas, qu'on oublie de t'appeler, etc.*
— Non, mais je crois que je suis maso ! C'est un peu une folie, oui... Quand je suis partie à Zanzibar, on avait des garanties dans trois journaux. On avait *Marie-France*, *Cargo*... qui est mort juste avant qu'on parte, et

le supplément de *Libé*. Quand on est revenu, le supplément de *Libé* n'existait plus. *(Rires.)* Oui mais, c'est l'envie de partir, quoi ! Et puis, il faut vivre, hein, parce que, quand tu es payée, tu es bien payée.

— *C'est combien le feuillet ?*
— À *Féminin*, de 600 à 1 000 francs, treizième mois et congés payés en plus. Et puis, j'ai pas trente-six clients… Enfin, je continue mon histoire : alors je suis dans la rédaction pour passer des coups de fil et je demande des nouvelles de mon avance. Elle me dit : « Écoute, il y a des problèmes avec ton papier, il va pas. » Quand on te dit ça, c'est violent, surtout qu'on m'avait dit l'inverse quelques jours avant. C'était le dernier scénario que j'envisageais. Elle me dit : « Z ne le veut pas. » Ni une ni deux, je prends rendez-vous avec lui.

— *Il était temps, non ?*
— Eh bien, Z ne m'a pas reçue ! Il m'a fait dire par sa secrétaire de « voir ça avec une telle ». Je demande quand même à savoir pourquoi ça lui disait rien. Pas de réponse. En plus, ils ne mesurent pas le travail que tu fais… C'était un énorme travail. J'ai fini par le rencontrer par hasard, entre deux portes, un jour où je définissais un autre sujet avec quelqu'un du journal. Il me dit à propos de ce nouveau sujet : « Ah oui, c'est une très bonne idée, mais surtout, faites pas quelque chose de sérieux. On veut beaucoup de témoignages. » Et il ajoute : « Au fait, votre enquête, ça n'allait pas parce qu'il y avait plusieurs sujets en même temps et j'aurais préféré avoir les femmes qui se convertissent à l'islam. » Je lui ai répondu que mon sujet était sur la vague de spiritualisme en France, pas sur l'islam. Mais ce que j'ai appris ensuite,

c'est qu'au lieu d'être payée 4 000 francs pour non-paru, j'ai été payée 1 500 francs.

« C'est une CGT, dehors ! »

— *Pour une enquête de quelle ampleur ?*
— J'ai donné dix feuillets. Normalement j'aurais dû être payée 10 000 francs. En non-paru, ça aurait dû être 4 000 francs…

— *Le paiement particulier des non-parus, c'est une pratique que tu acceptes généralement ? Pourtant, dans la convention collective des journalistes, il est précisé que tout article commandé (ou accepté) est dû dans sa totalité.*
— Oui, mais t'as rien ! T'as pas de bons de commande, en presse. Ça se fait avec des photographes… Moi, j'ai jamais vu de bons de commande dans la presse. Si tu arrives avec ton sujet à proposer dans la main droite et un bon de commande à faire signer dans la main gauche, ils se disent : « C'est une CGT, dehors ! » J'aurais compris la réaction du rédacteur en chef de *Féminin* si c'était son fric, mais ce n'est même pas son fric !

— *Tu as pris cette réduction de ta pige comme une sanction ?*
— C'est la sanction… Je ne sais pas, il le fait avec toutes les anciennes qui ne… Je ne peux pas te dire pourquoi, en fait.

— *Tu as l'impression d'être victime de…*
— Mais je ne suis pas une victime !

— *Dans l'histoire que tu viens de me raconter, tu ne l'es pas ?*
— Tu vois, je ne me considère pas comme une victime. Je me considère comme un pion… Mais comme j'aime

bien aller jusqu'au fond des choses, j'ai envoyé une dernière enquête, là, pour *Féminin*, et je vais bien voir la réaction de ce mec. Je peux te dire que s'il ne l'accepte pas, j'arrête. Mais vraiment. Et j'écris une lettre.

— *Tu lui as proposé un autre sujet ?*

— Pas à lui. Moi, je respecte la hiérarchie telle qu'elle était pratiquée avant à *Féminin*, et c'est aussi une forme de rébellion contre lui. Parce que lui, quand il est arrivé, pour casser tout l'ancien système, il a dit aux petites jeunes : « Proposez-moi directement des sujets », pour mettre au ban l'ancienne hiérarchie encore en place derrière lui. Moi, je ne peux pas du jour au lendemain ignorer quelqu'un qui m'a permis de travailler. C'est pas parce qu'il y a un petit mec qui arrive de la grande presse, qui est en train de faire sa loi, que je vais me… J'ai une copine, et elle, par contre, c'est une vraie victime parce qu'elle a beaucoup travaillé pour *Féminin*, et depuis l'arrivée du nouveau rédacteur en chef, c'est fini, elle ne travaille plus et elle s'est fait sortir d'une manière méprisante. Il lui a dit : « Maintenant, tes papiers, c'est fini, tu nous conviens pas, t'es peut-être bonne ailleurs mais t'es pas bonne ici. » Elle, c'est vraiment une victime de l'arbitraire ! Un mec arrive, il décide qui est bon, qui est mauvais journaliste. Dans la presse, on considère toujours que ce qui a été fait avant était nul. Quand tu es pigiste, tu es la première victime de ce règne de l'arbitraire.

— *Un juge des prud'hommes dirait peut-être qu'il s'agit d'un licenciement abusif ?*

— Le problème, c'est que si tu fais un procès, tu fais procès à un grand groupe de presse, pas au rédacteur en chef du journal en question. Donc, il faut savoir que tu ne travailleras plus jamais pour aucun titre du groupe. Tu réduis tes chances de te repositionner. À la limite, les indemnités vont te faire vivre un an. Et après, pour qui tu travailles ? Ça m'est déjà arrivé, avec *Info-Comm* [un journal spécialisé dans les médias], mais comment tu veux te retourner contre ces gens ? J'avais un copain, un des rédacteurs en chef, qui était encore là. Donc tu peux pas te retourner contre lui parce que c'est un copain à toi, qui t'a quand même permis de travailler. Et c'est pas lui le responsable.

— *Qui c'est, le responsable ?*
— Le problème, c'est que ce système se nourrit de gens, et la précarité est due à des individus et non pas à un système.

— *Pourquoi ?*
— Ce sont des gens qui arrivent, qui décident du jour au lendemain. C'est pas le système. Bien sûr, c'est le système qui met en place le nouveau, qui le choisit, mais après, c'est un homme ou une femme qui décide. Je travaillais pour *Époque actuelle*… pareil ! Au changement de rédaction en chef, la nana qui est arrivée a jeté toute l'ancienne équipe.

— *Elle n'a pas eu de problèmes ?*
— Il y a de moins en moins de problèmes à faire ça, parce que… qu'est-ce que tu veux qu'on fasse ? Parfois, les photographes attaquent, mais eux gagnent beaucoup plus que nous, donc leurs indemnités seront aussi beaucoup plus importantes. Pour *Féminin*, si ça se passe mal, je ferai pas de procès mais je ferai une lettre que j'enverrai à la direction des relations humaines du groupe de presse, à la direction du groupe et à la directrice de la publication…

Et une au SNJ. Juste pour raconter l'histoire. Je la rédigerai comme un article sur la vie d'une pigiste à *Féminin*… Souvent, je suis à deux doigts de renvoyer ma carte de presse et je ne le fais pas !

— *Au téléphone, tu m'as dit : « Les rédacteurs en chef écrivent des éditos humanistes à longueur de numéro mais ce sont eux qui creusent notre tombe. »*
— Oui ! Et c'est marrant, parce qu'à ma copine, il lui a demandé : « Qu'est-ce que tu sais faire ? » Elle a répondu : « De l'humanitaire. » Il lui a dit : « L'humanitaire, ça ne nous intéresse pas », et en même temps, ils vont faire travailler d'autres gens sur l'humanitaire. Tu vois, ça veut rien dire. Ce que je trouve de vraiment pitoyable, c'est que ce sont des gens qui vont faire des grandes leçons de journalisme. Ils se permettent de mettre des gens à l'index, mais ce milieu ne se met jamais à l'index lui-même. Même la presse spécialisée, type *Stratégies* ou *Communication CB News*, reste impunie puisque personne ne va faire des enquêtes sur eux. C'est un système immuable, qui fonctionne en toute impunité.

« C'est Schéhérazade qu'il nous faut »

— *Est-ce qu'il t'arrive d'avoir des consignes concrètes sur ce que tu dois ramener, quand tu pars en reportage ?*
— Comme souvent c'est moi qui propose mes sujets, on ne me dit pas très précisément : « Ça il faut le dire, ça non. » Simplement, ce qu'il m'arrive, c'est que je pars et je reviens avec des tonnes de sujets. Et tu te rends compte que tes sujets ne sont jamais pris. Par exemple, je suis partie cinq semaines en Syrie pour faire un livre, et sur place j'ai vu plein de sujets intéressants à faire dans la presse pour raconter la Syrie. J'ai vraiment fait le pays de A à Z. Je suis

revenue et j'ai proposé mes sujets. Je n'ai jamais revendu la Syrie dans la presse. Pourquoi ça n'intéressait pas ? D'abord, parce que c'est un voyage que les journalistes des rédactions ont envie de se payer. Ensuite, parce que ça ne correspondait pas forcément à ce qu'ils veulent voir ou entendre, ou montrer, de ces pays-là. Quand je suis revenue de Zanzibar, le mensuel pour lequel j'étais partie ne s'est même pas intéressé à notre sujet. Toute la rédaction s'est pâmée des heures sur un détail d'une photo d'animal qu'on avait ramenée. Tout le monde s'appelait pour voir la photo et personne ne s'intéressait à l'histoire qu'on avait. Comme, en majorité, dans les rédactions, les gens ne voyagent pas et lisent toujours la même chose, ils te disent, à toi qui étais sur place : « Attends, mais c'est pas vrai, ça », ou alors « Ça passera pas » ; « Ce sera pas lu » ; « On va pas nous croire. » Tu dis : « Mais moi, j'en viens et c'est ça que j'ai vu », mais ils s'en foutent de ce que tu peux leur apprendre. Quand j'avais proposé mon sujet, ils s'étaient excités sur les mots « princesse » et « Zanzibar », mais sans intérêt pour ce qu'il se passe dans le pays. Heureusement, j'étais aussi partie pour un éditeur de guides, j'avais un budget et j'ai payé mes frais sur ce budget. Quand je suis partie au Pays basque, pour *Époque actuelle*, pareil… J'ai ramené plein de choses, mais ça n'a intéressé personne. Par contre, il m'est arrivé de refuser une enquête que je ne me sentais pas capable de faire.

— *Tu m'as dit avant l'entretien : « Maintenant, un bon pigiste professionnel, c'est quelqu'un qui fait un bon rewriting de la presse internationale et qui l'accommode à la sauce française ». C'est quoi, la sauce française ?*
— Surtout dans les féminins, il faut qu'un sujet soit validé par la presse anglo-saxonne. Tant qu'ils l'ont pas vu

là, ça ne les intéresse pas. Il y a une frilosité. Pour qu'un sujet paraisse légitime, il faut qu'il explose à la tête de celui à qui tu le proposes. Ils ne marchent que sur des modèles, des références, des stéréotypes. Par exemple, c'est un petit détail qui en dit long : dans l'article sur Zanzibar, je parle d'une femme qui s'appelle Schéazade. Quand ils ont vu le papier, ils m'ont dit : « Tu t'es trompée. » J'ai dit : « C'est son nom. » Ils m'ont répondu : « Ça ne va pas, c'est Schéhérazade qu'il nous faut ! Le conte des *Mille et Une Nuits*. » J'ai dit : « Je suis désolée, mais c'est pas le conte des *Mille et Une Nuits*. » Ils ont des images, il faut chaque fois ramener la réalité. Je crois qu'on est entré dans un univers où on n'aime pas la complexité, alors on est devenu très réducteur.

— *Où est-ce que tu trouves le ressort de chercher toujours et encore des sujets qu'on te prend au compte-gouttes ?*
— Souvent, je me rends compte que j'ai eu raison trop tôt, parce que je vois que, finalement, les sujets que j'avais proposés se font. Par exemple, je connais bien la situation en Israël, j'ai écrit pour *Arabie*, etc., et j'ai fait une couverture d'un autre magazine avec un article sur les territoires occupés. Je fais aussi un bouquin sur Israël avec un photographe. Je l'ai dit à *Féminin* mais ils ne m'ont jamais envoyée là-bas parce qu'ils n'ont pas le déclic. À *Féminin*, j'ai la réputation d'être quelqu'un de sérieux, mais si on ne me donne pas la possibilité de faire des choses… J'ai rencontré le rédacteur en chef de *Terres bleues*… Je l'avais appelé au culot en disant : « Je rentre de Syrie, j'ai des sujets à vous proposer ». Il m'a reçue mais la Syrie, il ne sentait pas trop. Je lui ai montré mon book et il m'a dit : « Tu es indéfinissable, t'as pas encore trouvé

ton truc. » Il a raison ! Bon, il m'a demandé d'écrire un synopsis sur un autre sujet que je lui ai proposé.

— *Un synopsis ?*
— Pour le reportage.

— *On te demande de faire une fiction ou un reportage ?*
— Alors voilà !… Déjà, ils veulent savoir ce que tu vas faire alors que tu n'es pas encore partie. Et ça, surtout pour l'étranger… À part si tu as un nom, si tu as écrit un bouquin, s'ils te connaissent, ils te feront confiance… Sinon, ils te demandent de rencontrer telle ou telle personne, telle ou telle situation. On m'a fait patienter six mois là-dessus et finalement mon synopsis n'a pas été accepté par la personne qui s'occupait de l'ex-Union soviétique. Je vois comment sont décidés les sujets. Je le vois d'autant mieux que le père de mon fils est aussi là-dedans, comme photographe. Tout ça est très arbitraire. Un jour, tu proposes l'Égypte. On n'en veut pas. Un an après, le même journal fait l'Égypte et prend telle ou telle personne. On t'oublie. Il n'y a pas de suivi. Si tu proposes un sujet, une rédaction peut s'exciter sur un mot qui sonne bien et tu pars. Une fois, j'ai présenté un sujet en parlant de « la Nice de la mer Noire ». Il a été refusé. La rédactrice en chef m'a dit : « Si c'était la Saint-Tropez de la mer Noire, là ça nous intéresserait. » C'est dérisoire. Ce qu'il se passe réellement dans le pays, ils s'en foutent.

— *Qu'est-ce qui marche en ce moment ? Est-ce que les sujets sont soumis aux caprices d'une mode ?*
— Oh oui ! Tu as des pays qui ne marcheront pas. L'Afrique, ça sert à rien de proposer, ou alors toujours la même chose… l'excision, etc. Par exemple, j'ai envie

d'aller en Iran parce que j'ai envie de voir par moi-même ce qu'on me raconte sur ce pays, mais je suis sûre que je le vendrai jamais. J'ai peut-être un côté Don Quichotte mais j'ai envie. C'est débile et fou parce que tu rentres pas dans ton fric ! Dans les féminins, il y a évidemment des modes. Quand ils ont besoin de redevenir crédibles, ils cherchent autre chose, en ce moment, par exemple, ils disent : « On en a marre de cette politique des femmes maigres », parce que les régimes deviennent moins vendeurs. Pareil pour les sujets un peu sérieux qui les font chier. Avant, on te disait : « C'est militant » et tu pouvais repartir chez toi. Maintenant, on y revient peu à peu.

— *Tu as une stratégie de vente de tes sujets ?*
— Ah non ! Mais pas du tout ! Quand je me sens bien, quand j'ai la pêche, quand je sens que j'ai une bonne voix, j'appelle les journaux. Mais quand on me dit non, si je crois à fond mon sujet, je rappelle trois mois après. Bon, une fois que j'ai fait un dossier, j'essaie de le revendre à d'autres magazines ou à des revues, en changeant le style, les angles. Par exemple, le sujet sur les libraires, je l'ai fait pour les dernières pages de *Féminin*, en rubrique « pratique ». Ça m'a donné envie de faire un texte plus travaillé que j'ai proposé à *Époque actuelle* en ouvrant le sujet à d'autres libraires en France, mais j'avais la base, je savais qui contacter. Ça m'a même donné l'envie de faire un bouquin. Je rebondis. Il y a des sujets que je suis, ce sont mes bébés, j'aime bien les retravailler. Et c'est ça qui engendre aussi de la frustration parce que, maintenant, je possède bien des domaines et, sans demander à avoir un pré carré, tout en travaillant avec d'autres gens, j'aimerais au moins qu'on utilise mes compétences ou mon savoir-faire. Là, je viens de donner une enquête de quinze feuillets sur les

changements alimentaires. J'ai travaillé avec une ethnologue, c'est très intéressant et je n'ai que de l'information confidentielle, mais ça, je suis sûre qu'ils ne l'ont même pas mesuré. Je sais pas comment ça va sortir.

— *Tu gagnes environ combien par mois ?*
— L'an dernier, j'ai gagné au total environ 8 000 francs net. Je m'en sortais parce que je vivais avec le père de mon enfant, qui était propriétaire. Cette année, je me suis fait 7 000 francs brut. Et là, malgré la pension alimentaire, je ne m'en sors pas. Mon père m'aide. Il me donne 1 000 francs par mois. Je vis avec rien. Je ne sors pas. Je vois des gens mais je fais très attention. J'ai une paire de pompes que je mets tout le temps. Par contre, j'ai environ 2 500 francs de facture de téléphone par mois, pour mes recherches, ma doc, etc. En même temps, c'est pas la misère ! Je sais vivre avec peu. C'est quelque chose que j'ai appris en voyageant. En reportage, je prends le bus, des hôtels à dix ou vingt francs. Je m'adapte à n'importe quelle situation. Mais je peux faire aussi le grand hôtel à 1 000 francs parce que j'aurai trouvé une combine pour avoir la chambre gratuite.

— *Tu te sens mieux comme voyageuse que comme journaliste ?*
— Je pense que oui, maintenant. Mais même en France, j'ai envie de me présenter davantage comme une voyageuse, parce que dans la profession de journaliste, je ne m'y reconnais plus. On fait des grands discours sur le fait de séparer la vie affective de la vie professionnelle. Moi, je ne peux pas. Mon métier, je le vis et je le fais d'une manière affective.

« On est des frustrés »

— *Et tu as l'impression que ça t'est mal rendu ?*

— C'est rendu surtout par une grande indifférence. En face, j'ai l'impression d'avoir un mur blanc. Et pourquoi je me sens mal quand je vais dans ces rédactions ? Parce que j'ai l'impression d'être un fantôme. J'y entends un brouhaha comme dans une foule. Et ces gens ne font pas partie du réel. Plus ça va, plus je me sens marginale. Tu vois, le problème des exclus ou des SDF…. Je sens que moi-même, je suis sur un fil. Déjà, je suis une SDF de la profession. Je n'ai pas de titre fixe, pas de paie fixe. Tout voudrait que je tombe, mais j'ai pas envie de tomber. Et puis, je suis de nature très indépendante et je fais plutôt ce qui me plaît, je le fais comme je l'entends. En même temps, j'ai beaucoup de fierté ! Je ne suis pas très malléable. Ça passe ou ça casse. Il faut reconnaître qu'être pigiste, c'est aussi une liberté, par rapport à mes sujets de prédilection, à mon rythme. En fait, j'ai l'impression d'être une force de travail pas bien exploitée. Je me bats toujours. Je pense que je pourrais faire un effort pour mieux m'adapter au système de la presse, mais quand je le fais je mets deux jours pour m'en remettre. Heureusement, je trouve que j'ai une grande qualité de vie intellectuelle. Je rencontre plein, plein, plein de gens, vraiment très différents, de la confiturière à l'ethnologue. Je me nourris de ces gens. Dans une rédaction, les salariés sont surtout obnubilés par la jupe de la voisine, ou par eux-mêmes.

— *Qu'est-ce que tu fais de ton fils quand tu pars plusieurs semaines en reportage ?*

— Quand son père est lui aussi en reportage et qu'il ne peut pas le garder, c'est mon père qui vient s'installer à la maison et qui s'en occupe. Parfois, des amis l'aident. Ça se passe très bien. La première fois que je l'ai fait, je suis partie un mois en Californie. Mais en Syrie, au bout de deux semaines, j'étais malade, j'avais besoin de le voir. Là, je veux partir, je veux voyager, mais je suis tellement raide que je ne pourrais pas avancer les frais. Et là, je suis un petit peu usée. J'ai du mal à relancer un projet à l'étranger. Je suis plutôt sur mes projets de bouquins.

— *Est-ce que ce n'est pas devenu un luxe, pour toi, d'être journaliste ?*
— C'est même pas un luxe, c'est de la folie.

— *Finalement, tu voulais voyager… Et tu voyages !*
— Pas autant que je voudrais. On me dirait : « Tu pars en Iran », j'y vais tout de suite. Même en France. J'ai besoin d'aller voir ce qu'il se passe ailleurs, j'ai besoin de me confronter à d'autres réalités. Ça me nourrit, sinon je meurs… Mais vraiment. Si je vivais à l'intérieur de ce milieu, je me scléroserais, je pense que je pourrais mourir… Mais vraiment. Je tomberais malade, enfin, je ne pourrais pas.

— *Si on te proposait une intégration dans un journal, tu la refuserais, actuellement ?*
— Un jour, j'ai essayé. Je me suis dit : « Arrête, t'as trente-cinq ans, un fils à assumer, gagne ta vie », alors j'ai écrit à Ganz [groupe de presse]. Et j'ai eu une réponse pour deux rendez-vous dans le groupe, *VSD* et *Femme actuelle*, où on m'a dit que j'étais « trop magazine » et « trop Afrique ». J'ai pas insisté… Franchement, pour être salariée à *Femme actuelle* ou à *VSD*, avec ce que c'est devenu ! En plus, j'aurais bougé au bout de dix ans ! En

même temps, je pense qu'il n'y a pas de sous-produit dans la presse. Avant, je rêvais *Express*, *Nouvel Obs*, mais avec l'expérience, j'ai l'impression que c'est un tel panier de crabes, que si c'est pour me faire suer avec des relations humaines pourries, ça ne m'intéresse pas, je préfère vivre ma petite vie. Me faire intégrer… Il faudrait vraiment que ce soit dans un journal auquel je crois et avec des gens qui travaillent réellement avec un projet d'équipe. Là, je travaille pour une fille qui lance un canard féminin. Si ça marche, ça peut être bien. Elle n'est connue ni d'Ève ni d'Adam, c'est une Africaine.

— *Tu m'as dit ne plus trop croire à ce métier, et en même temps, tu es toujours partante ?*
— Je suis partante pour l'aventure. Je ne crois plus à l'ancien système. Il y a des systèmes morts, verrouillés.

— *Un nouveau système, ce serait quoi ?*
— La révolution ! *(Rires.)* Non ! mais je ne sais pas… Un milieu ouvert… Je ne sais pas ! Il y a peut-être des gens formidables dans la presse mais il y a un tel égocentrisme ! C'est un microcosme, et là-dedans, dès qu'ils ont un bobo au ventre, c'est la fin du monde ! Moi, quand mon fils est malade, il faut que je me débrouille et j'emmerde personne… Un bon système, ce serait des gens qui vivent vraiment pour leurs sujets. Moi, j'ai besoin d'une fédération de sentiments, de connivence, de pensée intellectuelle.

— *Tu sembles t'éloigner, tout d'un coup, de l'évocation du sujet comme un produit ? Pourtant, tes sujets, que tu vends sur synopsis et que tu déclines en plusieurs styles pour divers supports, tu les manies bien comme des produits ?*

— Comme on te dit sans arrêt que c'est un produit, ben, tu te dis que tu travailles pour un produit, quoi ! C'est là où on devient une masse laborieuse. Inconsciemment, tu intègres les données du système. Si tu n'emploies pas le bon mot, si tu n'as pas la bonne intonation, tu sais que tu ne vendras pas ta lessive. Et puis, il y a les phrases classiques, les trucs qu'on te rabâche en ce moment : « On veut pas quelque chose de triste, on veut du positif, du constructif. » En même temps, lorsqu'on m'a refusé mon sujet sur les gens qui se convertissent, derrière l'explication « On veut seulement ceux qui se convertissent à l'islam », même si c'est pas dit, il y a le côté « C'est tous des futurs terroristes » ! Ça m'est aussi arrivé d'arrêter une collaboration parce que mon travail n'était pas respecté. C'était pour *Autre femme*. Tu donnes ton sujet, mais après tu as deux nanas dans la rédaction, payées pour couper, restructurer conformément au style du journal. Elles réécrivent, elles calibrent, non seulement au signe près, mais à la pensée près ! On pense à la place des autres. On sait ce qui est bon et mauvais pour le lecteur. Ça devient caricatural. À ton avis, pourquoi tu as autant de journalistes qui écrivent leurs bouquins ? Pourtant, quel plus beau métier que le métier de journaliste ? Mais c'est bien parce qu'ils n'y trouvent pas leurs marques. En écrivant, ils se racontent une autre histoire. L'histoire qu'on ne peut pas se faire, ou qu'on vit mal en étant journaliste. On est des frustrés, c'est un monde de frustration.

Bernard *ou* « La librairie de quartier »

45 ans, célibataire, deux enfants
Père sous-officier puis éleveur, mère sans profession
Licence d'ethnologie, maîtrise (non achevée) en sciences de l'information et de la communication
1971-84 : études puis petits boulots et voyages
1984-86 : animateur-formateur de stages d'insertion sociale et professionnelle pour jeunes
1986 : reprise des études en sciences de l'information et de la communication
Depuis 1990, titulaire de la carte de presse et employé régulièrement par la télévision régionale en qualité de JRI. (Un JRI est en principe un journaliste chargé d'illustrer son reportage avec les images qu'il a tournées lui-même sans l'aide d'un cameraman. Dans la pratique, il est souvent utilisé comme cameraman accompagnant un journaliste-rédacteur.)

— *Avant de t'orienter vers le journalisme, qu'est-ce que tu faisais ?*
— Pas grand-chose, pas grand-chose... Les derniers temps, je travaillais dans le social. Je m'occupais de stages d'insertion en 1984-1986, et ensuite j'ai fait une formation « Communication-information » sur deux ans. Cela m'a donc amené jusqu'en 1988. Puis en 1990, j'ai opté pour le planning-France 3 par opportunité. Sinon, j'avais essayé de travailler un petit peu autrement. Mais pour des questions d'argent, j'ai choisi de travailler au planning-France 3, surtout à cette époque où il y avait quand même beaucoup de contrats. C'est une opportunité que j'ai saisie avec joie, parce que ça avait été la galère financière : les études, il fallait trouver à les payer, ensuite essayer de

faire des petits documents audiovisuels, des choses comme ça. Par exemple avec une association de médecins, des petits films intéressants mais qui n'étaient pas vendus et n'apportaient guère de fric. Mais bon… Sinon, le journalisme, je voulais un peu éviter.

— *Pourquoi ? quelle image en avais-tu ?*
— J'en avais une image qui n'était pas toujours très positive. Mais c'est pas tellement ça. Je pense que peut-être, je me faisais des illusions sur moi. Je ne sais pas, mais en tout cas, j'avais envie de travailler autrement avec l'image. C'est pour cette raison que j'avais fait ces études. Ce n'était pas pour devenir journaliste ou faire des films de communication. L'idée, c'était de faire du documentaire. Pas parce que c'est « noble », mais parce que cela correspond plus à ma personnalité.

— *Tu t'es donc lancé dans le journalisme faute de mieux. C'était un pis-aller, une branche à laquelle on se raccroche ?*
— Pas tout à fait quand même. Ça aurait été ça si j'avais été obligé de travailler dans l'institutionnel, dans le privé, ou quelque chose de ce genre. Non, dans le journalisme, par le fait que souvent c'est du reportage (la moitié du temps on fait du reportage), il y a à voir avec ce que j'avais envie de faire, c'est-à-dire aller vers les gens, m'approcher d'eux avec un outil et traiter leur problème, leur situation, etc. Donc, ça se rejoint. Mais dans le reportage, il y a la difficulté de rendre compte des choses et de vivre quelque chose avec les gens. Car ce sont des instants très courts, des moments d'une heure, deux heures maximum la plupart du temps. Et j'ai toujours eu l'impression, depuis que je fais ce métier, que c'est en quittant les gens que ça commençait à devenir intéressant. On rapporte tout de

même quelque chose. Je ne sais pas si c'est superficiel, mais enfin ce n'est pas vraiment ce qui m'intéresse, en fait.

« On vient seulement pour croûter »

— *Tu es tout de même inscrit au planning-France 3 depuis six ans. Tu ne remets pas ça en cause ?*
— Non, je ne remets pas ça en cause. C'est plutôt la situation actuelle qui le remet en cause à ma place. Situation difficile financièrement, difficultés par rapport au statut, etc. Tout un tas de choses assez connues maintenant… Je pense que par rapport à l'âge que j'ai, aux capacités que je possède… Je ne suis pas Raymond Depardon. C'est soit trop tard, soit c'est même pas trop tard, je crois que tout simplement, c'est pas moi. Donc moi, je suis quelqu'un qui a essayé de faire des petites choses, qui y arrive un peu parfois et qui la plupart du temps n'y parvient pas. Et le journalisme est comme, je sais pas moi, quelqu'un qui aurait eu envie d'ouvrir une grande librairie et qui aurait ouvert une librairie de quartier.

— *Est-ce qu'on peut faire un authentique travail journalistique dans une « librairie de quartier » ?*
— Oui, je pense que oui. Ce qui est un peu gênant en fait, dans mon cas, c'est le statut qui fait qu'on travaille par contrat. On ne peut pas suivre, on ne peut pas se suivre soi-même dans ce métier. Par exemple, arriver pour travailler une semaine à France 3, c'est évident qu'on ne fait pas du journalisme. Qu'est-ce qu'on fait ? On vient seulement pour croûter…

Sur le moment, on va être vigilant, on va essayer de se dire que, quand même, on fait un travail d'information, etc., etc. Mais j'ai l'impression que l'on est pris de plus en plus par la précarité. On est content d'avoir notre contrat, et quand on commence à se réveiller un peu au sein de la rédaction, c'est déjà fini. On se retrouve à nouveau éjecté et donc à nouveau en train d'attendre. Je me considère un peu comme un manœuvre.

— *Selon toi, quelle attitude doit adopter un CDD au sein d'une rédaction de France 3 ? Doit-il se montrer discret ou au contraire faire en sorte qu'on le remarque ?*
— Il me semble qu'opter pour la discrétion et faire le moins de bruit possible, c'est une attitude que la plupart des rédactions aiment bien, surtout quand on est JRI et non pas rédacteur. Maintenant, la ramener, c'est-à-dire proposer des sujets, cela peut-être positif si on en a les capacités. En tout cas, moi je me rêve un peu comme ça. Mais je n'y arrive pas du tout. Enfin si, j'y arrivais un peu quand j'étais à B [métropole régionale]... J'y suis resté assez longtemps, et j'arrivais à me situer un peu comme partie intégrante de la rédaction, m'associant de façon éphémère à Untel ou Untel afin de provoquer des reportages, voire des magazines. Il est donc arrivé que j'aie cette attitude un peu agressive dans le bon sens du mot. Mais c'est vrai que la plupart du temps, c'est pas ça, car il faut d'abord se repérer.

— *La difficulté de s'investir dans le travail de journaliste lorsque l'on est CDD, c'est le sentiment de servir de bouche-trou ?*
— C'est une précarité commune à tous les emplois de ce type. Ce n'est pas spécial au journalisme. Dans mon cas particulier, c'est vrai et c'est pas vrai, car cela fait trois ans que je travaille à la rédaction de M [métropole régionale]. Je connais les gens, ils me connaissent. Je peux même y

aller quand je ne suis pas en contrat, aller faire un tour, même utiliser le téléphone. Il y a quelque chose d'assez permissif et d'assez agréable. Même si c'est dur de le faire parce que cela reste difficile de se retrouver dans la salle de rédaction alors que l'on n'est pas sous contrat. Il y a quelque chose de violent, je ne sais pas exactement pourquoi, pourquoi quand on est sous contrat, on a le droit d'être là, et quand on n'a pas de contrat, on est un peu mal, mal dans sa peau, bien que parfois ça ne le fasse pas. Enfin, c'est compliqué. Je crois que le fait de travailler depuis plusieurs années dans cette rédaction fait que j'estime avoir des droits, même quand je ne suis pas sous contrat. Pour en revenir à ta question, le lendemain, c'est un point d'interrogation permanent. Comme tous les métiers comme ça, à durée déterminée, on ne sait pas de quoi demain sera fait. On ne sait pas pour soi, pour sa propre vie, ce que quelqu'un peut projeter pour sa vie : s'installer quelque part, se donner de bonnes choses à vivre, proposer à sa famille des temps de loisir ou une nouvelle façon de vivre, habiter un autre lieu, aller à la montagne, enfin, il y a plein de choses qui ne sont pas possibles dans sa vie privée, et dans sa vie professionnelle également. C'est un peu tout le temps… limite. On ne sait même pas s'il y a un avenir. C'est un peu… quel avenir on a ?

— *Tu évoquais à l'instant tes visites à France 3 lorsque tu n'es pas sous contrat et tu disais : « J'estime avoir des droits », comme s'il fallait les prendre. Est-ce que cela relève du coup de force ou du consentement mutuel ? Comment cela se passe-t-il pratiquement ?*
— Ça se passe, c'est tout. Rien n'est dit. Il n'est pas dit que l'on a le droit de venir, de donner des petits coups de fil pour chercher des contrats par exemple. Mais c'est

toléré même si parfois, il y a des regards un peu curieux. Je trouve quand même que c'est mal venu de critiquer un CDD, qui est là depuis trois ans, de venir chercher des contrats, alors qu'il vit dans des conditions matérielles pas toujours faciles et donc, effectivement, il va se servir du téléphone et du service public. *(Sourire.)* Bon, c'est peut-être pas très normal, mais en tout cas…

« On ne vit pas la même chose »

— *Comment est-on perçu par ses collègues dans une rédaction de France 3, lorsqu'on est CDD ?*
— Il y a des gens qui sont gentils avec moi, des gens que j'aime bien et qui m'aiment bien. Mais bon, je crois qu'à la base de tout, on n'a pas le même statut, la même place dans la société. On n'a pas le même pouvoir d'achat. On n'a pas une maison, un certain train de vie. Tout cela nous différencie. On voudrait peut-être dans l'espace du temps professionnel, au sein de la rédaction, faire que tout ça n'existe plus. Donc on est gentil. Mais en fait, que les gens soient gentils ou agressifs pour telle ou telle raison, moi je ressens surtout que l'on ne vit pas la même chose. Là aussi il y a les inclus et les exclus et le CDD est un peu entre les deux. Je pense que l'on peut très souvent reconnaître le CDD à son look !

— *Ah oui ? Quel est le look du CDD ?*
— C'est certainement pas le costume. Je ne sais pas, je trouve qu'il y a une décontraction chez le CDD que certains ont tendance à cultiver parce que la décontraction permet de cacher un peu son statut « inférieur ».

— *Abordons concrètement l'exercice du métier. Est-ce que le statut de CDD entraîne des conséquences sur la réalisation du travail ? Est-ce que des pressions particulières pèsent sur le CDD ?*

— Il y a deux questions, l'une par rapport à une hiérarchie : comment la hiérarchie va se comporter vis-à-vis du CDD par rapport au titulaire ? La deuxième question est de savoir si ça influence le traitement de l'information. Je pense qu'en tant que JRI on est moins sur la sellette qu'un rédacteur. L'outil nous protège. Malgré tout, au niveau hiérarchique, il vaut peut-être mieux ne pas trop « la ramener ». Il y a quand même toujours cette fin de contrat : sera-t-elle suivie d'un autre contrat ? Quant à savoir si le chef en a conscience et joue avec ça... Bon, pour être gentil, on va dire que non, mais...

— *On n'est pas là pour être gentil...*

— Quand je dis ça, c'est parce que, effectivement, on ne peut que le constater, vraiment c'est...

— *Il y a une pression latente ?*

— *(Silence...)* De toute façon, l'autre jour, moi, c'est ce que j'ai reproché à l'un des rédacteurs en chef adjoints, qui avait un certain type de comportement parce que j'étais CDD. Deux heures après, quand il m'a croisé, il m'a reproché d'avoir dit ça. J'avais osé le dire, alors que, selon lui, jamais il n'avait été question pour lui de faire une différence. Moi je veux bien le croire. Pourquoi ne pas le croire ? En tout cas, moi, j'ai senti à un moment donné que c'était ça qui était en jeu. C'était : « Tu es CDD, donc de toute façon tu ne peux pas te permettre de dire : je pense qu'il faut faire ceci ou cela. » Tu peux, mais tu prends des risques. J'espère que ce n'est pas pour ça d'ailleurs que je n'ai plus de contrat ! *(Rires.)*

— *Tu peux me raconter les circonstances de cette friction avec ce rédacteur en chef-adjoint ?*

— C'est la question de la permanence, du journaliste de permanence la nuit. En fait, j'ai eu un contrat d'une semaine à M. J'arrive un matin durant cette semaine, et je n'ai pas très bien compris de suite. Il avait dû y avoir des discussions à ce sujet entre les chefs, parce qu'on m'a dit que l'on avait essayé de me joindre chez moi et je n'y étais pas. On m'en a fait le reproche, alors que personne ne m'avait dit d'une part que j'étais de permanence, et d'autre part j'estime que de toute façon, même si j'avais été de permanence, il faut mettre sur pied certaines règles pour assurer cette permanence.

Donc j'arrive le matin, il y avait eu un incendie. Et on me dit, en conférence de rédaction : « Eh bien, t'étais pas chez toi. » Une demi-heure plus tard, on dit : « Bernard n'était pas chez lui », d'un air… C'était un peu inadmissible. Les choses en sont restées là. Moi j'ai fait passer cette information auprès des gens que j'aime bien au sein de la rédaction, pour me réconforter, pour voir dans le regard des autres qu'ils comprenaient mon désappointement. En fin de semaine, cette même semaine, la question de la permanence a été de nouveau évoquée et Michel Gérard, le rédacteur en chef de service, m'a demandé dès le matin si j'étais chez moi ce soir. Si cette nuit je dormais chez moi. Je lui ai dit qu'*a priori* j'étais chez moi, mais que je ne pouvais pas certifier d'y rester, que je pouvais être amené à partir. Il m'a dit : « Il faut s'arranger entre vous, ça a toujours été comme ça, il y a toujours un JRI de permanence. » La discussion en est restée là et, dans l'après-midi, il a encore ramené ça sur le tapis, en me demandant si j'allais être chez moi. Je me suis un peu énervé, parce que je me suis dit qu'il avait ce comportement avec moi parce que j'étais

CDD. Il s'en est défendu. Il fallait quelqu'un de permanence, c'est tout à fait normal, mais je ne tolérais pas que l'on me propose cette permanence de cette façon, dans un coin de couloir. Il n'y avait même pas d'affichage, rien.

« Un CDD, c'est une proie plus facile »

J'ai donc dit : « Je veux bien faire cette permanence, mais à condition d'avoir un "opérator" afin de ne pas être obligé de rester chez moi. » Il m'a dit oui. Je me suis renseigné auprès du secrétariat pour obtenir un opérator, il n'y en avait pas. Je me suis donc adressé à Michel Gérard et il m'a répondu que cela faisait longtemps qu'il n'y en avait plus. Cette contradiction dans son discours révèle que lui aussi, je suppose, a ses pressions, et doit essayer de se dépatouiller avec une situation qui n'est pas très claire. En tant que rédacteur en chef pendant deux jours, il peut être angoissé par rapport à un événement qui peut arriver et qu'il faut maîtriser à l'avance, et donc instaurer une permanence. Or cette permanence a très souvent fait des vagues dans cette rédaction, ce qui fait que maintenant plus personne n'ose en parler. Même les chefs n'osent plus en parler aux titulaires ou aux syndicalistes-leaders. Les choses sont comme ça. Et alors bien sûr, en CDD, on est une proie plus facile lorsqu'il s'agit de trouver une solution.

— *Est-ce que tu as le sentiment qu'on aurait exigé la même chose d'un titulaire ?*
— Je ne sais pas. Il y a des titulaires qui sont tout de même plus manœuvrables que d'autres. Il y a les têtes brûlées, et puis il y a les gens affirmés. D'autres sont plus gentils, ils vont plus facilement accepter. Mais c'est évident qu'être titulaire, ça permet de dire : « Moi, ça n'est pas possible » et point.

— *Tu n'as pas fini de raconter l'incident de la permanence…*
— J'étais donc de permanence ce soir-là, puisque je l'avais finalement acceptée sans opérator. Il était minuit, et j'ai été alerté par Michel Gérard qui lui-même avait été alerté par le gardien de la station de France 3, lui-même averti je ne sais toujours pas par qui.

Je suis parti seul sur les lieux. C'était donc un attentat contre un édifice public. Très vite je me suis garé d'un côté du bâtiment, puisque je voyais qu'il y avait de l'effervescence dans les jardins aux alentours. Donc j'ai pensé qu'on pourrait éventuellement s'approcher ou au moins contacter les personnes qui dirigeaient les secours. En fait, il s'est avéré qu'il fallait faire le tour par devant. Je me suis retrouvé éloigné de la voiture, tout seul avec une caméra, une petite lumière, sans micro, pensant ne pas en avoir besoin tout de suite, parmi pas mal d'autres journalistes de radio et de télé notamment. Je me retrouve tout seul par rapport à cet événement un peu bizarre. Ce n'est pas tous les jours à M qu'un attentat a lieu ! Donc je téléphone grâce à un portable aimablement prêté par une chaîne concurrente. Je joins le gardien de France 3 et lui demande de rappeler Michel Gérard pour lui dire que j'étais tout seul et qu'il y avait bien eu un attentat. Et je n'ai pas eu de nouvelles…

— *Qu'est-ce que tu attendais de sa part ?*
— Qu'il m'envoie un rédacteur ou qu'il vienne lui-même s'il n'en trouvait pas. En dernier recours, c'est lui le rédacteur de permanence. Et puis même, je pense que parmi les différents rédacteurs en chef, d'autres seraient venus. Celui-là n'est pas venu. Peut-être qu'il a moins la fibre de l'actualité. Ce n'est pas très grave, mais je pense qu'il fallait assurer la présence d'un rédacteur. En tout

cas, mon appel allait dans ce sens et il n'a pas percuté. Donc je me suis retrouvé à fureter à droite à gauche, à essayer de récupérer des choses que d'autres faisaient, notamment des bouts d'interviews enregistrés entre deux caméras, ou carrément faire ce que j'aime bien, c'est-à-dire très discrètement enregistrer des choses qui se passent, sans apport de lumière, sans micro tendu. Ces bouts-là ont été récupérés d'ailleurs, ce qui prouve qu'on peut quand même arriver à travailler de cette façon. Ensuite, j'ai eu la chance qu'un des rédacteurs en chef adjoints, René Durand, qui passait par là, me voyant tout seul, m'accompagne le reste de la nuit.

— *Il passait par hasard ?*
— Pas par hasard parce qu'il avait travaillé le soir sur un direct pour le journal et donc il était au centre-ville. Il est passé voir par curiosité. S'apercevant que j'étais tout seul, il a choisi de rester là.

— *Le lendemain, est-ce que tu étais satisfait de ton travail, ou au contraire l'absence d'un rédacteur dans la première demi-heure qui a suivi l'attentat s'est-elle fait sentir ?*
— En fait, on a eu un peu de chance. Cela aurait pu très mal se passer si j'avais été tout seul tout le temps, toute la nuit. Il y a des choses, que l'on a ramenées avec le collègue, que je n'aurais pas pu ramener seul.

Je pense que si à minuit, minuit et demi, il avait fallu répondre immédiatement à quelque chose, on aurait été à côté, « à la ramasse » comme on dit. Mais comme les choses ont pris un certain temps... Ce n'est qu'au bout de deux heures qu'on a pu s'approcher des dégâts et des gens qui faisaient le point. Ça a laissé le temps au collègue de venir par curiosité et de tomber sur moi.

— *Est-ce que le lendemain tu as évoqué ce problème en conférence de rédaction ?*

— Ça n'a pas été évoqué en conférence de rédaction, car tôt le matin j'étais sur le terrain avec le rédacteur en chef adjoint qui m'avait rejoint la nuit de l'attentat. C'était quand même un événement important : il n'était pas question de faire la grasse matinée. C'est donc plus tard, à la station, qu'on a évoqué cette question, sans agressivité, avec Michel Gérard. La question a été posée comme ça : du moment que j'avais téléphoné au gardien pour annoncer qu'il y avait eu effectivement un attentat et que j'étais tout seul, le gardien devait répercuter mon appel à Michel Gérard. Ce qui a été fait puisque Michel Gérard m'a dit avoir reçu l'appel, mais il m'a dit : « Je n'ai pas réalisé. » Donc il avait intégré le fait qu'il n'avait pas réagi exactement comme il fallait.

— *C'est un aveu ?*

— Oui, c'est un aveu, un aveu entre lui, son collègue Durand et moi. À la conférence de rédaction, on n'y était pas. Maintenant, si cela devait être dit par quelqu'un, c'est pas tellement au CDD de service de le dire. Moi, d'une certaine façon, ça m'a fait sourire intérieurement, parce qu'on avait eu cette discussion sur les problèmes de la permanence la veille et que, finalement, en pleine nuit on m'appelle, qu'on m'envoie tout seul et qu'on fait cette erreur. On évalue mal le problème alors qu'il était facile à juger. C'est beaucoup plus difficile quand il s'agit d'un accident de voiture avec deux morts en pleine nuit : on peut se demander si on envoie simplement un JRI ou une équipe à deux. Un attentat sur un édifice public, on ne se pose même pas la question. Le collègue qui m'avait rejoint sur les lieux, la nuit, m'avait donné son point de vue en me disant que Michel Gérard n'avait pas bien réagi, et que si le rédacteur en chef le savait ça ferait vraiment du barouf.

— *Quel était ton état d'esprit sur les lieux de l'attentat, alors que tu venais d'être parachuté sur un événement de première importance, dans les conditions que tu viens de décrire ?*
— J'étais un peu inquiet parce que je n'avais pas tout de mon côté. Et puis, c'était quand même irritant, et on se sent pas grand-chose parmi trois équipes de télé qui fonctionnent, qui décident d'aller faire une interview ici, d'aller voir un témoin là-bas, et que soi-même on est là sans son micro parce qu'il est dans la voiture, à l'autre bout du bâtiment, qu'on a peur d'aller le chercher de crainte de rater un truc et qu'on n'a pas de collègue pour pouvoir résoudre ce problème.

On n'est pas démobilisé mais inquiet, inquiet de savoir si on va arriver à faire quelque chose avec les moyens du moment.

— *C'est la première fois que tu es envoyé dans une telle galère ?*
— C'était une galère parce qu'il y a eu un manquement quelque part. Mais pour beaucoup de journalistes, ce genre d'actualité est très excitant. Le lendemain, un rédacteur m'a dit : « Mais bon sang ! pourquoi il ne m'a pas appelé ? » Parce que le lendemain, il y a le national, et en région on a toujours ce complexe. Moi, j'avoue que je n'y ai pas pensé. J'ai pensé surtout à mon travail par rapport à la rédaction.
J'ai trouvé ça très intéressant comme moment, parce qu'il y avait plein de choses qui étaient en action : flics, justice, journalistes, passants, hommes politiques : il y avait un peu toute « la petite France » en marche. C'est un « regard documentaire » qui m'a interpellé cette nuit-là.

— *Après trois années de bons et loyaux services à France 3, estimes-tu que désormais tes compétences sont reconnues ?*

— Je ne sais pas... Je crois, oui. En gros, j'ai l'impression qu'on ne se pose pas de questions là-dessus. Mais en fait, je ne sais pas... On ne parle pas beaucoup de tout ça dans la rédaction. Par exemple, pour l'attentat, la semaine qui a suivi, je suis donc allé à la rédaction faire un petit tour pour voir s'il y avait une possibilité de travailler la semaine suivante, et le rédacteur en chef m'a appelé pour me parler d'un autre sujet. Mais il a fait un petit discours sur cet attentat en me disant que j'avais dû bien travailler puisque mes images étaient les meilleures. Donc mes images sont les meilleures, mais je ne sais pas ce que ça veut dire.

— *Tout simplement que le rédacteur en chef reconnaît tes compétences.*

— Je suis un peu sceptique sur ce genre de choses. Déjà, il y a le contexte de cette discussion : il m'avait appelé pour me dire qu'il me soutiendrait par rapport à une candidature, et que je devais accompagner ma demande d'une copie des reportages sur l'attentat. Moi, j'avais un peu interprété ça comme l'expression de la fierté du rédacteur en chef par rapport à la couverture de l'événement réalisée par ses journalistes, mais fier pour lui aussi. C'est lui finalement qui va avoir les honneurs au bout du compte. Le CDD de service, il y a longtemps qu'il est à nouveau au chômage et plus personne s'en occupe. Ensuite, en me disant que mes images sont les meilleures, il dit aussi que France 3 a de meilleures images que celles des médias audiovisuels qui couvrent la région.

Effectivement, il me félicite. Mais moi, je préférerais qu'on discute sur un reportage réalisé, diffusé, qu'on essaie de trouver des temps de réflexion autour de ça, dans le sens de « qu'est-ce que c'est que l'information qu'on diffuse ? » Et là, après, savoir si Untel a bien travaillé ou pas… Je ne sais même pas si c'est la question à poser, car à partir du moment où on travaille depuis plusieurs années dans une rédaction en tant que CDD…

« S'entendre dire qu'on est trop vieux »

— *Comment se fait-il, alors que tes compétences sont reconnues par le rédacteur en chef, que tu ne puisses pas te faire titulariser sur place ?*
— Il y a eu un poste l'année dernière sur C [bureau excentré dépendant de la direction régionale] qui m'a échappé à cause d'une mutation. La rédaction en chef de M n'a pas eu la volonté de me soutenir alors qu'elle en soutenait d'autres. Ça a été spécifié clairement pourquoi on ne tenait pas trop… J'ai eu une discussion avec le rédacteur en chef sur ce poste. Je l'ai averti que je postulais. Je pouvais espérer qu'il me dise : « Eh bien, on va te soutenir, Bernard. » On m'a dit deux choses : que j'avais des enfants à M et que ce serait compliqué d'être à C, sous-entendu que je rentrerais souvent à M. Il va sans dire que si on opte pour un poste à C, on y reste, forcément. Ça n'a pas été trop difficile de convaincre le rédacteur en chef que je resterais à C. Par contre, on m'a parlé de mon âge…

— *C'est-à-dire ?*
— Eh bien, on ne m'a pas dit que j'étais trop jeune…

— *Tu es amer ?*
— S'entendre dire qu'on est trop vieux, ça fait pas très plaisir. En fait, quand j'ai entendu ça, je n'avais pas l'impression que c'était la réalité. C'était pas possible ! J'avais

entendu ça dans des histoires, des films, des choses qu'on me racontait. Mais je ne pensais pas qu'on me dirait un jour : « Tu es trop vieux. » Peut-être qu'effectivement, je suis trop vieux ! Peut-être. *(Sourire.)*

— *Il semble que tu sois à un tournant de ta carrière, puisque tu as décidé d'en finir avec la condition de CDD. Tu as fait de l'intégration une de tes priorités. Pourquoi vouloir être intégré à France 3 ? Quelles sont les démarches que tu as entreprises dans ce sens ?*

— Pourquoi France 3 ? Parce que c'est la région qui m'intéresse. C'est la possibilité de travailler en région, donc travailler près de chez soi. Je n'ai pas le désir, qu'ont beaucoup, de travailler pour le national. Mais c'est le plaisir de faire ce métier au quotidien. C'est curieux de parler de plaisir après avoir été un peu sombre sur le métier. Mais d'aller sur le terrain, c'est une grande satisfaction, même pour ces sujets qui sont « de la daube », comme le dit l'un de mes collègues. Oui, bon, pour certains ça pèse un peu, mais dans l'ensemble, j'aime bien. C'est un métier qui demeure très satisfaisant pour moi, plein de diversité, et j'ai besoin de ça parce que sinon, je m'ennuie vite.

France 3, aussi, c'est le service public. Ce n'est pas une chaîne privée, donc ça aussi ça joue. Des vieux restes certainement de ma culture de gauche.

— *Qu'est-ce que ça change ?*
— … À part que je ne regarde jamais le journal de TF1… Je ne sais pas comment on y travaille, sur TF1.

— *Pourquoi l'intégration ?*
— *(Silence.)*

— *Pourquoi avoir attendu six ans ?*
— C'est pas la première fois que je postule.

— *Cette fois-ci, il semble que tu y mettes plus de conviction ?*
— C'est pas tellement la conviction, c'est la trouille. Je crois qu'au bout du compte il y a la trouille de ce qu'il se passe dans la société. C'est pour cela que je ne suis pas très à l'aise par rapport à ça. D'un côté je suis bien conscient que si j'avais le choix, si je pouvais garder l'espoir, je pense que je ne ferais pas ça, je continuerais à rester un peu dans « le risque ». J'ai l'impression que les choses ont tendance à devenir de plus en plus difficiles et que, parmi les journalistes, l'exclusion existe maintenant : il y en a qui sont au chômage. Il n'y a pas de place pour tout le monde, j'ai l'impression. Donc il me semble que c'est la raison.

Et puis, il y a l'âge. On m'a proposé une intégration l'an dernier à H en me disant : « Bernard, méfie-toi, c'est peut-être la dernière fois que tu pourras être intégré. » J'ai le sentiment que les choses ne vont pas aller en s'améliorant. Alors, tout laisser tomber, faire autre chose, c'était bien il y a dix ans, quand je n'avais pas d'enfant. Être intégré, ce n'est peut-être pas la panacée, mais je me dis que je pourrais peut-être obtenir un peu de tranquillité : pas la tranquillité pour la tranquillité, mais peut-être être moins agité, me calmer.

— *Est-ce que tu peux me parler de la stratégie, de la méthode employée en vue d'être intégré ?*
— Pour la première fois de ma vie, je me suis syndiqué : première chose. C'était l'an dernier.

— Quel syndicat ?

Le SNJ. Bon, syndiqué avec l'idée que ça allait me servir pour être intégré. J'aime bien certaines personnes du SNJ, et puis, je me voyais mal avec la carte FO ou CFTC.

Ensuite, faire marcher un peu les relations : un directeur régional, un rédacteur en chef de M que j'ai sollicité, un directeur d'antenne.

Et puis, donner des coups de fil, demander des rendez-vous, aller jusqu'à provoquer une rencontre avec un rédacteur en chef qui avait refusé cette rencontre.

— Donc, tu as obligé un rédacteur en chef à te recevoir ?

— Il s'agissait du rédacteur en chef concerné par mon intégration à D. J'ai téléphoné le matin. Je n'ai pas réussi à l'avoir. J'ai fait la route jusqu'à F [dont dépend le bureau de D] pour rester cinq minutes dans son bureau. Ce qui m'a irrité, c'est qu'il n'avait même pas fait l'effort de lire le courrier que je lui avais envoyé, alors qu'il en avait eu le temps puisqu'il m'avait fait attendre un quart d'heure. La moindre des choses, c'était de lire ce courrier qui contenait des informations me concernant. C'est vraiment qu'il n'en avait rien à faire. Bon, ça a au moins l'avantage de la transparence. Ils n'en ont rien à faire, donc on repart à M.

« Je suis dans un autre monde »

— Comment juges-tu l'attitude de ce rédacteur en chef ? Tu es obligé de forcer la porte de son bureau alors que tu es un professionnel reconnu...

— Je suis un salarié, un salarié potentiel de sa boîte et puis point. Dans ce cas-là, il joue le rôle du chef du personnel. En me recevant, il fait ce qu'il ne peut éviter.

On est dans un moment où le salarié ne peut qu'essayer de se démerder… De toute façon, il ne me doit rien. Il le sait. Dans tous les secteurs d'activité, les gens arrivent en masse pour prendre un poste. Quand j'ai eu ce rédacteur en chef au téléphone pour lui faire savoir que je postulais dans sa rédaction, il m'a répondu qu'il avait reçu trente-six mille demandes, je ne sais plus quel chiffre il avait inventé. Je suis un parmi beaucoup d'autres.

— *Quels sont les critères de sélection, selon toi ?*
— Le fait de connaître la personne directement, de travailler avec elle dans le cadre du journal. Pour celui qui n'a pas ses entrées, comme par exemple un leader syndical, le fait d'être connu du rédacteur en chef, d'avoir déjà travaillé avec lui, c'est quand même favorable à la possibilité d'intégration. La seule fois où on m'a proposé d'être intégré, c'est quelqu'un qui me connaissait.

Moi, j'ai fait le choix de D à cause de ma vie familiale. Ce n'est pas très loin de M. Mais à D, je ne connais personne, alors je me coltine un rédacteur en chef que je ne connais pas, qui est à deux ans de la retraite et qui a certainement d'autres choses en tête que l'idée d'intégrer Untel ou Untel. C'est le dernier de ses soucis.

— *Est-ce que les syndicats sont préoccupés par les problèmes spécifiques des CDD ?*
— J'ai pas l'impression. Je crois que pour les syndicats il est beaucoup plus facile de défendre les gens qui sont là, déjà en poste. On va se mobiliser, faire un jour de grève pour du fric, on se mobilise contre la suppression de l'abattement de 30 %. On n'a jamais vu de grève parce qu'il y a *x* pigistes et *x* CDD qui représentent je ne sais combien de postes de titulaires.

— *Il y a peu de chances que tu obtiennes le poste de D. Tu te vois rempiler une septième année au planning ?*

— Oui, peut-être.

— *Quelle est ta motivation ?*

— *(Sourire.)* Les sous ! Mais le problème, c'est que c'est maintenant de plus en plus difficile de survivre. Il me semble qu'il est en train de se créer un fossé beaucoup plus grand que dans les années passées entre l'intégré et le CDD. J'ai connu les dernières années du « bon temps » où on trouvait facilement des contrats longs intéressants financièrement et professionnellement. Je pouvais aller voir le rédacteur en chef de B et lui dire : « Bon, j'ai envie de faire une pause et de rentrer à M. » Il me laissait partir et me reprenait après.

Progressivement, les rédactions ont fait appel à des gens sur place pour éviter de payer des frais de mission. Avec les frais de mission, on double son salaire. Avant, j'étais dans la disette permanente avec mes petits documents audiovisuels. D'un seul coup, je me suis retrouvé avec 10 000 francs de salaire et 9 000 francs de frais de mission. Aujourd'hui, c'est une nouvelle étape : beaucoup plus de gens se retrouvent en concurrence dans les rédactions, de moins en moins de travail, de moins en moins de possibilités d'intégration et de moins en moins de pigistes ou de CDD. Il faut accepter une baisse de son niveau de vie, ce qui n'est pas sans poser de problèmes. Évidemment, au niveau de sa vie personnelle, mais également par le fait que dans ce métier on est amené à fréquenter des gens de classe moyenne, confortablement installés, puisque au sein d'une rédaction France 3 les salaires varient de 14-15 000 francs à 30-35 000 francs. Moi, en ce moment, j'ai environ 6 000 francs. Il y a un écart par rapport à ces personnes-là. C'est pas facile d'être bien, à l'aise. Ne pas avoir autant de fric qu'eux, ce n'est pas un problème. Mais c'est un tel écart.

Et puis, on est amené à fréquenter, dans l'exercice de cette profession, des gens de pouvoir. L'autre jour, je suis resté un bout de temps avec un homme politique de l'opposition, à blaguer, presque à se taper sur l'épaule, en sachant que je suis quand même un peu dans un autre monde. Si je touchais 20 000 ou 25 000 francs par mois, je n'aurais pas ce sentiment. C'est peut-être de la jalousie, je ne sais pas, mais en tout cas, ce n'est pas facile à vivre.

— *On finit par manquer de sérénité ?*
— On n'arrive pas à mettre ses problèmes de côté pour exercer son travail. Je manque un peu de liberté d'esprit actuellement. Je suis trop préoccupé par des problèmes matériels. Il faut que j'intègre ces nouvelles données pour m'adapter à ces nouvelles conditions. Quand je les aurai intégrées, je serai certainement moins frustré, plus serein. Cette transition reste tout de même difficile.

Précarité et représentation

Dans les pages qui suivent, nous avons voulu décrire des attitudes et des comportements dont les journalistes sont coutumiers, dans l'exercice de leur profession, et qui sont apparemment destinés à donner une image avantageuse d'eux-mêmes, ou de leur travail, et ainsi à favoriser leur accès à l'emploi, ou une reconnaissance plus grande au sein de leur rédaction et plus largement de leur milieu professionnel. Nos entretiens permettent de constater que les pigistes et autres précaires entretiennent le plus souvent un rapport ambigu avec ces façons d'être et de faire, qui est à la fois et contradictoirement d'adhésion et de distance critique. Les questions des enquêteurs sont sans doute pour beaucoup dans l'abondance des propos consacrés à cette dimension de la vie professionnelle. Mais la prolixité même, parfois déconcertante, avec laquelle nos interlocuteurs expriment ce qu'il est plutôt d'usage de taire, du moins dans les discours officiels sur le journalisme, semble témoigner d'une réelle préoccupation, voire d'un profond malaise, concernant des aspects souvent gênants de l'exercice du métier. Selon les cas, il est vrai, cette mise en scène quotidienne de la vie professionnelle pèse comme une contrainte considérable, une épreuve supplémentaire dans un parcours déjà difficile, ou au contraire elle est vécue comme un adjuvant indispensable qu'il convient de cultiver. La plupart en feraient sans doute bien l'économie. Certains s'en accommodent. Rares sont ceux qui en tirent un grand bénéfice. Mais tous ressentent peu ou prou la nécessité impérieuse de respecter ces usages, en évoquant parfois le moment précis où ils ont eu l'impression de les avoir transgressés – « Et puis j'ai fait le con », se souvient Grégoire. Adopter la bonne posture et s'y tenir, en conformité avec le modèle dominant, accumuler et entretenir un capital relationnel le plus important possible réclame un véritable travail de tous les instants, qui s'apprend et que nos interlocuteurs décrivent en détail tout au long des entretiens. C'est ce travail que nous désignons ici sous le terme de « représentation ». Au-delà de la description de ses modalités, nous avons voulu aussi en montrer les limites et les dangers. Notre lecture des entretiens n'épuise pas, loin s'en faut, la richesse du sujet, tant l'observation d'une rédaction sous cet angle-là ouvre de pistes d'exploration intéressantes.

Ce qui est principalement pointé ici, c'est que, dans le contexte actuel, il « n'y a plus vraiment de règle du jeu générale pour les pigistes » (Florence), c'est-à-dire plus d'accord sur une réglementation formelle, ou informelle, qui garantirait au journaliste indépendant un minimum de stabilité et de sécurité. Le journalisme est un tout petit monde et sa saturation en main-d'œuvre contribue largement à brouiller les critères d'accès à un emploi qui s'est beaucoup diversifié. Les qualités ordinairement requises, relatives à la compétence professionnelle, fonctionnent de moins en moins dans ce contexte. Elles ne préservent de rien. D'excellents journalistes mendient des collaborations. Désormais, le plus souvent, l'arbitraire du pouvoir d'embaucher ou de renvoyer des collaborateurs s'exerce sans ménagement, dans une ambiance de totale indifférence au sort des personnes : Marianne en témoigne, qui est « la première à valser » lors d'un changement de rédaction en chef. À ses yeux, c'est compréhensible : « [Les nouveaux chefs] arrivent avec leurs réseaux. » Dans ces conditions, « comment se faire apprécier ? » (Clément) et comment échapper au sort de « pièce interchangeable » (Jean-Louis) ? comment éviter d'être considéré comme un employé-kleenex ? Faute de mieux, pour conjurer cette fragilité, ou au contraire pour la justifier, le critère du *comportement relationnel* tend à devenir décisif dans la sélection des candidats à un emploi. Le profil-type, c'est « d'être gentil avec tout le monde » (Grégoire), d'apparaître comme un « bon exécutant, […] bien dans sa rédaction, qui lance des sourires aux uns et aux autres, […] souple, […] malléable, pas une personnalité trop marquée » (Clément). Inversement, trop de discrétion et c'est l'enterrement assuré ! Il faut trouver la position intermédiaire, qui permette de se distinguer de façon positive, « Il faut avoir du cran » (Edmond), « l'attitude un peu agressive dans le bon sens du mot » (Bernard), « quelque chose d'assez subtil » (Clément) qui fera la différence. Mais, avant tout, la condition à remplir, c'est la visibilité du candidat, concrétisée par sa présence au sein de l'entreprise : « T'es là ou t'es pas là » (Marianne) ; et « le pigiste, s'il ne se montre pas, il est oublié » (Edmond). C'est un travail déjà éprouvant lorsqu'il faut imposer sa simple présence physique dans une entreprise dont on n'est (ou n'a été) qu'un collaborateur occasionnel, et affronter « des regards un peu curieux », qui mettent mal à l'aise et ont « quelque chose de violent » parce que, « quand on n'a pas de contrat, on est mal dans sa peau » (Bernard). Quoi qu'il en soit, rien ne doit détourner le pigiste de cet effort permanent et opiniâtre d'occupation du terrain. Les couloirs de l'entreprise deviennent un champ de manœuvres. Il faut sans cesse signaler qu'on existe, en se gardant toutefois de déranger ou d'indisposer par trop d'insistance. On manifeste ainsi que l'on espère toujours faire partie du personnel, même si l'on n'est pas présentement employé. La préoccupation peut prendre des proportions considérables, jusqu'à l'obsession : « Pendant cette période-là on n'est plus normal. Parce qu'il faut passer dans tel couloir… » La représentation est d'abord *présentation de soi*. Il faut être présent, et se montrer, rester sous le regard et sous la main de l'employeur potentiel : « Moi je t'avoue franchement, je me suis montré. À tous les cocktails de copains, de collègues, etc. » (Edmond). Mais il ne suffit pas non plus d'arpenter les couloirs et d'être assidu aux cocktails. Il faut également avoir « le sourire qu'il faut, la coupe de cheveux qu'il faut, le look qu'il faut » (Marianne) ; et le style de sociabilité qui va avec. Car tous ces efforts s'inscrivent dans une stratégie de séduction. Et surtout pas de contestation ni de subversion. Ainsi Grégoire, qui n'a pas su résister au plaisir, un peu provocateur, de faire le pitre devant ses nouveaux collègues, s'est-il trompé de représentation, et ses facéties « au bout d'un moment, n'ont plus fait rire » le secrétaire général de la rédaction. L'insécurité du journaliste précaire est aggravée par la toute-puissance de l'encadrement, fréquemment incarnée dans un seul individu, et que rien ne semble pouvoir tempérer : « Au changement de rédaction en chef, la nana qui est arrivée a jeté toute l'ancienne équipe » (Marianne). On comprend, dans ces conditions, que la plupart des précaires soient amenés à investir dans la mise en œuvre d'une « représentation » de soi-même, assidue, valorisante et conformiste ; puisque, nécessairement, « quand t'es pigiste, c'est toi qui fais le chemin vers les gens » (Florence).

Le fait que nos interlocuteurs utilisent volontiers des formules empruntées au vocabulaire du spectacle et au lexique commercial nous paraît être un indice éloquent de cette disposition à la mise en scène de soi-même qui est en même temps mise en valeur sur un marché. Le statut de « travailleur indépendant » favorise évidemment de tels usages. Comme dit Marianne, « tu vends un produit, et toi-même t'es un produit » ; et donc, « tu es obligé de faire de la représentation », ajoute Julien. On a parfois l'impression d'entrer dans un univers de cadres commerciaux. Le langage courant régresse au profit d'un jargon emprunté à l'économisme ambiant et au prêt-à-penser idéologique qui l'accompagne. Ce discours d'efficacité qui caractérise nos capitaines d'entreprises « fin de siècle » est soutenu avec plus ou moins de conviction, mais il est bien là. Le cas de Norbert est le plus typique dans ce registre. Il ne « vend » pas simplement une enquête, il proclame « une vision transversale unique » de son sujet. Il propose de « nouveaux filtres de compréhension » afin de « renouveler notre lecture du monde ». Certains éléments de son discours tiennent du slogan publicitaire : « Créer la différence, pour moi c'est fondamental » ; et il assume pleinement ce style : « J'emploie des mots économiques exprès. » Son bureau est donc « une centrale de communication » – « Mon petit centre de production, mon petit centre de gestion, mon petit centre de marketing, centre de recherche » – dont l'objet est de « reproduire toutes les fonctions de l'entreprise » ; ses confrères sont des « concurrents » ; il réclame plus de « flexibilité »… dans l'écriture ! Mais Norbert n'est pas seul à épouser la mode du parler-gestionnaire. Celle-ci est de toute évidence un *marqueur social* censé manifester l'appartenance au monde de la puissance et de la modernité. Mais les dominés sociaux qui adoptent cette « novlangue » n'ont sans doute pas conscience du paradoxe qui consiste à utiliser, pour décrire leur précarité, un jargon cher aux « gagneurs » et aux « tueurs » de la guerre économique – comme Marianne, qui entreprend de se « repositionner sur le marché » pour trouver de nouvelles piges.

Dans cette logique, la signature même est reléguée à la fonction de logo : « Ça fonctionne surtout comme marketing. [...] C'est ta promotion, ta campagne de pub » (Florence). La règle qui s'applique au travailleur s'applique également à l'information (le sujet, « le produit ») et à son traitement, pour lequel il faut trouver « un emballage assez excitant » (Florence). On se demande : « Quel est l'angle le plus accrocheur ? [...] comment je vais le formuler pour que ce soit vendeur ? » (Florence). La réponse à cette question est contenue dans la définition de « la bonne info », celle qui, en tout cas, excite la curiosité du rédacteur en chef et qui, à cette fin, recourt toujours aux grosses ficelles de « l'information-spectacle » pour mettre en scène la réalité : « De toute façon, à chaque fois que tu dis : "Ça n'a jamais été filmé, c'est la première fois qu'il s'exprime, etc.", déjà c'est un bon argument. Ils sont à la recherche de ça » (Julien). En déclarant que si « t'amènes un sujet "pédophilie", t'es reçu roi du pétrole », Julien résume la tendance actuelle à réduire l'information à la mise en spectacle d'un événement, à la représentation convenue d'une actualité à peu près exclusivement sélectionnée sur des critères émotionnels. Et cette propension à voir le journalisme en termes de *commerce* et de *spectacle* s'impose au journaliste avec la force d'une évidence incontournable, plus souvent pour le pire que pour le meilleur ; parce que, le plus souvent, il faut s'arranger pour faire coller les événements rapportés avec les fantasmes qui habitent l'imagination du chef. Ce qui met le journaliste dans des situations impossibles : « Je me souviens avoir dit à des chefs : "Mais attendez, faudrait arrêter d'aller au cinéma, quoi." Parce qu'ils s'imaginent des trucs ! Tu leur parles d'un sujet, ils ont des stéréotypes dans la tête et ils imaginent que, dans ton sujet, il va se passer ça et ça » (Julien). Ce jour-là, le rédacteur en chef était déçu : le journaliste dépêché sur le terrain ne rapportait pas avoir assisté au spectacle d'une impressionnante file d'attente se pressant aux admissions de l'hôpital, contrairement à l'idée préconçue qu'il s'en faisait. C'est ainsi que, en vertu d'une supposée compétence, les chefs imposent à leurs subordonnés leurs propres préjugés et caprices.

Les rappels à l'ordre pour une interview « pas assez *people* », « pas assez *Paris-Match* » (Roland) ou un portrait « pas assez *glamour* » (Hélène) viennent régulièrement rappeler qui est le véritable metteur en scène et dans quel genre de pièce le pigiste est appelé à jouer le figurant. Et si malgré toutes les consignes la ligne éditoriale n'est pas respectée, alors « tu as deux nanas […] payées pour couper, restructurer, conformément au style du journal. Elles réécrivent, elles calibrent, non seulement au signe près, mais à la pensée près ! » (Marianne) Tout cela baigne dans un contexte de rabâchage et de niaiserie idéologique sur le thème « On ne veut pas quelque chose de triste, on veut du positif, du constructif » (Marianne), auquel contribuent des moyens techniques et des procédés professionnels de nature *dramaturgique*. Ces témoignages en sont tellement imprégnés que l'enquêteur doit, à un moment de l'entretien, demander à Marianne de préciser : « On te demande de faire une fiction ou un reportage ? » Là aussi le lexique utilisé par les enquêtés est éloquent. On y retrouve notamment d'abondantes références au cinéma. Il est sans arrêt question de présenter un « synopsis » dans lequel « on te demande d'écrire une histoire », dit Julien – et « pas une thèse ». Celui-ci détaille alors les étapes de son reportage comme le ferait un cinéaste professionnel. D'abord, « t'arrives pas au tournage comme ça, il faut que tu choisisses tes personnages », car les témoins de l'événement sont considérés comme des acteurs, sélectionnés sur leurs aptitudes à tenir le rôle. Les JRI se comportent avec eux en metteurs en scène exigeants. Il faut « leur faire faire des sonores, à gauche, à droite » (des scènes de la vie quotidienne qui serviront de plans de coupe), comme par exemple « une séquence au PMU ». Bref, « j'avais deux jours de tournage avec le voyage compris. [...] Je les ai pressés comme des citrons, [...] je suis reparti à 17 heures, au revoir m'sieurs-dames, bon courage ». Enfin, « visionner », monter les « minutes-utiles ». La présence du thème cinématographique est évidemment plus insistante lorsque ce sont des professionnels de l'image (JRI et photographes) qui parlent, à cause de la polyvalence des outils en service et de la similitude des termes pour les désigner dans l'un et l'autre secteurs. Mais ce thème s'impose également bien souvent pour rappeler ce qui a conduit les journalistes vers ce métier, ou pour évoquer ce que serait le « bon journalisme », ou encore ce à quoi ils aspirent « vraiment ». À la question « Comment t'est venue l'envie de faire du journalisme ? », Évelyne répond (entre autres raisons) : « J'aimais bien le ciné. » Les déclarations d'amour au septième art ne manquent pas, qu'il s'agisse de « sensibilité à l'image » (Clément, Bernard) ou des projets de films documentaires (Florence). Lorsqu'il évoque la façon dont il se représentait « le journalisme idéal », Pascal cite les *Cahiers du cinéma*. Agnès s'interroge : est-elle « journaliste, pseudo-journaliste, pseudo-artiste » ? Quant à l'avenir, Pascal écrit des scénarios et soupire : « Si j'avais la chance de réussir dans le cinéma… » Malgré les qualités qu'elle lui reconnaît, le cinéma finit par devenir pour Évelyne une véritable préoccupation lorsqu'elle doit « mettre en exergue des mecs bourrés de fric, dont on parle partout ». La fréquentation des salles obscures fait partie des obligations professionnelles à laquelle le journaliste doit se soumettre : « C'est indispensable », dit Agnès. Et Hélène nous en explique la raison lorsqu'elle décrit une actualité cinématographique propice à la vente d'un reportage : la sortie d'un film sur les Gitans et la vente concomitante d'un sujet sur la Roumanie.

De plus en plus, la frontière entre le journalisme et le cinéma tend à se brouiller. En témoigne encore la sympathique ambiance confraternelle dans laquelle des cinéastes sont invités à faire des reportages par des journalistes de télévision – comme l'émission « Envoyé spécial » sur France 2. En retour, les journalistes s'efforcent couramment d'adopter un style cinématographique dans le traitement de leurs sujets (y compris dans la presse écrite, où s'est développé ce qu'on pourrait appeler une *rhétorique filmique* de l'écriture de reportage). Et tout le monde se trouve apparemment très satisfait de cette confusion des genres. Ou alors, peut-être qu'en effet « le vrai rapport au réel ne se fait pas par le journalisme mais par la fiction », comme le dit Pascal. Pas étonnant alors que la description du montage des sujets, du choix des témoins en fonction des rythmes du film, évoquent à ce point la confection d'un vidéo-clip. Dans ce milieu, si perméable aux influences commerciales et à la logique du spectacle, on a finalement l'impression que chacun, à la place qu'il occupe, apporte bon gré mal gré sa petite contribution à la poursuite d'un « show » incessant, et qu'il utilise parfois pour son propre bénéfice la propension complaisante du milieu à l'égard de tout un ensemble d'attitudes qui apparentent les journalistes à des acteurs donnant la comédie : « On brasse beaucoup d'air, on fait beaucoup de gestes, on prend beaucoup la pose, on s'agite beaucoup » (Pascal).

Cette disposition à la représentation, maintes fois manifestée ici, semble devoir être mise en relation avec la *soif de distinction* sociale à laquelle l'appartenance à la profession journalistique, entre autres, peut donner une relative satisfaction. C'est un lieu commun de rappeler que le journalisme fait l'objet de représentations idéalisées et ennoblissantes auxquelles les prétendants au titre sont hautement sensibles. Séduisant comme un paysage de carte postale, le métier paraît aux nouveaux venus « plus distrayant et plus exotique » (Florence), véhiculant une « image de non-conformisme », comme « un autre monde » peuplé de « gens qui s'expriment »... « Enfin, tous les clichés », comme dit Pascal, que le métier de journaliste « faisait tellement rêver » naguère. Pour les plus impliqués dans cette recherche, l'école de journalisme assure une première entrée dans cet univers mythique avec ses « élèves [...] qui courent dans les couloirs, les mèches dans le vent avec les bobines sous le bras, [...] dans une espèce de représentation un peu sportive du journalisme » (Pascal). Le billet d'entrée est d'un coût peu élevé et le rapport est intéressant. Nos interlocuteurs soulignent, à juste raison, que l'investissement dans ce genre de formation est particulièrement rentable pour les familles, dans la mesure où la position de journaliste assure des profits sociaux appréciables moyennant un capital initial somme toute assez modeste : « C'est une formation de compromis. [...] Socialement, c'était acceptable pour mes parents » (Pascal) ; « Ça me renvoyait une image assez satisfaisante parce que tout le monde était content. [...] Mes parents étaient fiers de ce que je faisais » (Florence).

Toutes ces influences s'imposent avec force aux maillons les plus faibles de la chaîne de production que sont généralement les pigistes. En réponse, ceux-ci sont bien obligés de donner les marques d'adhésion attendues et de jouer le jeu. Confronté dès son entrée en activité à l'opacité des critères, le pigiste est à la recherche de *réassurances* (il se dote par exemple, comme fait Clément, d'un CV « un peu gonflé... même beaucoup... »), et d'alliances (comme en rêve Edmond : « J'aurais été recommandé, j'aurais été intouchable »). La production télévisuelle, explique Julien, est « un système qui fonctionne par recommandation, [...] comme dans la corruption, sauf que là il n'y a pas de corruption [mais] un réseau de gens » avec lequel il convient de ne pas se brouiller. Ce qui est en cause en l'occurrence, c'est le tissu « relationnel-personnel, avec les collègues, avec les amis, [parce que], bon, il y a tout ça qui entre en ligne de compte » (Edmond). Évidemment, il ne faut pas se recommander de n'importe qui et éviter notamment d'être « le candidat des syndicats » (Roland) ; encore que, selon le lieu, le moment, l'entreprise, toutes les stratégies, y compris celle-ci, soient envisageables. Les « opportunités individuelles » sont toujours considérées comme déterminantes dans les stratégies de conquête sur le marché de la pige. La première condition à respecter, rappelons-le, est d'entretenir des relations aussi étroites que possible avec l'entreprise, sous réserve qu'elles ne soient pas conflictuelles. Provoquer une (bonne) « opportunité » réclame une certaine expertise : « Quand j'ai la pêche, quand je sens que j'ai une bonne voix, j'appelle les journaux » (Marianne). Parfois, la recherche d'une opportunité demande une préparation plus élaborée, faisant

intervenir l'offrande d'un objet symbolique, plutôt géné-
rateur de convivialité : « Je rentrais de reportage d'Alsace
et j'avais promis une bouteille de vin blanc » (Marianne).
Le pigiste n'en attend évidemment pas un contre-don immédiat sous forme d'emploi. Disons qu'en journalisme la
disposition au travail s'exprime aussi en se livrant à ce
commerce relationnel basé sur des manifestations d'attention bien ordonnées, l'échange de menus ou de grands
services, ou en tout cas la volonté de s'inscrire dans un tel
processus. Les calculs ne sont pas absents de certains gestes
accomplis dans la rédaction : « Je faisais en sorte que la
hiérarchie sache que j'aidais [mon collègue]. [...] On était
dans une situation telle que je donnais en faisant savoir
que je donnais. [...] C'est de l'aide-liée » (Edmond). Et
on espère obtenir de la sorte suffisamment de reconnaissance pour pouvoir se dire : « C'est fini, je n'ai plus besoin
de faire du lobbying » (Edmond).

Les journalistes sont nombreux à partager l'idée que,
ayant tous la même carte de presse, la parole de chacun
pèse d'un poids égal. Cette idée contribue à entretenir
l'illusion que les contraintes hiérarchiques directes sont
faibles dans les rédactions, comparées à d'autres secteurs
d'activité. La différence distinctive plus ou moins valorisante et subtile – ce « quelque chose d'assez subtil » (dont
il était question plus haut) que chacun se doit d'imposer
aux yeux de ses collègues et de la hiérarchie pour se fabriquer une bonne image – se construit principalement
dans le registre du « relationnel-personnel » évoqué par
Edmond. Cela a pour conséquence d'estomper la frontière entre la libre acceptation des ordres, conforme à la
dignité d'un journaliste, et la soumission imposée ; l'idéal
étant de croire et de faire croire que, dans cette collaboration entre pairs qu'est censée être l'activité d'une

rédaction, rien n'est extorqué par contrainte, tout est délibérément consenti. Il y a là une forme de *dénégation pratique de l'inégalité statutaire* qui fonde le rapport entre les deux « collaborateurs ». Il y va de l'intérêt bien compris de chacun que la ligne de démarcation entre consentement et soumission ne soit pas perceptible, faute de quoi l'arbitraire des rapports de force pourrait bien apparaître dans toute sa violence et révéler que cette association fonctionne selon de stricts principes salariaux. Le paternalisme des chefs et des collègues titulaires envers les précaires se manifeste fréquemment, à des degrés variables. On passe ainsi, avec nos témoins, de l'évocation d'une ambiance « assez familiale, assez sympa » (Florence) à la description plus sévère d'un « esprit de famille qui finalement n'était que du chantage affectif » (Pascal) permettant de réserver au pigiste les tâches d'astreinte ou les besognes les plus répétitives ou encore d'imposer un allongement indéfini de la durée quotidienne du temps de travail. Jean-Louis met joliment en équation les principales variables de cette situation : {un métier pas comme les autres} + {ce journal est une grande famille} = {bosser comme des stakhanovistes}. La relation paternaliste exige évidemment que quelqu'un, le pigiste en l'occurrence, accepte de jouer le rôle de l'enfant (« Il y a un système écolier », dit Edmond) et de l'apprenti permanent toujours soucieux de bien faire, et avec enthousiasme. Et comme le statut de l'enfant est bien toujours celui de l'incapable-mineur, on s'aperçoit vite que toutes les paroles ne se valent pas en définitive : « En conférence de rédaction, [...] on n'est pas journaliste, on est pigiste » (Edmond). Sans cesse, « il faut que tu fasses tes preuves, coco » (Clément). À peine le journaliste précaire ressent-il un commencement de lassitude, à cause du caractère répétitif des sujets imposés, qu'on lui fait la « morale en [lui] disant qu'un bon journaliste, justement, arrive à rendre passionnants ces papiers » (Grégoire) ; avant de l'envoyer mettre ce sain principe en application sur le compte rendu d'un énième concours de belote régional. Il lui faut aussi manifester de la sensibilité aux compliments : « Parce qu'on est dans un truc où on se nourrit de satisfaction personnelle » (Roland). On accueille la moindre remarque comme un indice capital sur ses chances de survie. « Tu vas être notre pigiste régulier », s'entend promettre Julien en échange de son acceptation des nouvelles cadences de travail du magazine qui l'emploie. Il faut savoir s'accommoder de la condescendance du chef lorsque, croyant bien faire, il adresse un compliment ambigu : « CS m'avait dit : "On a l'impression que tu fais de la radio depuis toujours", etc. Tu sais comment il est, toujours excessif » (Roland). Et pour gagner son amitié, puisque souvent le sort du pigiste en dépend, aucun moyen n'est négligé. Pas même celui de la parade amoureuse, dans une profession où l'encadrement reste massivement masculin. « Il faut séduire, comme on veut… […] de façon un peu… absolument intéressée, évidemment, quoi ! » (Pascal)

D'un point de vue strictement professionnel, leur fragilité soumet les précaires à une obligation d'impeccabilité à laquelle échappent leurs confrères embauchés en CDI, qui gardent le droit à l'erreur. Certains s'en irritent ; d'autres, à la façon d'Edmond, préfèrent l'accepter : « Beaucoup de copains qui étaient dans la même situation que moi en ont pris ombrage, mais moi j'ai décidé de ne plus voir ces choses-là. » Le pigiste a parfois l'impression d'être soumis à un examen de passage permanent : « Le pigiste, il est à la seconde près ! On lui dit 2'30", il fait 2'30" » (Edmond). Mais dans la longue marche à l'emploi, lorsqu'enfin la menace d'exclusion immédiate est provisoirement écartée grâce à une relative stabilisation dans le poste, c'est une nouvelle étape qui commence. Au cours de cette seconde phase, il faut tout d'abord se fondre dans le paysage, ne pas manifester d'appétit démesuré : « Savoir ménager [les chefs, les collègues], savoir jusqu'où ne pas aller trop loin » (Edmond). Les entreprises de presse ressentent comme une menace d'avoir recours trop régulièrement aux services d'un bon professionnel, comme l'a bien perçu Pascal, « étiqueté comme dangereux parce que le patron estimait que je travaillais bien et qu'il se retrouvait en état de dépendance vis-à-vis de moi ». Même si les situations ne sont pas comparables, la pression du marché de l'emploi « travaille » également les journalistes statutaires, qui se retrouvent face à des collègues plus jeunes, compétents et inventifs, qui leur font parfois prendre désagréablement conscience de leurs propres faiblesses. Le pigiste doit donc les rassurer en restant modestement, là encore, à sa place, ne serait-ce que pour éviter de s'y faire remettre sans ménagement, à la place qui lui a été attribuée et qui est son territoire reconnu : « Parce que les gens ont une image de vous, et même si on sait que vous êtes capable de faire autre chose, eh ben, on vous demande quand même… de rester à votre place » (Agnès). Il ne peut prétendre à aucune autre. La rédaction y veille. Cette place assigne un rôle : celui du supplétif humble et silencieux, l'indispensable « second rôle » enfermé dans son personnage : « On ouvre des tiroirs et puis on met des pigistes dedans. Ça permet de mieux les gérer » (Edmond). En général, les discussions sur le fond tournent court. Il faut en effet absolument anticiper et prévenir tout conflit qui pourrait survenir. Cela s'applique également aux relations « horizontales », pour autant que cela soit possible entre deux journalistes, et *a fortiori* entre deux journalistes de statuts différents au sein de la même entreprise. Car, d'une part, on apprend à l'école que, « dans le journalisme, dès qu'il y a deux personnes, il y a un chef et un sous-chef » (Grégoire) ; et, d'autre part, on sait qu'un « titulaire peut toujours envoyer chier son chef, il lui dit "merde" et puis voilà » (Évelyne). Ça fait une énorme différence pour Clément, qui ne peut refuser, lui, de partir en reportage « un vendredi soir de décembre quand il y a une pluie verglaçante qui tombe » ; et pour Julien, qui doit « toujours avoir l'air de bonne humeur » alors qu'il se dit : « Putain, qu'est-ce que j'en ai marre de galérer ! » Cela pèse également sur les relations avec les collègues dans le petit jeu de respect mutuel du pré carré. On est toujours à la merci d'un incident de frontière : en ne faisant pas un reportage, outre les conséquences à terme, on peut mettre dans l'immédiat un confrère statutaire en demeure de le faire, par simple logique de rotation sur un tableau de service ; en faisant un reportage, on peut se positionner comme un concurrent vis-à-vis de lui. Cette question des territoires est un terrain miné : « J'ai marché sur ses plates-bandes, je me suis fait descendre » (Évelyne). Il n'est même pas nécessaire de menacer directement le territoire d'un confrère. Des pigistes peuvent succomber à une guerre de clans sans avoir manifesté la moindre velléité de rejoindre un camp plutôt que l'autre, et sans même avoir été identifiés comme des personnes. Dans ces guerres intestines entre fractions d'une rédaction, les précaires peuvent être traités comme des otages, dans la mesure où, perçus comme des « créatures » ou des « clients » de la fraction adverse, ils sont pris à partie et éliminés uniquement pour offenser, à travers leur personne, leurs protecteurs ou patrons supposés, devenant ainsi une sorte de chair à canon pour géostratèges de rédaction tout à leur guerre de positions : « Ils ne m'ont même pas vu ! […] C'est la personne là-bas [un cadre statutaire] qu'ils veulent décapiter » (Edmond). *A contrario*, cela signifie aussi que les pigistes peuvent apporter une contribution au travail de représentation des statutaires, qui ont leur propre cour, plus lointaine mais tout aussi active. Si les pigistes sont le plus souvent conduits à s'effacer pour œuvrer dans l'ombre au déroulement harmonieux de l'activité de leurs confrères titulaires, ils doivent aussi se préparer à soutenir ponctuellement les ambitions desdits confrères. Ainsi Bernard découvre-t-il que, dans sa rédaction régionale, c'est la perspective gratifiante d'une signature dans l'édition nationale, plus prestigieuse, qui déclenche l'intérêt soudain d'un confrère CDI pour l'actualité « chaude » que lui, Bernard, doit traiter. On peut dire à cet égard qu'à la concurrence entre précaires, déjà suffisamment vive, se surajoutent les retombées de la concurrence entre statutaires trop souvent enclins à les instrumentaliser.

Dans un tel environnement, il est difficile d'instaurer des relations sincèrement amicales avec les confrères. On tend spontanément à percevoir *l'autre comme un concurrent voire comme un ennemi* : « C'est vrai que, quand je voyais débarquer quelqu'un, enfin je n'étais pas... J'étais très accueillante, tout ça, mais c'est vrai qu'en moi-même je me disais : j'espère quand même qu'il ou elle ne sera pas meilleur(e) que moi, quoi » (Évelyne). En réalité, toute relation s'inscrit dans un rapport de forces que la mise en scène réussit plus ou moins bien à dissimuler. Être à la hauteur du rôle exige une certaine concentration en coulisses, qui rappelle la méthode Coué. Edmond, par exemple, s'adresse à lui-même des exhortations un peu incantatoires : « Cette fois, ça va être bon, tu vas te défoncer, ça va être bien, ils vont être contents de toi » ; au-delà des relations avec les collègues, c'est tout le mode de vie qui est affecté par cette *tension constante* : « Je me couchais tôt le soir [...] en me disant, demain il faut que j'assure » (Roland). Mais la compétition permanente « amène des situations malsaines. Et ça aussi c'est le problème du pigiste. On est toujours en train de se dire : mais qui faut-il éviter d'embêter ? » (Edmond) Pour réduire les risques de conflit, on s'efforce de ne pas aborder les sujets qui fâchent et de préserver « des rapports cordiaux » – ce qui est toujours possible « si on se contente de parler fringues » (Évelyne).

Rien de tout cela ne se dit explicitement dans l'entreprise. L'expliciter ce serait dévoiler la violence qui fonde les rapports et cela compromettrait de toute évidence la poursuite ou le renouvellement de la collaboration. Tout ce que l'on ressent reste de l'ordre du vécu intime, indicible par définition, ne serait-ce que par pudeur. Vivre stoïquement la situation et s'abstenir d'en parler, cela réclame néanmoins beaucoup de sang-froid pour censurer immédiatement toute expression ou attitude de nature à trahir ce que l'on ressent et à créer du désordre. Mais taire à longueur de journée ce qui est important dans une vie professionnelle, cela engendre un grand stress. Il faut être constamment sur ses gardes : « On devient parano. À la moindre réflexion, on se dit : "Tiens, c'est peut-être pour moi que... OK, il faut que je rectifie le tir, sinon..." » (Edmond) Paradoxalement, cette difficulté s'accentue à mesure que la collaboration s'installe dans le temps et que grandit un sentiment de relative sécurité. Si la parole s'en trouve désinhibée, le dérapage non contrôlé peut alors survenir n'importe quand, et, encore une fois, entraîner la remise brutale du pigiste à sa place, dans le décor. Parmi ceux qui se sont cru autorisés, à un moment donné, à émettre un avis divergent ou un jugement critique, Bernard n'a pas fini de se mordre les doigts « d'avoir osé dire » que le rédacteur en chef gérait, en quelque sorte, son personnel à la tête du client. Tout en étant sûr du contraire, il « espère que ce n'est pas pour ça [qu'il n'a] plus de contrat ! » Critiquer si peu que ce soit la « famille », c'est la trahir et s'en auto-exclure. Les « petits gestes » rituels, menue monnaie des échanges symboliques, provoquent de grandes ruptures quand ils ne sont pas consentis. Jean-Louis, par exemple, mesure ce qu'il lui en a coûté d'avoir refusé de se déguiser en père Noël pour la fête des enfants du personnel (« J'ai pas eu envie de faire le guignol ») et de ne pas avoir, conformément aux usages, offert sa tournée au café du coin après le boulot (« Je n'ai pas voulu jouer ce jeu-là »). Ce refus de participer à la représentation collective n'est pas étranger, il en est convaincu, à son éviction de l'entreprise : « Ça a suivi le cours normal d'un licenciement. [...] Les raisons qui ont été invoquées, c'était que je ne donnais pas satisfaction, que je n'avais pas l'esprit d'équipe, etc., toutes sortes de motifs qui ne relevaient pas d'une faute professionnelle. » La plupart du temps, il n'est pas nécessaire de manifester beaucoup de réticence à jouer le jeu pour être mis hors-jeu. Il a suffi à Clément d'exprimer, au cours d'un entretien avec ses chefs, quelques avis et prétentions, au demeurant plutôt légitimes, pour se faire éliminer : « Et là, en un mot comme en cent, j'ai un petit peu trop ramené ma gueule, quoi. » Le cas de Grégoire, avec ses outrances, évoque un suicide professionnel. Il le reconnaît, on ne peut impunément se permettre des fantaisies : « Malheureusement ça ne passe pas. » La pression conformiste du milieu est si forte qu'on ne peut la transgresser sans un sentiment de culpabilité. Il est significatif à cet égard que les exclus aient tendance à endosser, au moins pour une part, la responsabilité de leur échec. Même Jean-Louis admet qu'il a « eu tendance – peut-être qu'ils ont tout fait pour, aussi – à culpabiliser un peu, bon ». Roland bat lui aussi sa coulpe en admettant qu'il a eu « du mal à meubler les blancs » à la radio, et que c'est l'une des raisons qui ont contribué au non-renouvellement de son contrat. Il n'est pas surprenant que certains employeurs profitent de cette inclination des précaires à se *culpabiliser* : « Quand on veut pas te payer et qu'on te dit que c'est parce que ton boulot était mauvais, [...] t'es tellement embêtée que tu ne vas pas oser demander qu'on te paie » (Hélène). Il arrive que, dans une situation difficile, le pigiste attende une intervention à titre personnel ou collectif de ses confrères en sa faveur. Mais le plus souvent, « au bout d'un moment, ils se rendent compte que trop défendre quelqu'un, pour leur carrière, c'est chiant » (Roland). La solitude du pigiste ne lui paraît jamais aussi grande que dans ces moments-là, et on imagine alors l'effet calamiteux d'un lâchage public sur l'estime qu'un jeune professionnel portera par la suite à ses confrères, et à son métier. Dans combien de rédactions ne pourrait-on pas entendre la plainte indignée de Clément : « Mais Roger, putain, pourquoi tu ne m'as pas soutenu ? Pourquoi ? » ; et la réponse résignée, désespérante, de son interlocuteur : « Oh, laisse-les, c'est des cons… mais tu as eu raison… » ?

À la lecture de ces témoignages, il apparaît, dans presque tous les cas, que, dès l'entrée dans la profession et dans la condition de journaliste précaire, a commencé un *processus de frustration*, variable en durée et en intensité. L'accumulation de « tout-ce-qu'on-est-obligé-de-fairepour-travailler » finit, en occupant une place importante dans la pratique quotidienne, par être ressentie comme une véritable machine à broyer volonté et dignité, comme dans les pires applications du taylorisme (Florence déclare qu'elle est « en bout de chaîne ») ; et le pigiste en arrive parfois à se dire : « Je suis insignifiant ! Je suis nul, zéro, rien » (Edmond). À mesure que le temps passe, l'énergie considérable dépensée à ne pas se laisser écraser et à tout simplement survivre use l'enthousiasme et émousse la combativité. Alors le désenchantement gagne et on commence à se demander : « À quoi ça rime ? Est-ce que le jeu en vaut la chandelle ? » (Clément). Les « vieux » pigistes se retrouvent dans une situation singulière : « On devient suspect, […] ça n'est plus normal de courir derrière un boulot légitime. […] On devient un étranger qui essaie de rentrer dans la boîte » (Roland). Le doute à l'égard de ses propres compétences et de son aptitude à assumer ses choix s'installe. De la trajectoire professionnelle accomplie, on ne retient plus que les aspects les plus dévalorisants : « Ce n'est pas un parcours cohérent » (Florence). Il devient difficile de résister à la tentation de se dénigrer soi-même : « Je me disais : "C'est vrai, peut-être que je n'ai rien fait, je suis nulle…" T'as un peu une dévaluation de ton savoir-faire, tu mesures pas ce que tu sais faire, t'es toute seule » (Marianne). On s'inflige des verdicts définitifs et cruellement révélateurs de cette avidité de reconnaissance qui fait tourner tout ce monde : « Par rapport à l'âge que j'ai, aux capacités que je possède… Je ne suis pas Raymond Depardon. C'est soit trop tard, soit c'est même pas trop tard, je crois que, tout simplement, c'est pas moi » (Bernard).

Ni la magie ni la menace n'opèrent plus. De la motivation initiale, il ne reste plus que juste de quoi soutenir

la représentation de la pièce, continuer à « faire semblant »
pour soi-même et pour les autres, en se laissant porter par
des réflexes conditionnés par des années de dressage :
« Dix ans que je suis journaliste. […] J'ai déjà forcément
l'automatisme dans la tête » (Julien). On a appris à faire
du neuf avec du vieux, en « recyclant » les sujets, comme
fait Florence. Bref, sous le masque de la conviction, on
« commence à s'en foutre », comme l'avoue Évelyne, qui
ajoute : « Et là, ça devient grave. » Car en cours de route,
le constat s'impose à beaucoup que les choses sérieuses
sont ailleurs que dans le journalisme, parce que, dans le
journalisme pratique, « c'est pas le type sur le terrain qui
est important. […] Ce qui est important, c'est […] à
Paris, les fantasmes qu'ils ont » (Roland). « Ils », ce sont
« des gens qui se la racontent » (Marianne), qui passent
leur temps à s'en faire accroire à eux-mêmes et à en imposer en prenant des poses. Ce que nos interlocuteurs dénoncent, par la voix d'une Marianne désemparée, qui « ne
sait pas ce qui compte [ni] après quoi courent ces gens »,
ce sont les enjeux d'un *microcosme caricatural*, où « tout
est artificiel, superflu, […] où] des choses sans importance
ont une importance hallucinante. […] Ce sont des mondains ». En dépit de la nécessité impérative, constamment
rappelée, de ne pas se brouiller avec l'employeur, il y a des
cas de révolte ponctuels mais révélateurs. Au mépris des
risques encourus, à un moment donné, « quand un truc
est trop con, on ne peut pas s'acharner à faire les trucs
connement, je suis désolé ! » (Roland) Et entre autres sujets d'indignation, il y a le traitement trop souvent désinvolte, expéditif et manipulateur que la logique de
l'information-spectacle conduit à infliger aux sources et
aux témoins interrogés au cours des reportages, et la question de la dégradation de l'image des journalistes revient

fréquemment dans les propos : à force de se comporter comme les « pire[s] des goujats » (Julien), « on a vraiment abîmé les rapports avec les gens » (Hélène).

S'agissant plus précisément de l'image qu'ils ont d'eux-mêmes, les journalistes précaires n'ont évidemment pas tendance à embellir leur portrait. La vision qu'ils nous donnent de leur catégorie évoque une photo de famille plutôt pitoyable, montrant « une cohorte assez loque-teuse » (Hélène), dont les membres se présentent dans des postures pathétiques, « courbés » (Pascal), des « men-diants » (Julien) ou même des « parasites » (Florence), immédiatement repérables à leur look (Bernard). Grégoire s'estime coincé dans un rôle de bouffon servile : « Le bouf-fon, c'est le bouffon du roi, et le roi, c'est le chef d'agence, [dont] le CDD cire les pompes. » À cette vision commune de leur condition s'ajoutent des impressions intimes et troublantes d'étrangeté ou d'irréalité, comme celles d'être « un fantôme » (Marianne), ou un monstre – « un mou-ton à cinq pattes », dit par exemple Florence pour évo-quer ses chances de survie. Cette incertitude de l'identité personnelle est sans doute due en partie au fait que les pi-gistes constituent, à cause de leur statut bizarre, une ca-tégorie sociale difficilement appréhendable au moyen des classements en vigueur.

Indépendamment des conséquences d'un tel régime sur la production de l'information, on peut s'interroger sur les séquelles que ce traitement prolongé peut infliger à un individu. On est en effet en droit de s'interroger sur les effets que cette réduction permanente de l'activité des gens à une *succession d'actes de soumission et de renonce-ment,* quand ce n'est pas de reniement de soi, peut en-traîner à la longue sur leur équilibre et leur personnalité. Sans doute convient-il de prendre au sérieux, même si les termes en paraissent excessifs, l'inquiétude exprimée par Hélène : « Si ça continue vraiment comme ça […] et que rien ne se passe, j'ai peur qu'à quarante ans on soit des fous furieux ».

Mais que restera-t-il alors du journalisme et de sa fonction sociale ?

GEORGES ABOU

Évelyne *ou* « L'autodéfense »

26 ans, célibataire
Père arboriculteur (lui-même fils de commerçants) ;
mère assistante sociale ; une sœur étudiante
Enfance dans une ville moyenne
Bac + DUT commerce, puis école de journalisme
Après avoir « tourné » dans plusieurs stations régionales de France 3 pendant deux ans, s'est installée à Paris et travaille actuellement en CDD sur une chaîne nationale.

— *Tout de suite après l'école de journalisme, tu as enchaîné, je crois, pas mal de CDD ?*
— À France 3. Beaucoup en région, France 3 en région, oui. Ben oui, parce que j'ai fait Île-de-France, Nice, Rouen, Lille, et puis après j'ai carrément fait un bureau régional de France 3 pendant presque un an, et enfin X, une locale de France 3, pendant presque un an.

— *Comment ça se passe au début, quand on arrive dans une station ?*
— Ben, au début, le stage, ça a été l'horreur… Je ne vais pas critiquer mon école, enfin si je vais la critiquer. C'est vraiment une école qui est nulle, où on n'apprend vraiment rien. Et moi j'avais vraiment tout, mais tout, à apprendre. Je suis partie vraiment de très, très bas, quoi. Et pendant deux mois dans un bureau régional de France 3, bon, je n'étais pas payée, j'étais stagiaire, mais j'ai fait des sujets, ce n'était pas facile. Je me souviens très bien de mon premier jour dans ce bureau. C'étaient que des grandes baraques, les mecs qui étaient là. C'était impressionnant.

Il n'y avait aucun accueil, en plus. J'ai débarqué là, je n'ai même pas été présentée. J'ai fait d'autres stations après où j'étais présentée : « Ben, voilà, Évelyne va venir travailler avec nous pour telle période. » Au moins, on est présenté, les gens savent qui tu es. Mais là, dans cette station, pas du tout. Bon… Puis au fur et à mesure, tu lies connaissance avec les gens, tout ça, ça se passe bien. Et puis après… là c'était non rémunéré… il fallait essayer de se lancer pour être mieux rémunéré. Alors par le biais d'un copain qui avait déjà travaillé dans une station du sud de la France, j'ai pu avoir un mois de CDD dans cette station. Enfin rémunérée ! Là c'était génial, mon premier salaire. J'ai touché 10 000 francs… c'est beaucoup, c'est bien… C'était fabuleux, quoi… Là je me sentais indépendante, libre. C'était incroyable.

— *Et tu as pris peu à peu confiance en toi ?*
— Non, pas trop… Non, la confiance en moi, je l'ai depuis… ça va mieux depuis que je suis passée à Y [une chaîne nationale]. Je ne sais pas si c'est parce que c'est parisien… mais Y, on dira ce qu'on voudra, mais ça n'a quand même pas trop mauvaise réputation dans le milieu. Enfin, j'avais démarché, mais ils m'ont rappelée après. Ça m'a fait plaisir et là, ça se passait bien, quoi… Si, avant ça, ça allait un peu mieux, mais c'était plus aléatoire. Et à France 3 national, là j'ai eu vraiment bien confiance en moi, je savais que vraiment les gens disaient que c'était bien, ça se passait bien.

« Faut pas se laisser bouffer par les autres »

— *On est comment quand on commence un nouveau CDD ? On est sur la défensive ?*
— Ben, on a peur, oui. Parce que les gens regardent… les gens critiquent vachement. On t'attend au tournant, même au début, tu n'as pas droit à l'erreur… Mais c'est vrai, t'as peut-être davantage le droit à l'erreur en région, à France 3, qu'à Paris. En région, c'est peut-être moins rigoureux. En plus, il y a vachement de stagiaires qui passent… Je n'étais pas nulle, nullissime. Ça allait, quoi, mais c'est vrai que je n'étais pas extraordinairement bonne. Je le sentais, mais j'avais envie de progresser.

— *Qu'est-ce que tu entends par « on t'attend au tournant » ?*
— Ben, si tu n'es pas bon, tu vires. Et ça, ça ne se vit pas très bien parce que… je ne sais pas si c'est mon orgueil à moi, ou quoi que ce soit, mais… oui, ça ne se vit pas très bien. Enfin, d'autant plus que la confiance en soi, elle vient aussi peu à peu… moi, je sais que je prends les choses un petit peu trop à cœur. Moi, il m'est arrivé vraiment de pleurer pour des sujets que j'avais ratés. Notamment quand j'étais au bureau régional de France 3, parce que c'était un sujet qui me tenait vraiment à cœur. J'étais tellement désolée pour les gens que j'avais rencontrés, qui m'avaient donné de leur temps, et puis le sujet qui n'était pas bon… Mais petit à petit, c'est vrai que j'ai appris à relativiser un peu plus. J'ai pris un peu plus confiance en moi. Je sais que je peux faire de bonnes choses… Je ne dis pas ça, hein, par prétention, hein, mais… Parce que le fait de le dire, ça veut dire aussi que je sais que j'ai un peu plus confiance en moi… Mais c'est vrai, quand je dis que ce n'est pas par prétention, ça veut

dire en même temps que je n'ai pas tant confiance en moi que ça et que je fais vachement attention.

— *Comment se comportent les autres collègues avec toi ?*
— Ben, je me rappelle dans une station, il y a eu une nana qui n'a jamais pu me sacquer… moi je n'ai pas d'a priori contre les gens… Mais une fois, je me souviens, il m'est arrivé de faire un sujet qui marchait sur ses plates-bandes et je me suis fait descendre. Elle m'a dit que mon sujet était mauvais. Et ben là, c'est dur, parce que quand ce sont des gens qui ont une forte personnalité comme ça, ce n'est pas facile. Et il y en avait une autre qui ne pouvait pas me sacquer non plus dans cette rédaction… Il y a peut-être un peu de jalousie aussi, quoi, là-dedans.

— *On se sent seul dans une rédaction quand on arrive, ou bien on trouve de la solidarité ?*
— Ben, franchement, on se sent seul. Quand j'y repense, oui… Enfin si, on peut parler à une copine comme ça, mais c'est quand même chacun pour soi. Tu sens que c'est chacun pour soi… Et puis, ça ne suffit pas d'aller te confier à quelqu'un, même si quelqu'un t'écoute vraiment. Ça ne suffit pas pour que ça aille mieux. C'est-à-dire que c'est à toi à te forger et t'imposer, à savoir dire « merde » aux autres quand ils te font des réflexions, donc d'avoir plus confiance en soi. Il ne faut pas se laisser bouffer par les autres.

— *Après tes débuts difficiles, comment se sont passées tes arrivées dans des nouvelles rédactions ?*
— On n'est pas toujours présenté dans les régions de France 3… Ça dépend… Bon, mettons qu'on se présente, on fait le premier pas, voilà. On écoute, on s'écrase au

début évidemment, hein, et puis on exécute ce qu'on nous dit de faire. Au début, quand t'arrives, tu ne proposes pas de sujets… Après, tu le fais, petit à petit, quand tu connais un peu mieux la région, un peu mieux la rédaction. Parce que quand t'es là pour une semaine, forcément c'est dur de proposer des sujets. Mais moi j'ai eu de la chance de rester dans des régions assez longtemps, donc à la fin je pouvais vraiment proposer des sujets, et même si je n'avais pas la certitude que j'allais rester la semaine d'après, bon, je proposais des sujets, et puis ça passait ou ça ne passait pas.

— *Ça veut dire qu'au début d'un CDD t'es beaucoup plus un simple exécutant ?*
— Ah oui, oui. En ce moment, c'est ce que je fais. Enfin, je ne dis pas que je ne donne pas mon point de vue… Je ne dis pas : « c'était difficile » et pour quelle raison… Je ne critique pas, mais je dis un peu plus les choses.

— *Est-ce qu'on n'a pas tendance à faire faire aux CDD ce que les titulaires ne veulent pas faire ?*
— Oui, un petit peu… Ben oui, un titulaire, il peut toujours envoyer balader son chef. Il lui dit « merde » et puis voilà. Nous, on ne peut pas dire… enfin, pas au début. Je ne dis pas qu'en rentrant d'un tournage, on peut donner notre point de vue et dire : « Voilà, on voyait le reportage comme ça en partant et puis finalement, en rentrant, ça ne donne pas ce qu'on voulait. Finalement, au lieu de deux minutes, ça ne donnera qu'une minute » ou alors « Finalement, au lieu d'un vrai sujet, ça ne donnera qu'une brève. » Là il faut s'imposer, parce que ça peut être interprété par le rédac-chef – c'est la peur qu'on a – c'est que

ça peut être interprété comme un refus de travailler ou de la mauvaise volonté. C'est ça qui n'est pas évident, parce qu'on est partagé, vraiment… parce qu'on peut toujours faire un sujet. Mais parfois tu as envie de montrer que t'as des qualités… enfin, professionnelles… et que tu sais ce que vaut un sujet – il y a des choses qui ne valent pas un sujet – et qu'il faut le dire aussi. Et puis, en même temps, tu es partagée quand t'arrives : « Bon, il ne faut pas que je la ramène trop. »

« Je n'aime pas les gens de la télé »

— *Tu as des exemples concrets ?*
— Oui, assez… vaguement… À W, il y avait un conflit dont on aurait pu parler bien avant. Et un jour il y avait un trou dans le journal, le réd-chef flippait et il nous envoie très tard à W pour faire un sujet dans le journal. Bon, ce n'est pas tout près quand même, avec les embouteillages. On a finit par faire un sujet alors que ça ne valait qu'une brève. C'est un peu le problème en région. Ça se pose moins au national, parce qu'au national il y a des sujets, il n'y a pas de souci là-dessus.

— *Et donc il y a de grandes chances que ce genre de sujets, ce soit les CDD qui les fassent ?*
— Ah oui, toujours… Les mecs qui sont titularisés, ils calent leurs trucs. Ils ne font pas de l'actu… Si, ça peut arriver parfois qu'ils fassent quand même le sujet, peut-être, mais pour nous ça s'impose davantage.

— *C'est donc le CDD qui doit faire le plus souvent l'actu ?*
— Ah, mais ça peut être vachement intéressant aussi. Il y a des coups vachement intéressants en actu.

— *On s'intègre rapidement dans une rédaction ?*

— Non, au début il faut quelques semaines d'adaptation, enfin pour se sentir dans la rédaction. Mais ça dépend aussi peut-être de la rédaction. Je vois, à X, c'est une petite structure locale de France 3, ça se passe bien quasiment tout de suite. Après il faut s'adapter à d'autres choses, au format, à un nouveau ton ou à une chose différente. Mais dans l'ensemble, les gens ne t'accueillent pas vraiment. C'est à toi à aller vers eux. Ça aussi ça fait partie de ton boulot pour te sentir dans une rédaction.

— *C'est quoi le bon comportement ?*

— Ben, il ne faut pas être lèche-pattes. Il faut essayer, c'est bête ce que je vais dire, il faut essayer d'être soi. Moi je ne suis pas quelqu'un de timide… enfin si, je suis un peu timide, mais je vais assez facilement vers les gens. Il faut montrer aux gens que tu es là.

— *Il faut beaucoup prouver, non ?*

— Ouais, c'est ça. Il faut beaucoup prouver. Que t'es motivée, que tu sais faire du bon travail. Qu'il ne faut pas qu'on regrette de t'avoir pris pour bosser… Ah ouais, ouais, tout le temps tu dois faire tes preuves. Que t'es motivée, que t'as envie de bosser et que t'es bonne, voilà.

— *On est beaucoup sous pression, en fin de compte ?*

— Ben, il y a toujours l'épée de Damoclès… Comme moi en ce moment dans mon nouveau boulot… Sauf que là, je commence à m'en foutre, et là ça devient grave. C'est la première fois de ma carrière, enfin de ma courte jeune carrière, que je me rends compte que je n'aime pas ce que je fais. Avant j'ai fait pas mal de trucs, de CDD, de machins, ça s'arrêtait, jamais de mon plein gré, mais bon, ça s'arrêtait, et finalement je retombais toujours sur quelque chose qui me plaisait, et qui me plaisait toujours plus. Mais là ça n'a pas marché. Je n'aime pas particulièrement ce que je fais actuellement. Je n'aime pas parler des stars et des paillettes. Là, je sens qu'il va falloir que je prenne sur moi parce que je ne me sens pas là-dedans. Pour en revenir à ce qu'on disait tout à l'heure, je prends vachement plus mon pied quand je vais faire un sujet sur un conflit social, par exemple... Enfin, ce n'est pas pour le côté triste et pathétique. C'est vrai, c'est facile de faire des sujets avec des gens qui sont... qui viennent de perdre leur boulot et tout ça. C'est vrai, forcément c'est émouvant. Mais actuellement je ne me trouve plus à ma place, dans mon rôle de journaliste, en faisant ce que je fais... Mon métier ne correspond pas à ça, il ne consiste pas à parler de telle ou telle star. Je n'ai rien contre ces gens-là, mais... non, quoi, il y a des limites !

— *Là, tu n'as plus l'impression de faire du journalisme ?*
— Non, non ! Et puis c'est la première fois que je n'ai pas envie de me... Parce que, à chaque fois, il faut s'adapter. Parce que quand j'étais à X, la locale, c'était un format machin, avec un ton comme ça. À Paris, à Y, c'était que de l'info, il fallait être comme ci, comme ça. Après c'était autre chose, mais on s'adapte toujours. Là, il faut s'adapter encore plus, mais j'en n'ai pas envie. Avant je me suis toujours défoncée. Il faut toujours un petit temps d'adaptation dans la rédaction et dans le format, dans le ton du truc pour lequel tu travailles. Mais là, je n'ai pas envie, je n'ai pas envie. Ce n'est pas moi, ça ne me correspond pas.

— *Est-ce que tu trouves ça normal, toi, de devoir chaque fois se réadapter, au niveau du ton, de la forme, etc. ?*

— Oui et non. Parce que, effectivement, s'il y a un concept d'émission, il ne faut pas que les trucs soient trop différents. Mais en même temps tu n'es pas trop libre, quoi. Si c'est toi, si ça te ressemble, d'accord, pas de problème. Moi, ça ne me ressemble pas, là. Ce n'est pas moi.

— *Mais ce dont nous parlons, ce n'est pas des émissions, c'est des reportages dans le cadre du journal télévisé. Est-ce que, même pour des reportages, il faut trouver un ton différent selon la rédaction où tu bosses ?*

— Ça dépend. En locale j'ai fait des trucs drôles, un peu légers. Le concert de Frédéric François, on le traite de manière légère, mais sans se moquer, légère, sans être méprisant. Et là, je ne sais pas… ou j'ai l'impression qu'on est très exigeant, et peut-être que je sens davantage qu'on veut vraiment me changer, qu'on veut me faire faire des trucs que je ne ressens pas de faire. Je sens peut-être plus maintenant qu'on veut m'imposer quelque chose. Par exemple à Y, c'était plus facile, parce que c'était que du news, c'est plus facile de lire une dépêche AFP… même si je ne faisais pas que lire des dépêches AFP.

« C'est moi qui paie les pots cassés »

— *Est-ce que tu n'as pas actuellement l'impression de faire autre chose que du journalisme ?*

— Je ne pense pas que les gens qui font ce boulot, là où je suis actuellement, ne sont pas des journalistes. Au contraire… Mais c'est que moi ça ne me convient pas, point. C'est que ça ne me convient pas. Je n'aime pas ce milieu et ça me fait chier de mettre en exergue des mecs bourrés de fric, dont on parle partout… Enfin, je ne suis pas mère Thérésa, mais très sincèrement, très profondément, je reprends l'exemple du conflit social, ça me fait vachement plus plaisir de laisser parler ces gens en lutte que d'accorder – et j'ai rien contre les acteurs de cinéma, encore une fois – de l'antenne à un acteur. Il y a des gens qui ont de vraies choses à dire, intéressantes sur notre société, qui remettent vraiment fondamentalement en cause les fondements de notre société : pourquoi aujourd'hui ça ne va pas, et le chômage, et tout ça. Et pour moi c'est important de le dire. Pour moi, c'est vachement plus important de dire ça, de montrer tout ça – et si ce n'est pas moi qui le dis, ce sont les gens qu'on interviewe – que de montrer tel ou tel acteur. Même si, peut-être… oui… bien sûr… moi aussi quand je regarde ce genre d'émission, j'aime bien voir des acteurs.

— *Alors pourquoi es-tu allée à cette émission ?*
— Parce que je n'avais pas de boulot et que j'ai été contactée. C'était la première fois. Alors ça, ça m'a fait hyper plaisir, ah ouais. Je me disais : « Mais, c'est vraiment super ! » En fait, le rédac-chef m'avait vue sur Y et sur France 3. Il m'a vue travailler. Il a dû penser, enfin il me l'a dit, que je travaillais bien. Ça l'intéressait que je vienne travailler avec lui. Ça m'a fait plaisir, parce que je sais que ce sont des gens rigoureux, que ce sont des gens qui font… quand ils te font confiance, bon, tu peux te dire : « Bon, c'est vrai, je peux peut-être avoir un peu plus confiance en moi. » C'est une preuve que t'as peut-être quelques compétences quand même, quoi. Donc ça, ça fait hyper plaisir. Mais… et puis pourquoi pas… Je n'avais jamais fait ça, pourquoi pas… Mais… aujourd'hui, il faut

que je me dise que je vais jusqu'au bout, en me motivant, parce que, bon…

— *Tu as déjà failli être embauchée au terme d'un CDD. Comment on arrive à repartir de nouveau après s'être insérée quelque part ?*
— L'embauche, elle s'est posée à X, quand j'étais à la locale de France 3. C'était génial, parce que je m'entendais hyper bien avec l'équipe. Je travaillais bien, ça allait… et j'étais bien avec l'équipe. Et c'était vachement important, quoi, enfin ça l'est toujours. Et donc moi je ne voyais que la locale, je ne voyais que par cette locale et pourtant j'habitais Paris à l'époque, et quitter Paris pour cette petite ville… J'avais même mon copain sur Paris. Et pourtant j'avais demandé mon intégration, dans l'espoir d'être mutée à Paris quelques années plus tard. Ça ne s'est pas fait pour des raisons que je connais… mal, enfin que la directrice régionale ne m'a jamais vraiment dites. Mais j'imagine que c'était surtout parce que je ne m'entendais pas du tout avec le rédacteur en chef… Peu importe… Et là, on est un peu déçu… Mais ça avait tellement traîné en longueur, cette histoire, qu'à la fin on en prend un peu son parti. Mais c'est vrai qu'on attend. On a toujours un peu d'espoir et puis à la fin, ben non, ce n'est pas vous, c'est monsieur Machin… Eh bien, ce n'est pas grave, on va trouver du boulot ailleurs *(rires)*.

— *C'est réellement pas grave ?*
— Non, c'est… Non, non, c'est un peu ironique, ouais. C'est… Non, là, c'est difficile à vivre, parce que, purée ! moi j'étais là, à la locale, depuis un an. Lui, Machin, il était à Z, à la rédaction régionale. La locale, il n'en avait jamais fait… Alors que j'ai toujours entendu dire à

France 3 que c'étaient ceux qui avaient le plus d'ancienneté qui avaient priorité… C'est une analyse où il y a du pour et du contre… Eh ben, pourquoi pour moi ça ne marchait pas, quoi, alors que quand j'étais à Z, à la rédaction régionale, j'ai été virée parce que j'étais la dernière arrivée ? Et là, d'un seul coup, c'est moi qui paie les pots cassés.

— *Tu venais de vivre déjà un départ ?*
— En plus, ouais. Un an avant… autrement dit… Et puis après, il y a eu Y où, pareil, on était deux personnes. Ce n'est pas moi qui suis restée. Je me suis dit : « Putain, décidément ça commence à suffire… » Et là on se pose des questions… C'est là où c'est le plus dur, où il faut faire attention : « Attention, te laisse pas bouffer par ces gens-là. Ces gens-là ne te feront… pas perdre confiance en toi, parce que tu as des qualités, tu le sais, les gens te l'ont dit »… et voilà, quoi. Et c'est vachement important de se blinder et de se dire que ce n'est pas à cause de ces cons-là que je ne vais pas avoir confiance en moi… Au contraire… Enfin… à la limite, ça me galvanisait, parce qu'après je prenais contact tous azimuts… Mais bon, ce n'est pas toujours évident, mais… et puis voilà, quoi… Mais surtout, ne jamais se laisser bouffer par ces… par ces gens… par ces décisions.

— *Quand tu dis « jamais se faire bouffer », ça veut dire que tu l'as été ou que tu as eu l'impression de l'être ?*
— Non… non, je ne l'ai jamais vraiment été… Enfin si, je le suis peut-être un peu, deux ou trois jours, et puis après… sinon c'est fini… Après Z, ça a été dur… Mais comme j'ai repris assez vite à la locale de X, je ne me suis pas trop posé la question. C'est vrai que si ça avait duré, j'aurais peut-être plus perdu confiance en moi… Et après

X, il y a eu Y… À partir de Y, bon, alors là, j'ai fait mes preuves. Je travaille bien, je le sais… Comme dirait Corneille : « Je sais ce que je vaux et crois ce qu'on m'en dit » – je suis très prétentieuse, hein *(rires)*.

« Il faut montrer qu'on est fort »

— *J'ai l'impression, en t'écoutant, qu'il y a une certaine solitude dans ce métier, un certain individualisme. Il semble qu'on ne puisse pas trop compter sur les autres, non ? On doit toujours se débrouiller tout seul ?*

— *(Long silence…)* Ouais, c'est vrai, surtout quand on débarque comme ça. Les gens ont peut-être un peu peur qu'on leur pique la place ou la ved… pas la vedette… mais qu'on soit aussi bon qu'eux, quoi. Même moi je l'ai vécu dans ce sens-là. Quand j'étais à X, j'étais CDD installée. J'étais un peu, bon, « la » CDD, un peu la petite reine. Ça se passait super bien. C'est vrai, quand je voyais débarquer quelqu'un, enfin je n'étais pas… j'étais très accueillante, tout ça. Mais c'est vrai qu'en moi je me disais : « J'espère quand même qu'il ou elle ne sera pas meilleur(e) que moi, quoi. » Et on le sent, ça, je le sens moi, aujourd'hui vis-à-vis des autres. Enfin pas aujourd'hui dans mon nouveau boulot, mais… juste avant, à France 3 national… En même temps, c'est bizarre, parce que rarement les gens de mon service – le service « étranger » où j'étais – m'ont dit : « Ton sujet est vraiment bien. » En même temps j'ai eu des félicitations, mais pas de la part de gens de mon service. C'étaient des services extérieurs, ou des rédacteurs en chef. Mais les chefs de service ou les autres journalistes de mon service, ils ne faisaient aucune remarque sur les sujets. Si, si, une fois, de la part d'une grand reporter qui m'a dit : « Ah ! ton sujet, il était vraiment bien. » Pourtant c'est quelqu'un, on sent qu'il ne faut pas marcher sur ses plates-bandes, et en même temps, elle est déjà assez installée pour se dire : « Bon, ce n'est pas une menace. »

— *Est-ce que tu as beaucoup d'amis journalistes ?*
— J'ai beaucoup de copains… Mais quand j'y pense, j'ai trois personnes qui comptent dans ma vie, dont je suis très proche. Un copain et deux copines… enfin, ce sont des amis. La première, Myriam, n'est pas journaliste. Elle travaille à X. Je l'ai rencontrée quand j'étais à X… je suis très proche. Le deuxième, c'est Alain, qui a été stagiaire cet été au service « étranger », mais qui n'est pas journaliste, il est étudiant en droit et il était là pour ses études. Et la troisième, c'est une documentaliste de France 3. Mais je n'ai aucun ami… Oui, j'ai des copains… même des gens dont je suis assez proche et avec qui je peux vraiment avoir une discussion, tout ça. Mais des gens avec qui je vais me confier personnellement, parler de mes soucis de boulot, ça ne sera pas avec des gens de ma profession, surtout pas. Parce qu'il y a une méfiance, parce qu'on sait qu'il faut paraître solide, dans ce métier, et on ne veut pas se montrer un peu… Si, et puis bon, la personne sur qui je me suis certainement énormément appuyée, c'était mon ancien copain, quoi, qui était journaliste.

— *C'est un milieu de compétition finalement ?*
— Mais oui, complètement. Il faut être solide, il faut montrer qu'on est fort, même si on ne l'est pas vraiment. Il faut montrer qu'on a les reins solides et qu'on ne se laissera pas marcher sur les pieds, parce que c'est comme ça. Et en même temps, moi je n'ai pas envie de complètement rentrer dans ce système. J'ai horreur des situations de

conflit, je ne suis pas là pour bouffer les gens… Et je ne suis pas là non plus pour me faire bouffer. Alors c'est ça, donc, j'essaie d'assurer mes arrières et ma défense, quoi. C'est de l'autodéfense aussi. Ce n'est pas de l'attaque, c'est plutôt de l'autodéfense.

— *Et quand on est CDD, on vit ce genre de situation encore plus que quand on est titulaire, je présume ?*
— Ah oui, bien sûr… Et puis en plus, on sait que ça piaille vachement dans le métier, dans le milieu. Les gens aiment bien raconter le malheur des autres. Parce que peut-être que ça nous rassure tous aussi un peu : « Ah, Machin il a eu ça… » « Ouais, ce magazine-là, ça n'a pas marché. » Il faut essayer d'en dire le moins possible, parce que après ça fait le tour de tout le monde. Les gens peuvent en profiter pour… pas forcément pour t'écraser mais pour faire des réflexions, car ils savent que tu es comme ça… Et donc moins t'en dis sur ta vie personnelle bien sûr et sur ton boulot, mieux tu te portes… enfin, tu n'as pas à parler de tes états d'âme par rapport à ton boulot. Parce que quand ça va, ça va, mais il ne faut pas trop en dire.

« Tu ne peux pas gratter quand tu es CDD »

— *Pour revenir à la collecte de l'information, ce n'est pas toujours évident pour un CDD d'arriver dans une nouvelle rédaction sans connaître vraiment la région, sans avoir de contacts ?*
— Moi, j'ai eu de la chance quand j'étais à Z, parce que c'est ma région. Je suis restée un an, bon, je connaissais… Enfin, je connaissais, attention, j'ai découvert des secteurs que je ne connaissais pas. Enfin, pour moi c'est ce qui m'a le plus marquée. J'ai rencontré des gens…

Surtout mes meilleurs souvenirs de tournage, c'était là. Ce sont des gens… Ce n'est pas pour reprendre le cliché sur les gens de cette région, mais ce sont des gens extraordinaires. Je suis vachement plus sensible à ça qu'au reste. Mais ça dépend des régions. Parfois, c'est vrai, on débarque sur des sujets… Parfois tel ou tel rédac-chef n'a pas le courage d'imposer tel ou tel sujet, qui se justifie ou pas, aux titulaires. Ils viennent nous le demander à nous. Du genre, par exemple, un conflit social qu'on n'a jamais suivi, dont on a vaguement entendu parler par des journaux nationaux. Alors tu débarques, quoi. Ça dépend, mais parfois des gens peuvent te mettre au courant : « Bon, ben, voilà, la situation, elle est comme ça. » Par exemple quand j'ai débarqué dans ma région sur un conflit social compliqué… c'était un dossier hyper compliqué. Ça traîne depuis des années avec machin, machin et machin. Je suis partie heureusement avec un cameraman qui connaissait très bien le dossier, et qui m'a bien briefée, et voilà. Ça s'est bien passé parce qu'au moins tu n'as pas l'impression de débarquer sur un truc. Parce qu'après, pour tes questions, vas-y, tu rames. C'est vrai qu'on y arrive toujours, mais la qualité de l'information est peut-être moins précise, moins pointue. On arrive moins à cerner les choses. Le sujet, il se tient toujours, mais on n'arrive peut-être pas à mettre assez en exergue l'information principale, et effectivement c'est un problème.

— *Est-ce que tu as l'impression que si tu étais titulaire tu pourrais t'occuper de dossiers précis ?*
— Oui, ça serait plus facile effectivement. Je pourrais m'investir plus, je pense. Mais oui, parce que de toute façon, les rédacteurs en chef te font un peu moins chier quand t'es titulaire. Donc on a plus de latitude. On a plus

de temps en étant journaliste spécialisé. Moi je les vois faire, pas en « social », mais par exemple en « culture » ou en « politique », enfin, ils calent leurs trucs, tout ça. C'est leur petite popote. Ils s'impliquent vraiment là-dedans. Mais forcément tu peux travailler tes sujets vachement plus. Et en plus, le fait de savoir que tu n'as que ça, tu vas davantage t'impliquer. Parce que quand tu fais un sujet d'info-géné un jour sur un fait divers, ou je ne sais pas quoi, et puis que le lendemain tu te trouves balancé sur une répétition de pièce de théâtre, bon, ça s'enchaîne et puis t'oublies. Tu ne penses pas, tu ne peux pas t'impliquer. Évidemment tu ne peux pas gratter quand tu es CDD.

— Et le fait de n'être dans une rédaction que pour quelques semaines doit te freiner dans ton investissement, non ?
— Ah oui, c'est clair et net. Tu penses au prochain boulot qu'il va falloir trouver. Parce qu'il faut manger et qu'il y a un loyer qui tombe à la fin du mois et puis voilà.

— Tu arrives toujours à dire ce que tu veux dans une rédaction ?
— Oui, dans l'ensemble. Par exemple, j'ai fait beaucoup de sujets sociaux quand j'étais à X et à Z… Sans forcément dénoncer la politique du gouvernement, parce que ce n'est pas forcément mon rôle… et en même temps, quand même… L'objectivité ce n'est pas la neutralité, et il y a des choses qui sont comme ça, c'est un fait, c'est un constat, et ce constat ce n'est pas de la neutralité. Et il faut dire les choses, et je les ai dites en toute objectivité… Enfin, j'ai essayé de les dire quand j'ai fait des reportages… J'ai essayé de montrer que, bon, encore une fois, c'étaient les petits qui payaient pendant que les patr… *(silence).*

— *Tu as l'impression de n'avoir jamais été censurée ?*

— Non, je ne crois pas. On peut discuter d'un sujet avec le rédacteur en chef, mais ce n'est pas une censure. C'est plus comment on va essayer de dire les choses. Mais ce n'est pas une censure. En même temps, je crois que je n'ai jamais été confrontée à ça. Je crois que je n'ai jamais été confrontée à un sujet sensible, où il faut vraiment dénoncer les choses. En même temps, en 1'30", c'est difficile d'aller plus loin, de faire le point, de dénoncer. C'est certainement plus facile dans un magazine. Là on s'en tient presque au fait en essayant de dire : « Attention, c'est toujours les mêmes qui trinquent », et voilà. Mais c'est vrai que je n'ai jamais été confrontée, à cause de ça, à cause du format.

« Je suis bien, pigiste, en ce moment »

— *Est-ce que cela a des conséquences sur ta vie familiale, le fait d'être CDD ?*

— Oui… un peu, évidemment. La Noël ou le nouvel an passés dans les régions loin de chez soi, je connais. Mais moi, encore une fois, je n'ai jamais été très loin de chez moi. Quand j'étais à Z ou à X, je pouvais rentrer. Ça ne s'est pas beaucoup posé pour moi. Mais tu regardes les plannings entre le 20 décembre et le 5 janvier, ce sont les CDD qui sont majoritaires… Par exemple cet été, au national, je me suis tapé tous les week-ends. Mais au bout du compte je m'en foutais, parce que moi ça me permettait de travailler, de faire mes sujets, parce qu'on n'était pas nombreux. Donc c'était génial. J'ai fait des sujets vachement intéressants, en plus.

— *Mais dans cinq ans ou dans dix ans ?*

— C'est sûr que dans dix ans, je serai peut-être mariée, j'aurai peut-être des enfants. Mais au fond je n'en sais rien. Parce que je sais qu'il y a des pigistes qui sont plus vieux que moi qui ont plus de bouteille que moi et qui ont réussi à peu près à faire leur trou. À force de tourner… Les rédacteurs en chef ne vont pas les faire systématiquement tourner le week-end, enfin j'imagine. Mais ce n'est peut-être pas vrai partout. La vie de pigiste, pour le moment ne me gêne pas parce que ça doit faire partie de mon caractère instable. Je pourrais postuler à France 3 aujourd'hui. Je ne suis pas parmi les plus anciennes CDD, je n'ai pas la priorité absolue, mais je sais que je pourrais postuler. Mais ça veut dire atterrir n'importe où. Moi c'est clair, ce serait la boîte noire de Guéret [préfecture de la Creuse]… En même temps, je n'ai aucun mépris pour ça, mais je n'ai pas envie. Mais même dans un bureau régional, je ne voudrais pas être intégrée, et même dans une rédaction nationale. Non, je suis bien, pigiste, en ce moment. Je suis bien, pigiste, aussi parce que ça s'est bien enchaîné et que je n'ai pas eu de problème. J'ai eu de la chance et puis je suis jeune.

— *Mais être pigiste et avoir des enfants, tu y penses, par exemple ?*

— Pour l'instant ce n'est pas une question… Enfin si, je me suis peut-être posé la question. Je sais qu'il y a des tas de filles qui sont pigistes avec des gamins. À mon avis, ça complique les choses forcément, parce que quand le gamin est malade et qu'il faut y aller et que ça fait sauter la pige, et voilà… Quand on est statutaire, ça laisse un peu plus de latitude.

— *Qu'est-ce que tu as envie de faire plus tard ?*

— Ben, c'est vachement bateau, c'est vachement banal. D'abord, c'est faire les choses bien, mais… Enfin, c'est faire du grand reportage. Mais quand je dis grand reportage, ce n'est pas forcément aller à Kuala Lumpur. Ça peut-être au coin de la rue. Il y a parfois des histoires incroyables à raconter. Je regarde par exemple « Strip-Tease » – enfin, ce sont des réalisateurs, ce ne sont pas des journalistes qui travaillent dessus –, eh bien il y a des histoires incroyables et c'est au coin de la rue. Des histoires de gens qui ne sont pas langue de bois. Je ne vais pas dire qu'ils sont complètement vrais, parce que la caméra est là et que, même si on s'y habitue, c'est quand même un œil. Mais ils sont plus vrais.

— *Tu le vois dans quel cadre ce journalisme-là ?*

— Mais je ne sais pas trop en fait encore… J'aime bien la politique étrangère. Ouais, j'aimerais bien partir faire des sujets à l'étranger. Parce que c'est bien de faire des sujets avec des EVN [Banques d'images reçues du monde entier], mais c'est bien de se rendre compte sur place, de tâter le terrain. Le principe du journalisme, c'est quand même d'aller sur le terrain.

— *Mais dans le cadre d'une rédaction nationale ?*

— Ouais… Ou alors je vais essayer de me prendre en main, d'être journaliste free-lance, même si je sais que ce n'est pas facile. J'ai des copains qui bossent comme ça, qui vendent des sujets à De Carolis [ex-producteur à M6] ou à « Envoyé spécial », et voilà.

— *C'est une des raisons qui t'ont fait monter à Paris ?*

— J'ai toujours eu envie de monter à Paris, mais je n'avais pas assez confiance en moi pour y aller. J'y suis venue parce que l'occasion s'est présentée. Puisque X s'est arrêté, et comme j'habitais déjà à Paris, j'ai tenté ma chance à Paris. J'avais un peu plus confiance en moi, donc je me suis dit que je pouvais au moins travailler à France 3 national.

— *Il fallait être forte pour aller à Paris ?*
— Oui… Mais c'est un peu con… On a l'impression que l'ambiance est dix fois plus détestable à Paris et que l'on t'attend dix fois plus au tournant qu'à Z, par exemple… Mais à Z, ça a été beaucoup plus dur paradoxalement qu'à Paris. Disons qu'à Paris ça a été beaucoup plus facile qu'à Z. Je crois que c'est vraiment lié aux rédactions. Il y en a en région qui sont très bien, d'autres qui sont pourries. Et à Paris c'est pareil, point.

— *Mais quand on fait le bilan des rédactions où tu es passée, c'est assez dur dans l'ensemble ? On t'a souvent mise en compétition avec d'autres, non ?*
— Oui, oui, mais… À Y, la compétition, elle s'est jouée les trois derniers jours. En fait ils devaient nous garder toutes les deux, je pense qu'ils sont sincères là-dessus.

— *Mais tu ne t'es pas fait beaucoup de copains, à Y ?*
— Oui, c'est vrai, il n'y a pas eu beaucoup de copains, mais j'adorais ce que je faisais et je le faisais bien. Ça se passait bien. J'avais quand même confiance en moi.

« Au fond, on est seule »

— *Tu n'as pas l'impression parfois d'aller à la bataille ?*
— À la bataille… à France 3 national, oui, je me souviens… Mais plus pour faire un sujet, parce que les sujets sont monopolisés par les « spécialistes » entre guillemets,

même les sujets EVN. Parce que c'est chiant de ne rien foutre. Je préfère nettement faire un sujet, travailler, quoi, parce que tout le monde préfère travailler. Je ne connais pas de gens qui n'aiment pas leur métier, j'en ai rencontré peu. En général, c'est vrai que les journalistes, ça adore ce métier. C'est vrai que c'est un métier tellement passionnant. La bataille, c'était plus : « Il faut que je m'impose pour faire tel sujet et que ce ne soit pas le spécialiste habituel qui le fasse. » Enfin, quand il était là, ça tombait sous le sens, et puis voilà, quoi. Le pigiste, il attend… Mais la bataille, j'y vais peut-être plus en ce moment. Parce que je sais qu'il y a une bataille. Parce qu'en plus c'est une bataille contre, enfin entre guillemets, « contre » la deuxième personne avec qui je suis en compétition, et une bataille contre moi aussi, parce que je dois me motiver, je dois me dire : « Cette fois ça va être bon, tu vas te défoncer, ça va être bien, ils vont être contents de toi. »

— *Parce que là tu es placée dans une vraie compétition ?*
— Ah oui, oui ! Ben oui, parce qu'il y a deux CDD : un remplacement maladie, donc pour quelques mois, et un remplacement d'une nana qui est partie pour toute la saison. Ce qu'ils se sont dit finalement, c'est qu'on va nous faire un contrat à toutes les deux jusqu'à la fin du congé maladie. Et à l'issue de ça, on décidera qui on renouvellera. En fait, voilà. Bon, moi, je n'ai rien à perdre à la limite, parce que je suis arrivée la deuxième. Je suis arrivée sur le congé maladie, donc j'ai moins à perdre que la première personne qui pensait – surtout que je sais qu'elle l'a su après –, elle pensait qu'elle était là toute la saison, et puis à un moment on lui a dit : « Ben non, finalement c'est jusqu'au printemps. » Donc j'imagine très bien que ça lui a foutu un peu les boules et je la comprends, hein…

Mais ouais, ça c'est passé comme ça. Ce n'est pas très sain, ce n'est pas très marrant.

— *Et ça donne quoi concrètement, dans ton boulot ?*
— Ben, il faut que je fasse mes preuves tout de suite, alors qu'elle, elle a un mois de plus, quoi, par rapport à moi.

— *Et elle, vis-à-vis de toi ?*
— Ben, ce sont des rapports cordiaux… Si on se contente de parler de fringues… Mais… je sens parfois de sa part une espèce de condescendance… Oui, je sens que forcément les rapports ne sont pas ce qu'ils pourraient être. C'est évident. C'est évident. C'est… c'est un rapport de force, ouais, même si ça ne se voit pas comme ça, mais la manière dont on dit les choses… Elle me teste aussi parfois… C'est l'impression que j'ai eue : *(avec une voix très doucereuse)* « Oh ! oh, le Zaïre, ah, je n'ai rien compris, et toi tu peux me raconter ce que c'est ? », enfin tu vois le genre. Voilà. Elle cherche à me tester, savoir ce que je connais, machin. J'essaie de la jouer un peu détachée.

— *Là, par exemple, ton chef t'a envoyée mixer le sujet à 13 heures 30. Si t'avais été titulaire, tu aurais pu dire : « Je mixe cet après-midi. » Tu dois souvent obéir, non ?*
— Ah oui ! Là c'est obligé. Ce n'est pas « souvent », c'est tout le temps. Ah oui, je dis oui, je dis rien. C'est comme ils veulent. Mais parce que là c'est particulier aussi, c'est le début. Et puis surtout, ça ne s'est pas très bien passé sur le premier sujet que j'ai fait… Ce n'est pas qu'il est nul… dans la hiérarchie de l'info, dans le fond, il est bien, le sujet. Je sais faire ça, mais… Là, ce que je n'ai pas encore appris ou réussi à faire, c'est le sujet comme on

doit faire à cette émission, voilà… Mais s'ils me disent :
« Ce soir tu refais le sujet, il y en a jusqu'à minuit », ben
c'est oui. Surtout qu'ici il n'y a pas de récup. À France 3
on récupère, mais pas ici.

— *Justement, est-ce que tu as envisagé parfois de te syndiquer, pour te défendre ?*
— Oui, je l'ai envisagé… Mais par exemple, à Z, j'avais
un problème avec la déléguée. J'avais envie de me syndiquer… mais c'était mon premier contact avec le syndicalisme… et se syndiquer dans tel ou tel syndicat, ça voulait
dire je suis dans tel ou tel clan, plus que par rapport au
syndicat. Ailleurs, je ne dis pas que je ne me serais pas syndiquée… À X pourtant je ne l'ai pas fait… Pourtant il y
avait une personne qui était très combattante.

— *Mais est-ce que tu en as vu l'utilité ?*
— Ah ben si, parce que moi je l'ai vue. À X, les deux représentants syndicaux, c'était au-delà du syndicalisme. Ils
sont allés jusque dans le bureau de la directrice régionale
pour dire : « On veut que vous preniez Évelyne. » Mais il
y avait quelque chose de personnel, un rapport humain.
Et puis, il y avait aussi un côté syndicalisme dans le sens :
« Bon, voilà, elle a fait tant, machin, elle a pas mal bossé
avec nous, ça se passe bien. »

— *Pour en revenir à une question précédente, quand on est
CDD ou pigiste, on est finalement assez seule ?*
— Ah ben oui. Parce que même, c'est vrai, je suis vachement touchée par ce qu'ils ont fait, mais au bout du
compte, c'est vrai que je me retrouvais toute seule. Mais
bon, c'était peut-être comme ça aussi. Je ne sais pas s'ils
pouvaient faire grand-chose de plus. Si : « Appelle Machin,

Machin… » Mais quand même, à Y par exemple, il y a des gens qui m'ont aidée. C'est grâce à un rédacteur en chef que je suis allée à France 3 au national. Il y avait un monteur qui était très sympa, qui m'a donné plein de contacts aussi, qui n'ont pas abouti. Mais il m'a dit : « Appelle Machin de ma part, appelle, appelle », bon, et… qui auraient pu aboutir certainement… Et un journaliste aussi… Mais au fond, on est seule… Là je me sens… là, ce n'est pas très facile, quoi. Ah ouais, ouais…

— *J'ai l'impression que le boulot prend beaucoup de place dans ta vie ?*
— Oui, et puis pour moi c'est vachement important. Tant que je n'aurai pas trouvé mon équilibre là-dedans… Enfin, je l'ai quand même trouvé. Je l'aime, ce métier, mais tant que je n'aurais pas trouvé mon équilibre, je n'arriverai pas à construire autre chose à côté. Pour moi c'est vraiment fondamental. Parce que, comme beaucoup de gens et beaucoup de femmes, je n'ai pas envie d'être au foyer et je dois vachement plus me battre certainement pour… peut-être pas forcément parce que je suis une femme, mais parce que je suis CDD aussi, certainement.

Grégoire *ou* « Mon vin sans eau »

25 ans, célibataire

Mère secrétaire

Bac C, puis diplôme de journalisme à l'issue de deux années d'école

À la sortie de l'école, il entreprend une licence d'ethnologie qu'il abandonne pour un CDD de trois mois dans un grand quotidien régional, auquel succèdent « plus de deux douzaines de CDD » dans un autre quotidien régional où il assure des remplacements de décembre 1994 à juillet 1996. Depuis, il subsiste péniblement grâce aux Assedic, au RMI et à quelques piges occasionnelles.

— *Quelle est ta situation professionnelle actuellement ?*

— Je suis sans emploi. J'envoie des lettres en presse régionale. Au départ, je me suis cantonné à la PQR [presse quotidienne régionale]. Je n'ai obtenu que des réponses négatives alors j'ai envoyé une autre série de lettres à la PHR [presse hebdomadaire régionale]. Jusqu'à présent, je n'avais jamais écrit à la PHR, et maintenant je me suis dit qu'il n'y avait plus que ça. La presse nationale, je n'essaie même pas, je n'ai pas le courage, et puis je me suis dit : « Paris, je verrai plus tard. » J'en suis donc réduit à la PHR. J'attends des réponses à l'heure qu'il est.

— *La PHR, c'est faute de mieux ?*

— Oui, oui, parce que la presse régionale, j'ai pris le Médiasid [annuaire de la presse], je l'ai ouvert, j'ai écrit partout, en deux ans j'ai écrit à peu près à tous les journaux. J'ai eu enfin cinq ou six réponses positives. Mais je m'étais jamais adressé aux hebdos régionaux, et là je l'ai fait en me disant que là, peut-être, il y a de la place. On va voir.

— *Qu'est-ce que ça donne ?*

— J'ai reçu deux réponses négatives sur douze lettres, et puis voilà, j'attends le reste. Cela fait deux semaines que le courrier est parti. En général, il faut une à trois semaines pour qu'ils répondent. S'ils ne réagissent pas, je les relance au téléphone.

— *Cela fait trois ans que tu es sorti de l'école de journalisme. Peux-tu me retracer ta vie professionnelle durant ces années ?*

— Au sortir de l'école, je n'avais pas envie de commencer à travailler. Je me suis inscrit à la fac en licence d'ethnologie. Ça ne m'a pas intéressé. Au bout de quatre mois j'en ai eu marre. Je me suis dit : « Je vais envoyer des lettres en PQR. » À l'école, on nous avait dit qu'il y avait du boulot. Parce que moi, je m'intéresse juste à la presse écrite. La radio et la télé ne m'intéressent pas.

Au début, j'ai envoyé des lettres uniquement dans les quotidiens réputés : *Sud-Ouest, La Voix du Nord, Ouest-France, La Nouvelle République, Les Dernières Nouvelles d'Alsace*. L'un d'eux m'a appelé en me disant : « Il faut arriver dans trois jours, on a quelque chose pour le mois de mai. » J'ai fait trois mois à ce quotidien, dans deux agences différentes. Après, ça s'est arrêté. Je suis revenu sur L [métropole régionale].

Au quotidien, ça s'était vraiment bien passé. C'est le meilleur souvenir que je garde de la PQR, parce que là, j'avais une entière liberté : j'écrivais pratiquement ce que je voulais. Il n'y avait pas beaucoup de surveillance par rapport à ce que j'écrivais, et je pense qu'eux aussi étaient contents et qu'ils m'auraient gardé. Mais je vivais à L, et ils ne pouvaient pas faire appel à moi pour un remplacement d'une semaine ou pour des petits remplacements. Ils ne m'ont jamais rappelé.

Après, j'ai continué à envoyer des lettres. J'ai fait deux semaines à [autre grand quotidien régional], à B, c'était dans la foulée. Je n'ai pas eu de longues périodes d'inactivité entre les différents contrats.

Ensuite, j'ai dû passer un ou deux mois sans rien faire. Je ne considérais pas ça comme du chômage. Pour moi, c'était plutôt des vacances. Et puis j'ai fait un remplacement dans un quotidien départemental à C, *L'Ami public*. C'était un contrat de trois semaines. Je me suis vraiment pas bien entendu avec la rédaction en chef, et une semaine après, j'ai démarré au *Provincial* [grand titre de la PQR], sur L, pour faire des petits remplacements.

« En un an et demi : quinze CDD »

— *Comment as-tu été contacté par* Le Provincial ?
— Déjà, à l'époque où j'étais en contrat à B, je leur avais envoyé une lettre et ils m'avaient dit : « On aimerait bien vous rencontrer, pour voir à quoi vous ressemblez. » Ça se passe partout comme ça. Les gens veulent nous rencontrer parce qu'une lettre et un CV, ça ne leur suffit pas. On avait donc pris rendez-vous, mais juste avant, j'étais parti à C. Donc le rendez-vous a été reporté et, au retour de C, j'ai pris un nouveau rendez-vous avec la personne à qui j'avais envoyé le courrier, le chef d'agence de L. Il a transmis mon nom au secrétaire général qui fait tourner les CDD. Je l'ai rencontré et il m'a dit : « Vous allez faire des remplacements à droite, à gauche. » C'était en décembre 1994.

— *À partir de ce moment tu as obtenu des remplacements dans les différentes agences du* Provincial ?
— À chaque rentrée, *Le Provincial* doit avoir une dizaine de personnes qui sortent des écoles pour assurer

le remplacement des malades. Pas les gens qui partent en vacances, parce que ceux-là ils les remplacent par des stages-écoles qui généralement ne sont pas rémunérés, sauf pendant les grandes vacances. Ça marche un peu comme le planning de France 3 ou de Radio France.

Il faut être là tout le temps et, dès qu'ils appellent, dire « J'y vais. » Je n'avais pas de problème à ce niveau-là, je n'avais rien d'autre à faire. J'étais chez mes parents, dans la banlieue de L. Je n'avais pas de souci financier. Dès qu'ils m'appelaient, je pouvais aller n'importe où. Après, c'est à nous de nous débrouiller pour nous loger. Au début, ils nous demandent où l'on préférerait aller, en fonction des possibilités d'hébergement. Je leur avais dit que je pouvais aller n'importe où, que je pouvais me débrouiller pour me loger pas cher. De toute façon, ça ne me dérange pas. Au niveau du logement, on rentrait dans nos frais, avec le salaire qui rentrait à côté, ça allait.

— *Quel est le montant du salaire ?*
— Au *Provincial*, en tant que CDD, au sortir de l'école, c'est 11 900-12 000 francs brut par mois. Je trouve que c'est raisonnable. Cela dit, c'est vrai qu'il faut une grande disponibilité, parce que généralement ils appellent trois jours avant, et encore, il m'est arrivé de me faire appeler le matin pour venir travailler le soir à L. Bon, sur L, ça va. Mais par exemple, pour aller à R, j'ai été prévenu cinq-six jours avant pour un remplacement qui démarrait en juillet. Et pour trouver un appartement en juillet à R, qui est hyper touristique, c'est assez dur. Une fois, ils m'ont prévenu deux jours avant pour aller à E, et là, pour une fois, ils m'ont envoyé à l'hôtel et pris 50 % des frais à leur charge.

— *Quelle est la durée moyenne de ces remplacements ?*
— Sur un an et demi au *Provincial*, j'ai eu vingt-cinq CDD qui allaient de un jour à quatre mois. En moyenne, c'est une-deux semaines. Quand c'est un contrat d'une journée, c'est juste à côté, à L même.

— *Où en es-tu de tes collaborations avec* Le Provincial *?*
— Moi, c'est fini. Ça s'est mal passé dans différentes agences. Ça s'est mal passé… enfin, moi j'ai jamais bien compris pourquoi, mais bon… Avec les chefs d'agence, j'ai toujours eu du mal à m'entendre, notamment à F et à G [agences locales du quotidien]. Comment ça s'est terminé, comment je peux te raconter ça ?

De toute façon, au bout d'un an, deux ans, ils se séparent des CDD parce que leur stock se renouvelle avec les nouvelles personnes qui sortent des écoles. S'ils n'ont pas d'embauche à proposer, ils se séparent des CDD. Ils allaient donc se séparer de moi en septembre 1996, mais avant cette date, ils m'avaient promis un remplacement en juillet-août à V, dans un bureau qui dépend de l'agence de G. Un an avant, j'avais fait un remplacement à O, qui dépend également de G. Là, ça ne s'était pas trop bien passé avec le chef de cette agence. Quand il a appris que j'allais faire le remplacement de deux mois à V, c'est-à-dire pas loin de chez lui, il a appelé le secrétaire général pour lui dire : « Non, non, lui, je n'en veux pas. » À partir de là, le secrétaire général s'est renseigné sur mon parcours. Il a téléphoné à peu près dans toutes les agences où j'étais passé. Il m'a convoqué, il m'a dit : « Le chef d'agence ne veut pas vous voir, j'ai mené ma petite enquête et personne n'est content de vous, à part R. » R, c'est là où j'avais fait le plus long contrat, six mois. Ça, c'est ce qu'il raconte. Lui m'a toujours dit que ça s'était bien passé, et je suppose qu'après chaque contrat, il se renseigne. Ça s'est fini comme ça.

— *Comment expliques-tu le revirement du secrétaire général ?*
— Chaque fois que le secrétaire général m'avait promis quelque chose, ça s'était concrétisé. Il me disait : « Il y aura un remplacement à tel endroit », et j'y allais. Le changement, je ne sais pas... De toute façon, il devait se débarrasser de moi, et puis, j'ai fait le con. Par exemple, au *Provincial* il y a une messagerie sur ordinateur, tous les journalistes sont connectés dessus. J'envoyais des messages qui, si ça se trouve, ne faisaient rire que moi, au chef de G, je lui disais : « Bonjour, j'arrive bientôt, ça ne va pas être marrant pour toi. Attention ! on ne va peut-être pas s'entendre », etc. Au bout d'un moment, Dubois, le secrétaire général, a été informé. Si ça se trouve, il l'a toujours su, et au bout d'un moment ça ne l'a plus fait rire. Quant au revirement, je ne sais pas. C'est à lui qu'il faut le demander.

« Un style qui ne plaît pas »

— *Quelles sont les raisons de tes frictions avec les différents chefs d'agence ?*
— En fait, c'est le style d'écriture qui ne plaît jamais. D'abord mon style quand j'arrive, je fais le clown, je monte sur les bureaux, je chante, je joue à la guerre dans la rédaction, je raconte le film qui est passé la veille à la télé en mimant les acteurs. Généralement, ça fait rire tout le monde. Par contre, ça ne plaît pas trop aux chefs d'agence. Ils sont quand même un peu amusés. C'est vrai que lorsque tu vois un personnage comme ça arriver, tu te demandes s'il est sérieux. Lors de mes premiers contrats

au *Provincial*, tout ça n'était pas connu. Mais les journalistes se connaissent et se font passer le mot : « Attention ! celui-là, il est fou à lier, il est marrant, faites gaffe, vous allez être surpris… » Cela dit, après, il y a le boulot. Le problème, dans mon style, c'est que j'écris à peu près comme je parle. Je n'hésite pas à dire les choses telles que je les vois. Parce que ce qui m'intéresse, c'est le reportage. Professionnellement, je ne suis pas très fort pour les enquêtes, enfin, je ne sais pas, je n'en ai jamais trop fait. Ce qui me passionne, c'est d'aller sur le terrain et raconter ce que je vois. C'est subjectif, c'est du vécu pratiquement. Je fais parler les gens tel qu'ils parlent. Je n'hésite pas à employer des mots que tout le monde emploie tout le temps. Par exemple, dans mes papiers, je peux mettre « con », « merde », « ça pue ». Il y a un style vraiment direct, violent, qui généralement n'est pas apprécié. On me dit tout le temps : « Méfie-toi, les lecteurs ne vont pas aimer. » Chaque fois qu'un secrétaire de rédaction est confronté à un de mes papiers pour la première fois, il est obligé de faire appel au chef d'agence pour savoir si on peut le passer. Généralement, on ne peut jamais le passer, donc il y a des retouches à faire. Quand on m'en parle, ça se passe bien, on fait ça à deux. Mais quand on fait les retouches dans mon dos, ça m'énerve. À partir de là, naissent des tensions, ça se passe plus ou moins bien. Et il faut toujours un temps d'adaptation. Comme je l'ai dit au secrétaire général du *Provincial*, lorsqu'il m'avait demandé : « Est-ce que vous avez du mal à vous habituer aux gens, à vous intégrer dans une équipe ? », je lui ai toujours dit que c'est les gens qui ont du mal à s'habituer à moi. Je pense que ça résume. À chaque fois, il y a un temps d'adaptation et c'est la difficulté des remplacements : plus c'est court, plus c'est dur.

L'adaptation prend une semaine, dix jours ou deux semaines. Donc, quand tu es là pour deux semaines, tu n'as pas le temps, c'est-à-dire que les gens n'ont pas trop le temps de s'habituer à toi et tu n'as pas le temps de t'habituer au style du chef d'agence. Ce n'est pas propre au *Provincial*. Ça ne dépend pas de son big boss. Chaque chef d'agence a sa ligne particulière. Dans une agence comme R, c'est plus facilement passé qu'à G où l'on relit tout, où c'est hyper surveillé.

Moi, j'ai des efforts à faire, c'est sûr, je dois m'adapter à la ligne, mais eux aussi. S'ils font appel à moi, ce n'est pas pour rien. Au bout d'un moment, je me rends compte que j'abuse par rapport à eux, j'emploie des mots qu'ils n'utilisent pas, donc je rectifie le tir petit à petit, on trouve un compromis. J'écris des articles qui finissent par passer tels quels, en gardant un peu mon style, en le gommant pas mal, mais eux finissent par s'y faire et l'acceptent. En deux semaines, ce n'est pas possible. Il faut rester au moins un mois pour que ça se fasse. Au bout de deux semaines, le compromis est trouvé. Et puis de temps en temps, au bout d'un moment, quand ils se sont habitués, j'arrive à faire passer des trucs qui ne seraient jamais passés la première semaine. Il y a tout un travail là-dessus.

— *C'est donc le temps qui te fait défaut pour te faire connaître, voire apprécier ?*
— Le temps, c'est un problème à deux niveaux. D'abord, concernant ce que je t'expliquais tout à l'heure, c'est-à-dire le temps pour faire connaissance avec l'équipe. Car ça n'est jamais pareil. Dans une agence, tu auras plus de liberté, d'articles intéressants à faire, de liberté de ton. Et puis l'autre problème avec le temps, c'est que l'on fait appel généralement à des jeunes pour des

remplacements, parce qu'ils disent qu'on a plus d'énergie, de jeunesse, de fraîcheur, et qu'on va trouver des sujets nouveaux. Mais lorsqu'on débarque dans une agence pour deux semaines ou moins, on n'a pas le temps de s'adapter à la vie locale. On ne connaît pas les sujets qui ont déjà été traités. C'est vrai que l'on a un œil neuf, on se dit en arrivant dans une ville : « Il y a plein de sujets. » Et quand on rentre à la rédaction, tous ont déjà été traités. Donc moi j'essaie de jouer une autre carte : traiter les sujets avec un autre ton, de manière différente, avec un ton jeune, énergique, dynamique. Au début, quand on commence, on nous fait un discours : « Vous êtes jeunes, nous avons besoin de ça, notre lectorat vieillit, il faut un ton nouveau. » On m'envoie sur des sujets qui ont été faits mille fois, et donc j'essaie de jouer cette carte. Malheureusement, ça ne passe pas.

Je croyais que j'étais là pour ça. Apporter du dynamisme et de la différence, écrire différemment des autres. À l'arrivée, on m'a partout fait cette critique – sauf dans le premier quotidien où j'ai travaillé – que je prends comme un compliment : « Tu n'es pas dans le moule, tu n'écris pas pour nos lecteurs. » Je ne suis pas là pour ça, je suis là pour écrire pour les nouveaux lecteurs. Il paraît qu'en PQR les jeunes ne lisent pas. Si on ne fait rien pour eux, ils ne vont pas lire davantage. C'est sûr, c'est un risque, car si on écrit « jeune », ils vont mettre deux ans avant de s'apercevoir que l'on commence à écrire des papiers sur eux et pour eux, et les vieux vont peut-être lâcher le journal. J'ai entendu partout : « Mets de l'eau dans ton vin. » Mais je n'en ai pas envie. Si je mets de l'eau dans mon vin, je vais écrire comme tous les autres.

« Rentrer dans le moule ? »

— *Si tu avais mis de l'eau dans ton vin, tu collaborerais encore au* Provincial *?*

— Je ne sais pas. S'il y avait eu une possibilité d'embauche, en mettant de l'eau dans mon vin, j'aurais été sur les rangs. D'ailleurs, sur la fin, je commençais à rencontrer le rédacteur en chef et le directeur de la rédaction, que je n'avais jamais rencontrés en un an et demi. Mon seul interlocuteur jusque-là, c'était le secrétaire général. Je n'avais jamais demandé à les rencontrer. Mais c'est pour dire que le rédacteur en chef et le directeur de la rédaction ne savent pas qui sont les jeunes remplaçants. Bien sûr, c'est au secrétaire général de s'en occuper, mais ils ont eux aussi des responsabilités. Sur la fin, ils ont éprouvé le désir ou le besoin, je ne sais pas, de me voir. Ça s'est bien passé avec le rédacteur en chef, avec le directeur ça n'a rien donné.

— *En restant toi-même tu as pris des risques ?*

— J'ai pris ce risque, mais ça ne m'intéressait pas forcément de travailler dans un journal comme *Le Provincial*, comme dans n'importe quel journal de PQR. Je parle du *Provincial*, parce que c'est celui que je connais le mieux. Je n'ai donc pas hésité à prendre ce risque. Vu la façon dont ça se passait : « mettre de l'eau dans son vin », « rentrer dans le moule », « rectifier le tir », « faire tout *soft*, politiquement correct », « arrondir les angles », etc., toutes ces expressions bidon… Je ne veux pas travailler dans un journal dans lequel je ne peux pas être libre, avec ma personnalité. Si on me propose une intégration, c'est que ma personnalité plaît et que je ne vais pas être obligé « d'arrondir les angles ». Cela dit, je rectifiais le tir avec *Le Provincial* parce que financièrement, il fallait quand même que je travaille. Mais je n'ai jamais cherché pour autant à être intégré. D'ailleurs, je le criais sur les toits : « Moi, je suis là pour faire un remplacement. » Je n'ai jamais dit : « Je n'ai pas envie d'être intégré. » Mais ça ne me touchait pas plus. Je n'en ai jamais fait la demande.

— *À travers ces trois années passées dans la PQR, tu as pu mesurer l'écart entre l'idée que l'on peut se faire du métier de journaliste et sa réalité quotidienne ?*
— C'est pareil dans tous les métiers, mais justement, moi, je pensais que c'était différent dans le journalisme. C'est vrai que, à l'école, on nous a dit que dans le journalisme dès qu'il y a deux personnes, il y a un chef et un sous-chef. Mais je m'attendais à beaucoup plus de liberté, même en tant que « rien-du-tout-juste-là-pour-faire-des-remplacements ». On t'envoie sur un sujet, et c'est vrai que tu es quand même assez indépendant. Mais quand tu reviens, tu as choisi un angle tout seul, tu as fait les interviews, tu écris le papier tout seul comme tu veux, et quelqu'un qui est à peine au-dessus de toi relit le papier : le secrétaire de rédaction, qui déjà a son mot à dire. Après, il y a le chef d'agence, etc., et ça peut monter très haut.
Je croyais que, même en tant que remplaçant, je serais maître de ce que je ferais. On n'a aucune responsabilité, sauf celle de sa signature. On est CDD, on n'a aucun pouvoir, aucun pouvoir…

— *Maintenant que la page est tournée avec* Le Provincial, *quels sont tes projets ?*
— Je ne sais pas. Ce qui m'intéresse, c'est le cinéma. Au début, j'ai fait l'école pour écrire dans *Les Cahiers du cinéma*. L'année dernière, en janvier-février, je n'avais aucun remplacement au *Provincial*. Je me suis dit que j'allais faire

les festivals de cinéma. Essayer de faire des comptes rendus, des piges pour les journaux parisiens, aussi bien les quotidiens nationaux que les hebdos : *Télérama*, *Les Inrockuptibles* et puis, pourquoi pas, *Positif* ou *Les Cahiers du cinéma*. Je me suis donc fait quelques festivals : festival du court-métrage à Clermont-Ferrand, du film chinois à Montpellier, festival policier à Cognac. J'ai fait des papiers, je les ai envoyés. Soit on m'a pas répondu, soit on m'a dit : « Oui, c'est intéressant, mais nous n'avons pas d'argent pour rémunérer les pigistes » ; ou bien : « Nous manquons de place dans nos colonnes. » Et pourtant, il s'agissait de journaux qui n'envoyaient personne sur ces festivals. *Libé* et *Télérama* avaient annoncé ces manifestations avec une brève et une photo, mais ensuite, ils ne faisaient aucun compte rendu. Je pensais qu'il y avait peut-être une chance. On me dit de persévérer là-dedans, mais je ne sais pas si je vais le faire. En fait, le journalisme ne m'intéresse plus beaucoup. À cause de tout ça, j'en ai marre. Ça me dégoûte un peu.

— *Tu tires un trait sur le journalisme ?*
— Je ne sais pas. Je me dis... Je ne sais pas encore. De toute façon, je ne sais rien faire d'autre. Je ne sais même pas si je suis compétent comme journaliste, puisque ça ne marche pas. Je ne sais pas... Autre chose que je tenais à dire, qui n'a rien à voir avec la question : en tant que remplaçant, généralement, à part une fois, on ne m'a jamais traité comme un chien. Mais malgré tout, comme tu es nouveau, que tu es jeune, qu'on ne te connaît pas trop dans les agences, on t'envoie tout le temps sur des sujets de merde, genre concours de pétanque, de belote. Tous les trucs de papis-mamies... Je ne suis pas allergique à ce genre de sujets. À la limite, tant mieux. Je vais faire mes

preuves sur des petits sujets comme ça. On m'envoie sur un concours de pétanque, eh bien je vais leur faire un papier de tête. Par exemple, j'ai fait ça à C, à *L'Ami public*. Je m'étais plaint de ces sujets. On m'avait fait la morale en me disant qu'un bon journaliste, justement, arrivait à rendre passionnant ces papiers. Juste après, on m'a envoyé sur un concours de belote. J'ai fait un gros papier, avec des portraits en décrivant la sale ambiance dans la maison de retraite, pas la sale ambiance, mais les gens tristes qui n'avaient rien à faire, qui jouaient… Enfin, c'était misérable comme ambiance. Mais ça, ça va une fois. Après, tu changes de journal, tu vas au *Provincial*, on t'envoie à G faire un concours de belote. Je ne sais pas si c'était à G, j'en ai tellement fait… Tu te dis : « Un concours de belote, j'en ai déjà fait un à *L'Ami public*, je ne vais pas refaire le même ! » Tu te dis qu'il faut quand même en faire un autre. Après, on t'envoie à J, où là, tu retombes sur un concours de belote ! C'est dément, les sujets se répètent, et il n'y a pas vingt-cinq mille angles pour traiter ce sujet.

— *Aujourd'hui, es-tu encore candidat à une embauche en PQR ?*
— Oui, mais dans un journal où je n'aurais pas toutes ces contraintes. Je ne pense pas que cela existe. Au début, je ne voulais pas faire de secrétariat de rédaction. Mais pour travailler, pour gagner de l'argent au *Provincial*, je n'ai pas eu le choix. Il a fallu que je me mette au secrétariat de rédaction. C'est vraiment un boulot que je n'aime pas. J'ai fait du secrétariat de rédaction parce que *Le Provincial* m'a dit : « Si tu n'en fais pas, tu ne seras jamais embauché. » C'est donc vrai qu'à un moment donné j'ai eu l'idée de ne pas refuser une embauche ; que si ça se présentait, je me mettrais sur les rangs. Et pourtant je ne

trouve pas d'intérêt au métier de secrétaire de rédaction. Il n'y a aucune créativité, aucun travail d'information.

« Il faut quand même bouffer »

— *Imagine que demain* Le Provincial *t'appelle et te dise :* « *Monsieur, vous êtes embauché* »...

— Moi, je signe, c'est clair. Mais si au bout de deux mois, on me dit encore « Attention », qu'on corrige mes papiers, qu'on ne les laisse pas passer tels que je les écris, je lâche l'affaire, j'arrête. J'arrive à un âge, vingt-cinq ans, où il faut quand même se mettre à travailler. Donc, cette question se pose. Je joue à l'homme libre en disant que je lâche l'affaire, mais il faut quand même bouffer. Et là, c'est vrai que je vais quand même me poser la question. Je vais peut-être dire : « Tant pis. C'est un sale boulot, je vais faire les papiers comme ils veulent, ils les passeront comme ils l'entendent, et puis tant pis pour moi, ça me permettra de manger. » Mais c'est la honte. Je n'aimerais pas signer ces papiers. C'est vraiment de l'orgueil, mais je suis très susceptible au niveau de la signature. Tous mes premiers papiers en arrivant dans une nouvelle agence, je les faisais comme je les sentais. Avec mon agressivité, ma violence, mon « vin sans eau », et je les signais. Le lendemain, je les trouvais la plupart du temps dans le journal toujours avec ma signature, mais plus du tout comme je les avais écrits. Là, je suis dégoûté. Ce n'est pas moi qui ai écrit ça, il ne fallait pas mettre ma signature.

— *Est-ce que finalement un statut de pigiste ne te permettrait pas de conserver ta liberté tout en exerçant ton métier ?*

— À une ou deux exceptions près, je n'ai jamais fonctionné à la pige. J'ai toujours été en CDD. Ça me fait peur de fonctionner à la pige, ça m'angoisse, parce que ça demande du travail avec peut-être pas de résultat, puisque tu ne sais pas si tu vas réussir à vendre ton papier. Il se peut que tu travailles pour rien. Je suis sans CDD depuis trois mois, c'est vrai qu'il y a les Assedic, mais tout de même, financièrement, il faut que les contrats tombent. Pendant un an et demi au *Provincial*, financièrement, ça allait, surtout que je vivais chez mes parents… Jusqu'à un certain âge, ça peut aller, mais à vingt-cinq ans, ça commence à faire, et à un moment donné tu te dis : « Ça suffit, il faut que je travaille. » Mais je ne sais pas quoi faire, je ne sais pas où travailler, je ne sais même pas si j'ai envie de travailler dans le journalisme. Maintenant, je n'hésiterais pas à sortir du journalisme pour faire autre chose.

— *Est-ce que tu n'aurais pas d'avantage de liberté dans la presse nationale ?*
— Je ne sais pas, il faut que je leur écrive, mais c'est hyper bouché. Je ne sais même pas si ça vaut le coup de leur écrire. Je suis en train de préparer des lettres… Et puis c'est pareil, ils fonctionnent tous à la pige. Enfin, tout ça, c'est des bruits. Je n'ai jamais été voir sur place pour vérifier. Je n'ai jamais rencontré les gens, mis les pieds dans les journaux pour savoir comment ça fonctionne. À l'école, on te dit que c'est à Paris qu'il y a le plus de titres et le plus grand nombre de journalistes au chômage. Moi je croyais qu'il y avait du travail en presse régionale.

— *La presse nationale, c'est un nouvel objectif ?*
— Oui, oui, quand même, je vais m'y mettre.

— *Tu n'as donc pas renoncé au journalisme ?*
— Non, quand même pas. Mais enfin, je suis persuadé qu'il va falloir que je trouve autre chose pour vivre. Mais

si je trouve autre chose, je me mettrai à faire des piges puisque j'aurai de quoi vivre à côté. Je me dis qu'il y a forcément des gens intéressants dans la profession, qui laissent une place à la liberté d'écrire.

Au départ, il y avait deux choses qui me passionnaient : le journalisme, que je ne connaissais pas du tout – je lisais des journaux, point –, et à côté de ça, le cinéma, que je ne connaissais pas davantage. J'ai commencé par l'école de journalisme parce que c'était ce qu'il y avait de plus facile. Le cinéma m'a toujours plus intéressé, mais je me suis dit : « Le journalisme me semble plus facile. » Il suffit d'aller sur un événement, de trouver des sujets, de les raconter, faire parler les gens… Ça me semblait plus ouvert aussi. Après deux ans et demi en PQR, je trouve que c'est un métier assez décevant, avec la plupart du temps des gens inintéressants. Il ne faut pas mettre tout le monde dans le même panier. Mais dans l'ensemble… Sur le terrain, tu fais régulièrement des rencontres passionnantes.

Dans le milieu, ce sont tous des « chiens ». Même les jeunes, ce sont des « requins ». Et c'est eux qui se font embaucher. Bon, je lance une accusation…

— *Qu'est-ce que tu entends par « requins » ?*
— Ils sortent des écoles, à l'origine, je suis persuadé qu'ils ont la même énergie que moi, le même dynamisme, le même ton, le même style. Mais quand ils arrivent dans un journal, on leur dit « Il faut être comme ça » et eux, directement, ils se glissent dans le moule.

— *Ils se font petits ?*
— Oui, et ils le restent. Au *Provincial*, j'en ai croisé qui se sont fait embaucher, et depuis je lis leurs papiers, ils ne sont pas mieux qu'avant.

— *Quel est le comportement du CDD candidat à une embauche ?*

— C'est d'être gentil avec tout le monde. Dire : « Oui monsieur », « Bonjour », « Au revoir », « Est-ce que vous avez besoin de moi ? » C'est le rôle du bouffon, et ça, il faut le noter, le bouffon, c'est le bouffon du roi, et le roi, c'est le chef d'agence. Le CDD cire les pompes. Le dernier exemple, c'était à F. On m'a demandé d'aller faire des papiers merdiques sur des sujets inintéressants. J'y allais et je revenais avec cinq lignes parce que ça ne valait pas plus. Le bouffon aurait fait une tête de page.

— *Quels rapports tu entretenais avec les autres CDD ? Est-ce que tu percevais une situation de concurrence ?*

— Quand je vais dans une agence, je donne l'impression de tellement m'en foutre que les autres CDD ne pensent pas que je vais les concurrencer. D'ailleurs, ils me le disent eux-mêmes : « Tu fous trop le bordel, tu ne seras jamais intégré. »

— *Est-ce qu'en tant que CDD tu te sentais particulièrement vulnérable ?*

— Chaque fois qu'ils ont fait appel à moi, c'est parce qu'ils avaient besoin de moi. Donc eux, quelque part, ne pouvaient pas abuser. Parce que moi, si je voulais, je claquais la porte.

— *Avec toutes les chances de te griller ?*

— Oui, c'était fini pour moi. Mais sur un contrat de quatre mois à mi-temps à R, donc avec la moitié du salaire, j'avais quand même un certain pouvoir. Si je partais, le lendemain, ils n'avaient personne. Même pour un contrat d'une semaine, si tu pars au bout de deux jours, le lendemain, ils n'ont personne. Et même si tu es grillé, tu te dis : « J'irai voir ailleurs. »

— *Tu n'as jamais ressenti la pression d'un employeur qui peut du jour au lendemain te rayer des effectifs ?*
— Non, pas de truc du genre : « Vous êtes dans un état de précarité, on peut faire de vous ce qu'on veut. » En tout cas, pas une fois que le contrat est signé.

Post-scriptum

Plusieurs mois après cet entretien, en octobre 1997, nous avons reçu une lettre de Grégoire, dans laquelle il écrivait : « Pour l'année 1997, mes revenus issus du journalisme s'élèvent à peine à 20 000 francs. […] Mon état d'esprit a changé depuis l'époque de l'entretien. […] Je suis prêt à mettre de l'eau dans mon vin. Je suis même prêt à ne plus proposer que de la flotte et à servir la même soupe que tout le monde. Je crois amèrement qu'il n'y a que ça à faire. […] Le dernier film que j'ai vu s'appelle *J'irai au paradis car l'enfer c'est ici*. Je ne suis pas loin de penser ça. »

Viviane *ou* « Un rêve d'artiste »

26 ans, célibataire, réside à Paris

Père professeur dans une école d'ingénieurs ;
mère professeur dans un collège

Après obtention d'un DUT en « information et communication », est
venue à Paris effectuer un stage dans une agence de photo renommée

Décide de suivre une formation en photo-reportage dans une université
parisienne. Mais cet enseignement ne correspondant pas à ses attentes,
elle l'abandonne après quelque temps pour une école d'art graphique.
C'est dans le cadre d'un stage dans un journal qu'elle fait connaissance
avec le métier de journaliste. Elle s'occupe du secrétariat de rédaction,
fait des interviews et des portraits de musiciens.

Au bout d'un an, elle interrompt ses études, part séjourner plusieurs
mois à New York, où elle continue à piger pour le journal de musique
et à pratiquer la photo. Elle revient en France, travaille dans le même
journal pour financer un autre voyage. Elle part cette fois en Afrique,
toujours avec ses appareils photo.

De retour à Paris, elle hésite à reprendre des études de journalisme et se
met à la recherche d'un travail, pour être indépendante de sa famille

Trouve une place dans une agence de presse photo qui lui propose une
formation au Centre de formation et de perfectionnement des journalistes (CFPJ), dont elle obtient le diplôme. Depuis, après avoir été secrétaire de rédaction dans un journal, elle alterne piges, voyages, photos
et petits boulots.

— *Tu aurais eu la possibilité de vivre de tes piges, tu l'aurais
fait ?*

— De vivre de mes piges ? Oui je l'aurais fait… Mais
c'est sûr que tu ne peux pas le savoir à l'avance, parce que
c'est tellement aléatoire… C'est ça le danger du métier,
c'est que tu ne sais pas… tu as des idées, des envies… En
fait, j'ai toujours essayé d'écrire ce qui m'intéressait… J'ai
une amie qui est pigiste, elle travaille ponctuellement dans
un journal financier et peut comme cela arrondir ses fins

de mois ; elle publie des papiers qui ne l'intéressent pas. Elle prend des dossiers de presse qu'elle compile. Moi j'ai toujours essayé de faire ce qui me plaisait.

— *Donc du coup tu préfères essayer de…*
— Du coup je préfère vivoter *(rires)*… C'est vrai que ce n'est pas une solution à terme, c'est clair, mais jusque-là j'ai pu tenir, grâce aux Assedic, il faut le dire, et puis à mes cours particuliers de musique.

— *Tes piges, tu les déclares ?*
— Ah oui ! Enfin, j'ai déclaré les plus grosses, mais celles de 1 000 ou 2 000 francs, je ne les ai pas déclarées. Je me suis demandé s'il fallait absolument les déclarer, mais bon, je me suis dit… C'est vrai que ce n'est pas beaucoup ce qu'ils donnent aux Assedic, et si tu peux faire 1 000 ou 2 000 francs de plus… Évidemment la pige à *L'Espoir*, je l'ai déclarée, parce que c'était 10 000 ou 12 000 francs.

— *La pige à* L'Espoir*, c'était un sujet que tu avais fait et que tu leur as proposé ?*
— En fait non, là encore il y a eu concours de circonstances, hasard. J'avais commencé pour moi une enquête sur des artistes étrangers. J'en ai rencontré pas mal, dont un qui a son atelier à X. J'ai été le voir, et en discutant il me dit : « Tu es aussi photographe… il y a deux journalistes de *L'Espoir* qui font en ce moment un reportage sur X, peut-être qu'ils ont besoin d'un photographe, ils viennent demain. » J'ai été au rendez-vous. Ce jour-là il y avait des cars de police qui patrouillaient, et j'ai tout de suite compris que c'était important. Les journalistes sont arrivés, ils m'ont dit qu'ils ne voulaient pas trop s'engager, que c'était au journal de choisir le photographe. Je leur ai

dit qu'il y avait des policiers en bas [de l'immeuble], ils ne voulaient pas vraiment me croire. Ils ont commencé à visiter les lieux et puis j'ai essayé d'insister : « Il faudrait peut-être essayer d'aller voir ce qu'ils font, il me semble que c'est important. » Après ils ont quand même réagi et ils y sont allés. J'avais un garde du corps qui me surveillait, j'avais mon appareil, c'était évidemment impossible de faire des photos sous leurs yeux. Donc on est partis, j'ai été me cacher et j'ai pris des photos sans qu'ils me voient. C'était mon premier reportage « paparazzi », « scoop », ce que je ne fais jamais évidemment… J'avais quand même peur qu'on entende le déclic de mon appareil… C'était quand même la préfecture de police… Donc ça c'était une pige, un peu spéciale si tu veux… un heureux hasard, un scoop. C'était la première fois que je travaillais pour le magazine *L'Espoir*. Donc je m'étais dit : c'est une super opportunité, je ne vais pas essayer de faire monter la sauce au niveau du prix. Parce qu'il n'y avait que moi qui avais ces photos… C'était vraiment un reportage que j'aurais pu bien vendre, que j'aurais pu négocier… Mais ils m'ont payée au prix de la pige normale, c'est-à-dire en fonction du tirage, au tarif de base UPC [Union des photographes créateurs], alors que bon, ça se négocie… J'aurais pu demander beaucoup plus, au moins le double.

« Pigiste, on est un peu seule »

— *Il y avait combien de photos ?*
— Il y avait donc ces photos scoop, puis après ils m'ont demandé un reportage sur X.

— *Ils t'ont passé une commande, là, ou pas ?*
— Si, enfin non, tu veux dire écrite ? Non, là c'était oral…

— *Mais est-ce qu'ils t'ont avancé les frais ? Ou bien est-ce qu'ils t'ont donné un accord de principe, en te disant : « OK, on te le prend » ?*

— Ils m'ont donné un accord de principe mais c'est moi qui ai financé mes films… C'est moi qui suis arrivée avec mon paquet de planches-contacts et la chef du service photo a fait son choix.

— *Donc, en fait, ils t'ont payée à parution…*

— Voilà.

— *Le tout ?*

— Oui.

— *La photo scoop et le reportage…*

— Plus la couv… Évidemment, ça me semblait déjà pas mal… Je n'avais pas envie d'exiger plus. J'ai un rapport à l'argent complètement idiot, j'ai du mal à négocier, c'est pas du tout quelque chose que je maîtrise, donc face à ces gens-là je n'avais pas envie de paraître attachée à…

— *Attachée à l'argent ?*

— Oui, c'est ridicule, mais je n'avais pas envie de me poser déjà comme quelqu'un qui imposait son prix, d'avoir une relation tendue…

— *Tu ne t'estimais pas en position de force ?*

— Je ne sais pas vendre, je ne sais pas me vendre… Je sais défendre mes images, mais au niveau de l'argent je suis incapable de négocier. J'ai longtemps hésité, mais je n'ai pas eu le courage d'imposer un prix. D'ailleurs j'ai un peu tâté le terrain avec la responsable du service et elle m'a dit « Tu seras payée à parution… » comme si c'était évident… En fait, elle avait flairé que j'étais pas vraiment capable de négocier, comme si c'était normal que je sois payée à parution, alors que bon, je sous-entendais que j'aurais voulu plus. J'ai laissé tomber, je n'ai pas voulu entrer dans une phase de négociation, parce que je voulais continuer à travailler avec eux…

— *Tu avais peur de te griller ?*
— Voilà… C'est vrai que quand on est pigiste, on est un petit peu seule, surtout quand on commence ; face à un monde qui connaît déjà toutes les ficelles, pour s'en sortir au niveau négociation, ce n'est pas évident. Mais c'est vraiment un truc qu'il faut maîtriser par la suite, parce que bon, même quand tu es photographe, surtout si tu es indépendante, il faut savoir défendre ton bifteck.

— *À cette époque, tu étais au chômage ?*
— À ce moment-là, oui, j'étais au chômage, j'habitais chez mon copain, et j'essayais de piger… J'ai entendu une personne, une fille qui était actrice de théâtre, dans une soirée, qui m'a dit : « Nous, les intermittents du spectacle, on a plus de chance, parce que quand on ne bosse pas, on a des indemnités, on est payés, alors que vous, pigistes, quand vous ne bossez pas, pas d'indemnités… » C'est pour ça que la seule solution, c'est le chômage… D'une certaine manière, tu ne peux t'en sortir que comme ça, ou alors il faut avoir des petits boulots à côté, ce que je vais faire maintenant si j'ai ces cours de musique dans un conservatoire. Je ne serai plus au chômage, j'aurai ce petit boulot, je continuerai à faire mes piges, tranquille, sans stress d'argent, tout en me battant pour entrer dans une agence de photo… Mais avoir un petit boulot, c'est contraignant parce que, une fois que

tu as un contrat jusqu'à une certaine date, pour voyager, c'est plus compliqué. Si j'avais des opportunités de reportages, je serais un peu bloquée. Mais comme j'ai aussi des projets à Paris…

— *De photos ?*
— Oui, parce que mon objectif maintenant c'est de rentrer dans une agence, d'essayer du moins de faire distribuer toutes mes archives qui dorment, parce que je pense qu'il y a des images qui pourraient bien se vendre en tant qu'illustrations. J'ai eu des réponses positives, notamment chez Voyager, mais évidemment si je pouvais rentrer chez Diapo, ce serait encore mieux. Parce que j'ai l'impression qu'ils accordent plus d'importance à la volonté du photographe, au travail, à un projet sur le long terme, qu'à Voyager qui est une agence d'illustration, bien qu'on parle de création d'un service reportage magazine. Mais ça ne sera pas forcément des sujets très personnels, alors que moi je voudrais justement trouver une agence où je puisse réaliser mes projets.

— *Tu avais pigé pour* Le Citoyen, *je crois ?*
— Oui, j'avais pigé pour *Le Citoyen*… En fait j'ai plus au moins mis entre parenthèses, parce qu'ils paient très, très mal. Je les ai contactés pour ma fameuse enquête sur les artistes étrangers, que j'ai essayé de caser partout sans y parvenir… Je l'avais faxée à *L'Univers*… Ils m'ont dit : « C'est très intéressant, mademoiselle, elle est bien écrite, seulement elle ne peut passer dans notre journal », sans plus d'explications. Je n'ai pas très bien compris, j'avais l'impression que ce n'était pas le style de *L'Univers*… On m'a dit : « C'est bien ficelé, c'est bien écrit », j'étais contente qu'un journal comme *L'Univers* la trouve intéressante, ça

fait plaisir, mais bon, je n'ai pas très bien compris leurs arguments. Tu as plusieurs cas de figure : soit les gens sont clairs et disent : « Ça ne m'intéresse pas » ; soit ils disent : « C'est très intéressant, mais on ne peut pas le passer », ce qui est souvent le cas d'ailleurs en France, parce que les gens sont un peu faux-culs…

« Pas du mépris, mais un désintérêt »

— *Faux-culs ?*
— Oui, faux-culs, c'est un petit peu le sentiment que j'ai… Soit la troisième possibilité, qui est complètement insupportable, et ça je voulais en parler. À *Solidarité*, le type de la culture m'a fait attendre pendant des mois avant de me donner une réponse sur l'enquête que j'essayais de vendre. Je l'ai relancé plusieurs fois sans jamais avoir de réponse précise, me renvoyant à la rédactrice en chef, ou du moins à sa secrétaire, qui m'a ensuite renvoyée à lui et ainsi de suite. Ça a été la balle de ping-pong pendant six mois, c'était infernal et ça ne s'est pas terminé très clairement. Car il m'avait, en plus, fait miroiter qu'il aurait peut-être besoin de moi pour des enquêtes sur des compagnies de danse, puisque j'avais déjà fait une enquête sur des artistes… Mais il n'y a jamais eu de suite. C'est un métier qui t'enseigne à ne jamais prendre ce qui est dit au pied de la lettre, à être vraiment très en retrait, et à te protéger, parce qu'on te fait miroiter des choses qui n'arrivent pas… Bien sûr, le jour où il m'a fait cette proposition pour les enquêtes, j'ai fait des bonds au plafond. Sans me connaître, en plus, car ce qui était complètement fou, c'est qu'il ne m'avait jamais rencontrée. On ne s'était parlé qu'au téléphone… Il avait juste lu mon papier en me disant : « On va finir par se

voir », etc., mais ça ne s'est jamais produit. Il ne m'a jamais rappelée, c'était toujours moi qui devais le relancer, c'était infernal ! À la fin je suis même passée par une autre personne du service « culture », mais ça n'a pas abouti pour autant.

— *Et l'enquête ?*
— L'enquête, elle est toujours là, elle n'a été publiée nulle part… J'ai contacté la presse féminine, j'ai envoyé des synopsis un peu partout. Beaucoup, comme *L'Hebdo*, m'ont dit : « On ne prend pas de pigistes. » Chez *Actusmag*, c'était : « On fait travailler nos journalistes d'abord. » Enfin, beaucoup de canards m'ont dit ça.

— *Et quand on te dit ça, tu le prends comment ?*
— Je comprends, mais bon… Récemment j'ai été voir *Newsmag* pour un sujet précis sur l'Iran… La femme m'a dit : « C'est vrai qu'on fait travailler nos journalistes d'abord, c'est normal, mais on ne peut pas tout couvrir », ce qui me semble évident. Je n'ai pas compris pourquoi d'emblée *L'Hebdo* m'a dit : « On ne prend pas de pigistes », sans même écouter ce que je leur proposais. C'est quand même un peu dur. En pensant à ça, j'ai été à *Voir* pour montrer des photos… Je lui ai aussi apporté mon synopsis sur l'Iran… Elle n'a même pas écouté ce que je disais, elle m'a dit : « On a déjà fait un sujet sur l'Iran. » Je lui ai dit : « Vous pouvez quand même lire le sujet pour plus tard, dans six mois, *Voir* publie régulièrement sur les mêmes pays… » Eh bien non ! Elle n'a même pas jeté un œil ! Ce n'était pas du mépris, mais un désintérêt… Tout de même c'est un peu dur… Elle ne sait même pas de quoi ça parle.

— *Et l'enquête que tu as proposée au* Citoyen ?

— Ah oui, j'ai été voir *Le Citoyen* et j'ai eu au téléphone le responsable de la culture, je lui ai envoyé l'enquête, qui lui a plu, et il m'a donné rendez-vous. J'étais contente qu'on ne me prenne pas pour quelqu'un de complètement impersonnel au bout du fil et qu'on veuille discuter. La plupart de mes sujets sont une initiative personnelle, je trouve une histoire qui m'intéresse, me concerne, donc je fonce, je rencontre les gens, je monte l'enquête ; j'avais pris le risque, j'ai pondu un papier et je le lui ai faxé. Il m'a dit : « C'est intéressant, enfin, c'est bien écrit, rendez-vous tel jour. » Donc du coup, je pars avec mon enquête sur les artistes étrangers sous le bras, je me suis dit *(rires)* : « Peut-être que j'arriverais à la caser… » Et donc il me dit : « On cherche des gens pour les pages "ouverture-culture". » C'est des enquêtes de fond que les journalistes du journal – enfin, les pigistes réguliers, parce que je ne crois pas qu'il y ait beaucoup de journalistes salariés – rechignent à faire parce qu'évidemment elles prennent du temps, ne sont pas très faciles à écrire, et qu'au bout du compte elles sont très mal payées. Pour faire cette enquête [sur le lieu artistique] qui m'a quand même pris au moins une quinzaine d'heures, plus le temps de rencontrer les gens et tout ça – c'était un boulot que j'avais décidé de faire moi-même, donc j'assume – eh bien, j'ai gagné à peine 1 000 francs !… Mais, au moins, elle a été publiée, j'ai été au bout de quelque chose. J'ai été étonnée qu'il me dise : « Je cherche des gens pour les pages "ouverture-culture" », tu vois, parce que dans le journalisme, qui cherche des gens ? Personne. Donc j'étais ravie. Il a lu mon enquête sur les artistes, il m'a dit que ça ne l'intéressait pas, je ne sais plus pourquoi, mais il m'avait proposé par contre un autre sujet qui m'intéressait vraiment, sur les artistes égyptiens. Comme j'avais déjà fait des recherches là-dessus, moi, comme j'avais un petit peu effleuré le sujet, j'avais lu des articles là-dessus, j'ai donc commencé... C'était un peu une de mes premières « commandes », entre guillemets... Il m'a donné quelques pistes. C'était là encore un gros boulot, parce qu'il fallait rencontrer les gens, et mettre les précautions nécessaires au niveau de l'écriture, d'ailleurs je ne suis pas très convaincue du résultat... l'amorce et la chute ont été réécrites – on est complètement tributaire des secrétaires de rédaction, tu le sais –, et donc, bon, j'ai fait cette enquête, ça m'a pris énormément d'énergie pour gagner la même somme, quoi, à peine 1 000 francs pour beaucoup plus d'énergie que l'enquête sur le lieu artistique.

« Beaucoup d'énergie pour des clopinettes »

— *Alors qu'en plus c'est lui qui t'avais envoyée faire ça...*
— Oui, mais ce n'est pas parce qu'il me la commande qu'il va me payer plus... il me paie pour cinq-six feuillets...

— *Seulement ?*
— Non, c'était plus, treize, et il l'a coupée à dix, je crois. Enfin, moi j'écris beaucoup, je crois qu'à l'origine elle devait faire une quinzaine de feuillets, je l'ai coupée à treize et lui à dix, pour que ça rentre, ça faisait une double page. Alors... il faut préciser aussi que, pour le reportage sur le lieu artistique, ils ont publié une photo, d'ailleurs pas trop mal maquettée, mais je n'ai pas été payée... les photos, dans ce journal, c'est libre de droits.

— *Ah bon, c'est compris dans le volume, avec le texte ?*
— Voilà, oui… ils ne paient aucune illustration. C'était dit d'avance…

— *Ils n'ont pas de budget ?*
— Non, ils sont un peu sur la corde raide, c'est un des rares journaux qui n'a pas de pub du tout, aucune pub… une certaine éthique. C'est vrai que c'était important pour moi de publier dans *Le Citoyen*. Mais quand tu vois que tu investis beaucoup d'énergie pour ça, que tu gagnes des clopinettes et qu'en plus on te saque un peu ton papier par des réécritures… C'est vrai que j'aurais pu le retravailler un peu plus, mais à la fin tu tires la langue, tu n'en peux plus… C'est depuis ce jour-là que j'ai été un peu refroidie… Je ne leur ai pas proposé autre chose… Sinon, c'était le premier canard où j'étais conviée à des conférences de rédaction, ce qui est très rare pour une pigiste, tu vois, quand même. C'est agréable de sentir que tu fais partie d'une rédaction, et que tu proposes des sujets, qu'il y a des échanges. Tu rencontres d'autres journalistes, tu es un peu moins seule.

— *À la conf, il y avait d'autres pigistes ?*
— Et en plus c'était au café, c'était très sympa… Il y avait d'autres pigistes, la plupart des pigistes réguliers, et puis quelques-uns ponctuels comme moi.

— *Et tout le monde proposait ses sujets ? Comment ça se passait, la conf de rédaction ?*
— Chaque pigiste régulier avait son secteur : cinéma, théâtre, etc. Le responsable de la rubrique « culture » fait un tour de table en demandant ce qu'on a à lui proposer ce mois-ci. Puis chacun propose des sujets autres que dans

sa rubrique… Ensuite les autres proposent les sujets qui leur tiennent à cœur. Et le chef du service, qui lui-même écrit dans le journal, décide, accepte ou refuse des propositions.

— *Toi, tu as proposé des sujets ? Ils ont été acceptés ?*
— J'ai proposé des sujets, oui… j'ai proposé un sujet que je trouvais passionnant et puis bon, apparemment ce n'était pas son avis. Je partais à Téhéran et je leur ai proposé un sujet sur la vie culturelle, comment les artistes vivent, est-ce qu'ils sont tous partis ?… et une autre proposition sur un artiste très connu en Iran, ça aurait pu faire un portrait ou un encadré mais bon, le chef de rubrique était un peu rechignant. Il m'a dit : « Oui, mais alors un feuillet. » Je me suis dit « Contacter un maximum de gens pour ensuite condenser tout en un feuillet, ça ne vaut pas le coup. » Donc j'ai laissé tomber…

— *Et ils t'ont rappelée après ?*
— Non… J'ai commencé un peu à me décourager, et quand tu sais que tu va gagner 500 francs, et encore… tu réfléchis, et tu te dis qu'il vaut mieux faire de la photo là maintenant. Quand tu penses qu'avec une publication [de photos] d'un quart de page tu as tout de suite gagné plus… Au CPJ [Centre de perfectionnement des journalistes], on m'avait dit : « Soyez plutôt photographe que journaliste, parce que ça paie mieux. » *(Rires.)*

— *Alors du coup tu as renoncé à faire des enquêtes ?*
— À travailler pour *Le Citoyen*, oui, parce que… enfin, je voulais quand même les recontacter pour un sujet sur Téhéran, comme j'ai déjà pas mal de matière… Bon, j'ai pas dit que j'abandonnais complètement *Le Citoyen*. En

plus, autre point qui te fait reculer, c'est que tu es payée très tard… J'ai publié l'enquête sur le lieu artistique en mars, j'ai été payée fin juin ! C'est-à-dire trois mois après. Pas juin ! juillet, même… j'ai dû relancer, appeler la comptable, « On a énormément de retard, etc. » Et puis ils n'ont pas d'argent et je n'ai toujours pas touché l'enquête sur les artistes exilés. Il faut que je relance… je l'ai fait fin août, mais toujours rien. Alors ça aussi c'est très décourageant. Si tu veux vivre de ça, ce n'est même pas la peine d'y penser…

— *N'empêche que tu continues à te battre pour ça…*
— Là maintenant, je sais que ce qui m'importe le plus maintenant c'est la photo… savoir si je peux percer en photo, parce que j'ai confiance, parce que je crois en ce que je fais… Mais je sais qu'il faut que je travaille encore, que j'aille au bout de mes sujets, après je pense que je serai encore plus convaincante que je ne le suis aujourd'hui… Mais j'y crois, je n'ai pas encore perdu espoir… Ça viendra peut-être, mais pour l'instant, priorité à la photo, faire tourner mes archives, mais je voudrais continuer l'écriture : accompagner mes reportages [photo] de textes. Continuer aussi à écrire d'une manière plus personnelle. Donc, le journalisme oui, mais tout en préservant un travail artistique. Je ne sais pas bien si je suis une vraie journaliste ou une pseudo-journaliste ou une pseudo-artiste, je pense que je me situe un petit peu à la lisière… Enfin, je n'ai pas à me définir en tant qu'une chose et pas une autre, je suis plusieurs choses à la fois. Depuis deux ans, j'ai une démarche, en photo, plus artistique, plus proche de la peinture… Je suis quelqu'un qui n'aime pas cloisonner… Je suis un petit peu mes envies.

— *Est-ce que tu as encore ta carte de presse ?*

— Je n'ai pas pu la faire renouveler, parce que l'année dernière je n'ai pas touché suffisamment. Il faut toucher je crois, 7 000 ou 7 500 francs les derniers mois… non, avoir touché 15 000 francs en tout sur les trois derniers mois précédant la demande… Je n'avais pas gagné ça. Donc je n'ai pas fait la demande, parce que je savais d'avance que je ne l'aurais pas.

« Confrontée à la réécriture et aux coupes »

— *C'est un handicap ?*

— Euh… pas vraiment, pas vraiment… Si, pour rentrer dans les musées ! *(Rires.)* Non… mais c'est vrai que je n'en ai pas une grande utilité. Si tu veux monter un reportage politique, il faut que tu prouves que tu es une journaliste, mais bon, c'est vrai que dans les sujets que j'ai montés jusque-là je n'ai jamais eu à montrer la carte, mais si je ne l'avais pas eue, je ne pense pas que ça aurait posé beaucoup de problèmes… C'est vrai que c'est quand même important, ne serait-ce que d'un point de vue personnel, de l'avoir, parce que… ça prouve que tu peux… que tu es encore journaliste… je ne désespère pas de la ravoir un jour… En rentrant des Caraïbes où j'ai réussi à interviewer un écrivain célèbre, j'ai contacté un journal littéraire à qui j'ai faxé mon interview (j'avais élagué toutes les questions et mis des mots-clés à la place… j'aime bien cette construction, c'est une technique que j'ai apprise à *Jmag*). Et à mon heureuse surprise j'ai eu un appel, enfin on me répond. Le type me dit : « Elle est très bien, on va la passer, venez nous voir. » Je lui parle également des photos que j'ai réalisées et il me dit de les amener. J'étais très contente qu'il me dise qu'il n'y avait quasiment rien à réécrire, juste deux questions, une phrase à reformuler, ça aussi c'est important car quand tu es pigiste, tu es souvent confronté à la réécriture et aux coupes… là, elle est quasiment passée telle que…

— *Ça, c'était bien !*
— Oui et c'est assez rare, c'était une satisfaction… mais là aussi, tous les canards avec qui je travaille (*Carnets, Jmag, Citoyen, Continents*), ce sont des canards qui paient très peu, quoi ! Donc je donne mes cours de musique, je continue à toucher des Assedic… Mais c'est vrai que ça a été un moment agréable… Là où je n'ai peut-être pas assuré, c'est qu'il m'avait dit : « On manque d'interviews, beaucoup de nos pigistes choisissent la facilité, parlent de bouquins »… ce qui est très facile, tu vois, tu n'as pas à rencontrer les gens, tu bosses chez toi, tu as ton bouquin et tu fais ton petit speech… Là, je n'ai certainement pas été assez persévérante, j'aurais dû continuer, essayer de rencontrer des écrivains. Mais c'est difficile pour moi, car je n'ai pas non plus une grande connaissance et peut-être pas la carrure pour interviewer des écrivains français – je n'ai pas énormément lu d'écrivains contemporains. Enfin bon, j'ai peut-être eu tort de ne pas profiter de ce premier contact pour proposer autre chose, ça s'est trouvé comme ça… Sinon on m'a conseillé d'aller piger pour des journaux internes (presse d'entreprise) mais ça, bon… Je préfère à la limite faire des photos d'illustration style « beauté », des trucs inintéressants qui se vendent bien, plutôt que d'écrire un papier qui ne me concerne vraiment pas, comme par exemple pour Eurodisney ou Framatome. Ça, j'ai vraiment du mal. En photo sur un sujet qui *a priori* ne te concerne pas, tu pourras toujours trouver un petit intérêt, la lumière, la composition…

— *En fait il faut que ça t'apporte quelque chose quand tu fais une enquête.*

— Oui, oui, c'est vrai, c'est ça… Mais c'est aussi peut-être un luxe, si tu veux, c'était bon dans les débuts… Là, maintenant *(rires)* on va voir la suite, quoi, je serai certainement amenée… Mais je te dis encore une fois, si ça continue à être très dur, j'essaierai de faire plutôt des photos commerciales… Que dire d'autre ?… Voilà.

Précarité et fabrication de l'information

On peut regrouper les pigistes en deux catégories selon des conditions de travail sensiblement différentes : les pigistes rattachés à une rédaction par des contrats à durée déterminée, qui sont employés majoritairement par les médias d'information quotidienne (presse écrite quotidienne nationale ou régionale, journaux de la mi-journée ou du soir des télévisions nationales ou régionales, journaux des radios nationales ou locales) ; et les free-lance, qui collaborent la plupart du temps de manière indépendante avec la presse magazine, qu'elle soit écrite ou audiovisuelle. Selon la catégorie de pigistes considérée, les incidences sur la fabrication même de l'information sont différentes.

Nos interlocuteurs sont en grande partie des pigistes travaillant pour la presse magazine, qui est en effet un des gros employeurs de journalistes précaires. Sous l'appellation « presse magazine », on retrouve toute la presse écrite magazine, qu'elle soit grand public (presse féminine, sportive, télévision, loisir, aménagement intérieur et décoration, voyage, troisième âge, cuisine, etc.) ou technique et professionnelle (informatique, médecine, sciences, etc.). Il existe également une multitude de magazines, que l'on peut qualifier d'information, diffusés sur les grandes chaînes nationales de télévision : « Le droit de savoir », « Célébrités », « Reportage », « Combien ça coûte ? » et « Sans aucun doute » sur TF1 ; « Envoyé spécial », « D'un monde à l'autre » et « Ça se discute » sur France 2 ; « Thalassa », « Des racines et des ailes », « La marche du siècle » et « Faut pas rêver » sur France 3 ; une multitude de magazines (travail, santé, institutions, télévision, etc.) de la Cinquième ; « Capital », « Zone interdite » et « Culture pub » sur M6. Ces magazines sont majoritairement produits (c'est-à-dire fabriqués) par des agences de presse ou des boîtes de production privées (comme Ellipse-Point du Jour, Sun Set, Capa, etc.). Certaines de ces entreprises sont elles-mêmes des filiales de grands groupes comme Havas, eux-mêmes actionnaires majoritaires de chaînes de télévision. Elles servent d'intermédiaires entre le pigiste et le diffuseur et constituent un premier filtre qui permet de ne retenir que les sujets susceptibles d'être achetés par les chaînes de télévision.

La marchandisation de l'info

La montée de la précarité chez les journalistes a pour effet, on l'a vu, de « prolétariser » un pan entier de la profession avec toutes les conséquences matérielles, sociales et psychologiques que subissent en particulier les pigistes et les CDD. Mais cette précarisation croissante a également des incidences importantes sur leurs pratiques professionnelles et finalement sur la fabrication de l'information. Elle installe plus que jamais les journalistes dans un rapport marchand à l'objet de leur activité et soumet leur travail à une logique commerciale qui détermine en grande partie leur survie dans cette profession. La prise en compte croissante de données économiques et de contraintes gestionnaires est certainement une des caractéristiques essentielles de la condition actuelle de pigiste. Or, si on se réfère à la conception traditionnelle du travail journalistique, telle qu'elle est formulée par exemple dans la charte des devoirs du journaliste [I], ce souci gestionnaire n'est pas censé faire partie des obligations constitutives du métier. On peut estimer que c'est là le symptôme d'une dérive importante dans les pratiques professionnelles, qui peut à terme menacer sérieusement l'autonomie des journalistes, d'ailleurs déjà gravement compromise [II].

L'emploi fréquent par nos interlocuteurs de mots empruntés à un lexique commercial [III] est l'un des indices éloquents de cette adultération du travail journalistique par l'activité commerciale : vendre, acheter, négocier, investir, cibler, client, produit, matériel, marché, marketing, relations publiques, bénéficiaire, rentabiliser, opération, prise de risque, business, pour ne citer que les termes les plus usités, font partie du vocabulaire courant utilisé par les pigistes pour décrire les relations de travail avec leurs employeurs. Les pigistes se comportent comme des « VRP de l'info » ou même comme des petits patrons sous-traitants qui doivent aller démarcher régulièrement des clients, des donneurs d'ordre, pour tenter de vendre leurs produits, leurs « trucs » comme se plaisent à répéter Julien, Norbert, Florence ou Solange. Le marché sur lequel ils opèrent impose des règles nouvelles de compétition auxquelles les journalistes titulaires n'ont pas encore eu à faire face : « On n'a rien vendu parce qu'on ne savait pas le faire » (Hélène). L'exemple de Julien est à cet égard révélateur. Son premier contact avec le monde de

---

I. Charte élaborée en 1918 par le SNJ et révisée en 1938.

II. Lire *supra*, « Pour une socioanalyse des pratiques journalistiques », p. 15-80.

III. Comme l'a également noté, d'un autre point de vue, Georges Abou, *supra*, « Précarité et représentation », p. 402-426.

la télévision l'a placé très rapidement dans un souci de rentabilité économique qu'il n'avait jamais soupçonné avant d'être licencié d'une radio nationale : « J'avais six projets de reportage tapés à la machine. Ça m'avait demandé du temps, j'avais enquêté, etc. Le mec, il a regardé les trucs et… "Il n'y a rien qui m'intéresse, allez, au revoir." » Julien s'est retrouvé ainsi confronté à la nécessité de trouver une nouvelle stratégie de survie ; que Florence résume en termes encore plus directs : « Comment je vais faire pour vendre mon truc », préoccupation d'autant plus aiguë que, comme le dit Agnès : « On est de plus en plus nombreux à être sur le marché. » Il faut alors chercher à se distinguer du concurrent, « être au contact de la demande », comme le précise Norbert, et « amener de la valeur ajoutée ».

L'état actuel du champ journalistique exerce sur ses membres une forme d'action pédagogique qui tend à les conformer de plus en plus au modèle du « journalisme de marché ». Parmi nos interlocuteurs, Norbert incarne de façon particulièrement significative ce nouveau type de journaliste qui se conçoit expressément comme un petit entrepreneur de presse avant tout préoccupé de rationalité gestionnaire et de rentabilité économique, et qui agit en conséquence.

De nouvelles dispositions sont alors nécessaires, au-delà des pratiques professionnelles classiques ; et savoir « caser son reportage » devient presque plus important que de le réaliser. Marianne, par exemple, doit, comme le ferait un représentant de commerce, se mettre en condition pour aller séduire un employeur afin de lui « vendre un produit ». Quant à Solange, elle confie : « Si tu n'es pas sympathique, on ne te refile pas des trucs. » Ces nouvelles dispositions relationnelles, nécessaires pour pratiquer le métier, ne vont pas forcément de soi et nombre de pigistes intériorisent les échecs ou les refus comme la conséquence d'un manque de compétence ou d'une absence de talent : « Au niveau de l'argent, je suis incapable de négocier. J'ai longtemps hésité, mais je n'ai pas eu le courage d'imposer un prix » (Viviane) ; « Personne ne l'a acheté… La première chose que tu te dis c'est que ça ne doit pas être très bon. Tu te retournes la critique vers toi… » (Julien).

Tel un businessman, le pigiste est amené à investir dans des « coups » : « Au début, tous mes premiers reportages, je les ai financés avec mes économies » (Hélène). Cet investissement peut représenter des sommes importantes, comme pour Norbert, qui dépense 50 000 francs pour ramener une série de papiers sur l'Asie ; ou Marianne, qui perd 10 000 francs dans un reportage en Russie. Même sans atteindre ces sommes, le travail quotidien ne se fait pas sans risque financier. Il n'est pas rare qu'une enquête, qui a nécessité des coups de téléphone nombreux, des déplacements coûteux en voiture ou en train, des invitations à des déjeuners, soit tout simplement rejetée par le donneur d'ordre. Cela rend encore plus impérieuse la nécessité de vendre ses « coups » coûte que coûte, de « réfléchir au moindre mot », comme le fait Florence ; et cela exclut forcément des « coups » moins « porteurs », moins « vendeurs » sur le marché des reportages, sous peine de « dépenser de l'énergie pour rien » et de se retrouver en faillite, comme un petit entrepreneur : « Je ne peux plus faire ma production parce que, financièrement, je ne m'y retrouve plus » (Marianne).

Être dans la « dépendance du nombre de commandes » impose un nouveau réalisme professionnel et modifie profondément l'exercice du métier : « On ne travaille pas de la même façon et pas dans le même état d'esprit » (Pascal).

Julien, par exemple, doit jongler avec plusieurs projets pour boucler ses fins de mois : « À toi de te trouver autre chose à mener en parallèle, et c'est là toute la difficulté d'être pigiste. Il faut trouver – pendant que t'enquêtes sur un truc qui n'est pas payé, mais dont tu sais que ça va engendrer du travail le mois prochain – il faut trouver donc durant ce mois d'enquête quelque chose, qui va marcher, qui va pouvoir te faire gagner ta vie, en fait. Ça c'est vachement dur. » La difficulté de planifier dans le temps ses revenus donne l'impression certains jours d'être plus comptable que journaliste, et la nécessité de « boucler » les fins de mois pèse bien souvent sur le choix et le traitement des sujets : « Quand tu es pigiste et que, admettons, tu as une mission qui t'a pris cinq jours de travail, le soir tu rentres chez toi et tu fais : "Bon, là j'ai gagné cinq fois ça, OK, j'ai gagné autant… Donc maintenant il faut que j'essaie de compléter pour gagner ça…" Tu es sans arrêt en train de compter ce que tu gagnes… » Mais ce qui est remarquable, c'est l'acceptation implicite par l'ensemble des pigistes de la logique du marché qui constitue de fait une forme de censure par l'argent. Certains, comme Hélène par exemple, justifient même la marchandisation de l'information en se comparant avec des journalistes titulaires : « En tant qu'indépendant tu peux faire les mêmes reportages que ces gens-là si t'arrives à te faire ton budget et à le vendre quelque part » ; tout en pointant à longueur d'entretien ses difficultés financières et sa dépendance vis-à-vis de ses employeurs : « On n'a jamais rien vendu parce que les gens s'en foutaient complètement. » On constate pourtant, à travers la majorité des entretiens, une tendance à prendre conscience des méfaits de cette marchandisation sur le travail journalistique, c'est-à-dire sur le choix, la collecte et le traitement de l'information. Mais peu de pigistes arrivent à faire le lien entre la mainmise du « réalisme » gestionnaire sur l'information et ses conséquences sur le travail journalistique.

Le « choix » des sujets

La connaissance des spécificités éditoriales des différents médias, qui fixent en quelque sorte la demande du marché, est une donnée importante dans l'élaboration des stratégies personnelles. Ainsi résumé par Hélène : « Bien analyser la situation et le terrain sur lequel tu te trouves, ça t'aide à travailler parce que ça t'aide toi à quelquefois présenter un sujet sous tel angle, pour quelque fois l'imposer dans tel autre. » Le pigiste doit cibler le support auquel il veut « vendre son sujet », car « il est évident qu'on ne va pas donner le même synopsis pour *Marie-Claire* que pour *L'Express* par exemple » (Agnès). Il faut, en d'autres termes, « se mettre dans la peau du lecteur ou de la lectrice », avec par exemple une écriture « plus psy » pour les « lectrices dynamiques » de *Marie-Claire* (Agnès), qui vont certainement apprécier « la vie d'une expatriée, femme d'un patron au Viêt Nam » que leur propose Norbert. En revanche, les lectrices plus populaires de *Femme actuelle* préféreront les « fiches pratiques dépouillées, simplifiées » que leur concoctera Agnès. Cette réalité éditoriale ne laisse pas beaucoup de marge de manœuvre au pigiste : « Dans les féminins, il y a évidemment des modes. Quand ils ont besoin de redevenir crédibles, ils cherchent autre chose ; en ce moment, par exemple, ils disent : "On en a marre de cette politique des femmes maigres", parce que les régimes deviennent moins vendeurs. Pareil pour les sujets un peu sérieux, qui les font chier. Avant, on te disait : "C'est militant", et tu pouvais repartir. Maintenant, on y revient » (Marianne). Il faut découper le monde en cases de télévision ou de presse écrite, en sachant pertinemment qu'il est suicidaire économiquement d'aller proposer autre chose que ce qui est « vendeur » : « Est-ce que tu acceptes de te couler dans un moule et de travestir pour que ça fasse plaisir et que ça sorte ? ou est-ce que tu dis : "Non, pas comme ça" ? – et tu ne publies jamais » (Hélène). Solange traduit cette nécessité en termes plus imagés et très révélateurs quant à la prétendue liberté du pigiste : « Je m'imprègne du journal, sans arrêt. Il faut être un véritable caméléon. »

Julien, par exemple, a beau mener une longue enquête sur la religion, aucune chaîne de télévision ne se montrera intéressée par le business des cierges : « Ah non ! la religion comme ça, non, on touche pas à ça… on touche pas à la religion à la télé… Parce que c'est un sujet critique. » Le pigiste ne peut se permettre d'essuyer ce genre de refus sans compromettre sa survie économique. Le choix des sujets à proposer se fait donc en anticipant un hypothétique refus du diffuseur. Le pigiste a tout intérêt à être frileux et à ne pas proposer des reportages qu'il peut présumer difficiles à « caser ». Les entreprises de presse, en ne se référant plus qu'à la loi du marché, transforment l'information en un produit comme les autres. Les pigistes, plus encore que les journalistes titulaires, sont obligés de se soumettre à cette implacable logique. Le résultat est du coup inquiétant du point de vue du débat démocratique : quand une information n'est pas achetable par un média, la réalité concernée par cette information n'existe tout simplement pas pour le grand public. « Tu as des pays qui ne marcheront pas. L'Afrique, ça sert a rien de proposer » (Marianne).

Les difficultés économiques engendrées par la précarité placent le pigiste dans l'obligation permanente de trouver des idées de reportages capables d'intéresser des acheteurs. Mais on ne propose pas n'importe quel sujet à n'importe quel média. Cette opération, *a priori* anodine et qui peut paraître « aller de soi », renvoie en fait à des mécanismes cachés, implicites, et pèse énormément sur le choix final de l'information. Elle est le produit d'un long travail de décryptage du fonctionnement du champ des médias que le pigiste, plus encore que le titulaire, se doit d'effectuer, consciemment ou non. Il faut que ce choix paraisse également en conformité avec une certaine définition légitime du métier et qu'il ne donne surtout pas l'impression d'obéir a des critères mercantiles.

Ce travail doit se réaliser d'abord avec un minimum d'investissement financier puisqu'il est rarement rémunéré. La seule ressource dont le pigiste dispose « gratuitement » est le temps qu'il peut consacrer à la recherche de sujets : « Là t'as un énorme boulot où tu vas chercher l'information, et ça c'est pas payé » (Julien). Cela a bien évidemment quelque incidence sur le choix du sujet. Le pigiste va inévitablement puiser des idées là où ça lui coûte le moins cher, c'est-à-dire le plus souvent dans son environnement proche. Cette opération se fait de manière intuitive, comme pour Julien qui, avec ses dix années d'expérience, ne se pose plus de questions : « J'ai déjà forcément l'automatisme dans la tête... C'est-à-dire que, si je lis le journal, je me dis "Tiens ça, c'est un bon sujet"... Si c'est un bon sujet, c'est que j'ai déjà les arguments pour le vendre... Au début je ne savais pas ce qu'était un bon sujet. Il y avait un truc qui m'intéressait, mais je ne savais pas si ça allait intéresser une télé. Maintenant, je sais quels sont les sujets qui vont les intéresser. »

Ce tri « automatique » permet au pigiste de distinguer la « bonne » information de la « mauvaise », c'est-à-dire l'information qui se vend de celle qui ne se vend pas.

Le propos de Julien nous indique aussi que la lecture de la presse constitue une des principales sources de sujets. C'est un lieu commun de dire que les journalistes sont des consommateurs assidus de journaux, de magazines « grand public » ou spécialisés, d'émissions de télévision de toutes sortes. Et les pigistes certainement plus encore que les autres : « Tu ne peux pas être pigiste sans t'abreuver aux autres publications » (Florence) ; « On lit beaucoup, on lit énormément. Je suis abonné à plein de trucs sur l'Asie » (Norbert) ; « Tu pilles allègrement la presse quotidienne… Et puis, je lis énormément… C'est là qu'il faut énormément percuter… quand on se voit, on discute de choses, on percute tout de suite. J'écoute Radio France, je regarde les infos… » (Solange). L'information a tendance alors à fonctionner dans une boucle sans fin, constamment « recyclée » par des pigistes isolés et en mal de sources. Il leur faut donc « picorer » ailleurs une information qu'ils vont pouvoir retraduire rapidement, toujours par souci de rentabilité, en une autre information guère différente de la première, mais suffisamment attractive.

La lecture de livres, et surtout de livres « à la mode » dont parlent les médias, les conversations avec son cercle d'amis et de relations sur les problèmes de couple, de sexualité, d'éducation, de crèche, de transport, etc. ; les « affaires » qui font « l'actu » du moment – « T'amènes un sujet "pédophilie" en ce moment, t'es reçu roi du pétrole » (Julien) – fournissent autant de thèmes de futurs reportages. Cela donne beaucoup de sujets dits « de société », souvent centrés en fait sur les préoccupations du groupe social dans lequel vit le pigiste [1]. Tous ces reportages concourent à une appréhension ethnocentriste des réalités sociales, à une vision de classe qui ne dit pas son nom et qui trouve un formidable écho dans une majorité de médias. Les exemples de papiers relevés dans l'entretien de Marianne, qui travaille principalement pour la presse magazine grand public, constituent un bon échantillon de sujets-types que l'on peut retrouver sous différentes déclinaisons possibles dans un grand nombre de publications et d'émissions : « le non-désir d'enfants », « le partage d'appartement », « les femmes de l'ombre en politique », « la vague de spiritualisme en France », « les changements alimentaires », « la fin du travail », etc.

Cette thématique indéfiniment ressassée à travers diverses variantes n'empêche pas que, paradoxalement, les sujets proposés doivent être « originaux », ce qui est le maître mot de beaucoup de pigistes soucieux de se distinguer des concurrents. Le pigiste – et c'est l'expérience quotidienne d'Agnès – se doit d'avoir « toujours les sens en éveil [...] ; d'être sans arrêt en observation, même dans la rue, surtout dans la rue, pour essayer de capter des choses de notre époque » ; et surtout « essayer de capter ce que les autres ne captent pas ». Cette posture est pour le moins harassante et demande un effort constant, « une gymnastique mentale permanente », car, comme l'admet Agnès : « On n'a pas toujours des idées originales, on n'a pas toujours quinze idées à la seconde. » (Il s'en faut même de beaucoup.) La course à l'originalité, où l'originalité se limite souvent à la formulation employée pour vendre le

---

1. Les pigistes sont majoritairement issus de la moyenne bourgeoisie ascendante vivant principalement à Paris ou dans des grands centres urbains [1].

sujet, est une course sans espoir. Il faut alimenter de jour en jour, semaine après semaine, une énorme machine médiatique dévoreuse de reportages, d'articles, de récits, qui finissent par se ressembler tous, en se recoupant et se copiant les uns les autres. Agnès vit difficilement cet obsédant souci de renouveler le stock d'idées : « Des sujets, on peut en avoir, mais encore faut-il s'assurer qu'ils n'ont pas été traités auparavant, qu'ils sont suffisamment originaux pour intéresser le rédac-chef ou le chef de rubrique. C'est le problème, parce qu'on est de plus en plus nombreux à être sur le marché, dans le monde du travail, à proposer des sujets ; et là, je pense que c'est dur. C'est de plus en plus difficile parce qu'il faut être dans la course, proposer des sujets originaux, proposer des sujets… » Le comble en matière de concurrence est peut-être atteint par Marianne, qui a poussé à l'extrême sa recherche de l'originalité dans une enquête qu'elle a menée sur les changements alimentaires : « Je viens de donner une enquête de quinze feuillets sur les changements alimentaires. J'ai travaillé avec une ethnologue, c'est très intéressant… et je n'ai que de l'information confidentielle, mais ça, je suis sûre qu'ils [la rédaction en chef du magazine acheteur] ne l'ont même pas mesuré. »

Les arguments vendeurs

Mais l'originalité supposée du sujet ne suffit pas à le transformer en un futur reportage. Un pigiste, pour gagner sa vie, doit apprendre, au jour le jour, les recettes qui font vendre les sujets. Il doit apprendre à construire un synopsis ou un dossier, qu'il ira ensuite proposer à des rédacteurs en chef de médias préalablement ciblés. Pour cela, il doit recourir à des procédés qui sont devenus des lieux communs de la rhétorique journalistique. En premier lieu, il lui faut trouver, à partir d'une espèce de « casting », des témoins, des « bons clients », des gens capables de raconter leur histoire et dont les propos serviront d'« accroche » au reportage ou au papier. Le dévoilement de l'intime est devenu un procédé qui va de soi pour un grand nombre de journalistes, et en particulier pour ceux qui travaillent en télévision, pour qui un papier ou un reportage ne saurait aller sans témoignage « fort », sans parole émouvante.

Julien, par exemple, ne peut imaginer construire un magazine sur la mafia ou sur l'amiante sans y intégrer une petite histoire personnalisée : « Ton sujet, c'est la corruption, mais tu ne vas pas dire "la corruption deux points". C'est pas une thèse que tu fais. Il faut que tu racontes une histoire. Donc de manière systématique, à 90 %, un reportage, au départ, au début de l'histoire, pour accrocher les gens, tu t'intéresses à un cas particulier et donc à une histoire, à quelqu'un… » Les pigistes répondent ainsi « naturellement » à la forte demande médiatique : « Une histoire, ce sont des gens, donc on te demande d'humaniser ton reportage » (Julien). S'ils dérogent à cette sacro-sainte règle, ils peuvent être rappelés à l'ordre par le rédacteur en chef, comme cela arrive notamment à Marianne, en des termes qui donnent une idée de la considération réservée aux témoins et à leurs témoignages : « Faites pas quelque chose de sérieux. On veut beaucoup de témoignages. » Il faut que le lecteur ou le téléspectateur se sente attiré par l'histoire d'une personne singulière, qui doit donc être poignante, quitte à ne garder que le poignant au détriment des implications politiques, économiques ou sociales du cas particulier : « Quand tu fais un sujet sur l'amiante, tu vas commencer par le témoignage d'un mec qui a eu ça, qui a les boules et qui se dit : "Ah ! putain, si on m'avait dit ça, j'aurais arrêté mon métier plus tôt" » (Julien). Le pigiste doit faire sienne la préoccupation de l'audimat : « À mon avis, on commence comme ça pour que les gens qui te regardent puissent se retrouver dans un truc, "Tiens, on est chez des gens… c'est Monsieur Tout-le-monde"… » (Julien). L'ennui c'est que ce genre d'accroche, qui repose avant tout sur la contagion affective et l'empathie, pourrait à la rigueur se justifier s'il débouchait sur un véritable travail rationnel d'analyse. Mais cela va rarement, faute de temps, au-delà de cette émotion initiale qui devient une fin en soi.

Pour retenir l'attention d'un rédacteur en chef, il faut, au-delà des indispensables témoignages, l'assurer de l'exclusivité, comme fait Marianne avec son « information confidentielle » à propos des changements alimentaires. Tout doit concourir à séduire un éventuel acheteur : le choix des situations, l'emploi de certains mots, la nature des faits rapportés, etc. Plus cette opération se fera « automatiquement », c'est-à-dire plus elle obéira spontanément à des mécanismes intériorisés par le pigiste, plus celui-ci aura de chances d'arriver à ses fins : « Inconsciemment, tu intègres les données du système. Si tu n'emploies pas le bon mot, si tu n'as pas la bonne intonation, tu sais que tu ne vendras pas ta lessive » (Marianne). Le risque de dérapage est alors important, car tous les arguments sont bons, mêmes ceux qui peuvent mettre le pigiste en porte-à-faux par rapport à une certaine éthique professionnelle : « Je pense pas que c'est au détriment… j'ai pas menti sur l'importance de tout ça. Mais moi, je ne lui ai sorti de mon chapeau que les arguments qui étaient vendeurs » (Julien) ; même si certains, comme Florence, ont tendance parfois à « embellir » ou bien à

« monter en épingle un truc qui est complètement insignifiant ». Le choix des arguments vendeurs ne se fait pas sans une certaine contorsion intellectuelle qui peut conduire le pigiste a une forme de lucidité cynique : ainsi, en réponse à la question de savoir « comment faire pour vendre son truc et donc quel est l'angle le plus accrocheur », Florence énonce le principe fondamental de la bonne argumentation : « C'est jamais à partir d'un truc faux, simplement tu prends une part de la réalité, mais tu donnes jamais toute la réalité ou sa complexité, tu réduis… donc on schématise… donc quelque part on bidonne aussi. » La formulation des projets oscille entre le bidonnage (Florence : « L'Angleterre s'éloigne de la France ») et le boniment (Norbert : « On va vous proposer quelque chose d'unique, c'est-à-dire une vision transversale. On va vous emmener en Thaïlande, en Malaisie, à Singapour, en Indonésie, au Cambodge, au Viêt Nam, à Hong-Kong, à Taïwan, et vous allez avoir une masse d'informations, de sujets extraordinaires pour chacun de vos journaux »). Les synopsis des projets finissent par ressembler à des unes de journaux à sensation ou à des plaquettes publicitaires concoctées par des agences de communication, avec dans tous les cas un souci constant d'accrocher et de manipuler un consommateur.

L'exclusivité tend ainsi à devenir une obsession du pigiste vitalement intéressé à séduire une clientèle qui n'a que l'embarras du choix en face d'une offre surabondante. Aussi Julien insiste-t-il auprès de ses interlocuteurs sur le fait que le reportage qu'il propose, c'est du « jamais vu à la télévision » ou que « c'est la première fois qu'il [le témoin interrogé] s'exprime ». Et il complète la définition de la bonne stratégie de vente : « Tu mets en évidence forcément des "coups", entre guillemets, que tu peux avoir et que les autres n'ont jamais montrés à la télé. Donc t'es à la recherche de ça pour qu'il passe, ton sujet. Pourquoi ce sujet va être acheté ? Parce que tu vas arriver à montrer ça, ça, ça et ça. » Cette course au scoop, à l'information sensationnelle exclusive, qui souvent ne devient sensationnelle qu'en fonction du regard du pigiste conditionné à la vente, entraîne une sélection arbitraire des sujets à traiter ou à écarter.

Quand Julien choisit de s'intéresser à la Banque de France en montrant « la grande salle de sécurité où personne n'était jamais entré », l'originalité plus que l'intérêt du sujet est sa première préoccupation. Il préfère vendre son exclusivité en vantant une « marchandise » qui *a priori* ne gêne personne : « C'est la première fois, personne n'y est jamais allé, on va aller là, machin va parler, il n'a jamais parlé, on va tourner dedans. » La précarité dans laquelle se trouve Julien le pousse à mettre en exergue un élément d'information superficiel mais vendeur, certainement moins difficile en fait à obtenir – même s'il a dû enquêter un an – qu'une longue investigation par exemple sur les affaires politico-financières. Un pigiste, isolé par définition, privé de sources d'information (centre de documentation, informateurs privilégiés, etc.) n'a pas de moyens matériels et financiers (comme peut en avoir un journaliste intégré dans une rédaction) pour mener de telles enquêtes. Après une série de sujets rejetés, Julien a très certainement intériorisé – « l'automatisme dans la tête » – la frilosité des chaînes de télévision quant aux sujets réellement critiques concernant les institutions militaires, policières, religieuses ou économiques. La dérive sensationnaliste de l'information a une fonction économique primordiale dans la stratégie commerciale des différents médias. Elle sert avant tout à créer « une envie de voir » en mettant en scène des faits ou des événements de nature à provoquer des réactions affectives primaires. La volonté d'informer laisse place à la volonté de maximiser les profits.

Le pouvoir des acheteurs

La probabilité de voir une proposition de sujet aboutir effectivement à un reportage est en pratique relativement faible : « Quand tu proposes tes sujets, tu en amènes trois ou quatre, et si tu en as un qui est pris par l'agence… ou plutôt qui intéresse l'agence dans un premier temps, tu as déjà du bol » (Julien). Les différents témoignages que nous avons recueillis offrent de nombreux exemples de projets rejetés par des acheteurs en position de force : Agnès et son « conflit dans la fratrie » qui « n'est pas assez contemporain » ; Viviane et ses sujets sur « les artistes étrangers » ou sur « l'Iran » ; Hélène et ses « Tziganes de Roumanie » ; Marianne et son « trafic d'armes à Moscou » ou ses « femmes de l'ombre en politique ». Quand le sujet n'est pas immédiatement rejeté, il faut parfois attendre des mois pour qu'il soit accepté : « J'ai un projet en Palestine, ça fait plus d'un an qu'on cherche l'argent » (Hélène).

Les pigistes sont soumis en fait au pouvoir exorbitant des rédacteurs en chef. Les propositions de papiers ou de reportages sont acceptées ou refusées au gré de critères prétendument objectifs (la ligne éditoriale ou la qualité rédactionnelle). En réalité, la décision dépend très largement de l'appréciation personnelle et subjective du rédacteur en chef. On voit bien, à travers ce que rapportent nos interlocuteurs, que la vision du monde social des rédacteurs en chef est marquée par l'ethnocentrisme et dictée en grande partie par leurs préjugés de classe : « C'est un gouffre qui

existe entre le terrain et le bureau du rédacteur en chef.
C'est le gouffre quand on te dit : "Il faut que ce soit
comme ci et comme ça" et que toi tu as vu que c'était
comme ça et comme ci » (Hélène) ; ou bien : « Comme
ça fait très longtemps qu'ils [les chefs] ne sont pas partis
en reportage, ils vont s'imaginer des trucs. Alors tu leur
dis : "Attendez, laissez le film de côté" » (Julien). Comme
le dit si bien Marianne : « En majorité, dans les rédactions,
les gens ne voyagent pas et lisent toujours la même chose »,
et en particulier les membres de l'encadrement qui, par
leurs fonctions, sont majoritairement des journalistes de
bureau. « Je crois que c'est ça qui me déçoit le plus dans
la presse, c'est ce côté établissement comme ça, parisien
et faussement provincialiste par démagogie » (Hélène). Ils
voient et imaginent le monde à travers leur grille de lecture ; « Ils ont des images » (Marianne) qui dictent leurs
choix éditoriaux ; « Ils imaginent » (Julien) ; et leur imagination ne leur permet qu'une vision partiale construite
à partir de thèmes rebattus et sans cesse réactualisés dans
les colonnes des journaux, dans les livres à la mode ou tout
au long des reportages de télévision [2].

On passe ainsi des « SDF » aux « pédophiles » dans une
course effrénée à une hypothétique nouveauté qui s'éva-
nouit aussitôt qu'apparue. Un papier sur « la montée du
spiritualisme » se transforme en un autre sur « les femmes
qui se convertissent à l'islam » après la simple suggestion
d'un rédacteur en chef qui ne fait pas preuve de beaucoup d'originalité tant l'islam est le type même du sujet
à la mode. D'ailleurs, il n'est pas nécessaire d'avoir une
véritable connaissance du sujet. En l'occurrence, le
nombre de femmes se convertissant à l'islam a peu d'importance. Des idées dans « l'air du temps », des sondages
d'opinion, les préoccupations de proches, d'amis et de

gens vivant dans le même environnement social suffisent pour affirmer ou infirmer une « vérité » : « Je voulais proposer ça parce que je trouvais que c'était un bon sujet, et on m'a dit : "Mais non, ce n'est pas contemporain, ça ne marche pas. On aurait pu traiter ce sujet-là il y a vingt ans" » (Agnès). Un reportage sur l'hôpital, par exemple, doit montrer obligatoirement l'attente des malades aux admissions, sur la foi d'un sondage : « Toutes ces idées reçues… ils [les rédacteurs en chef et autres cadres] ont l'impression qu'on attend beaucoup à l'hôpital et qu'il va y avoir un genre de manif des malades avec les banderoles » (Julien). « Ils ne marchent que sur des modèles, des références, des stéréotypes… Ce qui se passe réellement dans le pays, ils s'en foutent » (Marianne). Tel autre responsable va censurer un reportage sous prétexte qu'un des personnages photographiés est trop gros : « C'est pas possible, t'as vu la gueule des gens ? » (Solange). Un autre encore transforme une série de portraits de jeunes couples actuels en un défilé esthétisant de top-modèles : « Il aurait fallu qu'elle soit blonde et lui brun, elle de telle taille et lui tel truc… Ils ont décidé de la transformer en une rubrique de portraits de couples de cinéma » (Hélène). Les stéréotypes règnent sans partage, notamment dans les magazines féminins.

Les rédacteurs en chef, quel que soit le média, doivent répondre avant tout aux exigences économiques (audimat, taux de pénétration, nombre d'exemplaires vendus) qui régissent de plus en plus les choix du contenu de l'information. Les prétendus goûts du public ciblés par le marketing rédactionnel dictent la loi du marché et imposent des visions partiales et orientées du monde. Les mises en garde du type « Ce sera pas lu », « On va pas nous croire » ou « Ça passera pas » sont monnaie courante et fournissent des prétextes à traiter ou ne pas traiter tel ou tel sujet, à évacuer telle ou telle information : « Tu dis "Mais moi, j'en viens et c'est ça que j'ai vu". Mais ils s'en foutent de ce que tu peux leur apprendre. Quand j'avais proposé mon sujet, ils s'étaient excités sur les mots "princesse" et "Zanzibar" ; mais sans intérêt pour ce qui se passe dans le pays » (Marianne). Ces choix subjectifs imposés par les rédacteurs en chef finissent par modeler les propositions mêmes des pigistes qui, pour ne pas essuyer un rejet systématique, se conforment d'avance aux exigences des rédactions : « Il faut rentrer dans un format qui est complètement standard partout ; tu lis tous les hebdos, c'est toujours la même chose, on te donne deux feuillets quand, pour un truc qui tienne, il en faudrait cinq » (Hélène).

Les marges de manœuvre du pigiste deviennent alors très étroites. Non seulement le choix du sujet doit répondre aux attentes du rédacteur en chef, mais sa réalisation aussi, au cours de laquelle le pigiste est souvent réduit au modeste rôle d'exécutant qui se borne à appliquer les directives reçues pour être sûr de ramener un « produit » incontestable : « T'acquiers des techniques pour te préserver. Avant de partir en tournage, maintenant je verrouille le dossier : "Qu'est-ce que vous voulez exactement ?" Parce que c'est quand même eux qui veulent quelque chose » (Julien). Les critères de rentabilité économique entrent bien sûr en compte dans la réalisation même du reportage, imposant des durées de fabrication de plus en plus réduites. Le pigiste, à la différence du titulaire, n'a guère d'autre choix que de subir et de constater les conséquences de ces conditions de travail sur l'information : « On a fait un sujet sur les problèmes financiers des familles… On a commencé à tourner à

15 heures et j'avais jusqu'au lendemain 15 heures pour tourner. Pour faire un 10', ça me semble peu… Quand je suis rentré, je l'ai dit à la rédaction, qui s'en foutait complètement… La rédaction en chef s'en fiche de ça… J'ai pressé les gens comme des citrons… Je me dis qu'un sujet comme ça, il aurait pu être bien mieux fait. Et en respectant davantage mes témoins. Ce que j'ai fait là n'était pas correct » (Julien). Le souci de rentabilité amène aussi le pigiste à se surcharger de travail parce qu'il considère chaque information comme un produit susceptible d'être vendu : « On est parti de mois en mois en leur faisant des sujets tourisme, mais aussi des sujets plus société, qu'on a pu vendre » (Hélène). On peut s'interroger alors sur le sérieux de ce travail en série commandé par la nécessité vitale d'engranger le maximum de reportages dans le plus court délai possible.

Les précaires de l'actu

Il existe également un grand nombre de journalistes précaires travaillant pour la presse quotidienne d'actualité [1]. Leurs conditions de travail diffèrent sensiblement de celles des pigistes de la presse magazine, même si en définitive leur situation de précarité les menace de la même façon dans l'exercice de leur métier. Ces journalistes précaires

---

[1]. De nombreux pigistes ou CDD travaillent quotidiennement pour les journaux télévisés de 13 ou de 20 heures de TF1 et de France 2, le « 19-20 » ou les actualités régionales de France 3 ou de RFO, les décrochages locaux de M6 ; et, dans une moindre mesure, pour les journaux des radios généralistes (France-Inter, RFI, Europe 1, RTL, RMC, Sud Radio) ainsi que pour les radios délocalisées de Radio France. On trouve également un certain nombre de journalistes en situation précaire dans les quotidiens nationaux ou régionaux.

sont le plus souvent intégrés au sein des rédactions comme pigistes réguliers ou sur la base de CDD dont la durée varie de quelques jours à plusieurs semaines. Du fait même de leur intégration momentanée, ils ne se trouvent pas dans cette position de « VRP » de l'information qui est celle des pigistes comme Agnès, Julien, Marianne, Hélène, Florence ou Norbert. Ils assurent au quotidien, comme les titulaires, la « couverture de l'actualité ».

Pour autant, leur statut précaire n'est pas sans incidence sur leur travail et sur la qualité de l'information qu'ils fournissent. Ces effets peuvent s'analyser à plusieurs niveaux. Les journalistes précaires sont amenés à changer régulièrement de rédaction ou de région au gré des CDD qu'ils obtiennent. Ils éprouvent de ce fait de grandes difficultés à réaliser un travail en continu (suivi des dossiers, connaissance du terrain, constitution d'un réseau d'informateurs) : « Quand tu débarques dans une ville que tu ne connais pas, tu ignores tout de son histoire, quelle est la couleur politique du maire, combien il y a d'habitants, si c'est une ville industrielle... Enfin, toutes les données qui permettent de te familiariser avec un contexte... On ne sait rien et on est un petit peu perdu... » (Clément). Les pigistes ou les CDD sont rarement des journalistes spécialisés. Ils interviennent le plus souvent pour couvrir le « tout-venant », ce que la profession appelle communément l'« actu ». Ils sont en quelque sorte les « soutiers » ou les « sherpas » de l'information : « Quand tu fais un sujet d'info-géné un jour sur un fait divers, ou je ne sais pas quoi, et puis que le lendemain tu te trouves balancé sur une répétition de pièce de théâtre, bon, ça s'enchaîne et puis t'oublies. Tu ne penses pas, tu ne peux pas t'impliquer. Évidemment, tu ne peux pas gratter quand tu es CDD » (Évelyne). Leur méconnaissance du terrain ou des dossiers, l'urgence dans laquelle ils travaillent, dans un contexte de compétition acharnée et de course-poursuite entre les différents médias, ne peuvent que produire une information-spectacle superficielle et caricaturale en privilégiant, par solution de facilité, les faits les plus voyants : « Par exemple un conflit social qu'on n'a jamais suivi, dont on a vaguement entendu parler par des journaux nationaux. Alors tu débarques, quoi... C'est vrai qu'on y arrive toujours, mais la qualité de l'information est peut-être moins précise, moins pointue. On arrive moins à cerner les choses... On n'arrive peut-être pas à mettre assez en exergue l'information principale, et effectivement c'est un problème » (Évelyne).

Plus que le titulaire, le pigiste doit être avant tout « un bon exécutant, souple et malléable » (Clément), que le rédacteur en chef peut contrôler à sa guise : « Le CDD, c'est le bouffon du roi, et le roi, c'est le chef d'agence. Le CDD cire les pompes » (Grégoire). Le renouvellement du CDD fonctionne comme une épée de Damoclès et les pigistes témoignent des nombreuses pressions exercées par les chefs, qui usent et abusent de leur pouvoir d'autant plus que la concurrence est plus grande dans la profession : « Tu dépends d'un homme, puisque c'est lui qui décide de faire appel à tel ou tel » (Clément). Cette censure, qui ne porte pas son nom, s'exerce au cœur du travail quotidien et place le précaire le plus souvent dans un rôle de subalterne entièrement voué à des tâches d'exécution : « On est CDD, on n'a aucun pouvoir, aucun pouvoir » (Grégoire).

L'anecdote rapportée par Clément est révélatrice du risque que peut prendre un précaire quand il s'oppose au rédacteur en chef et quand « Il ne dit pas *amen* à tous les sujets » : « J'ai été tricard pendant un petit moment parce que j'ai eu un incident avec le rédacteur en chef en place.

C'était à propos du bilan semestriel du RMI… qui en bénéficie, qui n'en bénéficie pas… Et on me dit : "Tiens, tu fais quelque chose là-dessus." Je dis "Attends, je vois pas très bien, sous quelle forme ?"… On me dit : "Fais le portrait d'un RMIste." Je dis : "Écoute, moi ça me paraît un petit peu court, quand même… il me faudrait un peu de temps pour trouver les RMIstes." Bon, le ton monte et finalement le rédacteur en chef confie ce sujet à un pigiste. C'est évident que le rédacteur en chef m'en a tenu rigueur et je me souviens qu'il y a eu un débat… Moi, je n'avais pas lâché le morceau… N'empêche que moi, on me l'a fait payer, parce que pendant x semaines, voire x mois, j'ai été privé de contact. » On est bien loin, dans une histoire comme celle de Clément, des grands discours sur l'indépendance des journalistes ou sur le quatrième pouvoir. La précarité fragilise le pigiste dans sa pratique professionnelle et lui enlève le minimum de sécurité indispensable pour garantir la liberté qui est l'essence même du métier de journaliste reconnue par toutes les chartes déontologiques [1] : « Par exemple, le lendemain d'une mise au point sur le contenu de mes interviews, j'ai interviewé Diouf, le directeur de la FAO… C'est un type qui donne très peu d'interviews, c'est pas un type facile pour ça. Et j'ai été obligé vraiment de faire une interview sur la pluie

---

[1]. La déclaration des devoirs et des droits des journalistes – adoptée les 24 et 25 novembre 1971 par la Fédération internationale des journalistes, par l'Organisation internationale des journalistes et par la plupart des syndicats européens – stipule qu'« un journaliste a droit à un contrat personnel assurant la sécurité matérielle et morale de son travail ainsi qu'à une rémunération correspondant au rôle social qui est le sien, et suffisante pour garantir son indépendance économique » ; indépendance économique dont il est clair qu'elle est la condition *sine qua non* de sa liberté de parole.

et le beau temps !… "Qu'est-ce que vous faites à Rome [siège de la FAO] ? est-ce que vous sortez avec vos enfants ?… machin… vous êtes un papa-gâteau, papa-machin ?"… J'ai été obligé de faire ça ! C'est-à-dire que les questions m'ont quasiment été imposées » (Roland). Toutes les pressions sont permises et le précaire ne peut opposer longtemps son idéal professionnel à sa survie économique : « Sur le plan du travail, il m'arrivait aussi de faire des papiers sur les problèmes liés à la mairie, par exemple, liés à une construction dans un quartier résidentiel avec manifestation des riverains, etc. J'ai traité ça d'une manière qui n'était pas forcément favorable au maire ; et il paraît – j'ai eu des échos – que ça n'a pas forcément plu… Est-ce que c'est aussi lié au fait que je suis parti au bout d'un an au lieu de deux ? » (Jean-Louis)

Tout au long de nos entretiens, la plupart des pigistes nous ont fait part des difficultés croissantes qu'ils rencontrent dans l'exercice de leur métier. Mais il est clair que ces difficultés s'inscrivent dans un contexte plus large, qui s'étend à l'ensemble des journalistes. On ne saurait en effet prétendre que le statut de titulaire permet d'échapper aux contraintes qui pèsent sur les précaires tant la logique du marché imprègne désormais tout le champ des médias [3], sur toutes les pratiques, à tous les niveaux. La multiplication des supports (magazines écrits de toutes sortes, chaînes thématiques) que les groupes de presse lancent incessamment sur le marché est significative de la généralisation de cette stratégie mercantile. L'information est de plus en plus découpée en une mosaïque de thèmes (sport, culture, loisir, télévision, bricolage, décoration, beauté, santé, troisième âge, voyage, musique, etc.) censés répondre aux prétendus goûts du public. Chaque case est en fait un produit ciblé par des professionnels du marketing et a pour finalité de susciter un désir de consommation. Cet émiettement de l'information en une immense mosaïque de sujets apparemment autonomes crée l'illusion que les différents aspects de la réalité ne sont pas reliés les uns aux autres et ne doivent pas l'être. Il a pour effet d'occulter les structures sous-jacentes et interdit une lecture politique, économique et sociale du monde dans lequel vit le lecteur/téléspectateur/consommateur. Ce qui, en définitive, revient à produire un véritable discours idéologique au service de l'ordre établi, tout en prétendant le contraire. Le journaliste intégré conserve cependant la possibilité de s'appuyer sur un certain nombre de dispositions du droit du travail (même s'il le fait de moins en moins) pour revendiquer une information moins partiale ou pour s'opposer à une détérioration de ses conditions de travail (rapidité, approximation, etc.). En revanche, les marges de manœuvre d'un pigiste sont beaucoup plus étroites et son état de précarité l'amène bien souvent à faire de la surenchère en devançant les demandes du marché.

Tout observateur attentif peut constater que l'information actuelle tend (sous l'influence essentiellement de la télévision commerciale) à se simplifier et à se réduire de plus en plus à des portraits, à des témoignages ou à des petites histoires. Nos entretiens contribuent à mettre en évidence certaines des causes essentielles de cette évolution liée à la marchandisation de l'information. L'augmentation significative du nombre de pigistes laisse à penser que les patrons de presse ont de moins en moins besoin de journalistes indépendants et qualifiés pour faire un travail à la chaîne permettant de fabriquer un produit standardisé, qui devient toujours davantage une marchandise destinée à rapporter de l'argent et non pas à éclairer le monde. L'existence d'une abondante main-d'œuvre précaire, absorbée dans une lutte concurrentielle de survie, constitue par là même un obstacle de plus à cette information pluraliste indispensable à toute vie démocratique.

GILLES BALBASTRE

Julien *ou* « Les pousseurs de wagonnets »

31 ans, marié, un enfant

Père cadre supérieur dans une maison d'édition ; mère représentante de commerce ; frère ingénieur en physique ; deux sœurs : infirmière et étudiante ; enfance dans une ville moyenne

Bac F7, première année de médecine, puis diplôme d'une école privée de journalisme

A commencé sa carrière de journaliste en faisant de la radio. D'abord stagiaire dans une locale de Radio France, il a découpé la nuit les dépêches AFP dans une radio nationale, où il a fini par être intégré après plusieurs CDD. À la suite de son licenciement en compagnie de quelques jeunes collègues, Julien s'est mis à piger pour des magazines télévisés.

— *Parlons un peu du mode de rémunération. Comment es-tu payé ?*

— Très souvent la boîte te dit : « Voilà, vous avez un 26', ça va vous prendre en gros un mois de travail, je vous paie 26 000 francs. » Sur les 26 000 francs, si tu es d'accord, on va te payer la moitié en salaire normal, 13 000 francs, avec les charges sociales classiques et 13 000 francs sous forme de droits d'auteur… Les droits d'auteur, ça se présente différemment. C'est un papier, une feuille volante au nom de la société qui t'emploie et c'est marqué « droits d'auteur ». La boîte ne paie plus que 5,75 % au lieu de 20 % de charges sociales. Ça change tout…

— *Pour l'entreprise ?*

— Pour l'entreprise ! C'est très avantageux pour elle parce qu'il n'y a quasiment pas de charges sociales. Pour toi, c'est plus avantageux aussi. Ton revenu est plus haut. En tous cas au début… Avec des droits d'auteur, ton net est plus important. Le problème est que, lorsque pour calculer tes droits les Assedic vont te demander tes salaires, ils n'intégreront pas les droits d'auteurs. Ils ne tiendront compte que des salaires avec fiche de paie et charges sociales classiques. Donc la somme de référence qui va servir au calcul de ton indemnisation d'Assedic, elle sera plus faible. C'est moins intéressant pour le journaliste au final.

— *Mais est-ce que ça t'est arrivé de toucher les Assedic depuis que tu es pigiste ?*
— Je suis toujours sous les Assedic. Je suis en permanence aux Assedic. Tous les mois, je reçois un petit coupon disant : « Est-ce que vous avez travaillé ce mois-ci ? » ; je réponds « oui » ou « non ».

— *Donc il y a des mois où tu ne travailles pas ?*
— Cette année, j'ai travaillé de septembre à juin sans discontinuer. Il n'était pas question dans mon contrat de prendre des vacances, puisque de toutes les façons elles me sont payées dans mon salaire… Ce qui fait que je suis arrivé au mois de juin sur les rotules. Comme tu sais, ce métier c'est compliqué, c'est dur… Tu travailles beaucoup, parfois même les week-ends. Donc je me suis offert gracieusement – et puis parce qu'il fallait bien que quelqu'un me garde mon fils cet été – je me suis offert deux mois de vacances. En fait les Assedic m'ont payé pendant ce temps-là. Parce que je n'ai jamais de salaire pendant les vacances. Si je m'arrête une semaine, je ne suis pas payé. Et ça c'est valable sur tout le marché. Je ne connais pas une boîte qui ne fait pas ça. C'est-à-dire que le salaire de la pige en télévision pour du magazine télé est fixé entre 1 300 francs et 1 500 francs. CAPA, Point du

Jour, Théopress, c'est la somme de référence que tout le monde paie. Mais dans ces 1 300-1 500 francs-là, tu as une partie du treizième mois, une partie de congés payés. Tout est compris… tu as tout inclus. C'est un forfait, en fait.

— *Tout à l'heure, tu disais que tu touchais 26 000 balles pour un mois, c'est pas mal, non ?*
— C'est-à-dire que l'employeur, il te propose un forfait qui comprend l'enquête générale sur le sujet. Un sujet par exemple sur la mafia, il faut que tu aies bien cerné le problème de la mafia à l'étranger et même en France. Ça c'est la partie enquête. Donc dans les 26 000 francs, tu as à la fois les journées d'enquête, le choix des personnages, le temps de tournage et le travail de montage. Mais pour un 26', l'employeur considère que le tournage se fait en neuf à dix jours. Même chose pour le temps de montage, à peu près neuf à dix jours. Ce qui fait que si je compte bien en jours ouvrés, ça fait pratiquement un mois. Vingt jours. Mais pour une enquête, pour faire un 26' sur la mafia, il faut à peu près un mois de travail préalable. Ça c'est pas payé. Tu le fais… chez toi. Tu n'arrives pas au tournage comme ça. Il faut que tu racontes quelque chose pendant 26'. Tout ça c'est à tes frais… Et moi j'ai beaucoup fait ça avant d'accepter l'année dernière un contrat dans une boîte de production. J'ai fait ça tout le temps et j'allais proposer des sujets… Déjà quand tu proposes tes sujets, tu en amènes trois ou quatre, et si tu en as un qui est pris par l'agence… plutôt qui intéresse l'agence dans un premier temps, tu as déjà du bol. Après, l'agence, elle va aller vendre ce sujet à « Envoyé Spécial », à « Zone Interdite », à « Reportages », etc. Ils vont t'appeler pour te dire « OK, ils achètent… France 2 achète, TF1 achète ». Après tu vas t'y mettre.

— *Donc en fait, cela fait 26 000 francs pour quasiment deux mois de boulot ?*

— Ben oui. Je vais prendre un exemple. J'ai fait un magazine sur la police pour une chaîne nationale via une agence de presse, payé 26 000 francs. J'ai eu un mois d'enquête avant : pas payé… Alors à toi pigiste de t'arranger après, parce qu'une enquête… t'attends souvent des coups de fil, etc. À toi de te trouver autre chose à mener en parallèle et c'est là toute la difficulté d'être pigiste. Il faut trouver – pendant que t'enquêtes sur un truc qui n'est pas payé, mais dont tu sais que ça va engendrer du travail le mois prochain –, il faut trouver donc durant ce mois d'enquête quelque chose, qui va marcher, qui va pouvoir te faire gagner ta vie, en fait. Ça c'est vachement dur.

« Si on était regroupés tous ensemble, nous pigistes… »

— *Alors est-ce que le fait de devoir assurer aussi le quotidien, ça ne se fait pas parfois au détriment de l'enquête ? Est-ce qu'on n'a pas parfois l'impression qu'on se disperse ?*

— Je dirais que ça dépend de l'attitude du journaliste. Moi je suis incapable de négliger une enquête parce que je ne suis pas payé. Pourquoi ? Parce que je vais me retrouver au tournage avec une enquête qui a été mal faite, donc un mauvais tournage. C'est toi qui le paies parce que le sujet ne va pas être bon et puis il va être refusé par le client. Donc t'es obligé d'assurer. T'es obligé de faire un truc béton. Là à mon avis où il y a des soucis, c'est sur ce qui est proposé dans la boîte où je travaille. Là il y a un vrai souci pour l'information qui va se poser. Parce qu'ils ont décidé de mettre en place une méthode, qui selon eux fonctionne – à mon avis effectivement sur le papier – mais qui dans le quotidien du journaliste ne peut pas fonctionner.

— *À cause de quoi ?*
— Ben c'est simple… L'année dernière je suis engagé en CDD par une agence. Le contrat est clair, c'était un contrat d'un an… En fait ce n'est pas vraiment un contrat d'un an, c'est un contrat de dix mois, un contrat de saison qui commence en septembre et qui se termine en juin. Quand c'est comme ça, tu es mensualisé. On te donne des sujets à faire. Quand tu rencontres des difficultés sur un sujet, et que au lieu de mettre une semaine pour enquêter tu vas mettre deux semaines, tu vas voir tes chefs, tu leur dis « Attendez, je n'ai pas fini, en plus il y a des galères, etc., faut que je continue ». Parce que tu es mensualisé, tu continues de le faire. Et tu vas tourner quand c'est prêt. Avec cette méthode-là, ils se sont rendu compte qu'en employant X personnes, toutes payées le même salaire mensualisé 25 000 francs brut, ils se sont rendu compte qu'ils ont perdu de l'argent. C'est-à-dire qu'ils ont regardé à la fin de l'année combien ces personnes avaient produit de minutes-utiles diffusées à l'antenne. Et ils se sont rendu compte que c'était peu. C'est-à-dire qu'en fait, ils ont calculé le prix de la minute de reportage. Comment ils ont fait ? Ils ont pris Julien, ses salaires sur l'année, le nombre de minutes qu'il a fabriquées, tous reportages confondus, ils ont fait la division et sont tombés sur un prix – je n'ai pas été voir les comptes – eux disent qu'ils ont trouvé une somme qui équivaut à deux fois la moyenne du prix minute-magazine en France. Cela dit on travaille pour une émission de qualité, ça t'oblige toi à passer beaucoup plus de temps pour vérifier l'information, etc. Bref tout ça, ils se rendent

compte que ça ne va pas. Donc ils se disent : « On a perdu de l'argent, on ne va pas faire comme ça. » Et voilà ce qu'ils nous proposent cette année, et c'est là où il y a, à mon avis, une dérive sur l'information. Ils te disent « On va fixer des barèmes. » On fixe une règle et on s'y tient. On estime que pour faire un magazine, on t'accorde huit jours de travail, un point c'est tout.

— *Pour faire un combien ?*
— Pour faire un 10'. Mais bon, de toute façon pour un journaliste, qu'il fasse un 10 ou un 26', l'enquête est quasiment la même. Tu ne peux pas te permettre de passer à côté de quelque chose. Ce n'est pas plus simple. Il faut que tu fasses plus court mais il faut que la connaissance du sujet, tu l'aies pareil. Pour faire un produit de qualité, il faut que tu aies la même connaissance du sujet. Donc ils disent : « On vous paie, on vous paie par jour un peu moins cher que le tarif du marché. » Parce qu'en fait ils te disent : « On va faire appel à toi plus souvent qu'à un pigiste. Tu vas être notre pigiste régulier, on va te faire travailler. Donc on te paie un peu moins, tu comprends. » Mais cela dit, tu dois rentrer dans un cadre qui est de huit jours dont deux jours seulement d'enquête. Je ne connais pas une enquête sur un sujet, n'importe lequel, n'importe lequel, il y a peut-être des sujets plus faciles effectivement, mais je ne connais pas des sujets qui s'enquêtent en deux jours. Simplement d'avoir les gens, les bonnes personnes, faire remonter les coupures de presse, la vraie doc, savoir qui fait quoi, discuter avec les gens, les rencontrer, tu ne fais pas ça en deux jours. Ou si tu le fais en deux jours, c'est au détriment de l'information. C'est-à-dire que je vais le faire avec un revers de manche,

extrêmement rapidement, en choisissant les gens. Le premier qui dit « oui », je le prends sans avoir vérifié au minimum que c'est bien la bonne personne. Donc ça, c'est une vraie dérive. Parce que si tu veux faire un 10' en huit jours, ce n'est pas possible. Encore une fois la qualité qui est demandée dans l'émission pour laquelle je travaille, moi je dis que ça ne rentre pas [dans ce schéma]. Et tu ne peux pas décréter qu'un sujet va se faire en huit jours. Tu ne peux pas le décréter.

— *Comment acceptes-tu, toi, en tant que journaliste, ces préoccupations financières, de rentabilité économique ?*
— Ça c'est, c'est très compliqué… En général on dit : « Ce qui est très embêtant chez les pigistes, c'est qu'il n'y a pas de syndicats. » Il n'y a pas de regroupement. C'est-à-dire qu'on dit que le prix fixe pour la journée c'est 1 500 francs. Et puis en fait il y a des gens qui acceptent de travailler pour 600 francs. Parce qu'ils ont besoin de travailler et moi je les comprends, je ne peux pas leur jeter la pierre. Mais je dis que c'est con. Que si on était tous regroupés ensemble, nous pigistes, on arriverait à fixer un prix, alors là tu pourrais appeler qui tu veux sur la place de Paris. Tous à un tarif unique. Mais ça n'existe pas. Ça, c'est le premier point. Alors là, moi ils me proposent ça, qu'est-ce que j'ai fait, une fois qu'ils me l'ont proposé, j'ai dit ça ne tient pas, ce n'est pas possible. Maintenant c'est eux qui décident. Soit ils ont confiance en ce que je fais, et je leur dis : « J'arriverais jamais à vous faire un truc en deux jours », donc ils vont décider de remettre au bout, et de dire : « Tiens je te donne trois jours d'enquête pour compléter ». Ce qu'ils ont fait ce mois-ci, mais qu'ils se promettent de ne plus refaire. Là, ils me

l'ont autorisé sur deux sujets, j'ai pris plus de temps que c'était prévu. Mais moi je suis… C'est très simple : ils me disent huit jours. Je dis : « OK, je le fais… mais attention, vous allez avoir le produit que vous aurez pour ça, parce que d'habitude je le fais en plus longtemps ». Et puis il y aura le visionnage avec le commanditaire qui va me dire : « Mais il est à chier votre sujet ! — Ben oui… qu'est-ce que vous voulez que j'y fasse ? Deux jours pour enquêter sur la mafia ! »

« Si tu fais ça, c'est a-li-men-tai-re »

— *Avant tu as été un salarié intégré pendant plusieurs années ?*
— Sept ans dans une radio généraliste et j'ai été licencié suite à une restructuration économique. Et là qu'est-ce que j'ai fait ? J'ai appelé deux trois personnes sur la place de Paris. Je connaissais quelqu'un dans une agence de presse télé… Et je les ai appelés et je leur ai dit : « Au secours », quoi. « Parce que très concrètement pendant les quatre mois qui viennent, je vais être payé par les Assedic et après ça va baisser de 17 % tous les mois, c'est ingérable. Ma femme c'est pareil, j'ai un môme, il faut absolument qu'on se trouve du boulot. » Et c'est vrai que là j'ai rencontré une certaine solidarité entre les gens et que… à chaque fois qu'on disait aux gens : « On est tous les deux au chômage et on est à la maison », t'imagines tout… un couple à la maison du jour au lendemain sans boulot, tu vois. Et là il y a eu des choses qui se sont mises en place et c'est comme ça que j'ai commencé à faire des piges.

— *En fait tu as trouvé assez vite ?*
— Ouais…

— *Et c'était un changement de média. Tu passais de la radio à la télé et tu passais surtout d'une rédaction à un statut qui était différent…*
— J'étais payé à la journée.

— *Et tu n'étais plus dans une rédaction. Tu étais seul. Tu te sentais davantage seul ?*
— Ça c'est clair. J'étais tout seul. J'étais là, chez moi, en train de me dire : « La télé, c'est quoi ? » Il y a les chaînes de télévision, mais c'est pareil que la radio, ça fonctionne avec une rédaction, des gens engagés, donc je ne peux même pas prétendre y rentrer. Donc il y avait la pige et je me suis dit : « Je vais commencer petit. » Petit à petit, donc, j'ai fait un sujet pour une boîte de production que j'ai suivi de bout en bout. Ça m'a pris à peu près un mois demi de travail et j'ai été payé 6 000 francs. Super. Je me suis dit : « Ça va être sympa. » Et il a fallu que je continue… Alors après je me suis dit – comme il fallait que je gagne de l'argent –, je me suis dit : « Je vais faire du film d'entreprise. » J'ai fait du film d'entreprise. Alors ça, c'était payé normalement.

— *C'est facile à trouver ?*
— J'ai utilisé la filiale de cette agence de presse qui faisait du film d'entreprise.

— *Parce que les boîtes d'information font aussi du film d'entreprise ?*
— Beaucoup. Elles ont une filiale à part. Elles ont une filiale « presse » et elles ont une filiale « institutionnel ». Presque toutes…

— *Et ça fait que les journalistes travaillent sur les deux ?*
— Je dirais que toutes les boîtes font ça. Parce que je pense que c'est la branche institutionnelle qui rapporte du blé. Ils perdent du fric pratiquement sur les documentaires. Donc c'est clair. Ils ont une boîte d'institutionnel qui essaie de se servir de l'image du secteur « documentaires ». C'est-à-dire qu'ils présentent un film institutionnel sans que ça en soi un, en disant « Regardez, on met des journalistes qui font les choses, donc c'est déjà un gage de sérieux, et puis on va tourner ça comme un reportage, ils savent le faire », etc. Ces filiales ça marche très, très bien. C'est elles qui font rentrer l'argent dans la caisse.

— *Et ça c'est mieux payé que de faire de l'information ?*
— Oui, parce que ça dépend du budget… Imagine, tu as EDF qui vient voir l'agence et qui dit : « Voilà, j'ai 600 000 francs pour faire un film de trois minutes. » Ça va, tu vas t'en sortir !

— *C'est donc comme un vrai reportage sauf que c'est un film d'entreprise ?*
— Oui, ce n'est pas franchement un vrai reportage, sauf que là le discours est unilatéral. C'est-à-dire que tu ne vas pas chercher un contradicteur, ce n'est pas la peine. Au moins c'est plus facile, et puis c'est très vite fait. Donc ce n'est pas pour ça qu'il ne faut pas le faire sérieusement. Tu le fais sérieusement… mais ça a le mérite de… de faire rentrer de l'argent dans la caisse, en fait. Donc moi j'ai utilisé beaucoup ça… au début, et ça avait quand même un avantage certain, c'est que, comme je venais de la radio, j'ai appris ce que c'était la télé en faisant des films d'entreprise. Donc c'était une bonne méthode en fait.

— *Tu as fait ça longtemps ?*

— Au bout de trois fois tu en as marre, ça ne correspond pas du tout à ton métier. Attends, c'est extraordinaire… le mec il dit : « On est formidables, on embauche », etc. et tu enregistres qu'il embauche, sans aller vérifier s'il a vraiment embauché, alors qu'en fait… Bon, tu sais que si tu fais ça, c'est a-li-men-tai-re. Tu en as besoin pour vivre. Tu n'as plus d'Assedic, tu ne te poses plus de questions. Alors là tu ne te la poses pas deux secondes, la question ! Donc voilà, tu le fais et tu gagnes des salaires plutôt… c'est plutôt mieux payé, ça demande moins de travail puisque tu n'as pas d'enquête.

— *Et ce n'est pas gênant parfois ? Il suffit que tu fasses un film d'entreprise sur EDF et après un reportage sur les centrales nucléaires ?*

— *(Rires.)* Ça ne m'est jamais arrivé. Ça ne m'est jamais arrivé mais ça pourra peut-être m'arriver, hein. Mais… euh… bon, il se trouve que là j'en fais moins [de l'info], parce que j'arrive mieux à vivre maintenant au bout de trois-quatre ans, j'arrive mieux à vivre… J'arrive à vivre uniquement de ça… Mais c'est un gros souci de faire des films institutionnels, parce que quand tu demandes ton renouvellement de carte de presse tous les ans, tu dois déclarer… ça ne doit pas dépasser plus de 50 % de tes revenus. Je veux dire moi j'ai été limite un moment, pile limite. D'ailleurs ils ont regardé les fiches de paie.

« J'ai déjà l'automatisme dans la tête »

— *Tu faisais ça parce que c'était difficile d'avoir d'autres piges ?*

— Je n'en avais pas… Ah moi, un jour je suis allé voir une agence de presse, j'avais… je ne sais pas, j'avais six projets de reportage tapés à la machine. Ça m'avait demandé du temps, j'avais enquêté, etc. Le mec, il a regardé les trucs et il m'a dit : « Il n'y a rien qui m'intéresse, allez au revoir. » Bon, ben, tu repars. Ça représentait dix jours de boulot, de coups de téléphone… je ne te dis pas, je n'ai jamais voulu le calculer. C'est pour ça que ça me fait chier l'histoire des 30 % dont on parle [allusion au projet gouvernemental de suppression de l'abattement fiscal dont bénéficiaient, entre autres, les journalistes], etc. On peut dire que c'est chiant, que les gens n'arrivent pas à comprendre… Mais au moins pour les pigistes c'est un abattement important, parce que je ne peux pas me faire rembourser mes factures de fax, de téléphone et le temps que je passe à travailler alors que ça ne m'est pas payé. Donc si au moins j'ai un petit avantage fiscal…

— *Ça représente des grosses sommes, le fax et le téléphone ?*
— Attends, c'est clair, moi je me suis fait installer une ligne spéciale. Bon, je sais que ce téléphone-là, je l'utilise pour le boulot et pour le fax. C'est 2 000 francs. 2 000 francs par facture quand même. Donc 12 000 francs par an. Et puis il a fallu que je m'achète un Macintosh avec une imprimante, ça m'a coûté 15 000 francs et tout ça je ne l'ai jamais facturé à personne. Et puis il y a le téléphone portable, 400 à 500 francs par mois en plus. Et puis attends, t'as tous les rendez-vous où tu vas. Tu prends ta bagnole et puis t'y vas, tu reviens, jamais personne ne m'a remboursé une facture d'essence. Pour prendre un exemple, un jour j'ai fait une enquête sur un grand pèlerinage religieux… Je ne peux pas te dire combien d'heures j'ai passées au téléphone avec les mecs organisateurs. Et mon sujet, je l'ai proposé par écrit, avec ce que pouvaient amener les différents témoins… eh bien, mon sujet, il a été refusé. Opération zéro.

— *Est-ce qu'il y a des sujets qui passent mieux que d'autres pour les boîtes de production ?*

— Non, je dirais… Par exemple Point du jour est une boîte ouverte à tous les projets. D'ailleurs, ils se sont cassé la gueule… c'est peut-être pour ça. Il n'y avait pas de limite. Pour Capital, faut rester dans le créneau Capital . Effectivement, chaque boîte a sa manière de fonctionner.

— *Est-ce que par exemple il y a des sujets que t'aurais aimé proposer et que tu n'as pas proposés parce que tu t'es dit : « Ça, en télé, ça ne se fait pas » ?*

— Oui, je me souviens d'un sujet sur la religion qui a été refusé par les télés. On m'a dit : « Ah non ! la religion comme ça, non, on ne touche pas à ça… on ne touche pas à la religion à la télé. » Parce que c'était un sujet critique. Moi, ça m'avait pris du temps pour enquêter là-dessus. Le sujet, il est toujours dans mon ordinateur, personne ne l'a acheté… Bon, ce n'était peut-être pas… c'était peut-être mal écrit, après tout je n'en sais rien.

— *Quand on te refuse des sujets, est-ce que tu retournes la critique contre toi ? Est-ce que tu te dis que tu n'es pas bon, par exemple ?*

— La première chose que tu te dis… c'est que ça ne doit pas être très bon. Tu te retournes la critique vers toi… Mais ça c'est personnel… Je n'ai peut-être pas assez confiance en moi…

— *D'après toi, est-ce qu'il faut, pour placer un sujet à la télé, des ingrédients, des personnages qui plaisent plus que d'autres ?*

— Je vois ce que tu veux dire, mais j'essaie de trouver un exemple… Sur la manière de placer un sujet… de le vendre… Forcément tu mets au début… comment t'expliquer… Tu mets en évidence forcément des « coups », entre guillemets, que tu peux avoir et que les autres n'ont jamais montrés à la télé. Donc tu es à la recherche de ça pour qu'il passe, ton sujet. Pourquoi ce sujet il va être acheté ? Parce que tu vas arriver à montrer ça, ça, ça et ça. J'avais proposé un sujet sur la Banque de France. Un an d'enquête. Pas payée. J'allais voir les mecs, je les invitais à bouffer gratos, c'est moi qui payais… les notes, etc. Je voulais obtenir des choses qu'on n'avait pas obtenues ailleurs… aller dans la grande salle de sécurité où personne n'était jamais entré, etc. Donc quand je vais voir le mec de la boîte, je lui dis : « Attends, c'est la première fois, personne n'y est jamais allé, on va aller là, Machin va parler, il n'a jamais parlé, on va tourner dedans. Il faut tant de jours de tournage et ça va être génial »… Forcément je le vends, mon truc. Mon intérêt, c'est que le sujet passe. Mais je ne pense pas que c'est au détriment… de l'info. Je n'ai pas menti sur l'importance de tout ça. Mais moi je ne lui ai sorti de mon chapeau que les arguments qui étaient vendeurs.

— *Est-ce que parfois tu a eu envie de placer d'autres types de sujet que des sujets spectaculaires, par exemple sur le social ou sur des grèves, des sujets qui passent peu ?*
— Très souvent quand tu vas proposer des sujets, ils te disent : « Oh, on l'a vu cent fois ça… on s'en fout. » Faudrait que je te prenne des exemples sur des sujets précis… Ça fait dix ans que je suis journaliste et je crois que… euh… j'ai déjà forcément l'automatisme dans la tête, avant même de savoir si un sujet est bon… C'est-à-dire que, si je lis le journal et je me dis : « Tiens, ça, c'est

un bon sujet », si c'est un bon sujet, c'est que j'ai déjà les arguments pour le vendre, tu vois ce que je veux dire… Au début je ne savais pas ce que c'était un bon sujet. Il y avait un truc qui m'intéressait, mais je ne savais pas si ça allait intéresser une télé. Maintenant je sais quels sont les sujets qui vont les intéresser.

— *Alors c'est quoi justement ? Est-ce que tu peux formuler ce qu'est un bon sujet ?*
— C'est vachement dur parce que ça dépend des… ça dépend des producteurs, ça dépend des chaînes. de toute façon, à chaque fois que tu dis « Ça n'a jamais été filmé, c'est la première fois qu'il s'exprime, etc. », déjà c'est un bon argument. Ils sont à la recherche de ça, parce qu'en- suite il faut qu'ils arrivent eux, boîte de production, à aller vendre le sujet à la chaîne. Si tu leur dis « On ne l'a jamais vu à la télé »… Je vais prendre un exemple tout bête. On fait un sujet sur la corruption avec des juges, le « Mani pulite », tu sais, ce groupe de juges italiens aux mains propres. C'est la première fois que ces juges-là vont accepter la présence d'une caméra de télé parce qu'ils ne veulent pas que les Italiens tournent ça. Les Français, ils veulent bien. Et puis ils connaissent l'émis- sion dans laquelle le sujet va passer. Donc ils veulent bien. On est arrivé auprès du rédacteur en chef, on lui a dit : « On va faire un sujet avec eux, on va passer quatre jours avec des juges qui s'occupent que de la cor- ruption et ça va être top d'enfer, parce que c'est la pre- mière fois qu'on va voir ça à la télé. C'est la première fois qu'on va vivre avec eux, qu'on va voir quels sont ces juges, comment ils font. »

« Ce que j'ai fait là n'était pas correct »

— *Ça, ça plaît ?*
— Oui, parce que c'est la première fois. C'est du jamais vu. Par exemple, mais ça c'est l'expérience d'une collègue qui m'a raconté ça l'autre jour, elle aime bien faire des sujets sur les SDF, les pauvres. Eh bien elle s'est fait répondre que c'est un sujet que l'on a trop vu. Alors les SDF, laisse tomber ! Tant pis pour eux, ils vont moins aller dans la rue maintenant, la télé s'en fout !

— *Faut que ça colle quand même à une actualité ?*
— À une actualité, ou à l'air du temps. Là tout ce qui concerne, je ne sais pas pourquoi… les « affaires », la pédophilie, alors là… tu amènes un sujet « pédophilie » en ce moment, tu es reçu roi du pétrole. Parce que ça intéresse. C'est à celui qui va arriver à avoir le témoignage du gosse qui raconte des horreurs. Ça a été diffusé sur Canal + l'autre jour, j'ai vu un sujet. Alors tu as le môme qui a le visage caché et c'est sous-titré et tu entends tout ce qu'il dit et c'est des horreurs. Moi je ne fais pas trop cette télé-là parce que je n'aime pas ça, je me sens incapable d'aller interviewer le môme.

— *Est-ce que les chaînes sont demandeuses de ce voyeurisme, à base de témoignages comme ça ?*
— C'est compliqué. Je sais que l'émission pour laquelle je travaille ne ferait pas cela. Très honnêtement, et en plus ça m'est égal de défendre qui que ce soit, ils ont leurs défauts, ils proposent des trucs qui sont inacceptables, mais je sais que ça on ne me dira pas : « Va interviewer le violeur de machin ou le gamin, la victime qui s'est fait violer. » En revanche, on parlait de problèmes de production

qui font que l'information est moins bonne. J'ai un exemple l'année dernière où on a fait un sujet sur les problèmes financiers des familles, fait à base de témoignages de gens qui sont dans la merde jusqu'au cou. Très honnêtement, je suis arrivé – c'était dans une petite ville de province, je suis parti en voiture –, je suis arrivé à midi. Le temps quand même de dire bonjour aux gens et on a commencé à tourner à 15 heures et j'avais jusqu'au lendemain 15 heures pour tourner. Pour faire un 10', ça me semble peu. C'est-à-dire que j'ai eu le sentiment quand je suis parti, que les gens nous en voulaient un peu. Parce que j'étais là pour avoir en gros... j'ai enregistré leur détresse... j'ai essayé de comprendre pourquoi ils en étaient arrivés là. Je les ai suivis partout alors que ces gens-là... tu vois, ils continuaient à jouer au PMU. Donc tu vas faire une séquence au PMU. Je les ai pressés comme des citrons, et après je suis parti et ils n'ont plus jamais entendu parler de moi. Et je pense, et je l'ai senti quand je suis parti, je me suis dit ce n'est pas cool. Et quand je suis rentré, j'ai dit au rédacteur en chef – qui du reste s'en foutait complètement : « Vous m'avez mis dans une situation où je suis... où je suis passé pour le pire des goujats. » C'est-à-dire qu'ils ont bien compris quelle était mon attitude. J'avais deux jours de tournage avec le voyage compris... je devais faire un 10'... j'ai pressé les gens comme des citrons... j'ai pas été super sympa, forcément... j'ai été sympa autant que je pouvais... Mais je n'arrêtais pas de leur faire faire des sonores à gauche à droite. Je suis reparti à 17 heures, « Alors au revoir m'sieurs-dames, bon courage », tu vois... Moi j'étais mal quand je suis parti... Et je me dis qu'un sujet comme ça, il aurait pu être bien mieux fait. Et en respectant davantage mes témoins... Ce que j'ai fait là, ça n'était pas correct.

— *Ça t'est arrivé plusieurs fois ou c'est plutôt rare ?*

— Ça arrive très souvent… Ça arrive souvent. Ils te disent « Tu as trois jours de tournage », mais si c'est à Marseille, il faut le temps d'y aller, à Marseille, le temps d'arriver, le temps de louer une voiture, dire bonjour aux gens. Tu n'arrives pas comme ça. Tu n'allumes pas la caméra comme ça. Donc tu dis : « Bonjour… excusez-moi… voilà pourquoi je travaille, pourquoi je viens vous voir. » Je leur répète ce que je leur ai dit au téléphone. Et puis il faut un peu qu'ils me sentent, qu'ils me voient, quoi. On n'est pas non plus des machines à filmer. On est des… euh… j'essaie de faire mon travail. Attends, je ne peux pas dire tout de suite : « Allez, asseyez-vous là, j'allume. Première question ! Clac ! » *(Un claquement de doigts.)* Y en a qui le font peut-être, donc là ça fonctionne en trois jours. Mais il faut quand même habituer les gens à la présence de la caméra, t'as plein de trucs qui sont parallèles à ton travail… qui sont un travail de relations humaines. Et moi je trouve que de moins en moins parce que… parce qu'on est… à chaque fois on te dit : « Allez, essaie de nous faire ça en deux jours » et quand tu fais ça en deux jours, t'arrives, « Bonjour, m'sieurs-dames » et hop ! tu repars. Et je trouve qu'après les gens ils ont une mauvaise image de toi. Et après tu t'étonnes qu'on dise : « Les journalistes, tous pourris. »

— *Mais est-ce que toi tu as une mauvaise image de toi ?*

— Non, mais là je ne suis pas fier de moi. Et j'ai beau m'excuser, et le lundi quand je rentre au bureau je les rappelle et je me réexcuse… Attends ce n'est pas normal.

— *Et ça, tu crains que ça devienne de plus en plus...*

— Oui, c'est déjà comme ça... c'est déjà comme ça. Je le vis souvent comme ça... Souvent parce que, parce que tu as une logique de production, de fabrication d'images, et toi tu es la personne, la seule personne de la boîte qui est en contact direct... qui fait, qui fait d'abord, qui fait vraiment le sujet. Et puis, attends, c'est nous qui demandons la permission aux gens pour accepter d'être filmés, donc ça se gère humainement.

— *Pour revenir sur le type de parole que l'on obtient dans les interviews, la parole intime intéresse la télé. C'est-à-dire : on aime bien les gens qui se confient comme ça, qui parlent un peu de leurs émotions ?*

— Quand j'ai commencé à faire de la télé on m'a dit – mais c'est la même chose quand tu écris un papier dans la presse écrite ou quand tu le lis à la radio –, on m'a dit : « Tu racontes une histoire. » Ton sujet, c'est la mafia, mais tu ne vas pas dire : « La mafia, deux points. » Et puis tu vois, ce n'est pas une thèse que tu fais. Il faut que tu racontes une histoire... Une histoire, ce sont des gens, donc on te demande d'humaniser ton reportage. De manière systématique, à 90 %, dans un reportage, au départ, au début de l'histoire, pour accrocher les gens, tu t'intéresses à un cas particulier et donc à une histoire, à quelqu'un... On part d'une histoire sans que ça veuille dire que tu vas choisir quelqu'un pour faire un témoignage « putassier », pour faire pleurer les gens. Par exemple dans l'émission pour laquelle je travaille, dès que ça commence à pleurer, on a tous une consigne, c'est qu'on éteint la caméra. On n'est pas là pour faire pleurer les gens. Soit ils arrivent à exprimer ce qu'ils ont à exprimer, parce que tu vas les voir et puis ils développent une idée. Soit ils n'ont pas physiquement la possibilité de le faire, auquel cas tu abandonnes et puis voilà. Effectivement, ce n'est pas la même chose à TF1 ou dans les émissions de Mireille Dumas… ça, je n'ai jamais bossé pour eux.

— *Et tu arrives à concilier donc cette histoire intime avec des informations plus globales, plus générales ?*
— Quand tu fais un sujet sur l'amiante, tu vas commencer par le témoignage d'un mec qui a eu ça, qui a les boules et qui se dit : « Ah putain ! si on m'avait dit que, j'aurais arrêté mon métier plus tôt »… Le coup de gueule… et après tu vas faire ton dossier. Tu vois ce que je veux dire. C'est assez classique, mais tu commences par le témoignage… À mon avis, on commence comme ça pour que les gens qui te regardent puissent se retrouver dans un truc, « Tiens, on est chez des gens… c'est Monsieur Tout-le-monde… il travaillait dans l'amiante, tu vois. »

« Ta gentillesse, elle est obligatoire »

— *Pour en revenir au passage du statut d'intégré au statut de pigiste, comment as-tu vécu le fait de ne plus aller dans une rédaction, de te retrouver seul chez toi ?*
— C'est hyper dur… Et puis en plus, quand tu as un môme et que tu es intégré ainsi que ta femme, tu as mis en place un système de garde que tu peux assurer parce que tu as les moyens. Là, tu te retrouves avec ta femme qui essaie de retrouver du travail… Mais on n'a plus la baby-sitter, on ne peut plus la payer, on est au chômage. Et puis tu te partages le téléphone, tu te partages l'ordinateur et tu cherches du boulot, quoi… Donc t'imagines… il faut que le couple tienne.

— *Comment ça se passe quand tu vas voir les boîtes pour trouver du travail ?*

— La télé, c'est un système qui fonctionne par recommandation… à Paris. Par exemple essaie d'avoir un rendez-vous avec le directeur de la rédaction de Point du Jour… Non, je mets Point du jour à part parce que c'est les seuls que tu peux appeler et qui te reçoivent… Mais à CAPA, à Théopress, t'es Gilbert Machepro, personne te connaît, personne te recevra. En revanche s'il y a quelqu'un qui est déjà sur place, et qui demande à son directeur de la rédaction de te recevoir, là ça va marcher. Il faut toujours un intermédiaire. C'est comme dans la corruption, sauf que là il n'y a pas de corruption… Mais moi, il n'y a pas une fois où je n'étais pas, entre guillemets, « recommandé », même si la recommandation est petite. On a dit : « C'est quelqu'un de sérieux, je te le présente… »

— *D'où l'intérêt d'avoir un carnet d'adresses…*

— D'avoir un réseau de gens, d'avoir des copains, de se fâcher avec personne, tu l'as dit, oui.

— *C'est pas du tout le même comportement que quand t'es dans une rédaction, je présume ?*

— La rédaction, ça a un côté très… euh… rassurant. Le matin tu te lèves, tu y vas, le soir tu rentres, à la fin du mois t'es payé… Quand tu es pigiste, et que, admettons, tu as une mission qui t'a pris cinq jours de travail, le soir tu rentres chez toi et tu fais : « Bon, là j'ai gagné cinq fois ça, OK, j'ai gagné autant… Donc maintenant il faut que j'essaie de compléter pour gagner ça »… Tu es sans arrêt en train de compter ce que tu gagnes.

— *Quand tu es titulaire tu peux, je présume, envoyer balader ton chef. Mais quand tu es pigiste ?*

— Un pigiste, c'est forcément… gentil… Du genre tu finis un sujet, tu vas le visionner avec la chaîne, avec le responsable de l'unité de programmes pour qui a été fait le reportage, et quand tu vas au visionnage avec le client, tu n'es pas encore payé. Si le client dit – le client, c'est la chaîne de télévision –, s'il dit : « Si j'étais vous, j'enlèverais le début, je mettrais plutôt ça », alors il y a des corrections à faire… Les corrections, tu n'es pas payé. Ensuite il va falloir coucher ta voix sur les images. Tu n'es pas payé… Donc ce que je veux dire, c'est que c'est là qu'elle est ta gentillesse… Mais elle est obligatoire… Tu finis ton sujet jusqu'au bout, c'est toi qui vas le mixer, ton sujet, donc oui, tu es plus sympa.

— *Il y a aussi, entre les deux statuts, des différences dans les conditions de travail ?*

— Journalisme égale beaucoup de travail… Dans tous les cas tu passes du temps au montage, tu passes du temps au tournage… Mais je dirai que l'année dernière, ça m'arrivait dix jours par mois de rentrer à 6 heures du matin d'un montage… Alors qu'une journée de travail ça s'arrête… moi, je veux bien que ça s'arrête à 9-10 heures du soir, mais après ça commence à devenir tard.

— *C'était pareil quand tu étais intégré ?*

— C'était moins régulier, mais cela arrivait quand même. Parce que moi je faisais du news [information sur l'actualité quotidienne], là je fais du magazine. Et quand tu es en news, tu es dérangé chez toi à n'importe quelle heure du jour et de la nuit. On te dit : « Il y a un avion qui s'est crashé, faut y aller » et puis tu y vas. Par contre la différence, c'est au niveau des vacances… et du salaire quand tu ne travailles pas. C'est ce qui arrive souvent au mois de décembre, parce qu'il y a une sorte de trêve à la télévision… Durant la période de Noël, il y a des programmes spécifiques… Et puis c'est clair, le métier de pigiste, il s'arrête le 30 juin. Et souvent bien avant, parce que les chaînes mettent en boîte des sujets un peu à l'avance. Je dirais que dès le 3 ou 4 du mois de juin, il n'y a plus de travail parce que les chaînes travaillent pour la rentrée d'après, ou alors s'arrêtent pour les vacances. Donc tu n'as pas de salaire en juin, juillet et août. Alors tu as intérêt d'avoir de bonnes Assedic. Pour te donner un ordre d'idée, les Assedic c'est à peu près 10 000 francs net pour un journaliste. C'est 400 francs par jour à peu près… quand tu as bien travaillé dans l'année.

— *Ça a des conséquences sur la vie de tous les jours ?*
— Il y a par exemple une difficulté compliquée à gérer, quand ton banquier n'arrive pas à comprendre tes comptes : « Tiens, là c'était telle boîte qui vous avait versé ça, le mois d'après c'était telle autre. Ce n'était pas la même, vous avez été viré ? — Non, je suis pigiste ». Il ne sait même pas ce que c'est… Donc tu es obligé un peu de lui expliquer. Sans compter que quand tu es pigiste, tu avances les frais et ils sont remboursés un mois après… Et les frais d'un reportage, ça avoisine quand même les 2 000 francs. Très souvent tu avances les frais. C'est-à-dire qu'on te donne une enveloppe d'argent qui est tellement ridicule que, de toute façon, on sait que ce sera plus cher, entre l'avion, le train, la location de la voiture, l'hôtel et les repas de l'équipe. Bref, le banquier s'inquiète. Parfois tu ne travailles pas, tu as un versement Assedic. Ça, ça fait hyper peur aux banques… « Ah bon, vous êtes

au chômage »… surtout quand tu demandes un prêt, ne serait-ce que pour acheter une voiture. Par exemple ça m'a été refusé l'année dernière. Ma voiture était cassée, je voulais en racheter une d'occase, mais je voulais faire un prêt pour ça. Le banquier m'a dit non. Et pourtant de manière assez régulière je gagnais de l'argent, ma femme aussi. Mais il n'a pas voulu à cause de mon statut précaire… Maintenant je suis dans une situation où je voudrais bien acheter une maison… le banquier m'a dit non. Même s'il prend l'ensemble de mes salaires de l'année et qu'il se dit que, *a priori*, c'est correct, il te dit non… Il te dit non parce que t'es pas dans une boîte qui tous les mois te verse exactement la même somme, treize mois par an.

« Ça n'a que des désavantages d'être pigiste »

— *Il y a d'autres conséquences dans la vie de tous les jours ?*
— Ça m'est arrivé qu'un propriétaire me demande les coordonnées de ma banque et l'appelle pour avoir des informations sur ce que je faisais, pour vérifier. Et quand le propriétaire voit que tu es pigiste et quand tu lui dis où tu travailles… attends, si tu ne veux pas mentir, tu dis : « Je travaille nulle part… En fait, je travaille un peu partout. » Le banquier te regarde en se demandant : « C'est quoi ça, c'est un saltimbanque ? »… Donc pour pouvoir louer un appartement, et bien je demande à ma mère de me faire un papier comme quoi si je n'arrive pas à payer mon loyer, c'est elle qui le paiera… Elle est sympa, elle le fait. Mais c'est vrai que c'est un truc un peu… c'est vrai que quand tu as trente et un ans, tu te dis en gros : « Ça y est, j'ai coupé le cordon… euh… je vais pouvoir me débrouiller tout seul dans la vie »… et là pas vraiment, parce que… parce qu'encore une fois tu es précaire.

— *Donc ça a vraiment changé par rapport à l'époque où tu étais intégré ?*

— Notamment avec ma banque. Quand j'étais intégré, j'avais mon salaire tous les mois. Le banquier savait que j'étais en CDI. Donc là, ça va… Tu peux demander des autorisations de découvert par exemple, des choses comme ça. Tu les as, et tu les as pourquoi ? parce que le banquier il sait que, comme-un-métronome-l'argent-va-tomber-à-la-fin-du-mois… alors que là, il ne le sait pas. Et ce qu'il faut savoir aussi, c'est que les pigistes sont toujours payés en retard. Admettons qu'en janvier tu travailles du 5 au 15, eh bien tu reçois ta paie… le 10 février. Les pigistes sont toujours payés, et je n'ai jamais réussi à savoir pourquoi – faudrait qu'on arrive un jour à me l'expliquer –, en décalage. Ça pose d'énormes problèmes parce que le 10, le virement automatique de ton loyer est déjà parti, le virement de tes impôts est également parti, tous tes trucs sont partis… et tu n'as plus un franc sur ton compte. Et tu dis à ton banquier « pas de panique, j'ai bossé le mois dernier, ça va tomber le 15 », t'imagines ! Donc en gros, quand tu as un téléphone avec des numéros en mémoire, le premier numéro, c'est celui de ton banquier parce que tu l'appelles assez souvent pour le tenir au courant de tes problèmes. Sans déconner, tu te rends compte, t'es payé le 10 du mois d'après ! Attends, c'est un réel problème. Pourquoi je ne pourrais pas être payé le 31, comme tout le monde ?

— *Et au niveau de la vie familiale, ça a aussi changé pas mal de choses ?*

— Bon, en fait, en général les enfants sont plutôt contents parce que tu es plus souvent à la maison que si t'étais intégré. Donc pour les mômes, c'est plutôt pas mal… Par contre quand tu es pigiste, tu as une baby-sitter, tu es o-bli-gé d'en avoir une parce que le jour où tu pars en reportage et que ta femme travaille aussi, il faut bien que quelqu'un soit à la maison pour aller chercher ton môme à l'école. Sauf que tu n'es pas non plus obligé de l'avoir tout le temps dans les pattes. Quand tu es chez toi sans travail, tu n'en as pas besoin. Et puis c'est embêtant de la payer puisque que t'es là pour garder ton môme… C'est compliqué de trouver une personne qui ne vient que de temps en temps… Ça ne va pas l'intéresser forcément… Elle a besoin d'un salaire fixe. Donc ça, c'est un vrai problème… Il faut qu'elle s'y retrouve au niveau financier et tout, et moi je ne peux pas… j'ai du mal à lui garantir un salaire. Alors tu es obligé de lui dire que globalement, quoi qu'il se passe, tu vas la payer un minimum.

— *Ça représente combien ?*
— C'était une situation que j'ai connue l'année dernière… Pas l'année dernière, l'année avant… avant que je commence à travailler en CDD dans la boîte de production… Je crois que j'avais dû lui dire : « Quoi qu'il se passe, je vous paie trois jours dans la semaine, en fixe ». Mais il y a des fois où elle ne venait pas parce que j'étais là. Ça représente… c'était il y a deux ans… mettons qu'une personne à domicile… c'est bien simple, celle qui est là en ce moment chez nous à mi-temps, elle vient à 15 heures et elle va chercher mon fils à l'école et elle repart vers 20 heures quand l'un de nous rentre… Je la paie 4 000 francs par mois.

— *Donc 4 000 francs par mois…*
— Oui…

— *Plus 2 000 francs...*

— ...de téléphone tous les deux mois... Et ton ordinateur que tu amortis sur la longueur... L'essence...

— *Donc pigiste, c'est quand même moins avantageux que d'être intégré ?*

— Attends, c'est clair, c'est moins avantageux sur tous les tableaux. Tu n'as pas de salaire fixe, tu n'as pas de salaire régulier qui tombe... Il faut que tu te débrouilles pour trouver je ne sais pas combien de projets et que sur le nombre il y en a un seulement qui va être pris... Tes enquêtes ne sont pas payées... Tu travailles chez toi... avec ton téléphone, donc tu as une facture de téléphone qui ne t'est pas remboursée. Attends, ça n'a que des désavantages d'être pigiste. Je ne connais pas un avantage... L'avantage, voilà un avantage : tu n'as pas vraiment de patron. C'est-à-dire que tu passes d'une boîte à l'autre... Quand tu es dans une boîte, tu as des histoires, celles de la boîte, tu es imprégné de cette boîte, tu connais tout de la boîte, les gens te connaissent beaucoup... Là, c'est un peu plus anonyme. C'est-à-dire tu passes, tu es connu, « Bonjour Julien », il fait le produit, après il s'en va, il va ailleurs, il fait un autre produit.

— *Mais une rédaction, c'est un peu un cocon, aussi. C'est facile de travailler dans la solitude ?*

— Le problème, c'est que des fois tu es là, à chercher des sujets que tu vas essayer d'aller vendre, et tu n'en trouves pas, et tu te dis « Putain, c'est la catastrophe », et puis tu as passé des journées entières à te dire « Je n'ai pas été efficace, ce n'est pas bon... ça ne va pas, je ne trouve plus », tu vois. Et... attends, les moments de doute… des moments de panique… C'est beaucoup plus rassurant d'être engagé quelque part. Ça c'est clair.

— *Toi, tu as connu des moments de doute ?*
— Oui… des moments où j'étais énervé chez moi parce que je… Ma compagne le sentait, parce que j'étais inquiet. Mais tu ne le matérialises pas vraiment comme ça… Tu ne te dis pas : « Tiens, aujourd'hui je suis inquiet, ça ne va pas ». Tu ne le dis pas comme ça. Mais c'est l'attitude que tu as dans la journée qui fait que… ben, tu es resté sans bosser pendant trois semaines, rien à vendre, personne t'appelle, tu vois c'est… Et puis après tu as cinq personnes qui vont t'appeler en même temps. Ils ont besoin de toi à la même époque. Et sur les cinq qui t'appellent, tu vas dire oui à un et non aux quatre autres. Et à force de dire non à des gens, ils te le font… Non une fois, non deux fois, et puis après ils ne t'appellent plus, tu es oublié. Donc tu es obligé de faire de la relation publique, c'est-à-dire d'aller dans les boîtes, de dire : *(sur un ton doucereux)* « Bonjour, ça va. » Alors tu prends des prétextes du genre « Tiens, je rends ma régie », « Je viens rendre mes frais », « Tiens, je vais voir un copain, ah ! salut », tu dis bonjour à la nana qui fait la prod, « Ça va, t'as rien ? », gnagna… tu vois… tu fais un peu de relation publique. Tu n'as peut-être pas besoin de le faire quand tu es engagé, parce que tu es tranquille.

— *Et ça c'est facile ?*
— Je ne sais pas faire les relations publiques. Je suis très mauvais. Je suis très mauvais d'être… de faire semblant d'être naturel… de faire des relations publiques… Le problème quand tu es pigiste, c'est que tu arrives dans une

boîte, tu es entouré par des gens qui sont là en train de travailler, qui sont débordés, qui ont un travail énorme et toi tu es là… ce jour-là tu viens dans la boîte, tu n'as pas de boulot. Tu es là le nez en l'air, tu essaies… euh… tu vois… tu es vraiment différent… Tu te dis : « Tiens, ils ne me regardent pas parce qu'ils voient que je suis pigiste… j'ai des relations avec personne… je suis là, je quémande du travail en fait, même si j'essaie de ne pas avoir l'air de quémander du travail »… mais en gros ça revient à quémander du travail, et c'est vrai que bon, tu as trente balais, et que… tu penses savoir faire une partie de ton travail même si tu as plein de trucs à apprendre encore… tu te dis, c'est un peu… t'as un peu les boules.

« C'est à celui qui va piquer la place de l'autre »

— *T'as pas tendance parfois à croire que tu n'es pas bon, ou alors que les autres pensent : « Ah, celui-là, il ne travaille pas parce qu'il n'est pas bon » ?*
— Non, mais quand tu es dans une soirée où tout le monde te raconte qu'il bosse comme un frappadingue et on te dit : « Et toi, qu'est-ce que tu fais ? — Ben moi, rien. » *(Rires.)* Tu vois, ce n'est pas facile… ce n'est pas facile. Et puis, il faut toujours avoir l'air de bonne humeur, etc., alors que tu te dis : « Putain, j'en ai marre de galérer. »

— *Ça a des conséquences sur la vie familiale ?*
— Oui, ça a des conséquences sur la vie familiale, ça c'est clair, ça c'est clair. Quand tu as un môme et tout, tu essaies de ne pas lui faire sentir que tu as des soucis… mais tu rumines. Ça te ronge.

— *On n'est pas en train de brosser un tableau un peu noir de la condition de pigiste, non ?*

— Je ne trouve pas que ça soit un tableau noir… Attends, ça n'a que des avantages pour l'employeur qui va payer quelqu'un pour une tâche bien précise… mais pour l'employé, je ne vois pas ce que ça peut apporter. Ce n'est pas rassurant du tout d'aller chercher tous les jours du travail. Tu ne sais pas de quoi demain va être fait, tu ne sais pas ce que tu vas faire la semaine prochaine. Et puis c'est hyper compliqué pour prévoir un truc. Tu as des copains qui t'appellent : « Le week-end prochain, tu viens à la maison. » Tu dis : « Je ne sais pas, je te le dirai la veille. » Combien de fois j'ai dû annuler des rendez-vous, tu ne peux pas t'imaginer. Parce qu'il me tombait un truc et que je le faisais parce que je n'avais pas le choix… Tu te dis : « Je ne vais pas partir en vacances… si jamais on m'appelle pendant mes vacances. » Non, non, je ne trouve pas que c'est une bonne situation.

— *On parle de plus en plus de souplesse dans le travail, de flexibilité, de disponibilité. C'est dans l'air du temps. D'un certain point de vue libéral, être intégré c'est un peu ringard. Qu'est-ce que tu en penses toi ?*

— Être intégré, c'est confortable pour le salaire, mais après je n'ai pas le sentiment – mais après tout ça dépend, c'est chacun qui voit ça –, mais je n'ai pas le sentiment d'en faire moins quand je suis engagé quelque part… Moi je crois que c'est tellement mieux pour l'employeur. C'est beaucoup mieux. Et puis tu sais, il y a ceux qui te paient avec des droits d'auteurs, il y a des magouilles, ils se démerdent. Moi, sur ma fiche de paie, je ne sais pas pourquoi j'ai un salaire de misère en salaire brut et puis j'ai cinq-six primes. Et des primes qui portent des noms, je n'avais jamais vu ça avant. J'imagine, je n'ai pas enquêté là-dessus, mais j'imagine que s'ils me paient avec cinq-six primes en plus de mon salaire brut c'est qu'il y a des avantages pour eux, forcément. Moi je pense que c'est pour eux surtout, que ça les arrange… Tu vois, ils n'embauchent personne. Quand ils ont du travail ils paient les gens, quand ils n'en ont plus, ils ne les paient pas et puis voilà, c'est un système qui fonctionne bien comme ça, et tout le monde fonctionne comme ça sur la place de Paris… et ailleurs sûrement aussi.

— *Dans les boîtes où tu travailles, il y a énormément de pigistes ?*
— Il y en a de plus en plus. C'est très compliqué pour les boîtes de production télé de fonder une rédaction et d'embaucher des gens en CDI, parce que cela veut dire qu'il faut payer les gens douze mois ou alors treize et que, en télé, ça s'arrête en juin. En juillet-août il ne se passe rien. Ils ne vendent pas de sujets à la télé, parce que il n'y a que des rediffusions durant cette période. Donc tu ne peux pas engager quelqu'un. Ou au sommet, quatre ou cinq dirigeants.

— *Est-ce qu'il y a une solidarité entre les pigistes ?*
— En général, il n'y a aucune relation entre les pigistes. Il n'y a pas de solidarité… Ça m'est arrivé je crois une fois ou deux où on s'est plus ou moins regroupés entre pigistes pour exiger d'être correctement payés.

— *Dans l'ensemble, les pigistes sont plutôt individualistes, non ?*
— C'est à celui qui va piquer la place de l'autre, un peu, tu vois, parce que chacun a besoin de bosser.

— Comment vois-tu l'avenir ? Tu as trente et un ans, tu te vois longtemps pigiste ?

— Non, avec nos collègues on se disait qu'on allait peut-être monter une baraque à frites… Non, je te jure, c'est vrai… Non, pas une baraque à frites, on déconne. Mais faire autre chose, ça c'est sûr. Non, je suis sûr que dans cinq ans, c'est impossible… c'est quoi là… c'est quoi le bout du tunnel, là ? C'est de plus en plus difficile… les reportages doivent coûter moins cher, les journalistes doivent coûter moins cher. Il faut faire des économies partout et ça va être forcément au détriment de la qualité. Donc on ne va plus faire des produits qui nous intéressent. On va faire de la télé rapide, comme ça… faite avec des bouts de ficelle. Ce qui me pose problème, c'est qu'il y a bien quand même des gens, au bout du compte, qui – c'est poujadiste ce que je vais dire –, mais il y a des gens au bout du compte qui se font du bénéfice, surtout quand tu revends un reportage 150 000 francs. Je veux bien qu'on réduise sur tout, mais il y a quand même des gens qui y gagnent à l'arrivée. Donc c'est clair, je n'ai pas la réponse vraiment à ta question. Ce qu'on se dit entre nous, c'est qu'on ne va pas faire ça pendant dix ans. On ne va pas être pigistes dans dix ans, ça ne sert à rien. Déjà c'est hyper galère. Attends, ça ne va pas s'arranger. Et puis, plus ça va aller, plus tu vas vieillir. Tu ne vas plus accepter la même chose que quand tu es plus jeune. Tes exigences, elles augmentent avec l'âge. Je ne vais plus couvrir des enquêtes en huit jours, ça n'a aucun intérêt, tu effleures les sujets, ton travail de journaliste de fond il disparaît. Donc… je ne sais pas vraiment ce que je vais faire, mais il est possible que je change de métier. Je ne sais pas encore quoi, je ne sais rien faire d'autre. C'est ça mon souci. Mais… euh…

il va falloir trouver une solution à ce problème, mais je n'ai pas la solution.

— *Tu envisagerais même de quitter la profession ?*
— De quitter, oui.

— *Tu n'imagines pas de te faire réintégrer quelque part ?*
— C'est-à-dire que ce n'est tellement pas dans l'air du temps… Ça fait déjà un petit moment que c'est comme ça, je ne vois pas ce qui va changer. Ils sont dans des logiques d'économie draconienne, je ne vois pas trop ce que je vais pouvoir faire… Mais le problème de changer, c'est de faire autre chose, donc comme je ne sais pas faire grand-chose d'autre…

« Nous, on est au fond de la mine »

— *C'est fatigant d'être pigiste ?*
— Oui, et puis ça t'apprend à vivre au jour le jour. Donc c'est une technique de vie et je crois que je suis capable de le faire. Pour moi, on… on verra demain… demain je fais ça et après-demain ça, et puis après je ne sais pas, donc je verrai. Tu vois, tu ne te donnes pas trop de projets… Mais il va falloir, à un moment ou à un autre, que je me prenne la tête et que je dise : « Bon, alors, est-ce que c'est encore acceptable ou ça ne l'est plus et est-ce qu'il faut changer… »

— *C'est angoissant, vivre au jour le jour ?*
— C'est angoissant… C'est angoissant pour ta vie sociale, c'est essentiellement pour ça. Ce n'est pas parce que tu ne sais pas ce que tu vas faire exactement demain. Mais je m'en fiche… C'est de savoir comment je vais vivre demain.

— *Tu as l'impression de ne pas être reconnu en tant que pigiste ?*

— Je n'ai jamais eu l'impression vraiment d'être reconnu… et on est plusieurs à avoir cette analyse-là… Dans un reportage, nous, on est au fond de la mine et on pousse les wagonnets. Et… on est au fond de la mine. De toute façon, tu n'as pas vraiment le choix, il faut que ça soit bien. Mais quand c'est bien, on ne te le dit pas, et quand c'est mal tu en entends parler pendant pas mal de temps. Et on fait pas que des trucs bien. C'est pas toujours hyper gratifiant… Mais c'est aussi parfois gratifiant… c'est toujours pareil. Je suis content d'avoir travaillé pour telle ou telle émission parce que ce sont des émissions sérieuses et que quand les gens voient mon nom au générique, ils me disent « Au fait, j'ai vu, tu as fait un sujet. » Tu te dis : « Tiens, oui, ça a été regardé. » Mais bon, une fois que tu l'as vu trois fois, après ça ne te fait plus rien. Je travaille dans cette émission. Oui, c'est bien…

— *Tu disais que parfois les chefs critiquent ton travail ?*

— Oui, oui, ça arrive. Mais à juste titre… Notamment sur le sujet sur les problèmes financiers des familles, je me souviens avoir eu des réflexions, mais je leur avais dit… : « Attendez ! Je pars lundi, je reviens mardi soir. Et le reportage, c'est que sur ces gens-là. » On te dit : « Ce n'est pas génial, je ne comprends rien à ton truc. » Et des fois c'est hyper justifié. Donc… moi j'accepte bien la critique, je m'en fiche. Mais t'acquiers des techniques pour te préserver. Avant de partir en tournage, maintenant, je verrouille le dossier : « Qu'est-ce que vous voulez exactement ? » Parce que c'est quand même eux qui veulent quelque chose.

— *Ce n'est pas toi qui décides ?*
— Non, toi tu fais des propositions à l'issue d'une enquête. Et eux s'attendent à un produit… Comme ça fait très longtemps qu'ils ne sont pas partis en reportage, tu leur dis un truc sur la corruption, ils vont s'imaginer des trucs. Alors tu leur dis : « Attendez, laissez le film de côté. Ce qui ressort de l'enquête, c'est ça, ça, ça et ça. Il y aura ça, ça, ça et ça ». Alors après ils peuvent dire : « Mais nous on voudrait ça. » Alors toi tu reprends ton téléphone, tu essaies de voir si c'est possible. Si c'est possible, tu le fais, sinon tu ne le fais pas. Tu vois, c'est quand même eux qui décident. Quand je fais un sujet, ce n'est pas que moi qui décide.

— *Il y a donc parfois des décalages entre ce que toi tu obtiens en faisant une enquête et les desiderata du chef qui, lui, a sa propre idée sur le sujet ?*
— Très souvent tu as un chef qui dit : « J'avais imaginé, je ne sais pas… quand tu m'avais parlé du sujet, je pensais qu'on allait voir ça »… Mais moi je me souviens avoir dit ça à des chefs : « Mais attendez, faudrait arrêter d'aller au cinéma, quoi. » Parce qu'ils imaginent des trucs ! Tu leur parles d'un sujet, ils ont des stéréotypes dans la tête et ils imaginent que dans ton sujet il va se passer ça et ça.

— *Ça arrive souvent ?*
— Souvent ? Ça arrive… Ça arrive suffisamment pour que je te dise que ça arrive. Ça m'est arrivé plusieurs fois. Mais des trucs tout bêtes. J'avais fait un truc sur l'hôpital. Ils avaient été plutôt sympa avec moi, ils m'avaient filé six jours de tournage. Et… donc j'ai vécu six jours

dans un hôpital. Et la critique première d'un hôpital en général, ce sont les attentes aux admissions... Le premier jour où je suis arrivé à l'hôpital, je me suis installé. Il n'y avait personne aux admissions. Il n'y avait pas d'attente, il n'y avait pas de queue. Ça marchait très bien. Donc là je les ai appelés et je leur ai dit : « Si vous pensez voir 250 personnes qui attendent et qui gueulent, ça n'existe pas — Ah bon ! mais pourtant...— Attends, ce n'est pas de ma faute si aujourd'hui il n'y a personne »... Moi je leur parle comme ça, vraiment, parce que je suis sur le terrain. Je ne mens pas... je suis là pour rendre compte de quelque chose que j'ai vécu. Si ça ne s'est pas passé, je ne vais pas le créer. Donc il suffit d'être ferme. Tu leur dis : « Attendez, je ne vais pas l'inventer. On ne va pas payer, on ne va pas faire comme Stirn qui avait fait venir des gens dans une salle pour faire du monde. » Bon, il se trouve que le problème s'est réglé. Le lendemain il y avait cinquante personnes qui attendaient. Donc on a filmé et le sujet a commencé par ça, parce qu'ils voulaient ça au début, tu vois ce que je veux dire. Mais le premier jour, ça marchait très bien l'admission.

— *Et le troisième jour, il y avait toujours du monde ?*
– – Non, mais... parce que l'hôpital, ce n'est pas tous les jours comme ça non plus.

— *En définitive, est-ce qu'il y avait souvent des attentes ou pas aux admissions ?*
— Au fond je n'en sais rien, parce qu'en une semaine, il y a eu une seule journée d'attente.

— *Donc il y a eu une journée d'attente en six jours et vous avez commencé avec ça au début du sujet ?*

— Oui. Parce qu'il y avait eu un sondage qui avait été fait un peu auparavant. Le problème, c'est que le rédacteur en chef avait ce sondage : « On attend à l'hôpital, on attend aux admissions. » Alors après, tout dépend de ce que tu appelles : « On attend. » Eux pensaient que c'était une heure et demie. Je dis « Non, ce n'est pas une heure et demie. » On a filmé un patient qui allait à la radio. Il était sur son lit, je prends ma montre, je chronomètre : trente minutes… En plus, le patient, ce n'était pas le bon client pour gueuler : « Moi je suis hyper malade, je m'en fous »… tu vois. *(Rires.)* « Eh ben ! il ne gueule pas beaucoup, ton client — Mais non, excusez-moi, ce n'est pas grave. Ça lui est égal d'attendre. Sa maladie, c'est plus important que l'attente. » Toi, tu vois, tu te mets dans une situation où tu regardes et tu trouves ça insupportable. Lui, il ne trouve même pas ça insupportable. Donc, c'est ça, toutes ces idées reçues. C'est qu'ils ont l'impression qu'on attend beaucoup à l'hôpital et qu'il va y avoir un genre de manif des malades avec les banderoles. Ce n'est pas ça, quoi. C'est plus… *soft*. Bon, là, ce sujet je l'ai monté comme j'ai voulu, sans en rajouter, sans que ça soit spectaculaire. C'était une somme de petites choses et à la fin tu te disais, effectivement, il y a des soucis à l'hôpital, mais ce n'était pas du sensationnel.

— *C'est une tendance actuelle d'aller chercher le specta-culaire alors que sur le terrain on s'aperçoit que c'est plus complexe ?*
— Oui, oui. Ça arrive souvent. Donc, après, ça dépend de chacun de ne pas en rajouter des tonnes. Quand j'ai chronométré 30', personne ne m'en aurait voulu si j'avais dit que ce monsieur avait attendu une heure… ce n'était pas vérifiable… Ce n'est pas pareil quand tu dis une

heure au lieu d'une demi-heure. Mais il n'avait pas attendu une heure… je n'allais pas dire une heure. Mais les chefs pensaient qu'il attendait une heure, et puis qu'ils étaient douze à la queue leu leu, à attendre dans le couloir, alors qu'il était tout seul. Tu vois, c'est tout ça, toutes ces idées… « Ah ! j'avais pensé que… je ne l'imaginais pas comme ça, ton sujet. » C'est exactement la réflexion du directeur de la rédaction qui a vu le sujet sur l'hôpital, qui était en fait un sujet « vie quotidienne ». C'était un sujet tout en nuances et je crois qu'au final tu comprenais qu'il y avait des problèmes à l'hôpital, mais que ce n'était pas gros comme le nez au milieu de la figure. À la fin du sujet il m'a fait : « C'est bien. » En général, c'est toujours la phrase : « C'est bien, *mais*… » Alors tu attends le « mais » et le « mais » c'était : « Je ne m'attendais pas à ça. » Et si tu vas plus loin, tu dis : « Mais tu t'attendais à quoi ? — Ah ! je pensais que c'était encore plus le bordel, quoi. » Donc, en gros, il veut dire que ce n'est pas assez le bordel. Oui, mais voilà, c'est ça. Peut-être qu'un autre jour, ça aurait été plus le bordel. Mais on a choisi six jours, on a tourné six jours, c'est comme ça. « Non, mais sinon c'est bien, t'en fais pas. » C'est rigolo… enfin, rigolo… Ah ! si les gens connaissaient toutes les coulisses !

Hélène *ou* « L'électron libre »

28 ans, célibataire, vit actuellement à Paris

Père commerçant ; mère infirmière

Après trois années d'études d'histoire de l'art (École du Louvre), qu'elle interrompt avant le diplôme final, elle entre dans une école de journalisme.

Elle va ensuite travailler dans une agence de presse (AFP) puis pour des hebdos nationaux (rubrique « tourisme » et « reportages à l'étranger »). Aimant avant tout voyager, elle s'accommode des difficultés financières inhérentes au statut de pigiste.

Au moment de l'entretien, Hélène voyait un grand projet se réaliser : la création d'une revue européenne et sa nomination comme responsable du bureau parisien de cette revue. Un changement qui devrait en principe lui apporter une meilleure situation financière. Engagée dans l'Association des femmes journalistes, Hélène se bat notamment pour une amélioration du sort des pigistes dans les entreprises de presse.

Les premières minutes de l'entretien sont consacrées à retracer le parcours qui a conduit Hélène à l'école de journalisme où s'affirme son goût pour le reportage, vécu comme une sorte d'aventure exaltante. Ne voulant pas perdre de temps à attendre pendant plusieurs années une hypothétique titularisation au sein d'une rédaction, elle opte, à la fin de son stage à l'AFP, pour le journalisme indépendant, et commence sa vie de pigiste.

— Le dernier mois à l'AFP, entre les dépêches – parce que c'était la grande nuit et que par moments il n'y avait rien à faire –, j'ai commencé à préparer un reportage. Ce que j'ai oublié de dire, c'est que j'avais déjà commencé à travailler pour *VSD*, parce que juste après mon stage j'avais su qu'ils préparaient des « hors-série voyage », dont un sur l'Italie. J'avais foncé et j'avais téléphoné à l'aveuglette en me disant « On verra bien. » J'étais tombée sur le rédacteur en chef qui était quelqu'un de très sympa, une fois n'est pas coutume, en tous cas très ouvert, quelqu'un qui ne me connaissait pas, et donc j'ai commencé à faire plein de reportages pour eux. Je suis partie à Rome, en Espagne, dans le sud de la France. Ça roulait assez bien avec eux et j'avais donc déjà cette base-là de reportages. C'était pas très difficile, c'était du tourisme, mais ça m'a déjà appris à travailler avec des photographes. Déjà je comprenais ce que c'était le reportage en magazine et c'était ça qui me plaisait, je m'étais trop amusée, c'était vraiment génial même si je n'en avais pas fait énormément. Du coup j'avais rencontré un photographe à *VSD* et on avait un projet de partir en Roumanie. Il faut dire qu'on s'était découvert un truc commun. Quand j'étais à l'école de journalisme, au moment de la révolution roumaine, j'avais décidé avec un copain, un soir où on avait un peu trop arrosé le dîner, de partir là-bas. Tu veux être reporter ? eh bien on va commencer tout de suite. On avait pris un avion jusqu'à Belgrade et là on avait pris le train jusqu'à Timisoara et on est restés trois semaines là-bas, dans la folie la plus totale parce que c'était une période tellement agitée, on savait pas qui était qui, on s'est fait peur plusieurs fois, braqués dans le train, c'était la vraie aventure. *(Rires.)* Et j'en suis revenue complètement exaltée et je savais que c'était ça. On n'a pas ramené des choses formidables, on n'a rien vendu parce qu'on savait pas le faire, bon. Et donc j'avais rencontré ce photographe, on avait parlé de la Roumanie, donc on avait décidé d'aller faire des choses là-bas, sur les Tziganes. Et c'est comme ça qu'après l'AFP, quand mon CDD s'est terminé, j'ai pas du tout poursuivi, parce les dernières semaines, j'ai passé mes nuits à préparer ces reportages, parce que c'est ça qui me sauvait la vie du train-train où j'étais déjà en train de m'enfoncer, qui me faisait peur, et à partir de là je suis vraiment devenue journaliste indépendante, en sachant qu'au début tous mes premiers reportages, je les ai financés avec mes économies, avec les quelques piges alimentaires que je faisais à côté, et surtout – chose précieuse que j'avais apprise en travaillant avec *VSD* – on s'arrangeait à chaque fois pour faire un reportage de tourisme… J'avais appris un petit peu à négocier le billet d'avion et des possibilités de séjour sur place. Ça m'a permis comme ça les premières années de faire mes premières propositions à des journaux et d'avoir la base du voyage de payée.

« C'est un luxe de faire ce métier »

— *Donc pendant un temps tu faisais coup double : des papiers de tourisme et en même temps des papiers qui t'intéressaient davantage ?*
— J'ai continué un petit peu, avec *Zélig* par exemple, puis après j'ai commencé à vendre… *VSD*, ça a continué un peu. Comme j'avais de très bons rapports avec cette rédaction, on a fait par exemple une proposition sur la Roumanie, ils nous l'ont prise – et là bien achetée, avant de partir. Et après ça, avec ma rubrique « tourisme », on a commencé à bosser pour *Voici*. Donc à chaque fois, proposer des sujets tourisme ça marchait. C'était pas évident du tout, mais avec un peu de temps et de l'énergie on arrivait toujours à trouver des choses, un billet d'avion… C'est comme ça que je suis beaucoup partie en Roumanie notamment, ça nous a permis de travailler sur les Tziganes et de faire un sujet de fond, qu'on n'a pas vendu tout de suite mais qui nous a aidés par la suite, et puis en Inde. Ce sont les endroits où j'ai vraiment été

beaucoup. Je pense que ça a été un bon calcul, parce que par exemple quand on est allés en Roumanie, juste après l'AFP, on a notamment travaillé sur le problème des maisons de Tziganes qu'on brûle là-bas… On est rentrés à Paris avec, on avait vraiment beaucoup travaillé là-bas, on avait été voir les gens et tout, et ici on n'a jamais rien vendu parce que les gens s'en foutaient complètement. N'empêche que un an et demi plus tard, quand le film de Tony Gatlif sur les Gitans est sorti, *Actuel* a fait un numéro spécial et il se trouve que, à peu près un mois avant la sortie du numéro, il y a eu un problème de pogrom – j'appelle ça des pogroms, ce qui se passe là-bas – et on a pu le savoir, on est allés là-bas, et là du coup on avait une garantie et on est partis quinze jours pour enquêter là-dessus, mais avec tout le background qu'on avait derrière. Je crois que de genre de choses qu'on engrange, c'est toujours du bénef pour la suite. Et puis ensuite j'ai travaillé pour *Voici*, beaucoup parce que, c'est pareil, les trucs se sont enchaînés, et puis il est arrivé un stade, autre étape, pour mon plus grand bonheur et pour le plus grand malheur de mon porte-monnaie, je me suis dit : « Bon, maintenant tu t'es bien amusée avec les reportages tourisme, mais c'est quand même pas le but. »

— *Combien de temps cela a duré ?*
— Deux ans à peu près, quand même, on est partis de mois en mois en leur faisant des sujets tourisme mais aussi des sujets plus société, qu'on a pu vendre… on en a vendu à *Croissance*… T'arrives toujours un petit peu à vendre, mais le seul truc c'est pouvoir devenir bénéficiaire par rapport à ce que coûte un voyage, c'était vraiment très ric-rac mais ça… ça roulait à peu près, j'avais quand même un rendement, et comme j'ai quand même la

chance de ne pas payer de loyer pour mon appartement, je pouvais me permettre de le faire, parce que c'est quand même un luxe de faire ce métier. Et puis je me suis dit « Bon, ma fille, il va peut-être falloir arrêter un petit peu », parce que je commençais à avoir beaucoup plus d'idées, à force de voyager, sur ce que j'avais envie d'écrire, et à me sentir à l'étroit dans ma rubrique « tourisme » où il faut parler des hôtels et où tu ne peux pas vraiment parler des gens… ça reste très superficiel. Je me suis dit bon, maintenant ça va être bourse, projets un petit peu plus recherchés, enfin bon, et là, comme par hasard, le destin comme à chaque fois que je décide de changer quelque chose dans mon travail *(rires)* : je pars en Sicile faire un reportage tourisme sur l'Etna, etc., et je rencontre une journaliste italienne pour aller faire des photos chez elle, donc totalement fortuit. C'est une femme qui est plus âgée que moi, elle a à peu près quarante-cinq ans et puis c'est une journaliste très connue dans son pays, qui a voyagé, qui est spécialiste des femmes dans le monde arabe… et alors là, philosophie du travail, qu'est-ce qu'il est important d'écrire, qu'est-ce qui est agréable sur le terrain, etc., on était… mais comme si on se connaissait depuis des années… et elle me parle d'un projet qu'elle avait envie de monter, une revue sur les femmes de la Méditerranée. Évidemment merveilleux, etc., on en discute, j'avais complètement oublié que j'étais en train de faire un reportage pour *Voici*… On passe une soirée ensemble, on en discute, et puis ça s'est enclenché comme ça, on a commencé à bosser toutes les deux là-dessus. Et on a travaillé, c'était au mois d'août. En décembre, on a sorti un numéro zéro, c'était en 1994. On a fait ça avec très peu de moyens, ce qu'elle voulait c'était créer un réseau de femmes journalistes de la Méditerranée… de par son travail et son expérience, elle avait déjà tout un réseau de connaissances et de journalistes dans beaucoup de pays du bassin méditerranéen. Donc elle m'a demandé de faire tout un dossier sur les Tziganes, chose que je connaissais bien, et on a travaillé à la conception du journal, quelle philosophie on avait envie de donner, où chercher des fonds, etc. On a donc sorti un numéro zéro, puis on a retravaillé un an de plus, en allant quinze fois à la Communauté européenne pour comprendre quelle était la direction générale qui potentiellement pouvait nous aider, parce que c'est d'une complication absolue. Ça a pris beaucoup de temps, en tout ça a pris deux ans. Ça a été deux ans de travail, donc, pour mon plus grand bonheur et pour le plus grand malheur de mon banquier, puisque j'y ai quand même passé beaucoup de temps et rien de tout ça ne rapportait de l'argent.

« Pas assez glamour »

— Et donc on a sorti un n° 1 l'année dernière au mois de mars et on a enfin reçu de l'argent de la Communauté européenne. On a été dans plein de colloques, il y avait l'an dernier le Forum civil européen à Barcelone, on a été présentées et on a été sélectionnées. Donc maintenant, on a des fonds et on est tranquilles et ça veut dire que là on sort un numéro enfin avec des moyens… on a une bonne reconnaissance, je suis en train de m'occuper de la diffusion ici, on a déjà des partenaires privés et finalement ça s'enchaîne très bien, et on a beaucoup de projets avec ce réseau puisqu'avec le réseau on a constitué une ONG qui produit cette revue. Donc, comme par hasard, j'avais envie de choses un peu plus profondes, etc., et ça m'a énormément aidée parce que cette femme m'a appris beaucoup de choses, elle m'a appris déjà à prendre la parole en public dans des colloques, ce qui n'est pas ma passion mais qui est important quand tu veux rentrer dans certains réseaux. Elle m'a appris ensuite à me jeter à l'eau, à aller voir des gens pour diffuser, etc., enfin je suis devenue maintenant rédactrice en chef du bureau de Paris, ça m'a appris à faire travailler d'autres journalistes… on a des réunions de rédaction… donc c'est un autre côté du métier passionnant aussi que je suis en train de découvrir. Donc ça, je suis très contente et puis du coup dans la foulée, comme j'étais très motivée par ça, j'ai un projet de bouquin que j'ai écrit. Maintenant c'est pareil, c'est toujours la recherche de financements, ce qui fait qu'en fait j'ai passé deux années à rechercher de l'argent et à apprendre comment en chercher. Maintenant que c'est un petit peu avancé, je reprends mes activités plus reportage et j'ai travaillé notamment pour une revue suisse, je vais refaire un reportage pour eux, je pense avoir d'autres choses de prévues parce que ça c'est très bien passé et qu'eux ont envie de continuer à me faire travailler. Je travaille aussi pour une maison de production suisse qui me fait écrire des commentaires de documentaires, ce qui m'a donné une envie folle de faire du documentaire parce que maintenant je n'ai plus peur. *(Rires.)* Maintenant, d'avoir travaillé là-dessus, du coup ça m'a ouvert encore d'autres horizons, il y a des dizaines de projets. Maintenant, l'avantage… j'ai beaucoup douté là-dessus très longtemps, à force de faire des choses et de ne pas être énormément publiée… mais c'est de se dire : « Quand je suis publiée, c'est pour l'être bien dans des endroits où j'ai envie, sur des sujets où je sais, où ça va aller »… n'empêche que depuis le mois d'août, tout le boulot que je fais maintenant, ce sont des gens qui sont venus me chercher. Je sens qu'il y a eu un changement, c'est pas génial mais disons que ça a évolué de ce côté-là. J'ai eu aussi l'année dernière des expériences avec la presse magazine, par exemple avec un magazine féminin, une expérience absolument insupportable. C'était une fille qu'on connaît bien qui a pris la direction de la rédaction d'un féminin que je ne citerai pas, ce ne serait pas très sympathique, et cette fille savait que je travaillais sur un projet de collection de livres qui tourne autour des portraits, et elle m'avait dit : « Bon, puisque notre magazine est plutôt tourné vers la vie des couples, des jeunes couples, ce serait bien de faire une série de portraits, chaque mois, d'un couple d'une trentaine d'année, chaque fois avec un angle différent. » Je trouvais l'idée très intéressante parce que c'était un petit peu retourner dans la rue, faire du reportage, voir comment les gens vivent, etc. Et puis il s'est avéré, je crois, que ce qu'on a fait était un peu trop réaliste, c'était pas assez glamour, après ça s'est terminé qu'il fallait faire du stylisme à chaque fois qu'on faisait les photos du couple, après il aurait fallu qu'elle soit blonde et lui brun, elle de telle taille et lui tel truc, bon, bref, ça devait être une rubrique sur l'année mais on en a fait seulement deux parce qu'ils ont décidé de la transformer en une rubrique de portraits de couples au cinéma. *(Rires.)* Donc voilà, c'est très difficile dans la presse en France de…

— *Donc maintenant tu vas travailler pour cette revue et en plus tu vas faire quelques reportages, comment vas-tu arriver à gérer tout ça ?*
— C'est le truc qui me fait peur, parce que j'ai mis en route tellement de choses que si elles se mettent toutes à marcher en même temps, je vais avoir un petit problème, et le peu d'expérience que j'ai maintenant m'a enseigné

de ne jamais vendre la peau de l'ours avant de l'avoir tué, et de se dire qu'il vaut mieux avoir plusieurs cordes à son arc ou pas mettre tous les œufs dans le même panier pour arriver à bien survivre. Cette revue ça va être une base parce que je vais enfin être payée, pas énormément parce qu'on ne peut pas et pour le moment c'est pas le but, parce qu'il y a aussi une idée derrière, mais c'est déjà une base qui m'évite la précarité où j'étais quand même depuis deux ans. J'ai quand même eu des problèmes d'argent assez sérieux, et l'idée c'est d'arriver à faire ce travail, mais c'est quand même un trimestriel, donc ça me laisse de la liberté, de continuer en ayant une relation privilégiée avec la revue suisse, de retourner vers le genre de reportages que moi j'aime faire, où il n'y a pas des budgets énormes mais qui au moins laissent de la liberté dans l'écriture. Je préfère travailler plusieurs fois dans l'année plutôt qu'une fois pour très cher et que ça n'ait pas de suites, ça ne m'intéresse pas, et donc toutes ces possibilités, bon, moi je suis ouverte à tout. Après c'est vrai que par exemple, en ce moment, j'ai un peu trop de choses, mais le choix, il se fait au fur et à mesure… enfin ça m'inquiète pas trop. Mais c'est vrai que le changement c'est très… cela dit, ça passe quand même par l'acceptation d'une certaine torture parce que c'est accepter d'être précaire. Par exemple moi je travaille avec la Suisse et l'Italie, au niveau des cotisations sociales, c'est la précarité parce que pour rentrer dans les cases de l'administration, c'est vraiment difficile… Je suis en train de me demander si je ne vais pas être obligée de m'inscrire comme travailleur indépendant ou comme profession libérale, parce que je n'ai droit strictement à rien. Si je travaille pendant six mois avec cette revue, je n'ai pas de chômage, je n'ai rien, donc c'est de la haute voltige, il faut qu'il ne m'arrive rien, il ne faut pas que je tombe malade, il ne faut pas que je tombe enceinte, tout ça. Bon, moi j'ai décidé de l'accepter, mais…

« J'ai bidouillé, parce que sinon… »

— *Jusqu'à maintenant, comment tu t'es débrouillée pour la protection sociale ?*
— Oh j'ai bidouillé, mais de toutes façon pour s'en sortir, il faut bidouiller à fond, c'est vraiment… Moi, j'ai eu une Sécu étudiante, ensuite j'ai eu une Sécu salariée, ensuite j'ai eu une Sécu chômage après l'AFP, après à nouveau Sécu salariée, ensuite, voyant que c'était la période où j'étais en plein changement, je me suis dit que ça n'allait pas aller du tout, donc, comme j'avais encore l'âge limite, je me suis inscrite en fac, en langues orientales, donc un an de Sécurité sociale, parce que c'est vingt-neuf ans la limite, donc j'étais juste l'année dernière à la limite et là j'ai réussi à me faire faire une prolongation étudiante jusqu'en février, puisqu'à partir de décembre je suis salariée en Italie et j'ai normalement droit à une Sécurité sociale communautaire. Je sais pas encore bien comment ça fonctionne, il faut que je m'y mette quinze jours pour comprendre, mais normalement avec les salaires que je vais percevoir de cette revue qu'on a montée, je suis tranquille, j'ai au moins réussi à régler ce problème pour deux ans. C'est bien, deux ans, d'habitude c'est trois mois… ça arrive à être normal, mais j'ai bidouillé, parce que sinon…

— *Est-ce que ça a toujours été ton choix d'être pigiste ? et est-ce que ça l'est encore ?*
— Oui, parce que tout reste encore possible, et moi j'ai besoin de ça pour me motiver. En plus, je m'en rends

compte, c'est vrai, ça te donne une exigence sur ton travail qui est absolument fabuleuse, et ça t'oblige à te foutre vraiment des coups de pied, et tu es vraiment obligé de faire du très bon boulot si tu veux que ça avance. En fait, moi je me rends compte que ça a fait évoluer beaucoup mon travail, mon écriture surtout… je suis devenue plus exigeante, j'ai été obligée de demander des conseils, et parfois pour me jeter à l'eau sur des trucs que je ne savais pas faire. Et cet espèce d'état de danger où tu es en permanence, je pense que j'en ai encore besoin et j'ai encore envie de ça. Dire que je voudrais revivre financièrement les deux années que j'ai eues, non. Mais je me rends compte maintenant, avec l'année qui se profile, que ça va être mieux, ce ne sera pas royal… mon but ce n'est pas de devenir millionnaire mais d'enfin arriver un jour à avoir les moyens de produire les reportages que je veux faire, ce qui est encore très difficile, parce que par exemple j'ai un projet en Palestine, ça fait plus d'un an qu'on cherche l'argent… Je suis sûre qu'on va y arriver, mais il faut quand même être tenace, parce que un an et demi pour chercher des fonds, t'as de quoi abandonner vingt-cinq fois. Mais c'est encore un choix, vraiment, je… j'ai eu un ou deux appels du pied pour des choses salariées, pas passionnantes mais pas stupides non plus, j'ai pas pu. *(Rires.)* J'ai pas pu parce que je commence à réfléchir et à me dire bon, le documentaire, ça me branche aussi, j'ai encore peur de m'enfermer dans des choses parce que je sais que, je l'ai vu les rares fois où j'ai commencé à travailler régulièrement pour des magazines, il faut rentrer dans un format qui est complètement standard partout, tu lis tous les hebdos, c'est toujours la même chose, on te donne deux feuillets quand, pour un truc qui tienne, il en faut cinq. Alors si ça passe par l'édition, par tout ce qu'on veut, ça m'est égal tout en considérant que c'est encore du journalisme. Mais moi l'idée que j'ai de ce métier, c'est beaucoup plus ce qui se faisait autrefois que ce qui se fait maintenant, donc c'est aussi un peu un cheval de bataille, c'est défendre cette façon de travailler envers et contre tout, en se positionnant vraiment en opposition avec ce qui se fait… c'est pas que tout est nul, il ne faut pas exagérer, mais c'est vrai que je trouve qu'on ne se donne pas les moyens de faire de l'information correcte.

— *Tu as des modèles ? des époques, des journaux, des journalistes ?*
— Oui mais… bon, moi je ne sais pas… mais Kessel par exemple, voilà c'est… Albert Londres, même si aujourd'hui on se rend compte qu'il a quand même beaucoup romancé ce qu'il a écrit… n'empêche qu'eux ils faisaient… j'ai eu une discussion l'autre jour avec quelqu'un d'une grande agence de presse photo, parce qu'ils détenaient un sujet photo et moi je devais faire le texte, et ils avaient pondu un espèce de texte de synopsis à côté des photos, qui était absolument horrible et nul pour un très beau sujet, et ils m'ont demandé un peu comment moi je travaillais. Tout d'un coup, je sais pas, je leur ai dit que moi j'ai envie de rendre l'atmosphère de l'endroit où on va faire ses reportages, etc., de décrire les gens, de revenir à des choses plus simples, en fait. C'est pas l'information pure et factuelle qui, moi, m'intéresse, c'est vraiment le reportage et ce qu'il y a derrière, et ça je pense que c'est ce qui est le plus en danger aujourd'hui, en tout cas ce qui a le plus tendance à disparaître. Donc rester indépendant, c'est aussi une façon de se dire qu'on va pouvoir continuer à le faire. C'est vrai que par goût, être salarié et tout ça, c'est sans doute un confort, mais je me dis aussi que

si je m'y mets maintenant, après est-ce que j'aurai le courage d'en sortir ? Alors peut-être se battre encore un peu quelques années pour voir si ça peut marcher comme ça, mais au moins avoir l'impression de s'être battue jusqu'au bout. Comme je n'ai que vingt-huit ans je me dis que j'ai encore deux ou trois années devant moi pour faire le point. Ça veut pas dire que je vais rester comme ça toute ma vie, parce qu'il faut être un peu fou quand même mais… encore… moi je garde un grand plaisir à faire ça. Parce que j'ai beaucoup d'amis qui sont malheureux, et là je pense que quand on arrive à ce stade-là, que tu es malheureux, que tu ne fais plus des choses qui t'intéressent, que tu ne fais plus que des choses alimentaires, autant être salarié, autant être salarié… et je pense que ça ne doit pas encore être bien bien difficile d'être salarié, si tu t'y mets vraiment à chercher… chercher pour juste obtenir le fait d'être salarié et journaliste, t'as de la place. Mais pour faire quoi, c'est ça la question… mais moi je vois plein de gens malheureux d'être à la pige, parce que c'est vrai qu'on est vraiment un sous-prolétariat.

— *Pendant les deux années difficiles dont tu parlais, tu vivais avec combien par mois ?*
— Il m'est arrivé de vivre avec 1 500 francs par mois, mais je suis une grande bluffeuse aussi avec ma banquière, parce que je lui apporte tous les journaux, mes projets et tout… je lui explique, et j'essaie de les mettre de mon côté, parce que j'en connais aussi qui tremblent dès qu'ils ont… bon, moi au début, comme elle m'a vu beaucoup voyager par exemple, j'ai négocié une autorisation de découvert intéressante… bon, d'accord je paie des agios, mais en même temps ça m'aide, c'est pas grave, mais j'ai un peu… à vrai dire je ne sais pas comment j'y arrive, pour dire la vérité

je ne sais pas… ce que je sais, c'est que ça ne me gêne pas de me serrer la ceinture pendant deux mois, à part pour les bouquins, où je n'arrive pas à résister, mais sinon c'est pas grave. Mais c'est vrai que j'ai vécu avec très peu. L'an dernier j'ai eu des mois où je ne touchais rien, je ne touchais rien, donc je vivais vraiment sur le petit-petit qui me restait… bon, j'ai grillé quelques économies, j'ai fait un emprunt parce que, comme je m'étais réinscrite à la fac, je pouvais avoir un emprunt étudiant. Donc je suis arrivée… et puis là ça va, c'est équilibré, je ne me suis pas mise dans une situation financière… ce n'était pas du tout un gouffre. Là je suis… ça va, c'est équilibré maintenant, j'ai réussi à… j'ai toujours gardé un œil pour que ce ne soit pas trop catastrophique, parce que c'est vrai qu'au cours de ces deux ans il y a eu des moments où vraiment je voyais le mur, et alors là je m'arrangeais toujours pour me trouver deux-trois piges, ou institutionnelles ou par un copain Machin. Chaque fois j'arrivais à remonter vraiment le… à me remettre à peu près à flot, donc tu as toujours cette possibilité, simplement ce que je voulais c'était me concentrer sur ces choses-là, et puis quand je voyais que ça allait trop mal parce que vraiment j'avais bouffé trop d'argent à pas être payée, paf! je me remettais un mois à faire un truc. Ça ce n'est pas très difficile. Donc ça a été vraiment, je ne sais pas, je ne sais même pas… j'ai dû vivre avec une moyenne de 1 500 francs par mois.

« Une cohorte loqueteuse »

— *Quand tu parles de sous-prolétariat pour les pigistes, concrètement tu penses à quoi ?*
— Moi, je ne me sens pas comme ça, parce que je me sens électron libre, mais le problème, et je crois que c'est

ce qui me sauve, c'est que je suis assez légère avec tout ce qui est administratif et statutaire. C'est-à-dire que comme notre situation est très bâtarde finalement, qu'on existe sans exister et qu'on n'a pas un statut spécifique... Les intermittents du spectacle, quand tu fais du documentaire ou dans le cinéma, t'es intermittent, on le sait et t'as droit à des indemnisations quand tu ne travailles pas, tu as un statut. Est-ce qu'on a un statut d'intermittent de la presse ? ben non, alors je vois pas pourquoi... c'est dans ce sens, et c'est vrai que comme on est très nombreux et qu'il y a un problème de chômage, c'est devenu un sous-prolétariat parce que, comme t'as besoin de travailler et que jamais rien n'est sûr, on n'a pas besoin de te signer de contrat, c'est quand même rêvé ! On ne te paie pas, tu vas te faire foutre, parce que si tu ne te bats pas, t'as personne derrière., Pour moi, le problème du pigiste c'est que... s'il est sous-prolétarisé, c'est qu'il est seul. Et cette association, le fait de travailler avec des photographes et des journalistes, de toujours parler et se réunir, d'échanger des idées, etc., eh ben je trouve qu'on se défend mieux, et là on ne se sent pas un sous-prolétariat, parce qu'on a des idées, parce que souvent on apporte des idées aux journaux... Bon, mais le problème c'est que, dans les faits, je crois vraiment que c'est une sous-classe très méprisée. C'est dommage parce que je pense que c'est l'oxygène, pourtant.

— *Est-ce que tu as des exemples de gens que tu connais qui ont été victimes de ce mépris ?*
— Bien sûr, ça se passe continuellement, et même pour tous. Je veux dire, quand tu entres dans une rédaction, que tu veux proposer un sujet, qu'on ne te répond pas trois semaines après ou qu'on te le pique et qu'on le fait

faire à des gens qui sont intégrés au journal… quand on ne veut pas te payer et qu'on te dit que c'est parce que ton boulot était mauvais, comme ça toi t'es tellement embêté que tu ne vas pas oser demander qu'on te paie… quand on te répond : « Vous demandez tant pour faire ce travail, mais il y en a quinze derrière qui accepteraient de le faire sans être payés », qu'est-ce que tu veux répondre ? Là, tu le sens, c'est facile et moi j'ai pas mal de copains qui se sont fait mais… rouler dans la farine. Parce que si tu n'as pas un minimum d'amour-propre quand tu fais ça, c'est vraiment foutu, je crois. C'est pour ça que moi je suis vraiment en train de réfléchir à quel statut je vais prendre… alors là, je parle du problème administratif. Quand t'es pigiste et que tu veux percevoir les allocations-chômage quand tu n'as pas de piges, mais quelles complications pour expliquer aux gens que t'es pas payée à l'heure mais au feuillet, que ce que tu déclares là, tu viens d'être payé mais c'est un truc que t'avais fait il y a trois mois, c'est d'une complication !… mais je suis sûre que les trois quarts abandonnent, parce que tu ne peux pas, ça te prend trop de temps. Donc c'est pour ça, oui, je crois que vraiment c'est… J'ai quand même l'impression que l'on est une cohorte assez loqueteuse.

— *Tu fais partie, je le sais, de l'Association des femmes journalistes. Pourquoi y es-tu entrée ?*
— J'y suis allée au moment où je commençais à travailler sur ce projet de revue, parce qu'on travaille quand même beaucoup sur les thématiques de femme. Moi je voulais pas être toute seule ici parce que ça, je me suis rendu compte aussi, c'est quand même intéressant, par rapport aux autres journalistes du réseau qui sont dans ce projet, je peux dire qu'ici en France, je me débats dans

la situation la plus difficile pour faire accepter et diffuser une revue, et que les gens soient sensibles à l'idée que
tu traites. Ici, c'est dramatique. Dans plein d'autres pays,
tout de suite elles trouvent des gens qui se… moi, je cherchais ici des journalistes qui aient envie au moins de me
soutenir psychologiquement, au moins de me donner
des conseils, etc. Donc j'ai contacté cette association ;
elles, ça les intéressait d'être partenaires du projet et donc
je suis rentrée là et j'aime beaucoup le travail de cette association… mais c'est vrai qu'au départ je ne m'attendais
pas du tout à ce que j'ai trouvé. D'abord ce sont des journalistes jeunes, on est beaucoup de pigistes, mais il y a
un grand dynamisme, on organise plein de choses. Là,
on a en projet de faire une journée avec une fiscaliste
pour qu'elle nous explique un peu – puisqu'on va supprimer l'abattement des 30 % – comment se mettre aux
frais réels, est-ce que c'est intéressant ou pas. Donc, c'est
à la fois très professionnel et on milite en tant que
femmes… donc on a un œil sur les salaires, sur les conditions d'embauche, et Dieu sait s'il y a à dire pour les
femmes, quand même. Enfin moi je me suis entendu
dire, quand je disais que je voulais faire du reportage
quand j'étais plus jeune : « Toi, une fille ! non mais ça ne
va pas ? Tu ne veux pas te marier ? tu ne veux pas avoir
des enfants ? »… Je l'entends régulièrement… maintenant
moins, mais… On fait aussi un travail très intéressant sur
l'image des femmes dans les médias, combien de femmes
ont été citées, combien de fois, etc. Je t'assure que se pencher sous cet angle sur ce que tu lis, c'est édifiant, parce
que tu te dis que si tu te penches sur plein d'autres
angles… nous, on est sur celui des femmes, mais ça t'apprend à lire entre les lignes, ça t'apprend à décoder ce que
tu lis, ça t'apprend donc… ça te donne une réflexion sur

ton propre travail, tes mécanismes totalement inconscients, sur les répétitions de certains clichés, sur certaines choses... Donc c'est intéressant à double titre, comme femme parce que je suis militante, et puis comme journaliste parce qu'on s'interroge en permanence sur la façon de pratiquer ce travail, puisqu'on s'est quand même posé la question de savoir pourquoi l'image des femmes dans les médias n'était pas révélatrice de la vie des femmes. C'est très simple, il suffit de prendre les chiffres et de voir combien de femmes sont à des postes d'encadrement et de décision dans les médias, qui choisit les sujets... Il y a très peu de femmes, donc il y a toute une catégorie de sujets qui ne sont pas traités dans la presse. C'est très simple, mais ça aide... Bien analyser la situation et le terrain sur lequel tu te trouves, ça t'aide à travailler parce que ça t'aide toi à quelquefois présenter un sujet sous tel angle, pour quelquefois l'imposer dans tel autre, ça t'apprend un petit peu la diplomatie, quelquefois... C'est pour ça que ce travail est vraiment intéressant.

— *C'est la première fois que tu militais. Pourquoi dans cette association et pas dans un syndicat ou un parti ?*
— Ça s'est trouvé comme ça, parce que j'avais entendu quelque chose sur l'Association des femmes journalistes et que moi elle me paraissait vraiment intéressante et susceptible d'être intéressée par ce projet, parce qu'au départ c'était vraiment l'idée de *Sirocco*. Mais militer dans un syndicat ou autre chose, quand tu débutes... Les premières années, tout ce que t'as envie de faire c'est de publier, de commencer à voir... et je crois que tu ne peux pas arriver dans un syndicat pour faire des choses que quand tu as une expérience de terrain, parce que tu sais alors pourquoi tu te bats. Maintenant je pourrais le faire,

le prix des piges, la façon de te faire payer, comment harceler des gens quand ils ne veulent pas te payer, la petite lettre recommandée avec les formules magiques qui font peur et qui font que tu reçois le chèque trois semaines après ou quinze jours... toutes ces choses-là, maintenant je pourrais les faire, mais c'est vrai qu'au début je ne m'étais pas posé la question... je crois qu'il faut le découvrir pour s'en rendre compte. Et moi, c'est vrai que quelquefois – c'est une boutade comme ça, et puis je fais trop de choses –, mais je crois qu'il faudrait qu'on crée un syndicat de pigistes, ça me paraît... mais évident ! Quand tu vois qu'on parle des 30 % d'abattement et de ces hypothétiques enveloppes qu'on va donner aux patrons de presse pour redistribuer aux journalistes, alors déjà redistribuer aux journalistes, mon œil, mais en plus les pigistes qui en parle là-dedans ? Personne. Combien on est en France ? On ne sait même pas et on est beaucoup. À mon avis on doit être au moins 40 % et de plus en plus... donc, c'est vrai que... par exemple le SNJ, je pense qu'ils sont encore très penchés vers le droit des salariés... c'est vrai qu'ils ont fait un guide de la pige, etc., mais je pense que ce serait bien qu'il y ait un syndicat spécifique, parce que c'est vraiment un statut particulier.

« Le mot magique, c'est "inspection du Travail" »

— *En parlant de toi, tu te définis volontiers comme « une emmerdeuse », c'est-à-dire quelqu'un qui va réclamer son dû. Quand on est pigiste et que l'on a affaire à des journaux que l'on ne connaît pas forcément, comment fait-on pour être « une emmerdeuse » et en même temps continuer à travailler ?*
— Voilà, quand tu me demandais si j'étais encore contente, si c'était encore un choix... Si t'es pigiste et que

c'est un choix, c'est-à-dire que t'as choisi quand même une certaine liberté, la liberté c'est de dire oui, mais c'est aussi de dire non, et quand t'es pigiste, par définition tu peux travailler partout. Donc il faut avoir un petit peu d'exigence et te dire aussi que si... effectivement, si c'est pour continuer pendant deux ans à travailler avec un mauvais payeur, qui va te mettre vraiment dans les emmerdes, parce qu'il te paiera trois mois après et que toi, ta banque elle ne comprendra pas... mais dans ces conditions quel est l'intérêt de continuer à travailler ? Donc je n'ai pas de problème pour gueuler. Soit ça se passe bien avec les gens, soit ça se passe mal. Si ça se passe mal, pourquoi rester ? C'est pas être emmerdeuse pour être emmerdeuse, c'est : si quelqu'un te doit de l'argent, etc., si ce quelqu'un commence à ne pas me payer, il ne me respecte plus, il ne respecte plus mon travail, ça veut dire que ce que je fais n'est pas bon pour moi, donc ciao bye-bye... de toute façon je suis pigiste. Quel statut j'ai à défendre ? Aucun. Parce que même si je me laisse exploiter pendant trois mois, si au bout de trois mois ils ont envie de me dire : « Zut ! vous partez, et puis si vous n'êtes pas contente, c'est la même chose », au fond ça sera pareil. Je trouve que t'as moins de complexes qu'un salarié à emmerder, à être une emmerdeuse que si t'étais salariée. T'as rien à perdre quand t'es pigiste, t'as aucun statut à perdre, tu n'as qu'à gagner. Enfin moi, c'est comme ça que je le vois, c'est-à-dire que, après tout bon, du boulot... et alors tu perds, je sais pas, 2 000 balles tous les trois mois avec tel journal parce qu'il te les paie six mois plus tard... Attends, peut-être il vaut mieux rentrer chez toi, te faire payer ce qu'on te doit et essayer d'aller piger ailleurs où ça se passe bien, parce qu'en plus si tout le monde réagissait comme ça, je pense qu'il y aurait moins de problèmes.

— *Tu parlais de « formules magiques qui font peur » à l'employeur…*

— Alors ça, il y a un truc qui est important pour les pigistes, c'est d'avoir des copains avocats. Parce que quelquefois, citer un texte de loi… le mot magique c'est par exemple « inspection du Travail », des choses comme ça. Là, tout d'un coup, ta lettre prend un poids incroyable et en tout cas tu reçois une réponse. Souvent on te dit : « Bon c'est arrangé, etc. » Je le vois beaucoup pour des amis photographes qui ont quand même un statut assez proche, dont on utilise les photos sans leur demander ou des choses comme ça… mais c'est vrai que c'est important de savoir exactement quel est le droit, et de pas faire de lettre : « Ouais, vous n'êtes pas gentils, vous m'avez pas payée, vous me devez ça… » Non, non, c'est : « Selon la loi Machin, etc., en vigueur, paf boum numéro tant, vous me devez tant d'argent, tac tac tac, si etc., je transmets cette lettre à mon avocat. » C'est tout. Pour les petites sommes, tu vas plutôt crier et attendre derrière la porte que le mec sorte pour lui dire : « Bon, vous me devez du fric », ou tu l'appelles toutes les demi-heures et puis au bout de trois fois il en a marre. Mais vraiment l'idée de bien connaître ses droits, c'est tellement important. Là, ils n'ont rien à dire.

— *Est-ce que tu as des copains justement pour qui ça s'est très mal passé, qui se sont laissés faire et qui après ont abandonné ce métier ?*

— Qui se sont arrêtés… j'en connais qui sont complètement déçus, j'en connais. Cela dit, tous ils ont encore un peu… comme ils sont tous relativement jeunes, ils ont encore un peu d'espoir, mais c'est vrai quand même que beaucoup sont désabusés et beaucoup cherchent vraiment le salariat, quitte à pas faire ce qu'ils ont envie de faire, pour ceux qui, effectivement, ont envie de faire certaines choses qui s'accordent mieux avec le fait d'être indépendant, ceux qui par exemple ont envie de faire pas mal de reportage. C'est vrai que… essaie de rentrer par exemple au *Nouvel Obs* comme grand reporter, tu peux t'accrocher. En tant qu'indépendant, tu peux faire les mêmes reportages que ces gens-là si t'arrives à te faire ton budget et à le vendre quelque part. Mais tu ne peux pas si tu attends d'être salarié et qu'on te demande de faire ça, c'est des années, c'est comme l'AFP, c'est pareil. Mais oui, certains ont abandonné, certains ont abandonné l'idée qu'ils se faisaient de leur métier et cherchent plutôt à être salariés parce que c'est vrai que c'est épuisant, c'est fatigant, il y a des jours où tu n'as qu'une envie, c'est de te coucher et te dire : « Bon, j'arrête tout, j'en ai marre, j'en ai marre, là, j'ai quatre lettres à faire, tout ça pour demander l'argent qu'on me doit, mais à quoi bon ? ça sert à quoi ? À rien, et cette journée que je vais y passer, je ne vais pas faire autre chose, en fait je suis complètement enfermé dans ce… » On y passe tous, tout le monde a ce… mais en même temps, tu vois la satisfaction que tu as d'avoir un peu hurlé et de t'être fait payer, au moins même si tu y as passé du temps et de l'énergie et que tu trouves ça décevant, au moins t'as pas l'impression d'être le dindon de la farce, déjà. Et puis ça ne dévalue pas ton travail. Parce qu'il y a beaucoup de pigistes très, très bons qui tournent, il y a des gens qui sont vraiment bien et qui sont sous-payés et sous-évalués et leur travail ne vaut rien. Il ne vaut strictement rien et ça c'est honteux, parce que ce qui a de la valeur, ça s'achète, malheureusement c'est comme ça la vie, mais… donc voilà.

— *D'après ton expérience, les journaux qui ne paient pas, qui paient mal, qui méprisent les pigistes, etc., est-ce que c'est un phénomène plutôt général ou est-ce que c'est le fait d'un certain type de presse, la presse magazine ?*

— Moi, c'est la presse magazine que je connais ; la presse quotidienne, je connais mais je ne m'y suis pas du tout coltinée, donc je ne peux pas dire. Non, ce n'est pas général, tu as de bonnes surprises, je dirais que tu as de bonnes surprises, c'est-à-dire que tu t'attends toujours à des choses… donc ça veut dire quand même que ce qui est couramment pratiqué, c'est plutôt la tendance fâcheuse à ne pas tellement respecter, à ne pas tellement… et puis surtout à ne pas se mouiller. Les magazines te disent : « Oui, ramenez et puis on verra », mais ils ne s'engagent jamais, donc le problème c'est de trouver des gens qui s'engagent sur ton travail, et ça, la presse magazine française est absolument incapable de le faire aujourd'hui. Moi j'ai entendu dire que là, au dernier festival de Perpignan, ils ont, tous autant qu'ils sont, acheté mais pour un argent incroyable plein plein de sujets photo. Comment ils vont faire les textes ? Et puis en plus, ils en ont pour… qu'est-ce qu'ils vont en faire de ces sujets ? Ils ne produisent plus ! La presse magazine française produit très peu maintenant, donc elle perd son identité, enfin elle perd plein de choses… je crois qu'elle y perd elle aussi, mais je crois que c'est quand même assez général… regarde des journaux comme *L'Express*, par exemple, si t'es pigiste, eh bien jamais tu ne signeras, ils ont pour principe de ne jamais faire signer les pigistes, ils t'achètent juste l'info… Au secours ! Donc là, c'est carrément un mur fermé, tu sais que tu ne peux pas rentrer… Bon, si t'as un scoop absolument extraordinaire, bon, mais si c'est sur des choses un petit peu plus magazine, etc., tu ne peux pas. Ou alors t'as pas mal de journalistes indépendants qui travaillent… bon, par exemple à *Géo*, c'est toujours les mêmes, ils sont là depuis le début. C'est vrai qu'on est nombreux, alors tu fais la queue et puis t'as pas grand-chose. Je pense pas que ce soit vraiment… je pense qu'ils en arrivent au mépris parce qu'on est très nombreux, et comme beaucoup de gens ont accepté de se faire traiter comme n'importe quoi… je pense qu'au début il n'y a pas vraiment du mépris, il y a de la peur, parce que la presse ne va pas bien et qu'ils ont peur de sortir trois francs, donc il faut les rassurer un petit peu. Et puis il y a la peur, maintenant, ce qui est terrible, la peur des journalistes salariés quand par exemple tu as affaire à un chef de service dans un magazine où tu lui proposes une idée, etc. On fait passer ça pour du mépris, mais tout d'un coup t'as un truc qui dérange un peu, t'es qui ? t'es quoi ? t'es difficilement identifiable, on ne sait pas trop d'où tu viens, on ne sait pas trop ce que tu fais… Et puis, je crois que dans les journaux l'ambiance n'est pas très, très bonne en ce moment, donc chacun a envie de garder sa place, et ça c'est pas la presse…

« Comment tu vas vivre pendant la grossesse ? »

— *Et dans ce grand nombre de pigistes, de gens qui attendent et qui sont prêts à tout accepter, est-ce que, selon toi, les femmes journalistes ont une situation particulière ?*
— Apparemment oui… moi, je ne le ressentais pas pour moi, au début, mais ça c'est aussi que quand t'es jeune, que tu débutes… mais apparemment oui, d'après ce qu'on a pu étudier avec l'AFJ, les femmes ont un salaire moins important, il y a un écart de salaire important. Je crois que le problème des femmes, c'est qu'elles n'aiment pas discuter d'argent, en tout cas elles ne savent pas bien

le faire et je crois que le problème c'est souvent ça, elles se font engager parce qu'elles travaillent bien, elles sont assez rigoureuses parce qu'elles sont un petit peu plus pointilleuses, mais elles sont sous-évaluées parce qu'elles n'arrivent pas à demander plus, elles ont des complexes de demander une augmentation, parce qu'elles ne savent pas discuter leur… ça c'est un grand problème, les femmes ont vraiment ce problème-là… Bon, après, c'est une question d'individus, mais je crois qu'il faut savoir quand même que la majorité des pigistes… j'ai pas le chiffre exact, mais elles représentent je crois 36 % des journalistes, et elles représentent plus de 40 % des pigistes. Donc il y a beaucoup de femmes qui sont dans ce cas, d'être indépendantes donc précaires… c'est bien la preuve que c'est quand même moins facile d'arriver pour les femmes. Et puis après, bon, dès qu'elles ont des enfants, là ça devient très compliqué, parce que quand t'es pigiste tu sais bien que pendant quinze jours tu n'as rien, alors c'est bien, tu t'occupes de tes enfants, mais pendant quinze jours ensuite, ça va être du jour et nuit parce que c'est là que tu vas faire ton mois, et là il faut être disponible, parce que dans les journaux, tu n'as pas de statut, donc ils ont quand même le culot d'avoir besoin de toi pour la veille [service de nuit], parce qu'il y a une grande exigence de disponibilité, c'est là-dessus qu'on te juge, et alors ça, effectivement, dès que tu as une vie de famille, ça devient très difficile. Et puis, quand elles attendent… imagine-toi ce que c'est pour une femme journaliste assez jeune, qui est pigiste et qui a envie d'avoir un enfant, ce qui n'est pas forcément incompatible avec sa profession : qu'est-ce qu'elle fait ? à quoi elle a droit ? quel congé maternité ? Rien. Donc c'est vrai que c'est un peu… c'est un peu difficile, je pense.

— *Y a-t-il une pression supplémentaire sur les femmes journalistes, les femmes pigistes, de la part de la hiérarchie ou des autres journalistes ?*

— Ça, c'est au cas par cas, on ne va pas généraliser, parce que ce n'est pas vrai, Et puis il y a des femmes qui peuvent arriver en victimes potentielles, pas parce qu'elles sont femmes, mais en tant qu'individus. Moi je ne dirais pas ça. Ce qu'il y a c'est que, par exemple, on ne cherche pas trop à s'adapter à leur façon de travailler à elles… c'est par exemple une question d'horaires, les réunions à sept heures du matin… je pense que c'est surtout pour les femmes qui ont des enfants que c'est difficile. Je pense que c'est surtout ça, pour les plus jeunes, après c'est une question de caractère. Après, c'est vrai que quand t'es dans un milieu où, bon, où ça picole pas mal… alors c'est les plaisanteries graveleuses, des choses comme ça, bon après, on connaît ça, mais ça, bon… je trouve pas que… il suffit de bien se positionner au départ par rapport à ça. Mais c'est vrai qu'en même temps elles ont quand même à subir ça, que les hommes n'ont pas à subir, donc on peut le dire dans ce sens-là. Je ne crois pas que ce soit ça vraiment le grand problème… les dépressions, y en a, y en a… ça tourne beaucoup autour de la maternité. C'est à ce moment-là que ça devient difficile.

— *Et ce problème, comment penses-tu…*

— Je n'aime pas beaucoup planifier. Pour l'instant ça va, j'ai encore du temps devant moi… bon, c'est vrai qu'on te met toujours la pression, avant trente ans… après ça ne va pas du tout… bon, ça suffit, faut quand même pas exagérer ! Moi, c'est quelque chose que j'envisage très sereinement, pas maintenant… mais alors pas seulement pour des questions financières ou pratiques par rapport au travail… Pour l'instant il y a autre chose… mais c'est vrai que ce travail prend beaucoup de temps, donc il prend peut-être la place d'un éventuel désir de maternité… mais c'est quelque chose que j'envisage très sereinement. Au moment où je sentirai que je peux le faire, eh bien… Si t'es indépendant, mais attends, ça peut être… mais… le problème que tu as, c'est toujours le problème du congé maternité, comment tu vas vivre pendant le moment où tu fais ta grossesse… mais si t'es en train d'écrire un bouquin ou un truc, le problème… moi je trouve ça très bien, ça ne me gêne pas du tout, c'est toujours ce que j'ai envisagé comme un truc un peu idéal… après tu fais avec ce que tu peux, quand tu peux, mais t'es pas obligée de rester inactive quand t'as un gosse. Donc je ne vois pas ça comme un problème, moi, mais pas maintenant, quoi… mais sans l'exclure.

— *Tu parlais de livre, ça veut dire qu'à un moment donné tu penses sortir du journalisme ?*
— Oui, mais alors le problème… enfin… oui, moi j'ai envie… j'ai des projets d'ailleurs dans ce domaine, mais je suis en train d'essayer de prendre une voie un peu difficile parce que je suis assise entre deux chaises… c'est-à-dire que j'adore écrire et j'adore faire du reportage… je n'ai pas envie d'écrire des romans, je n'ai pas envie de faire de la fiction pour l'instant, mais j'ai envie de développer davantage l'écriture à partir des reportages que je fais… donc je suis entre l'édition et la presse, donc c'est une espèce de chemin à trouver… j'essaie, c'est difficile mais c'est plus des bouquins de reportage ou des portraits, c'est-à-dire ce qui est à la base un boulot de journaliste pour tout ce qui est enquête, et après, dans l'écriture, aller un petit peu plus loin. Donc, pour moi c'est pas du tout

antinomique, au contraire, c'est… tous les supports sont intéressants, je crois pas qu'il y ait des supports qui nous soient interdits, au contraire. Et ils sont pas antinomiques, tu peux faire un voyage, tu peux en sortir un livre, des reportages, tu peux avoir envie d'en faire un film, c'est ce que je trouve fascinant dans ce métier, tu as plein de façons possibles pour utiliser ton travail… mais l'édition, je pense que c'est quelque chose à ne pas exclure, il y a beaucoup d'indépendants qui écrivent des livres.

— *Finalement, qu'est-ce qui t'as le plus déçue dans la presse ?*
— En fait ce qui m'a le plus déçue, c'est quand tu es à l'extérieur, avant d'y travailler, tu crois que ce que tu vois reflète le monde dans lequel tu vis, et quand tu rentres à l'intérieur, tu te rends compte que c'est très… partial, c'est normal, mais c'est très limité. En France par exemple, le grand défaut de la presse française en ce moment, c'est de ne parler que de la France, de son petit nombril qui va mal, et de ne pas vraiment s'intéresser à ce qui se passe à côté, ou alors quand ce sont des catastrophes, par exemple… Ça, ça me déçoit, et quand tu comprends comment c'est fabriqué, tu le réalises d'autant plus… et quand toi-même tu es revenue parfois avec des sujets qui potentiellement ne sont pas moins inintéressants que d'autres et que tu vois qu'ils ne passent pas, tu te rends compte que certains sujets ne sont jamais publiés. Donc que finalement… En fait, c'est ça qui moi m'a le plus déçue, c'est ce manque de… c'est le gouffre qui existe entre le terrain et le bureau du rédacteur en chef. C'est le gouffre quand on te dit : « Il faut que ce soit comme ci et comme ça », et que toi tu as vu que c'était comme ça et comme ci… et alors là quel est le problème ? qu'est-ce que tu fais ? Est-ce que tu acceptes de te couler dans un moule

et de travestir pour que ça fasse plaisir et que ça sorte, ou est-ce que tu dis : « Non, pas comme ça » et tu ne publies jamais. Et ça, ça va avec le manque de courage et de production, c'est-à-dire le manque d'investigation, et qu'un journal soit aujourd'hui capable de… pas d'envoyer des journalistes dans un cinq étoiles, mais au moins leur payer un billet d'avion et leurs frais sur place, de façon qu'ils fassent leur vrai travail de journalistes, et qu'il y ait un respect pour ce travail de terrain. Parce qu'aujourd'hui en France, t'es éditorialiste, analyste, etc., pour moi c'est pas être journaliste. C'est très bien, t'as tes colonnes, etc., tu peux faire ça enfermé chez toi toute la journée en regardant la télévision et en lisant des journaux, mais tu n'auras qu'un reflet, tu n'auras pas… je crois que c'est ça qui me déçoit le plus dans la presse, c'est ce côté établissement comme ça, parisien et faussement provincialiste par démagogie, les yeux fermés sur ce qui va bien ailleurs, qui pourrait nous aider, l'échange… tu vois, c'est… tu te rends compte que c'est un milieu très fermé, très petit, où tout le monde connaît tout le monde, et où finalement… manque d'ouverture en fait. Je crois que c'est ça, manque d'ouverture et de disponibilité.

« Ça peut rendre fou de vivre comme ça »

— *D'après tes observations, quels sont les sujets qui ne passent jamais dans la presse ?*
— Ce qui ne passe plus aujourd'hui, ce sont des histoires, des histoires toutes simples, des petites histoires dans l'histoire. C'est-à-dire qu'on grille un sujet en une fois… tu prends des magazines maintenant un peu ethno, pas seulement de voyage, mais de société… autrefois, quand tu lisais des numéros, tu voyais l'histoire d'une expérience

dans tel village, de tels gens, et puis il y avait toujours des ponts avec notre propre société et civilisation, qui étaient intéressants et fascinants… et t'avais toujours des choses à en tirer. C'était des micro-sujets mais qui donnaient un éclairage. Et puis maintenant, tu vas traiter la question générale, une région ou un pays, mais ne faire que des généralités, de l'analyse et des chiffres qui ne veulent rien dire et qui ne touchent plus personne… et effectivement, quand tu reviens, tu te rends compte que les gens ne sont pas du tout touchés, parce qu'on ne raconte plus de véritables histoires, ça n'a plus l'air vrai… on en a raconté tellement et on les rend tellement… ou larmoyantes, ou faussement gaies, ou tout ce que tu veux, que je trouve qu'en fait on a perdu tout contact avec la réalité. Donc tous les sujets un petit peu réalistes qui ne sont pas tape-à-l'œil mais qui font la vie, eh bien ces sujets, ça ne fonctionne pas si… je sais plus qui me parlait l'autre jour… une Roumaine qui vit à Paris, avec qui je m'entends très bien et qui me disait : « Ah, il y a un sujet sur l'Académie diplomatique, et tout son travail à l'étranger, etc., et il y a toute une histoire derrière, il y a plusieurs femmes qui ont fondé ça, je ne comprends pas que personne ne le couvre », je lui ai dit : « Mais personne ne prendra ce sujet, personne ne s'y intéressera, personne ne sait que ça existe… » En revanche si c'est l'anniversaire ou si Claudia Schiffer a perdu une dent, alors là ça fera toutes les couvertures de magazine, voilà ce qui ne va pas aujourd'hui, enfin je crois que c'est ça qui ne va pas. Alors après, on va me rétorquer : « C'est ça qui se vend, etc. », mais je crois que les gens, ils mangent ce qu'on leur donne à manger et puis c'est tout… c'est dommage que les gens ne soient pas un peu plus responsables et actifs sur ce qu'on leur donne à manger, mais ça c'est tout un problème d'éducation des gens. J'étais intervenue dans un lycée, pour la « Semaine de la presse à l'école », l'hiver dernier, et on avait eu une discussion avec des ados, vraiment passionnante… c'était une classe de troisième, ils ne sont pas fous du tout, ils se rendent compte que tout ce qu'on leur montre est très coupé, très morcelé ou très généralisé, mais ce qui est terrible et qui fait vraiment de la peine, c'est finalement que ça les amène à rejeter en bloc tout ce qu'ils reçoivent… c'est-à-dire que si, au milieu de quatre reportages dont ils ne sont pas dupes, il y en a un qui vaut vraiment le coup, eh bien ils le recevront de la même façon… et il suffit de se balader sur le terrain, d'aller chez les gens, demander une interview et voir la façon dont les gens se méfient, ont peur de ce qu'on va raconter, de ce qu'on va couper, pour se dire que là, vraiment, c'est raté, parce qu'on passe après des gens qui ont déçu et qu'il n'y a plus aucune confiance… donc les gens ne se livrent plus… il ne s'agit pas d'aller les voler mais qu'il y ait un minimum de conscience et d'échange, quoi ? quelque chose de… parce qu'en fait le journaliste il est quoi, juste quelque chose qui est traversé et qui sert de diffuseur et c'est tout. Et ça, finalement, on a vraiment abîmé les rapports avec les gens à cause de ça… donc, ce qui me déçoit c'est ça, c'est cette façon de s'être coupé vraiment des… et ce qui fait que nous, on en pâtit forcément.

— *Sans vouloir faire des généralités, est-ce que, dans la génération des journalistes qui ont entre vingt-cinq et trente ans, tu as senti l'amorce d'une révolte contre cet état de choses ?*
— Non, moi je ne le sens pas assez. C'est un peu difficile à dire, parce que je me suis rendue compte que, dans les amitiés que moi je me suis créées dans le boulot, j'ai plutôt été chercher des gens qui étaient comme moi

parce qu'on s'entend là-dessus. *(Rires.)* Mais je pense pas que ce soit très révélateur, je ne me rends pas compte, parce que c'est vrai qu'on est un petit groupe, on est à peu près tous… bon, c'est vrai qu'il y en a qui sont plus ou moins réactifs, mais on essaie de les entraîner et de les secouer, donc ça… et puis on se secoue les uns les autres, hein, quand y en a un qui flanche, les autres sont derrière pour… peut-être qu'il y a une amorce, mais c'est pas encore ça, parce que les gens ont besoin de manger, ils ont besoin de travailler et ils sont bloqués par ça, et on ne peut pas leur en vouloir parce qu'on est tous pareils, on est tous acculés à une réalité, il faut payer les impôts, il faut arriver à s'en sortir, il faut un toit sur la tête, il faut tout ça, donc ça… je crois que ça les empêche et j'ai peur que cette génération-là elle ne soit pas… ce que je sais, c'est que beaucoup, beaucoup ne se préparent pas une vie très heureuse avec tout ça, moi je ne suis pas très… ça fera des déçus, les gens qui vont abandonner seront aigris, ceux qui vont continuer seront… alors ça, c'est la question que je me pose, c'est que pour l'instant je suis encore dynamique, jeune, et j'ai envie de me battre, mais à force, si ça continue vraiment comme ça et qu'il n'y a… et que rien ne se passe, j'ai peur qu'à quarante ans on soit des fous furieux, mais vraiment avec… mais très durs, très, très durs… c'est-à-dire que… on aura perdu un peu de spontanéité, parce que, à être tout le temps sur la défensive… il faut savoir aussi parfois se lâcher et faire confiance… parce qu'on perd des choses, donc il faut faire attention…

— *Des fous furieux très durs ?*
— Je ne sais pas, à force… ceux qui seront arrivés à faire ce qu'ils ont envie se seront heurtés à de telles difficultés,

de telles bagarres, que je crois qu'ils auront épuisé beaucoup de la chandelle de leur petite vie, courte quand même… ils seront donc fatigués, un peu exténués et… ça rend dur, l'adversité rend dur… donc je ne sais pas comment on sera quand on aura quarante ans, mais souvent je me pose la question, je serais très curieuse de voir dans dix-quinze ans cette génération, parce quand même, il faut bien dire que la presse est tenue encore par la génération des 50-60 ans, donc ces gens-là un jour vont lâcher quand même, vont lâcher prise, donc c'est quand même ceux qui arrivent qui *a priori* prendront leur place, qu'est-ce qu'ils vont faire ?… Je me demande, parce que ça peut rendre fou de vivre comme ça, donc je ne sais pas, je me pose la question… une amorce de révolte…

— *Est-ce que toi tu te sens révoltée ?*
— Moi oui, mais c'est parce que c'est ma nature, ce n'est pas le boulot, ce ne sont pas les situations qui font que… Mais je suis comme ça, c'est tout. *(Rires.)* Je n'ai pas… oui, mais parce que ça me semble normal aussi… parce que je ne suis pas quelqu'un d'une extrême timidité, je ne suis pas quelqu'un… je n'ai pas peur, en fait… à la limite je suis suffisamment folle pour me dire : « Cette pige-là, je la risque, mais pour celle-là, ça ne va pas »… Si je ne me sens pas bien dans cette façon de travailler, je vais le dire… et puis ça passera ou ça ne passera pas, mais c'est vrai que parfois moi j'ai envie de prendre un micro et de dire : « Bon, allez, on va tous discuter maintenant et puis on se met d'accord et puis… on arrête d'accepter de travailler pour 100 francs le feuillet, on arrête, on arrête tout ça, et puis quand plus personne n'acceptera de le faire, tout ça va changer tout seul. » Mais je crois que ça c'est de l'utopie totale.

— *Tu parlais d'un syndicat des pigistes ; les premières re-vendications de ce syndicat, ce serait quoi ?*

— Qu'on éclaircisse le statut du pigiste, parce qu'on n'y voit pas clair et c'est pour ça qu'on ne sait pas se défendre. Un minimum d'accès au droit, ce que je disais déjà : c'est quoi le statut de pigiste ? qui vous êtes par rapport à la loi ? qui vous êtes par rapport à la Sécurité sociale, par rapport à la déclaration d'impôts ? qui êtes-vous par rapport aux rédactions, quels sont vos droits ? est-ce que vous avez besoin d'un bon de commande à chaque fois que vous… ce sont des choses très pratiques mais de base… que les gens se sentent soutenus par quelque chose, parce que le problème pour beaucoup de pigistes, je crois, c'est d'avoir l'impression de travailler mais de n'être rien, en fait, on ne rentre dans aucune case, c'est pour ça que c'est bien aussi, mais… c'est pour ça que c'est difficile. Un syndicat de pigistes, ce serait ça d'abord et ensuite ap-prendre à ne plus travailler seul… mais ça va ensemble, c'est-à-dire savoir qui on est, combien on est, où on tra-vaille… c'est déjà se reconnaître mutuellement, parce que le problème c'est qu'on dit « pigiste », mais il y a dix mille pigistes différents. Pigiste c'est très, très général, il y a des pigistes qui gagnent un fric fou, et il y en a qui vraiment crèvent de faim. Donc entre les deux c'est quoi ? c'est qui ?… Ce serait déjà intéressant d'en savoir un petit peu plus là-dessus, et puis après, que les gens apprennent à faire des synergies… c'est-à-dire être entouré d'autres pi-gistes et discuter : « Moi j'ai eu telle expérience… » « Ah ben moi c'était plutôt comme ça… » « Comment tu t'en es sorti ? moi je m'en suis sorti comme ça… » tout ça, ça manque. Je crois qu'en fait on arrive à se jouer de ces gens-là parce qu'ils sont tout seuls. Ce n'est pas difficile un individu à mettre par terre et à exploiter, c'est très facile. C'est vrai que certaines corporations se défendent beaucoup mieux, donc… je me pose vraiment la question de savoir si les gens sont prêts… ils sont tellement embarqués dans une course à la survie qu'il faudrait vraiment un… je ne sais pas, ça, je… mais j'espère que ce sera une réponse qu'apportera votre enquête. *(Rires.)*

Jean-Louis
ou « Une grande famille »

40 ans, célibataire, sans enfant

Père ouvrier

Études secondaires interrompues avant le baccalauréat

A commencé par exercer diverses professions et une série de « petits boulots » pendant une dizaine d'années

A travaillé ensuite comme journaliste et animateur dans une radio libre pendant quatre ans, ce qui l'a amené à suivre une formation en deux ans dans une école de journalisme

A entamé une longue période de CDD et de piges. A d'abord passé quatre ans entre deux quotidiens de la presse régionale, l'un du sud de la France et l'autre du nord, puis de nouveau quatre ans dans la première de ces entreprises (de mars 1992 à mars 1996). Au cours de cette dernière période, Jean-Louis a effectué vingt-neuf CDD (avec un statut de pigiste permanent pendant environ un an). Après avoir reçu une promesse écrite d'embauche, il a été soudainement licencié pour des raisons de « mauvaise intégration » à l'équipe d'un bureau départemental. Une rupture qui l'a durement affecté et sur laquelle il s'explique dans l'entretien qui suit. Jean-Louis a décidé de poursuivre ce journal devant les prud'hommes. À l'heure actuelle, il ne sait pas s'il va continuer ce métier ou s'orienter vers un autre.

— *Comment es-tu entré dans le journalisme ?*

— Je ne veux pas revenir au tout début, quand je suis parti du lycée en fin de première. C'était un problème d'orientation : je me sentais plutôt littéraire, j'avais de bons résultats, mais j'ai été orienté en technico-commercial et ça ne m'intéressait pas du tout. Bon, je suis parti du lycée, j'ai devancé l'appel, j'ai fait des petits boulots et c'est seulement dix ans après que j'ai pu travailler dans une radio libre, et c'est à la suite de ça que j'ai eu un congé de formation pour faire l'école de journalisme.

— *Pendant ces dix ans, tu n'as pas fait d'études, tu as travaillé.*
— Oui, j'ai bossé, j'ai fait des petits boulots, des travaux saisonniers, des stages… la précarité quoi, déjà la précarité.

— *Et dans cette radio libre, tu es resté combien de temps ?*
— Quatre ans à B, à Radio Grain-de-sel, une des radios pionnières. Une de celles qui est toujours restée dans l'esprit des radios tournées vers les associations.

— *Tu y faisais les journaux ?*
— Là, j'étais le seul permanent, donc quand on est seul permanent dans une petite association, on a des tâches variées. Je m'occupais aussi bien de former les bénévoles à la technique que des relations avec les maisons de disques ou de participer à la création d'une banque de programmes destinés aux radios associatives. Je travaillais aussi pour le journal quotidien. Je faisais la technique et aussi des reportages. C'était vraiment varié.

— *Tu as fait l'école de journalisme en deux ans ?*
— Oui, en deux ans.

— *Et à la sortie ?*
— À la sortie de l'école, j'ai fait mes premiers stages dans un quotidien régional et… dans un autre, celui avec lequel j'ai eu cette longue histoire. J'avais fait une première tentative pour y rentrer, on m'avait dit qu'il n'y avait rien à espérer, qu'il n'y avait pas de boulot. Au cours d'une autre tentative ensuite, on m'a donné ma chance si on peut dire, j'ai pu faire un premier stage qui s'est bien passé et ensuite j'ai fait d'autres demandes et, suivant les

disponibilités, ça marchait ou ça ne marchait pas. On ne m'a jamais doré la pilule en me promettant quoi que ce soit, on m'a toujours dit, à ce moment-là : « Cherche ailleurs, on ne peut rien te promettre. »

— *C'était le début dans ce journal, et ensuite ?*
— Ensuite, comme j'ai senti que c'était un peu verrouillé, je me suis inscrit en licence d'ethnologie et en cours d'année, pendant les vacances, j'ai fait un remplacement dans un titre du nord de la France. Ça s'est prolongé parce que je remplaçais un journaliste malade. C'était intéressant, c'était à la locale d'une grande ville. J'ai donc laissé tomber cette année d'ethnologie pour continuer un peu là-bas… bon, j'aurais pu me faire embaucher dans ce journal, car les règles du jeu y étaient plus claires qu'ailleurs. Ce sont les plus anciens CDD qui sont embauchés en priorité, et là-dessus les journalistes sont assez vigilants… mais bon, j'ai fait le choix géographique de redescendre et puis j'ai poussé un peu les feux dans ce journal où on m'avait découragé.

— *C'était quand, ça ?*
— C'était il y a quatre ou cinq ans.

— *Tu as fait l'école il y a combien de temps ?*
— J'ai terminé en 1988.

— *Tu es donc revenu dans ta ville il y a quatre ans.*
— Un peu plus que ça quand même, mais c'est vrai qu'après, dans ce journal, j'ai enchaîné… enfin, enchaîné c'est beaucoup dire, mais j'ai toujours eu des CDD de manière rapprochée… En tout, en quatre ou cinq ans, j'ai accumulé vingt-neuf CDD.

— *Et pendant cette période tu travaillais où ?*
— J'ai eu des CDD à la régionale, ensuite j'ai fait des remplacements dans plusieurs villes couvertes par ce journal, je pourrais prendre la liste… j'ai travaillé sur toute la zone couverte par ce journal.

— *Est-ce qu'à ce moment-là on t'a fait des promesses ? Comment ça s'est passé pour que tu espères être embauché ?*
— Il n'y a jamais eu de promesses explicites… Mais bon, dans mon esprit, accumulant des CDD et donnant satisfaction puisque l'on me reprenait à chaque fois – j'avais des avis favorables des Chefs d'agence – ça me paraissait clair que si un jour un poste se libérait, je pourrais être pris.

— *Mais personne ne t'a dit qu'il y aurait une possibilité ?*
— Non, jamais clairement. C'est seulement sur la fin, lors de mes derniers emplois, quand j'étais seul dans une petite ville avec un statut de pigiste permanent… là on m'a dit explicitement qu'à l'issue de cette période je serais intégré.

— *Quand tu étais en CDD, pendant cette période de quatre-cinq ans, est-ce que tu arrivais à en vivre ?*
— Oui, quand même. Il y avait parfois des trous, mais j'avais droit aux Assedic parce que j'avais travaillé suffisamment longtemps. J'ai eu aussi cette période de « pigiste permanent », comme ils appellent ça.

— *À ce moment-là, dans les rédactions où tu passais, est-ce que tu te considérais comme un salarié a l'égal des autres ?*
— Oui, pratiquement. J'avais les mêmes droits que les autres quand j'étais CDD, les tickets-restaurant, etc., tous les avantages liés au comité d'entreprise. Par contre, quand

je passais pigiste permanent, je travaillais de la même façon, suivant les mêmes contraintes, mais je n'avais plus aucun droit de salarié.

« Un journaliste ne doit pas compter son temps »

— *Est-ce que tu penses que le fait d'être en CDD ou en situation précaire avait des conséquences sur ton travail ?*
— Non, je ne pense pas, non, j'ai toujours travaillé de la même façon, j'ai même gardé toujours ma liberté de penser au sein des rédactions… non, je pense pas. Je ne me suis pas, entre guillemets, « tenu à carreau » pour être embauché…

— *Tu n'avais pas cette angoisse-là, tu te sentais aussi libre que les autres ?*
— Oui, et même parfois plus libre que certains vieux de la vieille, je sais pas pourquoi… C'est peut-être dans ma nature.

— *Pourquoi ? Ils avaient davantage peur de la hiérarchie ?*
— Par peur de la hiérarchie, oui, mais aussi par habitude ou je ne sais pas, j'ai jamais senti… je ne sais pas comment dire… je ne voudrais pas me poser en donneur de leçons, mais beaucoup autour de moi ne se posent pas de questions, travaillent et font ce qu'on leur dit de faire, dans n'importe quelles conditions, sans se poser de questions, c'est… je me souviens même d'avoir informé à plusieurs reprises des titulaires de longue date de leurs droits au sein de ce journal. Je prends l'exemple de la prime photo. Les rédacteurs qui font des photos peuvent se faire payer les photos, et ça, je l'ai appris à des chefs d'agence qui ignoraient cette disposition et depuis ils se font payer

les photos… Ça me paraît assez extraordinaire que les gens ne connaissent pas leurs droits, leurs simples droits… sans vouloir revendiquer d'autres avantages.

— *Est-ce qu'en tant que CDD ou pigiste tu te sentais plus corvéable que les autres, plus disposé à faire certaines tâches ?*
— Non, je n'ai pas trop senti ça au niveau du travail. Non, on se partageait équitablement le travail…

— *Et dans cette petite ville quand tu étais tout seul, est-ce que là tu avais beaucoup plus de travail ?*
— De toute façon les horaires étaient déjà dépassés en agence. Selon le discours ambiant, un journaliste ne doit pas compter son temps. On travaillait plus aux alentours de cinquante heures que de trente neuf heures. Mais en général ça restait dans le domaine du raisonnable. J'ai pu constater qu'il y avait des disparités. À certains endroits, lorsqu'on travaillait jusqu'à minuit, on pouvait récupérer la matinée, à d'autres endroits ça ne se faisait pas… c'était vraiment suivant les habitudes locales, les chefs d'agence. Il n'y a pas de règles fixes à ce niveau-là. Mais quand on est seul en poste, c'est vrai qu'en général, c'est beaucoup plus chargé. On est responsable de son bureau isolé et on doit gérer ça vraiment sans contraintes horaires. Il n'y a pas toujours un correspondant, un remplaçant pour suppléer, par exemple quand il y a des conseils municipaux le soir, des comptes rendus de spectacles… en général on le fait, et là la charge de travail devient beaucoup plus écrasante.

— *Est-ce que cela a des conséquences sur la vie personnelle ?*
— Je pense, oui… pour moi, oui. J'en ai discuté avec d'autres mais c'est quand même assez nié, ça, le fait que

ça puisse avoir des conséquences sur la vie personnelle. J'ai l'impression que mes collègues y trouvaient leur compte. « Ce journal est une famille », bon, c'est un discours que j'ai entendu souvent, « c'est le métier qui veut ça », et d'autres réflexions de ce type. Ça semble bien intégré.

— *Et toi, tu n'y trouvais pas ton compte ?*
— Non, pas trop, pas trop car j'avais quand même une vie personnelle à construire… mais ça m'a été difficile d'en parler, je voulais pas mettre sur la table des problèmes éventuels que je pouvais avoir à côté.

— *Avec ton statut, est-ce qu'il y avait des choses que tu pouvais dire ou ne pas dire, est-ce qu'il y avait une frontière bien nette ?*
— Je pense que ce n'est pas le statut qui détermine… je me suis aperçu que même en tant que précaire, on a beaucoup plus de liberté que l'on ne l'imagine, en tant que journaliste de locale. Ça m'est arrivé une ou deux fois en cinq ans de voir un texte « nettoyé », entre guillemets, par des secrétaires de rédaction que j'estimais frileux. Sinon, je me sentais assez libre, j'ai jamais senti de volonté de la part de la direction de cadrer les journalistes sur le plan de leur écriture. Non, je pense qu'il y a beaucoup plus de censure… heu… d'autocensure, que de censure véritable.

— *Comment s'est passée ta dernière année, avant que tu aies ce problème ?*
— Donc, la dernière année, j'étais dans cette petite ville, seul en poste, avec la promesse, verbale dans un premier temps, d'être intégré ensuite. Pour la direction c'était vraiment la dernière ligne droite. Cela devait être l'endroit où j'allais faire mes preuves, le dernier endroit où j'avais

à faire mes preuves, bien que j'estimais que depuis le temps la preuve était faite, je pensais largement avoir prouvé de quoi j'étais capable. Et puis au bout d'un certain temps on m'a fait une promesse écrite d'intégration. Dans cette ville, j'étais censé y être pour deux ans, et au bout d'un an j'ai été convoqué par la direction où on m'a dit que j'étais nommé dans un autre département, où j'allais être titularisé. J'avoue que je n'y suis pas allé de gaieté de cœur parce que je commençais quand même à m'intégrer là où j'étais, à bien connaître l'environnement de travail… je pensais y passer deux ans. Et là, on m'a fait valoir que dans cette ville… heu… comment on pourrait dire… que dans l'autre département, plutôt, j'allais vraiment pouvoir me réaliser… je serais directement titulaire dans une agence départementale… on m'a doré la pilule en me disant que c'était quand même merveilleux et extraordinaire et puis… Il faut que j'arrive un peu à restituer le contexte. Faut dire qu'à la fin, dans cette petite ville… ça ne se passait pas si bien que ça, il m'est souvent arrivé de récriminer sur les conditions de travail, les conditions matérielles surtout. Déjà au départ, je n'avais pas d'ordinateur, j'écrivais à la main et j'avais du mal à me faire remplacer. On m'avait promis que ce serait un journaliste professionnel qui me remplacerait mais en fait, c'était une correspondante. Donc, quand il y avait des choses un peu délicates à traiter, ça me gênait par exemple que ce soit une correspondante qui assiste aux conseils municipaux, donc je le faisais quand même. Qu'est-ce qu'il y avait encore ?… Pour les faits divers, quand il y en avait un le soir, je devais aller dans une autre ville pour porter les photos, dans une agence ou au siège, c'était vraiment une galère pas possible. J'arrêtais pas de râler à ce niveau-là, et ensuite on me l'a retourné en me disant que dans cette petite ville je ne m'intégrais pas, que j'étais toujours en train de râler…

— *Tu as pu protester comme un autre, mais ça s'est retourné contre toi ?*
— Ça s'est retourné contre moi parce que ce n'était pas dans les habitudes. Sur le plan du travail, il m'arrivait aussi de faire des papiers sur les problèmes liés à la mairie par exemple, liés à une construction dans un quartier résidentiel avec manifestation des riverains, etc. J'ai traité ça d'une manière qui n'était pas forcément favorable au maire et il paraît, j'ai eu des échos, que ça n'a pas forcément plu. Mon prédécesseur dans cet endroit a eu aussi des problèmes avec le maire et s'est retrouvé viré du jour au lendemain, bon, est-ce qu'on peut faire un lien de cause à effet ? Est-ce que c'est aussi lié au fait que je sois parti au bout d'un an au lieu de deux, je ne sais pas, je ne peux pas le dire. En tout cas, quand je suis arrivé à ce poste, une des premières choses qu'a organisées la direction, c'est un repas avec le maire, avec le chef de l'agence départementale. Moi, ça m'a un peu surpris que… d'ailleurs à la fin du repas il y a eu tout un petit jeu, à qui paierait le repas, le maire a proposé dans un premier temps et puis le représentant du journal : « Non, non, c'est nous qui… » *(Rires.)*

« Bosser comme des stakhanovistes »

— *Donc au bout d'un an tu changes de poste, et tu penses que c'est à cause de ton attitude, de tes réclamations…*
— Je ne peux rien affirmer expressément parce que bon, on m'a dit qu'il y avait cette opportunité dans un autre département, quelqu'un qui partait… et c'est vrai que je

ne sais pas s'il y a une vraie stratégie de ce journal dans les déplacements des gens. J'ai l'impression qu'il y a un jeu de chaises musicales et puis…

— *Après cette petite ville, on te promet de te titulariser, tu pars, et là qu'est-ce qui se passe ?*
— Avant qu'on m'envoie à ce nouveau poste, j'ai eu la promesse écrite. D'abord, j'ai été bien accueilli par le chef d'agence, qui s'était réjoui de ma venue parce que j'avais déjà travaillé avec lui et ça s'était très bien passé. Donc *a priori*, il n'y avait pas de problèmes avec lui, et puis ça s'est assez rapidement gâté parce que je me suis aperçu que là-bas, c'était vraiment une agence où l'on travaillait particulièrement beaucoup… C'est la limite de la zone [de diffusion] du journal et c'est déjà le territoire d'un concurrent. Et ce journal tire beaucoup moins, c'est vraiment la frontière où ils se marquent, et ils ont mis là des grands moyens par rapport à des résultats qui sont à mon sens catastrophiques. Avec neuf journalistes, ils tirent autant que dans une autre agence où ils sont deux journalistes.

— *Concrètement, que donnait cette surcharge ?*
— Ça donnait… on tirait sur tout ce qui bouge, quoi, on couvrait vraiment tout, pour ne pas faire de ratages par rapport au concurrent. Il n'y avait pas vraiment de choix rédactionnel et ça donnait des horaires pas possibles, on était proche des soixante heures. On arrivait le matin à 9 heures et on repartait le soir à 21 heures, et quand il y avait des choses le soir, on ne récupérait pas forcément le lendemain. On partait soit à 20 heures, soit à 11 heures ou minuit, mais il n'y avait rien de défini, c'était vraiment…

— *Ça a duré combien de temps avant qu'il y ait problème ?*
— Il y a eu des problèmes assez vite quand même, parce que j'ai eu des discussions avec mes collègues, dans lesquelles je leur disais que je n'étais pas prêt à les suivre sur ce terrain-là… de bosser comme des « stakhanovistes » – j'ai lâché le mot – ça n'a pas plu, ça m'a été reproché après et ça faisait vraiment le mec qui donne des leçons aux autres, à peine débarqué. C'est vrai que j'ai peut-être été un peu carré au niveau du langage, quoi. Et dans les faits, ça m'est arrivé plusieurs fois, vers 20 heures, alors que j'avais terminé mon travail et qu'il restait des secrétaires d'édition, il m'est arrivé de partir à 20 heures et de me le faire reprocher le lendemain : « Ouais, tu ne peux pas te barrer comme ça en nous laissant le boulot », alors que j'avais l'impression que je ne pouvais leur être d'aucun secours, quoi. Ils avaient à monter leurs pages.

— *Tu te sentais dans ton droit mais tu étais dans un contexte où…*
— J'étais dans un contexte où j'avais une attitude un peu de déviant par rapport à ce que faisaient les autres.

— *La normalité, c'était de faire quoi ?*
— La normalité ? *(Rires.)* Je ne sais pas, c'est vrai que j'ai eu tendance – peut-être qu'ils ont tout fait pour aussi – à culpabiliser un peu, bon… Tout le monde y trouve son compte, pas moi ; pourquoi, qu'est-ce qui ne va pas, où est le problème ? *(Rires.)*

— *Et comment a-t-on commencé à te faire comprendre ? Tu étais toujours en CDD…*
— Non j'étais encore pigiste permanent.

— *Ça a duré combien de temps avant qu'il y ait la rupture ?*
— Ça a duré quelques mois, quelques mois où je ne me sentais vraiment pas bien… par rapport à mes collègues, quoi… C'est vraiment pas du tout agréable de travailler… quand on ne joue pas le jeu traditionnel… Et c'est vrai que j'ai commencé là à marquer ma différence…Bon, pour donner quelques exemples, il y a eu Noël où était organisée une petite fête avec les enfants et on m'a demandé de faire le père Noël *(rires)*, alors que je n'étais déjà pas bien et tout, on m'a demandé de faire le père Noël et moi je n'ai pas eu envie de faire le guignol et de jouer avec eux. Je n'y suis pas allé, et ce sont des petits gestes comme ça qui m'ont vraiment fait passer pour quelqu'un qui ne voulait pas s'intégrer. Une autre petite tradition, c'était que parfois le soir, l'un ou l'autre paie le pot dans un café à côté. Je n'ai pas voulu jouer ce jeu-là, je n'ai pas payé ma tournée *(rires)*, non vraiment je ne faisais pas partie de la famille, quoi.

— *Et comment la direction te l'a fait comprendre ?*
— Il y a eu un premier rapport du chef d'agence, suite à une discussion avec mes collègues. Là, c'était le lendemain d'un jour où j'étais parti à 20 heures. Mes collègues m'invitent à prendre un pot au bistrot à côté et ils essaient de me cadrer, quoi : « Tu ne peux pas te barrer le soir en nous laissant le boulot, ça ne va pas »… C'est là que je les ai traités de stakhanovistes, et peu de temps après j'ai été convoqué par la direction suite à un rapport du chef d'agence qui m'avait convoqué lui-même au préalable pour me dire que ça n'allait pas, que je ne m'intégrais pas… Au cours de cet entretien avec la direction, les propos que j'ai tenus au bistrot ont été reproduits quoi, c'était

dans le rapport du chef d'agence, un rapport de six pages. Voilà, donc je me suis un peu insurgé parce que je ne trouvais pas normal que des propos privés tenus dans un bistrot soient reproduits comme ça, au niveau de la direction générale. Donc je n'ai pas voulu faire de *mea culpa*...

— *C'est ce que la direction t'a demandé ?*
— Oui, de rentrer dans le rang.

— *Et après, ça a recommencé ?*
— Ça a recommencé. La dernière étape... À la date où je devais être intégré, conformément à la promesse écrite qui m'avait été faite, ils ne m'ont pas intégré, sans même me prévenir clairement. Ils m'ont écrit, paraît-il, à une adresse vieille de plusieurs années... c'est la première fois qu'ils m'écrivaient à cette adresse-là. *(Rires.)* Je n'ai pas compris, je n'ai pas été avisé normalement en temps utile que je n'étais pas titulaire. C'est en demandant les tickets-restaurant, comme tout salarié, qu'on m'a dit que je ne faisais pas partie du personnel de la maison, que je n'étais pas titulaire. J'ai demandé des explications et on m'a dit que mon embauche était différée, et que ça n'allait toujours pas. On m'a demandé une nouvelle fois, pas de façon directe, mais de me comporter un peu plus normalement, en me disant que j'étais atypique. Bon, « ce journal peut accepter un certain degré d'atypicité, c'est un journal pluraliste, etc. », c'est ce qu'on m'a dit, mais moi « ça allait trop loin », quoi *(rires)*, j'avais vraiment dépassé le degré d'atypicité, qui n'a même pas été défini, d'ailleurs. Le pluralisme, ça va d'où à où ? Je ne sais pas *(rires)*... je ne sais pas dans quelle fourchette ça se situe.

« Je n'étais pas aussi docile
qu'ils l'auraient espéré »

— *Donc, c'est ensuite que l'on t'a dit clairement que tu ne travaillais plus pour ce journal. Comment te l'a-t-on dit ?*
— On m'a dit... on m'a envoyé un courrier me disant que j'allais être licencié... que l'on mettait fin à mon activité, car pour eux, j'étais pigiste permanent donc pas salarié, donc je ne pouvais pas être licencié et moi j'ai fait valoir que je travaillais dans les mêmes conditions que mes collègues, etc., et que j'étais titulaire, d'après la loi. J'ai reçu ensuite un courrier me convoquant à un entretien avant licenciement, donc apparemment ils se sont rangés à mes arguments, et ensuite ça a suivi le cours normal d'un licenciement, avec entretien préalable, voilà. Les raisons qui ont été invoquées, c'était que je ne donnais pas satisfaction, que je n'avais pas l'esprit d'équipe, etc., toutes sortes de motifs qui ne relevaient pas d'une faute professionnelle – je n'ai jamais été avisé d'une faute de ma part – c'était toujours des notions de cet ordre. On m'a même reproché la période passée dans la petite ville, alors que c'est à l'issue de cette période que j'avais reçu la promesse d'intégration... C'est quelque chose de complètement abracadabrant...

— *Et au fond, après ton parcours dans ce journal, la pige, les CDD, la pige, une promesse, puis cette étape-là, au fond comment tu l'expliques ce licenciement, après un tel parcours ?*
— Par le fait qu'un problème qui n'était pas nouveau s'est trouvé posé plus radicalement dans un poste et que... c'est peut-être en contradiction avec ce que j'ai dit tout à l'heure... c'est peut-être qu'ils se sont aperçus sur la fin que je n'étais pas quelqu'un d'aussi docile qu'ils

l'auraient espéré… on pourrait penser que jusque-là j'avais toujours mis de l'eau dans mon vin pour pouvoir être embauché, etc., mais je pense que non, je pense que dans cette agence, les conditions étaient encore pires qu'ailleurs, et ça a fini par éclater, quoi… comment dire… je ne sais pas comment le dire…

— *Mais rétrospectivement, est-ce que tu penses que, en tant que journaliste précaire, ta liberté était aussi grande que tu semblais le dire ?*
— Peut-être pas, finalement. Ce genre de problème aurait pu se manifester avant et je serais resté moins longtemps. Peut-être qu'inconsciemment, je ne sais pas si je peux dire ça, j'étais pas prêt à subir plus longtemps cet état de fait et que… et que je me suis radicalisé. C'est difficile aussi de déconnecter les conditions de travail des conditions de vie à côté. Quand j'ai travaillé à la régionale, je n'étais pas loin de chez moi, à la régionale on travaillait beaucoup moins…

— *Ce que je veux dire, c'est : quand on se sent libre et qu'on a l'impression qu'on peut tout dire ou tout faire et qu'on s'aperçoit ensuite que tout a été noté pour te licencier, est-ce que ta liberté était finalement aussi grande que ça ?*
— Peut-être pas tant que ça, mais apparemment la direction s'était fait une fausse image de moi. J'ai cru comprendre que jusqu'à ce que le problème se pose franchement je passais pour quelqu'un certes atypique mais bon travailleur, donnant satisfaction aux chefs d'agence… le problème ne s'est jamais posé au niveau de la direction… Est-ce que c'est parce que les chefs d'agence avec qui cela s'était bien passé m'ont fait des rapports favorables, en gommant certains aspects ? Je sais pas…

— *Quand il y a une décision comme cela, quand on espère être embauché et que brusquement il y a une rupture, quelles sont les conséquences d'un point de vue personnel ?*

— Moi, je me sentais très mal parce que je m'étais quand même investi pendant des années pour être embauché dans ce journal… J'ai vécu ça comme une injustice parce que je n'ai jamais eu une attitude de… de revendiquer des choses extraordinaires et tout, j'ai…

— *Est-ce que tu as eu un sentiment d'humiliation ?*

— J'ai quand même pas été surpris… j'ai vu autour de moi comment ça se passait, pour des jeunes collègues qui ont aussi multiplié les CDD avant de se faire balancer… Je ne me faisais pas d'illusions sur… sur l'image qu'essaie de se donner la direction, celle d'être préoccupée par le sort de ses employés, etc., « on est une grande famille »… ils essaient de se donner cette image-là, quoi, d'une entreprise toujours familiale. Mais dans les faits, j'ai quand même vu qu'il y avait un fonctionnement complètement en contradiction avec cette image.

— *C'est-à-dire ? De la dureté ?*

— Oui, une précarité assez forte.

— *Est-ce que l'idée que tu as maintenant du journalisme est différente de celle que tu avais avant de travailler ?*

— Je ne peux parler que pour la presse quotidienne régionale, surtout pour ce journal en fait… Elle n'a pas changé parce que si je compare ce journal avec l'autre que j'ai connu dans le Nord, ce n'est déjà pas la même chose, je ne peux pas globaliser… Je pense que le journalisme n'échappe pas au… comment définir ça… aux règles de n'importe quelle entreprise de production.

— *Il y a un peu de désillusion par rapport à ce métier ?*

— Ah oui, c'est sûr, mais d'un autre côté c'est pas propre au métier de journaliste, c'est propre à une certaine conception de l'entreprise, à une histoire... Dans l'entreprise du Nord, il y a une histoire syndicale beaucoup plus forte, les journalistes sont beaucoup plus respectés que dans ce journal, donc ce n'est pas le métier de journaliste, c'est plus une question d'organisation des employés et des salariés.

— *Est-ce que le métier lui-même correspond à ce que tu en pensais ?*

— J'ai été déçu dans la mesure où je n'ai jamais senti de projets rédactionnels forts. Surtout quand on est précaire, on va d'une agence à l'autre, bon, on s'intègre avec plus ou moins de bonheur à une équipe... il est difficile de faire valoir des vues quelles qu'elles soient quand on tombe comme ça... on ne peut pas vraiment faire de travail de fond, quoi. On travaille selon l'usage du cru... C'est en ça que ce n'est pas très satisfaisant, on n'a jamais de long terme pour essayer d'aller dans tel ou tel sens et c'est complètement disparate suivant les endroits, suivant les chefs d'agence et suivant la situation de concurrence ou non. Quand on est en situation de concurrence forte, on couvre un maximum de choses sans déterminer de hiérarchie. Dans d'autres endroits, ça peut mieux se passer. Si on a un chef d'agence directif ou non, c'est encore différent.

— *Quand on est frappé par une telle décision, après une succession de contrats, est-ce que cela peut briser quelqu'un ? Est-ce que toi tu l'as vécue comme ça ?*

— Ouais... Ouais... Ce qui m'a cassé, c'est le mépris des individus dont peut faire preuve une direction...

l'humain n'est pas pris en compte… on est vraiment des pièces interchangeables… Sur les mutations, j'ai vraiment le sentiment que la direction essaie de composer des équipes qui lui semblent idéales, sans tenir compte de la vie personnelle des uns ou des autres.

— *Psychologiquement, c'est aussi une décision très difficile ?*
— Ah oui, oui, ça… Après une décision comme ça, je crois que pour travailler dans la PQR, je suis grillé, quoi.

— *Et qu'as-tu pensé de la réaction de tes collègues salariés, les journalistes ? Est-ce qu'ils ont réagi ?*
— Là, ça a été ma grosse déception. C'est là que je me suis rendu compte que j'étais à peu près seul à penser comme je pensais sur cette question du temps de travail et de la coupure qui me paraît nécessaire entre la vie professionnelle et le reste, parce que bon, le discours dominant que j'entendais, c'était : « Le journal est une grande famille », et il y a des tas de manifestations qui le montrent effectivement… Comment dire ? Il y a un véritable esprit qui est entretenu et auquel tout le monde est finalement assez sensible. Dans le département où je travaillais à la fin, c'était par exemple les pots en fin de journée…

« Finalement tout le monde rentre dans le rang »

— *Est-ce que tu as été soutenu au moment de la décision ?*
— Très peu… Il y a une pétition qui a été faite, avec cinquante signatures sur deux cent cinquante journalistes, ça s'est quasiment limité à ça, quoi. Pour beaucoup de personnes, c'est moi qui me suis mal comporté, quoi…

— *C'est comme ça que tu expliques le peu d'engagement des journalistes pour te soutenir ?*
— Oui, c'est que… Je ne sais pas si c'est… parce que j'ai eu d'autres expériences de travail avant… mais je me suis toujours considéré dans ce journal… autant comme un salarié, qui avait à faire son travail, et même plus comme un salarié qui avait à faire son travail que comme quelqu'un faisant partie d'une grande famille et prêt à tout accepter parce que c'était la famille… Ça, c'est quelque chose que je n'ai pas intégré… et pourtant je tenais, je tiens, je tenais vraiment à rentrer dans ce journal parce que je pensais qu'il y avait des choses à y faire.

— *Est-ce qu'à partir de ton cas, on peut généraliser sur le manque d'engagement des journalistes, sur le peu de capacité à se mobiliser pour changer des choses ?*
— Il y a eu d'autres cas que le mien, de précaires qui se sont fait virer au bout d'un certain temps, et ça n'a pas davantage bougé. C'est vrai qu'on peut se poser la question, est-ce que c'est moi qui suis en cause parce qu'on ne m'aime pas… Non, j'ai beaucoup de copains parmi la rédaction, des gens avec qui je m'entendais très bien. C'est vrai que pendant mes vingt-neuf CDD je n'ai jamais posé aucun problème, je me suis fait des tas d'amis, j'avais des rapports favorables des chefs d'agence… Ce n'est pas ma personne, je crois, qui est en cause, c'est comme ça, quoi, bon… c'est un système qui fonctionne comme ça. D'ailleurs, j'ai entendu d'autres récriminations que la question du temps de travail, j'ai même entendu des chefs d'agence se plaindre qu'ils étaient en sous-effectif, qu'on travaillait trop, etc., mais ça ne va jamais au-delà des jérémiades et finalement tout le monde rentre dans le rang et il n'y a jamais rien qui se passe. Finalement, ce qui s'est

passé à la fin, c'est arrivé alors que je n'avais pas été au-delà de ce que j'avais fait d'habitude, j'ai toujours tenu le même discours, mais ça a pris des proportions parce que le contexte était celui de la concurrence... Tout le monde tire dans le même sens, tu dois tirer dans le même sens... J'ai plutôt senti un état de soumission généralisé. D'ailleurs, il n'y a qu'à regarder l'histoire du journal : des conflits entre les journalistes et la direction, il faut remonter loin pour en trouver.

— *Et les syndicats, est-ce qu'ils t'ont soutenu ?*
— Officiellement, oui *(rires)*... officiellement le SNJ, qui est majoritaire, m'a soutenu, des tracts ont été faits, ils ont demandé des entretiens avec la direction, mais en fait le travail syndical était nul parce que... il y a une personne, le chef du syndicat, qui est là pour « prendre les coups » entre guillemets... c'est lui qui faisait les tracts mais aucun vrai travail de fond n'a été fait. Il était tout seul, ça s'est passé avant les élections professionnelles, ils m'ont soutenu... ça a permis de dire après que le syndicat faisait son boulot, mais concrètement, il n'y a jamais eu de vraies propositions d'action, alors que c'était un cas patent de licenciement abusif... il n'y a vraiment pas eu le minimum syndical de fait, à mon sens.

— *Comment l'expliques-tu ?*
— Déjà il y a une sous-syndicalisation. Peut-être aussi que les conditions de recrutement de ce journal... le marché du travail est tel que, finalement, on me l'a fait sentir, il y a cinquante personnes qui attendent à la porte pour une place, donc on embauche peut-être ceux qui ont l'échine la plus souple. J'ai vraiment rencontré des

gens soumis. Et puis les journalistes sont tenus par la clause de mobilité qu'ils signent lorsqu'ils sont engagés, alors bon, certains veulent bouger, d'autres veulent rester sur place… alors c'est la carotte et le bâton qui est au-dessus d'eux en permanence. Ça n'incite pas à bouger.

— *Maintenant tu veux aller jusqu'au procès, pourquoi ?*
— Pourquoi ? Mais parce que j'espère bien faire valoir mes droits et être réintégré. Mais je ne sais pas si j'aboutirai à ce résultat devant les prud'hommes. En tous cas, il y a eu un précédent récemment, à *Ouest-France*. Le tribunal a ordonné la réintégration d'un jeune journaliste qui avait eu quarante CDD. Je veux vraiment que mon entreprise soit sanctionnée, que mon cas serve d'exemple. Qu'une jurisprudence claire soit établie. Je veux peut-être aussi montrer que ce genre de choses ne doit pas se passer impunément et que l'on peut, si on ne se laisse pas faire, gagner contre une direction.

— *Quelles seront selon toi les conséquences de cette bataille, au plan personnel ?*
— Si je ne suis pas réintégré, je ne suis peut-être pas près de retrouver du travail dans la presse locale. Et comme la presse d'opinion est plutôt limitée… Mes perspectives d'emploi dans ce métier risquent de se réduire comme une peau de chagrin… je vais peut-être être amené à me reconvertir.

Post-scriptum

Depuis l'époque de cet entretien, l'action intentée par Jean-Louis devant le tribunal des prud'hommes a suivi son cours et, finalement, l'entreprise de presse qui l'avait abusivement licencié a été sévèrement condamnée par un jugement rendu en mars 1998.

Dans une déclaration publique, Jean-Louis a déploré le peu de soutien qu'il avait reçu de ses collègues et des « syndicats-maison » à l'exception du SNJ-CGT.

La déontologie et les conditions de la vertu

Vite dit-bien dit, le terme « déontologie » semble fonctionner intelligiblement. Avec suffisamment de bonne volonté, on peut l'entendre, au pire, comme l'invocation pieuse et œcuménique d'un idéal inaccessible ; au mieux comme le constat d'un consensus moral où les producteurs de presse, de l'informateur au gestionnaire, en passant par la rédaction, le pigiste et la régie publicitaire, se retrouveraient dans la reconnaissance de valeurs communément admises, une zone irréductible de respect mutuel et de respect de soi, impliquant la stabilisation de bonnes conduites et de codes moraux explicites, utilisables en toutes circonstances, avec le souci constant de la qualité du service rendu au public.

Pour savoir si cette éthique est mythe ou réalité, il peut être éclairant d'examiner l'utilisation de la notion de « déontologie » par les interviewés de notre enquête, en tenant compte des conditions concrètes dans lesquelles cette déontologie est censée s'appliquer.

La logique du jeu posé comme une fin en soi

Ce qui, dès l'abord, apparaît à la simple lecture de nos entretiens, c'est que nos interlocuteurs décrivent surtout des conditions défavorables, dans l'ensemble, à l'élaboration et au respect d'une déontologie professionnelle effective.

Évelyne, par exemple, raconte comment elle a consacré une grande partie de sa jeune carrière à s'adapter aux « formats » et aux « tons » de ses CDD successifs ; mais elle dit sa lassitude en parlant de son emploi actuel : « Je ne me trouve plus à ma place, dans mon rôle de journaliste. [...] Là, il faut s'adapter encore plus mais je n'ai pas envie, ce n'est pas moi. » Sans employer le mot « déontologie », elle introduit la question des implications morales du travail professionnel lorsqu'elle se plaint à plusieurs reprises que l'émission à laquelle elle collabore serve à « mettre en exergue des mecs bourrés de fric dont on parle partout », alors qu'« il y a des gens qui ont de vraies choses à dire, intéressantes, sur notre société ». Mais lorsqu'elle donne les raisons qui la poussent à faire cette émission, elle explique : « Parce que je n'avais pas de boulot et que j'ai été contactée, c'était la première fois, ça m'a fait hyper plaisir. [...] Ça m'a fait plaisir parce que je sais que ce sont des gens rigoureux. [...] Je peux peut-être avoir un peu plus confiance en moi parce que, c'est une preuve… que j'ai peut-être quelques compétences, quand même. [...] Aujourd'hui, il faut que je me dise que je vais jusqu'au bout en me motivant… » On voit ainsi qu'un jugement relativement sévère sur la valeur du contenu du travail accompli et du produit qui en résulte n'entraîne pas nécessairement une remise en question de soi-même ni des journalistes qui l'encadrent, à qui elle va même jusqu'à reconnaître de la « rigueur ». À la souffrance de réaliser un travail qu'elle n'aime pas faire et dont elle conteste les valeurs implicites répond le plaisir d'avoir été enfin distinguée et choisie pour faire ce travail. Loin de voir dans ces propos une pure incohérence, il faut y lire, d'une part, le constat significatif des contraintes, comme celles liées à la raréfaction des emplois et à toutes les formes de concession qu'elle entraîne ; et, d'autre part, l'aveu du peu d'importance accordée au produit final du travail accompli. Avoir ou ne pas avoir des « compétences » équivaut à être ou ne pas être professionnelle. Évelyne ne met pas en doute le professionnalisme de ses employeurs « rigoureux » alors même qu'elle vient de critiquer le fond de leur travail. Autrement dit, il suffit de savoir faire techniquement un travail (même jugé pas très reluisant) pour se voir reconnaître une véritable compétence. Il est clair, dans cette perspective, que le sentiment de responsabilité ne concerne pas la finalité du travail effectué en commun mais l'aptitude personnelle de l'individu à s'adapter, à faire sa place et à s'imposer dans une activité professionnelle dont le produit final est en quelque sorte mis entre parenthèses. Peu importe ce que l'on fait, l'important c'est de faire. D'où les déclarations paradoxales d'Évelyne expliquant que le fait d'avoir été contactée pour ce travail qui lui cause tant de déplaisir est pour elle un motif de réel plaisir, et que l'obtention de cet emploi est en définitive une preuve de ses compétences, qui va lui donner davantage de confiance en elle-même pour aller « jusqu'au bout, en [se] motivant […] pour ne jamais [se] laisser bouffer ».

C'est cette même logique du *jeu posé comme une fin en soi* qui fait adopter à d'autres pigistes une attitude qui n'est plus très éloignée d'un cynisme explicite : puisque ce qu'on me demande de faire est foncièrement répréhensible moralement, je le fais dans la forme correspondant aux modèles et aux attentes qui tendent à prévaloir dans l'ensemble de la profession. Ainsi Florence raconte-t-elle comment elle a « bidonné » une information pour vendre un sujet : « Il leur fallait un truc le plus sensationnel possible et ils étaient absolument ravis de mon histoire. » Elle ajoute, cherchant à prévenir une éventuelle réprobation de son acte : « Dans l'ensemble de notre métier, on prend un point de vue, donc on schématise et donc on ne rend jamais toute la profondeur, toute la complexité des choses, donc, quelque part, on bidonne aussi, ou alors on embellit, on monte en épingle un truc insignifiant. […] Ça dépasse le contexte du pigiste, qui est obligé de proposer le sujet qui va accrocher. » Pour Pascal, l'information est également « bidonnée de façon presque inconsciente et par paresse. Puisqu'on ne va pas là où ça résiste, c'est déjà du bidonnage, alors, que se rajoute à ça un petit bidonnage d'un pauvre pigiste qui inventerait telle ou telle citation de telle personne, c'est une goutte d'eau… » Mais si le « bidonnage » avéré est encore reconnu par l'ensemble de la profession comme une grave entorse à la déontologie, en revanche, sous l'influence de l'audiovisuel, on tend de plus en plus à tolérer, voire à considérer comme normales des techniques de production de l'information plus que discutables. Ainsi Clément a-t-il conscience de faire un travail caricatural (de rapporter « l'écume des choses ») quand il traite un sujet important en 1'30", durée au-delà de laquelle, si on en croit un principe désormais indiscuté dans les rédactions, un reportage fait inévitablement « chier les gens ». De même Julien, pour faire ses magazines, est bien obligé de se plier, tout en la dénonçant, à la régie imposée par les producteurs, selon laquelle il ne faut consacrer à l'enquête proprement dite que deux jours alors qu'il sait d'expérience qu'il n'y a pas « de sujets qui s'enquêtent en deux jours… ou si tu le fais en deux jours, c'est au détriment de l'information ». Il faut ajouter à cela le fonctionnement des agences, « qui ont tout leur filiale presse et leur filiale institutionnel », où travaillent indifféremment les mêmes journalistes (Julien) ; ou encore l'utilisation de tous les procédés – « ces béquilles de l'info, ces rustines, ces ficelles » comme dit Clément – qui permettent de fabriquer à la va-vite et au moindre coût des reportages présentables ; ou encore l'absence de discussion critique sur le travail accompli : « Tu fais ton sujet et puis tu te barres » (Clément), les retours de reportage « chargés de boîtes de chocolats » (Clément), etc. Tout se passe comme si le poids de ces petits et grands renoncements à la rigueur et à la probité, qu'ils soient induits par les choix éditoriaux, les conditions de travail ou par l'incapacité intrinsèque de la presse à rendre compte de la complexité du monde, était si écrasant qu'il rendait ridicule toute prétention individuelle à une vertu professionnelle.

Lorsque Hélène souhaite « revenir à ce qu'on faisait avant » et oppose l'« information pure et factuelle au reportage et ce qu'il y a derrière », elle en appelle à un passé idéalisé (qui a force de vérité à ses yeux) dans lequel l'information en tant que telle aurait eu moins de valeur que l'expérience individuelle du reportage, expérience à laquelle elle confère d'ailleurs une richesse en soi. On voit évidemment l'intérêt pour Hélène de souscrire à une telle représentation de son métier : recueillir des témoignages ne demande pas de travail de documentation et ne suppose pas une accumulation préalable de connaissances. Mais au-delà de cette façon de faire de nécessité vertu, sa remarque reflète la difficulté originelle des journalistes à se penser en tant que professionnels de l'information [1],

---

[1]. On sait comment la presse française tente, depuis le début du siècle, de se démarquer des « circonstances de sa naissance », de ses deux pôles fondateurs que sont d'un côté la littérature, de l'autre la politique. (Lire notamment Thomas Ferenczi, *L'Invention du journalisme en France*, Plon, 1993.)

pour qui la qualité du produit fini devrait l'emporter sur toute autre considération.

Un mot vide de sens

Si au contraire le produit qu'on fabrique n'a pas une valeur reconnue, la déontologie n'est plus qu'un mot sans signification et sans objet. Pascal semble tenir l'usage de ce mot dans le milieu journalistique pour un procédé « politiquement correct », qui évite à la presse de se poser des questions de fond sur la valeur de son travail. En opposant, comme il le fait, le terme de « morale » à celui de « déontologie », il semble vouloir écarter l'idée qu'il exercerait un métier comportant une mission particulière, qui justifierait un code spécifique de devoirs et de règles professionnels se substituant au cadre intime de ses propres convictions morales.

Cette opposition des termes est révélatrice de la perte, à la fois de confiance et de crédit, des entreprises de presse aux yeux mêmes des gens qu'elles emploient. Que la notion de déontologie soit ainsi posée comme un mot vide de sens dit surtout que les lois enfreintes ont dépassé le cadre strict des règles censément en vigueur dans le journalisme. Car s'il y a une charte professionnelle [1], elle ne

---

[1]. Après plusieurs tentatives de regroupement à la fin du XIXᵉ siècle, le premier Syndicat des journalistes (ancêtre du SNI) est créé en 1918. Il définit la « Charte des devoirs professionnels des journalistes français », une espèce de code de l'honneur. C'est en parallèle à cette définition des règles et des valeurs professionnelles que le syndicat élabore un projet de contrat de travail. La Charte sera révisée et complétée en 1938 ; mais, en 1971, une formulation est adoptée à Munich par les représentants des fédérations de journalistes de la Communauté européenne. Elle s'intitule « Déclaration des devoirs et des droits des journalistes », faisant ainsi du respect des droits le corollaire du respect de l'éthique.

peut avoir de portée effective que si d'autres codes – qui la sous-tendent et la cimentent (le code civil et le code du travail) – sont majoritairement respectés dans les échanges professionnels. Or, comme nous le voyons dans les témoignages, c'est de moins en moins le cas.

Il faut d'ailleurs observer que le statut professionnel – en somme le référent légal à partir duquel journalistes et employeurs pourraient engager leur responsabilité – est en train de s'effacer en se diversifiant. L'appellation même de journaliste donne une apparence trompeuse d'unité à une multiplicité grandissante de postes et de fonctions. Un journaliste pigiste peut, quant à lui, à la fois être payé en droits d'auteur par une entreprise, être « au noir » dans une autre, relever du régime des salariés dans une troisième, être considéré comme un travailleur indépendant par un quatrième employeur pour qui « pigiste » signifie « profession libérale »… ; quand le pigiste n'est pas amené à offrir ses services gratuitement à un cinquième support en création. Dans ces conditions, à quel statut, quelles conventions, quel code professionnel de valeurs un tel journaliste doit-il souscrire ? Dans l'état actuel de confusion et d'incertitude, que la précarité ne fait qu'aggraver, chaque journaliste, face à ses pairs comme à ses interlocuteurs sur les terrains d'enquête, s'arrange comme il le peut avec son propre système de valeurs, en fonction de la situation, de sa position, de ses contraintes et de ses intérêts.

Ce genre de petits accommodements (ou, si l'on préfère, de petits marchés conclus à différents degrés de conscience) avec soi-même et avec les autres occupe une grande part des pratiques quotidiennes d'un journaliste. Cette pratique de *l'arrangement personnel*, qui revient à laisser une morale individuelle (assumée « en son âme et conscience » par chaque praticien) pallier la disparition d'une morale collective désinvestie par le groupe professionnel, est peut-être un effet et une cause à la fois de l'affaiblissement de cette « vertu civique » et civile, cette morale républicaine à la restauration de laquelle il est de bon ton, et sans véritable conséquence, d'appeler aujourd'hui en oubliant de s'interroger sur les conditions économiques et sociales de cette restauration. Quoi qu'il en soit, on est en droit de s'interroger sur l'efficacité de cette pratique morale, solitaire et impressionniste, pour le pigiste contraint de s'y réfugier.

En effet, en appeler au sentiment moral personnel sans pouvoir se référer à une éthique professionnelle explicitement définie et partagée, c'est en l'occurrence se livrer au constat de carence d'une morale collective qui se serait dégradée en une simple idéologie corporatiste de justification et de célébration. Mais celui qui préfère se retrancher derrière ses intuitions morales personnelles plutôt que de travailler à l'instauration d'une déontologie reconnue et respectée par le plus grand nombre risque pourtant de se tromper de cible et, pire encore, de retourner l'arme contre lui.

C'est cette individualisation à outrance et cette méconnaissance des fondements et prolongements collectifs de toute situation personnelle qui amènent Marianne – dont certains propos donnent pourtant à penser qu'elle n'a pas perdu toute croyance en des règles et des valeurs professionnelles collectivement partagées : « La déontologie, c'est être honnête par rapport à son sujet, à ses sources, c'est ne pas inventer une information, on peut faire un travail en groupe mais on n'a pas à repomper… » – à considérer que « c'est un individu qui te vire, le système n'y est pour rien », etc. En d'autres termes, l'effacement de la déonto-logie (ou de ce qui en tenait lieu) a pour corollaire la ré-duction de tous les rapports au sein de l'entreprise de presse à des *problèmes psychologiques de relations interper-sonnelles*, qui n'ont plus grand chose à voir avec les effets objectifs d'une logique extérieure au travail journalistique – par exemple, la logique de la rentabilité économique. Comment se battre contre un système quand on ignore sa réalité objective et qu'on met tout ce qui arrive sur le compte des bonnes ou des mauvaises intentions des uns et des autres, sans faire aucun lien entre celles-ci et celui-là ? L'invocation des seules convictions morales person-nelles risque fort dans ces conditions de conduire à entériner purement et simplement le fonctionnement du système tel qu'il est révélé et masqué à la fois par les in-teractions entre individus. C'est ainsi que Marianne, en riposte aux avanies et préjudices qui lui sont infligés dans telle rédaction, ne conçoit pas d'autre démarche que celle-ci, dont on doute qu'elle puisse avoir un quelconque effet : « Je ne ferai pas de procès mais une lettre que j'enverrai à la DRH, à la direction du groupe et à la directrice de la publication, et une au SNJ, juste pour raconter l'histoire. Je la rédigerai comme un article sur la vie d'une pigiste… »

La culpabilisation individuelle

En perdant la capacité de se représenter en tant que col-lectif professionnel, l'ensemble des journalistes (quels que soient les pouvoirs dont ils sont investis, pigistes ou pa-trons de presse) tend à substituer à des responsabilités professionnelles précises et explicitement revendiquées les fluctuations d'une sensibilité morale personnelle qui conduisent souvent à la *culpabilisation individuelle*. Il est frappant de constater que nos entretiens abondent en auto-accusations et en aveux de mauvaise conscience aux moments même où, pour la plupart, nos interlocuteurs décrivent de mauvaises conditions de travail, comme Julien par exemple qui confesse : « Pour des témoignages sur le surendettement, les gens, je les ai pressés comme des citrons et après je suis parti, ils n'ont plus entendu parler de moi. […] J'avais deux jours de tournage, voyage compris. […] Moi, j'étais mal. » Pour le pigiste, ballotté d'un titre à l'autre, d'une collaboration à l'autre, les conditions d'exercice de son métier sont à chaque fois la source de contingences plus ou moins (mais de moins en moins) propices au respect de règles déontologiques que tout le monde appelle de ses vœux mais sur lesquelles il n'y a plus de consensus effectif dans une profession en décomposition/recomposition accélérée.

Ainsi, dans une économie de l'information de plus en plus surdéterminée par la logique de marché, l'enjeu est-il sans doute de constituer un maillon fort, capable de responsabiliser la masse des praticiens tout en déculpabilisant les individus. Un maillon qui, en objectivant réellement (avec l'appui de la science sociale) les contraintes qui pèsent désormais sur le travail journalistique, créerait du même coup de nouvelles règles déontologiques. Inventer ce maillon fort, c'est peut-être tout simplement *réinventer un syndicalisme*. Mais c'est surtout l'obligation de le doter de nouveaux outils de régulation et de contrôle.

ANNICK PUERTO

Florence *ou* « La jungle des piges »

40 ans, mariée (conjoint journaliste titulaire en PQR), deux enfants
Père industriel, propriétaire d'une importante usine ; mère sans profession
Bac A, puis école privée de journalisme
Après obtention du diplôme de journaliste, commence par travailler dans un quotidien régional, pendant environ quatre ans. Après la naissance de son premier enfant, devient correspondante régionale (pigiste) d'un grand hebdomadaire national. Occupe ensuite le poste de rédactrice en chef d'un mensuel alternatif avant de redevenir pigiste pour diverses publications.

— Au moment où j'ai été licenciée pour raisons économiques de l'hebdomadaire régional où je travaillais, j'avais déjà l'assurance d'avoir, je ne sais pas, peut-être 4 000 balles qui me tombaient du magazine *Le Temps* [grand hebdo national] tous les mois. Donc je n'étais pas dans un état de grande angoisse. À l'époque, quand j'ai été licenciée, je pouvais toucher 90 % de mon salaire pendant un an, c'était en 1982, c'était encore assez royal, et en fait comme j'avais des tas de propositions de piges, je ne me suis jamais inscrite au chômage, j'ai jamais voulu en profiter. J'ai regretté après en me disant « Merde, j'aurais dû passer un an à faire autre chose », mais non, je n'en ai pas profité sur le moment *(rires)*.

— *Donc on peut dire que ta carrière de pigiste démarre à ce moment-là ?*
— Ça a démarré pratiquement ma dernière année dans l'hebdomadaire régional. L'année qui a suivi mon licenciement, j'ai fait des bricoles, j'ai fait un truc pour *Elle*,

il y avait aussi *Hebdoscope*, un magazine de loisirs, et différents trucs… donc je pigeais déjà à droite et à gauche, et on a lancé le projet de *Parole* [mensuel alternatif], qui m'a occupée en fait de 1982 à 1984.

— *Pour revenir à tes piges, par exemple pour* Le Temps, *c'était quelque chose que tu faisais de manière régulière ?*
— Oui, ça a duré trois-quatre ans.

— *Comment faisais-tu pour choisir tes sujets pour* Le Temps *?*
— J'avais un calendrier culturel qui était un invariable, et il leur fallait à côté de ça un ou deux sujets tous les mois… qui soient de type un peu magazine pour une clientèle cadres moyens, et donc moi je prenais dans des thèmes un peu marginaux de l'actualité des trucs qui m'intéressaient. Par exemple, à cette époque-là je m'intéressais déjà aux problèmes d'environnement, donc j'avais fait un truc sur l'impact du nucléaire dans la région, un truc sur les pollutions de plages… je choisissais, je leur faisais une liste de propositions, trois-quatre thèmes tous les mois et puis ils choisissaient au fur et à mesure. Ça se passait de manière très informelle en fait… Il n'y avait pas vraiment de concurrence, de toute façon on était deux à faire ce truc-là, il y en avait un qui prenait le politique et l'économique, moi je faisais un petit peu tout ce que je voulais dans ce qui restait.

« Faire des trucs débiles »

— *C'est-à-dire que tu proposais des sujets en fonction de tes intérêts propres ou en fonction de ce que tu savais qu'ils attendaient de toi ?*

— Les deux. C'est-à-dire qu'il fallait que le sujet m'intéresse sinon, bon, si je n'avais aucune compétence dans le sujet, je n'aurais pas été capable de le traiter, donc il fallait que j'aie une certaine aspiration à traiter ce sujet ou alors à faire des interviews de gens que je trouvais intéressants. D'autre part il fallait que ça tombe dans leur créneau type cadre moyen. C'est sûr que si j'avais fait à l'époque un truc un petit peu misérabiliste sur le chômage à Roubaix ou Mâcon, c'était pas exactement le genre de truc qu'ils attendaient. Donc j'avais aussi conscience qu'il fallait que je m'ajuste sur les thèmes. Je ne me souviens plus du détail de ce que j'ai fait à l'époque mais je sais que c'était sur les thèmes culture/environnement qui peuvent intéresser, ou même des trucs un peu sportifs ou qui peuvent intéresser le public moyen du *Temps*. C'était un hebdo qui était surtout lu – il y avait beaucoup d'annonces pour les cadres –, c'était lu par la catégorie, bon, c'était le journal des cadres, enfin je le voyais comme ça.

— *Est-ce que tu avais le sentiment d'apporter, toi, quelque chose de spécifique ?*
— Non, non, j'avais simplement envie… j'étais contente d'avoir été retenue, encore qu'il n'y avait pas eu de sélection, ça m'était tombé dessus un peu par hasard, pour moi c'était une carte de visite valable à exploiter et sur laquelle il fallait que je fasse un petit peu mes preuves en proposant des sujets qui allaient les intéresser. Je n'avais pas d'idée particulière… d'idéologie, ou d'idées ou de choses comme ça à faire passer. C'était pas, pas du tout militant hein… c'était quand même un boulot bien payé et une bonne carte de visite en même temps… J'étais quand même encore très jeune comme journaliste et j'avais le sentiment que ça m'honorerait quelque part de

travailler pour *Le Temps*. C'était plutôt… bon, c'est vrai que bêtement j'étais un peu fière de travailler pour *Le Temps* et donc je me donnais un peu de mal, quoi, mais en m'ajustant à ce qu'ils attendaient.

— *Est-ce qu'il t'est déjà arrivé de traiter des sujets en les bidonnant ou en les tirant un peu, justement pour t'ajuster à une demande que tu sentais ?*
— Pas pour *Le Temps*, mais pour… beaucoup plus tard… là je te cite une anecdote plus récente, quand j'ai travaillé pour *Infeurope* [agence de presse installée en région]. Il y avait un hebdomadaire national, qui doit exister toujours, pour lequel il fallait proposer des thèmes et c'était pas du tout évident parce que c'était justement des trucs qu'il fallait plus ou moins tirer et bidonner un peu. Donc là, je me souviens de deux ou trois sujets, notamment j'avais annoncé la station de ski sur les terrils, c'était il y a au moins quatre ou cinq ans, en fait cette station n'existe que depuis cette année et ce n'est pas une station mais un malheureux tire-fesses. J'avais aussi annoncé un truc mais alors complètement bidon, « L'Angleterre s'éloigne de la France », parce que j'avais vu des études et un travail intéressant sur l'érosion et je savais que je ne pouvais le vendre qu'en titrant comme ça. Et ça, j'avais tout à fait conscience de faire des trucs qui étaient débiles, enfin, mais bon, sinon je n'aurais pas pu proposer un seul sujet, y a rien qui passait, mais ce canard-là… ça m'a frappée parce que c'était vraiment… il leur fallait un truc le plus sensationnel possible et ils étaient absolument ravis de mon histoire, « L'Angleterre s'éloigne », alors que vraiment c'était débile, ce n'est pas du tout prouvé et puis si c'est deux centimètres par an. *(Rires.)* Enfin bon, ça, ça m'a toujours fait beaucoup rigoler… parce qu'ils étaient tellement

ravis de ce coup-là et moi je trouvais ça tellement débile. *(Rires.)* Mais pour *Le Temps*, non…

— *Et est-ce qu'il t'est arrivé d'autres fois de bidonner, pour d'autres supports, d'exagérer ou tirer une info ?*
— C'est pas tellement bidonner, mais un peu embellir les choses dans les portraits. Oui, c'est plutôt montrer… C'est avec le recul que je me dis ça… Sur le moment j'étais naïve pour prendre ce recul-là mais, je dirais même que dans l'ensemble de notre métier, quand on fait un article, on prend un point de vue, donc on schématise et donc on ne rend jamais toute la profondeur, toute la complexité des choses, donc quelque part on bidonne aussi, ou alors on embellit, ou alors on monte en épingle un truc qui est complètement insignifiant et je crois que c'est… ça dépasse le contexte du pigiste qui est obligé de proposer le sujet qui va accrocher. Je crois que c'est général, même dans une boîte où tu es intégré, on attend ça de toi, que tu mettes en valeur, que ce soit accrocheur. « Ah, ton coup il est bon, coco, vas-y », et si tu ne le présentes pas assez bien, pas assez beau, pas avec un emballage assez excitant, ça ne passe pas… donc, je dirais, l'ensemble du métier consiste à prendre un point de vue qui est nécessairement un peu manichéen, très souvent manichéen.

« Ton sujet, il faut qu'il soit vendeur »

— *Est-ce que ce phénomène-là n'est pas amplifié quand on est pigiste ? Tu disais que pour ce journal-là, tu savais que ça ne passerait que de cette manière-là…*
— Oui, je ne sais pas, je n'ai pas… Est-ce que c'est pire pour les pigistes ? Oui, peut-être, peut-être. Ce qu'il y a de sûr, c'est qu'il faut… dès le départ, quand t'as ton sujet, il faut qu'il soit vendeur, que ton truc il soit accrocheur,

il faut… Si tu cafouilles, si tu n'as pas un angle et tout ça, tu sais que tu ne passeras pas, mais de là à bidonner, c'est peut-être… J'ai eu que cette fois-là, cette histoire de l'Angleterre, là, le sentiment de bidonner complètement mon truc, de monter un truc « gaguesque », rigolo, poisson d'avril, tout ce que tu veux… Sinon, c'était plutôt « Comment je vais faire pour vendre mon truc ? » et donc « Quel est l'angle le plus accrocheur ? », mais c'était jamais à partir d'un truc faux, simplement tu prends une part de réalité mais tu donnes jamais toute la réalité ou sa complexité, tu réduis…

— *Et ça, « Comment-je-vais-vendre-mon-truc-? », c'est une préoccupation constante ?*
— Ah oui, c'est évident. Un : est-ce que je vais me faire renvoyer dans mes buts, ils ne voudront pas de mon sujet pour telle ou telle raison ? Et deux : comment je vais le vendre ?… Encore maintenant, tous mes sujets, j'y réfléchis un moment avant de les formuler, même dans les mots que je vais employer, pour que ce soit vendeur, sauf quand c'est un travail de commande très précis où alors là t'as une espèce de cahier des charges que tu dois suivre. Mais sinon, quand tu proposes ton sujet, tu te préoccupes toujours de savoir : comment je vais le formuler pour que ce soit vendeur ?… Sinon… Ils vont me dire : « Non, ça ne nous intéresse pas » ; ou tu vas dépenser de l'énergie pour rien. […]

— *Après* Le Temps*, tu as travaillé dans quel type d'organe ?*
— Bof, il faudrait que je regarde. Qu'est-ce que j'avais fait à l'époque ? J'avais travaillé un petit peu bénévolement dans une radio locale… j'avais travaillé pour deux hebdos de loisirs, j'avais fait des piges pour *Elle*, enfin des

trucs dans ce genre-là… te dire en détail… enfin, bon… essentiellement des trucs à caractère régional, hein. Il y avait aussi un ou deux magazines qui s'étaient créés, qui avaient lancé un ou deux numéros… ah oui, j'avais travaillé aussi pour le journal du Crédit agricole, dans lequel je faisais des sujets magazine sur le monde rural en fait. C'était plutôt cool et sympa et je proposais là aussi ce qui me plaisait. C'était… euh… j'étais plutôt dans le côté agréable du métier. J'ai l'impression, avec le recul, que la première partie de mon boulot pendant quatre-cinq ans c'était plutôt des trucs agréables que j'avais envie de faire. Après c'est devenu beaucoup plus contraignant. Et donc à ce moment-là j'ai commencé à travailler pour le bureau d'études aménagement-environnement pour faire un boulot de documentation et de rédaction de plaquettes sur l'environnement. Donc c'était un travail de commande à caractère journalistique mais plus institutionnel et avec possibilité de l'étaler dans le temps, et où je devais faire tout, c'est-à-dire les reportages, les textes, les photos, la maquette, enfin bon, tout.

— *Et après ?*
— Une fois ça… ça a duré quand même jusque… tu vois, j'ai même plus de repère… combien de temps je suis restée ? Au moins cinq ans, jusqu'en 1989 peut-être, jusqu'en 1989 et en même temps je faisais encore des piges, hein, parce que c'était un boulot à mi-temps… puis je faisais des trucs à droite à gauche.

— *Pour quel type de journaux ?*
— Justement, il faudrait que je regarde sur mes fiches de paie parce que je ne me souviens même plus. Je sais qu'entre-temps… qu'est-ce que j'ai fait… j'ai fait cet

hebdo de loisirs… ah oui, il y avait un truc mutualiste
aussi, où j'ai travaillé pendant deux ans, des trucs vidéo,
pour un organisme de gestion des caisses d'épargne…
Disons que pendant toute cette période, à chaque fois
que j'avais l'occasion, je faisais une bricole à droite à
gauche, à la fois pour faciliter les fins de mois… enfin
elles n'étaient pas si difficiles que ça, et… bon, disons, à
la fois pour des raisons lucratives et pour le goût de bricoler à droite à gauche… parce que finalement je crois,
j'ai un fond un peu… euh… bricoleur, j'ai du mal à me
fixer sur un truc précis… et donc après, qu'est-ce qui s'est
passé… je crois que j'ai eu directement le boulot dans
un autre bureau d'étude qui faisait aussi de l'environnement et là avec la perspective de faire, pas du journalisme,
mais différents types de publications… Disons que c'était
un travail mi-documentaire, mi-mise en forme à l'usage
du public d'un certain nombre d'informations dans le
domaine de l'environnement, et ça j'ai fait jusqu'en 1993.
Donc 1990-1993, par là. Deux à trois ans.

— *Comment trouvais-tu ce genre de travail ?*
— Tout a fonctionné par réseaux, depuis le début… soit
des copains journalistes, soit des gens dans l'environnement qui me connaissent. Ça a toujours fonctionné par
réseaux. Même si je prends les piges les plus récentes,
L'Éclaireur [grand hebdomadaire national], c'est Muriel
[une amie pigiste] ; le magazine mensuel de tourisme,
Muriel connaissait, elle m'en a parlé, j'ai été dire bonjour
et j'ai dit ce que j'avais fait avant… enfin c'est toujours…
ça fonctionne soit sur un élan de ce que tu as déjà fait, et
donc sur ta petite notoriété limitée, soit par les gens que
t'as connus, essentiellement les réseaux de collègues, ou
tes partenaires, tes informateurs, des gens avec qui tu as

travaillé régulièrement. Sortie de mon réseau régional…
je ne suis pas sûre de pouvoir survivre, je ne suis même
sûre que je ne survivrais pas dans le milieu journalistique.

« Quelque part, t'es un peu parasite »

— *Même après avoir été correspondante d'un canard comme*
Le Temps ?
— Oui, parce que c'est ancien, et puis c'est pas parce que
t'as été quatre ans correspondante en région du *Temps* que
tu peux prétendre à tout et n'importe quoi. Non, j'ai l'impression qu'aujourd'hui où j'ai du mal à avoir le feu sacré,
c'est vrai, je me dis que je suis entraînée sur mon élan,
qu'il y a une espèce de synergie avec les trucs que j'ai déjà
faits, mon réseau fonctionne plus ou moins bien, je l'active plus ou moins régulièrement aussi, mais j'irais me
transporter n'importe où, à Paris ou dans une autre région, ce serait tout à reconstruire à zéro et je ne suis pas
sûre du tout d'avoir du boulot. Même en montrant tout
ce que j'ai pu garder, je ne crois pas, je ne crois pas… Et
puis il y a dans la carrière du pigiste… il se révèle à l'usage
qu'il y a des trucs pour lesquels t'es plus ou moins douée,
enfin bon, c'est vrai que quand j'ai fait un tout petit peu
de télé à FR3 ou de la vidéo, c'était peut-être pas exactement le truc dans lequel j'étais le plus à l'aise, donc ça je
l'ai fait mais ça ne me sert pas à grand-chose. Enfin j'ai
travaillé pour des radios locales, ça m'a pris pas mal de
temps mais ça ne me sert absolument à rien dans mon
curriculum vitae et finalement, si je dois présenter un CV,
c'est un machin très éclaté avec vingt-cinq titres de journaux différents dont peut-être un ou deux connus au niveau national, pas mal de petites publications régionales
ou très spécialisées, mais pas… ce n'est pas un parcours

cohérent. Bon, j'ai été dans l'environnement pendant plusieurs années, mais de là à pouvoir prétendre à un boulot très qualifié dans ce domaine, c'est pas sûr du tout. Je n'ai pas d'abord… il me manquait la spécialisation au départ dans un ou deux domaines précis.

— *Mais est-ce que, quand on est pigiste, on a intérêt à se spécialiser justement, ou bien est-ce qu'il vaut mieux rester complètement éclectique ?*
— Je crois qu'il faut rester souple, mais être complètement éclectique c'est impossible… ou tu deviens dingue, parce que ça veut dire… quand t'es pigiste, d'abord t'as un fonctionnement un peu… quelque part t'es un peu… parasite, parce que tu ne peux pas être pigiste sans t'abreuver aux autres publications. Donc t'es obligée de… euh… tu le fais plus ou moins consciencieusement, mais tu picores par-ci par-là dans la presse régionale. C'est-à-dire que comme tu n'es pas quelqu'un d'universel, t'es bien obligée de picorer à droite à gauche pour te trouver des idées, des sujets, faire tes dossiers, ne serait-ce que pour trouver les noms des interlocuteurs valables et tout. Et si tu veux faire ça consciencieusement sur tous les thèmes, tu deviens fou, à mon avis. Donc par le fait même, tu sélectionnes un peu, enfin je crois. Aujourd'hui si on me demandait de faire des articles économiques ou politiques… il me faudrait vraiment ramer beaucoup. J'ai l'impression de ne pas avoir les contacts, de pas avoir les bases. Ceci dit, être éclectique, oui. Dans ces dernières années, j'ai fait des trucs… bon, quand je travaille pour la région, le journal du conseil régional, on fait vraiment de tout hein… ça va de l'environnement à la culture en passant par l'éducation, le dossier aménagement du territoire, c'est vraiment de tout, l'agriculture, enfin bon. Mais à

chaque fois tu te dis que tu traites le sujet de manière un petit peu superficielle, sans avoir vraiment une perspective dans le temps, et c'est vrai que j'envie quelque part les gens, le spécialiste du *Monde* de l'écologie ou le spécialiste au *Monde* de l'aménagement du territoire qui a fait ça pendant dix-quinze ans et qui a un super réseau et qui peut se faire des informations excellentes, parce que c'est vrai que nous, on est quelque part un peu parasites. On profite du travail d'un grand réseau de journalistes pour essayer de revendre, de recycler.

— *Est-ce à dire que jamais, toi, tu ne produis de l'information ?*
— Si c'est de l'information actualité, événementielle, c'est rare, c'est vraiment très rare. Ceci dit, ça ne veut pas dire que ce que tu fais n'est pas original. Même dans un truc touristique ressassé par vingt cinq mille personnes, tu vas quand même essayer de trouver un angle original… mais sortir une information d'actualité, je ne crois pas.

— *Pas ce qu'on appelle des scoops dans la profession…*
— Non, non, non, je crois pas, enfin disons pas dans mon statut à moi. Peut-être que des gens qui travaillent pour *Le Canard Enchaîné* comme pigistes ou, je ne sais pas, des gens comme ça, ont peut-être un réseau assez… ou une cible assez bien déterminée pour pouvoir de temps en temps sortir un coup. Mais moi non, je n'ai pas l'impression, non.

— *Est-ce qu'on peut dire que tu fais plus un travail d'écriture que d'investigation ?*
— Oui et non, parce qu'en environnement je travaille sur des sujets très peu traités par les autres, parce que c'est

trop pointu, et donc là, si je… j'ai quand même… Ce n'est pas que je sorte une information, ou un scoop, ou un événement, mais je sors des fois des informations suffisamment complètes pour que ça apporte quelque chose que d'autres n'ont pas produit, simplement parce que ça ne les intéresse pas de manière assez pointue… Sur certains sujets tu as l'impression de faire un travail un peu approfondi, sur d'autres tu es très superficiel, tu réponds à… je ne sais pas, par exemple là je travaille un petit peu pour un canard qui s'appelle *Le Hameau*…

— *C'est quoi ?*
— C'est un magazine de terroir, donc une fois par mois sur les territoires ruraux… un magazine qui est à cheval entre l'initiative – c'est-à-dire les gens qui veulent s'installer en milieu rural, quel type d'initiative, etc. – et l'aménagement du territoire… Donc là, c'est vraiment du recyclage. Je recycle très clairement des idées, soit que j'ai vues ailleurs, soit des reportages que j'ai déjà faits. Par exemple, un type qui a créé une ferme ornithologique, je l'avais déjà vu pour le conseil régional, ce qui fait que je gagne un petit peu d'argent, parce que […] ce truc-là ils me paient…

« Pas un sou d'indemnité, on te jette, et voilà »

— *Tu parlais de recyclage de sujets…*
— Oui, pour des raisons financières, oui, parce que sur une bonne douzaine, quinzaine d'années de carrière de pigiste, la situation économique s'est quand même largement dégradée. Ce que je gagnais au *Temps* il y a dix ans, aujourd'hui c'est pratiquement la même somme, pour le même boulot, sans qu'ils tiennent compte de l'inflation,

de l'augmentation du coût de la vie et tout ça… Néant…
Je gagne la même somme ou moins même. Donc il y a
des boulots qui me sont vraiment mal payés, c'est-à-dire
par exemple un reportage pour *Le Hameau* qui me demande une journée de déplacement plus une demi-
journée pour rédiger, on est payé trois cents balles. Trois
cents balles, je ne vais pas y passer deux jours… Donc nécessairement, quand ils m'interrogent en me disant « Bon
voilà, on a un feuillet à faire sur un créateur d'entreprise… », je leur propose spontanément un truc que je
connais déjà ou que je peux faire par téléphone ou que je
recycle dans les trucs que j'ai déjà faits.

— *Tu parles d'argent, là, tu as fait la comparaison avec tes
fiches de salaire…*
— Je sais qu'au *Temps*, quand je faisais quatre pages par
mois, je faisais facilement 4 à 5 000 balles, je parle entre
1983 et 1985, donc il y a dix ans. Aujourd'hui, quand je
fais un journal complet pour le conseil régional qui me
prend pratiquement quinze jours avec pas mal de déplacements dans toute la région, je gagne 7 000 francs. Je
pense qu'aujourd'hui, à travail égal, le salaire s'est plutôt
déprécié ou est resté pareil. Enfin, grosso modo, les conditions économiques se sont dépréciées et les journaux parisiens… je peux te citer un exemple, les deux pages que
j'avais faites pour *L'Éclaireur*, j'aurais pu les torcher, mais
j'y ai passé du temps, j'y ai passé au moins trois-quatre
jours, parce que je voulais tout vérifier et que ce soit correctement écrit et tout, ils ont pas mal coupé aussi, mais
c'était payé 1 800 francs peut-être en net, un truc comme
ça. Il y a quelques années, je suis sûre que c'était mieux
payé. Je pense que grosso modo aujourd'hui, on est aussi
en bout de chaîne… et donc on rogne nécessairement en

grande partie sur le travail des pigistes, et comme il y a plein de monde pour accepter ces boulots-là, t'es bien obligée de te plier aux conditions économiques. Donc globalement, je trouve qu'il faut travailler autant sinon plus pour gagner globalement moins.

— *Combien tu gagnes par mois, toi par exemple ?*
— Euh… par mois, c'est difficile à dire. Sur l'année, l'année dernière j'ai déclaré 120 000 francs… donc quand t'as enlevé les machins, les trucs, ça fait moins… J'ai plus la carte de presse, donc au départ, brut, quand j'additionnais mes honoraires – parce qu'en plus y a des honoraires, des droits d'auteur et des salaires – j'avais gagné 120 000 francs, donc ça fait 10 000 francs…

— *En travaillant à temps complet ?*
— Non, non, soyons clairs, si je fais le compte sur l'année, j'ai travaillé… il y a au moins deux mois et demi où je n'ai pas travaillé… donc j'ai travaillé neuf mois et demi globalement… et sur une semaine, je dirai que je fais des semaines de trente cinq heures. L'année dernière souvent le mercredi je n'ai pas travaillé, et quand j'étais en retard souvent le samedi je travaillais, enfin bon. C'est pas du mi-temps, ça doit être un trois-quarts temps…

— *Est-ce que tu fais un trois-quarts temps parce que tu n'as pas plus de travail ou parce que tu n'en veux pas plus ?*
— Non, j'en veux pas plus, non…

— *C'est-à-dire que ce que tu gagnes, ça te permet de vivre ?*
— Non. Ça nous permet de vivre parce que je sais que je peux compter sur le salaire d'André [son compagnon] parce que sinon, si je me retrouvais toute seule demain

avec mes deux gamins à élever, je ne sais pas ce que je ferais, mais… enfin, je commencerais par manger les réserves… mais bon, je ne sais pas. Je pense que je ne peux pas vivre avec les deux enfants, avec 10 000 francs, surtout aléatoires… c'est-à-dire que t'as des trucs, des boulots qui traînent six mois par exemple pour être payés, pour t'être réglés, donc t'as des grands creux. À la fin, quand tu touches un magot, tu dépenses tout et après t'as trois mois où tu ne touches rien… Donc c'est pas… Non, globalement, si je fais le compte… enfin pour être très précis, André donc, à mi-temps il gagnait 7 000 francs par-là, ou 6 000 francs, j'sais pas quoi… à temps complet il gagne 13 000 francs… donc t'additionnes… quand même, bon, on dépense pas tout à fait tout mais avec 10 000 francs, je ne vis pas, hein, bien sûr. Mais c'est un choix, je n'ai pas envie de me prendre la tête et de travailler toutes les vacances d'été. Ça, tu le réajustes comme tu veux, mais disons que 10 000 francs me paraissent satisfaisants. Mais j'ai l'impression d'avoir quand même, d'avoir à ramer pas mal pour les gagner, alors que bon, ce sont des piges… c'est peut-être un luxe quelque part, comme *Le Temps* et tout ça, ça me paraissait pas très difficile à obtenir… C'est peut-être parce que je n'ai pas ramé pour les avoir, correctement payés, pas précaire, enfin ça a duré quand même quatre-cinq ans sans qu'on ne me dise jamais « Demain, on te jette »… D'ailleurs quand ça c'est arrêté, je dois dire, à l'hebdo régional et au *Temps*, j'ai touché des indemnités de licenciement quand ça s'est arrêté, alors que tous les autres boulots de pigiste, on a besoin de toi, on n'a plus besoin de toi, on a besoin de toi, mais le jour où on te jette… Par exemple, le journal médical où j'avais investi pas mal de temps parce que je n'y connaissais rien… donc, au départ, un titre, enfin une publication où on ne connaît vraiment rien au métier, rien aux préoccupations de la profession, on investit du temps. Bon, au bout d'un an et demi, ils m'ont jetée, mais c'est tout, pas un sou d'indemnité, on te jette, et voilà, on te jette *(rires)*.

— *Tu dis que quelquefois il faut attendre six mois pour être payée. C'est quelque chose de fréquent ?*
— Alors ça, c'est le cas… le cas le plus critique. Sur certaines piges du magazine de terroir par exemple, t'attends six mois. Sur les trucs de la Région, t'attends au moins quatre mois les honoraires de type conseil régional, et quand les gens sont complètement réglo, c'est-à-dire pour une toute petite partie du boulot, t'es payée le mois suivant. Mais même le journal du conseil régional, je suis payée en moyenne quatre mois après.

« C'est un moindre mal »

— *Et comment tu fais entre deux salaires, deux paiements ?*
— Le problème c'est que ce n'est pas entre deux paiements. C'est qu'au départ tu travailles six mois sans toucher un rond. C'est ton problème de trésorerie de départ. Alors ça je pouvais le faire parce qu'André avait des revenus et que j'avais… j'avais quand même de quoi vivre, mais c'est vrai que tu te lances… comme pigiste, t'as plusieurs mois à tenir sur ta propre trésorerie, comme une entreprise, quoi.

— *Aujourd'hui tu vis uniquement de piges ? Lesquelles ?*
— Oui, depuis 1993… 1993, oui, c'est ça, donc deux ans, deux ans et demi. Qu'est-ce que j'ai fait ? donc, si je réfléchis, j'ai fait des trucs pour la Région, des publications

thématiques pour le conseil régional dans le cadre des débats, à la fois l'« apprentissage », la « formation », l'« environnement », la « culture », le journal grand public du conseil régional, le journal outil de communication de l'espace naturel régional, donc de type institutionnel, une petite publication nationale sur l'environnement, qui est destinée aux maires. Qu'est-ce que j'ai fait encore ? Le magazine de terroir sur des sujets très diversifiés. J'ai fait au moins deux tentatives qui ne se sont pas poursuivies, de mon fait, parce que c'était trop d'énergie : une lettre nationale sur la presse, mais je n'avais pas de réseaux pour raconter les potins de la presse régionale, donc j'ai laissé tomber, et un journal touristique, où ils me demandaient de l'économie touristique et ça me rasait, donc j'ai laissé tomber… Le journal médical où je me suis fait… je me suis retrouvée sans boulot parce qu'ils ont largué leur réseau de correspondants, bon, grosso modo c'est ça mon fonds de roulement, c'est à peu près ça…

— *Avec lequel de ces supports tu as l'impression d'être le plus proche du métier de journaliste ?*
— Y a peut-être deux choses qui sont… moins éloignées, je dirai… il y a le journal grand public du conseil régional, parce que là ils définissent un thème mais c'est quand même toi qui choisis plus ou moins les interlocuteurs, ce que tu vas leur faire raconter, etc., le ton est quand même assez grand public. C'est assez proche de… bon, c'est institutionnel, mais quand même c'est pas de la prose institutionnelle pure et dure. Et puis le magazine touristique, parce qu'il y a un travail d'écriture un peu plus léché que ce que tu peux faire ailleurs… Ce magazine, je prends un certain plaisir à l'écrire et à faire les reportages. Le reste, ce n'est pas évident…

— *Là tu as l'impression de faire ton métier de journaliste ?*
— Je sais pas très bien ce qu'est mon métier de journaliste. Bon, si tu me dis un métier de journaliste qui fait de l'investigation, non, non, je n'y suis pas vraiment, je ne le fais plus vraiment ce métier-là… mais disons c'est un type de boulot sur lequel on fait un tout petit peu appel à ma créativité, à mes idées, à ma capacité de trouver des gens, des choses intéressantes à raconter, et donc ça me convient. Mais te dire… non, je crois… aujourd'hui j'en suis au stade où je me dis que vraiment pour faire, pour retrouver le côté investigation, le côté je-traite-un-thème-à-fond et tout, il faudrait faire un bouquin, mais bon, est-ce que j'en ai l'énergie, le talent, tout ça, je n'en suis pas sûre, mais bon… Disons, je n'ai plus l'opportunité de travailler vraiment dans un journal qui me donne la possibilité comme ça de prendre du temps, de rencontrer beaucoup de gens, d'écrire un truc très perso, enfin avec un ton perso, une approche perso, non pas vraiment.

— *Quand tu dis : « Je n'ai pas la possibilité de travailler pour un journal comme ça », ça veut dire que tu ne disposes pas de beaucoup de temps pour faire tes papiers ?*
— Non, non, c'est que… je ne vois pas à qui je m'adresserais, comment je pourrais obtenir… admettons, je ne sais pas… le ton qu'il y a dans certains articles de *Libé*, ça ne me déplairait pas de travailler comme ça, sur ce mode-là, avoir une vision un peu personnelle du sujet, le travailler, le creuser et tout ça, mais je ne vois pas à quel journal j'arriverais à vendre ça. Donc ça sert à rien de m'illusionner là-dessus. Si je vends des idées ou des projets à mon magazine touristique, je sais bien que ce sera dans une vision un petit peu idéalisée, touristique…

Je le sais… Mais en même temps, je dirais que c'est le boulot qui m'apporte le moins de désagrément, le plus de satisfaction pour le moment, où j'ai l'impression de faire un petit travail d'écriture, que je soigne un petit peu et ce n'est pas déplaisant, enfin bon. Disons que c'est un moindre mal, que c'est ce que je peux faire de mieux, je ne sais pas…

« La solitude me paraît pesante »

— *T'es payée comment ?*

— Alors, le magazine touristique, c'est payé en droits d'auteur, en Agessa, et… est-ce que c'est bien payé ? c'est ça que tu veux dire, c'est bien payé ?… C'est correct, c'est correct… Oui, il y a un truc qu'il faut que je te précise, sur les histoires d'honoraires, d'Agessa, etc., apparemment je suis dans la plus parfaite illégalité comme beaucoup de pigistes, dans la mesure où les honoraires tout ça, je devrais déclarer. Or, sur les boulots que j'ai faits pour la région, par exemple le colloque « culture », j'ai fait quinze jours de boulot, je ne sais pas quoi, enfin ça m'a pris beaucoup de temps… c'était chaque fois un bon quinze-jours de boulot, cinq fois dans l'année, vu le temps passé, bon, en honoraires ça m'était payé 11 500 francs, bon, pour quinze jours-trois semaines, une journée de préparation et tout… Si je le déclarais, plus les impôts, plus l'Urssaf, machin et tout, ça ferait que je serais payée, je ne sais pas, quinze-vingt balles de l'heure… c'est même plus la peine de le faire. Donc apparemment je suis dans l'illégalité, comme plein d'autres pigistes qui acceptent ce genre de contrat… On nous dit : « Mais en honoraires vous êtes bien payés, c'est comme si on vous payait un salaire, plus les charges sociales qui correspondent à vos charges sociales. » Mais en fait on se fait complètement rouler parce que si on payait vraiment à fond l'Urssaf, enfin… Bon, je n'ai pas vraiment creusé le sujet, mais si j'ai bien compris, je n'ai pas intérêt à me signaler… je suis même dans l'illégalité le jour où l'Urssaf veut me tomber dessus, parce que nous, les pigistes, nous sommes dans des systèmes d'honoraires pas très clairs. J'ai l'impression que c'est pas très sain comme calcul.

— *Tu dis « nous les pigistes ». Ça veut dire que tu as des rapports avec d'autres journalistes pigistes ? Quels rapports as-tu avec le milieu professionnel ? Est-ce que tu te considères comme en faisant toujours partie ?*
— Non, de moins en moins intégrée.

— *Pourquoi ?*
— C'est-à-dire, au départ, je faisais des piges un peu accrochées à l'actualité donc qui me renvoyaient à des conférences de presse où je rencontrais des collègues et tout, et au fur et à mesure je me suis spécialisée un petit peu en environnement ou dans des trucs touristiques, ou des choses un petit peu marginales par rapport à l'actualité, je travaille plus du tout en conférence de presse et donc je ne vois plus de collègues. Je me suis isolée aussi, c'est un des grands, un… Bon, disons que j'ai deux grandes angoisses, la précarité, mais bon, à la limite la précarité c'est… ça fait partie du métier et je ne devrais pas m'en angoisser, et l'autre c'est la solitude du travail. Là, je trouve ça… enfin c'est les deux raisons qui… qui auraient tendance à me faire renoncer au boulot pour faire quelque chose d'un peu plus intégré à la vie sociale… La solitude me paraît pesante… oui…

— *Est-ce que tu peux me décrire l'organisation de ton travail sur une semaine par exemple. Tu parles de solitude, ça veut dire quoi concrètement ?*

— Ça veut dire qu'en fait tu fais tout toute seule. C'est-à-dire trouver des idées de sujets, aller voir les gens, leur téléphoner pour leur proposer ou faxer, prendre tes rendez-vous parce qu'il n'y a pas de secrétaire évidemment, faire tes déplacements tout seul en voiture, aller rencontrer, faire tes interviews mais une à une, dans un rapport aux gens qui est très éphémère et très codifié, c'est-à-dire que c'est jamais des copains à qui tu vas taper sur le dos en disant « Comment vas-tu depuis la dernière fois ? » C'est toujours une relation où il faut établir… qui est très distante au départ, où il faut s'établir en position de journaliste reconnue, acceptée comme interlocutrice… enfin bon… et jamais avec une relation sympathique, ou difficilement, parce que ça ne dure pas assez longtemps, et que tu prends un rendez-vous, t'en as pour une heure. Des fois c'est plus sympa, c'est plus long, les gens t'emmènent sur le terrain, mais bon, globalement c'est des relations qui sont très codifiées. Et puis après t'arrives avec ta moisson, là, tu moulines le tout, tu fabriques ton article comme un boulanger fait son pain, mais tout seul, en mélangeant tout seul. Des fois quand t'as un doute fondamental, t'essaies de trouver un copain ou quelqu'un pour relire, mais c'est rare parce que personne n'a vraiment le temps de te lire et de te dire si c'est bien ou pas bien. Et puis quand c'est un travail de commande, t'as des gens derrière, mais avec qui tu as eu juste peut-être un petit travail de préparation, mais généralement pas… pas très approfondi parce que la plupart des gens pensent que le journaliste doit tout savoir faire par définition… Donc on te dit : « Ben, voilà, tu fais dix pages sur ça »… et après tu rends ton truc et derrière tu as une, deux, trois, dix personnes des fois, qui passent ton texte à la moulinette et qui te renvoient parfois des réflexions qui sont… qui te jettent soit dans le doute, soit dans l'humiliation si on te dit que c'est mauvais et que… Comme t'as tout fait toute seule, c'est comme un artiste à qui on dit que sa toile est une croûte, quoi… Quelque part, c'est dur à vivre.

« L'humiliation »

Donc au quotidien, c'est vrai que c'est un travail solitaire, et puis quand c'est fini, ben, c'est… y a pas… le réseau éphémère que t'as établi disparaît… bon, rarement les personnes te reconnaissent, t'identifient, sauf si tu travailles très fréquemment sur les mêmes sujets… mais bon… et s'il faut recommencer, tout le travail est à recommencer, c'est-à-dire rétablir le contact, avec un petit réseau d'informateurs réguliers avec qui t'as des relations plus affectives, ça marche bien, mais c'est quoi… dix personnes ? Et le reste c'est des gens qui vont te juger, te jauger, mais avec qui il ne se passe pas vraiment quelque chose d'important. Enfin, je ne sais pas, je… Le côté solitaire du boulot, c'est que tu n'as pas des collègues avec qui tu peux à la fois rigoler, conforter ce que tu sais, vérifier que ce que tu as fait n'est pas mauvais, enfin, bon, te rassurer.

— *Tu parles d'humiliation. Est-ce que c'est un mot qui te vient spontanément à l'esprit quand tu parles de ce travail ?*
— Oui, oui, oui. Ça n'arrive pas souvent, mais quand ça arrive c'est… c'est la dissertation que j'avais faite en seconde et où on m'avait mis zéro parce qu'il y avait vingt fautes d'orthographe… Et ça, ça m'arrive assez régulièrement, c'est pas pour les fautes d'orthographe, c'est pas du

tout ça, mais quand on vient te dire : « Oh non, t'as rien compris, c'est à refaire »… Il n'y a pas très longtemps, on m'a renvoyé un papier où il était marqué « Style fatigué »… Bon, c'est vrai que pendant une demi-journée t'as du mal à digérer, quoi. Sur le moment t'es… et j'ai l'impression… bon, il y a sûrement d'autres métiers, un architecte à qui on remballe ses plans en disant « c'est nul » et tout… Mais il y a quand même peu de métiers qui sont exposés à une telle sanction aussi brutale et aussi, disons… On ne te renvoie pas de solution… On te dit : « C'est nul, c'est à refaire » ; et la seule solution, c'est de te remettre à l'ouvrage en te disant, « Bon, qu'est-ce qui va pas ? »… généralement on ne te renvoie jamais une critique constructive, et quand c'est bien c'est quand même assez rare que tu le saches… Bon, tu peux le savoir par incidence parce que la personne avec qui tu travailles plus ou moins régulièrement te dira : « Bon, on était content de celui-là », mais c'est quand même assez rare qu'on te… qu'on te fasse savoir que c'est bien… mais quand c'est mauvais, alors là tu en prends plein la figure.

— *Qu'est-ce que c'est pour toi le statut social de pigiste ?*
— Ben, c'est d'abord quelqu'un que les gens ne savent pas définir, parce que quand tu dis : « Je suis journaliste à *Libé* », alors là, mon Dieu, t'es accueilli, on déroule le tapis rouge… mais quand tu dis : « En fait, je suis pigiste, je travaille un petit peu pour la Région, je travaille un petit peu pour ci, pour ça », des titres qui sont pas très connus, généralement on te demande de montrer patte blanche, de te justifier, de justifier ta demande et tout ça, et puis en plus t'es quelqu'un que les gens ne savent pas situer, qu'ils ont du mal à repérer… bon, t'as un fax mais généralement ils ont oublié de noter ton numéro, enfin

c'est difficile, il faut travailler beaucoup et régulièrement pour maintenir un réseau quand t'es pigiste. Alors que quand t'es journaliste à la locale de machin-truc, de *La Voix du Nord* ou de *Ouest-France*, tu reçois tout naturellement venus d'en haut un certain nombre de courriers d'information, de sollicitations… quand t'es pigiste, c'est toi qui fais le chemin vers les gens, ce n'est pas nécessairement les gens qui viennent, sauf effectivement les gens qui sont pigistes pour des titres, des titres très connus.

— *Et quel regard portent sur toi les journalistes non pigistes ? Enfin, quels sentiments as-tu toi par rapport à eux ?*
— Je trouve que les contacts restent assez chaleureux, assez sympathiques, quand par hasard j'en rencontre, mais c'est de plus en plus rare, donc finalement j'ai assez peu l'occasion de fréquenter les collègues… je ne me sens pas jugée comme étant d'une catégorie inférieure parce que je suis pigiste. De temps en temps les gens envient la liberté qu'on peut avoir, de temps en temps ils nous plaignent parce qu'on est dans la précarité, puis on rame un peu chacun dans sa petite galère. Mais il n'y a pas non plus… il y a une solidarité avec quelques individus, mais il n'y a pas de solidarité de groupe en général, je ne sens pas une grande solidarité de groupe, mais par contre, il y a des complicités fortes avec quelques personnes avec qui on a travaillé ou avec qui on a des liens d'amitié qui se concrétisent au niveau professionnel… mais l'ensemble de la corporation, d'abord je dirais, la corporation est très éclatée avec des statuts très différents, des centres d'intérêt très différents, donc je ne sens pas du tout d'unité, ni de complicité.

« Se manifester sans être importun »

— *Tu parlais de solitude dans le travail. Est-ce qu'on se retrouve seule aussi dans la défense de ses droits ?*
— Oh oui, oui, ça c'est évident que tu négocies ton propre statut de pigiste sans jamais savoir ce que les autres négocient à côté, et notamment quand il y a des ambiguïtés, par exemple quand tes notes de frais ne sont pas remboursées, etc., c'est très difficile d'aborder le sujet parce que les autres, tu ne les vois pas, tu ne sais pas comment ils travaillent et tout, et donc tu ne peux jamais être tout à fait sûre que ton statut est aussi bien que celui du voisin. Chacun négocie son propre statut, en fait. Sauf pour les journaux nationaux qui ont des… qui suivent un barème, etc., et qui t'annoncent d'emblée : « Notre barème c'est ça. » Mais les autres, t'as l'impression qu'ils te disent : « Bon, on peut vous payer ça, pas plus, et puis débrouillez-vous avec. » Mais tu ne négocies pas, enfin bon, pour des journaux nationaux, des petits journaux nationaux où j'étais correspondante, où je travaillais régulièrement pour eux, il y a des gens qui font le même boulot dans d'autres régions, que je ne connais pas, que je n'ai jamais vus. Je ne sais pas comment ils travaillent, je ne sais pas s'ils fournissent comme moi des photos gratuitement, y a pas de réseau, je ne sais pas, de même que pour le journal médical, on s'est vus une fois entre pigistes parce qu'ils avaient fait une petite rencontre gentillette et tout, mais je ne savais pas du tout comment fonctionnaient les autres, ce qu'ils produisaient, s'ils proposaient leurs sujets, s'ils attendaient qu'on les contacte, etc.

— *Est-ce que tu as à réclamer souvent des paiements qui tardent par exemple ?*

— Pour ce qui est payé en salaires, non, parce que ça suit son cours généralement avec plus ou moins de temps. Pour les honoraires, ce qui peut arriver c'est qu'ils t'envoient pas les papiers, enfin tu dois faire une facture, mais avant il faut un bon de commande, donc ce bon de commande n'arrive pas toujours, et de temps en temps tu dois demander l'accélération, enfin... tout ce qui est public, argent public, comme la Région, pour les droits d'auteur c'est très long, il faut se manifester sans être importun quoi, il ne faut pas non plus... si on montre qu'on est trop braqué sur les problèmes de sous, je trouve que ce n'est pas très bon pour l'image aussi, quelque part, même si t'es dans ton bon droit, si tu casses les pieds aux gens sans arrêt pour des problèmes de sous c'est... oui je pense que c'est un peu dissuasif, tu les emmerdes et puis souvent c'est des rédacteurs en chef, des gens qui ne gèrent pas directement la comptabilité, donc finalement tu leur casses les pieds.

— *Pourtant tu travailles pour gagner ta vie ?*

— Oui, oui... ceci dit, j'ai eu beaucoup de choses en retard, mais il y a assez peu de choses qui ne m'ont pas été payées du tout.

— *Mais c'est arrivé ?*

— C'est arrivé une ou deux fois. Un truc où j'ai fait un procès, un autre journal qui se lançait l'année dernière... enfin dans mes souvenirs récents, deux fois. Un autre journal l'année dernière qui m'a roulée sur la comptabilité des feuillets et j'ai appelé dix fois, le rédacteur en chef n'était jamais là... j'ai laissé tomber parce que je me suis dit : « Pour mille balles… » et puis il y a le Centre de la photo aussi, enfin bon…

— *Et quels sentiments tu as à ce moment-là, quand on te paie pas un boulot et qu'il faut réclamer dix fois ?*
— Bon, on a le sentiment d'être exploitée très clairement. Il faut dire qu'il y a beaucoup de journaux soit qui se lancent, soit qui sont sur des créneaux un peu précaires, etc., qui ont une vision très opportuniste du pigiste qui va leur fournir de la copie à bon marché, qui sera payé, enfin qu'ils paieront le plus tard possible et qui ne réclamera pas parce qu'il est tout seul dans son coin. Je pense que, oui, il y a un certain cynisme, c'est sûr, et ce cynisme est d'autant plus fort qu'on n'est plus dans une période où il y a quelques grands journaux en situation dominante, mais qu'il y a une constellation de petites revues plus ou moins spécialisées, etc., qui fixent elles-mêmes leurs propres règles du jeu. Il n'y a plus vraiment de règle du jeu générale pour les pigistes. C'est vraiment une série de situations individuelles, personnelles. Je me souviens aussi d'un magazine, au titre prestigieux, où j'avais vraiment dû ramer pour être payée parce qu'entre-temps ça avait changé de groupe de presse. Ça avait été racheté par un autre et ils avaient pas repris les finances. Enfin bon, tu passes presque autant d'énergie à te faire payer que tu as passé de temps à faire l'article.

— *Comment vis-tu cette situation de pigiste dans ton quotidien, dans ta famille par exemple ? Comment t'organises-tu, pour les enfants par exemple, quand tu travailles ?*
— Ben, c'est assez compliqué et c'est assez simple en même temps parce que le bureau c'est à la maison, donc c'est un peu envahissant… c'est l'ordinateur qu'il faut

éteindre en catastrophe, et en même temps ça veut dire que tu peux interrompre, aller à l'école, reprendre ton sujet, t'y remettre à dix heures le soir si tu veux. En même temps c'est un peu envahissant, et en même temps tu perds moins de temps aussi. Quelque part, j'arrive à y trouver mon compte.

— *Mais quand tu pars pour une journée et que tu rentres tard le soir, comment fais-tu ?*
— Ben ça, ça demande beaucoup d'arrangements. J'ai du mal à faire des sujets sur plusieurs jours ou assez loin parce qu'il y a beaucoup de transports, alors à ce moment-là ça suppose baby-sitter ou organisation familiale, alors il faut qu'André rentre tôt. Bon, c'est relativement compliqué, mais au fur et à mesure qu'ils grandissent, je pense que bon…

— *Ça veut dire que tu paies quelqu'un quand tu es à l'extérieur ?*
— Oui, oui, non seulement quand je suis à l'extérieur, mais je peux dire que compte tenu des contraintes du boulot, je suis pas complètement disponible le soir et je dois payer quelqu'un même quand je suis là, pour faire le travail scolaire ou des choses comme ça. C'est vrai que quand t'as passé ta journée à gratter un truc, t'as pas nécessairement l'esprit suffisamment souple et conciliant le soir pour te taper des heures de boulot avec un gamin. Ça c'est aussi, enfin… bon, il y a plein de métiers aussi…

— *Mais est-ce que tu t'y retrouves financièrement ? Est-ce qu'en définitive, ce ne serait pas plus simple pour toi d'épouser la condition à laquelle tes parents te destinaient, à savoir rester à la maison, mère de famille et point ?*

— Si je faisais vraiment le calcul avec les chiffres, peut-être que ce serait… peut-être que j'aurais dû faire quatre enfants, avoir les allocations familiales, et non pas effectivement… mais en même temps, sur le plan personnel, c'est un peu restrictif. Non, disons que c'est… au niveau familial, le travail à mi-temps, c'est peut-être la moins mauvaise des solutions parce que ça donne suffisamment d'ouverture pour ne pas être grognon le soir parce que tu n'as rien fait, et suffisamment de temps libre pour ne pas passer ton temps à combler les trous à l'aide de baby-sitters… non, disons que ça peut aller. J'ai l'impression d'avoir trouvé un moyen terme correct.

— *Et de quelle manière ton mari considère-t-il ton travail ?*
— C'est parfois un peu difficile de négocier parce que, en temps que journaliste salarié, il estime avoir des contraintes professionnelles supérieures aux miennes, et moi j'ai tendance à dire que, pratiquant le même métier, je devrais avoir les mêmes disponibilités que lui. Donc c'est toujours effectivement une négociation, à qui cédera un petit peu de son temps pour les contraintes familiales.

« Avant, je voyais ça comme un travail créatif »

— *Est-ce que tu crois que ce serait plus facile si tu étais toi-même salariée ?*
— Je pense que les femmes dans ce métier font… font plus de concessions que les hommes à leur vie de famille. Enfin, dans ce métier et probablement dans d'autres. Je pense que… je pense qu'une femme salariée d'un journal quotidien s'arrangera quand même pour avoir tout bouclé à sept heures, alors que le mec dira : « C'est incontournable, il a fallu que je prenne un pot avec les

collègues », et il rentre à neuf heures. Enfin, bon, c'est peut-être ma vision des choses. J'ai l'impression qu'effectivement les femmes arrivent toujours, font toujours un effort d'organisation pour concilier les choses, et peut-être moins les hommes.

— *Est-ce que tu crois que ton statut de pigiste est lié à ton sexe ?*

— Oui, oui, je pense que si j'avais été un homme et que j'avais choisi ce métier-là, je ne serais certainement pas pigiste. Je pense que je serais quand même salariée quelque part, parce que le mec quand même est beaucoup plus amené, dans sa logique propre et dans ce qu'attend la société de lui, à se construire une carrière professionnelle sérieuse, c'est-à-dire bouger à l'intérieur d'une entreprise, à grimper des échelons, etc. qu'une femme… C'est quand même pas par hasard que je suis devenue complètement pigiste au moment où j'ai décidé de faire une famille. Le statut de pigiste… en même temps je ne renonce pas complètement au boulot, mais je me ménage du temps libre pour autre chose, et il y a beaucoup moins d'hommes qui franchissent ce pas-là en disant bon : « Je suis pigiste pour ma famille. » Alors ceux qui le font, c'est : « Je suis pigiste pour ma liberté », mais pas nécessairement pour ma famille.

— *Tout à l'heure tu parlais de frustration par rapport à… par exemple aux titulaires de la rubrique écologie, ou environnement, au* Monde *ou ailleurs. Est-ce que tu as d'autres frustrations ?*

— Je ne sais pas si on peut parler de frustration, mais j'ai souvent l'aspiration à faire un autre métier, à renoncer à celui-là et à faire un métier qui suppose moins de stress, moins de contraintes, quelque chose peut-être un peu plus manuel, moins solitaire. Enfin, bon, c'est des aspirations très contradictoires, ce qui fait que je n'ai pas encore trouvé l'autre métier, mais je ne sais pas si ça fait partie des frustrations, mais bon… l'idée c'est peut-on faire longtemps une carrière de pigiste ? est-ce qu'on n'est pas en train de s'étioler, de s'aigrir, de se marginaliser ? est-ce qu'on n'est pas déjà dépassée sans le savoir par les événements, par les jeunes qui bousculent derrière, par l'évolution du métier en général ? Est-ce qu'on peut survivre seule dans ce métier ? Moi je me pose souvent la question, parce que maintenant il y a pas mal d'agences… alors est-ce qu'il faut s'inscrire dans une agence ou pas ? d'ailleurs je l'ai fait un petit moment… Je n'ai pas vraiment de réponse, mais j'ai l'impression que des moutons à cinq pattes comme moi ou comme des pigistes complètement indépendants, je ne sais pas s'ils ont vraiment toutes leurs chances pour survivre dans la jungle des piges, je n'en suis pas sûre.

— *Tu parles de stress. Tu peux préciser davantage ?*
— Le stress, c'est l'angoisse de pas avoir fini à temps, l'angoisse d'être malade parce qu'il n'y a personne qui fera le boulot à votre place, l'angoisse qu'un enfant soit malade, l'angoisse que le boulot convienne parce que si on doit le recommencer on n'a pas le temps, enfin bon, ce genre de stress. C'est aussi se pousser le derrière pour se mettre au boulot le matin alors que finalement on pourrait siroter son café et lire un bon bouquin. Tout ça c'est un peu du stress. Et puis le stress aussi de la précarité, mais avec deux salaires dans la famille, tu le sens

moins. Mais je suis sûre que c'est le stress premier pour beaucoup de gens. De ne pas avoir les sous qu'il faut en fin de mois…

— *Tu penses que si tu venais d'un autre milieu social tu aurais choisi une autre carrière ?*
— Oui. Oui, oui, c'est… le statut de pigiste est un compromis entre différentes choses, dans lesquelles participent aussi la qualité de la vie et le fait d'être reconnu, d'avoir un statut, etc. Mais c'est jouable, dans mon statut présent, c'est jouable parce que justement j'ai des arrières. Parce que sinon… Parce que demain, si je n'ai plus de boulot, je serai pas à la rue, ou obligée de vendre ma maison… Sinon, je pense que j'aurais fait prof depuis un petit moment, parce que c'est tentant, c'est confortable, c'est à vie, c'est une routine, des collègues, une vie où tu ne te poses pas la question tous les matins de ce que tu vas faire dans ta journée, mais où le chemin est tracé.

— *Est-ce qu'il y a un décalage entre ce que tu imaginais de ce métier quand tu as commencé l'école de journalisme et ce que tu en connais aujourd'hui après quasiment vingt ans de pratique ?*
— Oui, il y a un décalage parce que d'une part je n'ai plus la même vision de l'information. Avant, je voyais ça comme un travail très créatif et puis… et maintenant, je ne le vois plus que comme une prestation qui a un caractère quelque part commercial. C'est-à-dire que si on fournit quelque chose qu'on ne peut pas vendre on n'est pas un journaliste pertinent. C'est-à-dire qu'aujourd'hui, pour être un journaliste pertinent, il faut que tu t'inscrives dans un canard qui sera vendu à tel type de public,

avec tel type de cible, donc nécessairement tu t'inscris dans une démarche complètement commerciale. D'ailleurs ce n'est pas par hasard que les journalistes de locale qui étaient des touche-à-tout, aujourd'hui on les cadre dans des choses très strictes. C'est un peu vrai aussi pour les pigistes. On est cadré de plus en plus, et pas question de faire cinq feuillets si on t'en demande deux, pas question de t'adresser au grand public si t'as un public spécialisé. Donc t'es de plus en plus cadré. Maintenant j'ai une vision du journal produit commercial, je n'ai plus la vision un petit peu idéalisée de l'écriture, de l'homme-de-plume-qui-met-son-nom-à-la-fin-de l'article, ça ne me fait plus vibrer.

— *Est-ce que tu signes tes articles ?*
— C'est très aléatoire. Bizarrement, souvent je signe des trucs qui sont de la roupie de sansonnet, des petits trucs qui sont assez anecdotiques, qui ne sont pas vraiment chiadés, souvent c'est signé, parce que c'est dans un journal qui aime bien avoir son pigiste attitré. Par contre des travaux qui me demandent un effort intellectuel, type le journal de la Région, là ils avaient oublié de le signer. Des fois je le demande aussi, simplement pour pouvoir dire aux gens, ben vous voyez, j'ai fait ça, parce que sinon…

— *Ça t'est arrivé aussi de ne pas retrouver ta signature dans des journaux ?*
— Oui, oui, mais je dirais que c'est accidentel. Ce n'est pas souvent par mauvaise volonté. Soit ça ne fait pas partie de leur politique, soit c'est un oubli, soit t'es pigiste, tu n'es pas présent, donc on pense un peu moins à toi. Ce n'est pas vraiment une volonté de nuire, plutôt un… Mais

c'est vrai que la signature c'est un truc qui ne fonctionne plus pour moi sur des questions d'orgueil, comme ça a pu l'être un petit peu au début, mais ça fonctionne surtout comme marketing, simplement… que les autres sachent que t'existes, t'existes quelque part, que tu fais toujours du boulot et qu'on peut te faire signer. C'est ta promotion, c'est ta campagne de pub, ta signature…

Roland *ou* « Les illusions perdues »

28 ans, célibataire, sans enfant, travaille à Paris

Père cadre commercial dans l'industrie ; mère secrétaire dans l'immobilier puis commerçante

Après une licence en droit et une maîtrise en sciences politiques, a obtenu un diplôme de troisième cycle en histoire, consacré aux questions de développement et coopération au plan international.

Journaliste pigiste depuis 1991. RFI a été son principal employeur.

Considère que c'est plus par intérêt pour les problèmes du tiers-monde et pour la possibilité de poursuivre une aventure personnelle que par attrait pour le journalisme même qu'il s'est dirigé vers cette profession, où sa formation l'a conduit à se spécialiser dans les questions africaines. Issu « d'une famille de gens qui ont beaucoup vécu à l'étranger », en Indochine et en Afrique notamment, pour le compte de l'armée ou de l'administration coloniale, il qualifie son milieu originel de « plutôt conservateur ».

Porté par son intérêt pour les questions africaines vers les médias dont les spécificités éditoriales rejoignaient ses thèmes de prédilection, Roland a commencé à travailler notamment avec Radio France Internationale (RFI), qui est devenue son « principal client ». Il a entamé cette collaboration par des piges effectuées lors d'un séjour dans un pays africain avant d'y retourner comme correspondant. Roland décrit son apprentissage comme une période exaltante, parsemée de reportages « forts », « comme on en rêve ». Mais, durant ce noviciat, en même temps qu'il apprend son métier, il découvre l'entreprise qui est derrière et la vie institutionnelle qui l'anime. Peu à peu, auprès des différents interlocuteurs qu'il est amené à rencontrer, il prend conscience de la place réelle qu'il occupe dans les préoccupations de la rédaction parisienne. Lors d'un passage à Paris, on le dissuade de tenter de s'intégrer à cette rédaction : « C'est un peu tôt, t'es encore trop jeune », et on l'encourage à repartir en Afrique, mais sans lui garantir ni revenu régulier ni couverture institutionnelle. « On se fout de ma gueule », pense-t-il ; et il repart comme correspondant dans un autre pays africain, avec une lettre d'accréditation de... la BBC. Cette première brouille avec RFI s'estompe rapidement. RFI le sollicite à nouveau, et pour un volume de piges bien supérieur à ce que peut lui offrir le concurrent britannique, qui le séduit par ailleurs par l'exigence de rigueur dans le travail : la BBC, c'est « plus sérieux », mais elle assure malheureusement « moins d'heures de diffusion » que RFI à un correspondant africain. La BBC fonctionnant de surcroît sur le principe de l'exclusivité de la collaboration, il doit se résoudre à l'abandonner. Et RFI – « la plus grande rédaction africaine francophone » – redevient rapidement sa principale source de revenus. C'est à nouveau une période d'euphorie professionnelle. Désormais, il est mieux armé techniquement. Et il n'est plus seul. Il rencontre en effet d'autres collègues, pigistes comme lui. Ensemble, ils vont former un pool pour confronter leurs points de vue, se partager les piges offertes par les différents médias internationaux opérant sur la région, éprouver les fragilités de leur condition et les satisfactions que procure le travail avec « une équipe d'enfer » dans un pays passionnant. Cette expérience africaine dure un an. Elle clôt le chapitre « exotique » de sa carrière. Dans la suite de l'entretien, reproduite ci-dessous, Roland évoque dans quelles conditions il a été amené à rejoindre la rédaction parisienne, comment s'est déroulée sa nouvelle collaboration et le bilan qu'il en tire.

— À la fin de l'année, je me demandais ce que j'allais faire quand, tout d'un coup, C de RFI + [antenne africaine spécifique de RFI] me dit : « Écoute, on a besoin de quelqu'un pour présenter une émission, intéressante, une tranche d'info intéressante. Et puis tu verras, c'est génial… » Moi je le connaissais très mal, ce mec. Et il vendait sa sauce tellement bien que ça m'a tenté. Et je me suis dit : « Ça peut être bien parce que j'ai quand même envie de voir un peu ce que c'est de travailler à la rédaction. » Il me disait : « Tu verras, il y a beaucoup d'interviews. Moi, si j'étais encore présentateur, c'est ça que je ferais ! » etc. Et moi, un peu naïvement, j'ai accepté le truc. Et je suis rentré en trois semaines en France. C'est-à-dire que j'ai pris mes cliques et mes claques et que je me suis barré. Et je suis rentré en France. Et je me suis retrouvé début janvier, en France, au tout début 1995. […] Voilà, je n'ai même pas eu une semaine pour souffler, et je me suis retrouvé à l'antenne. Alors que je n'avais jamais fait d'antenne de ma vie. Ça a été un enfer ! Je rentre le 8 janvier, c'était un lundi ! Vendredi soir, je suis à l'antenne ! Déjà décalé : plein hiver ! Les débuts, ça a été… Ils m'ont jeté comme ça à l'antenne !

— *Pour faire une tranche importante, je suppose ?*
— Pour faire une tranche d'une demi-heure. Mais c'était l'enfer, au début, c'était l'enfer ! Forcément je n'étais pas très bon, quoi. Mais bon, ils disaient que ça allait. Donc moi j'ai essayé de m'améliorer, je leur ai demandé des conseils, etc. Malheureusement ils en donnaient peu. C'est-à-dire qu'il n'y avait aucune directive. Quasiment aucun avis. Rien. C'est-à-dire que pendant un an, neuf mois, on ne me disait quasiment rien sur ce que je faisais ! Moi, je demandais plutôt conseil à des gens. Mais comme c'était à une heure tardive qui n'était pas tellement écoutée… Donc les gens qui m'ont aidé, ce sont les techniciens et les réalisateurs, enfin les assistants. Il y a des gens géniaux dans ces… Et ça m'énerve cette espèce de snobisme qu'ont certains journalistes ! Moi je te jure, j'ai passé quoi, neuf mois, bon, un an à Paris, à RFI. Je crois que je connais mieux certains techniciens que des gens qui sont là depuis longtemps ! Parce que c'est toujours des gens avec qui, pas tous quoi, mais il y en a plein qui sont super sympas et qui m'ont vraiment aidé, quoi. Tu vois ils ont tellement l'habitude de voir des journalistes, ils me disaient : « Ouais, fais gaffe à ça, machin », c'est des gens qui peuvent vraiment t'aider, quoi. Et puis ils sont vachement importants ! Sans eux… Bon, même s'il y a du bon et du mauvais comme partout, chez eux. Mais enfin, c'est eux en fait qui m'ont fait progresser.

— *C'est eux qui t'ont soutenu.*
— Ah oui, ben oui. Parce que C… Un jour, j'ai remplacé au pied levé Y sur la tranche du matin de quatre heures [il s'agit de la durée de la « tranche »]. J'ai fait une bourde, mais sinon ça a été à peu près. Bon, là, C m'avait dit : « On a l'impression que tu fais de la radio depuis toujours », etc. Tu sais comment il est, toujours excessif. Bon, je me suis dit : « Ça va, je peux continuer. » Et puis voilà, ça me semblait marcher. Ceci dit, j'avais quand même envie d'avoir un contrat de travail. Sauf que, de le réclamer…

— *Tu étais sous quel régime ?*
— J'étais pigiste.

— *C'est-à-dire que chaque jour on reconduisait ton contrat ?*
— Non, je n'avais même pas de contrat.

— *Enfin ton « contrat » implicite, puisque tu avais une feuille de paie.*
— Voilà. J'étais payé à la journée, à la vacation. Je faisais trois vacations par semaine. Trois vacations de soirée, par semaine, de week-end.

— *Tu étais à l'antenne à quelle heure ?*
— Onze heures et demie [23 heures 30].

— *Pour une demi-heure ?*
— Pour une demi-heure, trois jours par semaine, le week-end.

— *Ce qui correspondait, selon les normes d'horaires à RFI, à une vacation hebdomadaire normale.*
— Voilà. Puisque le week-end, en général, oui, c'est comme ça. Et donc pigiste tout le temps, et difficulté à

alterner avec un CDD parce qu'ils nous tenaient comme ça. Moi, ça ne faisait pas longtemps que j'étais dans cette maison, donc je parlais de contrat, mais en même temps personne n'en avait à RFI +. Et si on le réclamait à cors et à cris…

— *RFI + qui était donc la seconde antenne africaine…*
— Voilà, une espèce d'antenne magazine plus ou moins de RFI « Afrique », qui encadrait tout ce qui n'était pas journal proprement dit, quoi. Et voilà, il y avait cette tranche du soir où on enrobait un journal de 10', ce qui était un peu bizarre d'ailleurs, mais bon, qui était sympa, ceci dit… Donc on était pigistes – tous, d'ailleurs. On était tous dans cette situation, sauf qu'il y en avait qui étaient des super-pigistes, qui étaient hyper bien payés. Donc qui acceptaient la situation parce qu'ils étaient surpayés. Y et…

— *Pour faire le même travail ?*
— Pour faire le boulot du matin. C'est-à-dire la tranche de quatre heures [de durée]. Bon, qui était une tranche lourde, hein, quand même, pas évident. Mais enfin, ils étaient bien mieux payés que des statutaires ! C'étaient des espèces de… tu sais comme on fait parfois, c'est des histoires à la Delarue, mais en miniature quoi, parce que ça n'a rien à voir : on ne parle pas des mêmes sommes. Enfin c'était ça, quoi ! Bon, moi je l'acceptais. C'était la première fois que je gagnais 9 000 balles par mois. Alors que jusqu'à maintenant… tu vois. Bon, je me suis dit : « Temporise un peu, tu vas voir ». Parce que je me disais : « Bon, au bout d'un moment, je vais peut-être, comme c'est souvent le cas, j'arriverai à être en meilleure position pour négocier. » Et puis il s'est trouvé qu'on a supprimé RFI +, quoi. Et que les gens qui étaient à la tête de RFI +,

on les a promus, l'un secrétaire général de la rédaction, l'autre conseiller du président... pendant quelques mois Z était un des conseillers, enfin, je ne sais plus. Et donc ils ont complètement oublié ce service qu'ils avaient créé et défendu. Moi, grâce aux syndicats, j'ai obtenu un contrat de trois mois. Et on m'a confié un truc hyper casse-gueule, et je crois que c'était presque volontaire. C'est-à-dire que, à mon avis, tous ces gens de RFI + dont on voulait se débarrasser... parce que RFI + ne plaisait pas, et si ça a été supprimé c'est parce que la nouvelle équipe estimait que c'était une création de H [ancien PDG], que c'était un gadget de H, etc. C'est vrai qu'il y a eu du bon et du mauvais : moi, je ne défends pas RFI +, au contraire, je m'en veux, je me dis que j'aurais mieux fait de rester en Afrique. Ça m'a grillé ! C'est-à-dire qu'on n'a pas voulu m'enlever cette étiquette de RFI +. Et comme tout le monde disait que les gens de RFI + étaient nuls ! Moi, on m'a confié un truc qui était la présentation des journaux de 8 heures 30 à 13 heures, le matin.

« On m'a donné une chance »

— *C'est-à-dire : pas au sein du service africain.*
— Non, non : au mondial ! Tout d'un coup on m'a dit... parce que bon, ça a été très, très dur, parce que moi j'ai fait intervenir les syndicats. Au bout d'un moment c'était tellement désespéré que je connaissais un pote à FR3, je lui ai dit : « Écoute, essaie de faire quelque chose. Tu ne connais pas quelqu'un ? » Je ne sais pas ce qui a marché, mais ce que je sais, c'est que finalement on m'a donné un contrat de trois mois. Jusqu'à fin décembre on m'a dit : « Bon, on te met à l'essai. Mais on te fout au SMF [service mondial en français], antenne internationale. » Et pareil :

on m'a prévenu deux jours avant. Et le vendredi matin,
je me suis retrouvé à faire une tranche. Donc j'arrivais à
six heures du mat', je repartais à 13 heures. Des journaux,
je n'en avais jamais fait. Parce que moi j'avais animé une
tranche, présenté une tranche plus ou moins africaine.
Mais tu sais, c'est complètement différent comme rythme,
c'est pas du tout la même chose ! Je ne savais pas comment on faisait un journal. Je me suis retrouvé balancé là,
avec sept flashes. Enfin, un petit journal, six flashes et un
journal de 10' ! *(Rires.)* Boum, clac ! Je me suis démerdé.
Heureusement, j'avais T qui me donnait des conseils,
parce que bien évidemment, comme toujours, à part S
[cadre sous l'autorité duquel travaillent les présentateurs],
qui est assez sympa, en tout cas qui était relativement
sympa avec moi, qui m'aidait un peu, moi je me suis retrouvé balancé là-dedans. Et donc je naviguais à vue, j'essayais de ne pas dire de conneries. J'ai fait quelques petites
conneries, mais bon, je ne pense pas que ce sont des
conneries très graves, des petites fautes de syntaxe, parce
que c'était tellement rapide, que parfois…

— *Dans la forme ?*
— Dans la forme. Il y a eu un truc : c'était pour l'enterrement de Rabin où c'est vrai que j'ai eu du mal à meubler des blancs, parce qu'il y avait les communications qui
se coupaient sans arrêt. Donc là j'étais un peu paniqué.
Donc, bon, je pense que c'est ça qui m'a fait… C'est l'une
des choses qui ont contribué à ce qu'on m'enlève de l'antenne… à ce qu'on ne me renouvelle pas mon contrat.
Mais c'est dommage parce qu'à la fin, franchement, je
commençais à me démerder. Ça commençait à aller, quoi.
Et j'étais à l'aise à l'antenne, ça m'amusait. J'essayais de
ne plus seulement lire. Je me sentais plus à l'aise, bon.

— *Tu avais intégré le rôle du présentateur.*

— Oui, parce qu'en plus, quand on m'a donné cette chance, tu vois, je m'y suis mis à fond, quoi. C'est-à-dire que j'ai plus rien fait d'autre. Je me disais : « On m'a donné une chance, putain, faut que je la prenne, faut pas que je me plante », tu vois. Je me couchais tôt le soir, à neuf heures j'étais au pieu en me disant : « Demain il faut que j'assure. » Mais vraiment, je me suis donné à fond, quand même ! Je me suis dit : « Il faut pas que je merde. » Et en même temps, ça me faisait un peu chier, parce que moi l'actu internationale, j'étais pas trop dedans, tu vois. J'étais dans un trip « Afrique ». Et donc il a fallu… Tu sais quand tu t'es mis dans un moule, c'est dur de casser le moule. Et parfois tu fais des lapsus. C'est vrai que j'ai fait un lapsus un jour : j'ai dit « francs CFA » à la place de « francs français » ! Mais sur la fin, je sentais que ça commençait à aller mieux. Mais c'était trop tard. C'est-à-dire que la période d'essai, en fait, c'est du bidon : au bout d'un mois, si t'as déconné… Mais moi, ce que je trouve con de leur part, c'est : pourquoi ne pas m'avoir retiré de l'antenne à temps ? C'est-à-dire que ce n'est qu'au bout de deux mois qu'ils m'ont dit : « Ouais, t'es qu'un nul, etc. », ce qui d'ailleurs ne m'a jamais été dit directement. C'est moi qui ai demandé à voir A [directeur de l'antenne] parce que j'entendais des rumeurs. Et j'ai appelé A et je lui ai dit : « Écoutez, moi, j'ai accepté ce poste en disant que j'étais prêt à apprendre, que j'étais là pour apprendre. » Parce que quand on te propose quelque chose de nouveau, tu apprends. Et je lui ai dit : « Moi j'attendais de vous, des autres, que vous m'emmerdiez, quoi, que vous me fassiez chier ! Que vous me disiez : "C'est pas bon, demain fais gaffe !" » Et ils l'ont très peu fait. Enfin, de temps en temps, D [directeur de la rédaction, à l'époque] appelait, enfin, il ne m'appelait jamais directement, mais il appelait S qui ne me disait pas tout le temps ce qui se passait. Donc on ne m'a jamais dit ouvertement : « Ça ne va être renouvelé, ça ne va pas être renouvelé. » Sauf quand moi j'ai demandé à voir A. Je me suis retrouvé avec l'autre, comment il s'appelle, qui était alors son assistant ?

— *F...*
— F... Et bon, on a discuté. Et moi j'appréhendais beaucoup cette rencontre parce que A, c'est quelqu'un qui n'est pas facile. On a eu une discussion franche, pas diplomatiquement parlant, mais on a eu une discussion assez franche. Moi je lui ai dit que quand j'avais accepté ce truc, c'était extrêmement difficile et qu'ils avaient pris eux-mêmes un risque énorme. Parce que, sur un 13 heures, si tu mets quelqu'un qui n'a jamais fait de présentation, tu prends un risque. Et je lui ai dit : « Vous avez pris le risque. Moi j'ai accepté de jouer le jeu. » Ça a été vachement difficile pour moi, même nerveusement, parce que je savais que j'avais tout le monde sur mon dos et que je ne savais pas faire ce boulot. Mais je lui ai dit : « Par contre il y a des tas d'autres choses que je sais faire. Même, si vous m'aidez, à partir de maintenant, je peux très bien progresser, et je pense que les trois prochains mois, maintenant, je serai à l'aise ! Je pourrais continuer à le faire, si vous... » Et bon, ils ne m'ont rien dit. Ils ont été plutôt ouverts. Ils ont dit : « Oui, voilà, il vous reste encore une semaine, essayez d'améliorer les choses. » C'est ce que j'ai fait. Et puis, bon, finalement le contrat n'a pas été renouvelé, et puis voilà. C'est la bonne technique habituelle : c'est-à-dire qu'on te file un contrat pour mieux se débarrasser de toi. Moi c'est comme ça que je l'ai vécu.

— *Ton premier contrat.*

— Mon premier et dernier contrat avec RFI. Et après ça : impossibilité de faire, ne serait-ce que des piges ! Rien ! Sauf pour MFI. Parce que je m'entends très bien avec H [le rédacteur en chef de MFI], et que c'est quand même un mec qui est assez correct avec les gens avec qui il travaille. En tout cas moi, je n'ai jamais eu de problème avec lui. Il ne te fait pas de promesses. Et c'est déjà énorme. C'est un mec, il te dit : « Écoute, moi, tout ce que je peux faire, je ne peux pas t'engager, je n'en ai pas les moyens, mais par contre tu peux faire un certain nombre de piges. Ça ne te suffira pas pour vivre, mais ça peut te servir d'appoint », voilà. Bon, il a été très clair avec moi, et donc j'ai travaillé un peu avec lui. Mais impossible de faire une pige, un remplacement, rien, dans cette putain de rédaction ! Donc moi j'ai été voir les uns et les autres après ça, c'était au mois de janvier, février, mars, j'allais revoir les gens, etc. On travaillait avec les syndicats, tout ça. Et puis chaque fois ça n'aboutissait à rien.

— *Pourquoi est-ce que RFI n'a pas essayé d'exploiter ta compétence africaine en te transférant, non pas sur les journaux internationaux du service mondial en français, mais sur les tranches d'actualité africaine ? Puisque la nécessité se faisait sentir d'embaucher des présentateurs, pourquoi n'es-tu pas devenu un présentateur africaniste ?*

— Moi, c'est la question que je me suis posée, et avec moi pas mal de gens, même au sein du service « Afrique » avec qui j'avais travaillé quand j'étais en Afrique. C'était avec eux que je dialoguais. Il y avait beaucoup de gens comme E, comme T, bien sûr, tous ces gens-là, on s'appréciait, et parmi ces gens-là, il y en avait beaucoup pour qui ça semblait naturel que je vienne travailler avec eux. Mais bon, c'est pas eux qui décidaient. Il y a eu certainement d'autres raisons. Peut-être que… Alors je ne veux pas m'avancer, parce que c'est difficile à savoir, mais en fait, par cet ami de FR3 dont je t'ai parlé, j'ai su qu'on me considérait comme un « contestataire ». C'est ce qu'on m'a dit. Je ne sais pas si c'est vraiment ça, si j'étais « contestataire » parce que j'ai utilisé les syndicats pour me défendre, ce qui ne plaît jamais aux chefs, je ne sais pas pour quelle raison, mais ce que je sais, c'est que j'avais le profil pour la rédaction « Afrique », ça c'est clair. J'avais fait du terrain, j'avais fait du micro.

— *C'est d'autant plus drôle que c'étaient tes confrères « africains » de RFI ?*
— Oui.

— *Tu n'avais jamais travaillé qu'avec eux, que ce soit à l'étranger, ou en France.*
— Oui, tout à fait. Mais bon, il y avait eu le changement de direction, les changements d'équipe, des gens qui ne me connaissaient pas, qui ont écouté ceux qu'ils ont bien voulu écouter, qui leur parlaient de moi. Il peut y avoir une ou deux personnes avec qui j'ai travaillé qui ont été promues, ce qui à mon avis est le cas, et avec qui je ne me suis pas toujours très, très bien entendu, et qui ont pu jouer aussi un rôle dans cette affaire.

— *Tu veux dire des confrères directs ?*
— Des supérieurs. Des supérieurs qui n'ont pas accepté, c'est vrai…

— *Rédaction en chef, chef de service, chef de service adjoint… ?*

— Chef de service adjoint. Parce que c'est vrai que, bon, comment dire… Quand on est passionné par un sujet, qu'on essaie de le maîtriser – je ne dis pas qu'on maîtrise mais qu'on essaie de maîtriser – et que c'est soi-même qui est exposé, quand on fait soi-même les interviews, etc., qu'on a en charge une tranche d'info qui n'est pas une tranche d'info classique, qui est une tranche un peu plus légère, on a envie de… pas d'y imprimer sa marque, mais de faire les choses un peu à sa manière. Surtout qu'on m'avait confié un truc qui n'était, à mon avis, pas viable du tout. Par exemple il y avait une chronique qui s'appelait : « Les hommes qui font l'Afrique ». Et on devait choisir une personnalité de l'actualité africaine, deux fois par semaine. Et faire, en cinq minutes, une interview personnelle, qui se passait la plupart du temps par téléphone. Un invité, pour cinq minutes d'interview personnelle, moi je ne pense pas qu'on peut retracer de cette manière… bon, déjà il faut trouver, deux fois par semaine, quelqu'un, en Afrique, qu'on contacte, en plus, par téléphone… Et en général il n'y a pas grand monde qui vous aide pour trouver ces personnages. Enfin, moi je trouvais que ça n'avait pas beaucoup de sens. Quand on fait un grand invité, quand on a un grand invité, en général on le reçoit d'abord pendant une demi-heure, pas pendant cinq minutes. Et puis c'est quelque chose qui se prépare beaucoup plus. Alors qu'il y a trois modules dans une tranche, on a trop de choses à faire, on ne peut pas ! Préparer une interview personnelle, comme ça, c'est un vrai boulot ! Enfin moi je pense que c'est un truc, on ne peut le faire en profondeur que si on a le temps de faire une interview conséquente, quoi.

« J'aurais dû courber l'échine »

— Donc moi j'avais choisi d'orienter l'interview, de ne pas seulement faire parler la personne, contrairement à ce qu'on me demandait, de ce qu'elle bouffait à midi, des cassettes vidéos qu'elle préférait, si elle préférait le football ou le rugby, mais j'avais envie quand même de faire parler les gens sur leur histoire. Par exemple, j'avais interviewé un type que j'ai connu dans les camps de réfugiés au Zimbabwe, qui était un Malien, chef de mission de Médecins sans frontières-Belgique au Zimbabwe, et qui maintenant est au Burundi et qui est un type qui a vécu aussi au Mozambique, pendant cinq ans, dans les provinces, mais complètement perdues. Et ce mec-là je n'allais pas le faire parler sur des conneries ! Il fallait que je le fasse parler sur son expérience ! Pourquoi est-ce que lui, en plus Africain, était aujourd'hui chef de mission de MSF, parce qu'il n'y en pas des masses !… Ce qui était intéressant, c'était de savoir pourquoi il avait choisi ça. Donc, j'avais tendance à orienter les interviews là-dessus. Bon, ça ne plaisait pas parce qu'on trouvait que ce n'était assez people et donc, c'est vrai que c'est ça qui m'a…

— *Il y a eu un problème de contenu…*
— Oui… donc on ne s'est pas entendu là-dessus. Et comme c'était une personne qui ne supportait pas qu'on la remette à sa place, voilà. J'aurais dû courber l'échine et faire comme il me disait, et puis là j'aurais peut-être aujourd'hui… il m'aurait peut-être pris sous son aile, et il m'aurait refilé un truc, je n'en sais rien.

— *Tu as senti qu'à un certain moment on t'invitait à courber l'échine et tu refusais de le faire ?*

— Ah oui, c'est clair ! Bien sûr ! Je me suis dit : « Je vais quand même écouter le conseil, je vais essayer le plus possible de faire un truc people, parce que bon, c'est pas moi qui décide, après tout, je ne vais pas sans arrêt être là à contester. » Donc ce que j'ai fait, j'ai suivi quand même le truc, mais je n'y arrivais pas toujours parce que parfois tu as des gens, c'est vraiment impossible de leur parler d'autre chose. Enfin, je ne sais pas, moi ça me semblait impossible, je trouvais ça inintéressant, certaines personnes qui ont un profil très intéressant, de les faire parler… Par exemple, le lendemain d'une mise au point sur le contenu de mes interviews, j'ai interviewé Jacques Diouf, le directeur de la FAO… C'est un type qui donne très peu d'interviews, ce n'est pas un type facile pour ça. Et j'ai été obligé vraiment de faire une interview sur la pluie et le beau temps !… « Qu'est-ce que vous faites à Rome ? Est-ce que vous sortez, avec vos enfants, machin, vous êtes un papa-gâteau, papa-machin », j'ai été obligé de faire ça ! C'est-à-dire que les questions m'ont quasiment été imposées.

— *Mais par qui ?*

— Par C [encadrement]… Alors que Jacques Diouf, putain !… Et en plus ça faisait pas longtemps qu'il était là ! Le mec ne donnait jamais d'interview ! Je me suis senti con, tu vois ! Je me suis dit : « Mais le mec il va se dire : "Vraiment on me prend pour un con !" » Ça a été compliqué d'avoir cette interview, il a fallu des mois parce que jamais il n'acceptait ! Jamais ! Finalement, à force de convaincre les mecs, j'ai eu l'interview. Ils ont réservé un studio là-bas, à Rome, enfin bref. Et tout ça pour une interview à la con. Enfin bref, c'était un gâchis. Donc bon, c'est vrai que j'ai quand même fait jouer… Ben, peut-être ma conscience… Je ne suis pas quelqu'un de très, très facile non plus. J'estime que parfois, quand un truc est trop con, on ne peut pas s'acharner et faire les trucs connement, je suis désolé ! Moi, je ne suis pas comme ça, je ne suis pas à l'armée, je ne suis pas un deuxième classe, et je n'ai pas des adjudants qui me donnent des ordres. Et j'estime que, bon, on peut parfois orienter un peu les choses. Après tout, quand on fait tout de A à Z, on réalise, on monte… Moi, je faisais tout dans cette tranche, en dehors du journal ! Je montais moi-même mes trucs, je faisais tout ! Donc c'était un truc que je prenais à cœur. C'était ma tranche, de A à Z, quoi ! L'assistant, il n'était là que pour mettre les bobs [bobinots], il n'était pas là pour les préparer… Le montage, c'était moi, quoi. En plus, c'était pas une tranche essentielle, c'était une tranche un peu plus détendue. Donc je me suis dit : « Bon je vais faire un peu à ma manière. » Et ça c'est clair que ça n'a pas plu. Ça c'est sûr.

— *Et d'essayer malgré tout une tentative de réorientation finale, est-ce que les jeux n'étaient pas déjà faits ?*
— Si, moi je pense qu'ils l'étaient… C'est difficile à dire parce que quand même, mine de rien, je ne sais pas trop… Il y a aussi un autre élément, c'est qu'il y avait une chronique qui s'appelait « Contre-pied », qui était une chronique qui était là pour dire des choses qui gênent. « Contre-pied », le but, c'était d'interviewer des gens et de les faire parler de sujets un peu polémiques, et prendre leur contre-pied pour les encourager. Et c'est vrai que moi j'ai pris des sujets qui n'étaient pas des sujets… Je veux dire : l'Afrique, on n'est pas là pour rigoler ! L'Afrique,

c'est pas seulement la danse, Manu Dibango et les Lions Indomptables [équipe nationale de football du Cameroun] ! L'Afrique, c'est difficile, c'est difficile et passionnant à la fois. Donc les gens ils ne sont pas là forcément pour dire : « L'Afrique c'est comme ça », et puis tenir des discours lénifiants. Il y a des gens, surtout quand on veut faire un contre-pied avec des sujets polémiques, des gens qui vont te dire des vérités, des trucs bien, quoi ! Et il y en avait certains effectivement, parfois, qui disaient des conneries. Mais parfois ils disaient des trucs incisifs. Moi, il y a des types que j'ai recrutés – parce qu'il nous fallait des gens qui nous fassent assez régulièrement des chroniques – il y a un type qui s'appelle B, qui est un universitaire, un type vraiment d'une grande valeur, très courageux en plus, parce qu'il aurait pu travailler aux États-Unis, parce qu'il enseigne un peu partout dans le monde, qui aurait pu quitter l'Afrique, non, il est resté et il s'est sacrément exposé par rapport au pouvoir, et il faisait des chroniques. Quand on faisait ses interviews, il abordait des choses qui étaient sensibles, et forcément qui ne sont pas ce genre de choses que les gens qui dirigent RFI ont envie d'entendre. Dès qu'on prononce le mot « France », et qu'on dit que ce n'est pas forcément fantastique ce que fait la France en Afrique… ou que tel chef d'État africain est un véritable pourri ! Ben, si quelqu'un le dit à l'antenne, bon, faut pas trop le dire, quoi ! Sauf si c'est un opposant !

— *Mais finalement, c'est presque plus facile de le dire quand tu es en Afrique que quand tu es en France dans les locaux de la radio pour laquelle tu travailles…*
— Je pense. Oui. Comme de toute façon RFI a une manière de traiter ses pigistes en Afrique qui est le contraire

de… C'est ridicule la manière dont ils traitent les pigistes ! Bon, je ne sais pas si ça a changé, parce que je ne suis plus là-bas, mais je ne pense pas que ça ait beaucoup changé. C'est-à-dire qu'en fait, à RFI, c'est pas le type qui est sur le terrain qui est important. On fait une radio internationale, mais le mec qui est au bout du monde, et qui peut te faire des trucs, c'est pas lui qui est important. Ce qui est important, c'est ce que les gens qui sont à Paris, les fantasmes qu'ils ont sur l'Afrique, sur ce qui se passe, même sur des pays qu'ils ne connaissent pas. Ils vont te dire catégoriquement : « Mais non. Ça c'est pas important ! » […]

— *Donc ta collaboration s'achève…*
— Au mois de décembre, puisque en fait après j'ai continué à piger pour MFI, je continue d'ailleurs à piger pour eux…

— *Mais pour l'antenne africaine ?*
— Pour l'antenne africaine, c'est septembre 1995. Et ensuite, trois mois d'antenne internationale. Fin du contrat le 28 décembre.

— *Quand tu as quitté l'antenne africaine, quelle a été l'attitude de tes confrères de la rédaction africaine ? Tu travaillais avec eux ?*
— Oui, enfin, plus ou moins. Parce que moi je ne travaillais pas vraiment dans le service « Afrique ».

— *Tu veux dire : pas dans les mêmes locaux ?*
— Voilà. Il y avait le service « Afrique » prestigieux, qui prépare les journaux, les papiers du direct, etc., qui était au cinquième étage, et puis il y avait RFI +, une espèce

de petite cellule isolée qui faisait toute la partie plus magazine, qui enrobe l'information politique, sociale, des journaux. Et donc ce qui fait que moi j'étais un peu isolé. On était d'ailleurs tous isolés. Moi, il se trouvait que je connaissais quand même pas mal de gens au service « Afrique », donc de temps en temps je leur filais des sons, je leur faisais un ou deux papiers sur des trucs que je connaissais. Mais à la rigueur j'étais le seul qui avait un vrai contact avec l'Afrique, avec le service « Afrique » « traditionnel », entre guillemets. Mais ceci dit, quand le service RFI + a été supprimé, jusqu'au dernier moment on ne savait pas ce qu'on allait faire. Jusqu'à la semaine qui a précédé la disparition du service, c'est-à-dire la nouvelle grille de septembre, on ne savait pas si on allait être au chômage ou si on allait nous garder !

« Une interview qui n'était pas assez Paris-Match »

— *Et il n'y avait pas moyen d'échanger des informations avec les collègues, là-dessus ?*
— Si. Enfin… Plus ça allait, plus on était inquiet, parce que, à chaque fois on repoussait les décisions. Et puis deux semaines avant la grille, il y a eu des réunions. Et là, on a su ouvertement qu'on allait se retrouver sur le carreau. On m'a annoncé devant tout le monde… il y a eu une réunion avec tous les gens qui travaillaient avec l'Afrique, et il y avait… je ne sais plus comment il s'appelle… l'ancien chef de l'Afrique ?

— *J ?*
— J… qui a annoncé, un peu maladroitement, devant tout le monde : « Ben ouais, tu vois, lui, il aura plus de boulot, dans deux semaines », en parlant devant tout le

monde comme ça, quoi. Donc c'est comme ça que j'ai su que vraiment, on n'avait plus de boulot, parce que tu sais comment c'est, on ne te dit jamais vraiment les choses. On te dit toujours : « Oui, mais attends, à la dernière minute, ça va peut-être s'arranger, on va peut-être te… machin, etc. » Et en fait il n'y avait rien du tout. Et puis, cinq jours avant, non, deux jours avant la fin de ma collaboration Afrique on m'a dit : « Ah mais, attends, tu vas faire ce truc pendant trois mois », la présentation des journaux internationaux. Et donc, voilà, ça a commencé une semaine plus tard. J'ai encore fait deux jours de présentation à l'antenne « Afrique », la nouvelle grille est entrée en vigueur. Et ma vacation, comme je suis tombé sur un creux, je l'ai commencée le vendredi suivant.

— *Mais pendant cette période d'incertitude, tu ne cherchais pas à aller vérifier auprès des confrères, ceux qui étaient proches de toi ?*
— Bien sûr !

— *Et comment ils te répondaient ? Quelle était leur attitude ?*
— Bon, il y avait les amis, qui disaient : « Ben, écoute, vraiment on ne sait pas », ou alors : « Fais gaffe ! » Et puis alors nos chefs de service, pour qui on avait travaillé pendant neuf mois. Mais alors, eux, ils n'ont vraiment pas levé le petit doigt !

— *Ce sont ceux qui t'avaient téléphoné en Afrique pour te dire…*
— Voilà, pour me dire de revenir ! Et même un mois avant, l'un d'eux m'avait dit : « De toute façon, ne crois pas que je vais te soutenir pour que tu trouves du boulot, que tu restes dans la maison », parce que j'avais encore fait

une interview qui n'était pas assez « *Paris-Match* », vraiment c'est ça : qui n'était pas assez *Paris-Match*, quoi ! Et donc voilà la réponse qu'il m'a faite. Et voilà, voilà comment ça s'est passé. Donc ça s'est terminé fin 1995. Des rendez-vous, avec des promesses, ou des… Pas forcément des promesses… Et donc voilà, j'ai vu un peu tout le monde, après ça, pendant les derniers mois. J'ai été voir D, qui était directeur de l'information à ce moment et qui me disait : « Il faut que tu ailles au service du monito [agence sonore internationale de RFI]. »

— *Et pendant ces trois ou quatre derniers mois, quand a commencé ta période d'incertitude, tu t'es donc adressé aux syndicats. Tu as eu des contacts avec eux ?*
— Oui, oui, bien sûr.

— *Comment ils ont été ?*
— Écoute, ils ont été plutôt bien. En fait j'ai choisi le syndicat pas du tout pour telle ou telle affiliation, mais parce que tel ou tel journaliste que je connaissais m'a dit : « On va t'aider. » Donc c'était la CFDT. Et puis, bon, ils parlaient souvent de mon cas… Mais, ceci dit, ça n'a pas suffi pour arranger la situation. Parce qu'il y a eu chaque fois des rendez-vous, des gens qu'on allait voir, qui disaient… Mais ce que je n'ai pas compris c'est pourquoi on ne m'a pas laissé faire des piges à l'antenne ! C'est ça qui m'a étonné. C'est-à-dire que j'allais voir le secrétaire général de la rédaction…

— *Des remplacements de présentation tu veux dire ?*
— Oui, des remplacements de présentation, ou éventuellement des vacations au desk Afrique, où parfois on a besoin de gens. Bon, c'est rare mais ça arrive. Mais bon,

évidemment, la personne avec qui je m'étais engueulé deux mois auparavant est devenue secrétaire général de la rédaction. Donc c'est lui qui s'occupait d'appeler les gens pour les remplacements. Donc… […]

J'ai un savoir-faire de journaliste qui n'est pas très long. Bon, ça fait pas des années que je fais ça. Mais j'ai aussi un savoir-faire Afrique, il y a des trucs que je connais, j'ai plein de trucs à apprendre encore, mais ce que je connais, ça pouvait être utilisé. D'autant qu'il y avait deux régions que je connaissais un peu. Donc dans une rédaction normale, on se serait dit : « Tiens, ouais, on va le garder. On va lui donner… il peut faire des piges pour nous, sérieusement. » Ce qui n'a pas été le cas, bon. Mais de toute façon, ce n'est pas ça qui leur importe, ce n'est pas d'avoir des gens qui connaissent vraiment les sujets. C'est des gens qui puissent… Il faut quand même qu'ils sentent qu'ils peuvent contrôler un peu les gens aussi. Je pense, quoi. Parce que, quand ce nouveau service « Afrique » refondu est entré en service, justement, en septembre 1995, il y avait des gens, qui venaient de services qui n'avaient absolument rien à voir avec l'Afrique, qui sont rentrés dedans. Il y avait G qui n'avait aucun passé Afrique… Moi, je ne porte pas de jugement, c'est pas du tout le problème. Je dis juste que je pense que j'aurais pu servir à quelque chose dans cette boîte. En plus j'avais un carnet d'adresses dans le pays africain où j'avais été ! Mais…

— *C'est le moment où tu as ripé…*
— À l'international.

— *Comment ça s'est passé à ce moment-là ? Ta vocation était d'entrer au nouveau service Afrique…*
— Oui. C'est ce que je recherchais, d'ailleurs.

— *Donc tu as contacté des gens avec qui tu avais collaboré auparavant…*

— Bien sûr, en leur disant : « Voilà, ça m'intéresserait, etc. » Mais les gens qui pouvaient prendre des décisions me disaient : « Mais ce n'est pas moi qui décide ». Bon, c'est vrai qu'il y a eu une confusion aussi parce qu'en juillet 1995 j'avais été voir D [l'ancien directeur de la rédaction]. À ce moment-là, je ne savais pas trop ce que je voulais faire. J'envisageais deux choses : que j'aimerais bien bosser à la rédaction « Afrique », qui venait d'entrer en fonction, et je lui avais dit : « Bon, moi j'aimerais bien bosser à la rédaction "Afrique", c'est sûr, mais en même temps, je n'ai pas peur de partir en Afrique s'il le faut. » C'était une manière de lui dire que c'était pas de poser mon cul qui m'intéressait, c'était travailler. Et donc je n'avais pas peur de partir à l'étranger. Et lui, ce qu'il a retenu, c'est que j'étais prêt à repartir comme pigiste à la manque en Afrique ! Et donc il m'a écarté. Ça a contribué à ce qu'il m'écarte du système. Il s'est dit : « Tiens, voilà déjà un problème de réglé. » Et moi j'ai réagi ensuite, trop tard, pour revenir en arrière. Et puis, bon, comme entre-temps il y a eu certainement une ou deux personnes qui ont dû lui toucher un mot comme quoi je n'étais peut-être pas aussi docile que… Enfin, bon, bref, il y avait des arguments pour se débarrasser de moi, quoi. Comme d'autres, hein ! Je ne suis pas le seul, attention, il y en a d'autres. Je ne fais pas de mon cas une exception. Je crois qu'il y en a plein dans cette situation-là. Sauf qu'à partir du moment où tu as un statut précaire, c'est évidemment plus facile de se débarrasser de toi. Donc, voilà en gros comment ça s'est passé.

— *Donc, les chefs disaient qu'ils n'y pouvaient rien, qu'ils n'avaient aucune responsabilité. Et ceux qui étaient au même niveau que toi, ceux qui étaient dans le service, la piétaille ?*
— Ceux avec qui je m'entendais bien, vraiment bien, en qui j'avais confiance, bon, ils n'avaient pas forcément le pouvoir de… Ils mentionnaient mon nom, comme N. Par exemple je sais qu'elle a souvent mentionné mon nom dans des réunions, etc. Quand on cherchait quelqu'un, elle disait souvent : « Tiens, mais Roland, pourquoi pas ? C'est quelqu'un qui a toujours été de confiance. » Bon il y a eu L, qui était représentante syndicale… Elle m'a toujours dit qu'elle faisait ce qu'elle pouvait. Il y a eu aussi S, qui était au « monito ». C'est aussi amical, tu vois, c'est même pas une question d'accointances. Moi je vois le syndicalisme comme ça. Malheureusement, c'est pas comme ça, c'est plus… C'est trop souvent politisé, mais… je ne sais pas dans quel sens, mais ça dépend. L'idée du syndicalisme, moi, c'est un truc que je trouve bien, quoi, en soi. J'en ai fait étant étudiant. Et partout c'est vraiment important. Donc S aussi a essayé de se démener. Mais bon… tu sais, quand les gens ont une dent contre toi ! Ça se passe comme ça : ils te disent qu'il y a 10 000 personnes pour prendre ta place. Ils te disent comme D : « Mais pourquoi tu ne vas pas voir un peu ailleurs ? Ça fait du bien de ne pas toujours travailler dans le même média » ! On voulait m'envoyer à Medi L [station de radio internationale basée à Tanger]. Il voulait me brancher pour faire des trucs à Medi L. Moi, c'était au mois de septembre 1995, je ne vois pas pourquoi j'aurais été à Medi L, alors que ça faisait trois ans que je me démenais pour bosser dans la boîte ! Qu'est-ce que j'allais faire à Medi L ? Tu comprends ? Tu vois ce que je veux dire ?

— *Oui, bien sûr.*

— C'est comme si un employeur te disait : « Bon, ben, va voir le concurrent, ça te fera du bien ! » Tu lui dis : « Non, écoute, moi je suis bien ici. J'ai un passé avec vous, même si ce n'est pas dix ans, mais enfin j'ai quand même un passé. J'ai fait un boulot, j'ai pris des risques un peu pour vous, pour faire le boulot. Bon, je ne suis pas resté mon cul sur une chaise, je me suis bougé le cul ! » Donc c'est comme ça que je raisonnais ! Mais un peu naïvement… Évidemment, c'est pas comme ça que ça fonctionne dans ce genre de boîte. Mais donc, voilà, moi ça me faisait chier, je lui ai dit non.

— *Est-ce que tu as eu une bonne relation avec les services financiers ? Est-ce que ça s'est passé correctement ?*

— Oui, oui, ils étaient corrects. Globalement, ça allait.

— *Et au moment où il a fallu solder les comptes ?*

— Euh… non, là c'était plus complexe.

— *Est-ce qu'on a reconnu ton ancienneté ?*

— Non. On m'a reconnu en fait un an et demi d'ancienneté. Probablement parce que, en nombre d'heures, d'heures-salaires… Ils ont calculé ça en nombre d'heures-salaires et non pas à la durée effective de la collaboration. Donc en heures-salaires, ça faisait un an et demi. Mais en fait, en heures de travail réel, c'était trois ans, tu vois. Donc voilà comment ils ont réglé le truc. Et puis bon, en même temps, le problème c'est toujours le même : c'est que si je commençais à lancer une action devant les prud'hommes, parce que j'aurais pu… Parce que après tout j'ai travaillé neuf mois à plein temps, en tant que pigiste, et c'est pas

légal : quand tu bosses à plein temps, tu dois normalement… on doit te… tu peux… ça équivaut…

« Le candidat des syndicats »

— *Effectivement, au bout d'un certain temps dans l'entreprise, on peut revendiquer d'être embauché.*
— Mon ancienneté, j'aurais pu la réclamer. Sauf que je
me retrouvais dans un dilemme… je me disais : « Si je
commence à passer par les prud'hommes, bon, je vais obtenir réparation, peut-être. Je vais gagner mon procès, devant les prud'hommes, bien sûr. Mais après ça, ma
collaboration avec la radio, ben ça sera terminé, quoi. »
Donc voilà pourquoi je ne l'ai pas fait. Parce que je me
suis dit : « Si je repars sur le continent africain, à un moment ou à un autre, je sais que j'aurai besoin de RFI pour
travailler. » Parce que malheureusement, c'est un des rares
médias avec lequel on peut travailler. Je pense qu'énormément de pigistes sont dans cette situation. C'est-à-dire
qu'ils ne peuvent pas aller trop loin dans leur brouille
parce qu'ils savent que, bon, ils ne peuvent pas se brouiller
non plus complètement avec certaines personnes, parce
qu'ils en ont besoin, qu'ils le veuillent ou non !

— *Et tu es dans cet état d'esprit, aujourd'hui encore ?*
— Ben oui, parce que je travaille quand même un
peu… Je me dis : « Si demain, ce qui est possible, ou l'année prochaine, je retourne en Afrique ? » Je me donne
jusqu'à la fin de l'année pour décider si je vais repartir en
tant que pigiste en Afrique, je n'ai pas décidé encore, j'y
réfléchis. Parce que je voudrais y réfléchir très sérieusement et pas partir comme ça, n'importe comment, parce
que je sais que ça peut être très difficile. Je me dis que

j'aurai besoin de travailler avec eux. Ça peut être un média avec qui on peut avoir envie de travailler, même si on ne peut pas le faire tout le temps. Donc j'ai décidé de ne pas me brouiller avec eux et de me démerder comme je pouvais. De ne pas complètement me brouiller et fermer la porte, parce que, malheureusement, on en est là ! Malheureusement on en est là, parce que dès que tu commences à utiliser un syndicat pour défendre ton cas dans cette boîte – ou ailleurs, c'est pas spécialement à RFI – paradoxalement dans une radio de service public, tu as l'impression d'être presque dans une situation du XIXe siècle, tu sais, où « Ah, mon Dieu, il fait défendre son cas par un syndicat, c'est atroce ! » Et en fait, je pense que ça m'a desservi. Ça m'a desservi parce que les syndicats, ils ont trouvé un cas à défendre. Donc ils ne l'ont pas mal défendu. Et finalement, je suis devenu presque le candidat des syndicats pour certains trucs. Et ça n'a pas plu non plus, quoi : « Ouais, il est trop avec les syndicats, etc. ». Donc tu te retrouves en fait dans une situation ! À RFI, il y a des tas de gens comme ça, dans tous ces services en langues étrangères, de gens qui se font exploiter !… Tu te retrouves dans une situation, si tu défends ton cas avec les syndicats… finalement ça te dessert, sauf si vraiment… Parfois ça marche. Par exemple ça a marché pour K., ça a marché pour certains. Et ça n'a pas été évident parce qu'il était dans une situation, en plus lui il avait été malade. Et lui aussi, quand il était rentré de l'étranger il était dans une situation un peu galère, un peu difficile. Ça a marché ! Mais ça ne marche pas toujours. Et quand ça ne marche pas, quand ça dure trop, au bout d'un moment t'es grillé, je pense.

— *Tu veux dire qu'on devient suspect ?*

— Oui, on devient suspect. Parce qu'on se dit : « Mais pourquoi ce mec on n'arrête pas ?… Ah, la, la ! ». Et ils en ont ras-le-bol, quoi !

— *Ça n'est plus normal d'être pigiste aussi longtemps.*

— Ce n'est pas « d'être pigiste ». C'est que ça n'est plus normal de courir après un boulot légitime, qu'on mérite légitimement, c'est ça. Progressivement, on devient un étranger qui essaie de rentrer dans la boîte. Plus on s'éloigne, plus le temps passe, plus on a l'impression d'arriver comme un étranger. En plus les gens changent. Je trouve ça quand même dingue qu'il n'y ait pas eu… Et c'est là vraiment qu'aussi je suis un peu déçu par certaines personnes dans cette radio. Des gens qui, je pensais, pourraient me soutenir. C'est que, quand même, il y avait peut-être des moyens quand il y avait des creux, de dire : « Ouais, allez, y a un creux, on appelle Roland. » Mais bon, on ne le fait pas, parce que c'est toujours la peur du supérieur, de je ne sais quoi, et qu'il ne fait pas bon de se réclamer de telle personne parce que, comme il n'est pas en odeur de sainteté dans la boîte, ben, vaut mieux pas bouffer avec lui. Je ne vais pas citer des noms, mais enfin, les mecs qui, sur le début, étaient relativement de mon côté, ou avec d'autres, il y en a toute une liste. Mais au bout d'un moment ils se rendent compte que trop défendre quelqu'un, pour leur carrière, c'est chiant, c'est mauvais.

— *Tu as un sentiment de trahison ?*

— Oh, je ne dirais pas « trahison ». Non je dirais qu'au bout d'un moment on a l'impression qu'on vous a laissé tomber, c'est surtout ça. Ceci dit, les gens sont sympas, ils ne sont pas… Mais bon, au bout d'un moment, ils ont leurs problèmes, ils ont leurs trucs, leurs petites affaires. Et puis au bout d'un moment, au bout de six mois, on se dit : « Mais à quoi bon perdre toute son énergie, à quoi bon continuer à courir après des gens pour rien. » Donc j'ai préféré me cantonner à MFI et éventuellement à la Coop [service de coopération radiophonique de RFI], où pour l'instant c'est impossible de travailler parce qu'il y a tout un chamboulement… Mais bien évidemment ça ne peut pas me faire vivre. Et ça ne peut faire vivre aucun pigiste, d'ailleurs. Ça ne peut être qu'un complément. D'où le problème de passer à la suite quand on est dans une situation comme celle-là, ayant toujours travaillé sur une même région. Je pense que c'est une conversion qui est difficile à faire. Bon je l'ai faite un peu, en faisant des piges dans l'édition. C'est arrivé à cause de l'Afrique, parce qu'il fallait quelqu'un pour réécrire les papiers musicaux dans un dictionnaire. Il y avait des papiers sur la musique africaine. Donc il fallait quelqu'un qui connaisse l'Afrique. Et moi je connais assez bien la musique africaine en général, d'Afrique noire, disons. Donc c'est pour ça que j'ai été là. Et puis en fait j'ai corrigé d'autres trucs, j'ai corrigé des trucs sur toutes les musiques. Donc c'était un début de conversion. Mais le problème c'est que, moi, je ne me vois pas journaliste musical. […]

« Ne pas avoir trop d'illusions »

— *Là, tu te sens un peu en réserve ?*
— Oui. Oui, tout à fait. Alors j'ai essayé d'en profiter pour… Là, c'est aussi des moments où on réfléchit. C'est pas toujours mauvais non plus. On se pose des questions, on se dit : « Qu'est-ce que je dois faire ? Est-ce que c'est

le journalisme que je veux continuer ? Qu'est-ce que je suis prêt à faire, à sacrifier, pour avoir ma carte de journaliste ? Est-ce que je suis prêt à faire n'importe quoi ? À faire un truc qui ne m'intéresse pas du tout comme présenter des journaux sur France-Info ? » Je pourrais faire des remplacements. J'avoue que je ne l'ai pas fait. C'est pour ça que je ne me plains pas de ma situation ! J'aurais pu le faire, mais je me suis dit : « Est-ce que j'ai envie de passer par ce truc de présenter des journaux sur France-Info ? Est-ce que c'est ça ? »… Donc je ne l'ai pas fait. J'ai préféré essayer de caser des piges où je pouvais et puis chercher ailleurs s'il y avait des possibilités. Là justement, fin août, je vais remplacer pendant trois mois une fille au magazine d'un organisme international. Bon, c'est une expérience : c'est travailler différemment, sur la durée, ne plus faire de radio, faire de l'écrit. Mais finalement, ça m'intéresse plus que d'aller bosser à France-Info ! Parce que ce n'est pas une fin en soi. Moi, je pense qu'il y a deux manières de faire du journalisme : soit on est journaliste-journaliste, on peut vous mettre sur tout ce qu'on veut ; soit on veut être journaliste et se spécialiser sur certains sujets et donc on se dit : « Bon, qu'est-ce que je fais ? Est-ce que je sors complètement de ce rail, ou est-ce que j'essaie de continuer dans une branche ou dans des publications qui sont plus ou moins liées à cette spécialisation que j'ai envie de poursuivre ? » Mais je n'ai pas l'impression qu'en ce moment ce soit le bon truc d'être spécialisé. Sauf si on est spécialisé sur la Russie, ou sur le Japon. Mais je crois qu'on n'en veut plus vraiment, des spécialistes. Enfin, des « spécialistes » : guillemets, bien sûr. Des gens qui se spécialisent, j'ai l'impression qu'on n'en veut plus vraiment. Tout est tellement, maintenant, résumé, rapide. On veut tellement une réponse toute faite.

En fait, on pense que parce qu'il y a moins de mots, on peut se permettre de dire quelque chose sur une région ou sur un sujet. C'est souvent ça maintenant, on se dit : « De toute façon, il faut un papier d'une minute, hein ? Alors ils vont prendre la dépêche, ils vont se démerder. » En fait c'est pas vrai ! c'est pas vrai ! On peut dire des énormités ! Même pour faire une minute vraiment bien sur, je ne sais pas moi, sur ce qui s'est passé à Lagos, si on a un bon fond, si on a un vrai fond derrière, on peut faire une minute qui sera plus intéressante qu'un mec qui n'y connaît rien. C'est normal ! Mais c'est plus le propos maintenant.

— *Quel souvenir tu vas garder ? Quelle expérience tu vas garder de ces années de journalisme ? Est-ce que tu t'es arrondi, est-ce que tu t'es endurci ?*
— Les deux, je crois. C'est-à-dire on s'endurcit parce que déjà on est plus réaliste, évidemment. Il y a pas mal d'illusions qu'on perd. Mais c'est bien aussi de ne pas avoir trop d'illusions. Faut en avoir toujours un petit peu, quand même, parce que sinon… Mais bon, ne plus en avoir sur trop de choses, sur la manière dont ça fonctionne dans ce métier, sur les questions de « travailler avec un journal », etc. Mais on s'arrondit aussi parce qu'on se rend compte que dans la vie, ben, il faut négocier avec des gens, des employeurs, et que si on est toujours trop complètement soi-même, eh bien, malheureusement, ça ne fonctionne pas toujours. On est obligé de faire des concessions. La question est de savoir jusqu'où on les fait. Je crois que c'est ça : jusqu'où on est prêt à faire des concessions. Si on est prêt à complètement retourner sa veste, ou si on est seulement prêt à arrondir un peu les angles pour pouvoir passer, quoi. Je pense qu'il y a un peu deux manières de le faire. C'est difficile, en même temps. Mais sinon,

comme expérience de journaliste… Ce que j'ai vraiment retenu, ce qui m'a vraiment passionné, c'était d'être sur le terrain et d'aller avec mon micro. C'est ce qu'il y a de plus marrant, quoi, c'est clair. J'ai été un peu déçu par le travail à Paris parce que je n'étais pas dans une vraie rédaction. Et puis aussi par le fait que, bon… comment dire… je n'ai pas senti tellement de dynamisme dans une rédaction qui est censée être ouverte. Je pense que quand on a l'esprit ouvert, en général ça suppose un certain dynamisme et je n'ai ressenti ni cette ouverture d'esprit ni ce dynamisme. C'est ça que je trouve un peu décevant, quoi… Voilà mes expériences. Mais, ceci dit, j'ai envie de continuer à bosser là-dedans, de continuer ce métier. Mais je me sens davantage prêt maintenant à faire autre chose, quoi. C'est-à-dire : si je vois que je ne peux pas travailler sur certains sujets vraiment intéressants, à travers le journalisme, maintenant c'est là, j'ai le choix, un peu. Enfin, je pense que le choix se fait un peu suivant les propositions. Quand on cherche qui-va-vous-dire-quoi, c'est un peu le hasard aussi, parce qu'on tombe sur une proposition, on la prend parce qu'à ce moment-là on n'a peut-être pas le choix, et on ne voit pas autre chose. Il y a peut-être ça aussi. C'est vrai que c'est maintenant, dans l'année qui vient, enfin la fin de cette année et le début de l'année suivante, ça va être une période où je vais devoir décider entre : être journaliste à tout prix ou être journaliste de manière intermittente et toucher autre chose pour pouvoir continuer une recherche sur une région, ou même une recherche pour soi, aussi. Parce que chercher à connaître des sujets, bon, parfois c'est une manière aussi de se connaître soi-même, enfin, tu vois…

Solange *ou* « Les mercenaires ! »

41 ans, mariée, deux enfants

Père officier sorti du rang (ex-enfant de troupe) ;
mère au foyer (brevet de couturière)

Maîtrise de géographie ; maîtrise de sciences de l'information et de la communication

Pigiste depuis ses débuts

— J'ai choisi d'être journaliste parce que je voulais avoir un métier en relation soit avec les gens, soit avec l'environnement. Le journalisme m'avait toujours plu. À mon époque, le cursus royal c'était ça : tu faisais l'IEP, ensuite tu passais les concours des grandes écoles de journalisme qu'étaient Paris et Lille. Les IUT, je n'y pensais même pas. Je suis donc entrée dans un institut préparant à la licence et à la maîtrise d'info-com. Je me suis retrouvée au mois de juin 1985 sans rien pour les mois de juillet et août. Un stage à France 3 région venait juste d'être annulé car mon institut n'était pas reconnu par la convention collective. Or il fallait que je bouffe. Je me suis donc retrouvée employée dans un bistrot pendant deux mois pour me faire des ronds.

— *Tu cherchais quand même dans le journalisme ?*
— Ah oui, pour moi c'était clair. Déjà pendant toute mon année à l'institut, je m'étais démenée. C'est-à-dire que j'avais fait mon mémoire de maîtrise sur une station régionale de Radio France. J'avais déjà fait des stages d'observation, car j'étais là par « piston », entre guillemets,

grâce à X, un rédacteur en chef qui connaissait Y, un journaliste que connaissait le frère de ma belle-sœur. C'est ainsi que j'ai pu faire un stage pratique, parce que ce n'est pas à l'institut que j'ai appris la radio ! Pendant toute ma scolarité, pareil, j'ai cherché des piges. J'ai fait des piges pour un hebdomadaire confessionnel local. Donc durant ma deuxième année d'institut, je me suis débrouillée par moi-même. Je suis allée au Club de la presse, j'ai noué des contacts, j'ai trouvé des petits trucs, mais du pipi de chat, tu vois... Quand j'ai démarré en septembre, là j'ai eu un coup de bol : j'ai pu faire un stage à Radio-M [radio généraliste], toujours grâce à des relations... enfin, tout à fait par hasard. C'est-à-dire que quand j'étais au Mexique, j'ai rencontré une personne qui était là-bas, dans le cadre du service militaire à l'Alliance française. Ce type-là, en rentrant, s'est retrouvé à travailler à Radio-M, à un niveau élevé. Connaissant bien le rédacteur en chef, il lui avait dit : « Tiens, j'ai une amie qui cherche un stage, est-ce qu'elle pourrait le faire ici ? » C'est ainsi que j'ai pu rentrer à Radio-M en tant que stagiaire. Ensuite j'ai fait les deux mois d'été, j'ai fait la femme de ménage au bistrot, et là, en septembre, je n'avais pas trop de touches. Et puis un coup de bol fabuleux : Radio-M m'appelle et me dit : « Voilà, est-ce que ça t'intéresserait de travailler pour nous, de faire le radio-guidage, parce qu'on a besoin de quelqu'un. Ça serait pour toutes les vacances, tous les week-ends chargés, les ponts etc. » L'intérêt de ça, c'est qu'en fait c'était un... c'était du journalisme. Pour moi, ça ne l'était pas, mais enfin, bon, avec ça tu pouvais avoir ta carte de presse. J'ai donc eu la chance d'entrer à Radio-M et à l'époque ça m'assurait le maximum de mes revenus.

« Environ 61 000 francs par an »

— *Combien gagnais-tu ?*

— En 1985, j'ai débuté en septembre, je n'ai touché que 4 500 francs. En 1986, un peu moins de 50 000 francs. Ensuite, j'ai eu Radio-M, et là j'ai bien gagné, environ 170 000 francs en 1987. En 1989, j'en étais à 117 000 francs. En 1990, il y a eu une baisse de salaire importante parce que j'ai arrêté de faire la météo le matin. Donc Radio-M a disparu. C'est l'effondrement. J'ai touché 61 533 francs. C'est l'année de ma Sophie. Ma fille est née en 1990. Au début, j'ai cru que ça venait de ma fille, que j'étais beaucoup moins à l'affût des opportunités. Et en fait, je me rends compte que pas du tout… parce qu'en fait j'ai travaillé jusqu'au dernier moment quand j'étais enceinte. Et puis j'ai vu mes collègues, pigistes comme moi, qui m'ont dit que leurs revenus se sont effondrés aussi en 1990 et 1991. C'est là qu'il y a vraiment eu un virage. Depuis, je stagne à environ 61 000 francs par an.

— *Il y a eu une crise ?*

— Un changement au niveau des canards. Ils prenaient moins d'articles, etc.

— *Tu as travaillé pour combien de médias différents en tout ?*
[*Solange sort un cahier où toutes ses piges sont soigneusement inscrites. Après examen, il apparaît qu'elle a travaillé pour une vingtaine de médias, principalement dans la presse spécialisée (tourisme, économie, informatique), pour une foule de petits journaux régionaux ou locaux éphémères, et aussi pour des radios et pour une télé régionale où elle sélectionnait des candidats pour un jeu.*]

— J'ai toujours eu *Méga* [magazine de faits divers], depuis le début, qui m'a quand même rapporté du fric. Pour te donner un exemple, à *Méga*, au début, les premiers reportages étaient payés 3 600 francs. 3 600 francs le reportage ! Aujourd'hui, c'est 2 000 francs brut. Ça c'est la réalité ! Là, t'as tout compris. Autre exemple : un canard comme *Computic* [magazine d'informatique appartenant à un groupe américain] payait au départ 1 500 francs le feuillet. Aujourd'hui le feuillet est à 700 francs. Et ils prennent maintenant des brèves, et dans les brèves ils distinguent les brèves « de terrain », que tu trouves toi-même et qui te demandent le même travail qu'un article, 350 balles, et les brèves « non-terrain », des communiqués, etc., qui doivent être à 220 francs.

— *Comment cherche-t-on des piges ?*
— Il y a différents moyens. Il y a les annonces du CNRJ [Centre national de reclassement des journalistes], aujourd'hui *Pigiste* avec l'annuaire des pigistes. Alors normalement on peut te contacter. Je suis abonnée à *Piges* [*La Lettre d'information des journalistes pigistes*]. Ensuite tu fais le tour des canards chez toi, mensuels, hebdos… Par ici, c'est pas très riche… c'est-à-dire qu'il y a eu beaucoup de petits canards qui se sont montés, qui ont tenu même pas un an. Et enfin c'est les relations. Relations à 90 %.

— *Et les « relations », ça veut dire quoi ?*
— Les relations… c'est-à-dire le coup de bol comme Radio-M, que je t'ai raconté. *Méga*, ça a été un coup de bol aussi. J'avais fait copain avec un mec du quotidien régional. On lui avait proposé *Méga*. Il n'avait pas voulu. Il m'avait dit : « Ça t'intéresse ? » J'avais dit « Oui. » Voilà.

Même chose pour *Computic*. Voilà. Et ça c'est 90 % de mon fonds de commerce actuellement.

— *Alors tu cherches en permanence ?*
— Ben, tout le temps ! Tout le temps obligée de chercher, obligée d'être en contact avec le maximum de gens. Il y a une part fondamentale de relationnel…

— *Que tu ne comptes pas dans ton temps de travail ?*
— Ah non… de toute façon la vie de pigiste, c'est ta vie ! Mais bon, ça n'est pas contraignant, parce que quand tu es un journaliste pigiste, tu aimes ça aussi… Je veux dire, il faut être une nature, il faut aimer le contact, il faut avoir une facilité de contact très grande, et puis être sympathique… parce que si tu n'es pas sympathique, on ne te refile pas des trucs.

— *Tu fais des efforts pour ça ?*
— Non, c'est ma nature ! Mais ce métier, ce n'est pas seulement de la communication ou de la débrouillardise, c'est aussi de la mise en forme, de l'écriture. Au début, tu doutes : est-ce que je suis faite pour ce métier ? Est-ce que je sais écrire ? Ensuite tu prends de l'assurance…

— *À l'époque, avant 1990, tu n'avais pas peur de ne pas retrouver du travail ?*
— Non, *Méga* me suffisait… quatre piges par mois, payées près de 3 000 francs chacune, et c'était bon.

— *Mais est-ce que tu n'aurais pas aimé être intégrée ?*
— À un moment donné, en 1989, j'ai eu une possibilité à Paris avec *Méga*. J'ai eu un CDD de trois mois. Quand le moment est venu de transformer ça en CDI, ils me payaient moins que ce que je gagnais à N [métropole

régionale où vit Solange], 8 500 contre 10 000 francs à l'époque à N. Alors j'ai décidé de revenir à N. En fait c'était l'époque où je gagnais vachement de fric, donc je n'ai pas voulu… J'aurais été obligée de travailler à Paris, mais ça me plaisait bien. J'ai toujours été flexible. J'aurais pu être intégrée à Radio-M, à L [autre métropole régionale]. Mais ce n'était pas intéressant… et puis, avant, il y avait du boulot. Maintenant, c'est… on peut en avoir une idée avec ce que font mes collègues. Avec mes collègues, on aimait notre liberté. Cette liberté qui faisait que tu travaillais pour des journaux très différents, ce qui t'obligeait toujours à avancer. Ça c'est important. À une époque, on était pigiste par choix… on commençait un peu par hasard et puis on restait là-dedans, par choix… mais maintenant je connais beaucoup de pigistes qui cherchent à s'intégrer quelque part parce qu'ils en ont marre. À partir d'un certain âge surtout, quand les gens doivent faire bouillir la marmite chez eux… ils recherchent des solutions plus fiables, où il y a le mois qui tombe régulièrement, quoi.

« Cette envie de liberté »

— *Et toi ?*
— Moi, actuellement… je ne sais pas. Je ne sais pas, parce que j'aime bien travailler comme ça aussi.

— *Ça n'est pas parce que cela te paraît difficile d'être intégrée ?*
— Alors ça, ça me paraît même impossible ! Je connais une fille, par exemple, elle cherche à être intégrée et elle fait des pieds et des mains. J'en connais une autre qui est dans ce cas, qui cherche par tous les moyens à entrer au quotidien régional. Les gens cherchent, maintenant.

— *Est-ce qu'il n y a pas aussi la peur de s'intégrer à une structure ?*

— Il y avait ça. Mais le besoin que t'as de vivre de ton métier fait que ça passe au second plan maintenant… cette envie de liberté, ça passe au second plan. Pour des raisons économiques. Mais quand même, c'est fort cette liberté, chez les pigistes…

— *Mais cette liberté, elle est réelle ou supposée ? Est-ce que ce n'est pas un mythe ?*

— Alors toujours pareil… il y a toujours cet aspect économique. C'est-à-dire que si tu as un volant de piges suffisant, tu peux quand même choisir… Je vais te donner un exemple : dernièrement quelqu'un de la mairie m'a proposé de faire le bulletin institutionnel. Pas de commission paritaire : je perdais ma carte de presse. Sans carte de presse, c'est impossible. Moi je dis que c'est impossible de travailler. Parce que les gens te prennent vraiment… ils te paient différemment…

— *Ils peuvent te laisser tomber aussi ?*

— Non, ils ne te laisseront pas tomber. Mais pour eux, t'es moins sérieux. Ça veut dire que tu fais beaucoup de choses à côté, et que ton métier de journaliste est secondaire. Donc pour eux, tu n'es pas intéressant parce que tu n'es pas un journaliste.

— *Donc il faut que tu gagnes de quoi croûter mais aussi que tu gardes ta carte de presse ?*

— Oui, pour moi c'est très important. Il faut que 50 % de tes revenus, au total, soient des revenus de presse, d'organes de presse. Donc il faut que tu navigues entre ces deux contraintes et il faut que cela soit au moins le SMIC. Donc la liberté des pigistes, elle se situe là-dedans !

— *Ta carte de presse, il y a des moments où tu l'as perdue ?*
— Jamais ! Pas encore ! Mais là, actuellement, je peux te dire que je suis sur une corde raide…

— *À un certain moment tu travaillais pour beaucoup de journaux et tu avais aussi la radio. Est-ce qu'on est toujours tenté de tout prendre, même si ça fait davantage de boulot, même si on n'y arrive pas ?*
— Non, on prend toujours. Tout ! Moi je prends tout ce qui est « presse ». Je prends si sont des canards qui ont pignon sur rue, parce que je sais que je vais être payée. Parce que je peux refuser. Si c'est des canards d'ici qui me proposent, alors là je refuse ! Si c'est des canards qui ont pignon sur rue, tu sais qu'à la fin du mois tu auras ton salaire qui va tomber. Tu prends, même si les sujets, bon… tu sais, pour l'informatique, c'était pas évident, j'ai dû faire des efforts pour comprendre.

— *Alors, prenons l'année record, en 1988, raconte-moi une journée de travail à cette époque.*
— Je me levais à 4 heures du matin. Je partais à 5 heures et je faisais ma première intervention radio à 6 heures. Je faisais la météo. Une intervention toutes les heures jusqu'à 9 heures. À 9 heures, j'enregistrais pour le midi et je partais vers 10 heures 30 pour la maison. Je déjeunais, et après, à 14 heures, je commençais une deuxième journée, c'est-à-dire que je travaillais pour le mensuel économique lié à la chambre de commerce et d'industrie et je travaillais pour *Méga*. Voilà, c'est tout. Donc l'après-midi j'écrivais, je faisais mes reportages, je me couchais en moyenne à 10 heures le soir. Le vendredi soir, à 17 heures, j'allais au radio-guidage. Et le week-end, je travaillais jusqu'au

dimanche 19 heures, 19 heures 30. Je travaillais au radio-guidage au centre régional d'information routière.

— *Et comment as-tu terminé l'année ?*
— Bien ! Parce que j'ai une bonne santé !

— *Si on compte en heures, ça faisait combien par jour : quinze, seize heures ?*
— Oui, mais je sortais tous les soirs parce que j'en avais besoin. J'avais une vie sociale, c'était indispensable pour moi. Je ne faisais pas que travailler.

— *Cette vie sociale, c'était pour ton plaisir ou pour tes relations ?*
— Non, pour mon plaisir. J'aimais ça. Je crois que si tu n'aimes pas ce que tu fais là, tu ne fais pas ça. Moi, mon moteur, c'est ça. C'est-à-dire… quand j'étais au centre d'information pour la circulation routière par exemple, bon, je faisais mes interventions, c'était sympa, et puis je m'amenais du travail aussi. Donc tout ce que je faisais en faisant la météo, je discutais avec les gens de la météo, je découvrais un monde qui n'était pas le mien, et tout ça c'est des sujets potentiels. À chaque fois tout s'imbriquait.

— *Donc tu étais toujours à cent à l'heure ?*
— Ah oui, tout le temps !

— *Est-ce que la qualité de ton travail n'en souffrait pas ? Est-ce que tu avais du temps pour faire tes articles ?*
— Normalement, tu sais quand tu es à la bourre… Je n'ai jamais eu de choses à recommencer, d'articles refusés, jamais. Non, les gens étaient contents. D'ailleurs la preuve : *Méga*, je continue à travailler pour eux. Quand j'ai arrêté des collaborations, c'est que le canard se cassait la gueule.

— *Tu dois aussi tenir tes comptes au jour le jour. Tu m'as parlé de retard dans le salaire…*

— C'était un canard d'ici… on a été au tribunal, j'ai gagné le procès, et donc j'ai eu des recouvrements ultérieurs.

— *Donne-moi quelques précisions.*

— C'était un hebdomadaire sportif local, qui en fait, à la fin, ne payait plus. Ils m'avaient commandé des choses qui n'ont pas pu paraître, parce qu'ils ont mis la clé sous la porte. Ils ont dit qu'ils ne l'avaient pas commandé. Moi j'ai fait un procès. Ça a duré un an, je l'ai gagné. Donc je suis rentrée quand même dans mes fonds…

— *En tant que pigiste, tu as aussi des dépenses d'équipement ?*

— Actuellement il te faut au minimum un ordinateur, un fax et un répondeur. Ce qui fait presque deux mois de salaire. Il y a aussi les factures de téléphone. Ça c'est un problème, c'est dur à gérer…

— *Et tout ça, c'est à enlever de ton salaire ?*

— Oui, mais d'un autre côté, tu as tes 30 % d'abattement fiscal. C'est bien pour ça que pour un pigiste, les 30 % ce n'est pas un luxe et ça peut éviter… Y en a qui te disent : « Oui, mais il suffit de passer aux frais réels ». Ah oui, mais attends, on a déjà tout à gérer, si en plus on doit gérer les frais réels, c'est… c'est du temps perdu, on passe sa vie à ça !

— *Parce que tu as une part importante de travail administratif ?*

— Oui ! Quand arrive la déclaration des revenus et quand arrive le dossier pour la carte de presse, ça te prend bien la tête, je peux te le dire.

— *Il faut aussi vérifier tes piges ?*

— Oui, il faut tenir un compte. J'ai un petit carnet où je note mois par mois tout ce que je fais et je coche quand c'est payé.

— *Donc, en fait, tu travailles tout le temps ?*

— Oui ! Je travaille tout le temps !… Ça peut m'arriver de prendre une semaine de vacances, et je travaille davantage la semaine d'après.

— *Combien prends-tu de vacances par an ?*

— D'habitude j'en prends pas mal, hein, à part durant ces années-là où je travaillais comme une folle. Maintenant, je prends généralement un mois l'été, et puis l'hiver, tout compris, trois semaines.

« Une histoire gaie qui se termine bien »

— *Je voudrais maintenant que tu me dises comment les choses se passent quand tu as une pige, en ce qui concerne le choix du sujet, le choix de l'angle, etc.*

— Pour le sujet, il y a deux possibilités… Avant, c'était le rêve, on te passait commande, on te disait : « Voilà, tu fais ça »… Le rédacteur en chef t'appelait, il te disait : « Voilà, il faudrait faire un sujet, par exemple sur la distribution du matériel informatique dans telle région… il m'en faudrait tant de signes… C'est payé tant. Voilà. » Ou bien *Méga* me disait : « Tu nous feras un sujet sur une femme à qui il est arrivé telle ou telle aventure. » Ou bien ça pouvait être une revue touristique qui me demandait : « Tiens, tu peux me faire un papier sur l'aéroport ou sur la concurrence entre Air Liberté et Air Inter sur telle ligne ? » Ou bien le bulletin mensuel des brocanteurs et antiquaires qui me disait : « Fais-nous un papier sur le dernier salon à V. » Voilà, c'était le rêve, mais ça, c'est en voie de disparition. Maintenant ils attendent tout de toi. Ce qui demande trois fois plus de travail. C'est-à-dire que c'est toi qui dois proposer des sujets !

— *Pourquoi est-ce que ça demande plus de travail ?*
— Ben, parce qu'il faut trouver les sujets, tiens ! Ah, les sujets… c'est vachement difficile ! Surtout pour *Méga*…

— *Pourquoi ?*
— Parce que les faits divers, les faits de société… trouver une histoire gaie qui se termine bien, une belle histoire, comment tu fais ? Tu vas dans la ville… Là c'est pareil, c'est les relations. Alors tu pilles allégrement la presse quotidienne… je pille beaucoup le quotidien régional. J'y suis abonnée, je m'amortis. Et puis je lis, je lis énormément… C'est là qu'il faut tout de suite percuter, tu vois… quand on se voit, on discute de choses, on percute tout de suite. J'écoute Radio France, je regarde les infos…

— *Tu es toujours en éveil ?*
— Oui, oui. Tu te dis : « Tiens, ça, ouais, ça serait un bon sujet. » Des fois je vais sur un reportage, j'en reviens avec trois idées de sujet…

— *Dans le journal tu es en relation avec qui ? avec le rédacteur en chef ?*
— Oui, avec le rédacteur en chef. Dans les gros journaux, il y a un responsable des pigistes, un journaliste affecté à ce poste. Pour *Computic* par exemple, c'était le cas.

— *Est-ce que parfois on te donne l'angle, on te dit : « Il faut faire ça » ?*
— « Il faut dire ça », non, jamais. Je n'ai aucune pression de mes journaux. Alors ça, vraiment, je peux dire, réellement, je n'ai jamais été censurée. Jamais, jamais.

— *Et tu as le sentiment de pouvoir dire ce que…*
— C'est vrai que des fois tu peux t'autocensurer. Volontairement, pour ne pas te griller au niveau local. Mais ça t'empêche quand même pas… Bon, tu censures… gentiment, c'est-à-dire que tu dis quand même les choses… telles qu'elles sont. Parce que tu te rends compte que les gens aiment bien, finalement…

— *Est-ce qu'il y a une Solange qui écrit pour* Méga, *une Solange qui écrit pour* Computic, *une Solange… est-ce que ce sont des personnages différents ?*
— Heu… C'est-à-dire que je n'écris pas pareil. C'est un type d'écriture complètement différent… pour chaque journal.

— *Donc il faut te mettre dans le moule, quoi ?*
— Voilà ! D'ailleurs je m'imprègne du journal, sans arrêt. Il faut être un véritable caméléon, pour un pigiste, parce que si tu n'es pas un caméléon, ben, je ne sais pas comment tu fais. Enfin, moi je suis un caméléon.

— *C'est-à-dire que si* Méga *te demande une histoire qui se termine bien, il faut qu'elle se termine bien ?*
— Ah, ben oui… d'ailleurs tu proposes une histoire qui se termine bien. Sinon, tu fais autre chose !

— Méga, *c'est un journal avec lequel tu travailles depuis longtemps. Est-ce qu'il a connu une évolution ?*

— Complètement ! D'ailleurs il y a eu plein d'équipes différentes. J'ai commencé à travailler en 1986. Au départ il y avait une grosse équipe. Le groupe allemand propriétaire est arrivé en France, il a voulu faire un canard qui compte, vraiment. Donc il a mis les moyens. Il a acheté... les meilleurs journalistes de la place de Paris, il a monté une équipe. Donc après, il a refoutu les gens en pigistes, des pigistes en région... et donc il payait bien. Je crois même que ça pouvait aller jusqu'à 4 500 francs l'article, enfin... Et là on te commandait à tout va, parce qu'il y avait une équipe qui venait, je crois d'*Ici Paris*, ou je sais pas d'où, et on te commandait, commande sur commande, sans arrêt. Donc t'étais sous pression. Je travaillais énormément pour eux, tu vois, il y avait des mois... je ne sais plus... je travaillais énormément. Et puis, au bout de deux ans, bon, ils ont tout changé, tout ça... ils ont viré tout le monde... bon, il y a eu des caractériels qui étaient à la tête de *Méga*, et donc ils ont arrêté. Ils ont gardé des professionnels et puis là, depuis un an, vraiment le dernier professionnel est parti et maintenant il y a une espèce de petit con qui fait la pluie et le beau temps... qui te dit par exemple... pour te dire le changement d'esprit, autrefois, tout article commandé était publié. Ils jouaient à fond la règle, le respect de la déontologie, le respect du contrat commercial... Avant, ils payaient dès qu'ils recevaient le papier... Il y a deux ans maintenant, ils ont décidé de payer à la parution... Attention, la parution c'est trois mois après, ils travaillent trois mois à l'avance, donc d'entrée, t'es sûre d'être payée trois mois après. Donc tu vois l'évolution. Ils ont décidé aussi de baisser les tarifs. Et puis surtout, maintenant, ils ont… pratiquement deux histoires sur trois sont des histoires inventées. À partir de faits réels, ils réécrivent une histoire. Il y a deux journalistes qui sont affectés à ça, qui écrivent des histoires qui paraissent dans *Méga*. Tu crois que ce sont de vraies histoires… peut-être que ce sont des histoires vraies qui sont arrivées à des gens, mais pas à ceux… Pas aux gens que tu vois en photo, hein !… Comment on distingue un article bidonné d'un article pas bidonné ? *(Elle feuillette un magazine et montre la signature d'une photo.)* Quand tu vois « photo Dubol »… Par exemple voilà : « Hortense, une retraitée sourde est condamnée à payer… », ça, ça doit être une histoire vraie, mais ce n'est même pas sûr. Là, tu vois, la photo n'est même pas signée… Ça doit être une histoire vraie parce que bon, à la limite, ça semble vrai… ça n'est pas… *(Elle lit un autre titre.)* « Ma grande sœur était ma mère », tu vois… ça c'est nouveau, ils ne signent même plus les photos… « Elle n'avait qu'une idée : retrouver celle qui l'a mise au monde ». Ça, à mon avis, c'est du pipeau. Ah non, il y a le nom du photographe, donc c'est une histoire vraie.

— *Comment le savoir ?*

— Tu le vois aux photos, parce que quand c'est un nom de photographe bidon, comme Dubol, c'est pas vrai ! C'est des gens qu'on paie qui sont sur ces photos-là. Ils sont bien payés, d'ailleurs.

— *Ce sont des pigistes de la photo ?*

— Oui, mais il y a des agences de photo exprès pour ça… *(Elle continue à feuilleter.)* Tiens, encore Dubol… donc ça, c'est un article qui n'est pas vrai : « Pour Nanette et Patrick, leur fils Marc, huit ans, a fait mentir les pronostics des médecins ». C'est possible qu'ils aient lu une histoire

comme ça dans la presse, mais ces gens ne voulaient probablement pas qu'on fasse un article sur eux. Alors à *Méga*,
qu'est-ce qu'ils ont fait ? Ils ont raconté une histoire…

— *Et puis ils ont trouvé trois figurants pour la photo ?*
— Il y a pire, tu vas rigoler, il y a pire, pour te dire l'évolution ! Il y a un an, j'ai fait un article sur une fille qui a
disparu, une Maghrébine. Sur la photo elle était super
jolie. Elle voulait être mannequin. Un jour elle va à un
rendez-vous et puis ses parents ne l'ont plus jamais revue.
Donc on part, le photographe et moi, faire le reportage.
Les parents, eux, c'était pas des mannequins. On revient
avec le reportage. Il a été publié avec photos signées
Dubol. Ils ont réinventé l'histoire, changé le nom de la
nana, par contre ils ont fait paraître la vraie photo de la
fille. Mais la photo des parents, c'était pas la bonne. Tout
ça parce que la gueule des parents revenait pas à *Méga*.
Ils étaient trop typés…

— *Donc…*
— Attends, attends, y a eu pire dernièrement… je viens
de faire un article, c'était le dernier que j'ai fait : on part
sur une femme qui a une action… qui aide les autres.
Bon, on fait le reportage et tout. Les gens, ils étaient assez
gros, la femme surtout, et sa fille… L'article, je ne le voyais
jamais paraître. Une super histoire, une belle histoire, magnifique histoire. Je demande pourquoi le reportage ne
passe pas. On me dit : « Ah non, ce n'est pas possible, t'as
vu la gueule des gens ? » En attendant, il ne m'a pas été
payé mon article ! L'histoire, ils l'ont trouvée très bien,
alors ils l'ont mise sous le coude. Ils ne savent pas ce qu'ils
vont en faire. Moi, en attendant, je ne suis pas payée. Les
gens, eux, ils se demandent quand l'article va passer…

— *Ils ne savent pas pourquoi il ne passe pas ?*

— Ils ne savent pas pourquoi. C'est comme les parents de la fille disparue. Ils m'ont téléphoné pour savoir quand l'article passait sur leur fille. D'ailleurs cette histoire-là, elle a été loin, parce que quand les flics ont vu ça dans *Méga*, ils ont demandé des détails et tout. Et *Méga* a dû ressortir le dossier, parce que les RG pensaient que c'était une histoire de plus à mettre dans le dossier des disparitions. Et *Méga* a dû révéler que les photos étaient bidonnées, quoi !

« Je me coule dans le moule »

— *Est-ce que tes articles sont réécrits ?*

— Oui, oui… enfin, réécrits… ils sont un peu réécrits. D'abord parce que moi, bon, j'ai tant de signes à donner. Mais là, c'est vraiment… c'est vraiment passé au tamis, hein… Oui, à *Méga* tout est réécrit.

— *Donc tu ne contrôles rien ?*

— Non, mais ils n'inventent pas. Si j'écris un article, ils n'inventent pas le contenu, hein !

— *Ils peuvent aussi changer les photos ?*

— Oui.

— *Ils peuvent réécrire en modifiant ?*

— Oui, mais attends, ils ne réécrivent pas en changeant le sens ! C'est pas du tout ça, jamais, jamais, jamais. Pour ça ils sont d'un chiant, d'ailleurs ! Parce qu'ils te demandent de ces détails : mais où est le grain de beauté ? de quelle couleur était la voiture ? et les sièges ? Et comment était le chien ?…

— *Tu m'as dit tout à l'heure qu'il fallait « une belle his-toire ». Qu'est-ce que tu appelles une « belle histoire » ? Elle est belle pour toi ou pour eux ?*

— Ah, c'est pour eux ! Une belle histoire, ça peut être une famille qui est dans la mouise, où rien ne va, etc., et puis un jour… Ou bien une femme à qui il arrive tous les mal-heurs du monde et puis qui, un jour, rencontre quelqu'un et sa vie se transforme en roman-photos… C'est une belle histoire ! Un enfant qui va être sauvé par un pompier… ils aiment beaucoup les enfants ! Un animal qui sauve son maître d'une mort certaine… ce type de choses…

— *Et des sujets comme ça, c'est difficile à trouver ?*
— Non.

— *Non ?*
— Oui, t'as raison, c'est dur *(rires)*.

— *Quand tu travailles pour* Computic, *là c'est différent ?*
— Ah oui, là c'est très économique, c'est… On me commande rarement des choses. C'est toujours moi… Alors j'ai mon carnet d'adresses que je me suis constitué depuis trois-quatre ans, avec tous les gens qui comptent dans la distribution du matériel informatique, et donc je les appelle, pour aller aux nouvelles : « Est-ce qu'il s'est passé quelque chose dans votre entreprise ? »… C'est pas eux qui viennent vers toi, hein… ça, je veux dire, quand t'es pigiste, c'est rare !… Oui, t'as les grandes boîtes qui communiquent bien…

— *Donc pour un article il te faut…*
— Je vais te dire, un exemple : je leur donne à peu près six brèves « Région » par mois, il faut une semaine de travail. Une semaine, c'est hallucinant…

— *Pour 1 800 francs ?*
— 1 800 francs, oui, ça dépend des mois…

— *Avec* Computic, *comment ça se passe ? Tu écris ? C'est réécrit ?*
— Non, ce n'est pas réécrit.

— *Ça reste tel quel ?*
— Oui, ou des fois ils raccourcissent.

— *Est-ce que tu as eu à accepter des sujets un peu délicats dans ce domaine ?*
— Non, pour *Computic*, non. Pour *Méga*… un jour ils ont voulu me faire faire un truc mais c'était au début, j'ai refusé. Les gens n'étaient pas d'accord. On a décidé de les prendre en photo à leur insu. Moi je n'ai pas voulu, j'ai dit : « Non, je laisse tomber. »

— *Et comment ça s'est passé ?*
— Ben, je n'ai pas été virée pour autant. Généralement quand tu refuses de faire un truc qui est vraiment… à l'encontre de toute déontologie, pas seulement journa-listique, hein, mais qui va à l'encontre de la morale que tu peux avoir…

— *C'était quoi, l'histoire ?*
— Ben, je te dis, c'était un sujet où ils voulaient abso-lument que je prenne telle photo, que je fasse dire aux gens ça et ça, et moi j'ai dit non, j'ai refusé… Eux, ça les arrangeait que… j'aille dans ce sens-là, pour rendre plus pathétique le papier. Mais j'ai dit : « Non, c'est pas ça ! »

— *Est-ce que ça t'arrive, pour des propos qui ne vont pas tout à fait rentrer dans le registre de* Méga, *d'enlever une partie, d'en rajouter une autre, d'arranger un peu ?*
— Oui, bien sûr, je me coule dans le moule de *Méga*, bien sûr !

— *En dehors de* Computic *et* Méga, *que fais-tu d'autre ?*
— *Le Quotidien du tourisme.* Là, j'ai carte blanche. C'est cette nouvelle génération de journaux professionnels où ils ne te prennent pas tout. Là, c'est pénible, parce que tu alimentes beaucoup et ils ne te prennent pas tout. C'est mal payé, parce qu'ils considèrent, ça n'est pas dit officiellement comme ça, mais ils considèrent que dans le tourisme tu as des avantages à côté, donc que ça t'arrondit tes fins de mois.

— *C'est-à-dire, comment se passe un reportage par exemple ?*
— Oh là, c'est des choses très courtes, qui peuvent servir aux agences de voyage. Par exemple on ouvre une nouvelle ligne aérienne, ou bien la SNCF ouvre une ligne... Ça peut être un bilan de la saison touristique... ça peut être un nouveau guide qui sort, édité par le comité départemental du tourisme...

— *Est-ce qu'il t'arrive d'être critique ? Par exemple à propos d'un séjour... si ce séjour n'est pas bien, tu le dis ?*
— Oui, ça m'est arrivé un jour. Oui, mais je le dis sans insister. Je le dis mais je n'insiste pas lourdement. Comme un journaliste... je ne sais pas si un journaliste...

— *Tu veux dire que tu ne peux pas faire comme un journaliste d'investigation, qui sort des affaires ?*
— Non, il faut être *soft*...

« Les jeunes, c'est des mercenaires »

— *Mais quels sont les avantages dont tu es censée bénéficier de la part de ces entreprises de tourisme ou d'informatique ?*
— Nous avons de nombreux voyages de presse pour des inaugurations de lignes aériennes, pour des hôtels, des agences de voyage ou de nouveaux produits… Si je voulais je partirais tous les mois. Je peux avoir quelques avantages en plus comme demi-tarif sur certains vols Air-France. Si je veux acheter du matos informatique, je peux avoir des prix. Il y a aussi les bouquins parfois ou des gadgets. Quand tu es journaliste, tu es très courtisée… mais la plupart du temps je refuse de prolonger ces faveurs !

— *Pourquoi ?*
— Dernièrement un hôtel m'a invitée. J'ai dit : « Non, je vais quelque part quand je fais un papier. » Il faut savoir s'arrêter avant de ne plus être crédible, sinon tu es rapidement bouffée, tu te tues toi-même, tu te discrédites professionnellement !

— *Y a-t-il une évolution chez les pigistes ?*
— La grande évolution c'est que les jeunes qui arrivent maintenant, c'est des mercenaires. Moi je les appelle des mercenaires. Ces gens-là ils ne travaillent pas avec des journalistes. Les canards n'ont plus un correspondant sur place mais ils essaient d'avoir un volant de pigistes. Donc c'est très dur, parce que t'es en concurrence avec d'autres. De plus en plus. Même pour *Méga*. Il paraît qu'il y a des journalistes à Paris qui travaillent un peu pour tous les journaux, et ils filent d'un journal à l'autre pour proposer des trucs « clés en mains ». Ce que moi j'ai toujours refusé de faire, parce que j'estime que quand je fais un article, je

dois être certaine qu'il sera acheté, parce que sinon, tu te rends compte... c'est comme ça qu'on tue ce métier !

— *Financièrement, quelle a été l'évolution ces dernières années ?*
— C'est une catastrophe. Ça s'effondre, ça s'effondre... Moi je me pose vraiment la question si ce métier... De toute façon le métier de pigiste d'avant 1991 est en voie de disparition. C'est-à-dire que là où tu travaillais vraiment, t'étais pigiste à part entière pour un journal, t'étais salariée à part entière d'un canard, même si t'étais payée à la pige, on t'assurait un volant de piges régulier. Maintenant c'est fini !... On te demande de moins en moins de choses, parce que justement, il y a ces gens qui arrivent avec des articles tout faits.

— *En 1995, tu as gagné combien par exemple ?*
— En 1995, en moyenne 5 000 balles par mois sur douze mois. Donc tu vois, c'est limite, hein.

— *Tu disais : « Un pigiste fait partie de l'entreprise », mais en fait tu n'as jamais eu ton mot à dire sur la marche de l'entreprise ?*
— Non, mais par contre pour *Méga*, je pouvais, alors que maintenant il n'y a plus de représentants des salariés. Mais je participais aux élections des représentants au co-mité d'entreprise. C'était le seul journal... Même à Paris maintenant, les journalistes n'ont plus leur mot à dire. Ils s'écrasent. Il n'y a plus de groupe de pression à l'inté-rieur. À l'intérieur des journaux, les journalistes, il faut qu'ils s'écrasent, et ça, c'est une évolution générale. C'est fini le temps où on était en position de force. Quel que soit le journaliste !

— *Quelles sont les relations avec les autres pigistes de la ville ?*
— En façade, très bien, mais on ne se fait pas de cadeau.
On est en concurrence sur tout… sur les supports, sur
les infos, et les gens ne dévoilent que ce qu'ils veulent
bien dévoiler.

— *Là, actuellement, il semble que la période soit un peu
délicate, non ?*
— Complètement. D'ailleurs si ce canard-là existe [*La
Lettre d'information des journalistes pigistes*], c'est révélateur
de l'évolution. Quand je vois ça *(elle montre un fax qu'elle
a reçu, comportant une liste de demandes de reportages)*, je
me dis il y a 100 000 personnes qui vont répondre !

— *Et qui va l'emporter ?*
— Les mercenaires, les mercenaires ! Ceux qui acceptent de travailler à des prix ridicules et qui… sabordent
la profession. Les jeunes qui arrivent maintenant, ils
scient la branche sur laquelle ils ne se sont pas encore
posés… *(rires)* ils sont même en train d'entamer le tronc,
alors tu vois…

— *Qu'est-ce qu'il faudrait faire, selon toi ? Qu'est-ce que tu
souhaites ?*
— Ben, justement, ce que je déplore, c'est que les écoles
de journalisme ne mettent pas en garde suffisamment les
jeunes qui démarrent, du risque qu'il y a à jouer les mercenaires. Tout ça parce qu'il y a dans ces écoles des gens
qui disent que c'est une évolution inéluctable et qu'il faut
donc jouer cette carte-là. Ils ne voient pas plus loin…
c'est des fonctionnaires, des gens qui n'ont jamais travaillé
dans ce milieu-là, qui ne se rendent pas compte ! Et mon
souhait, ça serait que les jeunes se rendent compte de ça,

et ne s'amusent pas à jouer les mercenaires, c'est-à-dire à arriver avec des papiers tout faits… et qu'ils n'acceptent pas de travailler à moins de 300 francs le feuillet. Ça serait ça, mon souhait. Parce que là, oui, ça pose aussi le problème de la presse… T'as vu les nouveaux journaux qui paraissent maintenant, t'as vu l'ours [liste des collaborateurs de la publication, imprimée dans chaque numéro] ? L'ours, il n'y a personne dedans… tu as un rédacteur en chef, un secrétaire de rédaction, une personne pour la maquette, et après tu lis : « Ont collaboré à ce numéro… » et c'est jamais les mêmes collaborateurs… Les grands journaux, qui maintenaient une organisation structurée, comme les canards économiques… bon, tu as vu ce qui se passe au *Nouvel Économiste*, qui va arrêter… On arrive à une situation où nous, les pigistes, on subit le contrecoup… Les journaux, tels qu'ils sont maintenant, c'est des journaux qui ne permettent plus une vraie information, qui sont plutôt des journaux de communication, notamment la presse féminine…

— *Et toi, tu as vraiment la possibilité de faire de l'investigation, de vérifier, ou bien il faut aller toujours plus vite ?*
— Non, moi je vérifie tout, tout. Des fois il y a des gens qui sont même étonnés, qui me disent : « C'est marrant, vos collègues, eux, m'ont pas appelé pour vérifier ça ! »

Clément *ou* « La corde raide »

35 ans, marié, trois enfants

Père magistrat ; mère infirmière

1983-86 : études de droit interrompues pour raisons financières

1986-91 : travail précaire et pénible en usine, dans les travaux publics ; obtient un CAP de cuisinier. RMIste. Débuts dans la photographie : réalise reportages et expositions

1991-93 : suit une formation dans une école de journalisme, moyennant un prêt bancaire qu'il n'a pas encore fini de rembourser

Accumule les CDD à France 3 depuis sa sortie de l'école

1997 : Vient de réaliser son premier documentaire

— Je me souviens qu'à la fin de la deuxième année [à l'école de journalisme], au moment où on choisit en fait son option, je suis allé voir la direction des études et… bon, moi j'avais besoin de travailler parce que de fait j'avais repris mes études, investi dans les études – j'avais déjà un enfant (depuis j'en ai eu deux autres) –, et donc j'ai dit à la direction : « Moi j'ai besoin de travailler, qu'est-ce vous me conseillez, presse écrite ou télévision ? » On m'a répondu : « Écoute, si tu regardes les statistiques de l'école, elles sont éloquentes, c'est en télévision qu'on place le plus de diplômés. » J'ai dit : « Bon, va pour la télévision. » Donc deux mois à France 3, et puis l'inscription au planning…

— *Tu avais fait une formation de JRI ?*
— Non, je n'ai pas fait la formation de JRI. C'était un peu mon regret, puisque parmi les douze boulots que j'ai pu faire depuis, je ne sais pas, depuis l'âge de dix-huit ans, depuis que je vole de mes propres ailes, il y a eu la

photo… et la photo c'est un domaine, le seul domaine… je suis d'un tempérament assez anxieux et toujours perfectionniste, souvent insatisfait de moi… et la photo c'est le seul domaine où je me sens, je me sentais très à l'aise et où ça m'a souri assez rapidement et où je suis arrivé à ce que je voulais, à un résultat… voilà… des reportages ont été distribués, bien distribués… des expositions… ça m'a souri assez vite. Cela dit, je n'avais pas de statut social… c'est un peu une vie de bohème que celle de photographe… c'est-à-dire que tu as des rentrées, on te commande quelque chose, tu as des rentrées, tu as un gros chèque, tout va bien. Et puis pendant un, deux, trois, quatre mois, tu vas tirer la langue, quoi… Alors la formation de JRI, je l'ai prise d'un peu haut, c'est-à-dire je me suis dit : « C'est une formation de photographe », mais comme l'option se fait en deuxième année, à la fin de la première année il y avait un concours, enfin, un examen… et je l'ai pris d'un peu haut. Je suis allé voir le responsable [de la formation de JRI], je lui ai dit : « Quel est le programme de révision ? » Il m'a dit : « Voilà, c'est tels et tels livres. » J'ai mis le nez dedans… en fait, c'était une suite d'équations… j'étais perdu, complètement. J'ai dit : « Eh bien tant pis, je ne ferai pas JRI. » Cela dit, maintenant que je suis JRI et que ma biqualification [de rédacteur et de cameraman] a été reconnue… ça veut dire que j'ai une sensibilité à l'image… Je suis arrivé à me faire financer un stage de dix jours au CFPJ… ensuite… ben, j'ai fait des CV. J'ai un peu gonflé… même beaucoup… voilà… Il y a une première rédaction qui a répondu à ma candidature en me proposant un remplacement de biqualifié. Ça m'a mis le pied à l'étrier. J'ai engrangé des sujets et ensuite je suis passé devant ce qu'on appelle un jury d'aptitude… donc à France 3, à Paris… dont l'objet est de reconnaître la compétence complémentaire. Ça veut dire, il y a deux cas de figure… Le mien : je suis rédacteur à l'origine, je me suis formé à la caméra… est-ce que ce jury me reconnaît apte à remplir simultanément – parce que c'est comme ça que cela se passe en fait –, simultanément ou…

— *Ou alternativement.*
— Ou alternativement… dans les textes, c'est « alternativement »… ça c'est ce qui ressort du protocole signé par les syndicats, certains syndicats et la direction. Mais par exemple, dans toutes les locales, on est amené à travailler en biqualifié, ça veut dire réaliser le reportage de A à Z : ramener des images, récolter des informations, réaliser les interviews, rentrer, faire le commentaire… voilà… Et cette compétence complémentaire m'a été reconnue au mois de juin dernier.

— *Donc, à la sortie de l'école, stage de deux mois…*
— Stage de deux mois à France 3. Ensuite je suis rentré chez moi et puis… j'ai découvert le système du planning… j'envoyais des CV, mais ça ne servait pas à grand-chose…

— *À France 3, des CV ?*
— Oui, à France 3, à la rédaction de France 3… je ne voyais pas comment on rentrait dans le circuit… donc, pendant deux mois je suis resté sur le carreau. Et puis une station régionale de France 3 m'a appelé, et comme les salaires sont conséquents… enfin ça, on aura l'occasion d'en parler peut-être… ça me permettait de vivre, ou disons, d'assurer les échéances.

« Mon meilleur souvenir professionnel »

— *Entre-temps il y a eu cette annonce émanant de [un grand quotidien régional]…*
— Voilà. Alors ce quotidien régional m'appelle… appelle la direction de l'école : ils sont à la recherche d'un journaliste « sérieux », donc… L'école pense à moi… pas seulement à cause de mes qualités, mais parce que, j'imagine aussi, elle sait que je suis dans une situation un peu précaire… À l'époque je n'avais qu'un enfant mais, bon, il fallait assurer les arrières, ou plutôt assurer le quotidien… Donc le journal m'appelle et là je suis très embêté parce que le directeur du personnel me demande de lui envoyer un CV… mon CV lui convient, il me dit : « Bon, écoutez, moi ce que je vous propose, c'est quelque chose de sérieux, c'est un remplacement. » Je lui dis : « Oui, mais j'ai le planning. » Il me dit : « Écoutez, faites votre choix », quoi. Je renonce… c'est un petit peu loin, je… En tout cas il me rappelle, un ou deux mois après, il me dit : « Bon, alors choisissez, là vous avez un remplacement à X [une agence locale du quotidien régional], à prendre ou à laisser, quoi. » J'appelle la direction de l'école : « Je suis embêté… » On me dit : « Il faut choisir entre la proie et l'ombre… Ou bien quelque chose de solide immédiatement, et c'est le quotidien régional, ou bien les hasards du planning. » Donc je fais ce remplacement à X, qui se passe très, très bien. Un remplacement d'un mois. Et là je découvre – parce que je l'avais connu uniquement en stage – le métier de journaliste localier en presse écrite. Ça aura été, avec le dernier remplacement à Y pour le quotidien régional, mon meilleur souvenir professionnel… Une petite équipe, des gens solidaires, prêts à donner des conseils… une rédaction ouverte aux propositions, aux

idées… Voilà ce que je retiens aussi beaucoup, j'insiste, c'est cet esprit de solidarité… Ça veut dire… bon, souvent les locaux sont exigus, ce qui favorise les échanges, hein… c'est de l'ordre de : « Mince, tu n'aurais pas un synonyme de… — Ben oui, c'est tel mot. — Ce papier, je ne le sens pas très bien », et voilà le journaliste plus chevronné que toi qui vient se pencher sur ton écran… Voilà, j'ai eu des maîtres. Le mot est peut-être un peu fort, mais j'avais le sentiment d'avoir des gens qui étaient là pour me donner un coup de main, pour m'apprendre le métier, un métier qu'ils aimaient malgré ses vicissitudes, ses contraintes… parce qu'en presse régionale on ne compte pas les heures, hein… la moyenne ça doit être trois papiers par jour… mais on travaille ensemble, on tire la charrue dans le même sens, on est solidaires au quotidien… et puis on regarde ensemble l'édition quand elle est sortie le matin, et on a le sentiment, vraiment, d'avoir participé ensemble à ce journal.

— *Bon, je sens qu'il y a une différence là par rapport à France 3, mais on y reviendra. Donc tu fais un dernier CDD à Y ?*
— Alors donc, à X, ça s'est bien passé. Un petit peu après – j'ai dû avoir deux mois de break avec le journal – on me propose d'aller à Z. Bon, Z, c'était beaucoup moins excitant. D'abord parce que la ville est sinistre… mais je joue le jeu parce que, une fois de plus, j'ai le sentiment que je parfais ma formation, que je me mesure à la réelle difficulté de ce métier qui, dans une ville comme Z, qui n'est pas Washington ni Paris… il faut remplir le canard tous les jours, et ce n'est pas évident, donc il faut se creuser la tête pour trouver des sujets… donc je

parfais, j'essaie d'améliorer mon écriture… voilà. Si je garde un souvenir de Z, c'est très mitigé. L'ambiance n'était pas extraordinaire, mais cela dit… je me disais : « Ne lâche pas le morceau, tu es en train de te forger à ce métier, tu es en train de faire tes armes. »

— *Donc l'école de journalisme n'a pas été suffisante pour apprendre le métier ?*
— Non. Je pense, de toute façon, qu'il faut multiplier les expériences professionnelles, je crois… Donc, après Z, on tombe dans la période d'été. Là j'ai des remplacements à France 3, donc tout va bien. Et puis vers le mois d'octobre environ, le quotidien régional me rappelle et me propose un remplacement à Y qui est le siège du journal, qui est l'édition-phare, la vitrine de ce canard. Et là je tombe dans une rédaction… extraordinaire, quoi. Avec des journalistes chevronnés, certains avec une plume que je leur envie encore aujourd'hui et puis ce sentiment de solidarité effectivement, de confraternité, de gens qui sont prêts à vous aider… sans aucun domaine réservé… aussi bien la culture – même s'il y avait un journaliste en charge, je pouvais aller le voir en disant : « Gérard, j'aimerais bien faire tel ou tel sujet, parce que je suis sensible à telle musique, ou à tel spectacle », pas de problème. Par exemple en conférence de rédaction – il y avait une grande conférence de rédaction, qui prenait tout le lundi matin – je disais : « Voilà, j'aimerais faire un papier d'assises — Tu veux faire un papier d'assises ? Banco ! » Je me souviens de ce papier d'assises… parce que j'ai fait des études de droit qui ont tourné court parce que je n'avais plus d'argent, et donc il y a toujours eu une frustration chez moi, je suis un juriste frustré, quoi. Et donc je rêvais de faire

un papier d'assises, et je tombe sur une affaire terrible…
je ne vais pas rentrer dans les détails mais quand même :
c'était une jeune femme qui avait accouché de son enfant
toute seule, dans une cité HLM… elle l'a fait seule, son
enfant, dans la cuisine… et au moment où l'enfant sort,
elle le larde de coups de fourchette et de coups de couteau… Pour moi, ça a été un choc émotionnel, hein… il
faut arriver à encaisser ça… Le verdict tardait à venir. Je
m'arrange avec l'avocat, qui me dit : « Je vous téléphone-
rai le verdict. » Ce qu'il fait. Et là je me retrouve au journal… le bouclage était imminent… donc à charge pour
moi de faire le papier, avec quand même beaucoup d'éléments, d'éléments émotionnels, d'éléments humains…
et puis quand même il s'agit de règles de droit… donc il
fallait faire comprendre en fait quels étaient les enjeux et
les diverses possibilités qui s'ouvraient aux jurés… Donc
l'avocat me téléphone le verdict, et je me souviens très
bien qu'un journaliste est resté, alors que c'était un père
de famille… lui, il avait fini sa journée, il n'y avait plus
personne à part le secrétaire de rédaction pour boucler le
journal et je me souviens qu'il est resté jusqu'au bout,
donc 23 heures 30, pour relire mon papier, pour m'aider,
me dire : « Ça on s'en fout, ça insiste là-dessus », et qu'il
est resté jusqu'à ce que je remette ma copie, quoi. Ça, ça
illustre l'ambiance qui régnait dans ce canard. […]

« Le syndrome du ministre »

— *On est donc là à la fin de cette expérience au grand
quotidien régional, à Y…*
— Donc à Y j'ai appris mon boulot… Vraiment je pouvais traiter ce que je voulais, en toute liberté… Donc là
je suis convoqué par le rédacteur en chef…

— « *Liberté* » *ça veut dire quoi ? Que tes sujets, tes papiers ne sont pas revus, pas refaits ?*

— Moi j'avais… comme le chef de l'agence de Y avait un rôle de représentation, ce n'était pas vraiment un journaliste de terrain, mais son second, par contre, j'ai senti que c'était… Il y a eu un rapport de confiance immédiat, quoi. Ça faisait que moi je ne lui demandais pas… puisque moi je venais déjà de X, de Z, j'avais déjà fait mes preuves dans ce canard. Donc moi systématiquement je lui faisais lire ma copie pour qu'il me dise… pour avoir un avis. D'accord. Donc je n'ai jamais été censuré… j'ai tapé, j'ai cogné sur des vedettes du show-biz parce qu'ils avaient fait, à mes yeux, des concerts qui étaient au-dessous de tout. J'ai pu… j'ai écrit ce que j'ai voulu, je ne sais pas, des histoires, comme il peut y en avoir avec la mairie, sur… sur des attributions de logement un peu « opaques ». Sous réserve de faire mon travail d'enquête, j'ai pu y aller franchement, j'ai pu y aller autant que je voulais… bon, pas cogner pour cogner, en me disant « Ça y est, je suis journaliste, je suis devenu un Zorro justicier », mais quand j'avais des biscuits, j'y suis toujours allé, sans qu'on me dise « Coco, calme-toi », non, jamais, jamais…

— *Bien. Revenons à la convocation chez le rédacteur en chef.*

— Donc je suis convoqué par le rédacteur en chef et le directeur du personnel. Et donc là c'est parce qu'« on veut mieux me connaître »… et là je suis très emmerdé… parce quand on te convoque relativement rapidement, c'est qu'on veut vraisemblablement t'embaucher. Donc c'était un entretien d'embauche, et là… heu… en un mot comme en cent, j'ai un petit peu trop ramené ma gueule, quoi… je me suis montré très exigeant, j'ai mis la barre très haut : « Clément, est-ce que vous êtes prêt à travailler dans une petite ville ? — Non. — Qu'est-ce que vous pensez de la une du journal ? — Ben, à mon avis, on devrait faire ci, on devrait faire ça… » Bon, j'ai été trop rigide, quoi… finalement on n'a pas donné suite… J'ai été trop rigide, pour plusieurs raisons : d'abord parce que je suis spontané et sincère dans mes entretiens, je ne triche pas… parce que finalement quand on n'a pas ce qu'on souhaitait, on se dit : « Si j'avais joué cartes sur table, ça aurait peut-être donné de meilleurs résultats »… et puis entre-temps donc j'avais travaillé à France 3, et tu attrapes vite ce que certains appellent « le syndrome du ministre », c'est-à-dire une paie à 12 000 ou 13 000 balles par mois, la bagnole avec le téléphone dedans, un rythme de travail cool… et je me suis dit « bon sang » – je ne sais pas si à l'époque mon épouse était enceinte de notre second enfant –, mais je me suis dit : « Bon, est-ce que tu te vois vraiment dans un trou de France, à bosser comme un taré, à rentrer quand tu as fini ton papier, à ne pas avoir d'horaire ? » et finalement je pense que je ne me voyais pas dans un petit trou… Alors quand j'ai téléphoné à mon épouse, en disant : « Bon, là, au quotidien régional, apparemment j'ai une touche… » Entre-temps, il y a eu des appels du planning qui me proposait des remplacements… donc dilemme, toujours, parce que tu ne peux pas refuser… tu refuses une fois, deux fois, après on se dit : « Bon, d'accord, celui-là… »

— *Donc ta femme était toujours à N [grande métropole régionale où réside l'interviewé] ?*
— Toujours.

— *Comment ça se passait, tes séjours à X, Y, ou Z ?*
— Eh bien, c'était le système classique… téléphoner ou écrire au syndicat d'initiative pour demander la liste des logeurs… puisque quand on est en PQR on n'a pas de frais de mission, à la différence de France 3, et donc j'étais logé souvent chez… chez des logeuses, c'est le hasard hein, souvent, toujours même, chez les bonnes femmes, célibataires ou veuves, qui te louent une pièce dans leur maison… Donc les chefs d'agence étaient compréhensifs, ils s'arrangeaient pour me grouper des jours de congé, et donc dès que j'avais trois jours, je prenais ma bagnole et je remontais sur N. Je passais deux jours chez moi et je repartais travailler.

— *Ça a duré combien de temps ?*
— Bout à bout, au quotidien régional, ça représente six mois de contrat.

— *De manière continue ou avec des coupures ?*
— Non, de manière continue. À chaque fois j'ai fait une partie à X, une partie à Y et une partie à Z.

— *C'est-à-dire que quand ton contrat se terminait, tu savais que tu avais un autre contrat ?*
— Non, non… mais j'étais en confiance avec ce journal. J'appelais le chef du personnel, il me disait : « Ne vous inquiétez pas… j'ai eu de bons échos, vous faites l'affaire… dès qu'on a quelque chose, on fait appel à vous. »

— *Tu n'étais pas particulièrement inquiet ?*
— Pas particulièrement. Ça se passait bien. Bon, effectivement, cette situation était difficile, par rapport à ma famille j'entends.

« Ne fais pas le difficile, vas-y ! »

— *En fait, là où tu te trouvais, tu n'avais rien d'autre à faire qu'à travailler, quoi...*
— Oui.

— *Et ça, tu ne penses pas qu'on a tendance à en profiter un peu ?*
— Oui, c'est vrai... mais c'est la règle du jeu, et puis moi j'y trouvais mon compte... c'est vrai que j'avais une boulimie de travail, et puis j'avais à cœur de me perfectionner... donc allons-y, quoi !

— *Si tu t'étais trouvé à N, ça aurait été pareil ?*
— Très sincèrement, je le pense, oui.

— *Est-ce que les gens qui sont en contrat à durée déterminée, ou les pigistes, mais surtout les CDD, est-ce qu'ils travaillent plus ou pareil que les autres ?*
— Dans ce quotidien régional, pareil. Non, il y a aussi des monstres de boulot... Non, chacun faisait sa part.

— *Pourtant les durées de travail sont parfois...*
— Ah oui, mais ça c'est pour tout le monde...

— *Est-ce que le travail de localier, comme à Z, c'est quelque chose qui t'intéressait ?*
— Z, c'était la locale de base. Ça veut dire... tu fais un concours de pétanque, il faut que tu tires à la ligne parce qu'il y a le canard à remplir, et c'est vrai que là... je commençais à m'essouffler, hein... Il y en a qui font ça très bien, qui ont un style, qui arrivent à t'enrober ça et, ma foi, ça se lit, la lecture est agréable. Et tu te dis : « Merde,

il est arrivé à sortir deux feuillets sur ce truc, j'aurais jamais pu… » Non, c'est vrai qu'à la fin, y en avait un peu marre, y en avait un peu marre, quoi…

— *Question salaire… pas de frais de mission, donc ? C'est-à-dire que tout était pour ta pomme ?*
— Oui. Question salaire, ça tournait autour de 8 500 francs… Bon, moi j'estime que c'est honnête.

— *Brut ?*
— Non, net, une fois que tu as ajouté toutes les primes, intéressement, machin… moi je trouvais ça assez honnête. Donc je trouvais à me loger, ça devait me coûter 1 200 à 1 500 francs mois… chez des logeuses, bon, ce qui me permettait de bricoler dans leur cuisine. Bon, c'est sûr que ce n'est pas jojo, hein, quand tu rentres, que tu as plus de trente balais et que tu dois mettre les patins parce que Mme Duchmol est acariâtre, et que tu te rends compte qu'elle est rentrée dans ta chambre pour voir… bon, ouais, c'est comme ça, il faut… Mais je crois, je suis convaincu que c'était… je me disais : « Tu fais le métier que tu as choisi, tu es en train de te perfectionner, ne fais pas le difficile, vas-y, vas-y. » Alors…

— *Et pourtant, au moment où il y a eu une possibilité d'embauche, là tu as fait le difficile…*
— Je fais le difficile parce que, au moment où on me propose ça, je suis à Y, je suis dans un contexte que je t'ai décrit, je fais les papiers que je veux, et c'est vrai que je ne me vois pas retourner à Z, quoi… C'est le quotidien régional d'accord, mais dans une grande ville, pas n'importe où. Je reprends là ce qu'on disait tout à l'heure : c'est un problème tout bête… tu bosses dans un canard

de PQR, le plus souvent tu vas tourner avec ta bagnole ; OK, tu vas avoir un défraiement qui est très honnête, d'accord… cela dit, il te faut deux bagnoles, parce qu'il en faut une pour ta femme qui travaille et qui s'occupe davantage des tâches familiales… amener les gosses à l'école, que sais-je encore – on n'a pas de famille qui nous soutient – j'ai un prêt étudiant à rembourser… et souvent on fait de la corde raide, l'équilibre est instable, il suffit de pas grand-chose pour qu'on se casse la gueule. Donc c'était : « Mon Dieu, comment on va faire si jamais on est embauché ? » Ça peut paraître stupide ce que je dis là, n'empêche que quand tu n'as pas de blé, tu vois, et qu'on te dit : « Monsieur, il faut que vous tourniez avec votre bagnole » et ç'a été le cas… ma femme, elle se retrouvait avec deux gosses : « Mais comment elle va faire ? – à l'époque elle travaillait – Mais comment on va faire ? » C'est tout con, d'accord, mais comment on fait ?

« Est-ce que le jeu en vaut la chandelle ? »

— *Du point de vue du statut, je suppose que quand on est journaliste à X, et encore plus à Z, on est reconnu, on est le journaliste du grand quotidien régional, non ?*
— Oui… oui *(sans conviction)*.

— *Comment est-ce qu'on vit ça ?*
— Franchement, moi je trouvais ça « vieux jeu ». J'avais trente-deux, trente-trois ans, je trouvais ça… sympa, mais c'était… Par exemple, je ne sais pas, des anecdotes du genre : je suis en panne de clopes à 23 heures, je prends ma bagnole, je vais au bar du coin, je demande un paquet de blondes, le barman me dit : « Non, c'est réservé aux consommateurs », et le patron dit : « Non, non, c'est

le journaliste, tu peux lui donner. » Voilà, c'est des petites choses, des broutilles, mais ça fait plaisir, quoi... Mais j'ai jamais roulé des mécaniques parce que j'étais journaliste au quotidien régional.

— *Oui mais le label...*
— Ouais... mais franchement on ne m'a jamais fait de courbettes, ou plutôt si, mais je les ignorais, et puis comment dire, je descendais moi-même du piédestal sur lequel les gens m'avaient placé... je n'aime pas ça.

— *Oui, mais jamais jusque-là tu n'avais été reconnu comme ça... à Z mettons, tu étais connu par tout le monde.*
— Oui, mais alors là, c'est carrément pesant, parce que tu ne peux pas faire un truc sans que toute la ville le sache. C'est le mauvais côté du boulot, tu ne peux rien faire sans que ça se sache, mais très, très vite... c'est-à-dire que le mec, tu ne le connais pas, mais lui il te connaît.

— *Donc tu as dit non au quotidien régional...*
— C'est-à-dire que moi je voulais bien y rester, mais disons à X, ou à Y, et surtout pas de secrétariat de rédaction, surtout pas, c'est pas mon truc... si je suis journaliste, c'est pour rencontrer des gens et pour écrire.

— *Bon, ensuite le planning...*
— Eh bien tu sais, le planning, c'est des hauts et des bas... avec donc la station régionale de L qui m'appelait régulièrement, mais il y a eu un changement de rédacteur en chef... il s'est fait prendre un peu la main dans le sac... enfin, il y avait en tout cas des reportages un peu complaisants... Il y a eu un grand coup de balai donc, et donc un nouveau rédacteur en chef... voilà, je ne faisais

plus partie de la liste des gens qu'on appelait… Entre-temps d'autres stations m'ont appelé, notamment S qui est une très bonne station de France 3. Seulement S, c'est loin de N… Et puis voilà, j'ai repris le planning…

— *Il y a toujours des difficultés pour venir à N ?*
— C'est-à-dire que là tu es en frais de mission, donc tu vas à l'hôtel… mais bon, ça peut avoir un côté assez excitant de dormir dans une chambre d'hôtel avec téloche, parce que tu es en frais de mission, quand tu as vingt ou vingt-cinq ans… cela dit, à trente ou trente-cinq ans, avec deux, maintenant trois enfants à la maison, tu vois, tu te dis : « À quoi ça rime ? Est-ce que le jeu en vaut la chandelle ? » Tu vois, c'est ça, est-ce que le jeu en vaut la chandelle ?…

— *Tu disais que quand le rédacteur en chef est parti, ç'a été fini pour toi à la station de L. Donc tu dépendais d'un homme ?*
— Absolument, tu dépends d'un homme, puisque c'est lui qui décide de faire appel à tel ou tel… Alors, pour avoir un remplacement, ça revient un peu à cette question : comment on arrive à travailler dans telle ou telle rédaction. D'abord le plus dur c'est de démarrer, c'est de mettre un pied dans la place… Des fois, c'est le hasard, tu appelles au bon moment, on te dit : « Ah ben, tiens, on a justement besoin… soyez demain à la station, vous avez une semaine de remplacement. » Autrement, une fois qu'on a le pied dans la place, on peut se faire connaître, faire apprécier ses qualités éventuelles et effectivement la station te connaît et fait appel à toi, mais souvent c'est… c'est très aléatoire et… comment dire… c'est là un grand débat, mais comment se faire apprécier ? Parce que tout

est là, comment se faire apprécier quand on est CDD ? Alors ça dépend des stations, mais en général un CDD c'est quelqu'un qui va à France 3... et là, à part quelques exceptions – S en fait partie, c'est la meilleure station du réseau en tout cas, j'en ai fait pas mal et c'est la meilleure à mes yeux – le CDD c'est quelqu'un qui va exécuter sans broncher, sans donner le sentiment d'être dépassé ou d'être déboussolé... Parce que quand tu débarques dans une ville que tu ne connais pas, tu ignores tout de son histoire, quelle est la couleur politique du maire, combien il y a d'habitants, si c'est une ville industrielle... enfin, toutes les données qui permettent de te familiariser avec un contexte... on ne sait rien et on est un petit peu perdu... et il ne faut surtout pas le laisser paraître. Il faut montrer qu'on est toujours à la hauteur, quoi... adopter plutôt un profil bas, mais là aussi, c'est quelque chose d'assez subtil, il ne faut pas non plus être trop dans sa coquille... on va se dire : « Tiens, il n'est pas bien dans sa peau, il est timide, il est hautain, il est coincé, il est anxieux »... il faut surtout ne rien laisser paraître, dire le plus souvent *amen* à tous les sujets... Il y a peu, très peu, à ma connaissance en tout cas, de stations France 3 où la conférence de rédaction est une véritable conférence de rédaction. Parce que la conférence de rédaction, c'est un lieu de discussion et de débat par excellence, pas pour le plaisir de tchatcher, mais parce qu'on est en train d'élaborer un journal et que... on peut considérer quand même que c'est quelque chose de sérieux et que personne ne détient forcément la vérité et qu'effectivement on peut en parler... on peut en parler... et ça, c'est pas du goût des chefs, pas du tout. Moi je peux parler un peu de mon expérience, notamment à N, où j'ai été tricard pendant un petit moment parce que j'ai eu un incident avec le rédacteur en chef en place...

« Pas de solidarité, aucune »

— *Tricard ?…*
— Oui, pas de contrat, on ne t'appelle pas…

— *Et l'incident, c'était quoi ?*
— C'était à propos du bilan semestriel du RMI… qui en bénéficie, qui n'en bénéficie pas… et on me dit : « Ben, tiens, tu fais quelque chose là-dessus… » Je dis : « Attends, je ne vois pas très bien, sous quelle forme ? » Bon, effectivement, il y a toujours moyen… il y a toujours ces béquilles de l'info, ces rustines, ces ficelles… On me dit : « Fais le portrait d'un RMIste »… Je dis : « Écoute, moi ça me paraît un petit peu court quand même… il me faudrait un peu de temps pour trouver les RMIstes… » Et puis quoi ? ça se trouve pas forcément sous les sabots d'un cheval. Il faut… pourquoi Dupont plutôt que Durand ? Bon, le ton monte et finalement le rédacteur en chef confie ce sujet à un pigiste… En fait, le pigiste, il va caler, il va se planter, il ne va pas trouver le truc…

— *C'est-à-dire qu'on a confié le sujet à un plus précaire que toi ?*
— Un plus précaire que moi, et puis quelqu'un, je ne veux pas être méchant, qui avait moins de personnalité, beaucoup moins… Donc voilà, il s'est cassé le nez… je le savais, c'était perdu d'avance, parce que quand on téléphone à la DDASS, aux organismes des circuits de réinsertion, de formation, et qu'on leur dit : « Vous pouvez me trouver un RMIste ? », ben ça les fait rigoler… Donc le sujet a été loupé… c'est évident que le rédacteur en chef m'en a tenu rigueur et je me souviens qu'il y a eu un débat… moi je n'avais pas lâché le morceau, parce qu'il

se trouve que mon épouse travaille dans la formation, donc je connais très bien ces filières… je savais qu'il y avait moyen de faire un sujet, mais autrement, pas le matin pour le soir. Il fallait me laisser deux jours et puis je pense que, je ne sais pas si j'aurais fait un bon sujet, mais j'aurais eu des bons interlocuteurs pour essayer d'en parler intelligemment. Donc il y avait eu débat dans la rédaction, mais j'étais seul et… il y avait des gens… de gauche, disons… du SNJ, et je cherchais un peu leur soutien du regard… je savais qu'ils pensaient comme moi… mais il y a eu que dalle, il n'y en a pas eu un pour dire : « Effectivement, c'est pas comme ça… écoutez, ce sujet, on a quand même le temps de le faire… le bilan semestriel du RMI, c'est pas un sujet que les gens attendent avec une impatience qui les dévore… on peut se donner le temps de bien faire. » Je prends l'exemple de S… À S, il y a le système des dossiers. Les dossiers, c'est un jour de tournage, un jour de montage, et à l'arrivée on fait 2'30". Voilà qui tranche un peu avec la tendance actuelle des sujets qui font 1'30" parce qu'au-delà il paraît qu'on emmerde…

— *C'est un argument décisif…*
— Voilà, exactement, décisif, ça ne se discute pas : « On va emmerder les gens — Ah bon, d'accord, très bien »… Donc je cherchais ce soutien « de gauche » entre guillemets. Il n'est pas venu. Par contre à la sortie de la conférence de rédaction, je me souviens d'un vieux JRI, un vieux de la vieille, qui m'a dit : « Ouais, c'est bien, tu as eu raison. » Je lui ai dit : « Mais Roger, putain, pourquoi tu ne m'as pas soutenu ? Pourquoi ? ! — Oh, laisse-les, c'est des cons… mais tu as eu raison… les jeunes, ils en veulent… » N'empêche que moi, on me l'a fait payer, parce que pendant x semaines, voire x mois, j'ai été privé

de contact… et en fait tout ça a été vain, ça n'a rien changé… ça n'a rien changé à la manière de concevoir ce journal, de l'élaborer…

— *Donc contrairement à ce qui se passait au grand quotidien régional, pas de débat, pas de conférence de rédaction, pas de solidarité…*
— Pas de solidarité, aucune, aucune !

— *Beaucoup d'individualisme ?*
— Un individualisme forcené !

— *C'est la télé…*
— Oui, oui, bien sûr… ça tient aussi à la façon dont est réalisé le reportage télévisé : le rédacteur part avec un JRI, et puis on fait le sujet, et puis on rentre faire le montage, mais tout ça très cloisonné… je ne sais pas ce qui se passe dans la salle de montage à côté… et puis à la fin on empile les sujets, et le journal se fait… c'est le règne de l'individualisme, et d'autant plus que, par exemple à N, comme dans la majorité des stations, il n'y a pas de conférence critique. Donc tu fais ton sujet et puis tu te barres… tu n'as aucun retour dessus, et puis le lendemain *bis repetita*, et ça continue comme ça…

« L'écume des choses »

— *Donc avoir une exigence de rigueur professionnelle quand on a un statut précaire, ce n'est pas évident, quoi ?*
— Ah non, c'est pas évident du tout… pas évident du tout… […]
C'est vrai que la façon dont on traite l'information en télévision – c'est une banalité ce que je vais dire, c'est

ressassé par tout le monde, n'empêche que rien ne change – c'est cette façon de s'attacher à l'écume des choses seulement, de surfer sur l'information… on ne va jamais en profondeur, parce que si on va en profondeur, « on fait chier les gens » paraît-il… et en plus, sur 1'30", il y a la difficulté de trouver des interviewés qui, en 15" – puisqu'on prend deux fois 15, deux fois 20" d'interview –, vont pouvoir s'exprimer clairement, de manière très synthétique, sur un sujet qui peut être très difficile. Donc on simplifie au maximum, parfois même jusqu'à la caricature… Combien de fois je me suis senti frustré !… Pourquoi je ne propose plus de sujet en conférence de rédaction ? Parce que des fois je proposais un sujet, on me disait : « Ah oui, c'est bien !… tu nous fais ça en 1'30" ! »… et c'était terrible, une frustration immense… je savais qu'il y avait matière à faire un sujet plus intéressant, enfin, réellement informatif… à essayer de décoder un petit peu pour que les gens comprennent… mais on ne me l'accordait pas, et j'allais voir les gens en me disant – combien de fois ça m'arrive maintenant en reportage –, en disant : « On a passé du temps avec vous, mais je vous préviens, le reportage, il va faire 1'30", donc vous serez certainement frustrés »…

— *Est-ce que les titulaires arrivent, eux, à faire passer ce genre d'exigence ?*
— Ça dépend des rédactions… y a beaucoup de titulaires… y en a beaucoup qui s'en foutent à France 3… c'est-à-dire qu'ils font leur petite cuisine dans leur petit coin, et le reste c'est pas vraiment leur problème. Par exemple à N il y a un nouveau directeur régional qui a été nommé, bon, quelqu'un de très à droite, notoirement très proche du pouvoir, qui a été nommé là, entre autres,

pour faciliter la vie au ministre [nom de l'un des principaux personnages de l'État]. D'accord… et on arrive à
des choses… mais totalement aberrantes. Il n'y a pas besoin d'être grand journaliste pour se rendre compte qu'on
est en train de servir la soupe au ministre. Dans ce journal, il y a quatre brèves… sur ces quatre brèves, il y en a
deux sur le ministre… Depuis la nomination de ce directeur régional, il y a… je me souviens d'un forum autour de la citoyenneté, enfin, un truc vide, une coquille
vide, mais organisé par les élus de droite. Donc ce sujet
passe au journal de midi, il repasse au journal du soir…
le présentateur a fait : « Bof, ce sujet, il est mollasson, je
n'ai pas envie de le lancer »… alors un rédacteur en chef
adjoint lui a désigné du doigt le bâtiment qui abrite la direction régionale… bon, le présentateur, il était un peu
lourdaud, il n'a pas compris, il est revenu à la charge…
alors le rédacteur en chef adjoint lui a dit : « Qu'est-ce
qu'il y a ? Tu veux être muté à Saint-Pierre-et-Mique-
lon ? »… Alors toi, tu as l'impression d'assister à une querelle de famille… tu es observateur mais en même temps
tu te sens super mal… tu les regardes et tu te dis : « Bon
sang, les syndicats de gauche, ils vont l'ouvrir, quand
même ! Ils vont dire "C'est pas possible" ! » Ben non, ça
passe… ça se fait comme ça. Donc le rédacteur, non, pardon, le CDD, il écrase… Des fois je n'en peux plus !…
Une fois – là j'étais le JRI – on nous envoie faire un sujet
sur une entreprise de dépannage… mais c'était un publi-
reportage, monstrueux, flagrant… en plus, pas du tout la
petite entreprise de dépannage, pour laquelle on aurait
pu se dire bon, en tirant tout ça par les cheveux… non,
non, une grande entreprise nationale !… La rédactrice
était en bas, en train de monter son sujet, et on décide de

faire l'ouverture du journal avec ce sujet. Alors je dis :
« Écoute, à mon avis, ça ne mérite pas vraiment l'ouverture », parce que moi je suis toujours gêné par ce genre
de reportage d'où on revient les bras chargés de boîtes de
chocolats, ce qui était le cas… Mais le type, il était aux
ordres. Il a fait une publicité, quoi. Une fois de plus j'ai
regardé ces journalistes du SNJ… eh ben, non, y en a pas
un qui a réagi ! Moyennant quoi on a ouvert avec un
publi-reportage… Donc en fait, quelque part, le journal
en lui-même, tout le monde s'en branle… Dans ces
conditions, c'est pas le CDD, qui de toute façon est là
pour une semaine et puis après on l'oublie, c'est pas lui
qui va faire la leçon aux autres… donc, tu te la fermes…
tu te la fermes. […] Le CDD, il faut qu'il soit un bon
exécutant, qu'il donne l'impression d'être bien dans cette
rédaction, qu'il lance des sourires aux uns et aux autres,
qu'il soit souple, malléable, pas une personnalité trop
marquée, voilà…

« On te fait bien sentir que tu es précaire »

— *On bosse beaucoup à France 3, quand on est précaire ?*
On bosse plus que les titulaires ?
— Non, plus, non, parce que la moyenne c'est un sujet
par jour. Par contre, moi, je tourne là, désormais, comme
JRI aussi… bon, c'est sûr que tu te fades les reportages un
peu chiantos, quoi… c'est sûr que le SAMU social, un
vendredi soir de décembre, quand il y a une pluie verglaçante qui tombe, c'est plutôt pour ta pomme que pour un
intégré… parce que l'intégré, il va – c'est pas systématique,
il y a des intégrés qui bossent très bien à France 3 –, il va
dire : « C'est des conditions de travail impossibles », il ne
va rien faire, ou il va faire deux plans…

— *Bon, tu as parlé d'un salaire de ministre, à France 3, mais tu me dis que c'est 12 ou 13 000 francs… C'est donc quasiment la même chose qu'au grand quotidien régional ?*

— Oui, mais tu as les frais de mission, tu as…

— *Est-ce qu'ils sont suffisants ?*

— 380 balles… Donc tu as deux formules : ou bien tu fais chambre d'hôtel et restaurant et dans ce cas tu claques tes frais de mission mais tu vis correctement, ou bien c'est le système D… dans certaines villes tu peux loger chez des potes, ou alors dans un foyer… moi j'ai fait longtemps ça, mais maintenant je ne peux plus, je ne peux plus…

— *Dans un foyer ?*

— Les foyers de jeunes travailleurs… c'est la loterie, une fois sur deux tu tombes… c'est le boxon, le soir… c'est un hébergement collectif, par conséquent… Voilà. Mais c'est là quand même où tu bosses le moins et où tu es payé le plus… et puis la bagnole avec le téléphone, enfin, tu as un confort de travail…

— *Et maintenant tu vas continuer ? C'est quoi, l'avenir professionnel ?*

— Mon avenir professionnel ? Je serais bien en peine de te répondre…

— *Faut penser tout le temps quand même au prochain contrat, ça prend la tête, non ?*

— Ça prend la tête, oui… c'est dur, c'est dur, c'est dur… Pendant que j'étais là, récemment, à la station régionale de N, à France 3, mon épouse était enceinte… et donc, le 26 décembre, je travaillais… je devais travailler le lendemain… je rentre le soir, ma femme me dit : « Je crois que le travail a commencé… mais je ne sais pas… il va fal-loir que tu arrêtes le contrat ? » Je lui dis : « Écoute, je ne peux pas, je ne peux pas… je ne peux pas arrêter le contrat comme ça… j'ai mon premier remplacement comme JRI, comme cameraman à N, donc j'ai une carte à jouer »… parce que moi, ce que je souhaite, c'est travailler le maxi-mum à N, pour éviter cet exil permanent. La tension monte, la tension monte… Elle me dit : « Comment on va faire ? Il y a les deux enfants à garder… » Je lui dis : « Mais il est hors de question que… » On était mal, on était super mal, c'était terrible, terrible, c'était dramatique, tu vois… il faut le vivre, hein… tu vois, ta femme est sur le point d'accoucher et tu te dis : « Putain, si je leur dis que je ne peux pas venir, c'est fini, c'est fini pour ma pomme ! » En définitive, Dieu merci, on a trouvé un copain dispo-nible… Donc on part pour la clinique à 2 heures du matin… finalement elle accouche à 5 heures… Bon, je passe une nuit blanche. Je repars le matin et je continue… J'annonce aux collègues que ma femme vient d'accou-cher. Un collègue me dit : « Ah mais, tu sais, tu as droit au congé-paternité… c'est soit trois jours de congé… » Je lui dis : « Ben, tu sais, trois jours… si on me prend en CDD c'est qu'on a besoin de moi »… Il me dit : « Soit trois jours, soit tu fais valoir ça en monnaie sonnante et trébuchante. » Je vais donc un peu plus tard à l'adminis-tration et j'expose le cas à la secrétaire. Elle me dit : « Eh ben, c'est votre rédacteur en chef qui va être content ! » Je me suis dit : « Ben merde, quoi, qu'est-ce que ça veut dire, qu'est-ce que ça veut dire ? Quoi, je fais garder mes gosses, je me démerde, je viens avec des cernes jusque-là, parce que ma femme a accouché à 5 heures du matin, je suis rentré chez moi, j'ai pris une douche, j'ai embrassé mes enfants, j'ai donné les consignes au collègue qui les garde, et je suis reparti au boulot, et putain, je trime et à la fin on me dit… comme si c'était un privilège que je demandais… les trois jours, ça n'est pas un privilège, et en plus je ne le savais même pas… et je suis dans une… j'ai frôlé la dispute avec ma femme parce qu'il était hors de question pour moi d'arrêter un contrat !… » Voilà, on te fait bien sentir que tu es un travailleur précaire… un travailleur précaire…

— *Et maintenant ?*
— Maintenant… bon, chaque fois que je suis à N je me dis : « Super, comme c'est bon de rentrer le soir chez soi, comme c'est bon ! » Pourtant ce n'est pas un privilège, je fais ma part de boulot… je suis quelqu'un de consciencieux et souvent j'ai des dilemmes par rapport aux reportages en me disant : « Merde, celui-là il faut le virer sinon on va me dire que c'est chiant »… Enfin, je prends encore mon boulot à cœur, mais de moins en moins peut-être… enfin, j'essaie de me forcer à prendre le truc de moins en moins à cœur et de me dire : « Ouais, c'est formidable ! »… N'empêche que voilà, là ça fait une semaine que je n'ai rien. Mercredi je vais décrocher mon téléphone et appeler les stations, parce que mercredi et jeudi, c'est là que s'élabore le planning… je vais demander s'il y a du taf pour moi… voilà, ça recommence… […]

« Les dés sont pipés »

— *Quelle est la proportion des pigistes ou des CDD à France 3 ?*
— Ça dépend des périodes… L'été, ou pendant les vacances de Noël, tu vas en trouver, disons, un sur deux… la proportion est forte… Le reste de l'année, c'est un petit tiers environ.

— *Est-ce que tu espères une intégration à France 3 ?*

— Eh bien, pendant longtemps j'ai dit : « l'intégration, pas pour moi ». Maintenant, je crois que je ne cracherais pas dessus, non…

— *Pour le confort matériel ?*

— Pour une stabilité matérielle… pour avoir le plaisir de rentrer chez soi tous les soirs simplement… enfin, c'est pour le bonheur, quoi, de retrouver mes enfants qui m'embrassent et…

— *Est-ce que tu as des projets pour l'avenir ?*

— Oui, je fais des projets… là j'ai un projet de documentaire avec un copain qui est aussi à France 3… un projet intéressant qui a de la gueule, qu'on devrait présenter d'ici un mois… bon, on sait que c'est un parcours du combattant, qu'il faudra convaincre, parce qu'on est des novices… et puis j'ai d'autres projets…

— *En télé ?*

— Oui, en télé…

— *Tout à l'heure tu faisais allusion au travail de chroniqueur judiciaire au* Monde. *Est-ce que quelque part, dans tes rêves les plus fous, ça n'est pas ça que tu voudrais faire ?*

— Ouais… mais j'en ai fait mon deuil…

— *Pourquoi ?*

— Parce que c'est un peu tard… maintenant et de plus en plus j'ai un CV dont la dominante est l'audiovisuel… j'ai une compétence reconnue officiellement, même s'il faut que je m'améliore encore à la caméra… donc j'ai fait un choix télé, voilà… Maintenant si *Le Monde* m'appelait

demain et me disait : « Voilà, il y a une place pour vous »,
alors évidemment…

— *Tu serais prêt à faire des sacrifices, à accepter de gagner
moins de fric pour faire quelque chose que tu as envie de faire ?*
— Ben ça… la galère du fric, je connais ! C'est en permanence… quand je dis que je fais de la corde raide, ce
n'est pas une image… il en faut très peu pour nous dé-
stabiliser, tu vois… par exemple j'ai eu un avis de re-
dressement fiscal pour 1994 parce que j'avais carotté,
quoi, hein… heureusement je suis tombé sur une contrô-
leuse des impôts très conciliante et finalement je m'en
tire très bien, mais ça aurait pu être catastrophique ! Et
quand je disais que je suis regardé un peu comme un phénomène, par mes confrères de France 3, quand je leur dis
que j'ai trois enfants… on se dit : « Mais il est frappé
celui-là, il est frappé, ou alors il est totalement inconscient »… J'ai fait un choix… un choix ? Non, c'est un
non-choix, c'est… je fais tout le temps le grand écart,
quoi… c'est-à-dire que j'ai envie d'avoir une vie de famille, d'avoir des enfants… c'est ce que j'ai fait… Maintenant vivre, accorder ça avec… avec les conditions du
marché, c'est difficile, hein… c'est difficile… d'autant
plus que… tu parlais d'intégration… l'intégration, si elle
se faisait dans des conditions objectives et transparentes,
d'accord ! Si les syndicats jouaient le jeu de la compétence
ou de la conscience professionnelle – je ne parle pas du
talent (c'est très subjectif l'appréciation du talent), mais
au moins la compétence –, tu pourrais te dire : « Bon, j'ai
mes chances, quoi »… Mais comme les dés sont pipés et
que régulièrement tu vois, hop ! des mecs qui te passent
devant, tu te dis : « Pourquoi lui, pourquoi elle ? » Bon,
après tu apprends qu'il a été placé par tel ou tel, ou qu'il

était le poulain de tel syndicat, ou qu'il était le chouchou de tel rédacteur en chef, etc., et tu te dis que, bon, l'intégration elle viendra… ce sera une bonne nouvelle… mais développer des stratégies pour y parvenir, moi je n'en suis pas là, et je ne pense pas que je le ferai… c'est-à-dire de prendre la carte d'un syndicat pour une intégration, parce que c'est quand même eux qui mènent la danse… Alors, c'est sûr, si tu as un rédacteur en chef dans la manche, c'est merveilleux, il peut t'imposer ! Parce que c'est des commissions paritaires et que c'est un jeu de marchands de tapis : la direction intègre tel mec mais tel syndicat dit : « Oui, mais alors vous me prenez tel mec », et l'autre syndicat dit : « D'accord, mais attention… » Moi, je n'ai pas envie de rentrer là-dedans, quoi. […]

— *Pourquoi avant d'embaucher quelqu'un en journalisme, lui fait-on faire le parcours du combattant, un CDD après l'autre ?*
— Je ne crois pas que ce soit propre au journalisme… On fait attendre longtemps l'embauche parce que c'est une façon de pouvoir disposer d'une main-d'œuvre docile, parce qu'il y a toujours cette incertitude du renouvellement du contrat… on fait miroiter aux gens une intégration… alors ils doivent se donner à fond, pour ne pas avoir de regret… Je ne sais pas si c'est propre au journalisme… J'ai constaté que dans d'autres secteurs, où effectivement les gens étaient remerciés au bout de deux ans, ils avaient enchaîné CDD sur CDD… Mais je crois que c'est la situation de chômage qui permet effectivement de faire miroiter une embauche aux plus vaillants, aux plus combatifs, aux plus besogneux… C'est une main-d'œuvre idéale pour un patronat… Et puis je crois que ça tient aussi à un des mythes attachés au métier de

journaliste, à savoir : « Il faut que tu fasses tes preuves, coco ! » Et dès lors, comment dire… cette nécessité qui a une justification strictement professionnelle – c'est-à-dire que « C'est en forgeant qu'on devient forgeron », « C'est en écrivant qu'on devient journaliste » – rejoint une préoccupation d'ordre strictement économique… Voilà, c'est ma réponse.

Précaires et syndicats

Une évidence ressort de ces entretiens : la solitude des pigistes et des CDD. Solitude dans le travail, depuis l'idée du reportage jusqu'à sa réalisation, mais aussi – et c'est ce qui nous intéresse ici – solitude dans les relations avec les entreprises de presse. Le pigiste se retrouve seul face à une structure pour proposer ses idées, négocier son paiement et régler les éventuels problèmes. Dans un des entretiens, Julien définit ainsi cette solitude perçue comme ontologique : « En général, il n'y a aucune relation entre les pigistes. Tu en connais mais y a pas de solidarité. […] C'est à celui qui va piquer la place de l'autre, un peu, tu vois, parce que chacun a besoin de bosser. » Les syndicats de journalistes sont conscients de ces problèmes. Ils dénoncent régulièrement le sort réservé aux pigistes, le non-respect du droit à leur encontre, les salaires insuffisants… À preuve, le livre blanc de la CFDT, les enquêtes et écrits du SNJ ou bien, régulièrement à Paris, des réunions d'information et de dialogue. Autre preuve : les avancées du droit en faveur des pigistes qui sont les fruits du travail des syndicats.

Pour les organisations syndicales, la situation des pigistes et des CDD est révélatrice du processus de précarisation de l'emploi journalistique. Ils sont les symboles d'une fragilisation de ce métier. Pigistes et syndicats devraient donc être faits pour se rencontrer, dans leur intérêt mutuel et dans celui de la profession, mais cette rencontre ne s'opère que rarement.

Les avancées du droit

Dans la presse, le pigiste est en quelque sorte un salarié provisoire. Son statut de journaliste salarié est reconnu par la loi Cressard (1974). Il existe des pigistes rédacteurs, photographes, dessinateurs… La plupart du temps, en presse écrite, le pigiste est payé à l'article (en « feuillets », une unité de longueur, ou en lignes) ; et, en radio et télévision, à la journée. D'autres moyens de paiement existent, suivant les arrangements de chacun avec chaque entreprise. Dans ce domaine, presque tout est négociable et les critères sont nombreux – même si, chaque année, des barèmes sont « recommandés », que seules les entreprises qui s'engagent à les respecter sont tenues de respecter… Certaines entreprises, comme l'audiovisuel public, appliquent par exemple une grille identique pour tous. Les CDD sont, quant à eux, salariés sur des périodes pouvant aller de un jour à plusieurs mois, voire plusieurs années. Normalement destinés à des besoins ponctuels et bien précis, suivant la convention des journalistes et le code du travail, ils sont en fait de plus en plus utilisés par les entreprises pour éviter de procéder à de nouvelles embauches.

1963 : affiliation des pigistes à la Sécurité sociale
1974 : loi Cressard : reconnaissance du statut de journaliste professionnel salarié
1975 : retraite pour les pigistes
1987 : mise en place d'un régime de prévoyance

La peur de « se griller »

En 1993, le Syndicat national des journalistes (SNJ) avait adressé un questionnaire à des pigistes. À la question de l'appel aux délégués syndicaux, sur soixante réponses exprimées, seulement 20 % avaient répondu positivement avec une déclinaison de nuances : « Oui, parfois c'est arrivé ; pour des renseignements ; si le cas est grave ». Dans le même questionnaire, on apprenait que le tarif moyen du feuillet était de 400 francs (moins de 200 francs pour les titres prestigieux comme *Libération* ou *Témoignage chrétien*) ; que l'investissement matériel pour pouvoir travailler était en moyenne de 15 500 francs et les frais professionnels mensuels de 1 600 francs ; que 71 % des pigistes pensaient que leur situation se dégradait. Deux autres questions étaient également riches d'enseignements. À la première, « Voudriez-vous vous regrouper afin de mieux défendre vos droits ? », une large majorité répondait oui. Et à celle concernant les raisons du non-appel aux délégués syndicaux, sur quarante-huit réponses, sept remettaient directement en cause les délégués, trois déclaraient que les délégués ne se souciaient pas des pigistes ; pour quatre autres, ils représentaient un danger ; enfin, deux envisageaient une action syndicale sans passer par eux.

Les données de ce questionnaire recoupent assez largement les réponses fournies dans nos entretiens. Nos interlocuteurs pigistes et précaires font peu appel aux organisations syndicales, souvent par crainte d'être étiquetés comme « contestataire » ou « homme des syndicats ». La difficulté est clairement pointée par Marianne : « Si tu arrives avec ton sujet à proposer dans la main droite et un bon de commande à faire signer dans la main gauche, ils se disent : "C'est une CGT, dehors !" […] Le problème, c'est que si tu fais un procès, c'est à un grand groupe de presse, pas au rédacteur en chef du journal en question. Donc, il faut savoir que tu ne travailleras plus jamais pour aucun titre du groupe. Tu réduiras tes chances de te repositionner. À la limite, les indemnités vont te faire vivre pendant un an. Et après, pour qui tu travailles ? » Pascal résume le dilemme : « Soit on proteste et on ne travaille plus, soit on ne proteste pas et on se fait avoir. » Soulignons que nous ne sommes pas ici dans le registre des angoisses existentielles des pigistes, en partie dues à leur position sur le marché du travail, ni tout à fait dans le registre des relations humaines qui imposent à ce salarié particulier d'être un héros de l'adaptation, « forcément gentil », souriant et par avance en accord avec les demandes de l'entreprise. Nous sommes dans le registre des relations contractuelles entre un employeur et un employé, ce qu'elles devraient être en tous cas, puisque ces entretiens font apparaître une série d'irrégularités par rapport aux dispositions fondamentales défendues par les syndicats.

L'impression très nette qui se dégage de ces entretiens est celle de l'impuissance de l'individu malgré l'existence de la loi de 1974, qui, disent nos interlocuteurs, n'est pas souvent respectée ; et malgré l'existence de recours juridiques possibles, qui, ajoutent-ils, sont longs, onéreux et finalement désavantageux vu leur impact négatif sur les relations futures entre les pigistes et le petit milieu des entreprises de presse. En bref, les pigistes se sentent à la merci de leurs employeurs et l'angoisse de « se griller » est souvent plus forte que leur envie de contester et de réclamer, *a fortiori* par le biais d'un syndicat.

Les négociations des syndicats

C'est une intersyndicale qui négocie avec les organisations patronales pour une reconnaissance générale de certains barèmes de paiement et pour la reconnaissance des droits des pigistes. Une négociation « particulièrement ardue » selon les syndicats et qui porte sur les points suivants : rémunération

> comprenant le temps de recherche et de préparation ; paiement du travail non publié mais commandé, comme prévu par l'article L 761-9 du code du travail ; paiement en fin de mois ou au plus tard quarante jours après la remise du travail et non à parution ; prise en charge des frais ; congés payés et treizième mois ; prise en compte de l'ancienneté ; refus du paiement des journalistes professionnels en droits d'auteur.

La mauvaise image des syndicats

Comme à chaque moment de la vie économique et sociale où le droit n'est pas respecté, la réponse pourrait être simple et se présenter sous la forme d'une équation bien connue : mobilisation + revendication + action = imposition du respect de la loi. Avec un présupposé évident : l'existence d'une organisation capable de fédérer les demandes, ce que l'on appelle habituellement un syndicat. Mais à la solitude ou à l'individualisme des pigistes dont nous parlions se rajoute, globalement, une mauvaise image des syndicats existants. Ce dont témoignent nos interlocuteurs – quand la question leur est posée explicitement car, le plus souvent, ils n'en parlent pas spontanément. Clément est frappé par l'apathie des représentants syndicaux : « Tu es observateur mais en même temps tu te sens super mal… Tu les regardes et tu te dis : "Bon sang, les syndicats de gauche, ils vont l'ouvrir, quand même ! Ils vont dire 'C'est pas possible' !" Ben non, ça passe… ça se fait comme ça. Donc le rédacteur, pardon le CDD, il écrase. » Bernard accuse les syndicats de défendre essentiellement les intérêts catégoriels dominants : « Je crois que, pour les syndicats, il est beaucoup plus facile de défendre les gens qui sont là, en poste. On va se mobiliser, faire un jour de grève pour du fric, on se mobilise contre la suppression de l'abattement de 30 %. On n'a jamais vu de grèves parce qu'il y a *x* pigistes et *x* CDD qui représentent je ne sais combien de postes de titulaires. » Jean-Louis, victime d'un licenciement, n'a pas le sentiment d'avoir été défendu avec énergie : « Ça s'est passé avant les élections professionnelles, ils m'ont soutenu… Ça a permis de dire, après, que le syndicat faisait son boulot. Mais, concrètement, il n'y a jamais eu de vraies propositions d'action alors que c'était un cas patent de licenciement abusif… Il n'y a vraiment pas eu le minimum syndical de fait, à mon sens… »

Déception, méconnaissance ou refus, les pigistes ne rencontrent pas dans les rédactions l'idée du syndicalisme mais des syndicalistes en chair et en os pour lesquels ils ont l'impression de constituer une sorte de corps informe, changeant, renouvelable au gré des saisons et des humeurs et travaillant dans plusieurs médias très différents les uns des autres. Un corps mouvant sur lequel le syndicat n'aurait pas de prises. En bref, les pigistes ne sont que « de passage » pour un temps plus ou moins long. La question posée ici est celle de l'action sur le terrain, au jour le jour, et non pas celle de la pertinence des textes et des prises de position sur la précarité que les fédérations syndicales adoptent à l'échelon national. Il est connu que le facteur personnel est très important dans le syndicalisme. La seule personnalité du représentant syndical dans une rédaction peut entraîner ou au contraire décourager les adhésions de nombreux collègues. Autrement dit, si le fait d'être représentant syndical n'entraîne pas un réel investissement, il n'y a vraiment aucune raison pour que le pigiste soit convaincu de l'utilité du représentant et, à travers lui, du syndicat. De la même façon, comme le souligne Bernard, il faut se demander si le problème de la précarisation est réellement mobilisateur dans les entreprises de presse et si les représentants syndicaux ne se bornent pas parfois à simplement défendre un intérêt catégoriel existant, laissant les plus précaires à leur sort et ne se battant pour eux que de façon purement symbolique, pour la forme. D'où un sentiment d'abandon chez les précaires et souvent une attitude de méfiance et d'indifférence envers des syndicats, dont ils ne savent pas grand-chose par ailleurs. À travers ces entretiens, au-delà des protestations et ressentiments, émerge sans doute une demande : que les syndicats manifestent sur le terrain et dans la mesure de leurs moyens une volonté claire et explicite de prendre en considération les pigistes et précaires. D'autant plus que le nombre de ces derniers est en augmentation constante.

La recherche de voies alternatives

Si l'on se place du point de vue des pigistes, on ne peut nier un mouvement de fond qui explique également leur faible recours aux syndicats. Comme les autres groupes sociaux, ils sont touchés par le contexte général de dépolitisation, de désyndicalisation, et de désaffection par rapport aux incarnations les plus traditionnelles de la vie politique et syndicale. Une partie de ces salariés particuliers, souvent les plus jeunes, n'a pas forcément une culture historique et politique suffisante pour prendre conscience que le syndicalisme précisément est un des éléments moteurs de l'évolution du travail salarié. Nous visons ici la culture personnelle, les origines sociales et aussi une formation professionnelle trop souvent réduite au seul savoir-faire technologique. Les jeunes journalistes sont « préparés » afin d'être opérationnels mais pas forcément préparés à la connaissance approfondie du milieu complexe qui sera le leur. Ils n'échappent pas non plus à l'idéologie ambiante, cette vision du syndicat comme défenseur d'archaïsmes sociaux qui empêchent la France de s'aligner dans « la compétition mondiale ». Refusant donc ce type d'organisation collective, le pigiste peut faire preuve d'un individualisme forcené. Cet « électron libre », à qui les autres salariés envient parfois une forme de liberté, peut justement choisir la solitude, du moins tant que tout va bien pour lui. Comme Pascal, qui explique sa non-appartenance à un syndicat de la façon suivante : « Je suis moi-même trop individualiste pour ça, je n'ai aucune idée d'appartenance à quoi que ce soit, donc si je me débrouille, c'est par moi-même. » De la même façon, Norbert se considère lui comme un chef d'entreprise qui gère ses investissements et ses ventes en cultivant sa solitude dans le travail. Ses critères sont la performance et son implantation dans un milieu qui lui permettra de bien négocier les produits de son travail.

Cette démarche strictement individualiste est une réalité, mais il en est une autre qui apparaît dans ces entretiens. Même s'ils ne pensent pas aux syndicats, une partie des journalistes interrogés recherchent plus ou moins confusément des voies alternatives, comme dans d'autres secteurs du marché du travail qui ont vu naître des coordinations ou d'autres formes d'associations corporatives, dont celle des chômeurs – toujours jusque-là considérée comme improbable [1]. Le dénominateur commun des chômeurs, par-delà leur diversité évidente, est leur situation sur le marché du travail, ou plutôt leur absence. Le groupe des pigistes est, lui aussi, très hétérogène (suivant les médias, les spécialités ou non, leur rôle

---

[1]. Mais aussi, ces dernières années, le mouvement des intermittents du spectacle et celui des stagiaires.

dans les différentes formes de presse, etc.) ; et le dénominateur commun, c'est le traitement qu'on leur réserve, leur place et la reconnaissance qu'ils attendent de leur travail. Marianne verrait bien une organisation qui serait une « fédération de sentiments, de connivence, de pensée intellectuelle ». Julien imagine lui un groupe informel qui permettrait simplement de fixer des barèmes que toutes les entreprises seraient obligées de respecter parce qu'aucun pigiste n'accepterait de travailler en dessous. Cela prendrait une forme associative, mais la difficulté de tels rapprochements explique sans doute que nous manquions d'exemples pour illustrer ce propos. Certains groupes d'intérêt se sont formés, comme le groupe IPH (Information presse humanitaire), qui rassemble depuis 1989 des journalistes spécialisés dans ce domaine. Des pigistes se retrouvent aussi par affinités ou par paires (rédacteur et photographe) ; mais, pour l'instant, rien qui puisse réellement constituer un groupe de pression capable, par exemple, de mener des négociations.

La tentation corporatiste

La question de ce regroupement de pigistes sous la forme d'un syndicat est posée très clairement par Isabelle. D'après son expérience personnelle, elle évoque les stratégies auxquelles elle a dû recourir pour être payée normalement et se faire respecter par les employeurs. Cela va de la pression constante au harcèlement téléphonique en passant par les menaces juridiques avec l'appui d'amis avocats. Et elle conclut : « Comme on est très nombreux et qu'il y a un problème de chômage, c'est devenu un sous-prolétariat ; parce que, comme t'as besoin de travailler et que jamais rien n'est sûr, on n'a pas besoin de te signer un contrat, c'est quand même rêvé ! On te paie pas, tu vas te faire foutre, parce que, si tu ne te bats pas, t'as personne derrière. Pour moi, le problème du pigiste, c'est qu'il est sous-prolétarisé, c'est qu'il est seul. » En concédant qu'il s'agit sans doute d'une utopie, elle voit donc la solution dans la création d'un syndicat de pigistes qui informerait chacun de ses membres de ses droits effectifs, qui pourrait soutenir et faire pression et qui, en dépassant le jeu évident de la concurrence entre précaires, réussirait à imposer les mêmes règles pour tous. Avec, comme Julien, l'idée qu'à partir du moment où tous les pigistes s'entendraient pour ne pas travailler dans n'importe quelles conditions, toutes les entreprises de presse seraient dans l'obligation de changer leurs méthodes. Pour répondre par avance aux syndicats objectant qu'il s'agit précisément là de leur mission, Isabelle souligne que ce regroupement aurait l'avantage de ne s'occuper que des pigistes et surtout de faire que les pigistes se sentent concernés en y participant. Il est vrai que, dans certaines situations et le plus souvent de manière improvisée, suite à un ras-le-bol, des pigistes regroupés ont déjà montré qu'ils pouvaient être une force capable de se faire entendre par les entreprises. Comme ceux, par exemple, d'une station de télévision régionale qui se sont retrouvés, un jour de fête, majoritaires pour réaliser le journal du soir et qui en ont profité pour poser leurs revendications. Tout simplement parce que, ponctuellement, ils étaient en position de force et l'entreprise en position de dépendance vis-à-vis d'eux. Il suffit peut-être de cela. On peut aussi penser que l'émergence d'un tel groupe ne laisserait pas les syndicats existants de marbre et les pousserait à plus d'interventionnisme sur le terrain.

Restent les obstacles évidents : la diversité de situation des pigistes, leur « atomisation » sur le marché du travail, leur individualisme et l'arrivée incessante de nouveaux pigistes via les écoles de journalisme. Reste aussi à savoir qui de nos jours va bien pouvoir créer une organisation d'envergure nationale alors que les pigistes voient majoritairement leur situation comme une étape de transition avant d'être embauché définitivement quelque part. Il faut également se demander si cette tentation corporatiste ne provoquerait pas un éclatement supplémentaire du monde syndical, une division de plus, dont on devine à qui elle pourrait profiter au plan des rapports de force et de négociation.

CHRISTOPHE DABITCH

Agnès *ou* « Le mythe de l'écrivain »

30 ans, vit à Paris

Père comptable ; mère sans profession ; un frère dans le commerce ; enfance dans une ville moyenne

Après avoir quitté le lycée (avant le bac), a effectué une série de « petits boulots » comme vendeuse, maquilleuse dans le théâtre, etc. ; a entrepris ensuite des études de psychologie

A débuté dans le journalisme indépendant vers vingt-cinq ans, entrant par « la petite porte » en assurant la rubrique « Horoscope » de plusieurs magazines féminins. Travaille depuis comme pigiste, toujours dans la presse féminine, et a connu de nombreuses périodes de chômage.

— J'ai un parcours un peu compliqué… Je n'ai pas passé mon bac parce que j'étais une adolescente difficile, à problèmes… J'ai arrêté l'école à dix-sept ans. J'ai fait un diplôme d'esthétique, on se demande pourquoi… un CAP d'esthétique. Et après, je suis venue à Paris, j'ai fait du maquillage de théâtre. J'étais plus branchée sur le côté artistique et puis je me suis rendue compte que ça ne me correspondait pas, parce que c'était trop superficiel, et puis parce que je n'étais pas aussi douée que ça, je pense… Et donc, j'ai commencé à écrire des articles comme ça, car j'ai toujours aimé écrire. C'était en 1986, donc ça fait une dizaine d'années et c'est comme ça que j'ai progressivement commencé… J'ai fait un stage de PAO en 1988-1989, et j'ai fait un stage aussi, récemment, de radio et de perfectionnement à l'écriture, en 1996.

— *Vous avez écrit pour qui ?*
— J'ai écrit pour des magazines féminins, des magazines spécialisés dans le domaine de la santé.

— *Vous avez commencé dès le début dans ce genre de magazine ? Comment avez-vous fait ?*

— En proposant des sujets. Et aussi parce que j'ai eu un petit coup de pouce de certaines personnes autour de moi, je suppose, qui m'ont dit « Va voir telle personne de ma part », et puis bon, ça s'est passé comme ça.

— *C'est important d'être recommandé ?*

— Oui, oui. Si on ne connaît pas quelqu'un, c'est très dur. Et ça, au début comme par la suite. Bien sûr, par la suite on a un CV qui est plus chargé, bon, on se défend mieux, on a plus confiance en soi aussi, mais je crois que même au bout de cinq ans, dix ans, dire « J'appelle de la part d'Untel », c'est toujours une porte supplémentaire qui s'ouvre. Ah oui, ça… Et ça c'est terrible, parce que c'est vrai, on ne connaît pas forcément des gens partout… je trouve que c'est assez insidieux de ce côté-là.

— *Quelle idée vous a prise d'aller comme ça proposer des papiers ?*

— J'avais des sujets en tête. Je crois que mon premier article, c'était autour de l'astrologie… En plus je suis une passionnée d'astrologie… ça fait peut-être pas très sérieux, mais c'est pas grave… Et bon, j'aime bien l'astrologie. C'est lié à la psychologie et j'ai travaillé aussi avec des psychologues, des psychiatres qui travaillent à partir des thèmes astraux… Alors bon, ils ne le disent pas vraiment, parce que ça ne fait pas très sérieux dans un colloque de dire « Moi je m'intéresse à l'astrologie »… Donc, en tout cas, ça fait très longtemps que je m'y intéresse, et mes premiers sujets, c'était très en rapport avec l'astrologie et l'ésotérisme. Et c'est vrai, quand on me disait « Quelle est ta spécialité ? » j'en avais pas et c'était plus autour de ce domaine-là. J'ai donc appris sur le terrain. Je crois que le premier magazine, c'était un magazine d'astrologie.

— *Donc là vous avez proposé votre article ? Comment ça s'est passé ?*

— Ça s'est bien passé. J'ai travaillé avec une autre journaliste, donc c'est vrai que je me sentais plus en confiance. Et puis ça m'a donné envie de continuer, et puis voilà j'ai continué, toujours un peu dans ce domaine. On m'a proposé des rubriques « Horoscope », alors c'est vrai, ce n'est pas vraiment un genre journalistique, parce que ce n'est pas un papier, ni un reportage. Mais bon, je me suis un peu fait la main comme ça et puis… j'ai eu pendant huit ans la rubrique « Horoscope » dans un mensuel féminin.

« On n'a pas l'impression d'être intégrée »

— *Comment on arrive à obtenir ça ?*

— Comment ça s'est passé ?… Je crois que c'est par une connaissance aussi. J'ai entendu parler d'une personne qui recherchait quelqu'un pour cette rubrique-là et puis voilà. Je l'ai vue, on a fait un essai et puis… là, ce magazine féminin c'était un peu particulier parce que tout était dans le style. C'était un petit peu autre chose… un petit peu comme ça… assez piquant. C'est vrai que ce n'était pas un papier journalistique, parce qu'une rubrique « Horoscope » ça peut sembler assez débile, mais il y avait un travail au niveau du sens, c'était assez drôle.

— *Pourquoi ça ne serait pas du journalisme ce que vous avez fait ? Il y a une frontière ?*

— Non, la frontière, elle est par rapport aux archétypes, par rapport aux clichés, je pense, où on a l'impression que le dessus du panier c'est un peu les grands reporters. Après il y a différents genres « journalistiques », et puis c'est vrai, quand on dit : « Je suis à l'horoscope » ou « Je suis aux fiches-cuisine de *Machin* », c'est tout de suite… c'est moins… c'est moins narcissisant, quoi. Donc, cette frontière est plus à travers les clichés… et c'est vrai que c'est un papier sans en être un, parce qu'on n'a pas le schéma type du papier, « chapeau, machin, attaque, chute », bon, c'est vrai que ce n'est pas la même construction, donc c'est un petit peu à part en même temps.

— *Ça vous a aidée par conséquent à prendre confiance, à rentrer dans le milieu ?*
— Oui et non, parce que c'est un peu marginal comme rubrique. Comme c'est à la fois… de l'écriture, et en même temps ce n'est pas un « vrai papier », entre guillemets. Et puis on passe une fois par mois remettre son papier. On n'est que de passage, on n'a pas vraiment l'impression d'être intégrée à la rédaction… Et je crois qu'il y a une chose qui est très gênante : on met souvent des étiquettes comme ça sur les gens, c'est-à-dire si vous faites la rubrique « Horoscope », même si vous proposez un autre papier, ben vous êtes quand même celle qui fait d'abord la rubrique « Horoscope ». On a beaucoup plus de mal à s'imposer en proposant un autre type de papier, parce que les gens ont une image de vous, et même si on sait que vous êtes capable de faire autre chose, eh ben, on vous demande quand même… de rester à votre place. On a du mal à vous voir dans un autre domaine… et ça, c'est vraiment des clivages, c'est très gênant. Je ne sais pas si c'est très français, mais… Les étiquettes oui, je pense que c'est assez français… Bon, on vous demande d'avoir une spécialité. Quand on démarche, on va vous dire : « Quelle

est votre spécialité ? Donnez moi votre CV, qu'est-ce que vous avez fait ? » Si vous avez travaillé dans les horoscopes, on va vous dire : « Ah bon ! OK. » Une rubrique, c'est à la fois très riche, et puis ça permet d'avoir un revenu régulier, et puis après ça peut être aussi un enfermement, si la rubrique est un petit peu marginale.

— *C'est important une rubrique régulière, non ?*
— C'est ce que recherchent les pigistes. Il me semble que c'est d'avoir une ou deux rubriques comme cela qui leur assure un fixe chaque mois.

— *Et vous avez fait quoi en plus de ce fixe ?*
— J'ai continué à prospecter ailleurs… et j'ai fait des petits boulots en dehors du journalisme… hôtesse… des boulots comme ça. Ça ne suffisait pas, non. En plus, j'ai repris mes études, en 1989 donc. De 1989 à 1995, j'étais à fond dans mes études de psychologie, donc il fallait que je jongle. Non, autrement je pigeais pour des magazines féminins en majorité. Et… ah oui, il y a eu une rubrique régulière, en dehors de l'horoscope cette fois, pour une revue interne d'une administration publique où j'avais la rubrique « Santé ». Là j'ai commencé à bifurquer plus vers des papiers psychologie-santé… Pendant deux ans j'ai eu cette rubrique.

— *Et vous avez réussi pendant vos études à faire suffisamment de papiers pour pouvoir garder votre carte de journaliste ?*
— Oui. Il fallait jongler, mais à partir du moment où on peut un peu jongler au niveau des horaires, ça convenait bien à ma vie d'étudiante.

« On vous oublie assez vite »

— *Vous êtes devenue assez vite journaliste en fait. Est-ce que vous avez eu des rapports difficiles parfois avec ce milieu ?*
— Non, parce que… C'est aussi l'avantage et l'inconvénient de ce métier de pigiste, c'est qu'on est dans la rédaction sans y être. Donc c'est vrai que tous les conflits, et je pense qu'il y en avait beaucoup dans certains magazines… j'ai un peu échappé, parce que j'étais un peu en dehors. Et c'est à la fois un avantage et un inconvénient parce qu'en même temps on n'est pas vraiment intégré à la rédaction et on n'a pas vraiment l'impression de faire partie du journal et on n'est pas à la conférence de rédaction.

— *Est-ce qu'on a au bout d'un moment des techniques pour placer des papiers ? Comment les place-t-on ?*
— Comment on place des papiers ? Ben, déjà, on nous demande de réfléchir à des sujets. Et de plus en plus on demande non seulement un sujet, mais un synopsis, c'est-à-dire au moins quelques lignes sur le sujet qu'on va proposer, avec un angle bien ciblé, etc. Et puis après il faut cibler le support. Il est évident qu'on ne va pas donner le même synopsis pour… je ne sais pas moi… pour *Marie-Claire* que pour… *L'Express* par exemple. En plus, il faut tomber sur la bonne personne… enfin, il y a toute une stratégie. Je dirais que ce qui demande le plus d'énergie, c'est justement la préparation, plus que l'écriture en elle-même. Je pense qu'avant d'écrire le synopsis, il faut d'abord savoir à qui on va s'adresser. Donc une fois qu'on a pris contact avec tel ou tel magazine, il faut essayer de se mettre dans la peau du lecteur ou de la lectrice… se dire : « Bon, voilà, OK, je propose un sujet sur l'hypnose, mais

moi lectrice de *Femme actuelle*, qu'est-ce que j'attends comme renseignements sur l'hypnose ? » Bon là, ça sera plutôt des trucs pratiques, des adresses, une écriture très simplifiée, très dépouillée, des choses très concrètes et pas l'historique de l'hypnose, bon, c'est comme ça je pense. C'est en essayant de se mettre dans la peau du lecteur et en se disant : « Voilà ce que j'attends de cet article… »

— *Si c'est* Marie-Claire *ce sera différent ?*
— Oui, si c'est *Marie-Claire*, oui, ça peut-être un peu plus sophistiqué que *Femme actuelle*. Ça peut être un peu plus « psy » peut-être, certainement plus témoignage, parce que c'est vrai qu'ils aiment beaucoup les témoignages, le côté vécu. Donc ça ne sera pas le même type d'écriture non plus… *Femme actuelle*, c'est vraiment une grille de lecture comme ça, sous forme de fiches pratiques.

— *Comment faites-vous pour les sources, pour les contacts ?*
— Ben, ce n'est pas facile au niveau des sources… Ce qui est bien, c'est quand on travaille pour un groupe de presse qui a un centre de documentation. Par exemple, c'est le cas de Hachette-Filipacchi, ça c'est l'idéal. Sinon… je n'ai pas vraiment de plan dans ma tête. J'essaie de réfléchir, de remonter comme ça la filière…

— *Vous pigez pour quels types de journaux en ce moment ?*
— Ben, là je cherche des piges. Je n'ai pas vraiment de pistes… enfin, j'ai envoyé pas mal de CV, j'attends des réponses… Pendant cinq mois j'ai fait un stage de journalisme. C'est bien, parce qu'on s'investit beaucoup, on retrouve un rythme, le même rythme que dans une rédaction, parce qu'on a fait des journaux, on a fait un travail radio… Le problème, c'est qu'on perd un peu contact

avec le monde du travail comme on dit, paradoxalement… et puis après, quand le stage se termine, on se dit : « Merde au fait, c'est bien, j'ai fait un stage, j'ai appris plein de choses, je me suis investie et maintenant qu'est-ce que je fais ? »

— *C'est un milieu où on vous oublie vite ?*
— Oui, oui ! On vous oublie assez vite. Quand on n'a pas une rubrique régulière, on vous oublie assez vite. Et ce qui prend beaucoup d'énergie, c'est qu'il faut toujours, toujours proposer des sujets. Et c'est très bien, mais… et de préférence des sujets originaux, des sujet évidemment qui n'ont pas été traités, donc…

« C'est de plus en plus difficile »

— *Comment arrive-t-on à renouveler le stock d'idées ?*
— C'est ça le problème… quand on arrive et qu'on a des sujets… ça, des sujets on peut en avoir, mais encore faut-il s'assurer qu'ils n'ont pas été traités auparavant, qu'ils sont suffisamment originaux pour intéresser le rédac-chef ou le chef de rubrique, et bon, ça c'est le problème. C'est le problème, parce qu'on est de plus en plus nombreux à être sur le marché dans le monde du travail, à proposer des sujets et là… je pense que c'est assez dur. C'est de plus en plus difficile. Peut-être depuis un ou deux ans, c'est de plus en plus difficile parce qu'il faut toujours proposer ses… être dans la course, proposer des sujets originaux, proposer des sujets… Et puis ce qui est intolérable, c'est d'être payé trois mois après, c'est ça qui est très dur. D'être payé trois mois après… souvent le paiement ne se fait pas d'une façon logique, donc souvent il faut relancer… la comptabilité… enfin c'est intolérable. Je trouve que c'est

vraiment un gros problème le fait d'être payé à peu près au bout de trois mois. Et je crois que c'est aussi la raison pour laquelle les gens ont de moins en moins envie d'être pigiste. Parce que le point fort, c'est vraiment d'avoir une liberté. On peut travailler chez soi, le matin tôt, la nuit… enfin, on travaille sur son Mac, c'est très bien. Surtout les gens qui ont un môme, ils arrivent à gérer leur planning. Mais ce côté insécurisant c'est vraiment le point faible, vraiment, le côté on ne sait pas trop. On a une pige ce mois-ci, on ne sait pas si le mois prochain on en aura deux, trois… plus du tout.

— *Vous gagnez combien par mois ?*
— En ce moment rien du tout. J'ai les Assedic. Mais avant, ça allait de 3 500 à 8 000, 8-9 000 francs. Mais encore une fois c'est un peu particulier, dans le sens où moi j'avais des études à côté, donc je ne pouvais pas totalement me consacrer à mon activité de journaliste… Mais j'ai une amie proche, qui est journaliste pigiste, qui va jusqu'à 10 000-11 000… maximum. En ce moment, c'est plutôt 5 000 francs. Mais elle travaille pour la presse d'entreprise surtout.

— *C'est courant, ça, de travailler pour la presse d'entreprise ?*
— Oui, les gens vont de plus en plus vers des petits supports et plutôt vers de la presse d'entreprise. Et je pense que peut-être l'avenir est là pour les pigistes. C'est vrai qu'en ce moment je cherche, et c'est vrai que je me dirige plus vers la presse d'entreprise, parce que bon… Par exemple, l'autre fois j'ai proposé un sujet à un hebdo féminin ; le sujet n'allait pas parce qu'il n'était pas « contemporain »… J'avais assisté à un congrès sur la fratrie, les frères et les sœurs, les conflits dans la fratrie, et je voulais

proposer ça parce que je trouvais que c'était un bon sujet et on m'a dit : « Mais non, c'est pas contemporain, ça ne marche pas. On aurait pu traiter ce sujet-là il y a vingt ans. » Alors que tous les sujets de cet hebdo féminin ne sont pas forcément contemporains… Ce n'est pas forcément parce qu'il y a un événement nouveau… C'est un sujet de société, ça. Il y a vingt ans, il y avait certainement des conflits au sein de la fratrie, mais aujourd'hui on peut porter peut-être un autre regard… parce que les recherches ont évolué, parce que depuis il y a eu d'autres bouquins sur ce sujet… Donc c'est très difficile aussi de cibler. Parce que, non seulement il faut que le papier n'ait pas été traité, il faut de l'originalité, et en plus il faut que de plus en plus dans les féminins… il faut que ce soit quelque chose de très actuel, que ça corresponde à un mouvement sociologique, quelque chose de nouveau. Il faut que ça soit des phénomènes de société très nouveaux. Alors c'est vrai que les conflits dans la fratrie, ça existe depuis la nuit des temps. On aurait pu le traiter il y a vingt ans. C'est vrai que c'est une bonne réponse, mais en même temps tout dépend de l'angle avec lequel je vais le traiter. C'est très difficile donc. Il n'y a pas tout le temps des choses en mouvance dans la société, et en plus, dans ce cas par exemple, qui soit ciblé lectorat de l'hebdo en question.

« On n'a pas toujours des idées originales »

— *Comment on détermine le lectorat d'un magazine ? Vous pouvez donner un exemple ?*
— Je ne sais pas moi. Prenons par exemple le lectorat de *Marie-Claire*… il est particulier… Je pense que ce sont des lectrices assez dynamiques, qui travaillent, je pense, et en même temps qui s'intéressent à la psychologie, à la

sociologie, dans la vulgarisation bien sûr. Mais il faut que ça les concerne dans leur vie de femme, de mère, d'amante. Bon, il y a tout ce côté-là… avec quand même l'angle psychologique, les témoignages, le vécu, l'avis d'un psy. Là je vous parle des papiers plutôt société-psycho, mais il faut que ça corresponde à quelque chose d'actuel, du genre : « Où on en est aujourd'hui dans les rapports avec les hommes ? »… je dis n'importe quoi, mais c'est la vision d'aujourd'hui, qui effectivement n'était peut-être pas celle d'il y a dix ans… Je trouvais que les rapports dans la fratrie, ça aurait pu être quelque chose d'assez sympa. Moi je voulais… l'angle aussi cinéma… en encadré. Je pensais mettre quelque chose en rapport avec le cinéma, les rapports comme ça un peu houleux, vus à travers les réalisateurs, vus à travers les films comme ça, certains films qui traitent des rapports frères et sœurs, et bon, ça n'est pas passé parce que ça n'était pas assez contemporain.

— *Ça veut dire que pour faire un article un pigiste doit aller au cinéma, faire des choses différentes ?*
— Oui, oui, c'est indispensable. Le cinéma, le théâtre, les lectures, enfin tout, quoi. Je crois qu'il faut être sans arrêt en observation, même dans la rue, surtout dans la rue, pour essayer de capter des choses… des choses de notre époque.

— *Vous pouvez développer un petit peu ?*
— Ben oui, dans la rue… on parlait de phénomène de société… je crois que c'est aussi dans la rue qu'on peut trouver des idées, en observant les gens, en les écoutant, en les regardant vivre. C'est pas seulement dans les bibliothèques ou au cinéma, c'est aussi à chaque instant.

Il faut toujours avoir les sens en éveil. Ça, c'est vachement important. Et essayer de capter ce que les autres ne captent pas forcément. C'est-à-dire essayer d'avoir un regard différent sur ce qui peut se passer autour de nous, quoi.

— *On a l'impression d'être toujours aux aguets ?*
— Oui et c'est pénible, à force... Parce qu'on n'a pas toujours des nouvelles idées, on n'a pas toujours quinze idées par seconde. On n'a pas toujours des idées originales... C'est une gymnastique mentale permanente, ce n'est pas forcément évident. Parfois on a envie qu'on nous dise : « Tiens, tu vas faire un papier là-dessus ! » Donc moi j'ai fait un stage cette année, de trois semaines dans un quotidien régional et je trouvais ça génial. Parce qu'on me disait : « Tiens, tu vas couvrir cet événement-là. » OK, ce n'est pas évident de travailler dans un quotidien. Au début, j'avais très peur de ne pas tenir le rythme parce que je n'avais jamais travaillé dans un quotidien. C'est vrai que ce n'est pas tout à fait la même chose. Mais en même temps, j'étais très contente parce que j'avais vraiment l'impression de faire partie de l'équipe rédactionnelle, d'être intégrée. Je me disais au début : « Quand on va te dire : "Tu vas faire ton papier, tu vas le rendre dans une heure"... » je ne connaissais pas ça. C'était un défi en même temps. C'est vrai, quand on écrit ses papiers chez soi, on doit être très discipliné, très rigoureux... On met le répondeur, et on ne répond pas, et on se dit : « Je me donne deux heures pour écrire ce papier »... Ça ne se passe pas souvent comme ça. En général c'est ça, et puis on va prendre un thé et puis tac, on appelle un ami. Donc là, on attend ton papier... « dans une heure » c'est dans une heure. Peu importe que tu ne sois pas content de ce que tu as écrit, mais c'est

comme ça. On est dans l'urgence… et en même temps, quand on est dans l'urgence, on peut travailler mieux aussi parce que c'est un moteur, il y a un stress qui est permanent et ça peut être un moteur aussi, si on arrive à bien canaliser son énergie.

— *Là, vous avez découvert un autre secteur ?*
— Un autre secteur, oui… En plus je travaillais dans un quartier chaud. *(Rires.)* Par exemple, une fois j'ai fait un reportage sur une cité, je crois. Il y a eu un incendie pendant la nuit, des bagnoles ont cramé dans un parking souterrain, et puis je suis allée là-bas. Bon, j'étais entourée d'une bande de gamins… je n'étais pas très fière, hein… dans des cités un peu… Bon, ça c'est bien passé. C'est vrai que pour moi c'était quelque chose d'inconnu. J'avais l'habitude de travailler pour la presse féminine. Bon, je connais les banlieues aussi, j'étais en fac à Saint-Denis, il y avait un métissage comme ça.

— *Et depuis ce stage vous n'avez pas trouvé d'autres piges à faire ?*
— Non, je n'ai rien trouvé… Là, je crois que j'en ai assez de travailler en tant que pigiste. Ou bien je trouve une ou deux rubriques régulières qui m'assurent au moins un fixe… Le reste, je fais des piges pour compléter, ou bien je ne sais pas… Je change de… peut-être pas de métier, mais j'essaie plutôt de trouver un job à mi-temps en tant que… attachée de presse, et puis le reste en tant que journaliste. Mais je veux absolument avoir un fixe par mois, sinon c'est infernal, ce n'est pas possible. Enfin là, c'est très insécurisant et je ne peux pas me permettre ça. Depuis quelques mois je vis seule et c'est différent aussi.

« Pigiste, c'est un peu un no man's land »

— J'ai l'impression que quand on est pigiste, on ne peut jamais se dire qu'on est arrivé quelque part ?

— On est toujours sur le qui-vive, ça c'est sûr. Ce sont toujours des remises en question, des remises en question permanentes. On n'est jamais arrivé, oui, ça c'est sûr. Je ne pense pas qu'on puisse se construire une carrière en tant que pigiste, enfin, le mot carrière ne convient pas tout à fait au métier de pigiste… enfin, pour moi. Parce qu'une pige, on l'a aujourd'hui, mais peut-être que dans quatre mois, on ne l'aura plus. C'est très différent je crois. Alors que quand on est journaliste, bon… on est intégré à une rédaction, on est journaliste. Bon, si au bout d'un an, on met fin à la collaboration, on est salarié, on est reconnu, on va être licencié ou je ne sais pas quoi, mais il se passe quelque chose. En tant que pigiste, on a l'impression d'être un petit peu en dehors du code du travail, c'est vrai. C'est un peu un no man's land.

— Est-ce que les employeurs ont tendance à faire appel régulièrement au même pigiste ?

— Il y a fidélité quand il y a une rubrique régulière. Mais c'est de plus en plus difficile, les gens ont déjà leurs pigistes attitrés. Ils ont l'habitude de travailler avec les mêmes personnes, donc là, pour arriver à trouver sa place, c'est très difficile. Hier, je suis allée proposer des sujets à *Modes & Travaux* parce que j'ai un copain qui travaillait pour eux et qui m'a dit : « Je suis parti maintenant, tu devrais aller voir. » Et on m'a dit « La rubrique "Santé", ce n'est pas la peine, on a déjà tant de pigistes qui tournent avec nous. Ce sont des gens qu'on connaît, vous laissez tomber… La rubrique "Société", éventuellement vous pouvez nous proposer des sujets. » Donc il y a déjà du monde et… ce que je comprends d'ailleurs. Il y a des liens qui se créent. Les gens travaillent toujours avec les mêmes personnes, donc c'est assez dur d'arriver, ou alors il faut que la rubrique soit libre depuis quinze jours quoi, ou alors il faut arriver au moment de la création d'un journal, d'un magazine, et là il y a peut-être plus de chances d'avoir la rubrique « Santé » ou « Psychologie », mais sinon c'est très dur.

— *Est-ce qu'on n'a pas tendance à se culpabiliser quand on ne trouve pas de boulot ? On s'accuse soi-même ou bien on accuse le système ?*
— Il y a des moments de découragement. Mais douter de soi, en ce moment, pas trop… J'ai beaucoup douté, je doute un peu moins, ça dépend de certains moments. Parfois je suis très contente du papier que je viens d'écrire… c'est récent, mais… Mais le doute, ça peut-être un moteur aussi. Il ne faut pas qu'il soit énorme, parce que là c'est paralysant, mais ça peut être aussi un moyen… ça peut être une exigence envers soi, c'est pas mauvais. Si on est toujours content de ce qu'on écrit – à mon avis, il y en a peu –, c'est un peu gênant aussi.

— *Est-ce que le pigiste n'est pas enfin de compte enfermé dans son individualisme ?*
— Oui, oui. En plus, comme on travaille seul, on a… Ce qui manque… ce qui me manque le plus, c'est d'avoir un regard sur ce que je fais, sur ce que je propose ou ce que j'écris, un regard extérieur, autre que celui du rédac-chef à qui je vais proposer mon papier. C'est vrai que les échanges manquent beaucoup… et c'est vrai, parfois j'aimerais bien, même quand je propose un sujet,

avoir quelqu'un qui soit journaliste, qui me dise : « Ben, tiens, oui, mais tu devrais plutôt viser cet angle-là. Et puis dans l'écriture, ben, tiens, fais gaffe là, je trouve que ton attaque n'est pas… », enfin, je ne sais pas… des trucs comme ça. Et ça, je pense qu'on peut avoir ce regard-là dans une rédaction, parce qu'entre journalistes on peut échanger… ça, ça manque beaucoup, oui. C'est peut-être ce qui manque le plus.

— *Ça se passe comment sur le plan matériel ?*
— Ça se passe assez mal en général. C'est-à-dire que si on n'a pas de rubrique régulière, oui c'est… Si on n'a pas telle somme d'argent qui tombe à la fin du mois, ça ne se passe pas très bien.

« Il y a un mythe quand même »

— *Par exemple, vous vivez avec combien actuellement ?*
— Ben là, c'est très dur pour moi en ce moment. Donc je pense trouver un job même en dehors du journalisme, là je cherche en dehors pour l'instant, parce que c'est très dur…

— *Quand on est journaliste et qu'on travaille pour* Marie-Claire *ou autre, on doit assurer quand même ?*
— Il y a un décalage entre l'image du journalisme et tout ce qui se passe réellement, notamment ce qui se passe sur le plan du salaire. Oui, il y a un décalage entre l'image que les gens ont de vous et le fric qui tombe à la fin du mois. Oui, c'est vrai… Et bon, moi j'ai travaillé un petit peu en tant que psychologue, là… parce que… parce que si je trouve un job en tant que psychologue, un job à mi-temps, je le prends tout de suite, parce que ça me permettrait,

déjà de faire quelque chose qui me plaît et puis d'avoir un salaire fixe. J'ai fait quelques vacations, là… en fait le mois dernier, septembre-octobre… Mais c'est vrai que des fois, je me dis oui… l'image qu'on peut donner… quand je rencontre quelqu'un dans une soirée, je dis : « Voilà, je suis journaliste. — Ah bon ? c'est vachement bien… » Il y a un gros décalage entre l'image que les gens ont de vous et la façon dont… enfin, dont ça se passe réellement, quoi. Parce que je crois qu'il y a toujours ce cliché du journaliste reporter qui court partout… qui voyage… qui rencontre plein de gens… qui écrit. Il y a un mythe quand même, le mythe est toujours très fort, très vivant.

— *Et ce mythe vous l'aviez, vous l'avez toujours ?*
— C'est un métier que j'ai voulu faire, mais je n'avais pas tellement le mythe du reporter… Je pense à Albert Londres ou à des gens comme ça… J'ai davantage le mythe de l'écrivain, moi. C'est vrai que j'ai de l'admiration pour les gens qui écrivent des livres… C'est vrai qu'écrire un bouquin, ça me paraît tellement fou… C'est quelque chose peut-être que j'aimerais faire un jour, mais ça me paraît être tellement inatteignable… Mais tout le monde se met à écrire, il y a beaucoup de journalistes qui écrivent aussi, qui font des bouquins… ce n'est pas toujours une réussite d'ailleurs, loin s'en faut, mais je trouve que l'écriture d'un roman, c'est assez magique… le mythe il est davantage autour de ça.

— *L'après-journalisme, ça serait écrire des romans ?*
— L'après, je ne sais pas, parce que c'est deux métiers différents, ça n'a rien à voir. Je pense que l'objectif principal du journaliste, c'est transmettre des infos, que ces infos soient accessibles. Après, le style, il vient en plus…

Mais le style est aussi important. J'aime le style, je m'attache beaucoup au style, c'est vrai… J'aime les mots, j'aime jouer avec les mots et j'ai appris à jouer avec les mots, et que ça ne soit pas au détriment du message à faire passer. Ça, ça a été assez long pour moi, parce que c'est vrai que, peut-être, je favorisais, je privilégiais beaucoup plus la musique des mots, les mots… le style.

— *Et ça vous frustre ?*
— Je ne sais pas si ça me frustre, en fait. Je ne sais pas si je suis capable d'écrire un livre. Ça, j'en sais rien. J'espère tout de même le faire un jour, mais ce n'est pas vraiment le moment. Ça ne serait pas une journaliste qui écrit un bouquin, ça serait plutôt quelque chose de très personnel. […] Mais je n'ai pas de frustration, parce que pour l'instant je ne me sens pas prête à faire ce genre de chose. Je suis quelqu'un d'assez lent… Mais j'espère, même si c'est dans dix ou vingt ans, pouvoir écrire quelque chose oui, mais je ne me sens pas assez mûre encore.

— *Justement, comment voyez-vous l'avenir ? Vous avez fait psycho pour vous « couvrir » ?*
— Je n'ai pas fait psycho pour me couvrir. Ça correspondait à un vieux rêve, c'est ce que j'avais envie de faire à quinze ans.

— *Alors pourquoi ne choisissez-vous pas de faire ce métier plutôt que celui de journaliste ?*
— Je n'ai pas envie d'être psychologue, parce que ce que j'ai vu pour l'instant dans les hôpitaux psychiatriques, ça ne correspond pas à l'image que j'ai du psychologue. Je suis peut-être trop idéaliste, mais voir les gens bouffer des neuroleptiques à longueur de journée, c'est pas mon truc.

Je veux bien être psychologue, mais dans un cadre particulier avec des gens intelligents, des gens souples, des gens ouverts, sensibles… j'en demande beaucoup. Sinon je préfère ne pas être psychologue.

— *Vous êtes prête à abandonner le journalisme ?*
— J'aimerais bien ne pas avoir à l'abandonner. Si je l'abandonne, c'est pour des questions financières. Et j'aimerais bien ne pas en arriver là, toujours garder le contact avec ce milieu, même si j'ai un mi-temps qui n'a rien à voir avec le journalisme. C'est pour ça que j'aimerais prendre un mi-temps, faire autre chose, n'importe quoi, je m'en fous, pour pouvoir me renflouer financièrement, avoir un truc comme ça…

« Tout le monde a besoin de bosser »

— *Ou être intégrée dans une rédaction ?*
— Ou être complètement intégrée dans une rédaction. Mais ça, faut pas trop rêver. J'ai un peu renoncé à ça… Parce qu'il y a plein de gens qui sont virés en ce moment, qui travaillaient dans une rédaction, qui travaillaient depuis longtemps, qui se retrouvent au chômage, donc faut pas trop rêver, non.

— *Est-ce que vous êtes prête à quitter Paris, par exemple, pour trouver du travail ?*
— Peut-être que dans le cadre de la presse régionale, il y a plus de possibilités. Je ne sais pas… C'est un domaine que je ne connais pas. Il faut dire que j'étais cet été dans un quotidien régional… on travaillait dans une logique de PQR. C'est assez intéressant, mais… pour l'instant je n'ai pas envie de quitter Paris. Je ne me vois pas… à moins

qu'on me propose un poste comme ça sur un plateau, mais c'est assez peu probable.

— *C'est important pour vous de rester à Paris ?*
— Ben moi, c'est pour des raisons affectives que je reste à Paris.

— *Et pourtant Paris, c'est dur aussi ?*
— Je pense que pour tenir le coup, il faut ne pas s'isoler, voir des gens qui sont dans la même situation que vous, qui sont pigistes, être dans l'échange… que l'info circule, ne serait-ce que pour qu'il y ait comme ça une dynamique qui se crée. Ça c'est vachement important, ne pas sombrer dans l'individualisme.

— *Il faut aller dans des endroits précis parfois ? Des cocktails, des soirées ?*
— Ça, je n'y crois pas beaucoup. J'y vais de temps en temps, quand je suis invitée, mais j'y crois assez peu. Mais je ne suis pas quelqu'un de très sociable… enfin… je suis très timide, et les mondanités c'est pas vraiment mon truc. Mais je ne sais pas si ça peut apporter beaucoup. L'aspect relationnel oui, mais je ne pense pas que cela se passe dans les cocktails. Je n'ai jamais rencontré des gens dans les cocktails avec qui il y a un véritable échange et après on se revoit. C'est trop léger, c'est trop superficiel.

— *On est en train de dresser un tableau assez noir de l'état de pigiste. Ça s'est dégradé tant que ça ?*
— Ben, c'est de plus en plus difficile, parce qu'il y a de plus en plus de gens au chômage, ça c'est clair, et que pour trouver sa place, c'est pas évident… et que là, l'aspect relationnel joue beaucoup. Parce que c'est vrai, quand on

appelle quelqu'un de la part d'Untel, c'est con, mais il va dire : « Envoyez-moi votre CV et vous me mettez un petit mot pour me rappeler un peu qui vous êtes », et il va peut-être s'attarder cinq minutes de plus sur le CV et sur les sujets qu'on propose. En même temps c'est profondément injuste, parce que moi, si j'appelle de la part de quelqu'un, je ne suis pas forcément meilleure que le mec qui va envoyer son CV après, et chacun se prête au jeu parce qu'on sait que c'est comme ça que ça marche, quoi, donc c'est un cercle vicieux en même temps. Et je crois que tout le monde rentre là-dedans parce que tout le monde a besoin de bosser. Il est évident que si j'appelle de la part de quelqu'un, si j'ai l'opportunité de le faire, je vais le faire, parce qu'on va m'accorder un peu plus d'attention.

— *Ça veut dire que ce quelqu'un il faut le rencontrer aussi, il faut le connaître, donc il faut être dans le bon milieu ?*
— Il faut être dans le bon milieu, oui… Non, je pense que, soit on peut continuer à vivre en tant que pigiste, et on n'a pas de besoins matériels immédiats, c'est-à-dire qu'on peut jongler parce qu'on vit avec quelqu'un qui a de l'argent, enfin je schématise, soit vraiment on ne compte que sur soi, et c'est très dur. C'est très dur parce qu'à la fin du mois, c'est pas… à moins d'avoir une rubrique régulière, bien sûr.

— *Vous aimeriez vous sentir plus forte en vous regroupant avec d'autres, par exemple ?*
— C'est vrai qu'il y a des failles dans le domaine de la législation, au niveau des pigistes. Oui, je trouve qu'il y a des grosses failles. On a l'impression d'être des journalistes et en même temps on a l'impression de… On est soumis à d'autres lois, à d'autres législations, c'est très

bizarre, c'est très étrange. On est un peu en dehors du coup sur le plan de la législation. Et les lois sont très floues, il y a certains articles que les employeurs peuvent tout à fait contourner, certains textes, et ne pas les appliquer… Les gens du stage dont j'ai des nouvelles en ont marre aussi des piges. Ils disent : « Bon, ben, on cherche encore un peu en tant que pigiste, sinon qu'est-ce qu'on fait ? »… Il y a des gens qui ont fait l'école de la rue du Louvre [1], il y avait un peu de tout. Il y avait des gens qui ont plus appris sur le terrain… On était tous au même point : en tant que pigiste, quel avenir, quoi, qu'est-ce qu'on peut attendre du métier de pigiste ? Je crois que la plupart des gens ont envie de sortir de ce cadre de pigiste, de travailler comme ça… mais comment ?…

I. Le Centre de formation et de perfectionnement des journalistes (CFPJ) – sur cette école, lire François Ruffin, *Les Petits Soldats du journalisme, op. cit.*

Pascal *ou* « La démoralisation »

31 ans, célibataire, sans enfant, vit à Paris

Père ingénieur de l'Équipement ; mère sans profession

DUT « carrières de l'information »

Travaille à la pige depuis une dizaine d'années. Après quelques mois passés, à ses débuts, au sein d'une rédaction de télévision, il a collaboré à des publications de la presse écrite, pour des supports variés et dans des domaines qu'il qualifie lui-même d'« éclectiques ». Il a écrit sur le cinéma dans une revue spécialisée qu'il admirait, puis l'a quittée parce qu'elle ne le satisfaisait plus, ni financièrement ni professionnellement. Il multiplie ensuite les collaborations avec différents titres de presse d'entreprise ou avec des revues professionnelles et économiques, tout en utilisant de manière occasionnelle ses connaissances sur le cinéma pour des supports non spécialisés et une chaîne de télévision culturelle. Il est également l'auteur de deux guides touristiques et a conçu des programmes pour un institut de documentation audiovisuelle.

— *La formation à l'école t'a conforté dans l'image que tu avais du journalisme ?*

— Pas du tout ! *(Rires.)* Dès la formation j'ai senti qu'il y avait un hiatus, en tout cas que les gens qui étaient là, c'étaient pas des gens comme moi. *(Rires.)*

— *C'est-à-dire ?*

— C'était une autre version de la manière dont je me suis toujours senti. Même quand j'étais petit, à l'école, je me sentais un peu anormal, un peu en position de quelqu'un qui observe mais qui ne fait pas partie… et à l'école de journalisme, ça a continué, même s'il y avait quand même plus d'accointances et plus de… Mais très vite, j'ai vu que je n'avais pas grand-chose à partager avec les gens qui étaient là, on ne mettait pas dans le journalisme les mêmes choses, ni les mêmes croyances, ni la même valeur morale si on veut.

— *C'est-à-dire ? Tu croyais en quoi, toi, dans le journalisme ?*
— J'avais une vision un peu déformée puisque le journalisme idéal pour moi à cette époque-là, c'étaient les *Cahiers* et les *Cahiers*, c'est quand même… il y a une morale critique, il y a une morale d'écriture, on n'aime pas n'importe quel film, on n'écrit pas n'importe comment sur les films, c'est une revue qui a une longue histoire et des fondements théoriques très forts, et moi j'arrivais avec ce machin-là qui, au fond, ne correspond pas vraiment avec le journalisme en général et qui de fait me coupait du reste des gens qui étaient à l'école.

« Mèches dans le vent, bobines sous le bras »

— *Parce que, eux, ils avaient quel type de morale selon toi ?*
— J'en sais rien, en tout cas, à mon avis, pas de morale, enfin pas de… c'étaient plutôt des envies de jouer le rôle du journaliste, comme un jeu. Je me souviens, à l'école, je voyais les élèves qui étaient avec moi qui couraient dans les couloirs, les mèches dans le vent avec les bobines sous le bras, et je ne me reconnaissais pas là-dedans et je me disais : « Qu'est-ce que je fais ici ? » Il y avait trois-quatre personnes avec qui c'était différent mais globalement ils étaient dans une espèce de représentation un peu sportive du journalisme. C'était plus dans les effets, dans la représentation.

— *Mais tu as continué.*
— Ça ne m'a pas rebuté… en plus, j'étais très content de faire cette école parce que, et d'une, je partais de chez

mes parents pour la première fois, je vivais seul pour la première fois, je vivais dans une grande ville pour la première fois. Je venais de Bretagne dans un petit village où il se passait rien, où je m'ennuyais ferme, et arriver à B, pour moi c'était une libération, donc ça s'est plutôt fait sur le mode euphorique, quoi.

— *Maintenant, ça fait à peu près dix ans que tu travailles. Tu ressens le même hiatus ?*

— Ça n'a fait que s'accentuer évidemment par la suite. Juste après l'école de journalisme, j'ai travaillé un peu à la télévision, quelques trucs comme ça et puis très vite je suis rentré aux *Cahiers du cinéma*, donc il s'est trouvé que le désir que j'avais formulé s'était réalisé, c'était plutôt satisfaisant. Je ne faisais pas seulement les *Cahiers*, parce qu'on ne peut pas en vivre, donc je faisais d'autres trucs à côté, et ça a été très vite la presse d'entreprise, qui était plus rémunératrice que la presse classique.

— *Est-ce que ce n'était pas là une petite entorse à la morale dont tu parlais tout à l'heure ?*

— Non, parce que la morale, je l'avais aux *Cahiers* et l'argent je l'avais à *L'Éclair*, un mensuel d'EDF. Donc c'était dissocié, c'était un peu aussi schizophrénique, ce qui était un peu embêtant parce qu'on ne peut pas tout faire à la fois, on peut pas être dedans et dehors, mais enfin ça me permettait de vivre en tout cas.

— *Les* Cahiers, *ça a duré combien de temps ?*

— J'y suis resté trois ans à peu près. Ensuite, j'ai arrêté les *Cahiers* de moi-même pour différentes raisons, les plus apparentes étaient des raisons financières, donc j'avais quand même des aspirations à un confort matériel et financier.

— *Aux* Cahiers, *tu y étais déjà en tant que pigiste ?*
— Oui, il n'y avait pas de possibilité de se faire intégrer, à l'époque il y avait un rédacteur en chef qui était Serge Toubiana, le reste, c'était des gens de la documentation, de la mise en pages, etc. Pour les gens qui écrivaient aux *Cahiers*, c'étaient, même le mot « pigiste » n'est pas adéquat mais… des collaborateurs réguliers.

— *Et après, tu as continué uniquement à* L'Éclair *?*
— Après, j'ai commencé à faire beaucoup de presse d'entreprise et à gagner beaucoup d'argent, enfin, beaucoup, pour moi, par rapport à avant. J'ai travaillé aussi pour une agence de presse d'entreprise et puis j'ai continué un peu à écrire sur le cinéma, mais là encore pour un journal d'entreprise, pour le journal d'une compagnie aérienne, je faisais des critiques de cinéma, c'était beaucoup mieux payé. Je n'avais plus beaucoup de plaisir mais c'était pas grave, parce que je gagnais de l'argent… et comme le rêve des *Cahiers* s'était un peu effondré…

— *À cause de l'argent ?*
— Non, non, l'argent était le truc le plus visible, mais le cœur du problème était plus compliqué. J'étais arrivé aux *Cahiers* avec l'idée d'y rencontrer des fantômes, en fait. Des gens qui avaient travaillé aux *Cahiers* et qui comptaient beaucoup pour moi mais qui n'y étaient plus, parce que soit ils étaient partis comme Daney, soit ils étaient morts comme Truffaut, soit ils faisaient des films, et aux *Cahiers* il pèse un surmoi très, très fort, qui est très inhibant, qui est l'histoire des *Cahiers* et qui pèse très lourd. Les *Cahiers*, c'est une institution, et comme dans toutes les institutions on est vite broyé par la machine, c'est-à-dire qu'on y perd un peu son âme et très vite j'ai

eu le sentiment d'écrire sur le cinéma d'après l'idée des *Cahiers*… c'était plus vraiment moi qui écrivais, c'était « moi-aux-*Cahiers* » ; et à un moment, je ne me suis plus vraiment reconnu dans les films qu'ils défendaient… et puis déjà était née l'idée que faire de la critique c'était pas viable pour moi parce que l'état du cinéma commençait déjà à se dégrader, enfin il se dégradait depuis longtemps mais moi j'avais commencé à être cinéphile en voyant beaucoup de films d'un coup, en voyant beaucoup de vieux films arriver qui ressortaient au cinéma ou à la télé, les films d'Hitchcock, par exemple. J'ai vu beaucoup de grands films d'un coup et j'ai pensé que c'était le train-train normal du cinéma, ce qui était une profonde erreur parce que tous ces films-là, c'était du passé et le cinéma au présent était beaucoup moins satisfaisant que ça… Alors, pour passer sa vie à regarder le travail des autres, il faut quand même qu'il ait une certaine valeur, une certaine valeur morale pour y retrouver ses billes. Et comme je trouvais que le travail des autres perdait un peu de valeur par rapport à ce en quoi il m'avait séduit quand j'avais quinze-seize ans… bon… j'y trouvais moins de satisfaction. Et puis aussi commençait le désir chez moi de m'exprimer de façon beaucoup plus personnelle que par la critique.

« Échapper aux petits chefs »

— *Et pour t'exprimer de façon plus personnelle, tu as choisi la presse d'entreprise ?*
— Non, non, pas du tout, ça a toujours été dissocié… très vite, le journalisme, ça a été quelque chose d'alimentaire parce que j'y ai perdu… comme j'ai perdu beaucoup d'illusions là-dessus, le seul, enfin, un des seuls

bénéfices que je pouvais en tirer, c'était de gagner de l'argent. Donc, pour aller au plus vite, pour gagner de l'argent, dans le journalisme, en tant que pigiste, c'était de faire de la presse d'entreprise et puis ça s'est fait aussi par hasard et parce que j'ai eu des opportunités avec mon frère qui y travaillait déjà comme photographe.

— *Tu as gagné beaucoup d'argent dans la presse d'entreprise ?*
— Aux *Cahiers* je devais gagner 3 000 francs par mois, peut-être, avec des mois où je gagnais zéro, avec d'autres où je gagnais 6 000 francs. Quand j'ai commencé à faire de la presse d'entreprise de façon plus intensive, j'ai dû gagner de 15 000 à 20 000 francs. Ça n'a pas duré très longtemps, peut-être un an, puis au bout d'un an, j'en ai eu marre parce que… on ne peut pas être complètement cynique, c'est-à-dire qu'on ne peut pas ne penser qu'à l'argent… en tout cas moi je ne peux pas, et j'ai commencé à ralentir un peu le rythme, quitte à gagner moins d'argent mais à avoir du temps pour moi.

— *Donc être pigiste, c'est aussi une liberté ?*
— Moi, ça a été tout de suite ça, et ça rejoint un peu les raisons familiales, c'est-à-dire ce que je disais tout à l'heure sur le pôle représenté par mes deux frères. Eux n'ont jamais eu une vie professionnelle réglée, ils n'ont jamais été salariés dans une entreprise, ils ont toujours vécu de façon indépendante, donc il doit y avoir une sorte d'atavisme familial qui fait que moi aussi… *(Rires.)*

— *Ce n'est pas une façon de garder un pied dehors ?*
— Oui, certainement, c'est aussi une façon de ne pas passer par les fourches caudines d'une entreprise de presse

qui est, je trouve, par son côté hiérarchie et tout ça, assez terrifiante. Il y a beaucoup de petits chefs qui ne savent pas grand-chose, qui ne pensent pas à grand-chose, mais qui ont beaucoup d'autorité et qui savent en jouer. Ils terrifient très vite les gens qui arrivent de l'extérieur.

— *Et tu as l'impression qu'en étant pigiste tu peux échapper à ça ?*
— Bien sûr, puisque dès qu'on m'embêtait trop, je m'en allais, j'arrêtais, ce qui m'est arrivé plusieurs fois… donc, c'était quand même me soustraire à l'ordre, aux trucs de pouvoir à l'intérieur d'un journal.

— *C'était à tes débuts ; est-ce qu'aujourd'hui tu quittes autant, est-ce que tu te soustrais aussi facilement ?*
— Aujourd'hui, globalement je prends tout ce que je trouve parce que la situation du marché du travail s'est dégradée, donc j'y suis bien obligé.

— *Tu te sens compétent dans tous les domaines ?*
— Oui, parce que le journalisme, tel qu'il est pratiqué, ne demande pas beaucoup de compétences, je pense. Par exemple, lorsque j'écrivais à *L'Éclair*, il m'arrivait d'écrire sur des choses très techniques, sur le nucléaire, des choses qui m'étaient absolument étrangères parce que je n'ai pas du tout un esprit scientifique, et auxquelles je ne comprenais pas grand-chose quand on m'en parlait. Quand j'allais interviewer les gens, on me parlait de la façon dont fonctionne une centrale nucléaire, c'est très compliqué. Je n'y comprenais pas grand-chose mais j'étais capable de le restituer non seulement de façon à donner l'illusion que j'avais compris, ce qui n'est pas bien important, mais

en tout cas à ce que les lecteurs comprennent de quoi il s'agit, donc j'arrivais à transmettre de façon claire, voire attrayante, des choses que je ne maîtrisais pas du tout.

« Travailler ou "être travaillé" »

— *Pigiste ou journaliste, c'est le même métier ?*
— Oui, pourquoi pas ? On peut être un aussi bon journaliste en étant pigiste qu'en étant intégré, on peut être meilleur, on peut être aussi moins bon, c'est le même métier. À ceci près que ça ne se fait pas dans les mêmes conditions. Lorsqu'on est pigiste, on se trouve de fait à l'extérieur de l'entreprise. On se trouve aussi dépendant du nombre de commandes qu'on peut avoir pour assurer sa vie matérielle, donc ça compte beaucoup et on ne travaille pas de la même façon et pas dans le même état d'esprit non plus.

— *Tu as le sentiment de faire des concessions ?*
— Moi, je n'ai jamais eu le sentiment de faire des concessions sur le plan professionnel puisque très vite je me suis dit que je ne ferai aucun effort pour supporter ce que je disais tout à l'heure, c'est-à-dire le côté bizutage de la presse. Je n'avais aucune envie de passer par là donc les choses qui me sont arrivées dans la presse ou dans l'édition, ce sont des choses qui me sont arrivées un peu par hasard, que j'ai un peu cherchées mais pas vraiment et donc j'ai toujours été preneur de tout, c'était ma règle et en même temps, c'est une question aussi de survie économique, c'est-à-dire que pour arriver à travailler, il faut que les gens aient le sentiment que l'on est absolument disponible et voué corps et âme aux tâches qu'ils vous

donnent. Le fait d'être pigiste, c'est devenu un choix, mais c'est parti aussi comme ça, par hasard. Au tout début peut-être j'aurais pu intégrer un journal si j'avais eu un tant soit peu d'intérêt pour ce journal. Ça ne s'est pas fait. Ensuite, j'ai pris le pli des pigistes et puis ça s'est un peu installé et puis les années passant, on peut de moins en moins revenir en arrière, j'en ai fait l'expérience après. Il m'est arrivé de travailler dans des journaux pour des courtes durées d'une semaine, ou un mois, de façon permanente, en y allant le matin, en repartant le soir, et c'était pour moi insupportable. Pour moi qui suis pigiste, aller au bureau le matin, avoir des relations avec des collègues de travail, voir ce que c'est que la vie dans une entreprise, ce que je ne trouve pas très guilleret, ben non, il est de moins en moins question de ça pour moi !

— *En même temps est-ce que ce n'est pas difficile de vivre dans la solitude ?*
— C'est très difficile. D'abord, il y a l'angoisse économique, parce qu'on ne sait jamais ce qu'on va gagner, donc c'est très difficile de se dire qu'un mois on ne va rien toucher, peut-être le mois d'après non plus, qu'éventuellement le mois suivant on aura du travail, qu'on sera payé que dans trois ou quatre mois… C'est très angoissant sur le plan financier. C'est aussi un apprentissage de solitude quand même. Il faut apprendre à se supporter chez soi toute la journée, soit sans travailler, ou en attendant du travail, ou en travaillant mais en étant seul, c'est-à-dire en n'ayant aucune relation sociale. En fait, il faut trouver un juste équilibre entre travailler et « être travaillé ». Si on ne fait que travailler, on y perd son âme. Si on ne fait qu'« être travaillé », on y perd sa raison, ça vire à la folie.

— *Tu as évoqué tout à l'heure ta timidité, mais la pige, il faut bien pourtant que tu ailles la chercher. Est-ce que ce type de relation professionnelle n'est pas une mise à l'épreuve encore plus difficile ?*

— Oui, bien sûr, c'était aussi une façon d'avoir le moins de confort possible, je crois, là encore de façon un peu masochiste, je sais pas pourquoi *(rires)*… C'est-à-dire d'être dans la situation de quelqu'un qui vit absolument au jour le jour, ce qui est ma philosophie de la vie de façon générale. Je suis lié au temps présent, je n'ai aucune idée de l'avenir.

— *Et l'information dans tout ça ?*

— *(Rires.)* L'information, je ne sais pas ce que c'est… heu… bfff, l'information !… J'entends beaucoup de journalistes parler… Le métier de journaliste est un métier très nombriliste, égocentrique, je crois qu'il n'y a pas beaucoup de professions qui parlent autant d'elles-mêmes. Et dans les thèmes récurrents de l'introspection des journalistes, il y a les problèmes de conscience : « C'est notre devoir d'informer, c'est notre devoir d'être là »… moi, je n'ai jamais senti tout ça, je n'ai aucune notion de devoir de quoi que ce soit, donc ça m'est absolument étranger, ce qui fait encore une différence assez forte et qui fait que je ne m'intègre pas beaucoup dans la presse traditionnelle avec ses croyances et sa déontologie.

— *Comment fais-tu pour trouver tes piges ?*

— Généralement, nécessité fait loi. Quand j'ai commencé à travailler, l'époque était assez florissante, je n'ai pas eu beaucoup de démarches à faire pour trouver du travail. J'en ai trouvé comme ça, beaucoup par relations au début et puis ça a fait boule de neige. C'est-à-dire que je travaillais plutôt bien, je crois, consciencieusement, etc., donc très vite, on m'a appelé, ce qui est une situation absolument privilégiée pour un pigiste, c'est une situation idéale parce que sinon on est en situation de mendiant et ça change tout. Donc je n'ai pas eu de difficultés pendant quatre ou cinq ans où le travail est venu à peu près de façon continue.

« Payé au noir, en fausses notes de frais »

— *Et après ?*

— Il y a eu un moment où je me suis retrouvé avec deux collaborations principales. C'était absolument vénal de ma part parce qu'il n'y avait aucun intérêt autre que financier, et l'intérêt financier était assez important puisque j'arrivais à bien gagner ma vie sans trop m'investir, ce qu'au fond je recherchais. Je travaillais pour *Département-Magazine* et en même temps pour un journal interne d'EDF, donc j'avais les deux en parallèle pendant deux ou trois ans, et il s'est passé cette chose assez étonnante, c'est que les deux se sont arrêtés à peu près en même temps. Tout d'un coup, le journal d'EDF a été sous-traité à une boîte de communication alors que jusque-là il était fait en interne avec un ou deux journalistes dont moi, et l'autre magazine a périclité. Je me suis retrouvé du jour au lendemain sans plus rien et là ont commencé les ennuis. *(Rires.)*

— *Plus précisément ?*

— À EDF, j'étais payé en droits d'auteur, on n'a jamais voulu me payer en salaire, ce qui est un comble pour une entreprise publique, mais c'était comme ça, EDF ne payait pas de charges patronales, et donc quand ça s'est arrêté, d'EDF je n'avais droit ni au chômage ni à quoi que ce soit. Alors j'ai quand même réussi à récupérer 30 000 francs, pour des retards de congés payés et de treizième mois que j'ai finalement réussi à avoir, après être passé par un avocat qui m'a piqué beaucoup d'argent et qui ne m'en a pas rapporté beaucoup. De l'autre côté il y avait *Département-Magazine*, où une partie était payée en salaire, l'autre au noir ou en fausses notes de frais, ce qui fait que la partie salaire était très faible. Ça ne me donnait pas beaucoup de droits non plus, d'autant moins que les pigistes n'apparaissaient pas sur les livres du personnel… c'était limite, c'était même pas du tout dans la légalité. Il y avait de plus des piges en retard, il n'y avait pas de bons de commande à l'époque, alors comment prouver qu'on avait travaillé, qu'on avait fourni un article qui n'était pas forcément encore paru. C'était très compliqué. Je suis passé aux prud'hommes dans le but d'une part de récupérer l'argent qu'on me devait, d'autre part d'avoir une lettre de licenciement pour pouvoir demander des indemnités Assedic. Mais l'entreprise n'est pas venue lors du jugement, ensuite elle a disparu, donc ça a servi à pas grand-chose. Je me suis retrouvé après avec le Fonds de garantie des salaires [GARP], et là, c'est l'enfer, c'est-à-dire que je n'ai jamais pu récupérer l'argent que l'entreprise me devait parce que le GARP n'a jamais voulu admettre que j'avais fait des articles qui n'avaient pas été payés, puisqu'il fallait apporter des preuves. J'en ai apporté quelques-uns, des articles parus, des articles écrits, une lettre du rédacteur en chef attestant sur l'honneur que j'avais bien écrit ces articles, mais rien n'y a fait, et pour avoir le chômage il fallait avoir cette attestation d'employeur que je n'ai jamais eue. Je suis allé au GARP un jour de façon très revendicative, parce que j'en avais jusque-là, ça devenait ridicule, je me

suis vraiment engueulé avec les gens, mais avec le sentiment que le fait même d'aller les voir pour demander à
avoir ce fameux papier était déjà perçu par eux comme
une sorte d'agression. Qui j'étais ? Je n'étais qu'une
pauvre sous-main de ce journal, qui n'avait aucun droit
d'existence. Moi, je voulais avoir le plus de salaire déclaré
possible pour pouvoir toucher le plus d'Assedic possible,
et en fait j'ai eu une toute petite part, 2 500 francs alors
que je gagnais à peu près 10 000 francs par mois avec ce
journal. Ce qui fait que non seulement j'ai eu peu d'Assedic, mais j'ai eu aussi beaucoup de mal à les avoir, c'est-
à-dire que tout seul je ne les aurais jamais eues. Il a fallu
que j'aille à la mairie voir un conseiller, un adjoint au
maire qui a fait une lettre aux Assedic, qui finalement a
dû porter ses fruits, mais seulement au bout d'un an,
c'est-à-dire que pendant un an, je n'ai plus rien eu à part
les 30 000 francs qu'EDF m'avait laissés.

— *Et les piges couraient moins les rues ?*
— C'était le moment de la crise, ça devenait assez du-
raille et je ne retrouvais pas de piges, comme si tout le
réseau que je m'étais constitué s'était coupé de lui-même.
Il faut dire que je l'avais un peu coupé aussi, parce que
je trouvais que dans certains journaux pour lesquels je
travaillais, j'étais mal traité… et voilà, plus rien.

— *Ça veut dire quoi, mal traité ?*
— Par exemple, ce journal d'EDF, *L'Éclair*, j'y ai travaillé
quand même cinq ou six ans en étant absolument, totalement disponible pour eux. On m'assurait un certain
volume de travail, tous les mois j'avais un ou deux grands
reportages, ça me permettait de gagner à peu près ma vie
et puis ça a commencé à baisser, sans raison, ce qui est

d'ailleurs contraire à la loi, mais la loi, pour la faire respecter, c'est impossible. Quand une entreprise t'assure un certain nombre de piges et un certain volume financier, théoriquement elle est obligée de s'y tenir une fois qu'elle s'est installée dans ce volume-là, mais ça ne s'est pas passé comme ça. Ça a commencé à décroître et, en plus de ça, sans doute peut-être pour me dégoûter un peu, on a commencé à me donner les reportages non seulement les moins intéressants, mais on m'envoyait à l'autre bout de la France le samedi, le dimanche, je trouvais ça très gonflé parce qu'en plus prédominait dans ce journal une sorte d'« esprit famille » qui finalement n'était que du chantage affectif. Donc, il y a un moment où j'en ai eu marre et il s'est trouvé que j'ai eu l'opportunité de travailler pour un autre journal d'EDF qui, malheureusement, me payait en droits d'auteur.

— *Tu t'étais plaint de cette baisse soudaine du volume de tes piges ?*
— Ça se jouait presque plus sur le plan humain, c'est-à-dire que je trouvais qu'on ne me traitait pas très bien. Je m'investissais quand même beaucoup, sans trop y croire parce qu'on ne peut pas s'investir corps et âme dans un journal d'entreprise, mais enfin quand même beaucoup, j'y passais du temps, etc., et ça ne m'était pas beaucoup rendu ni en amabilité ni en… des choses basiques, des relations interpersonnelles qu'on peut avoir avec des gens qui prétendent être des amis, mais des amis qui font travailler.

— *Mais même en ayant des fiches de paie, tu m'as dit avoir rencontré des problèmes pour faire valoir tes droits auprès de l'Assedic, non ?*

— Alors là, attends ! *(Il va chercher un dossier.)* J'ai donc touché des Assedic, pas beaucoup mais… et donc au départ, j'ai fait comme tout le monde, c'est-à-dire qu'on reçoit une carte d'actualisation sur laquelle il faut mentionner tout ce qui est arrivé sur le plan professionnel dans le mois écoulé. On est censé déclarer ses périodes de travail du mois, donc j'ai fait bêtement ce qui était demandé. Là où ça se complique, c'est que, comme on est payé en retard, comme on ne sait pas forcément combien on va être payé – et c'est souvent la surprise parce que c'est parfois à la tête du client, parfois on baisse le prix sans raison, enfin bon – donc je déclarais avoir travaillé mais je n'inscrivais pas les sommes ni le nombre d'heures, qui est très approximatif pour un pigiste, ce qui fait que je me retrouvais avec des « trop perçu », alors les Assedic me versaient quand même une partie de mes allocations, amputées de la somme correspondant à la période pendant laquelle j'avais travaillé, je ne sais pas comment ils calculaient. Donc, ça ne marchait pas. Avec leur système et leur jeu de calculs, je me suis retrouvé à devoir rembourser aux Assedic de l'argent que je ne devais pas, donc ils m'ont proposé un autre système qui était de déclarer mes activités au moment où je recevais mes salaires en sachant exactement combien j'avais gagné, les heures, etc. Bien, mais alors là, ça se complique vraiment. Dès que je recevais un salaire, je déclarais avoir travaillé dans le mois où je recevais le salaire mais comme le bulletin de salaire n'était pas daté du mois où j'avais déclaré, mais bien du mois où j'avais travaillé, on me réclamait les Assedic que j'avais touchées pour les mois où… *(rires)* je n'avais pas déclaré mais où j'avais travaillé ! donc en fait on me baisait sur les deux tableaux et j'ai eu comme ça à rembourser six, sept mois d'Assedic et je me suis fait avoir. Mais que faire ? Et là encore c'est le problème avec toutes les administrations, ils ne comprennent rien du tout ou ils ne veulent pas comprendre.

— *Il n'y a pas une antenne Assedic ou du moins un coin d'antenne réservé aux pigistes ?*
— Non, c'est bien le problème. Quand on est pigiste, on n'est pas cadre, on se retrouve avec le tout-venant qui… enfin, le tout-venant je ne dis pas ça de façon péjorative mais… des gens qui travaillent « normalement », donc qui ont un contrat de tant de jours, payé tant, ce n'est pas du tout adapté à notre situation.

« On ne se retrouve dans aucune catégorie »

— *À propos des relations avec les rédacteurs en chef comment cela se passe-t-il généralement ? Est-ce que tu te sens traité différemment, en tant que pigiste ?*
— C'est marrant parce qu'au début, c'est presque une sorte de distraction d'avoir un pigiste, enfin, c'est une tête nouvelle qui vient dans les bureaux, donc qui apporte quelque chose et qui rompt un peu avec le train-train de la vie de bureau, qui est visiblement mal vécu même si on le dit pas. Il y a un effet de nouveauté et le pigiste joue de ça, parce qu'évidemment il est payé aussi pour amener un peu de sang neuf ; il y a un effet d'attraction qui vite se mue en un truc de répulsion, c'est-à-dire que le fait même d'être pigiste, ça remet en cause le statut des gens qui eux sont à plein temps dans un journal, et c'est mal vécu, il y a un sentiment de… d'être à plein temps et voir ce pigiste qui vient de temps en temps et qui semble, comme ça, travailler un peu par-dessous la jambe, quand il veut, qui se lève quand il veut le matin, etc., c'est vécu comme une agression et donc, très vite, il y a de la

haine qui s'interpose dans les relations humaines. De la haine, de la jalousie, de la fascination, de l'envie, tout ça un peu mêlé, et aussi beaucoup de mépris.

— *Du mépris ?*
— Pigiste, c'est très vite vu avec condescendance et un peu avec mépris.

— *Dans la vie quotidienne, en dehors des rapports professionnels, est-ce que tu ressens la même chose ?*
— Oui, par exemple avec les administrations. Être pigiste, c'est globalement ne pas exister socialement, c'est ne pas avoir d'existence, on ne sait pas qui tu es, t'es comme une sorte d'OVNI qui en plus rentre dans les failles des dispositifs administratifs. On se retrouve dans aucune catégorie, dans aucune case, et comme ça ne fonctionne qu'avec des catégories et des cases, on est le grain de sable qui vient enrayer la machine et qui, en plus, vient demander quelque chose. C'est le comble du comble !

— *Pour obtenir du travail, est-ce qu'il t'arrive d'adopter une posture, un certain vocabulaire ? Est-ce que tu sais d'emblée quelle attitude prendre quand tu entres dans une rédaction ?*
— Oui, bien sûr, oui. Quand on est intégré, on ne joue plus… enfin, on ne s'amuse plus, ou plutôt on joue le jeu social interne qui n'est pas un jeu marrant. Quand on est pigiste et qu'on veut travailler, il faut jouer tout bêtement un jeu de séduction. Il faut séduire, comme on veut, par rapport au travail, par rapport à d'autres choses aussi.

— *On séduit comment ?*
— Il m'est arrivé, par exemple… Je suis plutôt, je ne suis pas trop laid physiquement, et il se trouve que j'ai

beaucoup de succès avec la population homosexuelle. Il m'est arrivé de travailler avec des rédacteurs en chef ou des gens qui avaient des responsabilités à l'intérieur d'un journal qui étaient eux-mêmes homosexuels, de m'en rendre compte, de me rendre compte de l'intérêt qu'ils pouvaient avoir à mon endroit, et donc d'en jouer, de façon un peu… absolument intéressée, évidemment, quoi !

« Les journalistes, au fond, n'écoutent pas »

— *Dans le travail lui-même, est-ce qu'il t'arrive d'accepter un boulot en sachant que tu vas le réaliser dans de mauvaises conditions ?*

— Bien sûr, oui, oui. J'ai accepté des délais très courts, quasiment intenables, mais on le fait parce qu'on a envie, et surtout besoin, de gagner de l'argent, mais évidemment on le fait assez mal, sans penser. Ce qui manque beaucoup dans le journalisme, mais pas seulement pour les pigistes, d'ailleurs, c'est le rapport au temps. Il n'y a plus de rapport à la durée dans le monde du journalisme. Alors je sais que c'est absorbé par le quotidien, par les différents rythmes de parution, mais il n'y a plus du tout de rapport au temps, donc ça rentre dans une rhétorique du résumé, que je respecte mais qui, profondément, m'ennuie. Dans les médias, ça marche au résumé, ça marche au système question-réponse. Deleuze, il y a déjà une quinzaine d'années, avait dit que ce système, c'était l'horreur. Il avait raison. Et la perversion absolue de ce système, c'est le sondage. Les réponses sont toujours le contrechamp de la question. Comme ça, on n'a aucune chance d'avoir une vraie question et une vraie réponse. Pour avoir une vraie question et une vraie réponse, il faut courir le risque d'avoir dix questions mal posées et dix réponses à côté. Et de là, t'as peut-être une réponse qui émergera. Mais on veut plus courir ce risque dans les médias. Ça donne les micros-trottoirs, les débats de société où les journalistes, au fond, n'écoutent pas la réponse des gens, comme pendant les grèves de l'année dernière. Ça vaut aussi pour la presse écrite... toujours ce mauvais rapport à la durée, à l'autre aussi.

— *Est-ce qu'il t'arrive d'aller aux conférences de rédaction ?*
— Bien sûr, surtout au temps des *Cahiers*, j'allais à toutes les conférences de rédaction. Après aussi, dans différents journaux.

— *Ta voix pesait-elle autant que celles des journalistes en place ?*
— Ça dépend. Dans le cas de figure où les pigistes font partie intégrante du dispositif du journal, de fait leur voix a la même valeur que celles des journalistes salariés ; c'était le cas aux *Cahiers*. Lorsque ce sont des journaux qui utilisent des pigistes mais qui ont une rédaction intégrée, on attend que le pigiste apporte non pas un autre point de vue, mais un biais un peu différent, un regard un peu décalé.

— *C'est plutôt bien, non ?*
— Si on apporte ça, c'est plutôt bien vu, mais si on ne l'apporte pas, pour telle ou telle raison, parce que soit on s'en fiche un peu, soit on ne connaît pas forcément le support ni le milieu auquel il s'adresse, là, c'est un peu plus compliqué, car on donne, à tort ou à raison, le sentiment de ne pas jouer le même jeu.

« Travailler vite, pour pas cher »

— *Il t'arrive de proposer des sujets ?*
— En huit ou neuf ans de travail, ça a dû m'arriver deux fois. Comme je disais, je me vois mal passer par les fourches caudines du pouvoir des journalistes intégrés, et aller en position de mendiant.

— *Mais en quoi est-ce mendier de proposer un sujet ?*
— Si, bien sûr que si ! « À votre bon cœur m'sieurs-dames ! » On arrive courbé, alors qu'on l'est déjà quand on est pigiste, de façon ontologique, mais lorsqu'en plus on se doit de proposer quelque chose, on l'est deux fois, et moi c'est quelque chose que je ne veux pas. C'est un système de travail que beaucoup de pigistes adoptent, je sais, mais je crois qu'au final, à long terme, ils n'ont pas grand-chose à y gagner.

— *Un sujet qu'ils maîtrisent mieux ou au moins une pige, non ?*
— Des sujets qu'on leur prend au compte-gouttes, qu'on leur prend une fois, qu'on ne leur prend pas deux fois, qui ne sont pas bien payés, qui ont demandé un investissement en temps, en argent, parce qu'il faut bien sûr assurer les frais de reportage. Donc ils n'y gagnent pas grand-chose quand même. Pour que ce système-là marche, il faudrait que dans les médias on reconnaisse au travail une valeur, ce qui n'est pas le cas. Ce qui compte aujourd'hui et je m'en aperçois de plus en plus, c'est d'avoir des gens qui ne protestent pas trop, qui n'ont pas trop d'idées sur les choses, qui se fondent assez vite dans le moule, qui travaillent vite, pour pas cher, des gens plutôt jeunes et malléables. Voilà, c'est le profil-type de ce

que recherchent les gens qui sont chargés d'embaucher dans les journaux.

— *Est-ce que des contingences matérielles ou d'une autre nature t'ont parfois conduit à bidonner ?*
— À bidonner ? *(Rires.)* Bidonner, je ne sais pas, comme je n'ai pas une… comme l'idée de la déontologie n'est pas fondamentale pour moi, je crois que c'est un grand mot et qu'on ne met pas grand-chose dedans au fond, l'idée du bidonnage… heu…

— *Est-ce qu'un rédacteur en chef t'as mis sur un sujet en te disant de manière claire ou appuyée ce qu'il aimerait que tu ramènes ?*
— Oui, bien sûr, oui.

— *Et quand tu n'as pas pu le ramener, à cause d'un délai trop court par exemple ?*
— Je me suis toujours débrouillé pour le ramener d'une façon ou d'une autre, soit en travaillant vraiment… enfin, en travaillant… on ne travaille pas beaucoup dans les médias.

— *On ne travaille pas beaucoup ?*
— Non, on brasse beaucoup d'air, on fait beaucoup de gestes, on prend beaucoup la pose, on s'agite beaucoup, mais on ne travaille pas beaucoup. Il faut se mettre d'accord sur le mot « travail ». Pour moi, ce n'est pas s'agiter et écrire comme un fou sur n'importe quoi, n'importe comment. C'est de prendre un minimum de temps de réflexion, ça peut être cinq minutes, mais c'est visiblement ce temps-là qui manque, et c'est là que le système se trouve vicié à la base, je crois, et ça c'est très visible à

la télévision, personne ne pense, personne ne se dit rien, il n'y a pas beaucoup de temps pour réfléchir. La télévision est absolument dominante et impensée aujourd'hui, tout le monde suit ce modèle-là, qu'on le veuille ou non. Tiens, une autre des raisons pour lesquelles je voulais être journaliste, c'est que j'avais envie d'avoir un métier sortant de la norme, enfin un peu… pas marginal, mais un peu… bon… et naïf que j'étais à cette âge-là, je me suis dit : « Journaliste, pourquoi pas ? » et c'était vraiment très naïf de ma part parce que je m'aperçois aujourd'hui – et je m'en suis aperçu assez vite, même si je ne l'ai pas tout de suite formulé aussi clairement – qu'il n'y a pas de métier plus normal que le métier de journaliste et non seulement c'est un métier normal, mais c'est un métier qui donne la norme, qui normalise, qui est normatif. Idéalement, les médias seraient faits pour donner des nouvelles du monde et donner le sentiment du temps présent, de l'altérité, de ce qui va pas de soi. C'est très peu le cas, sauf dans quelques îlots de résistance qui sont de moins en moins nombreux. Ce qui compte maintenant, c'est donner plutôt des nouvelles de la société et même moins de la société que du village, au sens de McLuhan, c'est-à-dire c'est la Fran-France quoi, avec ses idoles, avec ses stars d'un jour, ses escrocs d'un jour, donc ça n'a aucun intérêt, et c'est là que ça devient absolument normatif. Alors pour répondre à ta question sur le bidonnage, comme de toute façon c'est bidonner de façon presque inconsciente et par paresse, puisqu'on ne va pas là où ça résiste, c'est déjà du bidonnage ; alors, que se rajoute à ça un petit bidonnage d'un pauvre pigiste qui inventerait telle ou telle citation de telle personne, c'est une goutte d'eau dans un… c'est rien, pour moi c'est rien du tout.

— *Pour un gars aussi moral que toi, faire un métier aussi immoral, ce n'est pas fatigant ?*
— Si, et c'est bien pour ça que je me sens mal dans ce métier. *(Rires.)*

« Quelqu'un qui ne part pas au bureau le matin »

— *Les moments sans travail, comment tu les vis ?*
— C'est le même problème qu'avec les rédacteurs en chef dont les relations avec les pigistes leur renvoient une mauvaise image de leur propre situation. Il en est de même pour les gens avec lesquels on vit. J'ai vécu avec quelqu'un pendant de longues années, pour qui la situation de pigiste était insupportable parce que ça lézardait le socle de certitudes qu'elle avait par rapport à son travail, par rapport à sa vie sociale. Le fait de vivre avec quelqu'un qui ne part pas au bureau le matin, qui ne revient pas le soir en même temps que soi, dont on ne sait pas trop ce qu'il fait dans la journée, si parfois il travaille, si parfois il rêvasse, si parfois il va au cinéma, c'est très perturbant. Alors s'ajoutent à ça les aléas financiers, c'est-à-dire qu'en étant pigiste on n'a aucune certitude financière, donc c'est aussi un peu perturbant, mais c'est presque perturbant dans les deux sens, c'est-à-dire qu'à un moment, quand je gagnais beaucoup d'argent c'était aussi perturbant pour elle que les moments où je n'ai pas du tout gagné d'argent. Ce jeu continu d'accordéon sur le temps, l'économique, le social, c'est très difficile à vivre pour les autres. Et c'est très mal accepté. Il y a de la haine, il y a de la jalousie, beaucoup de choses qui se mêlent là-dedans et qui se projettent dans la personne qui vit à la pige. Mais il y a aussi un côté presque maternant des fois chez des gens que je côtoie et qui se font une drôle d'idée de ma situation. C'est

un peu larmoyant, on va verser notre larme sur ce pauvre petit pigiste qui n'arrive pas à s'intégrer. Personne ne pense que je ne veux pas m'intégrer. Personne ne veut le penser. Tout le monde a trop peur de le penser. Moi, je trouve étonnant le pouvoir de perturbation qu'on peut avoir en ayant une situation telle que celle du pigiste. C'est déroutant et, étrangement, ça l'est aussi à l'intérieur du monde journalistique, qui devrait être un peu plus clair-voyant puisqu'il est demandeur de ça. C'est une situation socialement demandée et individuellement refusée.

— *Comment se débarrasse-t-on de toi ?*
— Très facilement, en ne me faisant plus travailler. Qu'est-ce qu'on peut faire contre ça ? La situation du pigiste, c'est Don Quichotte. Le pigiste ne peut pas grand-chose contre un journal qui ne le fait plus travailler, contre les administrations qui ne veulent pas comprendre son statut parce que le statut est très flou, pfft, personne n'en sait rien, personne ne comprend rien… la justice aussi, c'est très compliqué ; j'ai parlé de mon cas, mais mon frère photographe a été dans la même situation, l'institution judiciaire ne veut pas ou n'arrive pas à intégrer le fait que quelqu'un soit indépendant sans avoir un statut de profession libérale. J'ai appris que le patron d'une agence de presse pour journaux d'entreprise, pour laquelle je travaille, m'avait étiqueté « dangereux ». Je suis dangereux parce qu'il estime que je travaille bien et il se retrouve dans un état de dépendance vis-à-vis de moi, d'autant que leur client est très satisfait de ce que je fais, donc il se retrouve coincé, obligé de me faire travailler. Là où ça se complique pour eux, c'est que je ne suis pas très conciliant, je suis plutôt quelqu'un de gentil qui arrive à accepter un certain nombre de choses, mais à partir du moment où on se fout

trop de ma figure – parce qu'il faut bien dire que les entreprises de presse, journaux ou agences, se foutent de la
figure des pigistes de façon ouverte –, je m'énerve.

— *Qu'est-ce qui s'est passé ?*
— Ils ne te paient pas, ils disent : « On va vous payer
dans quinze jours. » On est obligé d'appeler tous les trois
jours pour relancer et on se retrouve dans cette fameuse
position de mendiant.

« Réclamer l'argent qu'on te doit »

— *Est-ce qu'au départ on te dit précisément quand et
combien tu vas être payé ?*
— Voilà, à telle date. Mais si, comme c'est presque toujours le cas, on n'est pas payé à la date dite, qu'est-ce qu'on
fait ? Rien, rien à faire.
Normalement, on est payé à la fin du mois de parution,
en fait ça varie d'un à six mois après, et on ne peut rien
faire contre ça. Que faire quand on est tout seul face à une
entreprise, on n'a aucun pouvoir. Il faut aller en justice ?
Alors si on va en justice ça veut dire qu'on s'attaque à l'entreprise, donc l'entreprise est forcément rétive à l'idée de
te refaire travailler un jour, donc on est pris dans un en-
grenage : soit on proteste et on ne travaille plus, soit on
ne proteste pas et on se fait avoir. Là, dans la situation,
l'agence était dépendante de moi et en même temps ils
avaient peur que je leur claque dans les doigts, que je les
envoie balader, comme je l'ai fait pour d'autres parce qu'ils
ne se comportaient pas bien avec moi.

— *Parce qu'il ne te payaient plus ?*
— Oui, ou alors ils se foutaient de moi. Par exemple, j'ai
travaillé pour un magazine de tourisme qui m'exploitait

dans le sens où, comme c'était un journal de tourisme, ils avaient un bien à me monnayer qui était les voyages de presse ; du coup, ils ne me payaient pas mon travail ! Donc j'allais faire des reportages à l'étranger, je partais quinze jours et je n'étais pas payé. La paie, c'était le voyage, ce qui est une situation absolument ridicule et à la limite de l'illégalité. Alors, on le fait une fois, deux fois, parce qu'on a envie de voyager, on a envie de prendre l'air, mais au bout d'un certain temps, ça lasse.

— *As-tu été souvent obligé de réclamer l'argent qu'on te devait ?*
— Dans la totalité des cas, que ce soit auprès des agences de presse d'entreprise, ou des entreprises de presse classiques. Ça n'était pas vrai quand j'ai commencé à travailler, ça l'est depuis trois ou quatre ans. Et j'ai travaillé dans l'édition, c'est pareil. L'activité d'écriture n'est pas du tout reconnue à sa juste valeur, je crois, parce que c'est quand même très difficile d'écrire, c'est quelque chose qui prend du temps, qui devrait prendre du temps. On a le sentiment que payer quelqu'un à écrire, c'est payer quelqu'un à s'amuser, pourtant Dieu sait que l'écriture, ce n'est pas que de l'amusement, c'est souvent pas du tout ça, même, mais il y a ce sentiment que l'écriture n'a pas de valeur économique. Pour des gens qui vendent de l'écriture, c'est ça qui est le pire.

— *Eux n'ont-ils pas plutôt l'impression de vendre de l'information ?*
— ...

— *Et toi, ce n'est pas ce que tu devrais avoir l'impression de donner, ou de vendre ?*

— Bfff, l'information… C'est quoi l'information aujourd'hui ? Des dossiers de presse qu'on recopie allègrement, c'est pas de l'information, c'est de la duplication. Les sources d'information de la plupart des journaux, ce sont les attachés de presse. Donc, pourquoi payer ça ? Alors, le peu qu'on puisse payer, c'est de l'écriture, mais l'écriture, pfft, on s'en fout, les journaux sont de moins en moins bien écrits, donc ça n'a plus de valeur.

— *Tu n'es jamais parti en reportage avec seulement ton sujet en tête et tout le reste à trouver, les informations, les gens à interviewer ?*
— Si, mais ça va très vite, il suffit de trouver l'attaché de presse de l'organisme qui s'occupe de ce sujet-là et puis il n'y a plus qu'à piocher dans la liste.

— *Comment fais-tu par exemple pour les sujets dits « de société » où tu n'as pas d'attaché de presse sous la main, précisément ?*
— Société, société… Des attachés de presse, il y en a toujours d'une façon ou d'une autre. Si ce n'est pas un attaché de presse, c'est un bouquet d'articles de presse ou de… donc c'est toujours du recopiage finalement. À mon avis, le journalisme aujourd'hui, c'est dans 90 % des cas du recopiage. Par exemple, quand je travaillais à la télévision, il y a huit ans, j'allais tous les matins aux conférences de rédaction, je n'ai pas le souvenir d'un seul sujet qui aurait été initié par la rédaction en disant : « Tiens ! ce serait intéressant d'aller fouiller là-dedans. » Les seuls sujets traités l'étaient parce qu'ils avaient fait l'objet d'un papier dans le quotidien régional ou parce qu'un dossier de presse était arrivé.

« Un côté cheval de Troie »

— *Est-ce qu'il t'est arrivé de demander un soutien aux journalistes intégrés, pour te faire payer par exemple ?*
— Oui, mais enfin chacun est dans son petit pré carré et c'est très individualiste, il n'y a pas beaucoup de soutien à attendre. Dans l'ensemble, il y a beaucoup d'aptitude à verser une larme sur ton cas, mais du soutien…

— *Est-ce que tu es déjà allé en demander auprès d'un syndicat ?*
— Non, non, non.

— *Pourquoi ?*
— Parce que je suis moi-même trop individualiste pour ça, je n'ai aucune idée d'appartenance à quoi que ce soit, donc si je me débrouille, c'est par moi-même. Dans les rédactions, ils ont plutôt tendance à se servir de toi comme d'un épouvantail qui va secouer le cocotier dont ils pourront, de leur côté de journalistes intégrés, récupérer les fruits. Il y a le côté « cheval de Troie », on t'encourage à gueuler parce que, à l'intérieur, personne n'en a le courage. Étant assujettis aux règles quasi… enfin ça vire vite au fascisme, hein, j'ai vu ça

— *C'est-à-dire ?*
— Par exemple, un rédacteur en chef du magazine de tourisme pour lequel j'ai travaillé une des seules fois où j'ai travaillé de façon intégrée pendant un mois… il recrutait beaucoup dans une école de journalisme dont il était issu, ce qui lui permettait d'avoir de la main-d'œuvre à bas prix puisque c'était sous forme de stage, donc on payait les gens 1 000 francs pour deux mois, une misère, et non seulement on les faisait travailler comme

des tordus mais pratiquement on les humiliait, c'est-à-dire que j'ai vu ce type de trente ans, qui n'a vraiment pas inventé la poudre, renvoyer un petit jeune qui venait d'arriver là tout frais émoulu de l'école, le terroriser et le renvoyer chez lui parce qu'il n'avait pas de cravate un matin, par exemple. Et moi, il m'est arrivé cette chose, c'est-à-dire que, très vite, le ton a monté, j'ai une idée de limite à ne pas dépasser avec moi parce que ça met en jeu ma propre identité, et ces limites étaient sans cesse bafouées pendant ce mois où j'ai travaillé. Il m'est arrivé de me faire engueuler parce que je rigolais au téléphone ou parce que je téléphonais à mon frère, etc., ce qui est ahurissant. C'est pas l'armée, quand même ! Et puis les journalistes, ce sont des gens qui sont censés avoir un tout petit peu d'ouverture d'esprit, un tout petit peu de culture, et ce n'est vraiment pas le cas.

« Des trucs pour faire illusion »

— *En ce moment tu travailles pour qui, là ?*
— C'est très aléatoire. J'ai fait un peu mon deuil d'une sorte de réussite dans le journalisme. J'ambitionne d'ailleurs depuis plusieurs années de réussir autre part que dans le journalisme. Il se trouve que ça ne marche pas vraiment, mais l'ambition reste et le journalisme ne demeure qu'une source financière qui me permet juste de vivre, donc je me suis satisfait de peu de choses, juste de quoi vivre, donc ce sont des journaux d'entreprise, et des choses ponctuelles dans l'édition de temps en temps, mais comme ma situation personnelle a changé aujourd'hui, je me retrouve dans la nécessité de retrouver du travail pour payer l'intégralité du loyer, ce qui va peut-être m'amener à ne plus être pigiste, du moins pendant quelque temps.

— *Qu'est-ce que tu vas faire ?*

— Il y a deux possibilités, soit travailler avec un contrat à durée déterminée, de trois mois pour commencer, dans le service communication d'une grande école, soit travailler pour un journal de cinéma distribué en salle, je ne sais pas encore comment.

— *En ce moment tu as de l'argent dehors ?*

— Beaucoup.

— *Combien ?*

— À peu près 40 000 francs, depuis quatre ou cinq mois, d'ailleurs.

— *De combien de journaux différents ?*

— Trois. Je téléphonais presque tous les jours et là j'ai provisoirement abandonné parce que j'ai réussi à récupérer un peu d'argent. Soit on téléphone tous les jours et puis on espère qu'à un moment ça va finir par tomber, soit on s'énerve, mais si on s'énerve, après, c'est autre chose… parce que de toute manière, on ne peut pas passer par les voies juridiques normales parce que soit elles sont trop longues, inefficaces, soit on est soi-même employé au noir, ce qui est le cas pour moi en ce moment. Que faire par rapport à ça ? Et le travail au noir, c'est pas un choix, ça m'est imposé. Le travail est tellement rare qu'on ne fait pas le poids.

— *C'est un journal qui t'emploie au noir ?*

— C'est une revue économique éditée par une confédération nationale. *(Rire désabusé.)* Mais la confédération elle-même n'est pas forcément au courant qu'elle emploie des gens au noir, les papiers me sont payés par des commerciaux, via une régie de pub.

« Le rapport au réel n'est plus
dans le journalisme »

— *Tes journées s'organisent comment en ce moment ?*
— Avec l'âge et l'expérience, on travaille quand même de plus en plus vite, même si ça reste toujours difficultueux, on arrive à avoir des trucs d'écriture, de style, pour que ça puisse paraître correct, informé, bien écrit. Alors qu'en fait ça n'a pas toujours demandé beaucoup de temps.

— *Pour que ça puisse « paraître », mais est-ce que ça ne peut pas l'« être » ?*
— Bfff, non, ça l'est pas ! Enfin, de mon point de vue à moi, c'est très loin du compte. Mais bon, ça fait illusion et il en faut peu pour faire illusion. Donc on arrive à avoir quelques trucs pour faire illusion, ce qui me permet de travailler assez vite, ce qui me permet, en tout cas jusqu'à présent, de pas travailler tant que ça, ce qui m'arrange bien, au fond, et donc j'en profite pour écrire pour moi.

— *Tu écris quoi ?*
— J'ai écrit deux romans et deux scénarios, et là, par exemple, quand tu parlais de « bidonner » tout à l'heure, eh bien sur un roman, même si c'est de la fiction et tout ça, eh bien ça n'a pas de sens de bidonner. C'est là la grande différence, c'est que sur un roman ou un scénario, il faut quand même qu'il y ait de la morale et pas seulement de la déontologie… C'est la grande différence ! C'est ce qui me plaît et ce qui m'a toujours plu puisque je suis arrivé à cette école de journalisme avec l'idée des *Cahiers du cinéma*, une idée hyper morale, donc la boucle se boucle, voilà.

— *Tu considères désormais que le vrai travail est ailleurs ?*
— Absolument, et que le vrai rapport au réel ne se fait pas par le journalisme mais par la fiction, ou en tout cas par l'écriture plus personnelle. Le rapport au réel, il n'est plus dans le journalisme depuis longtemps.

— *Est-ce que tu penses être devenu journaliste par défaut ?*
— Non, pas par défaut, parce que j'y ai cru, mais j'ai très vite déchanté, ce qui, d'un point de vue personnel, n'est sans doute pas un mal puisque ça m'a quand même poussé à essayer de faire autre chose. Si j'avais eu des satisfactions de réussite personnelle et sociale dans le journalisme, peut-être que je n'aurais pas eu l'énergie pour faire autre chose… alors je ne sais pas si c'est très « rentable », parce que jusqu'à présent ça ne l'a pas été pour moi, mais j'espère que ça marchera un jour.

— *Tu parles de réussite sociale…*
— Quand on me demande ce que je fais dans la vie, je suis bien embêté pour répondre. Ça ne me gêne pas du tout parce que je n'ai pas du tout le… je ne crois pas beaucoup au social, donc ça me gêne pas beaucoup mais…

— *Comment ça, tu ne « crois pas au social » ?*
— *(Rires.)* Je veux dire que je ne crois pas que ma vie dépende de la façon dont mon propre jeu social va fonctionner ou pas. Comme je n'y crois pas beaucoup, ça ne m'embête pas, mais quand il faut dire à des gens extérieurs ce que tu fais, si tu dis « journaliste » et qu'on te demande « où ? », quand on est pigiste ça devient compliqué. Le mot de « journaliste » garde encore une petite aura d'exotisme, tout ça ; quand tu dis « presse d'entreprise », déjà tu vois dans les yeux des gens qui t'ont posé

la question que ça tombe un peu ; quand tu laisses ou fais sentir malgré toi que tu n'y crois pas beaucoup, ben ça tombe encore plus, les yeux se ferment, quoi, donc t'aurais dit « maçon », ça aurait été pareil et c'est ce que je serais plutôt enclin à faire.

— *Maçon ?*
— Dire une connerie pour clore le débat.

« On finit par ne plus rien voir »

— *Tout à l'heure tu me disais qu'on ne peut pas vivre en étant cynique, mais j'ai l'impression que ton expérience t'a conduit en plein dans ce mode de pensée, je me trompe ?*
— Je ne pourrais pas tenir cette situation qui est la mienne par rapport au journalisme si je n'avais pas d'autres aspirations à côté, ce ne serait pas tenable. Voilà, il se trouve que j'en ai, elles ne sont pas vraiment satisfaites, mais bon, je les ai encore. Le mélange des deux, finalement ça va. Mais même si j'avais la chance de réussir soit dans l'écriture, soit dans le cinéma ou autre, je crois que j'aurais quand même toujours le désir d'écrire pour des journaux, mais des journaux qui me tiennent vraiment à cœur, ou en tout cas dont je pourrais penser qu'ils pourraient accepter, comprendre, apprécier ce que je ferais. J'ai le sentiment, en tout cas avec les journaux pour lesquels j'écris, avec lesquels je peux vivre, qu'on n'apprécie pas vraiment ce que je fais, au fond. Moi-même je ne l'apprécie pas tant que ça... Le désir d'expression, c'est ce qui manque, c'est-à-dire que les médias en général fonctionnent de plus en plus selon un principe de réalité et de moins en moins selon un principe de plaisir. Si j'arrivais à faire autre chose dans ma vie, j'aimerais bien continuer

à faire un petit peu de journalisme, mais simplement sur ce registre du principe de plaisir, qui est malheureusement absolument intenable si on veut vivre du journalisme. Il faut remplir les cases d'un journal ; la façon dont on les remplit, la qualité, je n'aime pas beaucoup ce mot-là mais, oui, la façon dont on les remplit importe finalement peu. Ce qui est important dans ce principe de réalité, au fond, de produit, c'est de les remplir et de les remplir à temps. C'est ce qui se passe à la télé. Quand on voit des envoyés spéciaux de France 2, je ne sais pas, sur la guerre du Golfe ou ce qu'on veut, l'information, ce n'est pas la guerre du Golfe, l'information, c'est de dire : « Ben, il y a des journalistes de France 2 qui sont allés là-bas », c'est la seule information qui sort de ça, il n'y en a pas beaucoup d'autres. À force de vouloir être partout, tout le temps et en temps réel, on finit par ne plus rien voir, on ne sait plus regarder simplement ce qu'on a sous les yeux. Et le pigiste, à force d'être mal payé, d'être exploité, de devoir écrire plus que de raison pour gagner sa vie, eh bien, il finit par ne plus rien voir et par être dégoûté. Tant qu'on ne décidera pas de faire marcher autrement cette énorme machine d'information, de manière plus simple, moins hystérique, ça continuera à aller en se dégradant.

— *Il n'y a pas de fenêtres dans la presse écrite qui correspondent davantage à l'idée que tu te faisais, au départ, du journalisme ?*
— De moins en moins. Pour moi, si les choses avaient tourné vers la presse nationale, au début, ç'aurait plutôt été vers *Libération* mais *Libération* a aussi beaucoup changé. Pour les gens qui ont travaillé à *Libération*, j'en ai rencontré quelques-uns, l'âge d'or de *Libération* s'est arrêté en 1985 ou 1986. Après, c'est devenu un journal

comme un autre, où justement le principe de réalité prédomine sur le principe de plaisir, alors que *Libération* a été entièrement créé sur un principe de plaisir. À mon avis, pour accéder et rendre compte du réel, il faut prendre du plaisir à le faire. Si ça n'est que du devoir, on rend compte de rien du tout. Et dans le journalisme ça n'est que du devoir. Comme si les journalistes portaient le poids du monde sur leurs épaules. Ce n'est pas ça qu'on leur demande.

Nedjma *ou* « La traversée du désert »

29 ans, célibataire, réside en banlieue parisienne
Parents immigrés algériens ; père ouvrier
A abandonné une maîtrise d'anglais pour entrer dans une école de journalisme
À la sortie de l'école, devient pigiste dans un quotidien national pendant six mois puis travaille pour un autre titre national. Après une série de collaborations alimentaires avec diverses publications, vit actuellement grâce à l'allocation-solidarité.

— *Nedjma, tu es algérienne ?*
— Je suis algérienne, mes parents sont algériens, ils sont nés en Algérie, mon père à Constantine et ma mère à Oran. Moi je suis née en France.

— *Ils sont arrivés quand en France ?*
— Mon père est arrivé il y a très longtemps, à l'âge de dix-huit ans, il en a aujourd'hui soixante-six, il a passé toute sa jeunesse et toute sa vie en France. Ma mère est arrivée à l'âge de vingt, vingt et un ans ; aujourd'hui, elle en a cinquante, donc elle aussi elle a vécu ici.

— *Quel niveau d'études avaient-ils l'un et l'autre ?*
— Ma mère a eu la chance de pouvoir passer son certificat d'études primaires. Elle était à Oran, donc dans une ville qui avait des établissements scolaires accessibles aussi bien aux indigènes, donc aux Algériens, qu'aux Français. Donc elle a eu la possibilité d'aller à l'école, d'apprendre à lire, à écrire et, bon, d'avoir une certaine culture…

Mon père, lui, a tout juste appris à lire, à écrire, et en fait il est autodidacte…

— *Qu'est ce qu'ils font l'un et l'autre comme métier ?*
— Mon père est aujourd'hui à la retraite. Il est électricien, enfin il a été électricien, mais il a fait plein de petits boulots parce qu'en arrivant en France il ne savait rien faire, donc il a travaillé. Il a commencé par travailler sur les voies de chemin de fer, en Moselle, dans les usines, dans les champs, j'ai appris aussi qu'il avait travaillé dans un cirque. En fait, il a fait plein de trucs et donc il s'est formé dans l'électricité peut-être dix ans après être arrivé en France, puis il est resté dans ce secteur. Ma mère, elle, n'a jamais travaillé. Elle a toujours élevé ses enfants, elle est toujours restée à la maison en fait.

— *Et vous êtes combien d'enfants ?*
— J'ai un frère qui a vingt-sept ans et puis une sœur qui en a vingt-six.

— *Donc tu es l'aînée ?*
— Oui, j'ai vingt-neuf ans.

— *Et quel niveau d'études vous avez les uns et les autres ?*
— Ma sœur a une licence de sciences de l'éducation et un BTS d'action commerciale ; Tarek, mon frère, n'a pas terminé un BTS d'expertise-comptable et actuellement il devrait décrocher sa licence en sciences de l'éducation. Parce qu'il voudrait devenir prof, donc il lui faut absolument son bac + 3. Quant à moi, j'ai une licence d'anglais et puis une maîtrise de journalisme que j'ai obtenue à l'école de journalisme.

« Une image sublimée de la profession »

— *Le choix de cette profession, ça s'est fait comment ?*

— En fait c'est assez complexe… J'ai toujours aimé lire, je me suis toujours intéressée à ce qui se passait autour de moi, même si je ne comprenais pas tout, quand j'étais petite : la politique c'était assez lointain, c'était un autre univers. Alors c'est vrai que bon, je n'analysais pas tout, mais en même temps j'aimais bien me tenir au courant de plein de choses, j'aimais beaucoup aller m'acheter mon petit journal, j'aimais beaucoup lire, des livres de bibliothèque rose. Bon, mon occupation principale quand j'avais rien à faire, mes loisirs, c'était la lecture. Et puis vers l'âge de quatorze-quinze ans, si je m'en souviens bien, j'ai décidé de faire du journalisme. Alors pourquoi ? Je ne sais pas vraiment. C'était aussi cette envie d'écrire, cette passion pour la lecture, et puis aussi à cet âge-là on a une image complètement sublimée de la profession : on s'imagine en train de faire divers voyages, de rencontrer des gens très intéressants, d'être toujours par monts et par vaux, enfin d'exercer un métier réjouissant. Et puis avec le temps, mon analyse s'est affinée, heureusement. Bon, ma passion pour la lecture, pour le journalisme tout court, s'est précisée, et puis ça s'est concrétisé en passant tous ces concours : j'ai tenté Lille, Paris, Bordeaux, Strasbourg, et j'en ai eu une.

— *Après une licence d'anglais, donc…*

— Oui, après une licence d'anglais, une demi-maîtrise d'anglais aussi parce que bon, je savais très bien que décrocher un concours, ce n'était pas chose facile, et j'ai voulu assurer mes arrières en préparant une maîtrise qui ne m'intéressait pas du tout, pour être honnête, puis j'ai tout arrêté pour ne me consacrer qu'à la préparation des concours.

— *Tu dis que tu as commencé à vouloir être journaliste vers l'âge de quatorze ans, mais est-ce que ça te semblait un métier facilement accessible à ce moment-là ?*

— Oui, complètement, je n'étais pas du tout au fait des problèmes qui peuvent… enfin que j'ai… tous les problèmes que j'ai rencontrés. Je pensais qu'il suffisait d'avoir envie d'exercer un métier, d'avoir le diplôme requis, d'avoir l'envie de travailler, pour exercer tout simplement. Pour moi c'était très simple. C'était à la fois simple et difficile parce qu'il fallait quand même faire de longues études. Alors quand on a quatorze ans, avoir une licence et passer un concours, c'est beaucoup, c'est énorme. Mais bon, j'étais persuadée qu'en travaillant et en étant sérieuse, bon, j'y arriverais.

— *En faisant de longues études, tu réalisais un désir propre ou bien c'était aussi le désir de tes parents ?*

— Je te donnerai deux réponses, en fait. Moi j'ai toujours été très studieuse. Les professeurs que j'ai pu revoir gardent toujours l'image d'une petite fille travailleuse, calme, très intéressée par les cours, qui faisait toujours ses devoirs, qui avait toujours de bonnes notes, et bon, moi les études ça me plaisait beaucoup, hein. Je ne me souviens pas avoir passé une mauvaise année, en CE1, en CE2, ou bien en seconde. J'ai toujours apprécié, moi, l'école, les cours, et puis c'était aussi un souhait de ma mère de me voir faire des études, mon père aussi. Mais comme c'est ma mère qui s'occupait de nous, elle avait déjà un objectif bien précis, c'est qu'on décroche le bac, pour pouvoir ensuite aller plus loin. Le jour où j'ai eu mon bac, elle était folle de joie, elle pleurait dans la rue.

— *Et à ta décision d'être journaliste, elle a réagi comment ?*
— Ben, pour elle, c'était une manière de pouvoir accéder au statut social auquel elle n'avait jamais pu parvenir. C'était aussi une profession très enviable, et qui dit profession dit bien sûr statut social, rémunération, reconnaissance sociale donc, voilà. Elle m'a toujours encouragée en fait parce que bon, j'avais décidé depuis longtemps de faire du journalisme, donc elle savait très bien que j'avais un projet professionnel bien défini et puis que je m'accrochais à ça… Donc elle m'a toujours encouragée, et puis je pense qu'elle était fière aussi que j'aie choisi… enfin, cette profession et… non, non, elle a toujours été très solidaire de tous mes choix.

« Ça s'est très bien passé pendant six mois »

— *Alors tu passes le concours de l'école de journalisme, tu réussis, et qu'est-ce qui se passe après ? comment ça se passe ton entrée dans la vie professionnelle ?*
— Alors, en fait, ça a été très rapide… très rapide et puis très instructif en fait sur tous les plans. J'ai obtenu un stage à la rédaction d'un quotidien national par l'intermédiaire d'une copine qui était journaliste politique à l'époque… Ça s'est très bien passé pendant six mois. J'avais signé un contrat de deux mois en fait, une convention de stage de deux mois, j'étais rémunérée en tant que stagiaire et donc j'ai eu l'occasion de me mettre un peu en valeur, de faire pas mal de papiers, enfin on m'a très bien considérée, j'étais très satisfaite de ce stage. Mon chef de service aussi, d'ailleurs, parce qu'il m'a proposé de continuer à piger pour sa page « emploi » et puis le reste du service « société » pendant un certain temps, enfin le temps de me « faire un nom », c'est ce qu'elle m'avait dit,

en fait. C'est sûr que je ne pouvais pas y rester éternelle-
ment, mais elle m'avait dit que je pourrais peut-être, à
terme, décrocher un contrat où je pourrais… bon, enfin,
que ça me servirait de tremplin. Donc ça s'est très bien
passé pendant environ cinq-six mois, tout le monde était
content de mon travail et moi je me plaisais énormément,
je m'étais intégrée dans la rédaction, je m'étais fait des
amis, enfin je m'étais fait mon trou, comme on dit…
Non, ça se passait bien, j'étais à l'aise.

— *Et quel type de papier on te faisait faire à ce moment-là ?*
— Des reportages, des brèves, des papiers d'analyse, des
moutures, des synthèses, enfin un peu de tout… En fait
le service « société », il était assez chargé, donc il comportait différentes rubriques : « Économie », « Transport »,
« Santé », « Social », etc. Quand j'avais mon statut de stagiaire, en fait je remplaçais un peu tout le monde. J'étais
le bouche-trou du service. Bon, ça a été à la fois très difficile et formateur parce que, pour faire un papier de trois
feuillets, je devais descendre chaque fois à la doc pour faire
un papier qui tienne la route, puis en même temps c'est
vrai que j'ai appris plein de choses, ça m'a formée, hein…
Par la suite on m'a affectée plus précisément à la fameuse
page « Emploi » qui est beaucoup plus sociale, économique, et puis bon, c'est à ce moment-là que la situation
a commencé à se dégrader en ce qui me concerne, parce
que du jour au lendemain mes papiers sont devenus mauvais…

« J'ai fini par craquer »

— *C'est ce qu'on te disait, ça ?*
— Oui, parce que je n'étais plus en fait chapeautée par

la chef de service mais par un type qui s'occupait de cette page « Emploi », donc qui avait sous ses ordres une journaliste et qui avait souhaité avoir une pigiste ou un autre rédacteur pour la page. Bon, la chef de service m'avait proposé de rester sur cette page et j'avais accepté parce que j'avais déjà fait quelques papiers pour la page « Emploi », ça s'était bien passé, et de toute façon, quand on sort d'une école de journalisme, on ne refuse pas une telle offre, hein ! Donc j'ai accepté, et ça s'est très mal passé parce que, du jour au lendemain, mes papiers ne convenaient plus, je ne savais pas tenir mon angle, mes interviews n'étaient pas pertinentes, les chapeaux n'étaient pas corrects, les attaques n'étaient pas bien faites, enfin il y avait toujours un truc qui n'allait pas. Bon, au début je me suis un peu rebiffée, mais pas ouvertement... je me disais : « Il m'emmerde, je sais très bien ce que je vaux, j'ai fait mes preuves, ça va s'arranger » ; et puis bon, le problème c'est que j'ai fini par craquer parce que j'étais quand même très fragile et puis il a réussi à faire ce qu'il voulait, c'est-à-dire qu'il m'a complètement déstabilisée, je n'arrivais plus à écrire, je n'avais plus envie d'écrire, je me sentais incapable de continuer. Puis il est arrivé ce qui s'est passé, c'est-à-dire que bon, un jour j'ai quand même explosé et je lui ai demandé des comptes, je lui ai expliqué que son comportement était inadmissible, complètement discriminatoire, et qu'il fallait absolument que ça cesse parce que moi il était hors de question que je continue sur cette lancée. Bon, bien sûr, ce n'est pas moi, la vulgaire pigiste, qui ai eu raison. J'ai été licenciée, j'ai demandé mon licenciement parce qu'au départ il avait été convenu que je m'en aille calmement, discrètement par la porte de sortie, mais j'ai refusé. J'ai dit : « Si vous voulez me licencier, vous le faites, mais en bonne et due forme, hein », et donc j'ai dû faire appel au syndicat pour faire valoir mes droits et puis voilà. Bon, j'ai bien fait parce qu'en fait, grâce à ça, j'ai pu toucher les Assedic pendant un certain temps, récupérer un chèque de 14 000 francs, qui peut paraître une petite somme, mais quand on est pigiste, c'est énorme, et puis surtout, j'ai montré à tout le monde que je n'étais peut-être qu'une petite pigiste mais que je connaissais mes droits et qu'on devait être respecté en tant que rédacteur, parce que c'est ce qui se passait aussi. Personne n'avait jamais osé demander ses droits dans cette rédaction et donc j'étais vraiment, j'étais devenue la bête noire parce que c'était la première fois que ça se produisait.

— *Tu as fait appel au syndicat, ça veut dire que tu étais syndiquée ?*
— Non, je n'étais pas syndiquée. Je ne le suis toujours pas d'ailleurs. Je ne sais pas pourquoi… C'est étonnant, avec les problèmes que j'ai eus. J'aurais pu mais je n'ai pas fait la demande.

— *Pour en revenir à cette première expérience profession-nelle, comment expliques-tu ce changement tout à coup vis-à-vis de toi ? Pourquoi es-tu bonne et tout à coup tu deviens « mauvaise » ?*
— Ah, j'ai émis des centaines d'hypothèses et je reviens toujours à la même. Durant mon stage, la fille d'un mi-nistre de l'époque, Laura de N, a débarqué, en tant que stagiaire. Il y avait déjà une stagiaire, Nedjma El K, c'était moi, alors bon, j'ai très vite compris de toute façon, au-tour de la chef de service, qu'elle avait été imposée. Donc on a tous composé, on a fait avec, et il se trouve qu'avec elle, ça se passait plutôt bien, jusqu'au jour où R, le chef

de la page « Emploi », a changé de comportement envers elle et envers moi, c'est-à-dire que moi il m'avait délaissée complètement, il m'avait mise carrément au rebut, et il lui donnait tous les papiers, il n'y en avait plus que pour elle. Bon, j'ai très vite compris ce qui se passait, c'est qu'il voulait vraiment que je m'en aille et donc il usait de son petit pouvoir de chef pour me faire craquer, pour me mettre la pression. Ça a réussi d'ailleurs, à ses dépens aussi, parce que je ne me suis pas laissé faire. Mais bon, moi j'en ai conclu qu'il voulait se débarrasser de moi pour faire de la place à Laura de N, et puis j'ai entendu certaines choses pas très jolies sur son compte, qui n'ont jamais été vraiment vérifiées ni par moi ni par les autres, mais en fait beaucoup ont supposé que ce type était un peu raciste, même beaucoup, parce qu'ils avaient travaillé avec lui dans d'autres services et qu'il avait toujours lancé quelques remarques un peu, un peu saugrenues, très ambiguës d'ailleurs, et avec le recul je me dis que c'est fort possible, parce qu'il me détestait gratuitement, alors que je n'avais eu aucun conflit avec lui et que j'avais toujours été assez correcte. Dieu sait combien je me suis tenue à carreau parce que je tenais à mon premier poste… mais bon, on finit en fait par en arriver aux conclusions les plus simplistes, hein. C'est vrai qu'en tant que Maghrébine je refusais de me dire : « Il est raciste », parce que c'est tellement facile quand on est noir ou arabe de dire : « T'es raciste »… Donc je refusais d'en arriver à cette conclusion et, vous savez, quand on a fait l'analyse de la situation et qu'on s'aperçoit qu'on n'est en rien fautif et que rien ne vous accable, on finit par se dire : « Ben oui, les autres ils ont peut être raison », et puis voilà…

« J'étais en mille morceaux »

— *Et tu avais le sentiment que tu ne faisais pas le poids par rapport à quelqu'un qui était fille de ministre ?*
— Au début j'ai surtout senti que je ne faisais pas le poids face à ce type qui était là depuis quinze ans, qui s'était fait sa place et qui n'était pas reconnu pour ses compétences, on me l'avait dit, mais en attendant il était là. Donc en fait, c'était la durée qui avait joué pour lui… moi, je venais de débarquer, j'étais la petite jeune, bon, je devais m'écraser. Il me l'avait dit : « Toi tu viens d'arriver, moi à ton âge, de toute façon, je faisais tout ce qu'on me disait, je n'ai jamais ouvert ma bouche. » Il me l'a dit de façon moins correcte, mais bon… J'ai dit : « Ben, écoute, je suis désolée, ce temps est révolu, être journaliste ça ne veut pas dire être une carpette et encore moins être à la merci de névrosés sclérosés comme toi. » Ça s'est très mal passé, mais moi j'ai complètement ressenti ça, j'ai vraiment ressenti une impression d'écrasement, même d'humiliation, parce que personne ne vous soutient dans ce cas-là, personne ne l'a fait. C'est après… enfin, je l'avais compris sur le moment, mais c'est après que je me suis aperçue que, de toute façon, je n'avais vraiment aucune chance face à Laura de N, parce que c'est, ce n'était même pas face à Laura de N, c'était face à son père, parce que sans son père, elle n'était rien. C'était face au ministre, qu'est-ce que je pouvais bien faire moi, une fille d'ouvriers, maghrébine, qui venait de débarquer, bon… Vraiment rien !

— *Donc tu quittes ce quotidien national… tu es dans quel état d'esprit à ce moment-là ?*
— Ben, j'étais en mille morceaux en fait. J'étais… j'ai sombré dans une dépression, un an après… Donc j'ai mis

du temps à évacuer tout ça, parce que la dépression, ça a été la traduction un peu de tout ce que j'avais subi, de tout ce que j'avais enfoui au fond de moi-même. Bon, ça a éclaté parce que j'ai vraiment vécu une injustice, quelque chose que je n'avais pas vraiment connu parce que je n'avais jamais travaillé auparavant et… vraiment, ça a été effroyable, vraiment c'était… Moi qui avais vraiment fait autant de sacrifices, qui étais allée à l'école de journalisme, qui avais passé un concours, qui avais travaillé énormément, qui m'étais accrochée pour faire le métier dont je rêvais depuis longtemps, et en l'espace de six mois, tout était tombé à l'eau, tous mes rêves s'étaient évanouis parce qu'en fait, en fait, oui, je n'étais pas née dans le bon milieu social et que je n'étais pas fille du père qu'il fallait et… c'est vrai que c'est dur, quoi, parce qu'on se sent impuissant et on peut avoir tous les diplômes du monde, toutes les qualités du monde, on sait très bien qu'on se bat contre des moulins à vent et qu'on n'y arrivera jamais. Et ça c'est dur, vraiment ça c'est dur, parce que c'est la pire des injustices en fait… bon, il y en a beaucoup des injustices, mais je crois que c'est vraiment difficile à avaler. Donc j'ai fait une dépression. J'ai été hospitalisée en maison de santé pendant un mois, j'ai été suivie par un psy pendant trois mois, et petit à petit, j'ai repris du poil de la bête, avec le temps. C'est vrai que je ne pourrais pas te dire que j'ai évacué tout ça, mais je vis, j'arrive à le gérer et puis je sais que c'est comme ça et pas autrement…

— *Qu'est-ce qui se passe après cette dépression… que devient ton parcours professionnel ?*
— Bon, juste après avoir quitté le journal, dans la mesure où je travaillais sur la page « Emploi », j'ai pris contact avec G, le journaliste qui s'occupait de la page « Emploi »

de [un autre grand quotidien national], donc il connaissait ma signature… Lui, apparemment, il trouvait que mes papiers étaient corrects. Donc il m'a proposé de venir piger pour sa page. Et ça s'est vraiment très, très bien passé, contrairement à ce que je croyais. Je me suis dit que bon, on m'avait tellement martelé l'esprit précédemment, en me disant que j'étais mauvaise, qu'inconsciemment j'étais marquée au fer rouge… je pensais qu'en effet, il y avait forcément quelque chose, c'était pas possible, et puis j'étais fragilisée, il m'avait vraiment atteinte. Et donc quelque part c'était une thérapie que je m'imposais. Il fallait absolument que je me remette à écrire, dans un canard reconnu, d'un certain standing, mieux que le précédent. Et c'est vrai que le nouveau journal collait à tout ça, d'autant plus qu'il avait une page « Emploi ». S'ils n'avaient pas eu de page « Emploi », j'aurais pu difficilement me vendre. J'ai eu la chance de rencontrer des gens comme G, qui étaient ouverts, qui étaient de vrais journalistes, qui m'ont donné ma chance, et donc j'ai pigé pendant six mois pour eux, et ça s'est très bien passé, on a gardé de très bons contacts…

Ça m'a permis de me réconcilier avec la profession, parce que quelques mois avant j'étais prête à tout arrêter, parce que c'était vraiment trop difficile… moi j'avais envie de faire ce métier pour m'épanouir et pas pour me détruire et c'était le contraire qui se produisait, j'étais en train de me faire mal, de souffrir… Au nouveau quotidien, ça a été une véritable cure, en fait, ça m'a permis de repartir d'un bon pied et puis ensuite d'aller démarcher d'autres rédactions…

« C'est pas possible, ils n'ont pas osé faire ça ! »

— *Pourquoi le nouveau quotidien a-t-il cessé de t'employer ?*
— Parce qu'en fait la page « Emploi » s'est arrêtée, tout
simplement… Ils ont estimé qu'elle avait suffisamment
vécu et qu'il fallait passer à autre chose. C'est bien dommage parce que ça se passait bien, tout le monde avait
trouvé son petit rythme de croisière, on arrivait à proposer des sujets qui correspondaient totalement à l'esprit de
la page, et puis bon, ça s'est arrêté.

— *Alors, du jour au lendemain, tu t'es retrouvée à nouveau
sans boulot ?*
— Voilà ! Sans rien. Donc je prends contact avec la rédactrice en chef d'un magazine qui… enfin, qui essaie de
défendre les droits des chômeurs… Enfin bon, ils ex-
ploitent ce créneau… Donc là, j'y ai travaillé, toujours
en tant que pigiste, j'y ai travaillé pendant environ un an.
Au début, ça s'est vraiment bien passé, j'avais pas mal de
commandes, ils étaient toujours très satisfaits de mon
boulot. Pour preuve, ils m'avaient proposé de travailler à
demeure pendant un mois et demi pour réaliser un gros
supplément. Donc je l'ai fait avec les rédacteurs de la rédaction et puis quelque temps après, au bout de dix mois,
la rédactrice en chef me fait refaire un papier… après
tout, ça peut arriver… de toute façon, elle me fait refaire
un papier. Bon, très bien, elle m'en recommande un
deuxième et elle me dit : « Cette fois-ci, ça ne va pas du
tout, ça ne va pas du tout. Ça fait la deuxième fois que
tu dois refaire un papier »… Je lui dis : « Eh bien écoute,
tu n'as qu'à m'expliquer ce qui se passe. » En fait, il fallait quasiment tout refaire… Bon, je refais tout, le papier
est publié. Elle recommande un autre papier. Je me suis

dit : « Bon, ça y est, elle s'est peut-être calmée, elle a peut-être, je ne sais pas moi, elle a peut-être eu mal aux dents » *(rires)* ; enfin bon, parce qu'en fait ça s'était toujours bien passé et ses critiques n'étaient pas toujours fondées, mais bon, hein, c'est la rédactrice en chef, on passe… Et elle me commande un papier sur… sur quoi déjà ? sur le surendettement… Donc je fais un papier que j'estimais bien ficelé et que j'avais bien travaillé ; c'était un sujet intéressant, contrairement à ce que j'avais pu croire, c'était pas du tout chiant. Donc je lui donne le papier et comme j'étais partie en stage de secrétariat de rédaction, je lui dis : « Bon écoute, quand il paraîtra tu me le diras, que je puisse venir chercher le magazine. » Elle-même m'avait prévenue qu'il ne paraîtrait pas tout de suite, donc qu'il ne fallait pas que je m'inquiète, que je savais très bien comment ils fonctionnaient, donc que voilà, oui, y avait pas de problème. Soit. Au bout de quatre mois je vais chercher la comptable, qui était devenue une copine donc, pour dîner avec elle, et en attendant qu'elle termine son boulot, je compulse les derniers magazines parus. Je tombe sur mon papier. Au début je me dis : « Bon, c'est une hallucination, c'est pas possible, ils n'ont pas osé faire ça ! » En fait, si. C'était mon papier, pas mot pour mot, parce qu'ils n'ont pas été cons au point de tout recopier mais bon, les paragraphes, les titres, les enchaînements les… c'était moi, quoi, on connaît son papier, on sait très bien quand on l'a écrit… donc j'étais furax, j'ai pris…

— *C'était ton papier mais ce n'était pas signé par toi ?*
— Ah ben non, c'est une pigiste qui l'avait signé, une autre pigiste. Donc écoute, ça m'a mise hors de moi, bien sûr. J'ai pris contact avec l'inspection du travail, et avec le SNJ et j'ai envoyé une lettre recommandée à D, le

directeur de la rédaction, pour lui demander des explications et puis surtout le paiement de mon papier. Il m'a fait pas mal de problèmes, en fait. Il ne voulait pas me payer parce qu'il estimait que le papier était mauvais – il était paru, mais il était mauvais ! – et que ce papier ne correspondait sûrement pas à la version que j'avais rendue. Mais j'avais gardé mon papier sur disque dur. Je leur ai fait une copie, et je leur ai dit : « Bon, vous comparez et puis on ira aux prud'hommes si vous estimez pouvoir me soutenir le contraire. » Donc il m'a convoquée et il m'a proposé en fait un marché. Il m'a dit : « Écoutez, voilà, vous remaniez votre papier, parce qu'on considère toujours qu'il ne convient pas du tout à la commande passée, et on vous paiera dès qu'il sera jugé correct. »

« J'ai récupéré 1 500 francs
au bout de huit mois »

— Bon, le SNJ m'a conseillé en quelque sorte d'abdiquer parce que, m'a-t-il dit : « Si jamais tu refuses, si tu vas aux prud'hommes, il pourra se servir, tu vois, de ta non-coopération pour arriver à ses fins. » Et moi, ne voulant surtout pas lui laisser la moindre chance d'arriver à ses fins, bon, c'est ça hein, j'ai coopéré, j'ai refait le papier et puis le papier n'a jamais été publié, mais j'ai été payée 1 500 francs. C'est pareil, par principe, j'étais prête à aller jusqu'au bout, parce que je n'avais rien à perdre, alors tant qu'à faire, autant foncer hein, et puis je suis comme ça, je respecte les contrats passés et j'estime qu'on doit respecter aussi mes droits et puis tout ce qu'on nous propose, hein. Donc voilà, 1 500 francs, j'ai récupéré 1 500 francs au bout de huit mois, après avoir envoyé une énième lettre recommandée au directeur de la rédaction en lui expliquant qu'il avait promis de me payer dès que le papier serait jugé digne de paraître dans son canard, donc il m'a quand même payée parce qu'il sentait que je ne lâcherais pas et bon, ça a été laborieux, hein !

— *Et ça s'est passé au bout de combien de temps de collaboration avec eux ?*
— Bof… un an…

— *Et il n'y avait jamais eu de problème sur les autres papiers ?*
— Non, non, à part les deux derniers qui nécessitaient toujours des retouches… c'était même plus des retouches, parce qu'il y avait carrément des gros paragraphes à changer. Mais c'est bizarre, parce que c'est vrai que je n'avais jamais eu aucun problème. Et puis les papiers pour ce magazine, c'est comme pour les autres magazines, quand on connaît la forme qu'ont les papiers, ce qu'il faut dire, les angles qui sont les mieux appropriés, bon, on tombe rarement dans l'erreur, on arrive toujours à s'en sortir. Donc j'avais été très étonnée mais en même temps, je me suis dit : « Ça peut arriver », et puis…

— *Et comment expliques-tu ce second problème que tu rencontres dans ton boulot de pigiste ?*
— Comment je l'explique ? Ben, moi je crois qu'ils ont voulu se débarrasser de moi, en fait.

— *Et pourquoi ?*
— J'en sais rien… je crois qu'ils ne voulaient peut-être pas avoir de pigistes… enfin, scotchés à la rédaction, salariés, parce qu'au bout d'un certain temps on a des droits, hein, on est considéré comme salarié dans une rédaction… j'en sais rien… ils ne sont vraiment pas nets…

— *Et tu arrivais à un moment où tu aurais pu réclamer par exemple un CDI, ou quelque chose comme ça ?*

— Non, pas vraiment, je m'étais renseignée au SNJ, et de toute façon moi, ce que je voulais, c'était d'abord récupérer la rémunération qui m'était due pour ce papier. Je crois que c'était ça qui me rendait malade, de me faire avoir. Ah non, je ne le supportais pas… en plus venant d'un magazine comme celui-là qui prêche la bonne parole à qui veut l'entendre… je crois que c'était impossible, je ne pouvais pas faire cette impasse, quoi. Donc j'ai décidé d'aller jusqu'au bout… Maintenant, je t'avouerai que je n'ai pas du tout pensé à réfléchir, à voir si je pouvais éventuellement demander un CDI… de toute façon je ne voulais plus travailler avec eux.

— *Ce que je veux dire c'est : avant qu'il ne t'arrive ces problèmes-là, est-ce que tu étais en position de réclamer un CDI par exemple ? Est-ce que, ayant bossé un an avec eux de manière régulière, ça te permettait d'accéder à un autre statut ?*

— C'était régulier et irrégulier à la fois, hein… J'avais des piges régulières, mais ce n'était pas une pige tous les quinze jours. C'était parfois une fois tous les deux mois, une fois tous les mois. Bon, je pense qu'ils étaient aussi très calculateurs et qu'ils savaient jongler avec la législation, je pense qu'ils savaient très bien ce qu'ils faisaient, mais en même temps c'est vrai que j'ai eu du mal à comprendre ce qui s'était passé, parce que je n'avais pas eu de problème personnel avec la hiérarchie, et puis bon, tout se passait très bien. Donc ils ont peut-être voulu renouveler leur staff de pigistes. J'en sais rien, je ne sais pas du tout. Sincèrement…

« La recherche désespérée de piges »

— *Et c'est à la suite de ça que tu as fait la dépression dont tu m'as parlé tout à l'heure ?*
— Oui, oui…

— *Pourquoi ? Tu avais l'impression de…*
— Ben, je crois que tout simplement je n'avais pas digéré l'épisode du quotidien. C'est quelque chose que je pensais avoir surmonté et en fait non, parce que… non, en fait pas du tout, parce que tout est revenu à la surface, en fait…

— *À l'occasion de cette histoire avec le magazine ?*
— J'en sais rien. C'est vrai que c'est loin maintenant, mais je suis persuadée que ma mésaventure au quotidien a nourri cette dépression et… oui, tout à fait, oui…

— *Alors tu quittes le magazine, et qu'est-ce qui se passe après ?*
— Eh bien ensuite, c'est la recherche effrénée et désespérée de piges et c'est devenu de pire en pire, hein… Je trouvais de moins en moins de piges et puis c'est devenu assez difficile parce que j'ai encore, pour la énième fois, rencontré des escrocs, en la personne de L, c'était le directeur-rédacteur en chef-directeur de la publication *(rire)* d'un magazine qui, en fait, se destinait à la communauté afro-antillaise en France. J'ai rencontré ces gens-là par l'intermédiaire du CNRJ [Centre national de reclassement des journalistes, antenne de l'ANPE], au passage, il faut le citer, hein, parce que certaines de ses annonces sont bidon. Enfin, bref, ces types du canard afro-antillais, ils m'ont proposé, après avoir fait un papier pour eux qu'ils m'ont payé très, très tard, de devenir rédactrice en chef.

Bon, moi j'étais très étonnée parce que je n'avais vraiment pas la carrure d'une rédactrice en chef, je ne savais vraiment pas en quoi consistait le travail, je savais ce que faisait un rédacteur en chef, mais je n'avais jamais été rédactrice en chef… et bon, j'ai accepté, je ne sais pas pourquoi d'ailleurs… je savais que je m'embarquais dans une galère, mais c'était pas grave… allez hop ! on fonce, on y va quand même, le nez dans le guidon…

— *Pourquoi on y va ?*
— Je ne sais pas, j'en sais rien vraiment. Maintenant, avec le recul, je me dis : « Mais qu'est-ce que j'ai pu être bête ! », parce que c'était vraiment… ça sentait le coup fourré à cinquante kilomètres, c'était dingue !

— *C'était le statut de rédactrice en chef qui t'avait alléchée ?*
— Non, ce n'était même pas ça, parce que je ne savais même pas ce que c'était être rédactrice en chef… Je continuais à faire mes articles, à corriger ceux des autres, à trouver des idées pour le magazine, mais bon, c'est tout, quoi, en fait j'étais pigiste, j'étais pigiste.

— *Tu n'étais pas salariée ?*
— Non, j'étais payée à la pige, je continuais à être payée à la pige…

— *Avec le titre de rédactrice en chef ?*
— Oui.

— *Mais tu étais payée plus que pigiste ?*
— Non, non. Le tarif du feuillet n'était pas supérieur à celui des autres pigistes, j'avais simplement droit à 3 000 francs par correction de magazine, ce qui est

complètement fou, c'est du délire, quelque chose que je ne referai jamais. Mais bon, je l'ai fait et puis, là c'est pareil, hein, ça a été une véritable catastrophe… pour récupérer 6 000 francs, j'ai dû y aller avec mon père. Parce qu'ils avaient trouvé mille et une excuses pour ne pas me payer : les grèves, les chéquiers qui ne sont pas arrivés, enfin bref, les fournisseurs qui n'ont pas payé, enfin, j'ai eu droit à tout. Bon, j'ai quand même réussi à récupérer mon argent avec pertes et fracas, au forceps, et je crois que ça, ça m'a vaccinée pour le restant de mes jours…

— *Qu'est ce que tu appelles « pertes et fracas » ?*
— Ben, c'est que je n'ai pas eu mes 6 000 francs d'un coup. J'ai eu un premier chèque de 3 000, un deuxième chèque que j'ai dû récupérer. Ensuite, j'ai su que leur compte en banque n'était pas approvisionné, donc j'ai dû attendre deux mois avant de pouvoir représenter le chèque, enfin bon, ça a été horrible, j'ai cru que je ne m'en sortirais jamais.

— *Et tu t'es fait accompagner par ton père ?*
— Oui.

— *Pourquoi ?*
— Ben, parce que j'avais peur que ça se passe mal et puis il fallait absolument qu'ils comprennent que je ne plaisantais plus du tout et qu'ils avaient tout intérêt à me payer.

« Je suis une assistée »

— *Et après ?*
— Après ? Alors après, là nous sommes aux portes du désert *(rires)*, nous traversons le désert et nous avons eu

très soif… J'ai pigé pour un magazine de la fonction publique, enfin, des gens honnêtes, qui vous paient royalement, 700 francs le feuillet, sans problème – enfin trois
mois après, mais au moins on est payé… –, donc j'ai
longtemps pigé pour eux. Je ne pige plus pour eux parce
que la rédactrice en chef est partie, ils sont en plein recrutement et j'ai l'impression que le canard ne va plus re-
paraître avant longtemps. C'est bien dommage parce
qu'ils étaient corrects, tout simplement.

— *Tu dis : « C'était payé royalement, c'était 700 francs le
feuillet. » Parce qu'on te payait combien, ailleurs ?*
— Au premier quotidien, c'était 300, au second pareil,
au magazine afro-antillais c'était 200, au magazine des
chômeurs, c'était 250. Donc 700 francs, c'était le nirvana
pour moi.

— *Donc à partir du moment où tu deviens pigiste, tu vis
avec combien d'argent à peu près ?*
— Euh… je ne dépassais pas les 3 000 francs par mois !

— *Ça veut dire que tu vis comment ?*
— Je vis seule dans la banlieue parisienne, dans un F2.
Je me débrouille, mais c'est une situation intenable. J'ai
l'allocation-logement… je suis une assistée, quoi… En
fait, en même temps que mes piges, je travaillais au centre
de loisirs. Bon, ça me permettait de vivoter…

— *C'est-à-dire qu'en plus de ton travail de journaliste tu
étais obligée de faire un boulot d'animatrice en centre de
loisirs ?*
— Oui, oui. Ça m'assurait un petit salaire fixe, et puis
sûr, surtout.

— *Et à cette époque, quand tu finis de piger pour le journal afro-antillais, tu veux toujours faire du journalisme ?*

— Mes motivations ont été rongées. Je suis fatiguée, usée, à cette époque-là… j'ai toujours envie de faire du journalisme, mais je n'ai plus envie d'arpenter les rédactions, de rappeler, d'écrire, d'attendre, de retéléphoner, de réécrire. J'en ai assez, parce que j'ai compris que les compétences en fait ne sont pas reconnues et qu'il faut être coopté. Voilà !

— *Ça veut dire quoi, ça ?*

— Ben, qu'il faut être pistonné, qu'il faut connaître Trucmuche, qu'il faut être le fils de Machin-Chouette, sinon t'as aucune chance de percer.

— *Tu continues ensuite ton trajet de pigiste ? Comment ça se passe après ?*

— Ben, je continue mon trajet de pigiste, oui, comme je te l'ai dit, c'est vraiment la traversée du désert, parce que j'ai de moins en moins de piges. Je continue à piger pour la fonction publique, mais bon, c'est vraiment très ponctuel. Je fais la rencontre de la rédactrice en chef d'un magazine de soins de beauté qui est tout sauf une rédactrice en chef, mais qui a le mérite au moins de ne pas m'emmerder et de me payer correctement. Enfin bon, de me payer tout court, parce que ce n'était pas très bien payé, ce n'était pas non plus très mal payé, donc…

— *Que ressent-on dans sa tête en passant d'un quotidien national à un magazine de soins de beauté ?*

— Eh bien, on compose, on fait avec, hein… Je crois qu'on n'a pas le choix, de toute façon. Soit on pige pour les soins de beauté, soit à ce moment-là on va faire de la téléprospection ou on devient caissière. Voilà, c'est tout. Moi je préfère quand même continuer à faire mon boulot, même si les supports sont vraiment moins intéressants et même si les piges deviennent purement alimentaires.

— *Mais tu avais le sentiment de faire toujours ton métier de journaliste quand tu pigeais pour ce magazine ?*
— Oui, quand même. Oui, parce que j'avais le choix de mes sujets, je pouvais en discuter et j'arrivais toujours à faire des reportages, des enquêtes qui me plaisaient un tant soit peu... Donc j'arrivais à m'y retrouver, mais bon, il est clair que je sentais très bien que – enfin, je ne le sentais pas, je le savais –, que je ne travaillais pas du tout pour des professionnels. C'étaient des gens qui remplissaient du papier. C'est tout, hein... Mais je faisais abstraction de tout ça et j'essayais de faire des bons papiers, j'essayais de faire mon métier, en fait. Je crois que j'ai toujours essayé de faire mon travail correctement, que ce soit pour un quotidien national, pour ce magazine, ou pour je ne sais quel autre support. Je n'ai jamais été capable de bâcler un travail.

« Simplement fatiguée d'être pigiste »

— *Mais quand on a comme ça des problèmes qui se répètent, est-ce qu'on se met devant sa machine facilement ? Est-ce qu'il n'y a pas des moments où on a des doutes ?*
— Moi, il y a des jours où je n'avais pas du tout envie d'écrire. Écrire pour ce magazine, c'était une corvée, même si les sujets étaient parfois intéressants, parce qu'en fait j'étais tout simplement fatiguée d'être pigiste. Moi j'ai voulu faire ce métier pour travailler, faire quelque chose en équipe, et puis là tu es complètement exclue de la

sphère rédactionnelle et ça ne me convenait pas du tout. Moi je suis quelqu'un qui a quand même besoin de communiquer, de travailler avec les autres, d'échanger, et puis bon, se retrouver face à une machine et confronté à soi-même bon, c'est difficile quand on est comme moi. Donc c'est vrai que parfois je me faisais violence. Je me disais « Il faut que tu ailles devant ton ordinateur et que tu pondes trois feuillets »… Je me souviens très bien, je m'amusais – non, je m'amusais pas –, je regardais régulièrement le nombre de signes que je tapais pour voir quand j'arriverais enfin à mes 6 000 signes ou à mes 10 000 signes requis. J'en avais vraiment marre quoi, tout en faisant le travail correctement parce que je suis incapable de bâcler. C'est quand même moi qui signe, j'engage quand même ma crédibilité et puis si ça me fait chier, je ne le fais pas, quoi… J'ai déjà refusé des piges parce que je n'avais vraiment pas envie de les faire, mais à partir du moment où j'accepte, bon, j'engage mon nom et je pense qu'il faut remplir son contrat.

— *C'est important la signature ?*
— Non, c'est pas important. Ce qui est important c'est de savoir que c'est Nedjma El K qui l'a fait. C'est important dans le sens où je ne veux pas présenter n'importe quoi aux gens, voilà. Si un jour on me dit : « On t'embauche dans tel canard, mais tu ne pourras jamais signer », ça ne me dérange pas, si on ne récupère pas mes papiers.

— *Et ça s'est arrêté pourquoi et comment avec ce magazine ?*
— Ça s'est arrêté simplement parce que la rédactrice en chef n'a plus fait appel à moi. Bon, là encore, elle m'a toujours payée, hein, donc je n'ai pas eu ce genre de problème avec elle, mais bon, ça n'a pas été très clair non

plus. Il était prévu qu'on continue à la rentrée en septembre dernier, je l'ai rappelée plusieurs fois et elle ne me
recontactait pas. Et puis un jour je l'ai eue au téléphone
et j'ai senti que je l'emmerdais. Je lui ai dit : « Bon, au
moins vous auriez pu me rappeler pour me dire oui ou
non », et depuis plus de nouvelles… plus de nouvelles.
Elle m'a expliqué qu'elle n'avait pas repris son équipe de
pigistes parce que les ventes n'avaient pas augmenté, bon.
C'est très révélateur, hein ! Bon, j'ai laissé tomber aussi
parce que je n'ai pas envie de courir derrière les gens
comme ça. Si elle a envie de faire appel à moi, elle fait
appel à moi, mais je n'ai plus envie quoi…

— *Donc tu ne piges plus ?*
— Non, je ne pige plus… je n'ai plus envie de piger. Je
n'ai plus envie de partir à la chasse à la pige, je suis fatiguée, ça ne m'intéresse plus de devoir relancer les rédactions. J'ai l'impression de quémander vraiment, parce que
je connais quand même la valeur de mon travail, je sais
que je suis quelqu'un de sérieux, je sais que je fais du bon
boulot quand même, et devoir à chaque fois se vendre et
puis faire des courbettes et rappeler, et puis attendre et…
J'en ai marre, vraiment j'en ai ras-le-bol, et quand tu sais
que les gens qui traînent dans les rédactions, ce n'est pas
forcément les plus compétents, bon écoute, ça m'écœure,
je n'ai plus envie de continuer comme ça… Les pigistes,
on est de la main-d'œuvre bon marché, complètement
déconsidérée. Il faudrait mettre le statut de pigiste hors la
loi. Des gens comme moi pourraient être embauchés au
moins comme CDD, mais les employeurs en profitent
joyeusement. On est isolé… et le pain noir, ça fait trois
ans que j'en mange. Le métier de pigiste n'est pas un
métier. On t'impose ce statut. Pourtant je n'ai pas envie

d'abandonner ce métier de journaliste. Ce n'est pas venu de moi, c'est quelque chose d'involontaire, en fait j'essaie maintenant de m'orienter ailleurs…

« La malhonnêteté, l'hypocrisie, c'est dingue »

— *Il y a une grande différence entre l'idée que tu te faisais du métier et ce que tu en as vécu ?*
— En fait, moi je pensais que je pouvais faire mon métier. Je pensais tout simplement qu'en ayant envie de devenir journaliste, en faisant les études appropriées et puis en ayant du cœur à l'ouvrage, on pouvait se faire une place. Or, on s'aperçoit qu'il faut avoir sa carte de visite, ses entrées, et que les compétences sont secondaires sinon inexistantes, elles ne sont vraiment pas nécessaires…

— *Et tu as le sentiment, toi, que tu es une bonne journaliste ?*
— Oui, parce que j'aime mon métier, je l'ai toujours fait sérieusement et ça s'est toujours bien passé avec des journalistes que j'estime bons, en fait. Parce que j'ai rencontré pas mal de tocards dans la profession, et je le savais, mais bon, il fallait que je travaille. Et je crois aussi que, je ne sais pas, à un moment je devais être tellement désespérée que je fonçais tête baissée un peu partout.

— *Qu'est ce qui t'a le plus marquée dans ces expériences ?*
— L'absence de professionnalisme des gens, de tous ces gens qui se disent rédacteurs en chef, chefs de service, la malhonnêteté, l'hypocrisie, c'est dingue, hein, faire un métier de communication alors qu'on n'est même pas fichu de travailler en équipe. C'est vraiment aberrant.

— *Tu dis que tu n'as pas vraiment renoncé au journalisme ?*
— Oui, je continue de lire les colonnes des offres d'emploi du *Figaro*, il m'arrive de temps en temps d'appeler le CNRJ, mais plus ça va, moins je le fais, et je garde toujours l'espoir de pouvoir un jour reprendre le boulot, quoi. Mais en attendant, je fais autre chose. J'ai passé un concours de la fonction publique cette année, que je n'ai pas eu, bon, parce que c'est un concours très sélectif. J'ai l'intention de le repasser, j'ai bien envie de me diriger vers la formation pour adultes aussi, donner des cours d'alphabétisation, animer des ateliers d'écriture, c'est quelque chose qui me plaît aussi, mais le journalisme maintenant, dans ma tête, c'est quelque chose qui passe bien après, qui est devenu complètement secondaire. En fait je vois plus ça comme une passion que comme une profession, parce qu'on n'en vit pas… il ne suffit pas d'aimer quelque chose pour pouvoir en vivre, hein !

— *Est ce que tu as eu le sentiment de devoir en rabattre de tes ambitions ?*
— Ah oui, complètement. Moi qui avais souhaité aussi quand même parvenir à un certain statut social, parce que mon père est ouvrier, hein… on a toujours très bien vécu, on n'a jamais manqué de rien, mais c'est vrai que quand on est ouvrier on a envie d'accéder à un statut social plus élevé, je pense que c'est légitime… bon, j'aspirais à tout cela et c'est vrai qu'en vivant toutes ces expériences désastreuses je me suis rapidement aperçue qu'on avait du mal, qu'on pouvait difficilement sortir de son milieu social, quels que soient les diplômes et les motivations et la rage de vaincre et de vivre qu'on pouvait avoir. La société est tellement sclérosée, tellement compartimentée qu'on a du mal à passer d'un niveau à l'autre. C'est très difficile.

— *Et aujourd'hui, tu penses ça uniquement en termes de handicap social, ou à quelque chose lié aussi à tes origines ?*
— Ben, mes origines sociales de toute façon m'ont porté préjudice et, oui, le fait que mes parents soient d'origine maghrébine, oui, je le dis. Je n'osais pas en parler parce que je ne voulais pas tout de suite brandir cet argument : « Tout le monde est raciste, je suis la pauvre petite beur. » Non, c'est pas du tout ça… Mais oui, maintenant je le dis… je ne le dis pas à tout le monde, parce que parfois on me pose la question et quand on me demande tout simplement comment il se fait que moi je n'aie pas trouvé de travail, je leur dis… bon, c'est vrai que la profession est sinistrée, je ne connais personne et le fait de m'appeler Nedjma El K, ça n'a pas dû m'aider aussi, et ça j'en suis persuadée.

— *On cite pourtant toujours en exemple dans la profession quelques personnes d'origine maghrébine qui ont réussi…*
— Oui, mais justement, ce qui est dommage c'est qu'ils passent pour des exceptions et c'est vraiment l'illustration de ce que je viens de dire : ce sont des exceptions et ces gens-là ne devraient pas être des exceptions, ils devraient être des gens comme les autres. On n'a pas à les citer. Le fait qu'on puisse les citer prouve vraiment qu'on a du mal, qu'on a du mal à s'imposer notamment dans le journalisme ou dans d'autres professions libérales…

— *Et comment ta famille a-t-elle réagi devant cette espèce de démission ?*
— En fait, ils ont vécu ça comme moi : un véritable soulagement, parce qu'ils m'ont vue dépérir… ils m'ont vue dépérir. Je me rendais malade, je m'accrochais à mes rêves, je me battais vraiment contre des moulins à vent, et de toute façon on n'avait pas – enfin, je n'avais pas –

la carrure ni les moyens de lutter contre tout ça, quoi…
j'avais vraiment tout fait pour réussir et je n'avais strictement rien à me reprocher, je crois qu'ils n'ont aucun
regret par rapport à ça, en fait.

— *Tu envisages l'avenir comment, maintenant ?*
— Euh… je ne me vois pas du tout journaliste… je suis
devenue pessimiste – ou réaliste, au choix, moi je dirais
surtout réaliste. Et j'ai vraiment envie de passer à autre
chose, parce que sinon j'ai l'impression de stagner… tant
que je recherchais exclusivement dans le journalisme,
j'avais l'impression de stagner et puis de me mortifier. Le
fait d'avoir quand même… d'élargir mes horizons et puis
d'avoir d'autres pistes professionnelles, en fait ça m'a permis d'aller de l'avant et puis de m'épanouir… parce que
je n'ai toujours pas de travail, mais je me sens quand
même beaucoup mieux…

Norbert *ou* « Le contre-exemple »

40 ans, marié, un enfant

Père assureur-conseil ; mère sans profession ; un frère auteur-compositeur ; enfance en Seine-Saint-Denis

Bac B + Maîtrise du CELSA (École des hautes études en sciences de l'information et de la communication)

A déjà une longue carrière de journaliste économique derrière lui : tour à tour été journaliste de base, rédacteur en chef et directeur de la rédaction de nombreux périodiques, il est depuis redevenu (volontairement) pigiste, toujours pour des périodiques économiques. Il assure parallèlement un travail de consultant en entreprise.

— *Ces derniers temps tu étais à l'étranger, je crois, pour ton travail ?*

— Oui, j'étais à Hong-Kong pendant quinze jours pour plusieurs magazines de presse écrite – moi je suis essentiellement journalisme écrit –, et je suis parti pour *L'Usine nouvelle*, pour *Grand Reportage*. Et puis sur place je me suis rendu compte que j'avais d'autres sujets possibles pour d'autres canards. Donc du coup, sur place, j'ai été avec un autre camarade, on était à deux, j'ai fait un sujet en plus pour le groupe Marie-Claire, et j'ai fait un sujet en plus pour *Communication-CB News* et puis un sujet en plus pour *Le Parisien*, une fois sur place.

— *Tu dis que tu es parti pour* L'Usine nouvelle, *pour* Grand Reportage ?

— Il faut peut-être que je remonte un petit peu en amont, parce que je ne suis pas parti en Asie comme ça, par l'opération du Saint-Esprit. Deux choses : d'abord l'Asie, c'est une passion que j'aie depuis quinze ans. OK.

Donc j'y suis allé tout seul dès que j'ai eu vingt ans. Je suis parti par le chemin le plus galère pour aller en Chine, au moment où la Chine s'ouvrait d'ailleurs au monde extérieur. C'était au début des années quatre-vingt. Et depuis lors, je suis toujours allé en Chine et au Japon, enfin j'ai fait tous les pays de la zone : en gros, de Karachi à Séoul, de Katmandou à Bali, j'ai tout vu... presque, hein. Et je nourris cette passion pour l'Asie. Et il y a un an, un de mes meilleurs amis qui est journaliste pigiste aussi, avec un statut un peu particulier, m'a dit : « Norbert, je reviens d'un voyage là-bas, il faut absolument qu'on fasse quelque chose là-bas. Parce que non seulement il y a des matières, il y a des sujets extraordinaires à traiter, mais en plus la presse française n'y comprend rien et ne sait pas appréhender ce monde. Et que de ce point de vue-là, nous on a notre carte à jouer sur ce terrain-là. » Pourquoi ? Les correspondants qui sont sur place, eux, sont pris dans le tourbillon de l'actualité ou de la politique... et ils ne traitent, je dirais, que l'information chaude. Quand t'es correspondant à Bangkok, qu'il y a un problème au Cambodge, tu traites les problèmes du Cambodge avec les Khmers rouges. C'est les Khmers rouges, c'est les droits de l'homme, c'est les réfugiés. C'est ton pain quotidien, ça. Pour aller comprendre ce qui se passe au fond de la Thaïlande, sur la croissance thaïlandaise, sur la façon dont les Thaïlandais utilisent la bagnole, sur les nouvelles stars de la Thaïlande, sur ce... sur ce monde qui est un monde extraordinaire – il y a plus de monde en Thaïlande qu'en France –, là, il n'y a plus personne. Et il y a d'autant moins de personnes que les gens qui sont restés à Paris, qui pourraient traiter de Paris ce type de sujet, un peu hors actualité, ne vont pas en Asie parce que, premièrement, leurs rédactions en chef ne les y envoient pas, et puis deuxièmement, ça coûte trop cher. Et que les seuls moments où les journalistes français vont en Asie, c'est quand ils sont finalement payés par des voyages de presse. OK. Exemple : Carrefour qui ouvre son premier magasin à Shanghaï ou à Pékin, alors on fait un voyage de presse « Carrefour ». Et ça dure trois jours, et trois jours pour aller en Chine et pour voir l'Asie !... Bref, résultat : on n'y voit que dalle, on n'y comprend rien, on n'y voit que ce qu'on a envie de nous montrer. OK. Donc entre ces deux extrémités, si tu veux, qui sont le correspondant sur place, qui est un petit peu pris au piège de son actualité, et le journaliste français qui débarque pour trois jours dans la région, il y avait un gap énorme d'information entre nous et l'Asie, que nous pensions pouvoir combler. Donc l'idée elle est là, si tu veux, au départ. C'est le résultat d'une passion et d'une opportunité. Alors pour aller jusqu'au bout de cette idée, on s'est dit : « Bon, ben, on va en parler à plusieurs rédacteurs en chef qu'on connaît. » Ça fait quinze ans que je fais ce métier, donc je commence à connaître un peu le réseau. Tous les copains avec qui j'ai bossé sont devenus rédacteurs en chef, moi j'ai préféré suivre une autre voie. Et on leur a dit : « Ben voilà, on va faire un grand voyage en Asie du Sud-Est de six semaines. On va faire huit pays de la zone, et vous allez avoir une vision transversale unique. »

— *C'était l'année dernière ?*
— C'était en janvier-février de cette année [1996]. OK. « Et on va vous proposer quelque chose d'unique, c'est-à-dire une vision transversale. On va vous emmener en Thaïlande, en Malaisie, à Singapour, en Indonésie, au Cambodge, au Viêt Nam, à Hong-Kong, à Taïwan, et vous allez avoir une masse d'informations, de sujets

extraordinaires pour chacun de vos journaux. Pour *Le Nouvel Économiste*, ça sera ça, pour *L'Usine nouvelle* ça sera ça, pour le groupe *Marie-Claire* ça sera ça, pour *L'Express* ça sera ça, pour *Capital* ça sera ça, etc., etc., etc. » Avec à chaque fois, bien sûr, des sujets différents. Mais qui se recoupent. Et… euh… les gens nous on dit : « Oui, pourquoi pas… » Mais tu sais ce que c'est dans la presse, on ne signe jamais rien. On ne prend aucune commande. On attend que les types reviennent pour voir le matériel qu'ils ont ramené. On ne s'est pas désunis. On s'est dit avec mon copain : « Ben, on y va, qu'à cela ne tienne. Même si on ne se fait pas de pognon, on s'en fout, on le fait pour le plaisir… Et parce qu'on a envie de le faire. » Donc on a investi… Alors pour parler chiffres, il faut parler chiffres, hein, je pense, c'est intéressant ? On a investi, écoute, en tout et pour tout sur ces cinq semaines et demie de déplacement, un budget global de 55 000 francs.

— *Au départ ?*
— Au départ.

« Il faut avoir l'esprit d'opportunité »

— *Il faut les avoir, quand même ?*
— Il faut les avoir. Donc on a pris… nos économies, quoi. On avait, bon… nos économies. On a foutu ça sur la table, on a dit OK, on fait le pari. On fait le pari, on fout ça sur la table et on essaie de rentabiliser l'opération. À deux ça représente à peu près 30 000 francs par personne. Donc en verrouillant les budgets… Je ne te raconte pas. C'est-à-dire l'aller-retour Paris-Bangkok 4 500 francs, le minimum-minimum par KLM via Amsterdam.

À Bangkok on connaissait une agence, qui nous a fait des prix d'enfer sur toute la région. On ne va pas dans les grands hôtels, on va dans les petits hôtels tenus par des Chinois. Le taxi… on prend le métro ou l'autobus. Et puis on bosse vingt-quatre heures sur vingt-quatre. Quand t'es dans ce type d'attitude, tu ne reviens pas le soir à ton hôtel à 17… à 19 heures et puis tu regardes la télé. Tu bosses jour et nuit, parce que t'es poussé par ton truc. T'es dans le flot de l'Asie et t'es complètement pris par ton sujet. Et puis aussi investissement photos. Puisque l'idée aussi c'était de faire package complet, textes édités plus photos de tous les gens qu'on a rencontrés… Donc, on s'embarque. Et on ramène… on a des tonnes de docs, on rencontre des gens absolument fabuleux, etc. Des milliardaires français à Singapour. On va visiter des usines au fin fond du Viêt Nam, tenues par un type qui fait de l'ébénisterie, de la copie de Louis XVI qu'il revend en Europe et en Amérique avec deux cents Vietnamiens qui bossent dans une usine infecte au fin fond d'Hô Chi Minh City. On rencontre des trucs extraordinaires, si tu veux. On rencontre des trucs extraordinaires. Et on y est en même temps que Chirac, en plus, ce qui est marrant. Tout le monde nous dit : « Vous venez pour Chirac. » Non, on n'en a rien à foutre de Chirac ! Rien à foutre ! Et t'as deux cents journalistes qui font le pied de grue et le porte-micro avec Chirac sur l'Asie et qui voient rien de l'Asie. On était à Singapour exactement le même jour que Chirac. On a fait nos sujets sur Singapour sans aller voir ni les journalistes ni la caravane. La caravane, c'est la caravane du Tour de France, c'est ridicule. Ils ne voient rien de l'Asie ces gens-là. Qu'est-ce que c'est ce travail !

— *Concrètement qu'est-ce que ça donne comme reportage ?*
— Écoute, il faut avoir l'esprit d'opportunité, bien sûr, dans ces circonstances-là. En plus, nous on est des gens plutôt sympas, on n'a pas la grosse tête. On cherche à comprendre les choses. On ne cherche pas à voir le big boss, on ne cherche pas à aller voir l'huile qui va nous sortir sa langue de bois. On veut court-circuiter les langues de bois pour comprendre ce qui se passe à l'intérieur de ces pays-là. Et qu'est-ce que les Français ont à y faire. Donc concrètement, on va rencontrer le patron français d'une grosse boîte du bâtiment et des travaux publics au Viêt Nam. On fait un sujet économique avec lui. On fait une interview économique avec lui autour d'une bouteille de whisky… Et puis on parle d'autre chose, on parle de la vie. Et puis il nous parle de sa femme. Et puis sa femme… ça fait vingt ans qu'ils se trimbalent tous les deux dans le monde entier. « Eh ben, on lui dit, il faut qu'on aille voir votre femme, elle a des choses à dire sur la vie d'une ex-patriée. » On va voir sa femme, et puis on se dit : « C'est un super sujet pour *Marie-Claire*. » Et puis une fois qu'on a vu sa femme, on dit : « Mais vous avez des enfants ? — Ben oui, oui, on a une fille justement, elle est en train de monter sa boîte à Hô Chi Minh City ! » Une fille de vingt ans qui monte son entreprise à Hô Chi Minh City ! Sujet fantastique ! Et on revenait de Kuala Lumpur où on a vu des gamins qui débarquent à vingt ans parce qu'ils n'ont pas de boulot et qui n'ont qu'une seule chose à faire, c'est de sortir de France pour trouver du boulot. Ils débarquent à Kuala Lumpur à vingt ans, ils ont rien, et ils trouvent du boulot en trois mois ! Sujet !

— *Pour qui par exemple ?*
— Alors ça c'est pour *L'Express*. On l'a vendu à *L'Express*.

— *Et le portrait de la jeune fille chef d'entreprise ?*
— Et le portrait de la jeune fille pour *L'Usine nouvelle*.
Et le portrait de la mère, c'était pour *Marie-France* du
groupe Marie-Claire. Donc si tu veux, portés par notre
enthousiasme, je pense, et puis portés aussi par notre volonté d'aller au fond des choses et de ne pas faire ce que
font tous nos confrères, c'est-à-dire à la fois de comprendre ces pays-là avec d'autres angles, d'autres modes
de… de compréhension que… que font nos confrères qui
vont voir l'ambassadeur de France, qui vont voir les institutionnels sur place… Le gouvernement… la politique
tout ça, non, on s'en fout. On veut voir des gens, nous.
On veut voir des gens qui ont des tripes, on veut voir des
gens qui nous racontent des histoires. Donc au bout du
compte, au bout du compte, le bilan si tu veux, c'est
qu'on a rentabilisé trois fois notre investissement. J'ai fait
mes calculs là, avec mon expert-comptable la semaine dernière, on a dû… pour te parler franchement, on a dû ramener 165 000 francs… de revenus… en honoraires. Je
parle en honoraires, on précisera ensuite les statuts. La
mise de départ est à défalquer ensuite de cette somme.

— *Qu'est-ce que tu as fait comme autres papiers ?*
— Bon, écoute. J'ai fait… on a fait un dossier de trente
pages pour *L'Usine nouvelle*. Trente pages. Textes et photos, sur l'ensemble de la zone : comment réussir en Asie
du Sud-Est. Au départ ils voulaient quinze pages. Ils ont
trouvé ça tellement bien qu'ils nous ont donné trente
pages. OK. Avec là aussi un angle différent. Une volonté
d'informer pratiquement le lecteur, de sortir du *bullshit*
dans lequel on veut parler de ces pays-là, hein. On vous
sort des trucs sur la Thaïlande, à part la prostitution, on
ne sait pas, on ne sait pas quoi… on ne sait pas ce qui s'y

passe. Et pourtant Michelin, ils bossent là-bas. Alors qu'est-ce qu'ils font Michelin, là-bas ? Ils vendent des pneus. Comment ils font pour vendre des pneus, Michelin ? C'était aussi cet aspect-là qui nous intéressait. C'est de court-circuiter un petit peu les clichés, les fantasmes que l'on transbahute sur tous ces pays-là.

— *Qu'est-ce que tu as fait d'autre ?*
— Donc il y a eu ça. C'était le plus gros morceau. Il y a eu trois pages dans *L'Express* sur les jeunes Français qui vont chercher du boulot en Asie. On a eu huit pages dans *Marie-France* sur les femmes d'expatriés qui vivent là-bas. On a eu un dossier spécial dans *Communication-CB News* sur les groupes français de presse écrite en Asie avec Hachette, Bayard Presse et Marie-Claire. On a eu quoi d'autre ?… Il faudrait que je reprenne mes trucs, mais enfin, bon…

— *Et cette fois-ci donc tu es retourné dans la même optique parce que là tu avais…*
— Et là, du coup, les gens… Un « courrier des lecteurs » incroyable. Et les gens nous disent : « Mais c'est génial ce que vous faites sur l'Asie, il faut que vous y retourniez. » Et du coup, du coup, c'est maintenant les canards qui nous demandent d'aller là-bas. À l'heure d'aujourd'hui, on a actuellement trois grosses commandes. Une grosse commande sur Hong-Kong, une grosse commande sur la Corée et une grosse commande sur la Chine.

— *Alors ça parle de quoi ? et pour qui ?*
— Alors la grosse commande sur Hong-Kong, c'est deux choses. C'est pareil, rebelote pour *L'Usine nouvelle*, qui a apprécié l'aspect pratique de notre dossier, et qui veut

comprendre qu'est-ce qui va se passer après le 1er juillet 1997, quand Hong-Kong reviendra aux Chinois. Bon, concrètement, économiquement, comment ça va se passer pour les Français qui y sont et les Français qui voudraient y être. Là aussi, gros dossier. Deuxième gros sujet, *Grand Reportage*, pour lequel on va faire un énorme numéro de plus de quarante pages. Donc on a été en repérages pour *Grand Reportage*… Voir des portraits. Voir des choses qui n'ont pas été photographiées, etc., etc. Voir un peu comment on peut construire le truc. Mais ça va très loin. Moi j'ai été jusqu'à concevoir un dépliant géant pour eux, que j'ai maquetté complètement, que j'ai dessiné complètement.

— *Ça c'est plus « tourisme » ?*
— Ça c'est plus tourisme, voyage, absolument… Et sur place on a eu deux autres idées. On s'est dit que toute la presse française allait pondre des trucs sur Hong-Kong. Nous, on connaît Hong-Kong comme notre poche, alors on a fait un maximum de portraits qu'on va refiler à un maximum de canards dans les deux mois qui viennent.

— *Des portraits de quel style ?*
— Des portraits de Français qui sont là-bas. Par exemple on a une série de portraits de businesswomen françaises qui ont fait le pari de rester après le 1er juillet, dont l'une est enceinte, elle va accoucher au mois de juin, etc. Des histoires de femmes, quoi ! Qui ont des tripes ! Qui mènent un restaurant. Qui vendent des sacs de couchage en Chine… euh… Qui ont vraiment une histoire fantastique tu vois. Donc une série de portraits pour la presse féminine. Pour *Le Parisien*, ça va être une page spéciale sur les Français à Hong-Kong. Et puis, et puis on a de la

matière… Mais on a plus de matière que le temps nécessaire pour gérer cette matière. Tellement… tellement on est dans une fenêtre, si tu veux, qui correspond à une valeur ajoutée, finalement, que n'offrent pas les journalistes qui sont ici ou les journalistes qui sont là-bas.

— *Là tu me cites des exemples concrets de reportages. Ce sont beaucoup de portraits ou de reportages sur des Français vivant en Asie ou ce sont beaucoup de reportages sur des gens qui sont des entrepreneurs. Est-ce qu'on te prendrait aussi facilement des reportages sur le travail des enfants en Chine ? Est-ce que tu ne t'adaptes pas à un marché ?*
— Si, bien sûr. C'est ce que je suis en train de préparer pour *VSD*. Pour *VSD* je suis en train de préparer une série de sujets d'un autre style, hein. Mais ça m'embête de t'en parler quand même, parce que c'est un peu confidentiel. Mais c'est sur la Chine et sur la Corée.

« J'ai monté ma petite boîte »

— *Pour reprendre ma question, est-ce que tu penses pouvoir ramener une série de reportages sur une autre Asie, par exemple sur une Asie qui souffre ?*
— Oui. Bien sûr que oui… Il se trouve que bon, moi j'ai un passé plus de journaliste économique, et que c'est vrai que c'est un peu plus mon rythme. Mais le camarade avec lequel je fais ça… C'est important peut-être que je te dise pourquoi on est parti à deux. Parce qu'il y a une émulation quand t'es à deux, quand t'es free-lance, qui est vachement importante. Parce que l'un des problèmes du free-lance, c'est la solitude, quand même. Et la solitude pas seulement émotionnelle, mais au point de vue, je dirais, efficacité. Quand on est à deux comme ça, quand tu

pars cinq semaines et demie, quand tu fais huit pays, c'est-à-dire entre quinze et vingt avions, physiquement c'est éprouvant, c'est pas facile. Et le fait de l'avoir fait à deux a été un… je ne dirais pas un coup de génie, ça serait très prétentieux, mais c'était un coup génial. Parce que quand l'un était fatigué, l'autre reprenait le… le truc. Et à chaque fois c'était à celui qui allait trouver le bon sujet, c'était à celui qui allait chercher le truc. Lui, tu vois, il est plus grand public, il est plus *people*, plus… Il a un style différent d'écriture, donc on se complète parfaitement bien. À la fois en termes de sujets, en termes d'écriture. Donc les sujets pour *VSD*, je pense que ce sera lui qui sera le maître d'œuvre. Moi je les ferai, je serai content de les faire, mais on peut tout à fait les faire ensemble et on les fera ensemble. Et à la fin on partage 50-50.

— *Comment ça se passe concrètement sur le terrain ? Qui tu contactes ? Comment tu prépares ton travail ?*
— Si tu veux, il y a tout un travail préparatoire avant. Moi j'ai une centrale de communication avec fax, et tout ça incorporé à l'ordinateur et tout. Donc je peux envoyer en une matinée trente fax à Hong-Kong ou à Singapour ou n'importe où. Et donc ça pour préparer le terrain, pour dire qu'on arrive. Les gens généralement répondent peu à ce genre de trucs. Les gens répondent peu, surtout à des free-lance. C'est-à-dire qu'on n'a pas la marque de fabrique d'un canard, mais on s'en fout.

— *Tu envoies ça à qui ?*
— Des gens dont j'ai entendu parler. Je rencontre beaucoup de gens ici. Bon, ben, et puis maintenant on connaît la région. On a des copains de copains qui nous disent : « Tiens, il y a le mec de Moulinex qui est là-bas. Il y a le

mec de Truc qui est là-bas, appelle-le de notre part. » Et de fil en aiguille, on remonte le réseau, on monte un réseau d'informateurs. Et puis on lit beaucoup, on lit énormément. Je suis abonné à plein de trucs sur l'Asie et… et on passe aussi par la voie institutionnelle. On peut appeler le poste d'expansion économique. On peut appeler aussi le consulat ou l'ambassade ou les chambres de commerce. Mais on fait très peu appel à nos confrères. On refuse par principe, je dirais, de faire appel à nos confrères qui sont présents sur place. D'abord pour ne pas gêner leur boulot, et en plus pour ne pas leur faire concurrence, parce que quelque part on est concurrents. Donc je refuse de faire appel au correspondant du *Monde* à Bangkok, à celui du *Monde* à Tokyo. C'est vraiment important à dire. On est sur deux planètes différentes. Moi je suis au contact de la demande ici. OK.

— *C'est à dire ?*
— Moi je suis au contact de la demande. C'est-à-dire, on s'est posé la question avec mon pote : « Et si on ouvrait un bureau à Hong-Kong ? » Tu peux ouvrir une boîte à Hong-Kong en vingt-quatre heures. Mais en fait on s'est dit : « Pourquoi ? » Finalement ceux qui sont à Hong-Kong, les journalistes free-lance ou les journalistes qui sont en Asie, ils sont au cœur de la source certes, mais ils sont loin de leurs canards. Ils sont loin de la demande, ils sont loin de la France, ils sont loin de comprendre comment les Français évoluent dans leur besoin d'informations sur le monde. Et nous, on préfère être ici, quitte à être très souvent là-bas. On préfère faire l'aller-retour. Je pense que c'est l'aller-retour qui fait la différence, plus que l'espace. Tu vois le truc. Et ici moi je suis au contact des rédacteurs en chef. Je suis au contact des

canards. Je les lis, je suis dans le kiosque tous les jours. Je vois ce qui sort. Je vois ce qui se fait. Je peux foutre mon nez là-dedans, je peux avoir un regard intuitif sur l'évolution des besoins, et des manques et des erreurs. Quand je vois des conneries qui sont faites... Quand je vois le nombre de conneries qui ont été écrites sur la Corée, si tu veux, depuis deux mois. Attends ! Attends, la Corée ! Il faut arrêter de mythifier. Daewoo et Samsung, il faut arrêter de dire des conneries. Ces boîtes-là, elles ont un mode de fonctionnement et elles ont plein de faiblesses. On ne parle jamais de leurs faiblesses et de leurs problèmes. On ne parle que du fait qu'elles vont nous dévorer... On pousse au racisme, d'ailleurs, de ce point de vue-là. On pousse à une vision nationaliste de la France qui est... qui est horripilante, qui est dégueulasse, qui est un mensonge, qui est un déshonneur pour un journaliste. Mais il faut aller voir sur place. Moi je la connais, la Corée, j'y étais. Les *chaebol*, les fameux grands groupes, là, ils sont super fragiles. Ils ont fait des choix qui sont négatifs. Le TGV ils ne savent pas le construire, les mecs. Ils n'ont pas les ingénieurs spécialisés en travaux publics et en bâtiment. Ils ont pris cinq ans de retard sur le TGV. Il faut arrêter de déconner. Tu vois, moi ça me révulse. Je prends l'exemple de l'Asie, mais je pourrais prendre l'exemple de l'Amérique. Je pourrais prendre l'exemple d'autres endroits du monde. Et je me dis que là j'ai un truc à faire. Je me dis que là c'est le moment où il faut aller en Corée et je vais y passer le temps qu'il faut et tu vas voir. Je vais être en Corée en février-mars, je vais revenir, je vais vendre un maximum de papiers. Parce que je vais dire les choses que j'aurai vues, que j'aurai analysées en profondeur et qui ne correspondront pas aux clichés et aux mensonges qu'on lit sur ce pays-là. Je me souviens d'une couverture du journal *L'Expansion* du mois de mars ou d'avril dernier où on voyait le ying et le yang, le patron de Samsung et en gros titre : « Comment Samsung va nous dévorer ». Et je dis qu'aujourd'hui, ce type d'attitude journalistique, elle est déshonorante pour notre métier, elle pousse au nationalisme, elle fait le lit du fa... du fascisme en France. C'est scandaleux de dire de tels mensonges sur l'étranger. Samsung a un pouvoir, mais Samsung est une entreprise qui a ses défauts et qui a ses qualités. Allons comprendre comment elle fonctionne, plutôt que de faire jouer le fantasme, de jouer le mythe. Donc je le fais ça, par volonté de me battre contre les clichés, contre une façon de faire de la presse qui me révulse. C'est pour ça que je suis redevenu free-lance.

— *Justement, pourquoi as-tu adopté cette démarche ?*
— J'ai compris, si tu veux, que d'une part pour retrouver à la fois le plaisir – c'est important le plaisir... bien sûr, il n'y a pas que ça, le plaisir, il ne faut pas se contenter que du plaisir dans la presse –, mais le plaisir et, je dirais, la volonté de faire passer des messages, la volonté de faire avancer le schmilblick, je ne pouvais plus le faire dans le cadre statutaire classique du journalisme français tel qu'il existe aujourd'hui. Concrètement j'ai été rédacteur en chef de canards, j'ai été grand reporter, j'ai été chef de service, etc., et à chaque fois que je me suis retrouvé dans cette situation de salarié, j'ai été confronté à des pesanteurs, à des contraintes de moyens, de temps et d'argent, qui m'empêchaient d'aller jusqu'au bout de ce que j'avais envie de faire passer comme message, jusqu'au bout de ce que j'avais envie de faire passer comme informations. Donc je me suis dit : « Mon vieux, il faut que tu quittes

ce métier pour mieux y retourner. Autrement dit il faut que tu puisses assurer un minimum de viabilité économique pour toi et ta famille, ma femme et ma fille, et ensuite à partir de ça reconcevoir le métier en y prenant les moyens et le temps nécessaires pour le faire correctement. » Et c'est ce que j'ai commencé à construire. Concrètement ça veut dire quoi ? ça veut dire que j'ai changé de statut. Je ne suis plus salarié. Je me suis mis en profession libérale, d'accord. Donc je suis tout seul en profession libérale, avec toutes les paperasses que ça implique, etc. Mais je peux facturer comme je veux des photos, des textes, des activités diverses et variées, des brochures, des bouquins. J'ai monté ma petite boîte.

— *Une boîte de quoi exactement ?*
— Ben, une boîte de production. Mais qui me permet de faire à côté un autre métier, qui est celui de consultant et dans un truc qui n'a rien à voir avec ce que je fais en presse. Autrement dit j'ai fait quelques missions, depuis cinq ans, dans le monde du conseil, en matière de ressources humaines, de gestion des crises, d'audit du corps social dans les entreprises, et je ne suis pas mauvais. Il se trouve que je ne me débrouille pas trop mal, et du coup, des boîtes font appel à moi pour gérer des problématiques de ressources humaines et de communication interne. Alors je développe pour ça des méthodes particulières, je développe un savoir-faire particulier et je dirais que ça c'est un métier en lui-même. Et à côté de ça, je fais tout ce que je viens de te dire, c'est-à-dire tout le travail de presse et d'articles, en particulier sur l'Asie, mais aussi sur le management, car comme je viens de faire un bouquin là-dessus, c'est mon domaine de prédilection.

« J'ai l'impression d'être un cas marginal »

— *Est-ce que la production d'articles est suffisante pour te faire vivre ?*

— Aujourd'hui, je vais être très franc avec toi, aujourd'hui, sur mes revenus de 1996 – j'ai vu mon expert-comptable – j'ai un peu moins de 60 % de mes revenus totaux, en honoraires, qui viennent de la presse, et un peu plus de 40 % qui viennent de mon autre activité.

— *Et les 60 % de tes revenus venant de la presse sont suffisants pour te faire vivre ?*

— Écoute… euh… je dirais presque oui. Je dirais que oui. Bon, j'ai pris des vacances cette année, des choses comme ça. Bon, je bosse énormément, je bosse jour et nuit, moi. J'aime bien bosser jour et nuit et puis prendre des vacances, beaucoup de vacances. Je bosse très intensif pendant la semaine, puis après je prends des vacances.

— *Tu viens juste de dire que les contraintes de temps, entre autres, t'ont fait quitter ton statut de titulaire. Ta nouvelle organisation te permet d'avoir plus de temps pour travailler tes articles ?*

— Ça me permet de bosser avec qui j'ai envie de bosser, sur les sujets qui me semblent être fondamentaux et avec les angles d'attaque qui me semblent être les plus originaux qui soient. Donc je retrouve la liberté… Mais je suis un contre-exemple. Je suis un contre-exemple. J'étais récemment à Lyon, à l'assemblée générale des Clubs de la presse et ils m'ont demandé d'intervenir sur « journalisme et rentabilité », je leur ai sorti un discours effectivement assez optimiste finalement, assez *punchy*. Les types, ils ne comprenaient pas. Donc j'ai l'impression quand même d'être un cas marginal, c'est clair. Je me sens différent de beaucoup de pigistes que je connais, que je fréquente. Je ne me sens pas dans le même monde qu'eux. Mais en même temps j'ai monté ma vie, moi. J'ai monté ma logique.

— *Tu es journaliste depuis plus de quinze ans. Tu as été rédacteur en chef aussi. Est-ce que tu sens davantage monter la précarité dans ce milieu ?*

— Moi, j'ai toujours considéré ma vie de journaliste comme étant le summum de la précarité, depuis le début. J'ai démarré dans ce milieu, je n'avais aucun piston, je ne connaissais personne. Et pourtant depuis ma plus tendre enfance, j'avais la volonté de le faire. Depuis l'âge de dix ans je veux faire ça. C'était ma passion et ça continue d'être ma passion. Et puis très vite je me suis rendu compte, c'était de comprendre comment fonctionnait ce système. Et donc j'ai tout fait, j'ai fait de la PQR, de la presse nationale, de la presse hebdo, de la radio, un peu de télé, de la photo, de la presse pro, de la presse infogéné, etc. Pour pouvoir tout comprendre. OK. Et ensuite je me suis dit : c'est la presse magazine qui me correspond le mieux, et j'aime bien l'économie, donc on va faire ça. Et puis il y a eu un moment bizarre, c'était il y a deux ans. Il s'est passé un truc. Alors j'ai été free-lance, j'ai été salarié, je suis revenu free-lance, j'ai toujours joué des deux statuts… Parce que, aussi, je suis devenu rédacteur en chef pour comprendre comment le rédacteur en chef se comportait par rapport au free-lance. Aujourd'hui, quand je suis devant un rédacteur en chef, les choses sont très claires. Je sais parfaitement comment il fonctionne et lui sait, puisque j'ai été rédacteur en chef, comment je fonctionne. Ça permet de faciliter les choses. Mais il y a une chose qui m'a frappé il y a deux ans et j'en discutais avec un copain journaliste titulaire. Et je disais à ce copain : « Tiens, écoute, je pense que je vais sortir du salariat. Je vais remonter ma boîte. Je vais refaire du free-lance. J'en ai marre de toute la pesanteur et de toutes les frustrations colossales qu'il y a dans notre milieu. Ça me tue l'esprit, ça me tue la tête, ça me tue la tronche. J'en ai marre. Je vais reprendre un peu d'air. » Il m'a dit : « T'es fou. Il y a combien ? 28 000 journalistes aujourd'hui. Quand tu étais free-lance la dernière fois, il y avait 18 000 journalistes. Il y en a combien qui vivent dans la précarité ? T'es fou. Tu vas te fragiliser complètement. T'as une femme, t'as un enfant. T'as plus vingt ans. T'as plus la même énergie. » Je lui ai dit : « Écoute, je vais te dire une chose, je pense que c'est moi qui ai raison. Je pense aujourd'hui que c'est toi qui es fragile, parce que c'est toi qui es salarié. » Et on s'est vus il y a trois mois, ben, il m'a dit : « C'est toi qui avais raison. J'ai été viré de mon job. Étant salarié, j'ai été viré, mais comme un chien. » Et moi j'ai monté ma boîte, j'ai monté mon truc, j'ai monté mon bizness tout seul. Pourquoi j'ai réussi, moi, et que lui n'a pas réussi ? Parce que j'ai réparti mes risques. J'ai réparti mes œufs dans différents paniers. Comme je te l'ai dit, j'ai monté ma structure qui permet de faire d'autres activités, mais même dans la presse, je ne travaille pas pour un seul canard. Je travaille pour dix canards, quinze canards différents. Et pas seulement pour l'Asie. Pour l'Asie c'est peut-être 70 %, 80 % de mon travail. Mais si *L'Express* me demande de faire un petit truc pour l'éco, je le ferai. Si j'ai le temps de le faire.

— *Pour quels canards tu travailles ?*
— J'ai bossé pour *Ça m'intéresse*. Donc là je vais bosser pour *Grand Reportage*. Pour *Cosmo*, j'ai fait un petit

papier pour *Cosmopolitan*. Tu vois ce qui me frappe aussi, c'est que j'ai l'impression que je fais partie d'une génération qui a encore la capacité d'adapter son attitude journalistique et son écriture en fonction de quelque support que ce soit, de quelque canard que ce soit. Moi je peux écrire un papier pour *Cosmo*, pour les jeunes filles de chez *Cosmo*. Je peux écrire un papier sur les courroies dentées en polyuréthane pour *L'Usine nouvelle*. Je peux écrire un papier sur la nomination des PDG pour *Ça m'intéresse* et je peux faire un papier de tourisme sur la bouffe en Chine pour *Grand Reportage*. Bon, je ne dis pas que je suis un homme à tout faire, mais je pense que les jeunes générations aujourd'hui de pigistes n'ont pas cette capacité à adapter leur écriture d'une manière aussi flexible que ça. Je pense que c'est du rôle des journalistes de savoir ça aussi, de ne pas être simplement ancré dans un type d'écriture, un type de journalisme. Si tu veux, pour aller un peu plus profond dans les choses, je pense que nous subissons tous, journalistes que nous sommes, nous subissons le mensonge d'un modèle qu'on a voulu nous inculquer il y a vingt ans. Et ce modèle, c'est le modèle du journaliste libérateur, le journaliste-Zorro qui est un modèle très linéaire finalement, qui est : tu deviens journaliste, puis tu passes chef de service, puis tu deviens rédacteur en chef, puis tu vends un grand canard, et puis tu as l'ouverture à tous les pouvoirs de ce monde. Et tu entres à l'Élysée, et puis tu vas discuter avec le président de la République. Si je devais résumer grossièrement c'est le fantasme du jeune journaliste qui débute. C'est une sorte de modèle, un côté un petit peu linéaire. Et aujourd'hui, moi je crois que la société elle évolue, le monde qui est le nôtre, il n'est pas du tout linéaire. Il est extraordinairement complexe. Ce n'est pas par l'accumulation de compétences et de savoirs, et ce n'est pas par l'accumulation d'informations que tu deviens meilleur journaliste. Ce n'est pas parce que j'ai Internet que je vais devenir meilleur journaliste. Ce n'est pas parce que je suis abonné à cinquante canards que je vais devenir meilleur journaliste. C'est parce que j'ai une attitude qui me permet d'écouter ce qui ce passe, de regarder ce qui change, d'aller voir, d'aller bouger son cul pour aller voir ce qui se passe en Corée au lieu de réagir par rapport à des fantasmes dont j'ai hérité. Et cette attitude-là, moi je ne la vois pas chez les confrères, je ne la sens plus, moi. Je sens une population très refermée sur elle-même, très, très, très repliée sur soi.

— En fait tu mènes ton métier de journaliste comme un chef d'entreprise ?
— Complètement. Je me suis mis dans la peau de ça, si tu veux. J'essaie de voir quelles sont… mais en même temps… comment t'expliquer ça clairement ? Il y a un moment, quand j'étais free-lance, il y a six ou sept ans, je ne sais plus… avant de rentrer à *L'Expansion*, après j'ai été embauché à *L'Expansion*… en 1987, voilà. Avant 1987, j'étais encore free-lance pendant deux-trois ans. Je me suis baladé partout en Asie, tout ça… Quand je suis arrivé à *L'Expansion* en 1987, j'avais l'impression de faire mon métier d'une manière beaucoup plus dynamique que ce que je voyais chez mes confrères chez qui je débarquais. Comme tu dis, j'avais monté ma boîte sans m'en apercevoir. Je devais être l'un des premiers journalistes à être sur Apple 2. J'avais investi dans un ordinateur, ce qui était rare à l'époque pour un journaliste indépendant. J'avais conçu mes propres logiciels de gestion. Je savais qui me devait de l'argent… parce que tu sais, c'est un foutoir pas

possible, les gens ils paient à trois mois, à quatre mois, etc. J'avais conçu mon petit logiciel : qui me doit de l'argent ? quand est-ce que je serai payé de cette pige ? etc. Je bossais pas mal pour la presse informatique… Et j'avais un modem. J'interrogeais des bases de données à l'époque, en 1987. C'était un petit modem ridicule, tu vois, de 1 200 bauds ou je sais pas de quoi… Et je travaillais beaucoup pour la presse informatique, pour le groupe Tests, pour tous les canards du groupe Tests et eux avaient une petite base de données, et avant d'aller à une interview chez Nixdorf ou chez Siemens, clac, j'interrogeais ma base de données : qu'est-ce qui est sorti chez Nixdorf ou chez Siemens depuis deux mois, pour préparer mon interview. Donc j'avais mon petit centre de production, mon petit centre de gestion, j'avais mon petit centre de marketing, si tu veux. Je prévoyais la demande, je regardais ce que faisait la presse américaine, j'étais abonné à des *newsletters* sur l'Asie. Donc je faisais un petit peu mon centre de recherche, mon centre de recherche-développement. Je lisais les bouquins qui n'étaient pas encore traduits en français, pour voir comme ça, quels étaient les auteurs à la mode aux États-Unis. Donc j'avais reproduit en fait toutes les fonctions d'une entreprise : centre de recherche, centre de marketing, centre de comptabilité… euh… production… euh… informatique… euh… commercial, parce que je construisais mes sujets comme… comme un vendeur, quoi. C'est-à-dire, tu vois, j'allais voir un rédacteur en chef, je n'allais pas lui vendre une idée, j'allais lui vendre douze idées. Et douze idées qui correspondaient à son canard et formulées dans le style de son canard… Les types, ils ne pouvaient pas refuser. Quand ils me voyaient, ils disaient : « Mais qui c'est celui là ? je suis obligé de lui prendre deux sujets, parce que… », bon. Et clac, j'entrais dans le canard et puis tac, tac, tac, les types, ça marchait bien, et puis, etc.

— *Il faut connaître des gens pour aller « vendre » ses sujets ? Comment ça se passe ?*
— Écoute, il y a deux choses. Il faut être curieux de nature, sinon on ne fait pas journaliste. Franchement, si t'as pas cette habileté à ouvrir les oreilles, à sortir, à foutre le nez dans la rue et à bouger ton cul, t'es pas journaliste, c'est pas la peine. Et deuxièmement, il faut un peu de culot, avoir un peu de culot. La première fois que j'ai appelé *L'Expansion* pour vendre des sujets, je ne les connaissais pas les mecs. J'ai appelé le rédacteur en chef : « Je veux prendre rendez-vous avec vous. J'ai douze sujets à vous proposer. — Ah bon ! Ah bon ! Dites donc, vous. » Il rigolait, tu vois, le gars au bout du fil. Il rigolait. « Quand est-ce qu'on peut se voir ? — Ben, on peut se voir la semaine prochaine, à telle heure », clac. Et puis deux ans après j'étais embauché. Comment te dire ? C'est une attitude, si tu veux, c'est une attitude… euh… moi, je n'ai jamais attendu que le Saint-Esprit tombe sur moi. Moi, je n'attends pas que quelqu'un vienne me protéger.

« Des trucs qu'on ne lit pas ailleurs »

— *Est-ce qu'il y a des sujets ou des thèmes que tu n'arrives pas à caser ?*
— Oui, il y a un sujet super que je n'arrive pas à caser. Ça fait cinq ans que j'essaie de le faire et je n'arrive pas à le caser. C'est un sujet extraordinaire. C'est un sujet fabuleux. Ce sont les sociétés de commerce japonaises : les *shogoshosha*. Les *shogoshosha*, ce sont les plus grandes sociétés d'information du monde. Elles ont plus de correspondants

que la CIA dans le monde. Elles sont plus fortes que les agences de presse. Elles ont des capacités d'information et de couverture sur le monde qui sont extraordinaires. Elles savent exactement aujourd'hui à l'heure qu'il est quelle sera... euh... la qualité de la récolte de blé en Ukraine en 1997. Bon, c'est... ce n'est pas facile à faire comme sujet. J'ai essayé trois fois de le vendre, mais personne n'en veut. Parce que... parce que peut-être que je le vends mal. Parce qu'ils en n'ont rien à foutre de ça. Parce que... en quoi ça peut intéresser les Français ? Parce que le Japon, c'est la deuxième puissance du monde, mais ils s'en foutent. Ils ne comprennent pas. On vit dans un pays qui est dur, je trouve.

— *Dans l'ensemble tes sujets, peut-être parce que c'est ta spécialité, sont des sujets autour de l'entreprise, autour de ceux qui produisent, autour de ceux qui font des affaires. Et apparemment les journaux, même ceux qui ne sont pas des journaux économiques, aiment bien ce genre de sujets. Est-ce que c'est parce que ça t'intéresse moins ou parce que peut-être les médias les prennent moins – et que toi tu vas dans le sens des médias, tu me le disais – que tu fais moins de sujets sur ceux qui ne produisent pas, sur ceux qui ne possèdent pas...*
— Je ne vais pas dans le sens des médias. Attention ! Attention ! C'est vachement important ce que tu dis là. Parce que je sais qu'il y a une confusion complète entre le marketing et la presse. Le marketing, pour moi, ça sert à une chose, ça ne sert qu'à valider les intuitions que j'ai et les idées que j'ai. *Basta !* OK. Donc moi, je ne sers pas à caresser le poil du lecteur dans le bon sens, et surtout pas le poil des rédacteurs en chef. Je cherche à créer de la différence. Il ne faut pas être trop différent, parce que si t'es trop différent les gens ils ne comprennent pas. Tu vois

ce que je veux dire. Si je suis le Martien, j'arrive, je dis...
mais attendez... Non, non. Alors j'ai toujours un peu
d'avance. Sur le temps, peut-être il y a des sujets que
j'ai... le sujet sur les *shogoshosha* je vais peut-être le passer dans deux ans, parce qu'il y aura eu déjà... on en aura
parlé et parce que je ne tomberai pas comme un cheveu
sur la soupe. Mais attention, j'essaie de te prendre un
exemple... Créer de la différence, pour moi c'est fondamental... euh... Oui, voilà, exact, j'ai trouvé. J'ai bossé
un peu pour *Le Nouvel Économiste*, en free-lance toujours,
il n'y a pas longtemps, et je leur ai proposé un portrait.
Ils ont une double page où il y a un portrait, un type dont
on fait le portrait, qui s'exprime, avec une grande photo
en noir et blanc, etc. Bon, et c'est vrai que généralement
t'as des banquiers, des consultants... Et je leur ai dit : « Je
vais faire le portrait d'un théologien. » OK. Que je
connais, qui est un grand théologien, qui est un type extraordinaire, qui est un allemand, qui vit dans un F4 dans
le nord de l'Allemagne et qui a publié des bouquins qui...
qui sont des bouquins révolutionnaires, d'une certaine
manière, en termes conceptuels. C'est un psychothéra-
peute qui est prêtre. OK. Et il a sur le capitalisme un regard intéressant, sur le monde contemporain, un regard
passionnant. Un regard de théologien... Autre exemple,
pour *Cosmopolitain*. On a vu des choses marrantes en Asie
sur la géomancie chinoise. La géomancie chinoise, c'est
l'utilisation du ying et du yang, des éléments naturels, de
la numérologie dans la vie quotidienne. OK. Donc c'est
un peuple très superstitieux et donc t'as des... des sorciers
en fait, t'as des experts en géomancie qui s'appellent les
fengshui, qui viennent dans les entreprises, dans les maisons, voir si le lit est à la bonne place, voir s'il n'y a pas de
mauvais esprits, etc. Moi je trouve ça un sujet intéressant,

intéressant. Donc j'ai été proposé ça à *Cosmo*. Ils ont pris le sujet parce que j'avais un angle qui était intéressant et que j'avais vu des choses marrantes en Asie là-dessus et je pensais que c'était intéressant. Ça donne une autre vision de l'astrologie, quoi, enfin. Et les Chinois ils vivent ça de manière naturelle. Ils n'ont pas un regard cartésien là-dessus et ils vivent ça d'une manière différente. C'est intéressant. Un regard, comme ça, un truc un peu neuf, un peu… un peu original. Et donc pour répondre à ta question, tu vois, je ne cherche pas… je ne cherche pas à faire plaisir à qui que ce soit. Et je pense que ça c'est vachement important. Je pense que c'est ce qui fait la différence, c'est que, s'il y a quelqu'un qui doit se faire plaisir ici, c'est moi d'une certaine manière, et puis au bout du compte le lecteur, qui aura appris quelque chose.

— *Les médias sont demandeurs de ce genre de sujets qui sortent un peu de l'ordinaire, c'est ça ?*
— Ils sont demandeurs. C'est pour ça que ça marche du feu de Dieu. C'est pour ça que les sujets sur l'Asie… on leur apporte des trucs sur un plateau. Et puis des trucs qu'on ne lit pas ailleurs. Des trucs qu'on ne voit pas ailleurs, que personne ne fait. On est les seuls à le faire. Les seuls, enfin, je ne sais pas, en tous cas sur ce qu'on a fait en Asie, c'est clair. On va avoir sur Hong-Kong par exemple une attitude et un discours qui va dénoter par rapport à tout ce que je lis moi dans la presse française sur Hong-Kong. Il ne va rien se passer à Hong-Kong. Le risque… le risque de manif, machin, il est minimum. Par contre tout le monde va se focaliser là-dessus. On a vu des Chinois, on a vu des Australiens, on a vu des Américains, on a vu des Allemands, des Anglais, des Italiens, et tout le monde nous a dit : « Mais non, mais y a rien. Les

Chinois sont déjà à Hong-Kong. C'est un non-événement le 1er juillet. Ils sont déjà là, ils ont déjà tout maîtrisé. Ils sont déjà à la Bourse, le machin, le truc, le port, l'aéroport, etc. » Tu vois. Et par le seul fait qu'on y va quinze jours, et c'est marrant parce que quand on était là-bas, quinze jours, les gens nous ont dit : « Ah ! vous restez quinze jours. Ah ben dis donc, les autres journalistes, ils ne restent pas longtemps. Vous, vous prenez le temps. » Qu'est-ce que c'est quinze jours, c'est rien, tu vois, et pourtant c'est là où on fait la différence, parce que les gens, on les voit deux fois. On va bouffer avec eux le soir. Tu vois ce que je veux dire.

— *Pour reprendre ma question différemment, est-ce que parfois tu as vu des choses très dures, des choses violentes vis-à-vis de ceux qui subissent, de ceux qui ne gagnent plus ? Est-ce que ça, ça t'intéresse moins ou bien c'est plus difficile d'en parler ? Les médias sont moins demandeurs ?*
— Écoute, je dirais que les médias sont plus demandeurs, je pense. Mais justement… Oui, j'ai plein de sujets que je pourrais faire. Écoute, j'ai vu des choses, à la frontière afghane, qui étaient atroces. J'ai vu des choses en Inde… qui étaient atroces.

— *Par exemple tu m'as cité le cas de cet ébéniste qui faisait travailler deux cents personnes dans des conditions infectes. Est-ce que ça tu vas en parler ?*
— Ça je vais en parler, je vais en parler de ça.

— *Parce qu'il y a des réalités dures aussi en Asie. Toute cette compétition, elle ne se fait pas sans casse, non ?*
— Bien sûr. C'est sauvage, c'est sauvage. Je ne cherche pas non plus à… Mais, si tu veux, j'essaie de contrebalancer

un petit peu… Parce que quand on parle de l'Asie, on ne parle souvent que de ça, quand même. Le Cambodge, par exemple. Prenons le cas du Cambodge. C'est intéressant parce qu'en plus on en parle en ce moment, avec les problèmes atroces de… comment il s'appelle… de Dutroux et de la pédophilie. Moi, j'ai été au Cambodge et j'ai été partout, moi. On avait un copain cambodgien qui nous a amenés partout, le soir, la nuit, avec des barrages de militaires en armes dans Phnom Penh, bon. Un copain cambodgien. Il y a plein de choses qui se passent au Cambodge. Il y a, je vais te les lister exprès, il y a une lutte politique au couteau, au niveau des… au niveau politique traditionnel, au niveau des deux premiers ministres. On a été reçu par le… on a vu des trucs. Deuxièmement, il y a… euh… il y a une prostitution, c'est clair, qui est incroyable. Elle est incroyable parce qu'elle est en plein jour. C'est pareil partout, dans toute l'Asie, dans d'autres continents, mais enfin… elle est au grand jour… Et elle touche essentiellement des jeunes filles… euh… qui sont… majeures, je précise… je précise avec trois traits. Bon, je te dis, on a vraiment bourlingué partout. Il y a une vie quotidienne à Phnom Penh qui est extraordinaire, qui est… qui est… qui est la sortie de la mort, qui est magique, qui est l'envie de vivre, qui est quelque chose d'extraordinaire. Il y a des dancings qui ouvrent il y a des jeunes qui ont envie de danser. Il y a des jeunes… on joue de la musique. Il y a une renaissance qui est extraordinaire, qui est très… qui est fantastique. Quand on connaît ce peuple-là, c'est merveilleux. Tu as les capitaux chinois qui sont en train de bouffer le pays… Des capitaux chinois, ça veut dire des capitaux chinois de la diaspora. Les Chinois de Kuala Lumpur, de Bangkok, etc., qui investissent à mort. Du casino à l'agro-alimentaire. OK. Tu as les nouvelles zones touristiques, qui sont en train d'être construites du côté d'Angkor Vat, etc. On peut en dire ce qu'on en veut… machin, l'archéologie, etc., le tourisme archéologique. T'as cinquante sujets sur le Cambodge. OK. Moi quand je lis des choses sur le Cambodge aujourd'hui, je ne lis que deux choses… deux choses… Ah ! t'as un sujet superbe sur la guerre, sur la bataille des ONG qui se tirent dans les pattes… Les ONG, hein, hein. La Croix-Rouge et Médecins sans frontières. C'est à qui ira se faire de la pub sur le dos des… je ne dis pas qu'ils font rien. Attends, moi on m'a raconté des trucs, j'étais sur place, c'était fou. « Hé les gars, arrêtez de vous tirer dessus, quoi ! Aidez, aidez ceux qui en ont besoin. » Qu'est-ce que je lis moi aujourd'hui sur le Cambodge ? Je lis la pédophilie, je lis les Khmers rouges… euh… tout le reste, rien. Rien. Moi je veux bien aller faire un truc sur la pédophilie, je peux le faire. Ça ne sera pas facile à faire, d'ailleurs, parce qu'en fait je pense qu'il y en a beaucoup moins qu'on le croit. Parce qu'on a un tel effet grossissant, si tu veux, que… moi je n'ai pas vu d'enfants, tu vois, qu'étaient… Alors, ça ne se passe pas ouvertement, certainement… pas ouvertement. Enfin bon, quand même c'est sûr que ça existe. Mais enfin il n'y a pas que ça. J'ai envie de dire, pour répondre à ta question, il y en a d'autres qui le font. Je ne vais pas faire la même chose que ce que font tous les journalistes du monde entier.

« Arrêtez de bosser avec un téléphone ! »

— *Il y a des journalistes qui vont là-bas et qui font ça ?*
— Oui. Oui, oui, je pense qu'ils le font. Ils le font bien, mais ce sont les agences qui le font, tu vois. C'est Gamma, Sigma, qui vont chercher un peu de sensationnel, et qui

vont traiter l'info qui est vraie. Je ne conteste pas la véra-cité de l'info. Mais il y en a qui le font. Pourquoi moi j'irais le faire par derrière ? Ils le font très bien, on le voit quand même assez souvent, maintenant. Une chose que j'irai faire, peut-être, c'est maintenant en Chine que j'irai peut-être le faire, ça, ce sujet, tu vois, parce qu'il n'y a per-sonne qui y va. Là il n'y a personne qui y va. Ou alors j'irai peut-être sur les camps de réfugiés afghans parce que du coup on n'en parle plus. Moi je les ai vus dans la boue, les mecs, les gamins et tout ça. Mais on n'en parle plus. Ça, j'irai peut-être le faire. Mais je n'ai pas envie, je dirais par définition, je n'ai pas envie d'aller faire… de rentrer d'abord dans le cliché, et ensuite de faire ce que tout le monde fait. D'abord je n'ai pas les moyens de suivre, moi. Parce que Gamma, tout ça, ils ont des moyens que je n'ai pas. Je n'ai pas des moyens de suivre en photos, etc. Alors pourquoi j'irais faire ça ?

— *Est-ce que le fait d'être pigiste n'impose pas des contraintes de temps, par exemple ? Des médias avec des titulaires peu-vent s'engager dans une enquête plus longue dans des pays lointains. Toi tu peux pas te permettre de partir trois mois sur une enquête ?*
— Non je ne peux pas. Mais là aussi, je pense qu'il ne faut pas… Je pense avoir fait la preuve auprès de toi qu'il était possible, en étant seul, de se démerder. Mais ce qui est important, c'est qu'il y a certains canards aujourd'hui, j'en ai parlé avec *VSD*, qui pourraient me financer cela. Je pense. Et du coup je pourrais rentrer dans ce que tu dis. Mais à la limite je m'en fous. D'abord je ne cherche pas le pognon. OK. Pour moi le pognon, c'est la liberté. Donc à partir du moment où j'ai atteint ce que je voulais en termes de liberté, de pensée, de réflexion, et d'action,

je suis alors l'homme le plus heureux du monde. Tu vois, donc je ne suis pas dans une logique industrielle.

— *Puisque tu parles d'argent, est-ce que les articles sont bien payés ? Tu évoques des délais de paiement qui peuvent aller jusqu'à plusieurs semaines ?*
— La presse ne paie pas très bien, ça c'est une banalité de le dire. Mais de par la construction même de mon biz-ness, de par l'équilibre que j'ai, je n'ai pas de problème de trésorerie, voilà. Parce que j'arrive toujours à… j'ai toujours un matelas de sécurité, grâce à mon autre activité ou grâce au paiement de la presse.

— *Mais il existe aussi un coût matériel, fax, ordinateur, téléphone, etc.*
— Mais attends, tout ça maintenant c'est défalqué de mes frais. Je suis profession libérale. J'ai trouvé le truc. Toutes mes dépenses, le timbre par exemple, c'est une dépense pour mon bizness.

— *Tu as été rédacteur en chef. Comment un rédacteur en chef voit-il un pigiste ? À quoi sert un pigiste dans une entreprise de presse ?*
— Le rédacteur en chef il a besoin de trois choses, s'il fait appel à un pigiste. Il a besoin d'avoir une bonne idée, une idée originale. Et il attend du free-lance ce sang neuf en termes de créativité.

— *Ça c'est important, l'idée originale ?*
— Ça c'est important. Parce qu'il y a un ronron dans la presse. On ressort toujours les mêmes trucs. On ne sort pas. On ne bouge pas. La presse ne bouge pas. Elle a le cul sur sa chaise. Combien de fois quand j'étais rédacteur

en chef je disais : « Mais putain, mais foutez le camp !
Allez voir des choses. Prenez un métro, allez voir les gens !
Arrêtez de bosser avec des communiqués de presse et un
téléphone. » Jusqu'à tel point même que j'organisais des
sorties, tu vois. Je te jure. On sortait, mais c'était marrant,
d'ailleurs. On sortait, on se faisait un salon par exemple,
un salon à Villepinte. On se faisait un salon pour aller
rencontrer des gens. Tous, on partait tous. On prenait
toute la rédaction, on partait avec deux bagnoles, on partait à Villepinte faire un salon, tu vois, pour aller voir des
gens. C'était un canard éco, pour les entrepreneurs, il
s'appelait *Défis*. On passait une journée tous ensemble et
puis on bouffait sur place. Et on se partageait le salon en
partie, et puis chacun... Celui qui ramenait le plus de
cartes de visite, d'histoires, de trucs, etc. Les journalistes,
tu sais, ils ne bougent pas assez. Donc je veux du sang
neuf, quand je suis rédacteur en chef, j'attends du sang
neuf, de l'idée, de l'angle, quelque chose qui me fasse vibrer. Deuxièmement, j'attends de la ponctualité. Si je te
commande un truc, je ne veux pas que ça me file entre
les doigts. Ça, je ne peux pas supporter. J'ai un plan de
charge. C'est déjà tellement compliqué. C'est déjà tellement dur, on n'a pas de moyens. Si en plus le mec il nous
plante, alors là c'est le bordel, c'est le bordel monstre.
Donc une ponctualité, ce qui n'est pas évident. Et je dirais troisièmement, un professionnalisme. Et le professionnalisme, ça commence par, je dirais, la propreté du
travail rendu. L'adresse en plus, l'inter, la proposition d'inter, la proposition de chapeau, la proposition de surtitres
et l'adaptabilité du texte remis avec l'esprit du canard dans
lequel on veut bosser. Comprendre bien la logique dans
laquelle le canard fonctionne. Et ces trois choses, c'est
très, très rare. Et Dieu sait, des CV de pigistes, j'en ai des

kilotonnes. Et là-dedans des gens qui m'ont vraiment été utiles, compétents, j'en n'ai pas eu beaucoup. J'en n'ai pas eu beaucoup, et en plus je dirais : les meilleurs, c'est ceux qui se font embaucher rapidement, parce ce qu'ils sont très mal à l'aise avec cette instabilité, et du coup ils se font embaucher et puis clac, j'ai plus de pigistes.

— *Le nombre de pigistes augmente d'une façon importante, plus vite que celui des journalistes.*
— Oui, mais est-ce que le nombre de pigistes de qualité augmente plus vite ? C'est la question que je pose. Je ne sais pas, moi, je ne sais pas. Ça fait deux ans que je ne suis plus dans le truc, je ne sais pas. Je me disais, moi, avant de partir en Asie : ça va être beaucoup plus dur de vendre mes trucs, parce qu'il y a deux fois plus de pigistes qu'avant. Avant je proposais n'importe quoi sur l'Asie, les mecs prenaient. Aujourd'hui non. Il faut être un peu plus sioux. Il faut être un peu plus précis dans tes… dans tes trucs. Je remets des textes, ils sont publiés tels quels, ils ne changent pas une virgule.

— *Est-ce que tu pourrais faire la même chose en France en tant que pigiste ? Est-ce que tes reportages sur l'Asie ne te donnent pas un plus ?*
— C'est une bonne question. Écoute, je te ferais deux réponses à ça, qui sont peut-être un peu contradictoires, mais ça sera à toi à faire le tri. D'abord, je te dis l'Asie, ce n'est pas si évident que ça, parce qu'en fait les rédacteurs en chef en ont rien à branler. Ils n'ont pas compris ce que représentait aujourd'hui l'Asie dans le monde complexe qui est le nôtre. Donc j'intègre la complexité asiatique dans notre monde à nous. C'est pour ça qu'on est incapable de gérer l'affaire Daewoo correctement.

— *C'est vrai que tu fais souvent le portrait de Français vivant à l'étranger. Ça plaît aux journaux, ça ?*

— Parce que… oui, si tu veux. Mon objectif après… mon objectif à terme c'est de faire les Chinois, c'est de faire les Japonais, les Coréens, c'est de faire des sujets plus locaux. Mais je pense qu'il faut passer par cette étape-là, si tu veux. Pour dire qu'il y a des Français qui font des choses aussi, ailleurs qu'en France. C'est aussi de donner un message optimiste. Donc la première réponse à ça, c'est que ce n'est pas facile, l'Asie, ce n'est pas aussi facile que ça. Avoir un hebdomadaire comme *L'Usine nouvelle* qui consacre trente pages à l'Asie du Sud-Est, qui y met le prix, ce n'est pas si évident que ça.

— *Avec Daewoo et aussi avec le phénomène de mondialisation, l'Asie devient un créneau plutôt intéressant, non ?*

— Ben oui. L'Asie, ben, c'est bien simple, aujourd'hui, ça représente 30 % du commerce mondial, d'accord. OK. Et il y a cinq ans c'était 25 %. Ça grimpe… Donc la première réponse, c'est ça. C'est dire : « Attention, ce n'est pas aussi facile que ça de faire l'Asie, parce qu'il y a un blocage culturel. Ça n'intéresse pas les Français. Il faut parler de la France aux Français. » Ce qui est pour moi encore un non-sens absolu. C'est du « lepénisme » qui ne veut pas se l'avouer. Deuxièmement, est-ce que je pourrais être pigiste en France ? Moi j'ai envie de dire oui. Je vais te dire pourquoi, parce qu'en fait j'aurais d'autres angles d'attaque. Pareil. Mon obsession, c'est de dire quelle serait ma différence. Quelle serait ma différence ? Comment on va m'identifier sur le marché des pigistes ? Je pense qu'il y a aujourd'hui, et ça rejoint ce que je te disais un peu tout à l'heure sur le côté formaliste, un peu répétitif des journalistes aujourd'hui. Ils ont tendance à répéter ce qui se dit ou ce qui se fait, mais ils ne vont pas voir ailleurs. Je ferais un petit peu ce que j'ai fait. Je reprendrais l'exemple du *Nouvel Économiste* et du théologien. Je pense qu'il y a, au niveau pluridisciplinaire, des quantités colossales de sujets et d'ouvertures. Si on mêle histoire et économie, si on mêle la psychologie et l'histoire, si on mêle la théologie et l'économie comme je l'ai fait, si on mêle la science et la vie quotidienne, si on mêle la bouffe et l'histoire. Si on joue sur ces différents modes d'approche en termes journalistiques pour des canards très différents les uns des autres, je pense qu'il peut y avoir des choses à faire. Il faut renouveler notre lecture du monde, et si je veux faire la énième interview d'Édouard Leclerc, la énième interview de banquier, etc., c'est sûr que là, il n'y a pas de marché. J'emploie des mots économiques exprès. Je pense qu'il faut démythifier ce côté un peu… Il faut résoudre notre problème avec l'argent, nous, journalistes. Il faut résoudre notre rapport idéologique avec l'argent. L'argent ce n'est pas forcément sale. L'argent c'est un outil, basta ! Et puis on s'en branle. Tu vois ce que je veux dire. Et donc pour répondre à ta question, je pense que oui, il y a des choses à faire. Il y a beaucoup de choses à faire. Ce n'est pas facile. Il faut avoir des compétences, il faut avoir la bonne mayonnaise. À la question que tu poses, je te réponds oui. Je pense que c'est possible. Mais je ferais des choses radicalement différentes de ce que je fais en Asie. J'essaierais d'inventer autre chose. J'essaierais d'inventer un autre bizness, sur le modèle que j'ai fait pour *Le Nouvel Économiste*. En plus je suis passionné par les sciences sociales, l'histoire, la théologie, la psychologie, etc., l'ethnologie, l'anthropologie… Il y a un monde extraordinaire et les journalistes aujourd'hui, ils ne sont pas formés à ça. Ils sont à cent lieues de comprendre ce qui se passe, donc… et d'avoir les nouveaux filtres de compréhension. Et de ce point de vue-là, il y aurait un truc à faire, c'est évident.

« Des claques dans la gueule »

— En dehors de ton travail, tu arrives à avoir une vie perso, à sortir, à voir des amis ?
— Pas beaucoup. Je bosse, je te dis. Hier j'ai bossé jusqu'à une heure du matin, un dimanche. Mais j'ai un bureau à la maison, donc je vois ma fille, on bouffe le soir ensemble, chose que je ne pouvais jamais faire quand j'étais salarié. J'étais salarié, je revenais tous les soirs, je trimais comme un dingue en tant que rédacteur en chef ou en tant que chef de service. Je revenais tous les soirs, j'étais crevé à neuf heures et demie. Ma fille était couchée, je ne voyais pas ma famille. Aujourd'hui je bosse plus, encore plus, mais au moins je peux m'accorder des créneaux… Je dis : voilà, on va faire un jeu de société avec ma fille, on va bouffer ensemble. Il y a un minimum quoi. Ce n'est pas génial, ce n'est pas génial, parce que ça carbure, mais il y a un minimum de vie sociale.

— Le fait d'être chez toi, de ne pas aller au boulot dans une rédaction, le fait d'être seul, tu le vis comment ?
— C'est la chose dont je souffre le plus. Parce qu'en plus, quand j'étais rédacteur en chef, j'étais un rédacteur en chef assez consensuel, assez esprit d'équipe, même peut-être paternaliste sur les bords, mais… j'adore l'équipe, j'adore… Et puis le côté creuset d'une rédaction, c'est quand même génial, quoi. Il y a aussi l'aspect image qui

me manque beaucoup. La maquette, j'aime travailler sur la maquette, j'aime bien refaire les pages, etc. Ça, ça me manque beaucoup… Mais c'est vrai qu'on est renvoyé à une solitude plus grande. Et ça, ce n'est pas évident. Il y en a qui ne supportent pas. Moi je suis d'un caractère un peu solitaire, alors ça va.

— *Comment tu résous le problème de la solitude ?*
— Écoute, pour l'instant je ne le résous pas. J'ai un copain pigiste avec lequel je reste… un ami de plus de dix ans. Donc on a bossé ensemble… Je l'avais embauché quand j'étais rédacteur en chef de mon premier canard… Et on a les mêmes passions, on n'a pas les mêmes caractères. Et puis alors on est sur le même truc, et ça c'est bien.

— *Ce n'est pas toujours facile d'avoir un copain pigiste, parce que c'est aussi un concurrent ?*
— Oui, t'as raison, t'as raison. Mais là on a fait un *deal* ensemble. C'est qu'on partage tout 50-50. Tout ce qu'on fait ensemble c'est 50-50. On ne calcule pas. Si t'en as fait plus, machin… on ne calcule pas. Ce qui est quand même fort. C'est-à-dire ça tient, pour l'instant, hein. Et comment te dire… j'essaie de voir… j'essaie de… effectivement… Mais c'est moi qui doit toujours aller chercher les gens. Aller revoir les copains, aller revoir les trucs pour essayer de voir d'abord ce qui se passe. Comprendre comment les choses évoluent, c'est vachement intéressant. C'est là que ça rejoint un peu l'idée d'être proche de la demande. Très souvent, plusieurs fois par semaine, je vois des anciens confrères qui sont dans les canards aujourd'hui et ça me permet à la fois de passer un bon moment, de se rappeler de bons souvenirs, et puis de penser un peu, voir comment eux évoluent.

— *Tu dis que c'est toi qui dois aller souvent voir les gens. Est-ce que c'est facile d'être dans une position de demande ?*
— Oui. Oui, oui, le mépris un petit peu, oui. J'ai vécu ça. Oui, oui, j'ai vécu ça. Moi ça me fait rire. Ça me fait rire parce que… D'abord, je m'en fous, ce n'est pas… moi… j'ai passé l'âge, si tu veux, j'ai trente-neuf ans, donc tu vois… C'est que je suis un vieux de le vieille, si tu veux, donc… de *La Dépêche du Midi* au *Monde*, je connais. Donc tous les zozos que je peux rencontrer effectivement qui me traitent avec mépris, bon ben, je ne bosse pas avec eux. C'est tout. Je ne cherche pas à bosser avec ces gens-là. Donc je fais une impasse complète. Hop ! Dehors ! Terminé ! Quel que soit le canard, quel que soit le pognon qu'il a à me donner, j'en ai rien à foutre, je me barre. Je bosse avec des gens… ça aussi c'est important… C'est vraiment réussir à trouver… des gens, il n'y en a pas beaucoup avec lesquels on a une vraie intelligence, une vraie complémentarité. Tu sens qu'il y a quelque chose. Je te disais le patron d'*Usine nouvelle*, on a ce truc-là. Il est passionné par l'Asie, donc on partage des choses, quoi, autre chose que simplement le papier qu'on lui remet. Le copain de *L'Express* que je dépanne, c'est aussi un type qui est sympa, quoi.

— *Tu as un réseau et aussi tu as de l'expérience dans ce métier. Ça joue, non ?*
— J'ai de la bouteille et puis effectivement je ne me fais pas chier avec les cons. « Vous ne voulez pas me voir, vous ne me voyez pas. Ciao, j'irai voir quelqu'un d'autre. » Je ne vais pas te donner des noms. Il y a des canards, ils ne me verront plus. Et c'est des canards très riches, qu'ont plein de pognon, mais j'en ai rien à branler.

— *Il y a aussi les changements de rédac-chefs ?*

— Écoute, oui, il y a les coteries, nouvelles coteries. Bon, ben écoute, c'est pareil, si tu ne mets pas tous tes œufs dans le même panier, tu t'en fous. L'important, c'est de répartir les risques. Et puis d'être pro. D'être pro jusqu'au bout des ongles. Tu proposes un sujet, tu l'as cadré ton sujet. Tu viens avec un truc, t'as un synopsis d'une page. T'as ton truc, c'est clair, c'est net, c'est précis. Tu prends, tu ne prends pas. Et après tu discutes. Et c'est en discutant que tu vois si le type qui est en face de toi ou la bonne femme te dit : « Ah, c'est intéressant. Oui tiens, c'est bien, vous pourriez peut-être faire ça comme ça. » Et là, il y a une discussion qui s'engage. Tu sens si cette discussion elle est riche, elle a quelque chose, elle correspond à quelque chose d'intéressant à ce moment-là tu dis OK. Mais encore une fois les rédacteurs en chef, ils ont besoin d'idées. Donc ils nous accueillent de toute façon, ce n'est pas ça qui est le plus difficile. Le plus difficile, c'est après, construire une relation. Donc j'ai de la bouteille, d'accord. J'ai peut-être un peu de culot, oui. Je sais faire, oui. J'ai été dans la position du rédacteur en chef, oui. C'est vrai que tout ça, ça aide. Bien sûr. C'est vrai que je peux décrocher mon téléphone et appeler n'importe qui.

— *Et le fait d'avoir ton autre boulot de consultant t'offre des échappatoires ?*

— Mais oui, mais oui, bien sûr. Mais oui. Mais oui. Mais tu sais, c'est ce que je disais à Lyon l'autre jour : « Écoutez les gars, on vit dans un monde qui est comme ça. On n'est plus un salarié pour vingt ans. Alors qu'est-ce qu'on fait ? On attend qu'on nous mette dehors pour pouvoir y penser ou on essaie de prévoir ce monde qui va arriver de toute façon ? » Moi je me mets dans la peau du mec qui prévoit le truc, qui prévoit les claques dans la gueule. Alors, j'en ai reçu des claques dans la gueule, bon maintenant je sais que c'est, maintenant je prévois le coup. C'est tout. Je ne cherche pas à répondre, d'ailleurs je m'en fous. Je mène mon bizness ailleurs, tu vois ce que je veux dire. On est victime de modèles linéaires qui sont aujourd'hui contradictoires avec l'évolution de nos propres métiers. Et pour moi, être free-lance aujourd'hui, c'est être beaucoup plus libre que ne le sont les salariés, c'est être beaucoup plus protégé que ne le sont les copains salariés, et c'est être beaucoup plus efficace et créatif.

En manière de conclusion

Si nous pouvions avoir, il y a dix ans de cela, un espoir, si ténu ou naïf fût-il, de voir les médias d'information surmonter la crise multiforme dont notre enquête analysait différents aspects, nous ne pouvons plus aujourd'hui continuer à nourrir la moindre illusion à ce sujet. Les grands médias de la presse écrite et audiovisuelle sont partie intégrante des moyens de défense et de reproduction de l'ordre capitaliste, et on ne saurait les changer en profondeur sans s'attaquer à ce qui est à la racine de leur fonctionnement : la logique de marché, la recherche de la rentabilité immédiate et du profit maximum.

C'est ce qu'avaient fort bien compris déjà, à leur manière, ceux qui, dès la Libération, écœurés mais édifiés par la compromission de la presse française avec l'ordre nazi, avaient formé le projet de remédier aux causes profondes et structurelles de cette collusion significative. Leur programme, malheureusement, n'a connu qu'un commencement d'application avec l'expropriation des principaux journaux de la Collaboration et leur remise à des équipes nouvelles issues de la Résistance. La plupart des autres mesures législatives, destinées à assurer la transparence gestionnaire, à empêcher la concentration des titres entre les mains des mêmes actionnaires, à développer une information de qualité au service de l'intérêt général et non des intérêts privés, à instaurer une réelle déontologie journalistique, etc., furent reportées aux calendes et finalement enterrées par les majorités de gouvernement successives de la IVe République, vite oublieuses des utopies et des engagements généreux de la

Résistance. Et la foire d'empoigne médiatique repartit de plus belle.

La libération des médias reste donc à faire. D'abord et fondamentalement, bien sûr, par rapport à l'argent et à son pouvoir. Il faut impérativement *casser les reins* aux empires de presse. Pour cela, il n'y a pas trente-six façons de procéder : il faut, comme à la Libération, exproprier les groupes industriels et financiers qui ont fait main basse sur les grandes entreprises de presse et accompagner cette indispensable mesure initiale de toutes les dispositions de nature à : favoriser le développement d'une presse non lucrative, indépendante et pluraliste ; empêcher la concentration des titres et le cumul des fonctions dirigeantes ; écarter tout risque de pourrissement par la publicité ; écarter toute confusion avec le pouvoir économique ou politique.

Bref, à créer un grand service public de l'information capable de répondre aux besoins et attentes de la vie démocratique de la nation tout en assurant des conditions de travail, de rémunération et de carrière décentes à ses agents. De telles mesures impliquent évidemment un programme politique, qu'une gauche digne de ce nom s'honorerait d'élaborer (tant en France qu'ailleurs) au lieu de courtiser obséquieusement les médias actuels pour capter leur bienveillance.

Mais à supposer que cette éventualité se réalise, les mesures radicales que nous venons d'évoquer ne constitueraient encore que la moitié du travail nécessaire pour démocratiser les médias, celle qui aurait pour objet de changer leurs structures matérielles – économiques, juridiques, administratives, etc. Restaurer leur autonomie supposerait en outre de changer le type de journalisme et donc de journaliste que les structures actuelles ont façonné.

Comme nous avons pu le voir tout au long de notre enquête, une institution fonctionne toujours au moins autant grâce aux structures de subjectivité qu'elle installe, sollicite ou développe chez ses agents que grâce aux structures objectives externes que ceux-ci sont chargés de faire fonctionner. Plus précisément, c'est sur la relation de concordance (de connivence) entre structures externes et structures internes, entre environnement objectif et subjectivité(s) personnelle(s), que repose le fonctionnement « normal » de toute réalité sociale. Créer un service public de l'information et le confier à un corps professionnel comme celui du journalisme actuel, décrit dans notre enquête, serait d'une incohérence totale. Pour prendre la mesure d'une telle absurdité, il suffit d'imaginer rétrospectivement, *mutatis mutandis*, que les promoteurs de l'enseignement public, sous la IIIe République, après avoir pris avec Jules Ferry toutes les mesures pour mettre en place l'école laïque, obligatoire et gratuite, ouverte à tous les enfants de la nation, aient jugé bon de confier aux jésuites et aux congrégations catholiques le soin de faire fonctionner la nouvelle école de la République… Ils n'ont fort heureusement pas commis cette erreur et ont créé un réseau d'écoles normales d'instituteurs pour recruter et former les enseignants (en grande partie d'origine populaire) dont l'école républicaine avait besoin.

Il convient de procéder de façon similaire pour le service public de l'information. On ne saurait s'accommoder du modèle de journalisme ni du type de journaliste qu'on peut voir à l'œuvre aujourd'hui dans les rédactions des empires de presse. Il conviendrait donc de créer un réseau d'écoles normales de journalisme qui, à la différence des médiocres écoles actuelles, ne seraient pas des officines – les unes publiques, les autres privées mais souvent subventionnées par des fonds publics – fonctionnant toutes pour un marché du travail dominé et régenté par le patronat de presse et formatant leurs étudiant(e)s pour en faire, sauf exception, une main-d'œuvre précaire, corvéable, semi-illettrée et incapable d'analyser le système qui l'asservit, mais fascinée par le mirage petit-bourgeois de l'intégration aux « nomenklaturas » de l'*establishment* et disposée à tout endurer docilement pour y parvenir. Le fonctionnement d'une véritable démocratie a besoin de spécialistes de l'information non seulement soucieux d'améliorer en permanence leur niveau d'instruction et de culture, mais aussi mus par un sens civique et moral passionnément dévoué à l'intérêt général. On en est bien loin à l'heure actuelle.

C'est à cette double condition de modifier à la fois les structures de l'environnement objectif et les structures subjectives de l'habitus professionnel journalistique qu'on peut espérer sérieusement en finir avec le « parti de la presse et de l'argent » qui a littéralement confisqué l'information au bénéfice des puissants et de leurs clientèles [1].

ALAIN ACCARDO

---

1. Quelques bons esprits, arguant du développement explosif des technologies de la communication, et spécialement de celui d'Internet, croient pouvoir prédire un déclin rapide de la presse d'information et la disparition corollaire des journalistes. Sans préjuger les conséquences que peut entraîner à terme la révolution amorcée, il me paraît prématuré, pour le moins, d'en conclure à la prochaine disparition de la presse d'information politique et générale et de son corps de journalistes professionnels. Ils ont encore de beaux (ou de tristes, c'est selon) jours en perspective.

Notes

Préface

1. Sur Karl Kraus, lire « Les guerres de Karl Kraus », *Agone*, n° 35/36, 2006 ; Jacques Bouveresse, *Les Voix de Karl Kraus, satiriste et prophète*, Agone, 2007. [nde]

2. Lire en particulier François Ruffin, *Les Petits Soldats du journalisme*, Les Arènes, 2003.

3. On en trouvera des exemples édifiants dans les dossiers sociaux du *Plan B* <www.leplanb.org>.

4. Pour une liste d'entreprises de presse écrite ou audiovisuelle alternatives, lire l'ouvrage très informé d'Olivier Cyran et Mehdi Ba, *Almanach critique des médias*, Les Arènes, 2005, p. 354 *sq.*

Pour une socioanalyse des pratiques journalistiques

1. On trouvera un panorama des différents aspects de cette crise dans Jean-Marie Charon, *Cartes de presse. Enquête sur les journalistes*, Stock, 1993. Se reporter à la collection du *Monde diplomatique* pour ses articles et dossiers concernant les médias et l'information et au livre de Serge Halimi, *Les Nouveaux Chiens de garde*, (Raisons d'agir, 2005). Voir aussi la critique des médias développée sur les sites <www.acrimed.org> et <www.observatoire-medias.info>.

Quant aux données statistiques, elles sont tirées de l'étude réalisée en 1990 par l'Institut français de presse pour la Commission de la carte d'identité des journalistes professionnels (CCUP) et le Service juridique et technique de l'information, publiée par La Documentation française, en 1992, sous le titre *Les Journalistes français en 1990. Radiographie d'une profession*. Cette étude vient utilement compléter et préciser, en les confirmant, les données recueillies par la précédente enquête de la CCUP réalisée en 1983 et publiée dans le numéro de novembre 1984 de *Presse-Actualité*. Pour des données statistiques plus récentes, se reporter à Dominique Marchetti et Denis Ruellan, *Devenir journalistes*.

Sociologie de l'entrée sur le marché du travail, notamment « La précarité journalistique », La Documentation française, 2001.

2. Aaron Victor Cicourel « Notes on the Integration of Micro and Macro-Levels of Analysis », *in* Karin Knorr-Cetina, *Advances in Social Theory and Methodology*, Routledge & Kegan, Boston, 1981, p. 58-59.

3. Le point de vue développé ici s'inspire des analyses élaborées par Pierre Bourdieu ; lire en particulier *Le Sens pratique* (Minuit, 1980, p. 88 *sq.*) ou encore *Réponses* (Seuil, 1992, p. 91 *sq.*).

4. Pour un tableau critique de ces courants, lire Philippe Corcuff, *Les Nouvelles Sociologies*, Nathan, 1995.

5. Lire, entre autres, Maurice Godelier, *L'Idéel et le Matériel*, Fayard, 1984.

6. Lire Georges Abou, « Journalistes à RFI », *in* Alain Accardo, Georges Abou, Gilles Balbastre et Dominique Marine, *Journalistes au quotidien. Outils pour une socioanalyse des pratiques journalistiques*, Le Mascaret, 1995.

7. *Ibid.*

8. Patrick Champagne, « La construction médiatique des "malaises sociaux" », *Actes de la recherche en sciences sociales*, décembre 1991, n° 90, p. 69.

9. Pour un examen plus approfondi du concept d'habitus, lire Alain Accardo, *Introduction à une sociologie critique. Lire Pierre Bourdieu*, Agone, 2006.

10. Sur les pressions, voir notamment les évocations de Georges Abou et Dominique Marine *in* Alain Accardo *et al.*, *Journalistes au quotidien, op. cit.*

11. Lire Serge Halimi, Dominique Vidal et Henri Maler, *« L'opinion, ça se travaille… »* Les médias et les guerres justes, Agone, 2006 ; Serge Halimi, *Les Nouveaux Chiens de garde, op. cit.* [nde]

12. Comme Georges Abou le montre à RFI, *in* Alain Accardo *et al.*, *Journalistes au quotidien, op. cit.*

13. Cité *in L'Actu des médias*, supplément mensuel au journal *Imprimatur*, réalisé par les étudiants de l'IUT de journalisme de Bordeaux, février 1993, n° 20.

14. François Ruffin, *Les Petits Soldats du journalisme, op. cit.*

15. Karl Marx, *Le 18 Brumaire de Louis Bonaparte*, Éditions sociales, 1969, p. 92.

16. Georges Abou, *in* Alain Accardo *et al.*, *Journalistes au quotidien*, *op. cit.*

17. Sur cette logique, lire Pierre Bourdieu, « Le champ journalistique », *Sur la télévision*, Raisons d'agir, 1996.

18. Georges Simmel, « Comment les formes sociales se maintiennent » (1896-1897), *Sociologie et épistémologie*, PUF, 1981.

19. Alain Accardo *et al.*, *Journalistes au quotidien*, *op. cit.*

20. Cité *in L'Actu des médias*, *op. cit.*

21. « La commission sur Outreau peaufine ses conclusions », *Le Figaro*, 26 mai 2006.

22. Jacques Vistel, « Conclusion » à *Qu'est-ce qu'un journaliste ? Rapport de mission au secrétaire d'État à la Communication sur le cadre juridique de la profession de journaliste*, SJTI du ministère de la Communication, 1992.

Une intelligentsia précaire

1. Alain Accardo *et al.*, *Journalistes au quotidien*, *op. cit.*

2. Communiqué de presse du SNJ-Radio France publié sur Internet.

3. Lucie Riffieux, « Des CDD à durée indéterminée », *Libération*, 20 octobre 1997.

4. Pour une analyse plus approfondie de la finalité objective des stratégies, lire Alain Accardo, *Introduction à une sociologie critique*, Agone, 2006. [nde]

5. Statistiques officielles publiées par la Commission de la carte professionnelle au 31 décembre 2006.

6. *Idem.*

7. Toutes les informations contenues dans cet encadré sont tirées des sites <www.acrimed.org> et <www.observatoire-medias.info>.

8. Le document confidentiel préparé par les avocats du SPMI et présenté à ses membres en janvier 1997 a été révélé par le Syndicat national des journalistes-CGT dans le numéro de mars 1997 de *Témoins*, son organe de liaison mensuel, sous le titre « Comment les patrons veulent "casser" le statut des journalistes ».

9. Sur le concept d'habitus, lire Alain Accardo, *Introduction à une sociologie critique*, *op. cit.* [nde]

10. Pierre Bourdieu, *La Misère du monde*, Seuil, 1993, p. 11.

11. On lira le développement de ces analyses par le même auteur dans *De notre servitude involontaire* (Agone, 2001) et *Le Petit Bourgeois gentilhomme* (Labor, 2003). [nde]

12. Lire par exemple Pierre Bourdieu, *Le Sens pratique, op. cit.*, p. 105.

13. Michel Diard, « Tous les ingrédients de la révolte », *Témoins*, mars 1997, n° 33, éditorial.

14. Voir en particulier l'édifiant et irrécusable travail de Serge Halimi, *Les Nouveaux Chiens de garde, op. cit.* ; également Olivier Cyran et Mehdi Ba, *Almanach critique des médias, op. cit.*

Précarité et fabrication de l'information

1. Lire *Les Journalistes français en 1990. Radiographie d'une profession*, La Documentation française, 1992.

2. Lire Serge Halimi, *Les Nouveaux Chiens de garde, op. cit.*

3. Lire Pierre Bourdieu, « L'emprise du journalisme », in *Sur la télévision, op. cit.*

Sources

La **préface** et la **conclusion** d'Alain Accardo sont inédites.

Le texte d'Alain Accardo « **Pour une socioanalyse des pratiques journalistiques** » figurait en introduction au premier volet de l'enquête publiée sous le titre *Journalistes au quotidien* (Le Mascaret, 1995). Pour les besoins de la présente réédition, il a été reproduit presque intégralement à l'exception de quelques passages devenus caducs. Ce livre comportait trois témoignages qui avaient respectivement pour auteurs Georges Abou, Gilles Balbastre et Dominique Marine. Seul le « **Journal d'un JRI** *ou* **Les sherpas de l'info** », de Gilles Balbastre, a été conservé dans la présente réédition.

« **Une intelligentsia précaire** », d'Alain Accardo, est une réactualisation, pour la présente réédition, du texte paru dans *Journalistes précaires* (Le Mascaret, 1998).

Tous les autres textes, dont l'ensemble des « **Analyses & commentaires** », sont initialement parus dans *Journalistes précaires*.

Réalisation des entretiens :

— Edmond, « **La représentation** », par Georges Abou
— Marianne, « **Un monde de frustration** », par Annick Puerto
— Bernard, « **La librairie de quartier** », par Stéphane Binhas
— Évelyne, « **L'autodéfense** », par Gilles Balbastre
— Grégoire, « **Mon vin sans eau** », par Stéphane Binhas
— Viviane, « **Un rêve d'artiste** », par Hélène Roudié
— Julien, « **Les pousseurs de wagonnets** », par Gilles Balbastre
— Hélène, « **L'électron libre** », par Christophe Dabitch
— Jean-Louis, « **Une grande famille** », par Christophe Dabitch
— Florence, « **La jungle des piges** », par Joëlle Stechel
— Roland, « **Les illusions perdues** », par Georges Abou
— Solange, « **Les mercenaires !** », par Patrick Balbastre
— Clément, « **La corde raide** », par Patrick Balbastre
— Agnès, « **Le mythe de l'écrivain** », par Gilles Balbastre
— Pascal, « **La démoralisation** », par Annick Puerto
— Nedjma, « **La traversée du désert** », par Joëlle Stechel
— Norbert, « **Le contre-exemple** », par Gilles Balbastre

Table des matières

Préface, par Alain Accardo   9

Pour une socioanalyse des pratiques journalistiques,
par Alain Accardo   15

Journal d'un JRI ou « Les sherpas de l'info »,
par Gilles Balbastre   81

Une intelligentsia précaire, par Alain Accardo   255

Edmond *ou* « La représentation »   303

Marianne *ou* « Un monde de frustration »   353

Bernard *ou* « La librairie de quartier »   383

Analyses & commentaires : Précarité et représentation,
par Georges Abou   405

Évelyne *ou* « L'autodéfense »   429

Grégoire *ou* « Mon vin sans eau »   455

Viviane *ou* « Un rêve d'artiste »   473

Analyses & commentaires : Précarité et fabrication
de l'information, par Gilles Balbastre   489

Julien *ou* « Les pousseurs de wagonnets »   517

Hélène *ou* « L'électron libre »   555

Jean-Louis *ou* « Une grande famille »   591

Analyses & commentaires : La déontologie
et les conditions de la vertu, par Annick Puerto   613

Florence *ou* « La jungle des piges »   623

Roland *ou* « Les illusions perdues »   657

Solange *ou* « Les mercenaires ! »   689

Clément *ou* « La corde raide »   713

Analyses & commentaires : Précaires et syndicats,
par Christophe Dabitch   743

Agnès *ou* « Le mythe de l'écrivain »   755

Pascal *ou* « La démoralisation »   777

Nedjma *ou* « La traversée du désert »   813

Norbert *ou* « Le contre-exemple »   843

En manière de conclusion, par Alain Accardo   883

Notes   887

Sources   891

Achevé d'imprimer en mars 2007
sur les presses de Brodard & Taupin

pour le compte des éditions Agone
BP 70072, 13192 Marseille cedex 20

Diffusion-distribution en France
Les Belles Lettres
25, rue du Général-Leclerc, F-94270 Le Kremlin-Bicêtre
Fax 01 45 15 19 80

Diffusion-distribution en Suisse
Zoé
11, rue des Moraines, CH-1227 Carouge-Genève
Tél. (41) 22 309 36 00 — Fax (41) 22 309 36 03

Diffusion-distribution en Belgique
Aden
405-407 avenue Van Volxem, B-1190 Forest
Fax (32) 2 534 46 62

Diffusion-distribution au Québec
Dimédia
539, bd Lebeau, Ville Saint-Laurent (Québec)
Canada H4N 1S2
Tél. (514) 336-3941 – Fax (514) 331-3916

Dépôt légal 2ᵉ trimestre 2007

Bibliothèque nationale de France

Nº d'impression : 39863